AUTEURS ET DIRECTEURS DES COLLECTI
Dominique AUZIAS et Jean-Paul LABOURDE

DIRECTEUR DES EDITIONS VOYAGES
Stéphan SZEREMETA

RESPONSABLES EDITORIAUX VOYAGES
Patrick MARINGE et Morgane VESLIN

EDITION
Maïssa BENMILOUD, Julien BERNARD, Audre BOURSET, Sophie CUCHEVAL, Caroline MICHELOT, Charlotte MONNIER, Antoine RICHARD, Pierre-Yves SOUCHET et Nadyne BENSADOUN

ENQUÊTE ET RÉDACTION
Johann CHABERT, Valérie FORTIER, Jonathan CHODJAI, Mickael GALVEZ, Claudio GREGOLIN, Les Editions NEOPOL, Simone SIMONET, Stéphane BLAIS, Jean-Luc BREBANT, Thierry SOUFFLARD, Caroline de VILLOUTREYS, Alexandra VIAU, Eléonore PILLIAT, Jean-François GAYRARD, Sylvie FRANCK, Salwa SALEK, Delphine STRUNSKI et Maeva VILAIN

MAQUETTE ET MONTAGE
Sophie LECHERTIER, Delphine PAGANO, Julie BORDES, Élodie CLAVIER, Élodie CARY, Évelyne AMRI, Sandrine MECKING, Emilie PICARD, Laurie PILLOIS, Marie BOUGEOIS et Antoine JACQUIN

CARTOGRAPHIE
Philippe PARAIRE, Thomas TISSIER

PHOTOTHEQUE
Élodie SCHUCK, Sandrine LUCAS et Robin BEDDAR

REGIE INTERNATIONALE
Karine VIROT, Camille ESMIEU, Romain COLLYER et Guillaume LABOUREUR assistés de Virginie BOSCREDON

PUBLICITÉ
Olivier AZPIROZ, Stéphanie BERTRAND, Perrine de CARNE-MARCEIN, Caroline AUBRY, Oriane de SALABERRY, Caroline GENTELET, Sabrina SERIN et Aurélien MILTENBERGER

INTERNET
Lionel CAZAUMAYOU, Jean-Marc REYMUND, Fiona TORRENO, Cédric MAILLOUX, Anthony LEFEVRE, Christophe PERREAU et Imad HOULAIM

RELATION PRESSE
Jean-Mary MARCHAL

DIFFUSION
Eric MARTIN, Bénédicte MOULET, Jean-Pierre GHEZ, Aïssatou DIOP et Nathalie GONCALVES

DIRECTEUR ADMINISTRATIF ET FINANCIER
Gérard BRODIN

RESPONSABLE COMPTABILITE
Isabelle BAFOURD assistée de Christelle MANEBARD, Janine DEMIRDJIAN et Oumy DIOUF

DIRECTRICE DES RESSOURCES HUMAINES
Dina BOURDEAU assistée de Sandra MORAIS, Cindy ROGY et Aurélie GUIBON

LE PETIT FUTÉ CANADA 2012-2013
■ 7e édition ■

NOUVELLES ÉDITIONS DE L'UNIVERSITÉ©
Dominique AUZIAS & Associés©
18, rue des Volontaires - 75015 Paris
Tél. : 33 1 53 69 70 00 - Fax : 33 1 53 69 70 62

ISBN - 9782746940031
Imprimé en France par IMPRIMERIE CHIRAT
42540 Saint-Just-la-Pendue
Dépôt légal : octobre 2011
Date d'achèvement : octobre 2011

Pour nous contacter par email, indiquez le nom de famille en minuscule suivi de @petitfute.com
Pour le courrier des lecteurs : country@petitfute.com

Bienvenue au Canada !

« O Canada ! » Derrière cet hymne national qui symbolise l'unité d'une nation se cache un pays aux innombrables facettes, qui s'étend des côtes pacifiques jusqu'à l'océan Atlantique, vaste comme près de vingt fois la France ! Difficile de définir un pays comme le Canada : il existe un Canada riche et industrialisé, un autre sauvage ; un Canada anglophone proche de son voisin américain, et un autre francophone, qui revendique sa particularité ; un pays montagneux à l'ouest, et un plat pays à l'est ; un pays vêtu de blanc l'hiver, mais qui dévoile ses couleurs lors de l'été indien... Il existe donc « des Canadas ». Les forêts sont tantôt denses et interminables (comme entre Jasper et Hinton), tantôt clairsemées (dans l'Okanagan). Les montagnes sont parfois escarpées et impressionnantes (à Lilloet), parfois douces et arrondies (à Summerland). Les lacs peuvent être immenses (à Kamloops), ou à taille humaine (à Sunpeak et Rockies). L'eau est omniprésente. Elle peut être bleue (Okanagan Lake), verte (Hector Lake) ou sombre (3 Valley Gap ou Lac Saint-Jean), froide (à Victoria) ou de température plus clémente (à Osoyoos). Mais s'il y a une constante dans ce pays, ce sont bien les gens, cette population consciente de vivre dans un environnement unique. Une certaine humilité, peut-être aussi, face à cet hiver rigoureux qui, partout présent, frappe aveuglement la plupart du territoire. Et plus au nord, c'est un territoire vierge qui vous attend, constitué ici de forêts de feuillus, là de nombreuses rivières, et peuplé d'innombrables espèces à la mesure du gigantisme du pays. Difficile d'imaginer ceux qui sont venus s'installer sur ces terres sans limites ni clôtures, pour y établir villes et villages, qui ne ressemblent à rien d'autre. Québec, plus vieille ville d'Amérique du Nord avec ses fortifications et son Château Frontenac, s'oppose avec force à Vancouver, métropole tirée vers le haut grâce à ses gratte-ciel. Ainsi se présente le Canada. Sa diversité en fait une destination pour qui recherche le calme, la nature et l'espace, mais aussi le dynamisme d'une nation jeune et ouverte sur le monde.

L'équipe de rédaction

Ce guide a été fabriqué chez un imprimeur bénéficiant du label IMPRIM'VERT.
Cette démarche implique le respect de nombreux critères contribuant à préserver l'environnement.

Sommaire

INVITATION AU VOYAGE

DÉCOUVERTE

COLOMBIE-BRITANNIQUE

LE YUKON ET LE NORD-OUEST

DES KOOTENAYS AUX ROCHEUSES

ALBERTA

LE CENTRE

ONTARIO

Sommaire

LE QUÉBEC

PROVINCES ATLANTIQUES

ESCAPADE À SAINT-PIERRE ET MIQUELON

ORGANISER SON SÉJOUR

Le Canada

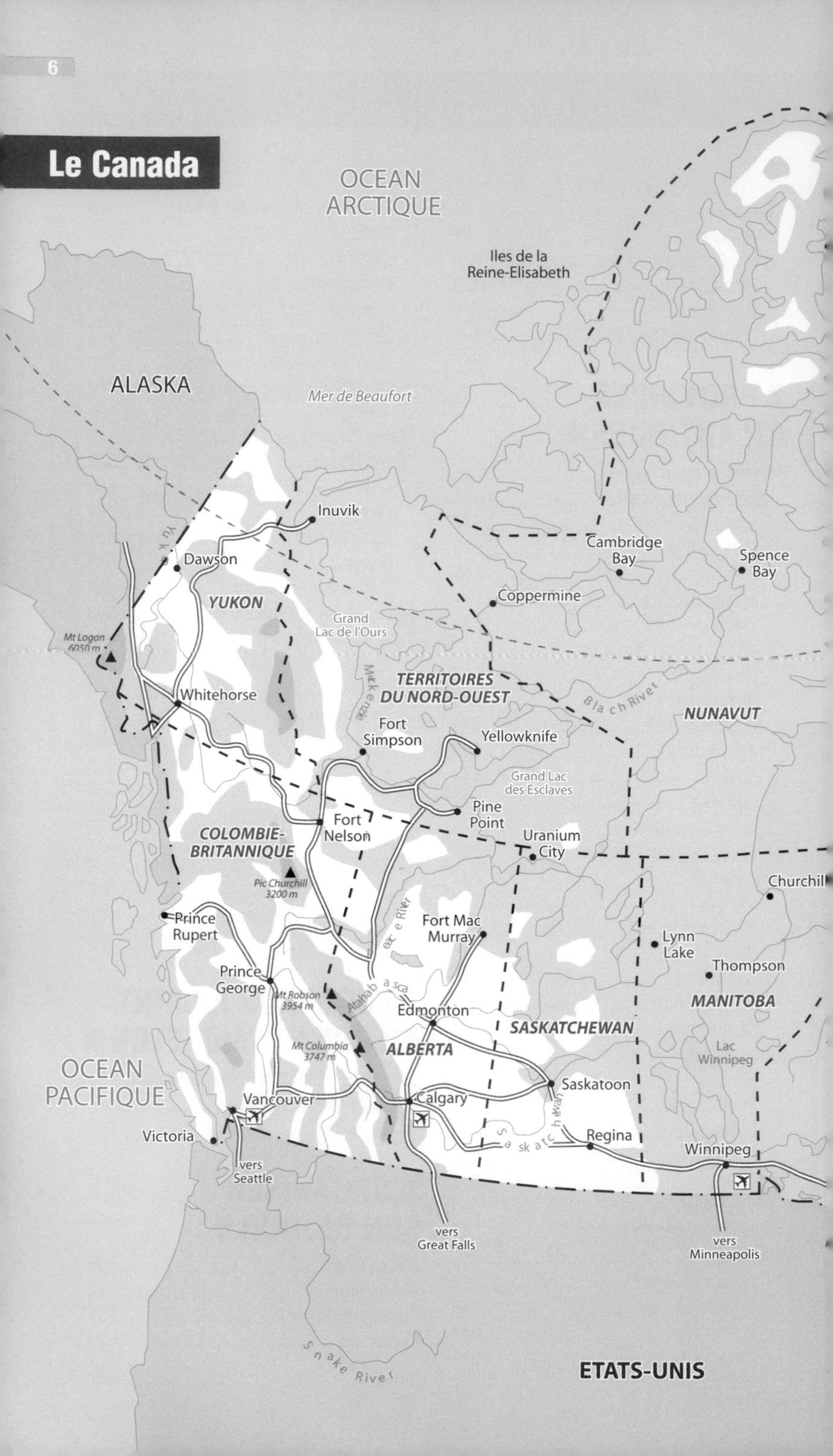

OCEAN ARCTIQUE
Iles de la Reine-Elisabeth
ALASKA
Mer de Beaufort
Inuvik
Dawson
YUKON
Cambridge Bay
Spence Bay
Coppermine
Grand Lac de l'Ours
Mt Logan 6050 m
TERRITOIRES DU NORD-OUEST
Whitehorse
NUNAVUT
Fort Simpson
Yellowknife
Grand Lac des Esclaves
Pine Point
Fort Nelson
COLOMBIE-BRITANNIQUE
Uranium City
Pic Churchill 3200 m
Churchill
Prince Rupert
Fort Mac Murray
Lynn Lake
Thompson
Prince George
Mt Robson 3954 m
Edmonton
MANITOBA
SASKATCHEWAN
Mt Columbia 3747 m
ALBERTA
Lac Winnipeg
OCEAN PACIFIQUE
Saskatoon
Vancouver
Calgary
Victoria
Regina
Winnipeg
vers Seattle
vers Great Falls
vers Minneapolis
Snake River
ETATS-UNIS

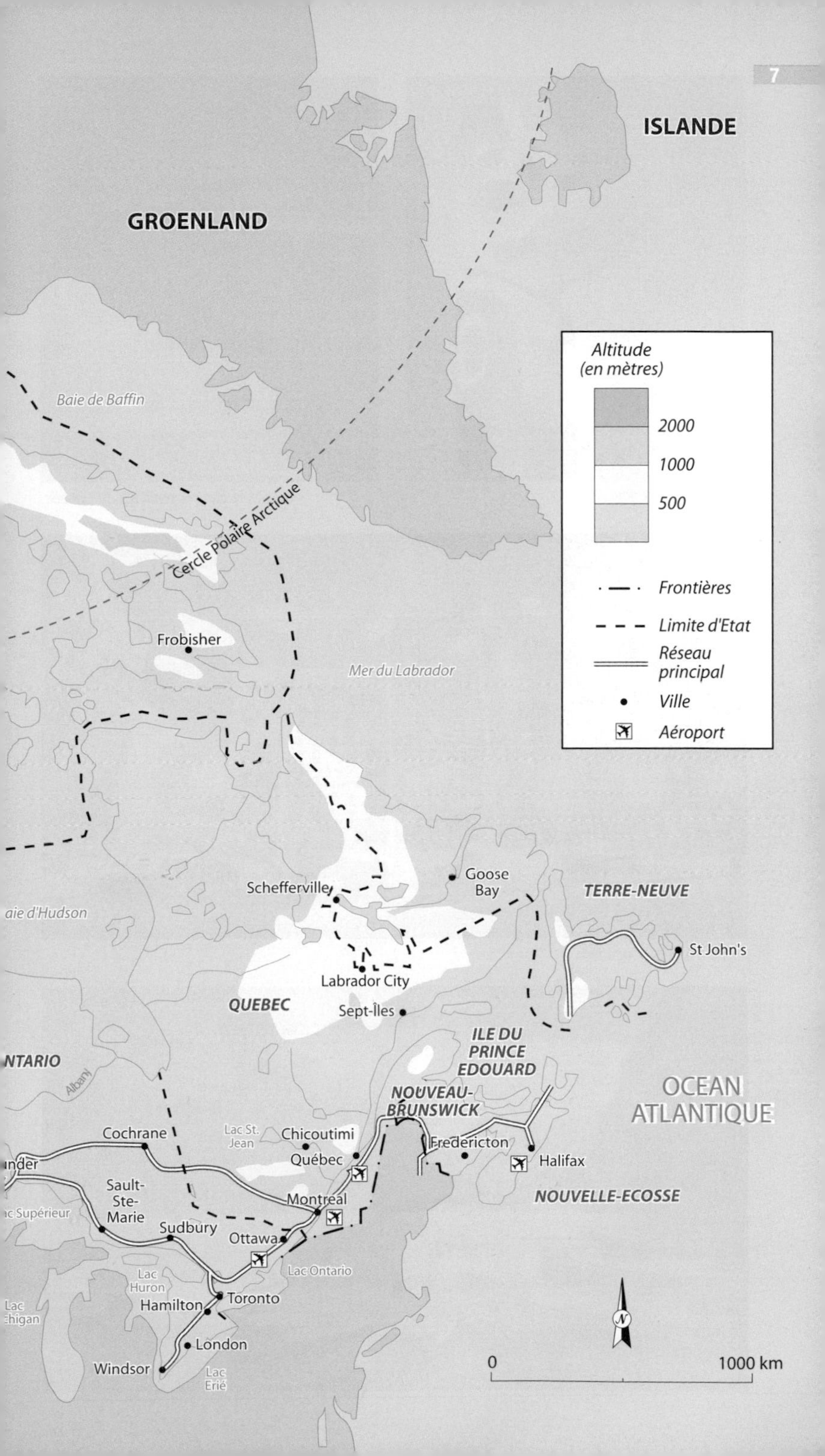
ISLANDE
GROENLAND
Altitude
(en mètres)
2000
1000
500
Frontières
Limite d'Etat
Réseau
principal
Ville
Aéroport
Baie de Baffin
Cercle Polaire Arctique
Frobisher
Mer du Labrador
Goose
Bay
Schefferville
TERRE-NEUVE
aie d'Hudson
St John's
Labrador City
QUEBEC
Sept-Îles
ILE DU
PRINCE
EDOUARD
NTARIO
Albany
NOUVEAU-
BRUNSWICK
OCEAN
ATLANTIQUE
Cochrane
Lac St.
Jean
Chicoutimi
Québec
Fredericton
Halifax
Sault-
Ste-
Marie
Montreal
NOUVELLE-ECOSSE
Sudbury
Ottawa
Lac Ontario
Lac
Huron
Toronto
Hamilton
London
Windsor
Lac
Erié
0
1000 km

Totem dans le Yukon.

Route dans la province du Québec.

Place d'Armes à Montréal.

Lake Louise.

Les plus du Canada

Un peuple chaleureux

Que ce soit par la générosité et la politesse très anglo-saxonne des Albertains, par la fougue chaleureuse des Acadiens ou par la charité suave des Ontariens, chaque endroit au Canada réserve à sa façon un accueil des plus cordiaux aux visiteurs.

Un patrimoine culturel riche

En hiver, le Carnaval de Québec, le Festival Montréal en lumière et le Winterlude d'Ottawa, par exemple, attirent beaucoup de monde. En été, le Festival d'été de Québec, le Festival international de jazz de Montréal et le Stampede de Calgary réunissent également des dizaines de milliers de personnes, voire plus. Les musées, les économusées (diffusion des métiers artisanaux), les théâtres, les galeries d'art, les centres d'interprétation en région ainsi que les espaces émergents à vocations artistique et musicale offrent une dimension culturelle évocatrice.

Une faune et flore d'exception

Du nord au sud, d'est en ouest, où que vous soyez dans ce pays, la faune et la flore font partie du décor. La flore, verte en été, blanche en hiver et multicolore en automne est l'habitat d'une faune riche et diversifiée. L'ours noir, le grizzli, l'orignal, entre autres, sont aisément observables. Les côtes, les océans et le golfe du Saint-Laurent sont l'habitat de plusieurs sortes de baleines.

Le changement de saison

Au Québec, comme dans les autres provinces du pays, les hivers sont extrêmement froids et rigoureux, mais les étés sont très chauds et humides. Aux environs de la fin du mois d'avril et du début du mois de mai, le changement contrasté de la température se traduit par une sorte d'ivresse chez les Canadiens. Tel un ours qui a hiberné pendant plusieurs mois, les citoyens s'emparent des terrasses et des rues de la ville afin de renouer avec le soleil et de profiter au maximum de sa présence. À Montréal, lorsque la neige fond, les rues s'animent et les festivals se multiplient, c'est à ce moment précis qu'elle dévoile tout son charme, au plus grand plaisir des citoyens, mais aussi des visiteurs.

De grands espaces propices aux activités en plein air

Dans les grands espaces, les parcs nationaux et les réserves fauniques, en traîneau à chiens, en ski ou en canot, que vous soyez un aventurier téméraire ou un simple vacancier à la recherche du grand air, l'immensité et la beauté sauvage du territoire se dévoilent grâce à une multitude d'activités à la portée de tous.

Protection de l'environnement et propreté

Les politiques de protection de l'environnement mises sur pied par le Canada ont permis la sauvegarde de plusieurs espèces et de milieux menacés. Ce souci de l'environnement se traduit aussi par la propreté des villes : Ottawa, la capitale canadienne, en est un bel exemple. Toutefois, depuis l'arrivée des Conservateurs au pouvoir, l'environnement ne semble malheureusement plus être une priorité...

Peyto Lake.

Fiche technique

Argent

Monnaie

La monnaie s'exprime en dollars canadiens (CAD, $ CA, CAN $ - à ne pas confondre avec le dollar US).
Pièces de 1 et 2 CAN $, et 1, 5, 10 et 25 ¢ (cents) ; billets de 5, 10, 20, 50 et 100 CAN $.

Taux de change

1 CAN $ = 0,71 € ; 1 € = 1,41 CAN $ (octobre 2011).

Idées de budget

- **Petit budget :** 70 CAN $ par jour.
- **Moyen budget :** 200 CAN $ par jour.
- **Gros budget :** 400 CAN $ par jour et plus.

Le Canada en bref

Le pays

- **Pays :** Canada.
- **Capitale :** Ottawa.
- **Superficie :** 9 976 139 km².
- **Langues officielles :** anglais et français.
- **Religion :** catholicisme (45 %), protestantisme (29 %), sans religion et autres (26 %).

La population

- **Population totale :** 31 612 897 hab.
- **Densité :** 3,5 hab./km².
- **Composition :** 6 186 950 d'immigrants provenant, entre autres, du Royaume-Uni (9,4 %), de la Chine (7,5 %), de l'Inde (7,2 %), de l'Italie (4,8 %) et de la France (1,3 %).
- **Colombie-Britannique :** 4 113 487 hab.
- **Alberta :** 3 290 350 hab.
- **Saskatchewan :** 968 157 hab.
- **Manitoba :** 1 148 401 hab.
- **Ontario :** 12 160 282 hab.
- **Québec :** 7 546 131 hab.
- **Nouveau-Brunswick :** 729 997 hab.
- **Nouvelle-Écosse :** 913 462 hab.
- **Île du Prince-Édouard :** 135 851 hab.
- **Terre-Neuve-et-Labrador :** 505 469 hab.
- **Yukon :** 30 372 hab.
- **Territoires du Nord-Ouest :** 41 464 hab.
- **Nunavut :** 29 474 hab.

L'économie

- **PIB :** 1 275 640 M $ international courant (2009).
- **PIB par habitant :** 37 808 $ international courant (2009).

Pêche à la mouche.

Les drapeaux du Canada

Le drapeau canadien

En 1925, un comité nommé par le Conseil privé canadien est chargé de trouver un drapeau pour sceller l'unité de la nation. 2 600 propositions et 40 ans plus tard, sur la colline d'Ottawa, le drapeau à la célèbre feuille d'érable est inauguré par le gouvernement canadien et la reine Elisabeth II. Une quête laborieuse qui s'est soldée par l'abandon du Red Ensign portant l'Union Jack, au profit de l'unifolié qui figure une feuille d'érable – emblème du peuple depuis le XIXe siècle – stylisée à onze points en son centre. Le rouge et le blanc déclarés couleurs officielles en 1921 par le roi George V symbolisent respectivement les grandes étendues enneigées dans le Nord du pays et le sang versé par les Canadiens lors de la Première Guerre mondiale. Les deux bandes latérales qui encadrent la feuille d'érable renvoient à la position géographique du Canada, cerné de part et d'autre par l'océan Pacifique et l'océan Atlantique.

Le drapeau québécois

Bleu, à fleurs de lys et croix blanches, adopté en 1948 par le Québec, il témoigne de la souche française de la majorité des Québécois. Certains aimeraient bien troquer la fleur de lys (inexistante au Québec) contre l'iris versicolore, beaucoup plus représentatif de la flore locale. La feuille d'érable, qui avait été l'emblème du Canada français au XIXe siècle, est devenue l'élément central du drapeau canadien en 1965.

Téléphone

Indicatifs téléphoniques

- **Code international :** 00.
- **Code Canada :** 1.

Codes régionaux

- **Chaque province / territoire** possède un ou plusieurs codes régionaux (3 chiffres) précédant le numéro local à 7 chiffres.

Comment téléphoner

- **De la France vers le Canada :** 00 + 1 + code régional + les 7 chiffres du numéro local.
- **Du Canada vers la France :** 011 + 33 + le numéro du correspondant sans le 0.
- **D'une région/province à l'autre au Canada ou depuis les États-Unis :** 1 + code régional + les 7 chiffres du numéro local.
- **En local au Canada :** les 10 chiffres du numéro local.
- **Les numéros de téléphone** débutant par 1 800, 1 855, 1 866, 1 877 et 1 888 sont l'équivalent des numéros verts en France, donc gratuits.

Coût du téléphone

- **Gratuité des appels locaux :** les appels au sein d'une même ville sont gratuits. Certains hôtels les font payer. Depuis une cabine téléphonique, 50 ¢ permet une conversation locale d'une durée illimitée.
- **Carte téléphonique locale :** 60 minutes de communication au Canada pour 5 CAN $. Une minute de communication à l'international depuis une cabine téléphonique : 2 CAN $. Une heure de connexion Internet dans un cybercafé : 3 à 5 CAN $. Notez que si vous avez votre ordinateur portable, l'Internet sans fil est offert gratuitement dans de nombreux lieux publics.
- **Cartes prépayées** (ex. : Telus, Eureka…). À acheter dans les dépanneurs. Pour 5 , 10 ou 20 CAN $, elles donnent droit à plus de minutes pour les appels interurbains et internationaux que les autres cartes.

Décalage horaire

Le Canada est divisé en six fuseaux horaires. Avec la France : 9h de moins en Colombie-Britannique et au Yukon ; 8h de moins pour l'Alberta et les Territoires du Nord-Ouest ; 7h de moins pour la Saskatchewan, le Manitoba et l'extrême ouest de l'Ontario ; 6h de moins pour l'Ontario et le Québec ; 5h de moins pour les Îles de la Madeleine, le Nouveau-Brunswick, la Nouvelle-Écosse et l'Île du Prince-Édouard ; quant à Terre-Neuve, 4h30 de moins. Notez que le Nunavut couvre trois fuseaux horaires.

Formalités

Les voyageurs français, belges et suisses sont acceptés pour trois mois sans visa. Ils doivent être en possession d'un passeport encore valable six mois après le retour, d'un billet de retour et disposer d'une somme suffisante en argent pour assurer leur séjour.

Climat

La température et les précipitations varient beaucoup d'une province/territoire à l'autre. Si l'hiver est doux et pluvieux sur la côte Ouest, un froid mordant s'empare du Grand Nord, du Centre et de l'Est.

En été, l'Ouest est relativement plus tempéré, les canicules affectent le centre et une partie de l'Est du pays, et les précipitations sont fréquentes dans les provinces atlantiques.

Selon votre destination, il est conseillé de s'informer sur le climat afin d'être bien préparé.

Saisonnalité

- **Haute saison touristique :** mi-mai à début octobre, mi-décembre à début janvier, et février.
- **Basse saison touristique :** octobre à mi-décembre, janvier, mars et avril.

Halifax

Janvier	Février	Mars	Avril	Mai	Juin	Juillet	Août	Sept.	Octobre	Nov.	Déc.
-7°/ 0°	-7°/ 1°	-4°/ 4°	1°/ 9°	5°/ 14°	10°/ 19°	14°/ 23°	14°/ 23°	12°/ 20°	7°/ 14°	2°/ 9°	-4°/ 3°

Montréal

Janvier	Février	Mars	Avril	Mai	Juin	Juillet	Août	Sept.	Octobre	Nov.	Déc.
-14°/ -5°	-13°/ -3°	-6°/ 2°	1°/ 11°	7°/ 19°	13°/ 23°	15°/ 26°	14°/ 25°	9°/ 20°	4°/ 13°	-1°/ 5°	-10°/ -2°

Vancouver

Janvier	Février	Mars	Avril	Mai	Juin	Juillet	Août	Sept.	Octobre	Nov.	Déc.
0°/ 6°	1°/ 7°	3°/ 10°	5°/ 14°	8°/ 17°	11°/ 20°	13°/ 23°	12°/ 22°	10°/ 19°	7°/ 14°	3°/ 9°	2°/ 7°

Winnipeg

Janvier	Février	Mars	Avril	Mai	Juin	Juillet	Août	Sept.	Octobre	Nov.	Déc.
-22°/-13°	-21°/-10°	-13°/-3°	-2°/ 9°	5°/ 18°	10°/ 22°	14°/ 26°	13°/ 25°	7°/ 19°	1°/ 12°	-9°/-1°	-17°/-9°

Idées de séjour

Séjours courts

Séjour court au Québec (7 jours/6 nuits)

Montréal, Québec, Tadoussac, Lac-Saint-Jean, Mauricie.

Jour 1. Arrivée à Montréal. Dîner et nuit à Montréal.

Jour 2. Montréal - Québec. Petit déjeuner. Visite guidée de Montréal, mosaïque de cultures par excellence. Déjeuner dans le Vieux Montréal. Visite du musée McCord (importantes collections amérindiennes et inuits, présentation de la vie quotidienne au Canada aux XVIIIe et XIXe siècles) ou du musée Pointe-à-Callière, dans le quartier historique (musée d'Histoire et d'archéologie de Montréal). Route pour Québec. Dîner et nuit à Québec.

Jour 3. Québec - Tadoussac. Petit déjeuner. Visite guidée de Québec, berceau de la civilisation française en Amérique du Nord. Déjeuner amérindien et visite du village huron à Wendake, fidèle reproduction du mode de vie de la nation des Hurons-Wendats. Route pour Tadoussac. Dîner et nuit à Tadoussac.

Jour 4. Tadoussac - Hébertville. Petit déjeuner. Croisière d'interprétation et d'observation des baleines. Déjeuner et départ pour le Lac-Saint-Jean. Accueil, dîner et nuit en famille, une formule d'hébergement conviviale et appréciée.

Jour 5. Hébertville - Saint-Félicien. Petit déjeuner en famille. Visite du Lac Saint-Jean, village historique de Val-Jalbert, ancienne pulperie du début du XXe siècle. Déjeuner sur place. Visite du zoo sauvage de Saint-Félicien qui abrite une faune très diversifiée du Canada. Dîner et nuit à Saint-Félicien.

Jour 6. Saint-Félicien - Mauricie. Petit déjeuner et départ en direction de la Mauricie. Déjeuner en cours de route. Au choix, visite d'une ferme où l'on élève le bison, espèce à l'état sauvage inexistante de nos jours au Canada ou bien visite des Forges-du-Saint-Maurice, vestiges de la première entreprise sidérurgique canadienne datant de 1730. Dîner et nuit en Mauricie.

Jour 7. Mauricie - Montréal - Aéroport. Petit déjeuner. Au choix : visite de la reconstitution d'un vrai camp de bûcherons québécois du début du siècle ou survol en hydravion de la majestueuse vallée du Saint-Maurice. Déjeuner dans une « cabane à sucre » avec animation musicale et menu traditionnel dans une charmante maison en bois. Transfert à l'aéroport et départ pour l'Europe.

Séjour court en Colombie-Britannique (10 jours/9 nuits)

Jour 1. Vancouver - Kamloops. Rien que pour le plaisir de prendre la Coquihalla, autoroute connue pour sa longueur et ses côtes interminables, le voyage vers Kamloops est à faire (en hiver, prévoyez un équipement spécial, les chutes de neige y sont fréquentes et imprévisibles).

Jour 2. Kamloops - Clearwater. Reprenez l'autoroute Yellowhead (n° 5) vers le nord et suivez la rivière Thompson pour gagner le parc provincial de Wells Gray. En vous y engouffrant, découvrez les nombreuses chutes. Les plus majestueuses sont certainement celles de Helmcken, très prisées pour des photos de mariage. Deux fois et demie plus hautes que les chutes du Niagara, elles sont aussi hautes que les plus grands immeubles actuels de Vancouver (137 m).

Contraste architectural à Montréal.

▶ **Jour 3. Clearwater - Revelstoke.** Retour vers le sud, puis l'est après Kamloops ; arrêtez-vous à Salmon Arm, le long de Shuswap Lake. Dotée de plus de 1 000 km de voies navigables, la région compte une trentaine de parcs provinciaux et autant d'activités de découvertes, sinon plus. La ville est connue pour la migration des saumons et, en octobre, attire des foules autour de la rivière Adams. Continuez ensuite vers la ville la plus italienne de l'Ouest : Revelstoke. Arrêtez-vous au pub de la ville et allez danser sur de la country qui raconte l'histoire des immigrants.

▶ **Jour 4. Revelstoke - Vernon - Kelowna.** Avant de repartir vers le sud, faites un détour vers le nord pour aller voir le barrage de Revelstoke : 175 m de haut. Redescendez ensuite vers Vernon : bienvenue dans l'Okanagan. La ville est très cosmopolite, mais ne présente que peu d'intérêt, à moins de continuer vers la station de Silver Star, dont un télésiège reste ouvert en été et permet d'atteindre son sommet.
Rejoignez ensuite Kelowna par la route située à l'ouest du lac Okanagan ; la vuc y est bien meilleure et plus sauvage. La ville de « l'ours grizzli », en dialecte *salish*, est un peu victime de son succès. Les plages sont souvent surpeuplées, et les architectes s'interrogent.

▶ **Jour 5. Kelowna - Osoyoos.** Le cœur de l'Okanagan est connu pour ses vergers et ses vignes. Vous aurez donc l'embarras du choix. Les Vancouverois y passent de nombreux week-ends à ramasser des fruits frais et à promouvoir l'agriculture de la province. C'est l'autre désert de l'intérieur de la Colombie-Britannique : Osoyoos détient le record de sécheresse du Canada, avec une moyenne de 25 cm de pluie par an. Proclamée « capitale espagnole du Canada », Osoyoos présente des conditions idéales pour cultiver des fruits exotiques.

▶ **Jour 6. Osoyoos - Penticton - Summerland - Peachland.** Penticton, « un endroit où rester pour toujours », offre plus de 10h de soleil quotidien en été, dépassant en ceci Honolulu. La « ville de la pêche » vit de son tourisme, de ses festivals et de ses plages. Partez découvrir les autres exploitations viticoles et fruitières de Summerland et Peachland.

▶ **Jour 7. Peachland - Keremeos.** Keremeos est un autre centre de la culture des fruits (cerises, abricots, pêches, poires, pommes, prunes), et les dégustations de vins y sont incontournables. Prenez votre temps.

▶ **Jour 8. Keremeos - Princeton.** On arrive à Princeton après être passé par le village de Hedley, un hameau autrefois habité par des chercheurs d'or et autres aventuriers.

▶ **Jour 9. Princeton - Manning Park.** Le parc provincial de Manning est riche en montagnes, lacs et forêts. Prenez le temps de vous y arrêter et d'emprunter l'un de ses chemins balisés, notamment celui des Rhododendron Flats. Continuez jusqu'au point de vue des Cascades d'où vous surplomberez la vallée de Similkameen et ses amphithéâtres naturels de montagnes.

▶ **Jour 10. Manning Park - Vancouver.** Le trajet de retour vers Vancouver passe par Hope, au milieu de centaines de lacs, rivières et criques. La pêche, le canoë et la recherche d'or occupent ici encore quelques inconditionnels. Hope est également réputée pour ses courants d'air favorables à la pratique du deltaplane et du planeur.
Un détour par l'aérodrome de Chilliwack vous permettra de déguster des tartes faites maison : l'endroit est suffisamment réputé pour que les pilotes gourmands s'y arrêtent juste pour ça.

Séjour long au Canada (30 jours/29 nuits)

Colombie-Britannique, Alberta, Québec. Notez qu'il pourrait être intéressant d'abréger votre séjour dans certaines destinations afin de profiter d'un arrêt de 2 ou 3 jours à Toronto et Niagara Falls.

▶ **Jour 1. Arrivée dans la ville de Vancouver.** Dîner et nuit au centre-ville.

▶ **Jour 2. Vancouver.** Petit déjeuner sur la rue Water. Visite à pied de Gastown, plus vieux quartier de la ville avec sa célèbre horloge à vapeur. En empruntant la rue Water, longer le bord de l'eau jusqu'à la place du Canada. Du côté ouest de la place du Canada commence le Coal Harbour Quay, charmant quai qui permet d'atteindre Stanley Park en quelques minutes. En chemin, déjeuner sur une des terrasses du Coal Harbour Quay. Tour guidé en carriole de Stanley Park et visite de l'aquarium de Vancouver et de ses marsouins, au cœur du parc. Retour à pied au centre-ville et dîner sur Granville Street.

▶ **Jour 2 bis. North Vancouver.** Petit déjeuner au centre-ville. Se rendre à pied à la place du Canada afin de prendre le ferry qui mène jusqu'à North Vancouver. De la station, prendre l'autobus jusqu'au site du Capilano Bridge.

© ISTOCKPHOTO.COM/MOROFOTO

Vue du pont de Granville depuis False Creek à Vancouver.

Traverser le célèbre pont suspendu et visite du centre de sculpture des Premières Nations. Reprendre l'autobus jusqu'à Grouse Mountain. Déjeuner sur le pouce dans la ligne d'attente du téléphérique. Visite des différents centres d'observations qu'offre la montagne et dîner sur la terrasse du restaurant en observant le soleil se coucher sur la ville.

▶ **Jour 3. Vancouver.** Au choix : visite du quartier Kitsilano qui possède quelques belles plages, l'Université de la Colombie-Britannique et le musée d'Anthropologie avec sa collection d'art amérindien. Visite de Granville Island et de son énorme marché public, le Granville Island Public Market, qui permet d'acheter et de déguster les produits de la gastronomie régionale. Visite de quelques-unes des nombreuses galeries d'art de l'île. Pour s'y rendre, prendre l'autobus 50 qui part de la place du Canada.

▶ **Jour 4. Victoria.** Petit déjeuner dans la ville de Vancouver. À la gare centrale, acheter un billet auprès de Greyhound en direction de Victoria ; le billet de bus inclut le transfert en ferry qui permet, parfois, d'observer les baleines. Déjeuner et balade sur les rues Government et Douglas, principales artères commerçantes de la ville.

▶ **Jour 5. Victoria.** Petit déjeuner dans Market Square au centre-ville. Visite du quartier et de ses nombreuses bâtisses historiques. Shopping et déjeuner dans la cour intérieure du square. Visite et dîner dans le quartier chinois, voisin du Market Square. Nuit au centre-ville.

▶ **Jour 6. Victoria.** Petit déjeuner au centre-ville de Victoria. 1re option : du centre-ville, prendre l'autobus qui mène jusqu'au Butchart Gardens. Ce jardin est probablement l'attraction touristique majeure de la ville. Son voisin, le Victoria Butterfly Garden mérite aussi le détour. Dîner et nuit au centre-ville. 2e option : petit déjeuner et déjeuner au centre-ville. Croisière d'observation des baleines, à bord d'un zodiac. Plusieurs compagnies offrent différents forfaits et elles ont toutes pignon sur rue dans le port de la ville. Dîner sur le port et nuit au centre-ville.

▶ **Jour 7. Victoria - Nanaimo.** Petit déjeuner à Victoria et départ pour la ville de Nanaimo. Prendre l'autobus à la station située sur l'avenue Terminal. Arrivée à Nanaimo en après-midi, déjeuner et dîner au centre-ville, balade sur le quai. Nuit à Nanaimo.

▶ **Jour 8. New Castle Island.** Petit déjeuner à Nanaimo. Prendre le ferry, dans le port de la ville, en direction de New Castle Island. Un sentier permet de faire le tour de l'île à pied et ainsi d'explorer la flore et la faune. Nuit dans l'un des campings de l'île, en compagnie des ours et des chevreuils.

▶ **Jour 9. De Nanaimo à Vancouver et de Vancouver à Whistler.** Petit déjeuner à Nanaimo. Prendre le ferry au nord de l'avenue Stewart, en direction de Vancouver (1h30). À Vancouver, prendre l'autobus à la gare centrale en direction de Whistler, station de ski des plus populaires au monde. Les billets s'achètent au terminal et il y a plusieurs départs par jour. Dîner et nuit au village de Whistler.

© TRAVEL ALBERTA

Téléphérique à Jasper.

Jour 10. Whistler. Petit déjeuner dans le village au pied de la montagne. La montagne Whistler offre une cinquantaine de kilomètres de sentiers de randonnée. L'endroit est idéal pour faire un pique-nique en guise de déjeuner. Dîner et sortie nocturne au village.

Jour 11. Whistler. Petit déjeuner au village. Le pied de Blackcomb Mountain offre une kyrielle d'activités sportives de tous genres : golf, escalade, équitation... Dîner et nuit au village.

Jour 12. Départ de Whistler pour la vallée de l'Okanagan, en passant par Vancouver. Petit déjeuner au village de Whistler. Aucun autobus ne relie Whistler et la vallée de l'Okanagan, il faut donc retourner à Vancouver afin de prendre l'autobus en direction de Kelowna (trajet d'environ 6h). Déjeuner à la gare de Vancouver et dîner à Kelowna. Nuit à Kelowna.

Jour 13. Kelowna. Petit déjeuner sur une terrasse de la rue Water. Le centre-ville se visite assez rapidement. La montagne Knox, quant à elle, est à environ 40 min de marche du centre-ville et elle offre une vue imprenable sur le lac et la vallée. Profitez du sommet pour faire un pique-nique en guise de déjeuner. Après tant d'exercice, la plage du centre-ville est l'endroit idéal pour terminer la journée.

Jour 14. Départ pour Osoyoos. Petit déjeuner à Mission, dans la partie sud de la ville. Le légendaire parc provincial de Kelowna se trouve dans ce quartier de la ville ; plusieurs sentiers du parc datent de l'époque de la traite des fourrures, du moins c'était le cas avant l'incendie de 2003. Déjeuner au centre-ville et départ du terminal (nord du centre-ville) en direction d'Osoyoos à l'extrémité sud du Canada. Dîner à l'excellent Ridge Brew House à l'entrée de la ville. Nuit dans l'un des nombreux hôtels sur la plage du lac.

Jour 15. Osoyoos - Banff. Petit déjeuner sur le bord du lac. La ville d'Osoyoos comprend un désert : la tribu autochtone des MK Nip a aménagé un site très instructif, au nord de la ville, où il est possible de s'aventurer dans le désert tout en apprenant beaucoup sur l'environnement de la région. Au terminal d'autobus, à l'entrée de la ville (station d'essence Husky), la compagnie Greyhound offre trois départs par jour pour Banff, dans les Rocheuses (durée d'environ 15h). Déjeuner au terminal, dîner et nuit dans l'autobus.

Jour 16. Banff. Petit déjeuner dans le village de Banff. À 4 km au sud du village, le téléphérique qui monte à la cime du mont Sulphur est un excellent moyen d'entrer en contact avec la splendeur des Rocheuses canadiennes. Prévoir des vêtements chauds. Déjeuner dans le restaurant au sommet. Après avoir bravé la température du sommet enneigé, vous pourrez vous réchauffer dans les eaux naturelles du Upper Hot Springs, complexe adjacent à celui des téléphériques. Pour en apprendre davantage sur ces eaux et sur l'histoire des parcs nationaux canadiens, le site historique de Cave and Bassin, au sud-ouest du village, offre des tables à pique-nique et de nombreux sentiers. Dîner au site Cave and Bassin et nuit au village de Banff.

Jour 17. Banff. Petit déjeuner au village. Au nord-est de Banff, le lac Minnewanka permet l'observation de la faune et la possibilité de faire une foule d'activités nautiques. Déjeuner au village. Au nord-ouest de la ville, en empruntant la rue Lynx, il ne faut pas manquer le coucher du soleil sur les paysages féeriques et typiquement canadiens du lac Vermillon. Dîner et nuit au village de Banff.

Jour 18. Départ pour Jasper en passant par le Lac Louise. Petit déjeuner au village de Banff. À 57 km au nord-ouest de Banff, le lac Louise est un des endroits les plus photographiés au monde, mais aucune photo ne peut réellement rendre crédit à la beauté sauvage du lieu. Déjeuner dans l'un des restaurants du célèbre château Lake Louise. Départ pour Jasper en empruntant la route des glaciers. Dîner et nuit au village de Jasper.

◗ **Jour 19. Jasper.** Les champs de glace du Columbia Icefield couvrent plus de 325 km^2. Quelques compagnies, au village de Jasper, proposent des tours guidés de ces vestiges de l'époque glaciaire. Près de l'entrée du site, via l'autoroute 93A, les chutes Athabasca valent le déplacement et l'endroit est propice à un pique-nique en famille. Déjeuner sur le site des chutes, dîner et nuit au village de Jasper.

◗ **Jour 20. Départ en train pour Montréal.** Petit déjeuner au village de Jasper. Si le temps le permet, le mont Whistler offre une vue imprenable des montagnes Rocheuses. Un téléphérique, situé à 7 km au sud-ouest du village, se rend au sommet. La gare ferroviaire est situé au 607 Connaught Drive. Le voyage vers Montréal, à bord du train de Via Rail, dure 3 jours et demi, avec un changement de train à Toronto.

◗ **Jour 21. Traversée du Canada à bord du train** (Alberta, Saskatchewan).

◗ **Jour 22. Traversée du Canada à bord du train** (Saskatchewan, Manitoba).

◗ **Jour 23. Arrivée en soirée à Toronto.** Dîner à Toronto et transfert pour Montréal.

◗ **Jour 24. Montréal.** Petit déjeuner, dîner et nuit à Montréal.

◗ **Jour 25. Montréal.** Petit déjeuner à l'hôtel. Déambulez sans vous presser sur la place Jacques-Cartier (amuseurs publics, artistes...) et visite du Vieux-Montréal et de son plus beau musée : le musée Pointe-à-Callière. Déjeuner sur la place Jacques-Cartier. Se rendre à pied sur une des terrasses de la rue Saint-Denis au cœur du Quartier latin, sans doute le meilleur endroit pour contempler Montréal et ses habitants. Dîner et balade dans ce quartier et sur le Plateau Mont-Royal. Nuit à Montréal.

◗ **Jour 26. Montréal.** Petit déjeuner au centre-ville. De là, le mont Royal est facilement accessible à pied ou en voiture. Son belvédère est l'endroit le plus charmant pour contempler la ville et ses environs. Prévoyez un pique-nique pour le déjeuner. Profitez du grand air qu'offre la montagne et le soir venu, arpentez le centre-ville en longeant la rue Sainte-Catherine. Dîner et nuit au centre-ville.

◗ **Jour 27. Départ pour la ville de Québec.** Petit déjeuner à Montréal. Déjeuner dans le Vieux-Québec. Visite guidée de la ville. Dîner et nuit à Québec.

◗ **Jour 28. Québec.** Petit déjeuner dans le Vieux-Québec. Balade sur la place Royale et dans le pittoresque quartier du Petit-Champlain. Visite du musée de la Civilisation. Déjeuner dans un restaurant près du musée. Lézarder sur les plaines d'Abraham semble être un excellent moyen de terminer cette journée bien remplie. Dîner sur la Grande-Allée.

Train de la White Pass menant à Skagway.

Jour 29. Départ de Québec pour Charlevoix. Petit déjeuner à Québec. Déjeuner à Baie-Saint-Paul dans la région de Charlevoix. Visite des galeries d'art de la région. Dîner, observation des oiseaux et nuit à l'Isle-aux-Coudres.

Jour 30. Départ pour l'aéroport Pierre-Elliot-Trudeau à Montréal.

Séjours thématiques

Séjour « Nature sauvage » dans les Rocheuses canadiennes : Banff, Lake Louise et Jasper via Calgary (14 jours/13 nuits)

Il faut prévoir des vêtements chauds et un équipement de camping. On ne peut effectuer ce séjour en transports en commun.

Jour 1. Arrivée à Calgary. Route vers Banff. Dîner et nuit à Banff.

Jour 2. Banff. Petit déjeuner au village. Monter à pied (ou en téléphérique) le mont Sulphur pour une magnifique vue d'ensemble de la chaîne de montagne. Le mont Sulphur est à 4 km au sud du village ; il faut prévoir des vêtements chauds pour le sommet, quelle que soit la saison. Déjeuner au restaurant du sommet. Baignade dans les eaux thermales (41 °C) du Upper Hot Springs, situé au pied de la montagne. Visite du site historique (patrimoine de l'Unesco) Cave and Bassin afin d'en apprendre plus sur la région et l'histoire du Canada. Le site est à moins de 1 km au sud-ouest du village. Dîner et nuit au village.

Jour 3. Banff. Petit déjeuner au village. Préparation pour une journée et une nuit de camping sauvage au lac Minnewanka situé à 15 min du village. Pêche, randonnée et tour de bateau (location sur place). Le camping est ouvert de mai à septembre, mais l'endroit est apprécié à tout moment de l'année, surtout pour l'observation de la faune (loups, ours, wapitis...). Déjeuner, dîner et nuit au lac.

Jour 4. Banff. Petit déjeuner au terrain de camping. Shopping et déjeuner au village. Après-midi d'équitation dans la Bow Valley Loop. Pendant votre shopping du matin, arrêtez-vous au 132 Banff avenue afin de réserver votre escapade.
Dîner au centre-ville. Observation du coucher de soleil et de la faune au lac Vermillon, situé au nord-ouest du village. Nuit dans une auberge du village.

Jour 5. Banff. Petit déjeuner à l'auberge. Journée à bicyclette sur la Bow Valley Parkway et retour au village (si le cœur vous en dit, cette route mène jusqu'au Lake Louise et prévoyez au moins une journée sans arrêt). Déjeuner et dîner en chemin. *Vous trouverez au village plusieurs commerces de location de vélos.

Jour 6. Lake Louise (lac Louise). Petit déjeuner à Banff. Départ pour Lake Louise (57 km au nord-ouest). Déjeuner au Lake Louise. Visite du château, du lac et de ses environs. Dîner et nuit dans une auberge du village.

Jour 7. Lake Louise. Petit déjeuner à l'auberge. Ascension du mont Whitehorn à pied ou en téléphérique afin de profiter de la vue et des pistes de randonnée au sommet. Le téléphérique est ouvert de juin à septembre. Si vous y êtes pendant l'hiver, profitez-en donc pour skier dans un des endroits les plus appréciés au monde. Déjeuner au sommet. Excursion au lac Morraine à 16 km du lac Louise où vous pourrez prendre de très nombreuses photos. Dîner et nuit en auberge.

Jour 8. Lake Louise. 1re option : escalade au « Back of the Lake » situé à l'arrière du lac. Degré de difficulté assez élevé. 2e option : excursion à partir du lac Louise en empruntant la piste qui se rend au lac Agnès. Dîner et nuit en auberge.

Jour 9. Départ pour Jasper (soyez très prudent, la route est un corridor naturel de migration de wapitis). Petit déjeuner à l'auberge. Déjeuner, dîner et nuit à Jasper.

Jour 10. Jasper. Petit déjeuner au centre-ville. Excursion en snocoach (autobus tout-terrain) sur les glaciers du Columbia Icefield. L'excursion est annoncée partout dans la ville. Prévoyez et emportez un déjeuner et un dîner. Nuit au terrain de camping Wapiti situé sur les champs de glace (ouvert toute l'année).

Jour 11. Jasper. Petit déjeuner au camping. Visite des chutes Athabasca et randonnée. Le site est situé au sud de la ville sur l'autoroute 93A. Pique-nique sur les lieux en guise de déjeuner. Dîner et nuit au camping.

Jour 12. Jasper. Petit déjeuner au centre-ville. Journée d'activités libres au lac Maligne. Il est à 2 km de la ville : équitation, pêche, tour du lac en bateau, observation de la faune... Déjeuner et dîner au lac. Nuit à la très sauvage et rustique auberge du Maligne Canyon, à 11 km du lac.

Jour 13. Jasper. Petit déjeuner à l'auberge. Visite du Canyon Maligne, situé à côté de l'auberge. Comptez 3h pour visiter les sites du canyon. Déjeuner à l'auberge. S'il vous reste des forces, montez à l'assaut du mont Whistler (11 km de marche), sinon vous pouvez toujours le faire en téléphérique. Dîner au centre-ville, nuit à l'auberge.

▶ **Jour 14. Départ pour l'aéroport d'Edmonton.** Petit déjeuner à Jasper et déjeuner à l'aéroport d'Edmonton.

La route des vins au Québec : Montérégie/Cantons-de-l'Est (6 jours/5 nuits)

▶ **Jour 1. Arrivée à Montréal.** Dîner et nuit à Montréal.

▶ **Jour 2. Montréal - Chambly - Saint-Jean-sur-Richelieu.** Petit déjeuner. Route en direction de la vallée du Richelieu surnommée la « vallée jardin ». Déjeuner au restaurant Fourquet Fourchette. Dans une ambiance d'antan, découverte des bières artisanales de dégustation et de la gastronomie régionale à base de bière. Visite du Fort Chambly, occasion de revivre une page d'histoire de la Nouvelle-France. Départ pour Mont-Saint-Grégoire pour la visite d'une cidrerie avec dégustation de cidres du Québec. Dîner champêtre dans un vignoble avec dégustation de vins. Nuit à Saint-Jean-sur-Richelieu.

▶ **Jour 3. Saint-Jean-sur-Richelieu - Dunham - Lac-Brome (Knowlton).** Petit déjeuner et départ pour les Cantons-de-l'Est, l'harmonie de deux richesses : le charme anglo-saxon et la joie de vivre québécoise. Visite de la cidrerie Fleurs de Pommiers à Dunham. Il produit l'apéritif Pommeau d'Or, un véritable délice qu'il faut déguster. Déjeuner champêtre au vignoble de l'Orpailleur. Ce réputé vignoble est une halte quasi obligatoire pour les amoureux de la boisson de Bacchus. Visite et dégustation de vins. Route en direction de Lac-Brome. Dîner et nuit dans une auberge champêtre à Lac-Brome.

▶ **Jour 4. Lac-Brome - Magog.** Petit déjeuner et départ pour Saint-Benoît-du-Lac. Visite de l'abbaye bénédictine de Saint-Benoît-du-Lac, œuvre néogothique et monastère de vie contemplative où vivent une soixantaine de moines. C'est ici que sont fabriqués une dizaine de fromages et des cidres réputés au Québec. Déjeuner à Magog, en bordure du lac Memphrémagog. Temps libre pour profiter de la fête des Vendanges (en septembre). Ambiance champêtre aux abords du majestueux lac Memphrémagog. Dîner et nuit à Magog.

Paysage du Banff National Park.

▶ **Jour 5. Magog - Montréal.** Petit déjeuner. Visite du vignoble le Cep d'Argent à Magog. Ses vins sont issus de cinq cépages qui se sont adaptés au climat québécois et ses productions vont de l'apéritif au mousseux en passant par le digestif et le vin. Dégustation de vins et déjeuner. Route pour Montréal. Dîner et nuit à Montréal.

▶ **Jour 6. Montréal - Aéroport.** Temps libre, petit déjeuner et déjeuner à Montréal. Transfert à l'aéroport et départ pour l'Europe.

Le West Coast Trail à Vancouver

Séjour extrême pour les vrais aventuriers. La randonnée se prolonge généralement sur une semaine. Le West Coast Trail est reconnu mondialement pour offrir un très grand défi aux aventuriers chevronnés. Cette route de 75 km est située dans la Réserve de parc national Pacific Rim sur l'île de Vancouver et passe par des chutes, des caves, des arches formées par la mer, et des plages. Ce n'est toutefois pas une petite balade. On dit de cette randonnée pédestre qu'elle est la plus impressionnante du pays, mais aussi la plus chère. Il est recommandé d'être très expérimenté, très écolo et surtout bien équipé. Plusieurs précautions sont à prendre, on a signalé la présence de couguars sur ce sentier. Vous devez téléphoner au parc pour obtenir un permis d'accès et il faut absolument réserver. Pour informations : www.pc.gc.ca/pacificrim

Mount Kidd et Wedge Pond dans le Kananaskis Country.

Le Canada en 30 mots-clés

Accent

Votre accent français paraîtra charmant aux oreilles des Canadiens de l'Ouest, pointu et rigolo à celles des Québécois. Celui des Acadiens vous semblera déconcertant, mais vous apprendrez bien rapidement.

Alcools nationaux

La bière, bien sûr ! Les bières de microbrasserie locales sont très appréciées (bière naturelle de dégustation) : Microbrasserie Charlevoix, La Barberie, Dieu du Ciel !, Granite Brewery, Mill Street Brewery, Muskoka Cottage Brewery, Pump House, Wild Rose Brewery... Sans oublier les nombreuses brasseries artisanales qui vous feront déguster leur divin nectar sur les lieux mêmes de brassage. Les pommes sont utilisées pour faire du cidre et du cidre de glace (une liqueur faite à base de pommes cueillies après les premiers gels). Il y a aussi des boissons plus exotiques (mais plus fortes), comme le vin de bleuet ou le caribou (vin rouge, whisky et un trait de sirop d'érable), ou le Sortilège (whisky canadien et sirop d'érable). Attention, si vous conduisez, un taux d'alcoolémie supérieur à 0,08 g/l de sang est un délit.

Faire – Ne pas faire

- **Pensez** à faire la file lorsque vous attendez les transports en commun. Ici, c'est premier arrivé, premier servi... Pas de bousculades !
- **N'oubliez pas** le service au restaurant, dans les bars ou les taxis. Si on l'appelle *tip*, le pourboire fait ici partie intégrante du salaire. Un service correct mérite environ 15 % de pourboire.
- **Comme partout,** certains sujets déchaînent les passions. Prenez donc garde aux discussions concernant la langue anglaise, le séparatisme au Québec, les Amérindiens et surtout le catalogue de ce qui est mieux en France ou au Canada... À moins bien sûr d'être disposé à en débattre.

Aurore boréale

Les aurores polaires sont des phénomènes lumineux provoqués par le rejet de particules électriques solaires dans la haute atmosphère. Au contact de l'oxygène et de l'azote, ces particules se colorent et créent un effet visuel spectaculaire que l'on peut observer sous forme d'aurores boréales dans le Grand Nord ou d'aurores australes dans l'hémisphère Sud.

Bleuet

Fruit local produit par l'airelle à feuilles étroites qui ressemble à notre myrtille. Il a longtemps marqué le mode de vie de la campagne, poussant sur des terrains déboisés par brûlis, ceci étant exceptionnel dans des régions peu fertiles comme celle du Lac-Saint-Jean. Il est l'emblème de cette région.

Boîte à chansons

Typiquement québécoises, les boîtes à chansons sont des petites salles de spectacles aux allures de cafés où se produisent des chanteurs. Félix Leclerc, Gilles Vigneault et Robert Charlebois y ont fait leurs premiers pas.

Castor

Symbole du Canada, le castor vit dans ses huttes à proximité des cours d'eau. On le retrouve dans de nombreux parcs provinciaux et nationaux.

Culture amérindienne

Elle continue à vivre dans l'appellation de nombreux sites et parcs provinciaux et nationaux du pays. Des noms poétiques qui traduisent en un mot une ambiance ou une situation géographique. Cette culture reste également présente grâce à des légendes que ses héritiers ont transmises aux nouvelles générations. On ne peut pas passer à côté de l'art natif : il fait partie de l'histoire du Canada, et les réserves du pays sont toujours préservées. Des totems aux lithographies, l'art des natifs est incontournable. Les dialectes, cependant, n'ont pas de traces

© TRAVEL ALBERTA

Maligne Lake dans l'Alberta.

écrites : les générations des « premières nations » se transmettaient oralement leurs savoirs et leur respect de la nature. Les plus jeunes générations, souvent plus intégrées à la vie urbaine, s'emploient maintenant à enregistrer et à décrire les traditions de leurs ancêtres.

Dépanneur/ Convenient Store

Ces petits commerces ouvrent très tard le soir et tous les jours de la semaine. Certains fonctionnent jour et nuit. On y achète le journal, les cigarettes, la bière (s'applique seulement au Québec - vente d'alcool interdite aux moins de 18 ans et après 23h), du lait, des conserves, quelques produits frais, de la confiserie et parfois des fleurs. Les tarifs y sont plus élevés qu'au supermarché, mais comme leur nom l'indique, cela dépanne.

Diversité

Le Canada est un pays où les cultures du monde entier cohabitent et donnent lieu à un formidable melting-pot. Les immigrants sont fortement présents, ce qui correspond d'ailleurs à une politique délibérée du pays. Les villes de Vancouver, Toronto et Montréal en sont devenues le symbole. Ville portuaire donnant sur le Pacifique, Vancouver compte logiquement une large population asiatique, principalement de Hong Kong et de Chine à l'origine, au moment de la construction de la voie de chemin de fer du Canadian Pacific. Les différentes communautés vivent en harmonie et dans le respect de leurs différences. Les immigrations du reste de la côte Ouest ont suivi la construction du Canadian Pacific Railway : Européens et Japonais. À Montréal, on compte près d'une centaine d'ethnies dont une population majoritairement francophone, mais aussi d'importantes communautés anglo-saxonne, chinoise, italienne, grecque, portugaise, haïtienne, irlandaise et juive.

Emily Carr

Née le 13 décembre 1871, Emily Carr est une artiste peintre très respectée au Canada. Elle est considérée comme étant l'une des plus grandes artistes du pays. Ses peintures ont pour thèmes principaux les forêts de sa région, la Colombie-Britannique, et la vie des « premières nations ». Ses toiles sont le reflet des inspirations post-impressionnistes et fauvistes acquises lors de ses voyages en France. La galerie d'art de Vancouver possède une importante collection de ses œuvres.Emily Carr a également écrit quelques ouvrages dans lesquels elle relate ses expériences avec les natifs de Colombie-Britannique.

Été indien

Il survient après les premiers gels qui suivent la période estivale, soit de mi ou fin octobre jusqu'à début novembre, et résulte des bouffées de chaleur qui remontent du golfe du Mexique en direction du Canada. Cette expression provient du fait que cette période de réchauffement était mise à profit par les Amérindiens pour parfaire les réserves avant l'hiver.

Forêt

Les nombreuses forêts présentes au Canada rythment la couleur du pays : blanc en hiver, vert au printemps et en été, et enfin multicolore quand arrive l'automne. L'Ontario, en particulier, donne un bon exemple de la diversité des arbres du pays. Le territoire est recouvert d'une forêt qui varie d'une région à l'autre. Dans le Sud-Ouest, on retrouve une forêt de feuillus, tandis qu'au centre de la province, celle-ci cède la place à une large forêt d'érables et de conifères. Au nord de la province, c'est la forêt boréale qui dévoile toute sa grandeur et sa splendeur.

Happy Hour

Équivalent des « 5 à 7 », l'*happy hour* est un rendez-vous que se donnent les collègues de travail dans un bar ou un café, à la fin de l'après-midi, vers 17h. Attention, si des étudiants vous invitent à un « 4 à 7 », il n'est pas assuré que celui-ci se termine à 19h...

Hiver

« Mon pays, ce n'est pas un pays, c'est l'hiver », chantait Gilles Vigneault. D'une durée de 120 à 160 jours par an, l'hiver est rigoureux au centre et à l'est du pays. Six à huit tempêtes majeures jalonnent ces mois blancs et au moins 3 m de neige s'accumulent. Par contre, l'hiver est plus doux sur la côte Ouest du pays.

Hockey

Canucks, Oilers, Maple Leafs et Canadien sont quelques équipes de hockey canadiennes. C'est le sport national par excellence ! Toutefois, il est surmédiatisé et les joueurs sont souvent traités comme des stars (et payés de même !).

Hot-dogs

On les mange sur le pouce dans les grandes villes. Très bon marché, ils sont appréciés des citadins et des touristes.

Inukshuk

Inukshuk, mot signifiant « à l'image de l'homme » ou « forme humaine », est un amas de pierres ressemblant à un épouvantail positionné généralement au haut d'une colline et qui servait, entre autres, à attirer le caribou dans la chasse traditionnelle. Les *Inuksuit* (forme plurielle) servaient aussi de points de repères pour se diriger, signaler la position d'une cache de nourriture, ou encore pour marquer les limites d'un territoire. Certains dateraient de plus de dix siècles.

Joual

Langage populaire émaillé d'anglicismes. Son nom illustre la prononciation particulière qui le caractérise, « cheval » se prononçant « joual ». Dans les années 1970, alors qu'on redécouvrait et valorisait une certaine culture populaire, le joual devint pour certains un mode d'affirmation par rapport au français de France. Quarante ans plus tard, le joual, même encore parlé, a perdu presque toute sa charge symbolique.

Lacs

Que de plans d'eau ! L'Ontario compte approximativement 250 000 lacs et des milliers de rivières. Sa situation stratégique lui donne également accès à quatre des grands lacs d'Amérique du Nord : les lacs Ontario, Erié, Huron, et Supérieur. Les Territoires du Nord-Ouest, le Manitoba et le Saskatchewan sont également recouverts de grandes étendues lacustres.

Marchés

Chaque région possède son marché. Les grands marchés alimentaires ont lieu dans les villes. Des comptoirs de fruits, fleurs et légumes longent les principales routes et offrent des spécialités.

Orignal

Cet imposant animal, plus grand membre de la famille des cervidés, vit surtout dans le Nord de l'Ontario et du Québec. Une escapade au parc provincial Algonquin en Ontario vous permettra de voir ces grosses bêtes de plus près !

Ours noir

Plus petit ours canadien, on le retrouve surtout dans les forêts de l'est du pays. Avis aux amateurs de camping : soyez vigilants et ne laissez traîner aucune nourriture ! Ce prédateur rend parfois visite aux campeurs, notamment dans les parcs et réserves de conservation. Nous vous recommandons d'ailleurs de vous familiariser avec les mesures à prendre en cas de rencontre avec un ours.

Retrouvez l'index général en fin de guide

Pétrole

Source de revenus considérables, le pétrole albertain emploie de très nombreux Canadiens venus des autres provinces pour tenter d'y faire fortune. Le sujet est parfois brûlant, surtout à Calgary, compte tenu des dégâts causés à l'environnement, des réserves qui s'épuisent et de la conjoncture économique incertaine ; d'autant plus que des multinationales étrangères essaient d'acheter des parts de marché aux entreprises canadiennes productrices de pétrole.

Plages

L'Ontario s'enorgueillit d'être bordé par les plus belles plages d'eau douce du monde. Avec entre autres Sandbanks, Wasaga Beach, la péninsule Bruce et la baie Georgienne, les visiteurs peuvent profiter des joies des baignades dans des eaux chaudes et cristallines. N'oubliez pas non plus que le pays est bordé par deux océans (le 3e, l'océan Arctique, n'est pas considéré pour une raison évidente...).

Pourvoirie

Domaine forestier, constitué de lacs et de rivières, que l'État alloue à un particulier ou à une société en vue d'une exploitation commerciale et touristique de la chasse et de la pêche. On vient y passer la semaine ou le week-end.

Toundra

Elle se compose d'un tapis de lichens et de mousses, sans arbre ni arbuste, et couvre tout le Nord du pays. On y trouve renard, lièvre arctique, caribou, bœuf musqué, sans oublier, en mer et le long des côtes, l'ours blanc et des mammifères marins comme le phoque et le morse.

Tutoiement

Il fait partie des mœurs du Québec. Il s'établit en fonction de l'âge : les personnes de moins de 30 ans sont généralement tutoyées. Les gens de même génération se tutoient. Il n'est pas rare qu'un employé de service public tutoie son interlocuteur de même qu'un employé à l'égard de son employeur.

Vente de garage

Lors des beaux jours, le week-end généralement, les ventes de débarras (braderie ou vide-grenier) fleurissent sur les trottoirs. Une occasion pour dénicher une bonne affaire (bibelots, objets démodés...), rencontrer le voisinage ou jeter un coup d'œil instructif qui donnera l'occasion au voyageur d'observer les goûts des Canadiens et les modes passées.

Vice national

Les clubs de danseuses nues sont implantés dans les villes comme dans les campagnes. Ces établissements licenciés offrent des spectacles de filles qui se déshabillent, en quelques chansons. Le client peut choisir de voir la fille danser près de lui, pour environ 6 CAN $ la chanson, ou encore dans une cabine, où il peut la toucher, pour 10 CAN $ la chanson. Les femmes ne sont pas en reste : sur le même principe, les gogo boys se déshabillent pour elles !

Vignobles

Au Canada, l'Ontario est la province du vin par excellence et du très bon vin de surcroît. La route des vins du comté de Prince Edward ou celle de la rive nord du lac Erié vaut le déplacement. Mais ne ratez surtout pas une visite des vignobles de la péninsule de Niagara. Le goût des vins de glace de la région vous surprendra. La vallée de l'Okanagan en Colombie-Britannique est également une région de choix, ne serait-ce que par son climat très favorable à la culture des vignes, sans oublier les Cantons-de-l'est au Québec.

Vignes de la vallée de l'Okanagan à Osoyoos.

Survol du Canada

GÉOGRAPHIE

Une triple rangée de montagnes, formées il y a environ 70 millions d'années, se dressent à l'ouest du Canada. Cette cordillère canadienne sépare l'océan Pacifique et les vastes plaines de l'Alberta. En venant de l'est, on découvre, à l'approche de la frontière de la Colombie-Britannique, les majestueuses Rocheuses, qui plongent à l'ouest sur les plateaux du Thompson et sur la vallée de Fraser (Vancouver). Dans le Sud de la Colombie-Britannique, à Osoyoos, il faut noter la présence d'un désert qui naît plus au Sud, au Mexique, en passant par celui du Mojave, en Californie. La côte Ouest est, dans sa partie nord, très irrégulière, voire déchiquetée, et offre un spectacle de toute beauté dans le fameux « Inside Passage ». Les grandes plaines englobent les provinces de l'Alberta, de la Saskatchewan, une partie du Manitoba et des Territoires du Nord-Ouest. Ces vastes plaines sédimentaires s'étirent du delta du Mackenzie au nord vers le sud jusqu'aux États-Unis. En Alberta, ce sont des grandes plaines céréalières, immenses réserves mondiales de grains, et des zones d'élevage intensifs. À l'est, un socle de roches cristallines part de l'Arctique et forme un véritable bouclier (Bouclier canadien) qui s'arrête à l'océan Atlantique, longeant au passage les riches Basses-Terres et les Appalaches de la côte Est. La fonte des glaces a transformé cette région en une des plus grandes réserves mondiales d'eau douce.

CLIMAT

L'immensité du territoire canadien fait que la moyenne mensuelle de la température pour une province donnée ne peut être représentative de l'ensemble des villes de cette même province.

L'hiver canadien est très froid et les chiffres peuvent parfois être trompeurs. Pour la simple raison que le facteur éolien joue un rôle très important dans le rafraîchissement du climat. Par exemple, une température de -20 °C à Montréal au mois de janvier peut facilement atteindre -40 °C en considérant le vent. Il tombe environ une moyenne de 2,5 m de neige entre novembre et avril dans les villes situées au sud du pays, où se concentre la majorité de la population. Quand il neige, la température est plus douce.

La saison estivale est courte, mais très chaude et humide. En octobre, après la première gelée, « l'été indien » (Indian Summer) offre parfois quelques jours de répit et de très beau temps (chaud). C'est la saison des couleurs. L'été indien, c'est un dernier clin d'œil du soleil, une ambassade de l'été venue pavoiser avant l'arrivée des grands froids. Dans un pays dominé par la forêt, pendant quelques jours d'octobre, le visiteur pourra jouir des magnifiques couleurs de l'automne sous une température exceptionnelle. Autrefois, les autochtones profitaient de ces derniers beaux jours pour faire quelques incursions en forêt, dernières chasses avant l'hiver.

À l'ouest. L'Ouest canadien offre un climat très varié suivant les régions. Celle de Vancouver bénéficie d'un microclimat dû à sa situation géographique entre l'océan Pacifique et les majestueuses Rocheuses. En hiver, la température oscille entre 0 °C et 15 °C et le temps est pluvieux. En été, il peut faire chaud le jour et frais le soir. Le reste de l'Ouest canadien connaît un climat très varié avec les hivers froids et secs (-20 °C de moyenne, -40 °C au maximum). Les étés sont secs et la température est d'environ 25 °C. Un vent chaud venu du Pacifique, le « Chinook », peut faire fondre les neiges et faire monter localement les températures.

À l'est. Un climat rigoureux à forte amplitude thermique. De par son étendue, sa latitude et sa position à l'extrémité orientale du continent nord-américain, l'Est du pays est soumis à

Découverte de la nature à vélo.

d'importants écarts de température : longs hivers rigoureux (de 0 °C à -25 °C en moyenne) et courts étés chauds (de 11 °C à 30 °C), caractéristiques d'un climat continental à forte amplitude thermique (Montréal : moyenne estivale 22 °C, moyenne hivernale -9 °C). Cependant les variations climatiques sont notables : les régions proches du Saint-Laurent jouissent d'un climat plus tempéré et plus humide mais, à mesure que l'on remonte vers le nord, les hivers deviennent glacés et les étés se rafraîchissent (climats subarctique et arctique), l'écart des températures entre les saisons subsistant toutefois (en territoire inuit : 11 °C de moyenne estivale, -24 °C de moyenne hivernale).

Les précipitations sont particulièrement abondantes dans les régions bordant l'océan Atlantique et la baie d'Hudson (jusqu'à 1,10 m par an) mais diminuent vers le nord. Le climat humide du sud du Saint-Laurent et de la frange atlantique se traduit, l'été, par une atmosphère lourde et moite, et, l'hiver, par un fort enneigement, des brouillards et des tempêtes.

ENVIRONNEMENT – ÉCOLOGIE

Le Canada doit actuellement faire face à la disparition de certains milieux naturels, comme la forêt de feuillus et les milieux humides, sous la pression de l'urbanisation, de l'industrie et de l'agriculture. Cela provoque une diminution de nombreuses espèces. Si l'utilisation de DDT est à présent interdite, l'industrie et l'agriculture emploient toujours divers pesticides et autres produits chimiques qui nuisent à certaines espèces. L'industrie est aussi responsable de pluies acides qui contaminent les sols, les forêts et les eaux douces. Comme tous les pays industrialisés, le Canada est aujourd'hui confronté à la difficile conciliation du développement économique et des exigences écologiques. Le pays a sauvegardé de nombreux espaces naturels par la création de parcs nationaux et provinciaux, ainsi que de réserves de conservation. Cette protection est efficace, mais implique toutefois le choix de zones à protéger et l'abandon d'autres qui ne le seront pas. Le Canada a aussi prouvé qu'il pouvait résoudre certains problèmes écologiques par des mesures peu coûteuses. Quand une espèce est atteinte par la chasse, il n'est pas difficile de la sauver en cessant de chasser : des espèces comme le castor ont été mises ainsi hors de danger.

De nos jours, compte tenu de la multiplication et de l'internationalisation des atteintes, les effets des pollutions sont durables, la reconstitution des milieux et des équilibres naturels est difficile, et les bonnes volontés doivent affronter les pouvoirs politico-économiques. Le gouvernement actuel au pouvoir, le parti conservateur, se défile d'ailleurs des objectifs de Kyoto et ne semble plus avoir fait de ses priorités la protection de l'environnement. À Copenhague, en décembre 2009, son inaction lui a d'ailleurs valu le « Prix fossile de l'année », mention décernée par un regroupement d'organisations non gouvernementales réunies à l'occasion de cette conférence internationale. Loin d'être en passe de réduire ses émissions de gaz à effet de serre d'ici à 2020, le Canada les a plutôt augmentées d'au moins 25 % entre 1990 et 2006…

PARCS NATIONAUX

Les 42 parcs nationaux canadiens ne protègent qu'environ 3 % du territoire. Selon l'ONU, un pays doit protéger au moins 12 % de son territoire afin de soutenir réellement l'environnement. Grâce à la richesse de son immense territoire, il n'est pas trop tard pour le Canada, contrairement à d'autres pays, de conserver l'intégrité de son écosystème, mais selon Parcs Canada, l'institution qui gère les parcs nationaux, le temps presse.Les parcs nationaux ont été créés pour préserver des sites naturels exceptionnels tout en les rendant accessibles au public. Randonnées, diaporamas, vidéos, expositions, conférences permettent de découvrir leur environnement naturel. Chaque parc possède un bureau d'information. Ils sont en général équipés de terrains de camping et proposent des activités selon la saison : baignade, canot, kayak, pêche, randonnée pédestre, vélo, équitation, plongée sous-marine, escalade, ski de fond, raquette, etc. Pour tout renseignement, adressez-vous à :

■ **PARCS CANADA - BUREAU NATIONAL**
25-7-N, rue Eddy
Gatineau QC, K1A 0M5
Gatineau
✆ +1 613 860 1251
✆ +1 888 773 8888
www.pc.gc.ca
info@pc.gc.ca

FAUNE ET FLORE

Une nature préservée

La majeure partie du Canada est couverte de grandes forêts. Au sud-est, au sud du Québec et de l'Ontario, dans la région la plus peuplée, s'étend la forêt nordique de feuillus. Ce milieu naturel assez rare constitue une étroite frontière entre la forêt tempérée et la forêt de conifères, mais sa composition est cependant variée et hétérogène. Sur les sols pauvres poussent le pin blanc et le chêne. Sur les sols riches des hautes terres, qui sont souvent devenus agricoles, poussent des bois durs, l'érable à sucre, le hêtre à grandes feuilles, le bouleau, ainsi qu'un bois mou, la pruche. Sur les basses terres humides poussent l'orme, le frêne, l'érable rouge et le thuya. Plus on monte en latitude, plus les conifères se mélangent aux feuillus, et déjà dans la forêt nordique abondent le sapin baumier et l'épinette.

C'est la forêt de feuillus qui, en automne, s'embrase : les feuilles prennent avant leur chute des couleurs enchanteresses. Le cerisier de Pennsylvanie, l'érable rouge, le chêne rouge, la vigne vierge, le cornouiller stolonifère et le sumac se parent d'un rouge flamboyant. Le caryer cordiforme, le bouleau, le tremble, le tilleul d'Amérique, l'orme et le mélèze choisissent un jaune d'or lumineux. Partout l'érable à sucre brille, oscillant entre le rouge le plus ardent et le jaune le plus ensoleillé. L'hêtre à grandes feuilles et le chêne à gros fruits ajoutent à cette symphonie de couleurs leurs tons dorés ou cuivrés. Cette féerie atteint son apogée durant l'été indien, ce bref réchauffement de l'automne nord-américain. La forêt de feuillus abrite de nombreux écureuils. L'écureuil gris de l'est, au pelage gris ou noir, à la grosse queue touffue qu'il utilise pour sauter d'arbre en arbre, est commun au sud du Québec. L'écureuil roux, au pelage roux ou fauve, est plus petit et se rencontre aussi dans les conifères. Le suisse, petit écureuil rayé de noir et de blanc, habite les sous-bois broussailleux.

L'élan est appelé original au Québec.

© FOTOBEAM.DE - FOTOLIA

Spirit Island dans le Jasper National Park.

© TRAVEL ALBERTA

Montagnes enneigées de l'Alberta.

© TRAVEL ALBERTA

Champ de canolas.

© TRAVEL ALBERTA

Sulphur Gate, près du parc national de Jasper.

Vers le nord, la forêt de feuillus disparaît bien vite au profit d'une forêt mixte, puis les derniers érables font place à la taïga, la forêt boréale de conifères, qui recouvre la majeure partie de l'intérieur du Canada. En raison du froid, les arbres y poussent lentement, mais atteignent souvent de grands âges et de grandes tailles. Cette forêt est extrêmement touffue et difficilement pénétrable. L'eau ruisselle sur la roche imperméable du socle rocheux, si bien que le sol est spongieux et couvert de mousses épaisses. Le sous-bois y est pauvre, en raison de l'enneigement durant le long hiver, de la mauvaise qualité du sol, du peu de lumière que laissent passer les arbres, et, surtout, de l'appauvrissement naturel des sols à conifères. Ce milieu très humide abrite cependant des plantes à baies, comme la clintonie boréale, grande plante aux baies bleu vif, le quatre-temps aux baies rouges, dont les quatre feuilles rougissent en automne, la pimbina aux baies rouges et le thé des bois ou anisette, dont les petites baies blanches brillent au milieu d'épais tapis de mousses. On voit aussi dans le sous-bois de nombreux arbustes, souvent très broussailleux : framboisier, kalmias, rhododendron, bouleau nain. Des champignons poussent sur le sol et sur les arbres qui sont presque uniquement des conifères : l'épinette noire, l'odorant sapin baumier, le mélèze laricin qui vit souvent en solitaire en marge de la grande forêt de sapins et d'épinettes et dont les aiguilles deviennent jaune d'or en automne. On trouve aussi les rares feuillus qui parviennent à pousser dans les régions nordiques, de moins en moins nombreux plus on monte vers le nord, souvent à l'état nain ou rampant : le bouleau dont le jaune d'or automnal orne la dominante vert sombre, le sorbier qui devient rouge flamboyant, l'aulne et le saule.

La taïga

De la côte Est à la côte Ouest du Canada, la taïga est le territoire de nombreux animaux. Un habitant caractéristique en est l'élan, que les Québécois appellent orignal, reconnaissable à ses larges andouillers. Le plus grand des cervidés se nourrit de brindilles, d'arbrisseaux, de feuilles et même d'écorce. Il s'abreuve dans les multiples lacs de la forêt, où il consomme aussi des plantes aquatiques comme les nénuphars. La forêt boréale abrite d'autres cervidés, notamment le wapiti et le caribou des bois : ce dernier est protégé dans les parcs de la Gaspésie et des Grands-Jardins au Québec. Sur les arbres vit en outre le porc-épic du Canada, qui se nourrit principalement d'écorce. Dans ces grands espaces, les prédateurs sont très dispersés. Le loup chasse l'orignal, mais aussi de nombreux petits mammifères et oiseaux, et régule utilement les populations de ces animaux. Le lynx du Canada, grand félin réputé pour sa vue mais aussi pour son ouïe, est étroitement lié aux populations de lièvres. Le renard roux est, au contraire, très répandu et a un régime alimentaire varié. La martre, de la famille des mustélidés, dont la fourrure varie du fauve au noir, est elle aussi omnivore, et donc moins vulnérable que les prédateurs spécialisés. Il en est de même de l'ours noir, particulièrement friand de baies, et assez familier pour fouiller les poubelles et venir voler votre pique-nique sous votre nez !

Outre l'humidité omniprésente dans le sol, la taïga est sillonnée d'une infinité de plans d'eau, les uns un peu plus hauts que les autres, qui communiquent : c'est un jeu de lacs dont l'eau se déverse par niveaux de l'un à l'autre pour aboutir à des rivières, puis à la mer. Les innombrables rivières, souvent longues et larges, fonctionnent aussi comme des escaliers : de grandes étendues d'eau entrecoupées de rapides et de chutes. Lacs et rivières permettent l'existence de très nombreux milieux humides, étendues d'eau peu profondes liées au sol qui les accueille : étangs entourés de végétation, tourbières, marécages et marais d'eau douce ou salée. Ces milieux aquatiques accueillent, excepté les tourbières, une vie importante : poissons (truites, saumons, brochets, etc.), batraciens, insectes, innombrables oiseaux d'eau. L'animal le plus caractéristique en est le castor, qui se nourrit de brindilles, d'écorces, de bouts de bois, avec une prédilection pour le bouleau, ainsi que de plantes et de baies. Il nage remarquablement au moyen de sa large queue plate qu'il utilise comme un gouvernail. Ses longues incisives lui permettent de construire des barrages ou des digues, des canaux pour le transport du bois, et une hutte qu'il habite.

DÉCOUVERTE

Deux autres mammifères à fourrure, la loutre et le vison, sont eux aussi d'excellents nageurs. De nombreux parcs naturels sont entièrement ou en partie constitués de taïga : la Vérendrye au Québec, Prince-Albert en Saskatchewan, Nahanni dans les Territoires du Nord-Ouest.

Les grandes plaines du centre

À l'ouest, dans le Sud du Manitoba, de la Saskatchewan et de l'Alberta, les grandes plaines du Centre des États-Unis atteignent leur limite septentrionale. Les étendues de prairies ont peu à peu disparu devant les champs. Symbole de ces immensités, le bison ne vit plus en liberté que dans le parc national Wood Buffalo, au nord de l'Alberta, où sa population augmente. Ce parc constitue aussi l'unique site de nidification de la grue blanche d'Amérique, qui a failli disparaître. Le chien de prairie, qui est en fait un rongeur, peut s'observer notamment dans le parc national des Prairies, au sud de la Saskatchewan. Plus commune, la moufette rayée est célèbre pour le liquide puant qu'elle éjecte pour se défendre.

Les montagnes Rocheuses

Les montagnes Rocheuses, en Alberta, en Colombie-Britannique et au Yukon, sont le territoire des mouflons : au sud, le mouflon nord-américain, et au nord, le mouflon de Dall, qui s'observe notamment dans le parc provincial du lac Muncho, en Colombie-Britannique. Le grizzli se rencontre encore dans les régions reculées des Rocheuses et du Yukon.

Les Rocheuses canadiennes sont protégées par un ensemble de quatre parcs nationaux et un parc provincial, à la frontière de l'Alberta et de la Colombie-Britannique. À cela s'ajoutent le parc national des lacs Waterton au sud-ouest de l'Alberta, le parc Glacier et le parc du mont Revelstoke en Colombie-Britannique. Enfin, au sud-ouest du Yukon, à la frontière de l'Alaska, le parc Kluane comprend le mont Logan, point culminant du Canada à 6 050 m.

La toundra

Au nord, dans les Territoires du Nord-Ouest, le Yukon et le Nunavut, ainsi que sur les côtes de la péninsule du Labrador, la taïga disparaît au profit de la toundra arctique. Si quelques mélèzes isolés parviennent à pousser dans des endroits abrités, ils deviennent bien vite nains ou rampants, comme les autres arbres et arbustes : conifères aux troncs tordus, mais aussi bouleau, sorbier, thé du Labrador.Le sol est spongieux et humide. La végétation est principalement constituée d'herbes, de mousses et de lichens qui s'accrochent au moindre rocher et aussi de multiples plantes à baies : les myrtilles, que les Québécois appellent bleuets, les chicoutés, les groseilles à maquereau, les airelles ou graines rouges, la camarine noire. Cette végétation très pauvre disparaît parfois, laissant nue la roche d'origine glaciaire. La toundra est aussi parsemée de petits lacs et de tourbières dotés d'une végétation particulière.Dans ce milieu difficile, la faune est très dispersée, et se retrouve dans toute la zone arctique : le renne ou caribou, le bœuf musqué, le lièvre arctique, le lemming, le loup, le renard polaire. Sur les côtes, on peut observer l'ours polaire, notamment en prenant le train de Winnipeg à Churchill, au bord de la baie d'Hudson, dans le Nord du Manitoba. Parmi les oiseaux de la toundra, le courlis esquimau est en danger de disparition.

L'Arctique canadien

Les déserts de glace et les montagnes de l'Arctique canadien constituent des milieux pratiquement privés de vie : dans les premiers, le sol, uniquement glaciaire, interdit toute flore et donc toute faune, tandis que dans les secondes, les vents violents et l'altitude s'ajoutent aux rigueurs du climat polaire. Ces milieux sont protégés dans le parc national Auyuittuq, qui englobe la calotte glaciaire de Penny, dans l'île de Baffin.

Les côtes

Les côtes, aussi bien de l'océan Pacifique et des mers arctiques que de l'océan Atlantique et du golfe du Saint-Laurent, accueillent d'innombrables oiseaux de mer, et des mammifères marins souvent menacés. À l'est, les plus belles côtes sont protégées par les nombreux parcs nationaux des provinces atlantiques, et l'on peut facilement observer plusieurs espèces de baleines dans l'estuaire et le golfe du Saint-Laurent. À l'ouest, le parc national Pacific Rim, sur l'île de Vancouver, abrite des loutres de mer, espèce en danger de disparition, des baleines grises et des otaries. Autrefois, la chasse et la pêche constituaient au Canada la principale atteinte à l'environnement, à l'origine de la disparition d'espèces comme le caribou de Dawson, le vison de mer, le grand pingouin et le canard du Labrador. De nos jours sont appliquées des lois limitant ces activités, ainsi que des programmes de sauvegarde des espèces menacées.

Des premiers peuplements à l'arrivée des Européens

Le peuplement du continent nord-américain s'est effectué, il y a plus de 12 000 ans, à la fin de la période glaciaire, par des peuplades de chasseurs venues de Sibérie. Par vagues successives, elles franchirent le détroit de Béring (séparant la Sibérie de l'Alaska), alors gelé, à la poursuite de gibier (bisons, caribous, élans, mammouths). Elles se dispersèrent ensuite sur l'ensemble des terres habitables du continent américain, développant des modes de vie spécifiques adaptés à leur milieu : ce sont ces indigènes que les premiers Européens, croyant être parvenus aux Indes, baptisèrent « Indiens » et appelèrent « sauvages » (mot n'ayant rien de péjoratif à l'époque, venant du latin *silva*, « la forêt », et désignant ceux qui y vivent). Nous les nommons aujourd'hui « Amérindiens ».Vers l'an mille, les Vikings visitèrent la Terre de Baffin et la côte du Labrador, pénétrèrent dans le détroit de Belle-Isle et s'installèrent sur la côte nord-ouest de Terre-Neuve. Cependant, le climat polaire et les attaques esquimaudes abrégèrent leur séjour dans cette contrée riche en bois, en pâturages et en saumons, qu'ils avaient nommée Vinland après y avoir découvert de la vigne sauvage. L'installation viking est attestée par les « sagas », ces récits héroïques (le plus célèbre étant celui de l'hivernage de Leif Eriksson) qui racontent leurs voyages en Amérique du Nord à partir de leur établissement au Groenland, et par les récentes fouilles archéologiques de l'Anse aux Meadows, à Terre-Neuve.Ensuite, le continent américain retomba dans l'oubli. Il faudra attendre le XVe siècle et les progrès de la navigation pour que les grands navigateurs européens se lancent à la conquête des océans, à la recherche d'une nouvelle route vers les Indes. Dès 1497, Jean Cabot, navigateur italien à la solde du roi d'Angleterre, aborde la terre canadienne, au nord-ouest de Terre-Neuve. Les pêcheurs de morue (Portugais, Français et Anglais) fréquentaient déjà les eaux poissonneuses de Terre-Neuve et de la Nouvelle-Écosse, de même que les chasseurs de baleine (Basques), concentrés dans le détroit de Belle-Isle, s'aventuraient jusque dans l'estuaire du Saint-Laurent. Ce furent les premiers qui entrèrent en contact avec les indigènes. Puis, le 24 juillet 1534, le Malouin Jacques Cartier quitte Saint-Malo avec trois bateaux : la *Grande Hermine*, la *Petite Hermine* et l'*Émerillon*. Il débarque à Gaspé, explore le golfe du Saint-Laurent, remonte le fleuve jusqu'à Hochelaga (Montréal) après s'être arrêté au village de Stadaconé (Québec), entre en contact avec les Iroquois, au cours de trois expéditions qui s'échelonnent jusqu'en 1542, et prend possession de tous ces territoires au nom du roi de France, François Ier. C'est lui qui donne son nom au Canada (*kanata*, signifiant « village »). Mais il est vite déçu par cette terre qu'il juge inhospitalière, glacée et dénuée d'intérêt. La France délaissera le Canada jusqu'à la fin du XVIe siècle.A défaut d'épices, les Européens découvrent une autre richesse, celle des fourrures. La France décide alors de créer un vaste réseau de postes de traite (endroits où les Français faisaient du commerce avec les Amérindiens) sur les rives du Saint-Laurent : en 1599, le premier comptoir de commerce provisoire, dit « tabagie », est installé à Tadoussac. Puis, en 1605, Pierre du Gua de Monts fonde Port-Royal en Nouvelle-Écosse : l'Acadie vient de naître. Pour organiser le commerce français des peaux, Samuel de Champlain accoste, le 3 juillet 1608, sur la rive nord du Saint-Laurent et fonde le premier poste de traite permanent, à Kebek, mot algonquin signifiant « endroit où le fleuve se rétrécit ». Il explore tout l'Est du Canada jusqu'au lac Huron (1616), tandis que les Anglais Hudson et James explorent la baie d'Hudson.

Un lent processus de colonisation commence alors. Avec l'arrivée des Jésuites en 1625 et des trappeurs, le mode de vie des Indiens va se trouver sensiblement modifié. S'ils parviennent à résister aux missionnaires jésuites cherchant à les convertir à la religion catholique, les indigènes sont rapidement décimés par des guerres meurtrières, les maladies endémiques venues d'Europe et les méfaits de la colonisation. Le commerce des fourrures restera durant tout le XVIIe siècle la principale activité économique de la colonie, le monopole de ce commerce étant détenu par plusieurs compagnies qui, en échange, promettent au roi de France de peupler le pays, d'entretenir les missionnaires et d'assurer la défense du territoire.

Chronologie

35 000 av. J.-C. > Arrivée des premiers Asiatiques en Amérique à travers le détroit de Béring, alors un isthme.

12 000 av. J.-C. > Les Inuits arrivent de la Sibérie et occupent l'Arctique canadien.

Vers 1000 ap. J.-C. > Le Viking Leif Ericsson atteint le Canada, plus précisément Terre-Neuve.

1497 > Le navigateur italien au service de l'Angleterre, John Cabot, débarque au Labrador, à Terre-Neuve ou dans l'île du Cap-Breton.

La Nouvelle-France (1534-1763)

À partir du XVIe siècle, des marins anglais, français, espagnols et portugais fréquentent les bancs poissonneux de Terre-Neuve.

1524 > Le territoire encore inconnu est nommé « Nouvelle-France ».

1534 > Le Malouin Jacques Cartier entre dans le golfe du Saint-Laurent à la recherche du passage nord-est vers la Chine et prend possession du Canada au nom du roi de France. D'autres expéditions suivent (1536, 1541). La première tentative de colonisation reste sans succès.

1604 > Fondation de Port-Royal en Acadie (aujourd'hui Annapolis Royal en Nouvelle-Écosse). L'Acadie devient la première colonie française.

1608 > Samuel de Champlain, soutenu par Richelieu, fonde Québec qui compte alors 28 habitants.
Arrivée des Jésuites, suivis par les Récollets en 1615, dépêchés sur place pour évangéliser les Indiens.

1621 > Les Anglais tentent de coloniser Terre-Neuve et la Nouvelle-Écosse. Pour favoriser la colonisation, Richelieu fonde la Compagnie de la Nouvelle-France, ou des Cent-Associés, qui détient le monopole du commerce des fourrures.

1629-1632 > Québec tombe aux mains des Anglais. Jean Nicolet entreprend l'exploration de l'intérieur du pays et atteint le lac Supérieur.

1642 > Paul de Chomedey, sieur de Maisonneuve, fonde Ville-Marie (Montréal).

1648-1650 > La confédération huronne, alliée de la France, est anéantie par les Iroquois qui contrôlent la vallée du Saint-Laurent.

1654-1667 > Les Anglais occupent l'Acadie (Nouvelle-Écosse).
Avec l'intégration par Colbert de la Nouvelle-France dans le domaine royal, le système administratif des provinces françaises régit la colonie.

1670 > Fondation de la Compagnie britannique de la Baie d'Hudson qui devient une importante rivale des trappeurs de la Nouvelle-France.

1672-1698 > Motivés par la curiosité scientifique, les préoccupations commerciales et l'évangélisation, les Français explorent le cœur du continent. La colonie compte 10 000 habitants, mais contrairement aux colons britanniques qui représentent une population beaucoup plus nombreuse, les Français ne jouissent d'aucune autonomie politique.

1713 > Les conflits franco-britanniques en Europe ont eu des répercussions sur les colonies : le traité d'Utrecht, qui met fin à la guerre de Succession d'Espagne, permet aux Anglais d'annexer les territoires de la baie d'Hudson, de Terre-Neuve et de l'Acadie rebaptisés Nouvelle-Écosse par les Anglais.

1741-1748 > Guerre franco-britannique qui se termine avec le traité d'Aix-la-Chapelle par le rétablissement du statu quo.

1755 > Le Grand Dérangement : les Anglais procèdent à la déportation de plusieurs milliers de francophones d'Acadie.

1755-1760 > Une seconde guerre entre les colonies secoue le pays. En 1759, défaite française à la bataille des Plaines d'Abraham. Reddition de la ville de Québec aux Anglais.

8 septembre 1760 > La capitulation du dernier gouverneur général français, le marquis de Vaudreuil, à Montréal, marque la fin de la Nouvelle-France. Les Anglais dominent désormais l'Amérique du Nord.

10 février 1763 > Conformément au traité de Paris, la France cède toutes ses possessions canadiennes aux Anglais, sauf l'archipel de Saint-Pierre-et-Miquelon.

Le Canada anglais (1763-1867)

1774 > L'Acte de Québec maintient les lois criminelles anglaises et rétablit les lois civiles françaises.

1783 > À la suite de l'indépendance des États-Unis, 40 000 loyalistes demeurés fidèles à la couronne britannique se réfugient au Canada.

1791 > L'Acte constitutionnel instituant un gouvernement représentatif partage le pays en deux provinces : le Haut-Canada (Ontario) anglophone et le Bas-Canada (Québec) francophone.

1837-1838 > Révolte des Patriotes.

1841 > L'Acte d'Union institue un seul gouvernement pour le Haut-Canada et le Bas-Canada : le Canada-Uni.

1860-1870 > Crise économique.

La Confédération canadienne

24 mai 1867 > L'Acte de l'Amérique du Nord britannique crée la Confédération canadienne qui regroupe les provinces de Québec, de l'Ontario, du Nouveau-Brunswick, de la Nouvelle-Écosse et, par la suite, le Manitoba (1870), la Colombie-Britannique (1871), l'île du Prince-Édouard (1873), la Saskatchewan et l'Alberta (1905) et, enfin, Terre-Neuve (1949). Le nouvel État, appelé aussi « dominion canadien », obtient la totale maîtrise de ses affaires étrangères, mais la couronne britannique reste représentée. La province de Québec se voit garantir le maintien de sa particularité française et catholique.

1887 > La construction du premier chemin de fer transcontinental, le Canadian Pacific Railway, déclenche un immense mouvement d'immigration vers l'ouest.

1871-1911 > Le pays est alternativement gouverné par les conservateurs et les libéraux.

Le Canada indépendant

1914-1918 > Pendant la Première Guerre mondiale, le Canada se range sans hésitation aux côtés du Royaume-Uni. La signature du traité de Versailles, le 28 juin 1919, par des délégués du dominion, donne au Canada le statut d'État souverain.
Dans les années d'après-guerre, le Canada attire un million d'immigrants. La culture du blé devient une des principales sources de richesse, tandis que l'industrie se développe rapidement. Avec la Conférence impériale, le Canada rompt ses liens de subordination avec la Grande-Bretagne.

1929 > Crise économique mondiale. Le statut de Westminster abolissant les derniers liens coloniaux confère au Canada sa pleine et entière souveraineté.

1939 > Huit jours après la Grande-Bretagne, le Canada déclare la guerre à l'Allemagne. La participation à l'effort allié est considérable.

Fleuve Saint-Laurent et drapeau canadien.

Avril 1945 > Le Canada est membre fondateur de l'Organisation des Nations Unies (ONU). Le pays se dote d'une loi de la citoyenneté canadienne, les habitants étant toujours des citoyens britanniques.

1949 > Le Canada signe le pacte de l'Atlantique du Nord. Le premier gouverneur de naissance canadienne est nommé par Elisabeth II, proclamée reine du Canada. Ayant contribué au dénouement de la crise de Suez, le ministre des Affaires étrangères, L. B. Pearson, reçoit le prix Nobel.

1964 > Choix du drapeau national.

1967 > Visite du général De Gaulle. Les états généraux du Canada français tenus à Montréal concluent une orientation vers l'indépendance du Québec et le rejet catégorique du fédéralisme canadien. Exposition universelle à Montréal.

Avril 1968 > Fondation du Parti Québécois (PQ, indépendantiste) par René-Lévesque. Dynamique Canadien français, Pierre Elliott Trudeau, résolument hostile au séparatisme, arrive à la tête du gouvernement libéral du Canada, qu'il quittera en mai 1984, la volonté d'indépendance du Québec et la crise économique posant des problèmes majeurs.

- **1976 >** Première grève générale de l'histoire canadienne. Le rapatriement de la Constitution, qui donne enfin le droit au Canada de modifier ses textes fondamentaux sans l'aval de Westminster, marque l'indépendance totale. Jeux olympiques d'été de Montréal (Québec).
- **1977 >** La loi 101 (charte de la langue française) est votée.
- **1980 >** Référendum sur la souveraineté du Québec : 60 % non, 40 % oui.
- **4 septembre 1984 >** Le conservateur Brian Mulroney est désigné Premier ministre.
- **1987-1990 >** Échec des accords du lac Meech : les provinces canadiennes refusant l'attribution d'un statut distinct pour le Québec, ce dernier maintient son refus d'adhérer à la Constitution de 1982.
- **1988 >** Admission du Canada dans le Groupe des Sept.
Jeux olympiques d'hiver à Calgary (Alberta).
- **Juillet 1990 >** La Crise d'Oka, qui oppose les Mohawks aux gouvernements québécois et canadien, rallume le délicat problème du statut des Amérindiens.
- **Septembre 1990 >** Les élections anticipées se soldent par un échec pour les Premiers ministres canadien (Brian Mulroney) et québécois (Robert Bourassa).
- **1991 >** Émergence de deux partis nationalistes fédéraux : le Bloc québécois et le Reform Party.
- **1992 >** Montréal fête le 350e anniversaire de sa fondation.
- **1993 >** Le Bloc québécois devient l'opposition officielle à la Chambre des communes.
- **Octobre 1993 >** Élections générales. Jean Chrétien est élu Premier ministre du Canada.
- **Septembre 1994 >** Entrée en vigueur de l'ALÉNA : accord de libre-échange entre le Canada, les États-Unis et le Mexique.
- **Novembre 1995 >** Second référendum sur la souveraineté au Québec : le non l'emporte de quelques milliers de voix (50,5 % Non et 49,5 % Oui).
- **1996 >** La Commission royale d'enquête sur les autochtones du Canada préconise la création d'un gouvernement autochtone.
- **Juin 1997 >** Le Parti libéral et le Premier ministre Jean Chrétien sont reconduits au pouvoir. L'Ouest canadien profite de cette élection pour soutenir massivement le Reform Party, parti conservateur qui s'oppose notamment au bilinguisme. Cette opposition grandissante à l'Est francophone menace l'unité du Canada.
- **Avril 1999 >** Entrée en fonction du gouvernement du nouveau territoire inuit : le Nunavut.
- **Novembre 2000 >** Le Parti libéral sort à nouveau vainqueur des élections législatives et obtient la majorité absolue. Jean Chrétien est Premier ministre pour la troisième fois consécutive.
- **Avril 2001 >** Sommet des Amériques à Québec.
- **Juin 2003 >** Le gouvernement fédéral annonce qu'il légiférera en faveur du mariage des conjoints de même sexe.
- **Décembre 2003 >** Le Premier ministre Jean Chrétien prend sa retraite, Paul Martin lui succède de façon intérimaire, avant d'être élu à son tour à la tête d'un gouvernement minoritaire.
Une proclamation venant de la reine d'Angleterre, reconnaissant les souffrances subies par les Acadiens lors de la déportation de 1755 est signée à Ottawa.
- **Janvier 2006 >** Des élections fédérales anticipées sont organisées à la suite du « scandale des commandites » qui a mis le gouvernement libéral du Premier ministre Paul Martin à rude épreuve en 2004. Le Parti Conservateur prend le pouvoir et Stephen Harper devient Premier ministre du Canada, à la tête d'un gouvernement dit « minoritaire » (n'ayant pas la majorité des sièges au Parlement).
- **2008 >** Le 14 octobre, Stephen Harper et son Parti conservateur sont réélus à la tête du gouvernement canadien, toujours minoritaires mais avec plus de députés qu'en 2006. Les élections provinciales du Québec suivent le 8 décembre.
La ville de Québec célèbre son 400e anniversaire avec une programmation spéciale tout au long de l'année.
- **2010 >** Huntsville (Ontario) accueille le sommet du G8 (4 autres sommets ont déjà eu lieu au pays) alors que Toronto (Ontario) accueille le sommet du G20 (la ville de Québec a accueilli celui de 2000).
- **2 mai 2011 >** La 41e élection générale du Canada reporte Stephen Harper au pouvoir mais cette fois-ci, il obtient un gouvernement majoritaire.

La Nouvelle-France

À la suite des expéditions de Jacques Cartier, c'est la France qui, la première, établit au Canada des colonies le long du Saint-Laurent. Après la ville de Québec, fondée en 1608 par Samuel de Champlain, ce sera Trois-Rivières en 1634 et Ville-Marie (Montréal) en 1642. Les colons français défrichent les forêts pour cultiver les sols tandis que le négoce des fourrures s'organise. Attirés par ce commerce lucratif, les Français entreprennent d'explorer le nouveau continent, à la recherche de peaux d'ours, de loup, de fourrures de martre, de vison, la plus prisée étant celle du castor avec laquelle on fabrique le feutre servant à confectionner les chapeaux, les manteaux et les chaussures pour lesquels la demande est très forte en Europe. C'est ce qui amène les Français à nouer des relations commerciales avec les Hurons, les Montagnais et les Micmacs, tous d'excellents chasseurs qui deviennent des partenaires économiques indispensables. En échange des fourrures, ces derniers reçoivent des chaudrons en cuivre ou en fer, des outils, de l'alcool et des fusils : il s'agit d'un commerce de troc. Intermédiaires entre les trappeurs indiens et les représentants des grandes compagnies, les coureurs des bois ouvrent des voies de pénétration. Les Français vont se heurter à la concurrence des Anglais établis plus au sud, le long de la côte Atlantique. Bientôt, les deux communautés s'affrontent. Les tribus indiennes s'engagent, elles aussi, dans la lutte lorsque Champlain devient l'ennemi des Iroquois, partenaires commerciaux des Anglais. Entre 1648 et 1660, la rivalité entre Français et Anglais va accentuer l'inimitié entre Hurons et Iroquois, tribus établies autour des Grands Lacs. Regroupés en une puissante confédération des Cinq-Nations, les Iroquois attaquent les Hurons, Montagnais, Algonquins, tous alliés des Français. Les Iroquois finissent par écraser les Hurons, qui s'enfuient vers Québec, avant de se retourner contre les Français, ruinant leurs récoltes, entraînant le déclin du commerce des fourrures et celui de la jeune colonie française. En 1663, sur décision de Louis XIV, la Neuve-France, ou Nouvelle-France, devient province française rattachée au domaine royal : elle est administrée par un gouverneur, responsable des affaires militaires, un intendant, chargé de la justice et des finances, et des propriétaires terriens. Les paysans représentent alors 80 % de la population.

La conquête anglaise

Les conflits d'intérêts entre la France et l'Angleterre vont entraîner une succession de guerres et de traités. En 1713, le traité d'Utrecht cède Terre-Neuve à l'Angleterre ainsi que la baie d'Hudson et l'Acadie. En 1755, le colonel britannique sir Charles Lawrence ordonne la déportation des Acadiens, implantés depuis 1604 autour de la baie de Fundy (Nouvelle-Écosse actuelle), agriculteurs venus du Poitou, de Touraine et du Berry, afin d'installer, à leur place, des fermiers anglais : le « Grand Dérangement », qui a lieu de 1755 à 1763, touchera plus de 10 000 Acadiens. Beaucoup d'entre eux s'enfuiront en Louisiane et se disperseront un peu partout. La France conserve cependant l'île Saint-Jean (île du Prince-Édouard) et l'île Royale (île du Cap-Breton) où elle a érigé la puissante forteresse de Louisbourg pour contrôler l'accès au golfe du Saint-Laurent. Mais, à partir du Grand Dérangement, l'étau va se resserrer autour des Français : en juillet 1758, Louisbourg tombe aux mains des Anglais puis, l'année suivante, les Français, conduits par le général Montcalm, sont défaits devant Québec par les Anglais du général Wolfe, à la bataille des Plaines d'Abraham (1759), ce qui entraînera la reddition de la ville de Québec puis, en 1760, la capitulation de Montréal. La Nouvelle-France ne compte alors que 80 000 habitants de souche française, tandis que les Anglais, au nombre de 2 millions, n'ont qu'une idée : chasser les Français. En 1763, le traité de Paris cède la Nouvelle-France à l'Angleterre. La France a définitivement perdu ses possessions canadiennes. Le résultat de cette conquête militaire est que les Français, catholiques et sujets d'une monarchie absolue, se voient contraints de cohabiter avec les Anglais, protestants et sujets d'une monarchie constitutionnelle. En 1774, l'Acte de Québec organise la nouvelle colonie anglaise, appelée désormais « Québec ». Toutefois il reconnaît les lois civiles françaises et garantit aux Canadiens le libre exercice de leur religion. En 1783, la Grande-Bretagne reconnaît l'indépendance des États-Unis, ses anciennes colonies américaines. Les premiers loyalistes américains, restés fidèles à la couronne britannique, arrivent au Canada et se réfugient dans les Cantons-de-l'Est (Québec). En 1791, une nouvelle Constitution crée le Bas-Canada (Québec) et le Haut-Canada (Ontario), octroyant à chacun une Assemblée législative.

La Confédération canadienne

Durant le XIXe siècle, le Parti des Canadiens français, ou « Parti canadien », dirigé par Louis-Joseph Papineau, est constamment confronté à l'autorité d'un gouverneur anglais et d'un Conseil législatif qui rejette, la plupart du temps, les lois présentées à la Chambre. La politique des Anglais, aggravée par la crise sociale et l'exaspération des Canadiens français nationalistes, aboutit, en 1837-1838, à la « Rébellion des Patriotes » de la région de Montréal : la Constitution de 1791 est alors suspendue.Pour tenter de rétablir la situation, le gouverneur général anglais Lord Durham propose l'union du Bas et du Haut-Canada, connue sous le nom d'Acte d'Union (1841), créant le Canada-Uni. Au libéralisme des débuts succède un conservatisme engendrant des crises qui ébranlent périodiquement le gouvernement. C'est dans ce climat agité que naît l'idée d'une confédération : l'Acte de Constitution de 1867 établit la Confédération canadienne qui comprend le Québec, la Nouvelle-Écosse, le Nouveau-Brunswick et l'Ontario. Le Manitoba (1870), la Colombie-Britannique (1871), l'île du Prince-Édouard (1873), la Saskatchewan et l'Alberta (1905) et, enfin, Terre-Neuve (1949) se sont joints progressivement à la cette Constitution, qui établit la séparation des pouvoirs entre celui du gouvernement fédéral et ceux des provinces chargées notamment de l'instruction. Afin de garantir le droit des minorités (protestante au Québec, catholique dans les autres provinces), le système scolaire reposera plus sur la religion que sur la langue, système très controversé. La Constitution utilisera dès lors le terme de « Canada français » s'appliquant à l'ensemble des francophones du Québec, du Nouveau-Brunswick, de l'Ontario et du Manitoba. Sir Wilfrid Laurier sera le premier Canadien français à occuper le poste de Premier ministre (1896-1911).

Le XXe siècle

En 1905, deux nouvelles provinces sont créées : l'Alberta et le Saskatchewan. Le pays à peine constitué, le gouvernement décide de participer à la Première Guerre mondiale du côté des Alliés. En effet, le 19 août 1914, soit près de deux semaines après la Grande Bretagne, le Canada déclare la

Les grandes figures de la fondation du Canada

Louis de Buade de Frontenac (1622-1698)

Gouverneur général de la Nouvelle-France de 1672 à 1682 puis de 1689 à 1698, il fut un redoutable adversaire des Anglais et de leurs alliés Iroquois.

Jacques Cartier (vers 1494-1554)

Né à Saint-Malo, ce navigateur, surnommé le « découvreur du Canada », parti à la recherche d'une nouvelle route vers les Indes, atteint, en 1534, Terre-Neuve et la côte du Labrador (déjà découvertes par Jean Cabot en 1497), avant de débarquer à Gaspé pour prendre possession du Canada au nom du roi de France, François Ier. Il entreprendra encore deux ou trois autres voyages (1535, 1541 et peut-être 1543) au Canada.

Samuel de Champlain (vers 1567-1635)

Né à Brouage, en Saintonge, cet explorateur et colonisateur est envoyé par Louis XIII, en 1603, en mission de reconnaissance au Canada où il explore le Saint-Laurent jusqu'aux rapides de Lachine. Lors d'un second voyage, il explore la côte Atlantique du Canada (1604-1607), avant d'établir une colonie française à Québec en 1608, s'alliant aux Algonquins et aux Hurons contre les Iroquois. Durant son séjour au Canada, il explore une partie des Grands Lacs (lacs Nipissing, Huron, Ontario et Champlain) en 1615-1616 mais se consacre surtout à l'organisation de la colonie dont il est nommé lieutenant-gouverneur par le duc de Montmorency en 1619.

Jean Talon (1626-1694)

Choisi par Colbert, le plus célèbre intendant de la Nouvelle-France, de 1665 à 1668 puis de 1670 à 1672, fut un remarquable administrateur. Ses réalisations majeures concernent l'agriculture et la mise en place d'un système social (allocation au mariage et à la famille).

© CALI - ICONOTEC

Drapeaux québecois et canadien.

guerre à l'Allemagne et à l'Autriche-Hongrie. Dès lors, ce sont près de 30 000 Canadiens qui quittent le pays par bateau en direction de l'Angleterre. En participant à la Première Guerre mondiale jusqu'au bout, le Canada prend part au traité de Versailles et devient ainsi une puissance internationale reconnue. Par la suite, le pays va accueillir de nombreux immigrants attirés par un pays industriel en plein essor. Mais la crise de 1929 va mettre un frein à l'expansion économique. S'en suivra une politique visant, entre autres, à limiter la main-d'œuvre étrangère et subvenir aux besoins des plus démunis. À l'aube de la Seconde Guerre mondiale, le Canada cherche à conforter sa situation économique et développer des liens avec la Grande-Bretagne et les États-Unis. Cet objectif économique va se doubler d'une alliance militaire (pacte de défense mutuelle). La guerre va stimuler l'économie canadienne, mais creuser le fossé entre une majorité d'anglophones partisans de l'engagement aux côtés des Anglais, et des Québécois défavorables à la conscription. Au sortir de la Seconde Guerre mondiale, le Canada va poursuivre ses efforts de coopération internationale dans les domaines économiques et militaires, tout en glissant vers une indépendance à l'égard des États-Unis, ainsi qu'une autonomie plus grande vis-à-vis de la Grande-Bretagne. C'est ainsi que le nouveau drapeau canadien est adopté par le Parlement en 1964 et proclamé par la reine en 1965.

Le Québec et la « Révolution tranquille »

Au Québec, les années 1960-1970 correspondent à la « Révolution tranquille », sous le mandat du libéral Jean Lesage, lequel se donne pour objectif de moderniser la province pour faire face aux défis économiques et sociaux à venir. Cette « renaissance » n'éloigne pas pour autant quelques problèmes récurrents. Les communautés francophones et anglophones restent profondément marquées par l'histoire et la culture qui leurs sont propres, et cette différence de points de vue prend forme au niveau politique. Bien que minoritaire, le sentiment indépendantiste québécois trouve de plus en plus d'écho, comme en 1967 lorsque le Général de Gaulle, alors président français en exercice, se rend dans la « Belle province » pour déclarer : « Vive le Québec libre ! » Il faudra attendre le début des années 1970 pour voir le déclin du Parti québécois (PQ) face au Parti libéral Trudeau.

Le problème récurrent de l'unité canadienne

En 1977, peu après une remontée péquiste, le Premier ministre Pierre Elliott Trudeau tente de mettre sur pied une commission chargée de faire le point sur l'unité canadienne et ses valeurs. La même année au Québec est adoptée la fameuse « loi 101 » : désormais, l'usage du français est réglementé dans la vie courante.

Totem ainu à Vancouver.

C'est ainsi que cette loi impose l'usage exclusif du français dans l'affichage public, oblige les entreprises qui veulent traiter avec l'État à appliquer des programmes de francisation à toutes les grandes entreprises, restreint l'accès à l'école anglaise aux seuls enfants dont l'un des parents a reçu son enseignement primaire en anglais au Québec, et reconnaît comme officielle la seule version française des lois. C'est dans cet élan que Trudeau organise un référendum en mai 1980 pour décider de l'avenir du Québec : le peuple se prononce contre le projet de « souveraineté-association » de la province à 60 %. Mais en décembre 1988, la spécificité francophone relative à la loi 101 (Charte du français) est abrogée par les libéraux : l'affichage systématique bilingue redevient obligatoire. En 1992, un référendum fait avorter les accords de Charlottetown qui reconnaissaient le caractère distinct du Québec vis-à-vis de la Confédération. L'année suivante, le libéral québécois Jean Chrétien est élu Premier ministre du Canada. Il faut attendre 1995 pour que la question de la souveraineté refasse surface : lors de ce nouveau référendum organisé par le Bloc québécois (au pouvoir depuis 1994) dans la province, le « non » l'emporte à 50,5 % des voix. En 1997, Jean Chrétien est reconduit au pouvoir, mais doit faire face au parti conservateur anglophone « Reform Party » qui souhaite la fin du bilinguisme, et qui menace ainsi la fragile « unité canadienne ». Cela ne l'empêche pas d'être réélu Premier ministre une troisième fois en 2000. En décembre 2003, Jean Chrétien passe le relais à Paul Martin et prend sa retraite.

L'avenir du Canada en question

Faisant face à un scandale impliquant le Parti libéral, Paul Martin parvient à remporter les élections de 2004 sans toutefois obtenir la majorité des sièges au parlement. Le « scandale des commandites », c'est-à-dire les tentatives du Parti libéral de favoriser la population québécoise et un certain essoufflement des libéraux donnent l'avantage au Parti conservateur aux élections de janvier 2006. Stephen Harper prend à son tour les rênes d'un gouvernement minoritaire (réélu minoritaire en 2008 et majoritaire en 2011). Toutefois, même si le gouvernement central prime, le poids des différentes régions prend une importance grandissante dans la vie politique fédérale.

La question amérindienne

À côté de la question linguistique, l'histoire du Canada est marquée par l'épineux problème de l'intégration des Amérindiens dans la société économique et sociale canadienne. Le début des années 1990 voit ainsi se développer des conflits liés à l'exploitation des terres considérées comme ancestrales par les Amérindiens, comme celui survenu en 1988 avec les Indiens mohawks d'Akwesame (réserve qui s'étend sur le Québec, l'État de New York et l'Ontario) ou la crise d'Oka en 1990 à proximité de Montréal. Autre exemple, un accord considéré comme « historique » signé en 2002 entre le gouvernement du Québec et le Grand Conseil des Cris du Québec : la province s'engage ainsi à verser 3,5 milliards de $ canadiens sur 50 ans pour compenser l'exploitation de barrages hydroélectriques à proximité de la Baie James.Le découpage provincial du pays doit ainsi correspondre aux positions géographiques des différentes communautés amérindiennes vivant au Canada. C'est pourquoi, en 1999, les Territoires du Nord-Ouest furent divisés, donnant naissance à l'Est à la nouvelle province du Nunavut, peuplée à 85 % d'autochtones.

Retrouvez le sommaire en début de guide

Politique et économie

POLITIQUE

Structure étatique

L'Acte de l'Amérique du Nord britannique, document constitutionnel créateur de la Confédération canadienne de 1867, a instauré une division des pouvoirs entre deux types de gouvernement. Les dix provinces du Canada sont dotées chacune d'un gouvernement ayant des domaines réservés (éducation, santé, autres questions intérieures et locales) pour légiférer et sont contrôlées par un gouvernement central à Ottawa. Ce gouvernement fédéral, divisé en deux chambres, a régulièrement la tentation de s'immiscer dans des domaines qui ne sont pas dans ses attributions et ne relèvent que du pouvoir législatif des provinces. Constitutionnellement, ce gouvernement régit les Affaires étrangères, la Défense, le Commerce, les Transports, la Monnaie et le Droit pénal. Les Territoires sont supervisés par le ministère des Affaires indiennes et du Nord canadien (hormis le Nunavut qui s'est doté de son propre gouvernement inuit).

Une monarchie constitutionnelle

Le Canada est une monarchie constitutionnelle, membre du Commonwealth, et reconnaît symboliquement comme chef de l'État la reine d'Angleterre, représentée par un gouverneur général à Ottawa. Le pouvoir véritable est entre les mains du Premier ministre (Stephen Harper actuellement) et de son cabinet gouvernemental, constitué de membres de la majorité. Le mode de scrutin uninominal à majorité simple fait généralement alterner au pouvoir deux formations politiques. Le Parlement bicéphale est essentiellement constitué par la Chambre des communes qui y joue le rôle principal, tandis que la Chambre Haute, le Sénat, n'y a plus qu'un statut historique comme son modèle anglais, la Chambre des lords.Le Canada est un État bipartite dans lequel seuls le Parti conservateur, actuellement au pouvoir, et le Parti libéral obtiennent suffisamment de voix pour obtenir une majorité représentative. Les élections de 2006 et 2008 ont mis en minorité le parti de Stephen Harper en laissant suffisamment de places aux deux autres partis importants du pays, le Nouveau Parti Démocrate et le Bloc Québécois. Toutefois, le pays a eu droit à un véritable coup de théâtre en mai 2011 alors que les Conservateurs ont obtenu la majorité aux élections (39,6 %) avec comme parti d'opposition, le Nouveau Parti Démocratique de Jack Layton (30,6 %). Les Libéraux ont fait leur pire performance de l'histoire avec seulement 18,9 % alors que le Bloc québécois a pratiquement perdu tous ses sièges (6 %), y compris celui du chef, Gilles Duceppe. Un vent de changement souffle sur le pays !

Partis

La vie politique canadienne est rythmée par le bipartisme dans la mesure où seuls deux partis sont, en général, en mesure d'obtenir suffisamment de voix pour constituer un gouvernement. Toutefois, suite aux élections de mai 2011, le règne bipartiste des Conservateurs/Libéraux a pris fin. Les Conservateurs ont obtenu la majorité des sièges avec comme opposition officielle, le Nouveau Parti Démocratique. Le Bloc québécois, qui faisait bonne figure grâce au support des Québécois, a perdu 43 sièges et le Parti vert a finalement obtenu son premier siège au Parlement.

- **Le Parti conservateur.** Dirigé par Stephen Harper, l'actuel Premier ministre, ce parti formé il y quelques années est actuellement mis en majorité au Parlement depuis les élections de 2011. Issu d'une fusion entre deux visions distinctes du conservatisme, le parti prône actuellement l'économie de marché et s'oppose à certaines réformes sociales, telles que le mariage homosexuel. Le parti est généralement situé à droite de l'échiquier politique. L'amalgame est ainsi habituellement fait entre le Parti conservateur canadien, son homologue britannique et le Parti républicain américain.

- **Le Parti libéral.** Formant précédemment un gouvernement minoritaire sous l'égide de Paul Martin et de Stéphane Dion, ce parti fut, entre 2006 et 2011, le parti d'opposition au Parti conservateur au pouvoir. Il est actuellement dirigé par Michael Ignatieff. Parti le plus fréquemment au pouvoir depuis sa constitution en 1867, le Parti libéral a été le grand défenseur du bilinguisme et du multiculturalisme. Sa figure la plus illustre fut Pierre Elliott Trudeau, Premier ministre du Canada pendant 15 ans de 1968 à 1979 et de 1980 à 1984, mandats au cours desquels il légalisa le divorce, l'avortement et l'homosexualité.
- **Le Nouveau Parti Démocratique (NPD).** Créé en 1961, le NPD forme depuis 2006 le gouvernement au Manitoba et depuis juin 2009, celui de la Nouvelle-Écosse. Il constitue également le parti d'opposition en Colombie-Britannique et en Saskatchewan. Depuis 2011, il est le nouveau parti de l'opposition officielle au Parlement. Dirigé par Jack Layton, ce parti social-démocrate a confirmé son orientation à gauche lors d'un congrès tenu en 2001.
- **Le Bloc Québécois.** Ce parti souverainiste social-démocrate a vu le jour en 1991. Dirigé jusqu'à tout récemment par Gilles Duceppe, il constitue le seul parti provincial présent au niveau national. Les « bloquistes » sont fortement liés aux « péquistes » du Parti québécois. Ils sont soutenus par de nombreux mouvements ouvriers québécois. Toutefois, sa cuisante défaite en mai 2011, où même le chef a perdu son siège au Parlement, remet en question l'avenir de ce parti qui a, par le fait même, perdu son statut de parti officiel. Aucun nouveau chef n'a pour l'instant repris le flambeau de Gilles Duceppe.

Enjeux actuels

Le bilinguisme

La question majeure, et récurrente, qui anime la vie politique canadienne est celle du bilinguisme. La division politique entre l'Ouest, anglophone et économiquement tourné vers l'Asie, et l'Est francophone, suscite des inquiétudes concernant l'unité du Canada.

Le Bloc québécois, qui a déjà formé l'opposition officielle au Parlement, milite de son côté pour un Québec souverain et pour les intérêts du peuple québécois. Le fédéralisme l'a emporté de justesse au dernier référendum de 1995 et le parti souverainiste provincial, le Parti québécois (PQ), a perdu des sièges lors des élections au Québec en mars 2007. Par contre, lors des élections de décembre 2008, le PQ a fait une remontée spectaculaire alors que le Bloc a perdu son statut de parti officiel en mai 2011 en obtenant que quatre sièges au Québec, les autres ayant été octroyés, en grande partie, au NPD. Il reste à voir ce que tout cela aura comme répercussion sur le bilinguisme et les intérêts du Québec…

Autres enjeux

Avec un gouvernement de la droite élu récemment majoritaire, plusieurs questions se posent quant aux droits de la personne (mariage gay, avortement, etc.), à la protection de l'environnement, à l'économie, etc. Il est toutefois trop tôt pour se prononcer mais il y a fort à parier que la face du pays changera quelque peu au cours des prochaines années.

Un bilingüisme parfois tatillon !

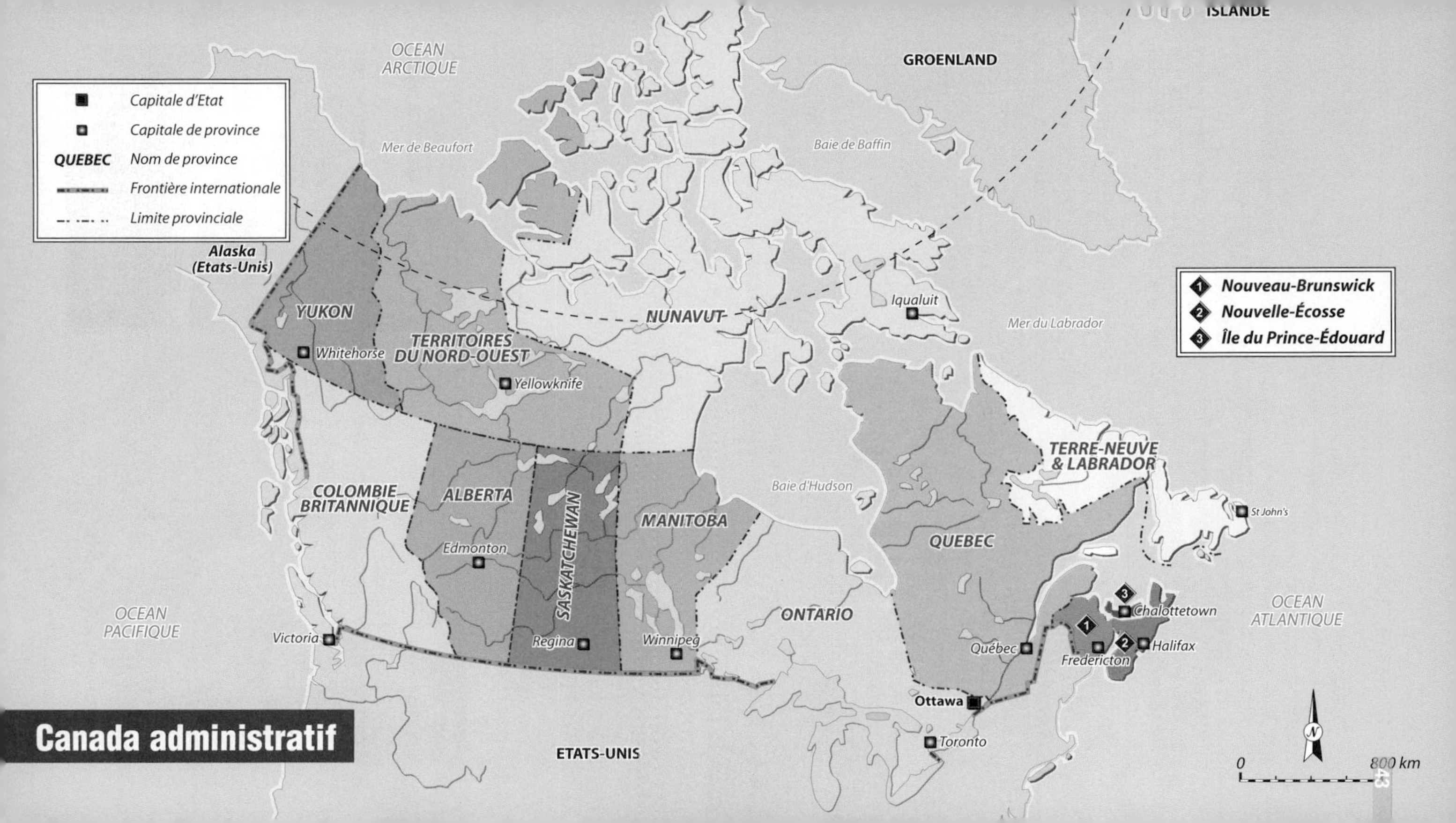
Canada administratif
Capitale d'Etat
Capitale de province
QUEBEC Nom de province
Frontière internationale
Limite provinciale
OCEAN ARCTIQUE
GROENLAND
ISLANDE
Mer de Beaufort
Baie de Baffin
Alaska (Etats-Unis)
YUKON
Whitehorse
TERRITOIRES DU NORD-OUEST
Yellowknife
NUNAVUT
Iqualuit
Mer du Labrador
1 Nouveau-Brunswick
2 Nouvelle-Écosse
3 Île du Prince-Édouard
TERRE-NEUVE & LABRADOR
St John's
Baie d'Hudson
COLOMBIE BRITANNIQUE
ALBERTA
Edmonton
SASKATCHEWAN
Regina
MANITOBA
Winnipeg
QUEBEC
Québec
ONTARIO
Ottawa
Toronto
Chalottetown
Fredericton
Halifax
OCEAN ATLANTIQUE
OCEAN PACIFIQUE
Victoria
ETATS-UNIS
0
800 km

Mount Edith Cavell et Amethyst Lake, Jasper National Park

ÉCONOMIE

Principales ressources

Une économie du savoir

Le temps où l'économie canadienne reposait presque uniquement sur ses ressources naturelles est bel et bien révolu. Le pays évolue maintenant dans une économie qui privilégie l'innovation et la technologie. C'est ce que les dirigeants canadiens appellent le passage vers l'économie du savoir. La majorité des Canadiens travaillent dans des bureaux plutôt que sur des fermes ou dans des mines. En fait, 75 % de la population travaille dans les services. Ce secteur génère les deux tiers du produit intérieur brut.

Les ressources naturelles

Le secteur des biens représente 33 % de l'économie du pays. Le sous-sol est riche et permet aux industries extractives de prendre une place importante dans l'économie canadienne : on y exploite le pétrole (en Alberta surtout), le gaz naturel, le charbon naturel, la potasse, le plomb, l'uranium, le zinc et le nickel. La forêt est exploitée et fournit les bois de construction ou du papier. Le Canada est ainsi l'un des principaux exportateurs de produits forestiers au monde. Les prairies du centre du pays sont un des principaux greniers à céréales du monde. On y cultive essentiellement le blé, le colza, mais aussi la pomme de terre et les fruits.

▶ **Principaux produits d'exportation :** véhicules et pièces de rechange, machines et outillage, produits de haute technologie, pétrole, gaz naturel, métaux, produits forestiers et agricoles.

▶ **Principaux produits d'importation :** machines et outillage industriel, comprenant du matériel de communications et de l'électronique, véhicules et pièces de rechange, matériaux industriels (minerais, fer, acier, métaux précieux, produits chimiques, plastique, coton, laine et autres textiles), produits manufacturés et produits alimentaires.

Partenaires

80 % des exportations et 70 % des importations se font à destination et en provenance des États-Unis. L'Europe est le deuxième partenaire en importance. L'Asie, avec le Japon en tête et le développement des échanges avec la Chine, est un joueur de plus en plus considérable, notamment avec la province de la Colombie-Britannique, de même que le Mexique.

Place du tourisme

Même si le pays a subi un recul des arrivées internationales en 2009, principalement causé par la récession économique en Amérique du Nord et la grippe A (H1N1), 16 millions de visiteurs internationaux ont visité le Canada en 2010, soit une hausse de 2,3 % par rapport à l'année précédente.

Quelques faits saillants

▶ **Les derniers chiffres du classement mondial** des arrivées internationales par destination, établi en 2010 par l'OMT, portent le Canada au 15e rang. Et dire que le pays occupait le 2e rang en 1970 et le 8e rang en 2000... Il fut en effet détrôné du top 10 des principales destinations en 2004.

▶ **En 2010, les voyages d'agrément** ont représenté plus de la moitié de toutes les arrivées pour des voyages d'une nuit ou plus au Canada, après une hausse de 2,8 % des arrivées par rapport à 2009.

▶ **Le déficit touristique international** du Canada s'est établi à 14,3 milliards de dollars en 2010, soit 17,2 % de plus qu'en 2009.

▶ **Le produit intérieur brut (PIB) touristique global** a atteint 29,4 milliards de dollars en 2010, soit 1,9 % du PIB du Canada.

▶ **Le nombre d'emplois** attribuables au secteur du tourisme a baissé à 617 300 en 2010, ce qui représente une diminution de 1,1 % par rapport à l'année précédente.

Enjeux actuels

Même s'il fait bonne figure dans le groupe des 8, tout n'est pas toujours rose au Canada. La qualité de vie au nord du pays, particulièrement dans le territoire du Nunavut, n'a rien de comparable aux villes situées en bordure de la frontière américaine. Si le gouvernement souhaite régler les problèmes sociaux (alcool, taux de suicide au sommet du palmarès mondial, chômage...) dans cette partie à l'écart du reste du monde, c'est d'abord en construisant une économie viable qu'il y parviendra. Des progrès sont proposés en ce sens, mais les solutions sont loin d'être évidentes. À long terme, un des enjeux importants du Canada est de maintenir son rôle de grand producteur énergétique sans toutefois nuire aux générations futures, donc d'assurer le développement durable de l'industrie énergétique.

Population et langues

Dans cet énorme territoire, la densité de la population est de 3,5 habitants au km². La grande majorité des villes ont été construites sur la rive nord de la frontière canado-américaine : 75 % de la population réside autour des grands centres urbains. La population canadienne constitue un véritable melting-pot dans la mesure où y cohabitent autochtones, colons venant des États-Unis, de Grande-Bretagne et de France, ainsi que Chinois et Européens issus de vagues d'immigration plus récentes. Une population si diversifiée renvoie ainsi à la problématique de l'unité, fréquemment posée au Canada.

Une société multiculturelle. Suite à ses nombreuses vagues d'immigration, le Canada est devenu une mosaïque de cultures, toutes différentes et dont la complémentarité est essentielle à la vie en communauté. Suite à de nombreuses politiques pro immigration face aux pénuries de main-d'œuvre au sortir de la Seconde Guerre mondiale, la balance migratoire est aujourd'hui toujours nettement positive. Les Européens de l'Est (Polonais, Hongrois, Tchèques), ont laissé place aux immigrés venus d'Asie et des Caraïbes. Une forte diversité des pays d'origine se retrouve ainsi sur l'ensemble du pays, même si des communautés sont plus représentées dans certaines parties. Ainsi, la population d'origine chinoise est nettement plus présente en Colombie-Britannique, mais elle se retrouve dans l'ensemble du pays, comme le montre le film de Philippe Falardeau (cf. rubrique « Arts et Culture », « Cinéma »). Face à la nécessité d'une intégration de chaque Canadien, le gouvernement a mis en place dès les années 1970 une politique fédérale du multiculturalisme. Aujourd'hui, dans un pays où au moins 30 % de la population n'est ni d'origine française ni d'origine britannique, la continuation et l'actualisation d'une telle politique est nécessaire, afin que descendants de Français et Britanniques, Amérindiens et nouveaux immigrants puissent participer de la même manière à la vie de leur pays.L'immigration chinoise massive constitue la particularité de la ville de Vancouver, mais elle ne se situe qu'à la troisième place des villes chinoises d'Amérique du Nord, après San Francisco et Toronto. Le quartier chinois de Vancouver est toutefois aussi vieux que la ville elle-même. Sur l'ensemble des habitants de la ville, 37,5 % sont nés à l'étranger et sur ce pourcentage, 86,4 % viennent du continent asiatique. Les Asiatiques constituent en effet la minorité la plus nombreuse du pays. Les villes de Montréal, Ottawa et Vancouver représentent ainsi une véritable mosaïque de cultures, formant ainsi la richesse du Canada.

Langue. La grande majorité des Canadiens parle anglais (67,5 % le parlent à la maison) alors que 22 % parlent le français. Poussé par le Québec et la communauté francophone, le gouvernement fait aussi de grands efforts pour maintenir le bilinguisme. Ainsi, la très grande majorité des Amérindiens parlent à la fois la langue de leur communauté et le français ou l'anglais. Le pays devient de plus en plus une mosaïque ethnique : le gouvernement a recensé plus de 100 langues maternelles différentes lors du recensement de 2006. Les gains les plus importants sont représentés par les groupes venant de l'Asie et du Moyen-Orient. Lors de ce recensement, une personne sur six s'est déclarée allophone, c'est à dire qu'ils n'avaient ni l'anglais ni le français comme langue maternelle. Le chinois est la troisième langue parlée au Canada, suivi de l'italien et de l'allemand.

Les peuples des Premières nations

Les Amérindiens

On réduit trop souvent l'histoire de ce qu'on appelle le Nouveau Monde à celle de sa colonisation par l'Ancien Monde, épisode récent par rapport à la longue présence de l'homme sur le continent. Les premiers occupants de l'Amérique furent les Amérindiens qui, venus d'Asie en franchissant le détroit de Béring par vagues successives, ont fait preuve d'une certaine ingéniosité pour subsister dans un environnement souvent difficile. Aujourd'hui, le Canada compte environ un demi-million d'Amérindiens, divisés en différentes ethnies dispersées dans l'immensité du territoire.

© YUKIKO YAMANOTE - ICONOTEC

Réserve Mohawk.

De part et d'autre du Saint-Laurent et des lacs Ontario et Érié, les fameux Iroquois devinrent l'ethnie la plus puissante de la côte Est en formant, au XVIe siècle, la Ligue des Cinq Nations, qui s'allia aux Anglais pour combattre les Hurons, groupe iroquois dissident, et les Algonquins, également alliés des Français. À demi sédentaires, les Iroquois cultivaient le maïs ainsi que des fèves et des courges. Ils vivaient dans de longues maisons communes en écorce, et étaient organisés en une société matriarcale et démocratique. Parmi les Iroquois, les Mohawks sont aujourd'hui l'un des groupes les plus actifs dans les revendications autonomistes. Plus à l'est, les Provinces atlantiques et la Gaspésie étaient occupées par une autre confédération comprenant notamment les Abénakis, les Malécites et les Micmacs. À Terre-Neuve vivaient les Béothuks, disparus dès 1829, exterminés par les colons.Plus au nord, plusieurs groupes nomades de langue algonquine menaient ou mènent encore dans la forêt de conifères une existence nomade assez semblable : les Montagnais-Naskapi et les Atikameks au Québec et au Labrador, les Algonquins, les Ojibways et les Chippewas au nord des Grands Lacs, les Cris autour de la baie d'Hudson, les Dénés au nord-ouest, tirent leur subsistance de la chasse, notamment du caribou, de la pêche et de la cueillette. Comme les Iroquois, ils se déplacent au moyen du canoë l'été, des raquettes et du traîneau l'hiver.Les Amérindiens des plaines sont ceux qui correspondent le plus à l'image véhiculée par le Western, entre mythe et cliché. C'est en fait grâce à l'introduction du cheval par les Espagnols que ces Indiens ont pu descendre dans les grandes prairies pour mener une vie nomade fondée sur la chasse du bison. Reposant uniquement sur cet animal, leur civilisation était fragile et disparut avec celui-ci. Au Canada, les principales ethnies des plaines sont les Pieds-Noirs (Blackfeet) et les Assiniboines. Plus connus, les Sioux vinrent au Canada pour échapper à l'armée des États-Unis : après la grande victoire des Sioux et des Cheyennes à Little Big Horn en 1876, le chef Sitting Bull (« taureau assis ») se réfugia à Fort Walsh en Alberta. En 1881, il dut se rendre et accepter de vivre, ou plutôt de mourir, dans une réserve des États-Unis.Plus pauvres, les Amérindiens des Rocheuses, vivant de la chasse et de la pêche, ont mieux su s'adapter à la colonisation. Enfin, à l'ouest, le long de la côte Pacifique, plusieurs ethnies vivent principalement de la pêche : les Tsimshians, les Kwakiutls, les Nootkas et les Salishs ont pour spécialité l'édification de totems monumentaux.

Les Amérindiens aujourd'hui. « Qu'est-ce que la vie ? C'est l'éclat d'une luciole dans la nuit. C'est le souffle d'un bison en hiver. C'est la petite ombre qui court dans l'herbe et se perd au couchant. » Ainsi parlait Crowfoot (« Patte-de-corbeau »), Indien Pied-Noir d'Alberta. Le lien des Indiens avec la nature est très étroit. Il ne se borne pas à une exploitation pure et simple : il s'agit au contraire d'une utilisation rationnelle d'un potentiel limité de ressources écologiques. Que reste-t-il de ce mode de vie aujourd'hui, après l'arrivée de l'homme blanc ?

Mode de vie traditionnel. Les Amérindiens vivent maintenant dans des réserves, où l'un des principaux problèmes est l'alcoolisme. Les jeunes connaissent un fort problème d'identité, reniant de plus en plus à la fois la religion chrétienne apportée par les Blancs et le mode de vie traditionnel plus ou moins conservé par leurs parents.

Dans l'Est du Canada, les Amérindiens ont eu des contacts avec les Européens dès le XVIe siècle. Des peuples comme les Hurons ont connu une véritable colonisation de leurs territoires et sont aujourd'hui entièrement assimilés. Dans les prairies et sur la côte Ouest, la colonisation fut plus tardive, mais aussi plus rapide : dans les années 1870, les Amérindiens furent contraints de céder leurs territoires par des traités leur accordant des réserves en compensation. Pour les Amérindiens de la forêt boréale, les contacts furent occasionnels : les colons restèrent sur les côtes sans s'enfoncer dans les immenses et sauvages étendues de forêt de l'intérieur, dans lesquelles les Amérindiens vivaient en nomades. C'est donc lentement que l'influence européenne se mit en place, si bien qu'à l'Ouest comme à l'Est, certaines ethnies, comme les Montagnais et les Cris, ont pu et ont su préserver jusqu'à maintenant une partie de leur culture. Les missionnaires, qui ont toujours un certain pouvoir auprès des Amérindiens, ne sont pas étrangers à leur sédentarisation, qui eut parfois lieu il y a moins de cinquante ans. La création de réserves n'eut pas systématiquement pour but, comme aux États-Unis, d'isoler les Amérindiens, mais souvent de les protéger. Si cette disparition de la vie nomade a entraîné une certaine acculturation, il faut aussi tenir compte de la dureté de la vie sous la tente dans certaines régions : les maisons de bois apportent un confort qui, en hiver, n'est pas négligeable. Ainsi, à La Romaine, sur la Basse-Côte-Nord du golfe du Saint-Laurent, à l'est du Québec, ce sont les Indiens eux-mêmes qui, dans les années 1950, ont choisi l'emplacement sur lequel le gouvernement a fait construire le village, à l'embouchure de la rivière Olomane. La réserve regroupe 750 Amérindiens Montagnais, qui voisinent avec 170 Québécois francophones. Elle connaît relativement peu de problèmes sociaux, et cela notamment parce que l'alcool y est interdit.Certaines ethnies, notamment les Montagnais, continuent cependant de faire de longs séjours dans la nature, et d'y mener des activités de chasse, de pêche et de cueillette qui restent essentielles. Si leur vision profondément respectueuse de la nature n'a pas totalement disparu, elle a été fortement ébranlée par notre civilisation. Les Amérindiens conservent en tout cas une approche amicale de leur environnement, alors que la plupart des Blancs considèrent la nature sauvage comme hostile. De nombreux Indiens ont surtout su garder une réelle connaissance d'un milieu difficile auquel ils se sont adaptés de manière spécifique.

Une adaptation à l'arrivée de l'homme blanc. Étant donné le peu de ressources dispersées sur de grands espaces et l'alternance particulière des saisons, cette adaptation repose principalement sur le nomadisme, aujourd'hui éteint mais dont la vie dans les bois conserve de nombreux traits, à commencer par des moyens de déplacements très perfectionnés. La multitude de rivières et de lacs fait du canoë le moyen de déplacement idéal dans la forêt, et ce type de bateau se retrouve avec une certaine unité chez de nombreuses ethnies : Montagnais, Algonquins, Cris, Iroquois, etc. C'est une embarcation non pontée, longue et mince, qui passe dans les endroits les plus étroits et les moins profonds. Son poids peu important fait qu'elle peut être portée sur le dos d'un seul homme : les Amérindiens utilisent ainsi de nombreux sentiers de portage pour relier les lacs ou contourner les chutes. Le canoë est fait d'un matériau très léger : la charpente est en bois de bouleau savamment courbé et longuement travaillé. Elle était autrefois recouverte d'écorce de bouleau, mais elle est aujourd'hui remplacée par de la toile imperméable. Le bateau est très maniable, propulsé par un ou deux hommes au moyen de la pagaie simple, qui nécessite un grand nombre de mouvements. On peut aussi y ajouter une voile carrée.

Pendant leurs déplacements, les Indiens habitent dans une tente facile à transporter et à monter. On connaît le tipi (« maison » en langue sioux) en peau de bison des Amérindiens des plaines. Dans les forêts, notamment chez les Montagnais, la tente était autrefois de forme ronde et en écorce de bouleau. Aujourd'hui, c'est une tente rectangulaire en toile blanche. On commence par attacher la toile à des arbres ou à de grands piquets que l'on trouve sur place, puis on plante à l'intérieur des piquets plus petits pour la tenir. On coupe ensuite des sapinages, branches de sapin baumier dont les aiguilles ne piquent pas, et on en recouvre le sol à l'intérieur en les entrecroisant. On installe ensuite un poêle en fer, assez léger pour qu'on puisse le transporter facilement dans le canoë, et qui sert à la fois à chauffer et à faire cuire le pain et les repas. Enfin, on met du sable autour de la tente pour l'isoler de l'humidité.

Chasse et pêche. Les Amérindiens chassent toutes sortes d'animaux, des plus grands aux plus petits. Parmi les mammifères, les plus appréciés sont le caribou, l'orignal, le castor, le porc-épic. Sur les côtes, les mammifères marins sont aussi chassés, notamment les phoques. Beaucoup d'oiseaux sont consommés : oies et canards, plongeons, gallinacés, mais aussi oiseaux de mer, limicoles, rapaces.
Les armes traditionnelles, comme l'arc ou le lance-pierres, ne sont plus utilisées que par les enfants. Depuis longtemps, l'arme principale est le fusil. Les Amérindiens posent en outre des collets pour les lièvres et les gallinacés, et des pièges pour le gibier à fourrure comme la martre et le vison. Ils possèdent aussi des chiens de chasse capables de se glisser partout dans la forêt touffue et dont ils se servent pour débusquer le gibier.Les Amérindiens pêchent une part importante de leur nourriture. Ils posent de petits filets, principalement pour la truite, et ont conservé le harpon pour le saumon. Enfin, ils complètent ce régime allmentaire majoritairement carnivore par une importante cueillette. Ils consomment de nombreuses sortes de baies : bleuets, framboises, groseilles, chicoutés, anisette, graines rouges, camarine noire. L'homme blanc a en outre introduit la farine de blé : les Amérindiens font du pain qu'ils font cuire sur le poêle ou dans du sable chaud, ainsi que des pâtisseries comme des beignets et des crêpes. Le pain est consommé à tous les repas en grande quantité et accompagne les produits de la chasse et de la pêche. La viande et le poisson se mangent le plus souvent bouillis, et on ne perd alors rien de la soupe nourrissante dans laquelle on les a fait cuire. Le poisson est très souvent fumé, ce qui permet sa conservation, et on le mange ensuite réchauffé sur le poêle.L'unité entre les populations indigènes et le milieu, perturbée par l'arrivée de l'homme blanc, s'est pourtant partiellement maintenue. Il est certain que la chasse actuelle, notamment en raison de l'usage du fusil, a plus d'impact sur l'environnement que le mode de vie d'antan. La chasse et la pêche restent cependant indispensables à l'Amérindien alors qu'elles ne sont plus qu'un loisir pour l'homme blanc. Contrairement à celui-ci, l'Amérindien ne fait aucun gaspillage du produit de ces activités : rien d'une proie n'est et ne doit être perdu, et tout est distribué selon une conception particulière du partage - propre à la culture amérindienne.Il est vrai que le piégeage des animaux à fourrure n'obéit plus à cette règle, mais à celle de la vente des fourrures. Toutefois cette habitude a été introduite il y a déjà longtemps par les Français, pour qui le commerce des peaux, particulièrement de castor, constituait le principal intérêt de bonnes relations avec les populations amérindiennes. Dès 1600, le premier poste de traite du Canada était créé à Tadoussac, au Québec. Les commerçants de la Compagnie de la Baie d'Hudson sont toujours présents dans les réserves, et souvent en situation de monopole. Ils disent aujourd'hui continuer à acheter la fourrure, dont le marché est en baisse, par souci de la tradition, mais savent pertinemment que l'argent donné aux Indiens sera ensuite dépensé dans leur magasin.

Un statut à part. Un clivage perdure entre les Amérindiens et les Blancs, accentué par une méconnaissance réciproque. Les Amérindiens ne paient ni taxes ni impôts, mais bénéficient des mêmes avantages sociaux que les Blancs, et même d'autres avantages particuliers. Ils n'ont à respecter aucun règlement fédéral ou provincial concernant la chasse et la pêche et fixent eux-mêmes leurs propres limites quant à la quantité des prises. Ces droits qui leur sont reconnus permettent la préservation d'un mode de vie qui n'est plus précisément traditionnel. Cependant l'utilisation que font encore les Indiens des biens de la nature maintient un équilibre dans la gestion des ressources naturelles, et ne vise qu'à assurer leur subsistance. Mais, même s'ils ne sont pas responsables de la baisse des effectifs de certaines espèces animales, une politique de protection de la faune peut-elle être efficace sans leur participation ?
L'impact des Amérindiens sur l'environnement n'est rien comparé à la destruction que lui infligent les Blancs au nom du développement économique du Canada. Il est en fait impossible de préserver la culture de l'Amérindien sans protéger la nature à laquelle elle est inhérente. La construction de très grands barrages pour produire de l'électricité a non seulement causé l'inondation de régions entières mais aussi effacé l'histoire de leurs premiers habitants, inscrite dans chaque sentier de portage et chaque trace de campement.

La question amérindienne aujourd'hui. Le Canada actuel s'efforce, plus que par le passé, de se préoccuper de ses minorités, mais la collaboration reste difficile. La Constitution canadienne de 1982 désigne officiellement l'ensemble des autochtones par le terme « Amérindiens », ce qui correspond, d'après le recensement de 2006, à 5 % de la population canadienne. Ce chiffre amène le Canada à la deuxième place des pays comptant le plus fort pourcentage de population autochtone, après la Nouvelle-Zélande. Les problèmes autochtones sont à la fois confiés au gouvernement fédéral et aux gouvernements provinciaux, entre lesquels les pouvoirs ne sont pas toujours bien répartis. Depuis qu'ils commencent à s'unir, les revendications politiques des Amérindiens du Canada sont de plus en plus écoutées. Leur avenir dépend en grande partie de la manière dont ils vont peu à peu prendre leurs affaires en main : « Si nous nous rendons, nous sommes morts », écrit Harold Cardinal, Amérindien Cri d'Alberta. Les Amérindiens s'adaptent toutefois dans leur grande majorité aux mœurs des populations non-autochtones. En effet, près de la moitié d'entre eux vivent dans des régions urbaines. En outre, 30 % des Amérindiens se déclarent métis, statistique en très forte augmentation. La population canadienne s'apparente ainsi de plus en plus à un grand melting-pot.

Les Inuits

L'Arctique canadien est habité par les Inuits, que l'on trouve aussi au Groenland et en Alaska, ainsi qu'à l'extrême est de la presqu'île des Tchouktches en Sibérie. Cette population, d'une densité extrêmement faible, ne comporte qu'une centaine de milliers d'individus. Au Canada, ils vivent principalement dans les Territoires du Nord-Ouest, au Nunavut et au Nunavik dans le Nord du Québec.

Inuk (au pluriel Inuit), signifie « l'être humain ». Le mot « Eskimo » n'est pas lui-même eskimo, mais a son origine dans la langue algonquine, et signifie « mangeur de viande crue », expression à connotation injurieuse par laquelle les Amérindiens désignaient ce peuple ennemi. Les missionnaires français l'orthographièrent Esquimau, féminin Esquimaude, et pluriel Esquimaux. Il devint Eskimo en anglais. Venus, comme les Amérindiens mais plus tardivement, d'Asie par le détroit de Béring, les Inuits présentent des caractéristiques raciales nettement mongoloïdes. Installés près des côtes, ils vivent principalement de la chasse des mammifères marins (essentiellement le phoque mais aussi le morse, le narval et les baleines) et des mammifères terrestres (caribou, ours blanc, bœuf musqué, renard polaire, lièvre arctique), ainsi que de certains oiseaux (canards, lagopède, chouette harfang). Leurs techniques de chasse restent très diverses, mais le fusil s'est substitué aux armes traditionnelles, le harpon demeurant toutefois un complément efficace. Les Inuits pratiquent aussi la pêche, principalement de poissons de mer (requin, morue, flétan, truite saumonée, saumon, omble arctique, capelan), et pour certaines ethnies assez localisées, de poissons d'eau douce. La pêche se pratique généralement sur – ou plutôt sous – la banquise au moyen d'un éventail d'outils variant selon les ethnies et les poissons recherchés : hameçons, filets, nasses, harpons à poissons. Les Inuits pratiquent en outre la cueillette pendant le bref été arctique, mais leur régime alimentaire reste essentiellement carnivore : ils dépendent, selon leur milieu de vie, du phoque et/ou du caribou.C'est aussi la fourrure et la peau de ces animaux qui procurent aux Inuits les vêtements qui leur permettent de supporter le froid. Pour ce qui est de l'habitat, le stéréotype veut qu'ils habitent dans une maison de briques de neige disposées en forme de coupole : l'igloo. Cependant, le mot « igloo » ne désigne pas seulement cette maison de neige mais toute forme d'habitat, lequel varie selon les saisons : l'été, les Inuits vivaient dans des tentes de peaux, l'hiver dans la maison de neige ou dans une maison de pierres et de mottes d'herbes. Aujourd'hui, même si les maisons de neige existent toujours, la plupart des Inuits vivent dans des maisons « à l'occidentale », comme dans le reste de l'Amérique du Nord. Le nomadisme est également à l'origine de moyens de déplacements aussi aboutis que le traîneau à chiens, qui existe également chez les Amérindiens, et le kayak. Contrairement au canoë, le kayak est une embarcation généralement monoplace, propulsée par une pagaie double qui, par l'étroitesse de sa coque, lui assure une grande maniabilité, tant dans les glaces qu'en haute mer. Les kayaks les plus performants sont ceux de la baie d'Ungava au Nunavik (nord du Québec). Cependant, chez les Inuits comme chez les Amérindiens, le nomadisme a disparu, la motoneige se substitue au traîneau, et la réserve au campement. Toutefois, à l'inverse des Amérindiens, les Inuits sont moins intégrés dans la société canadienne, et cela principalement à cause de leur positionnement géographique.

Mode de vie

VIE SOCIALE

Famille

Les concubins ont les mêmes droits que les époux mariés. Une grande majorité des Canadiens, particulièrement au Québec, vivent donc en union libre (union de fait). L'institution du mariage est en régression. Selon Statistiques Canada, on note une légère hausse du taux de natalité qui est à 1,2 par ménage (2008-2009), un des plus bas au monde. L'espérance de vie se situe à 78,5 ans et la croissance annuelle est d'environ 1 %, taux semblable à celui des États-Unis mais supérieur à celui observé dans l'ensemble des pays de l'Europe des 15.

Éducation

Excepté pour les écoles privées, fréquentées par une minorité de Canadiens, l'instruction est gratuite pour l'école primaire et secondaire, de façon générale, jusqu'à l'âge de 17 ans. Après, les élèves ou leurs parents doivent subvenir aux frais qui varient selon le programme d'études et le type d'établissement scolaire. C'est le cégep au Québec et le « college » dans le reste du Canada qui fait le pont entre l'école secondaire et l'université. Cette période dure normalement 2 ou 3 ans, mais parce que les étudiants sont libres de faire leurs horaires, elle peut se prolonger sur plusieurs années. Le phénomène de décrochage ou d'abandon scolaire n'est pas inhérent au fait que de nombreux étudiants doivent payer eux-mêmes leurs études post-secondaires. Chez certains étudiants qui doivent travailler tout en poursuivant leurs études, l'argent gagné facilement au travail peut leur paraître plus gratifiant qu'un diplôme universitaire. Le coût des études universitaires varie selon les provinces mais en moyenne, il faut compter 5 000 CAN $ de frais de scolarité par an (deux trimestres). C'est peu comparativement aux États-Unis, mais trop selon les associations étudiantes du pays qui se battent continuellement contre les institutions gouvernementales pour le gel des frais de scolarité.

Homosexualité

Le Canada est l'un des rares pays de monde à permettre le mariage entre conjoints de même sexe et ce, depuis juin 2003. Le Village gay de Montréal, situé à l'est de la rue Saint-Denis, fait partie des quartiers gays les plus importants en Amérique du Nord. Ses activités nocturnes et ses festivals en ont fait le quartier de prédilection des homosexuels. Montréal a d'ailleurs été l'hôte des Jeux gays en 2006. Outre les grandes villes comme Toronto et Vancouver, on trouve également des établissements en région pour la communauté gay.

Prostitution

Illégale mais tolérée, comme partout ailleurs dans les grands centres. Attention aux ITS (infections transmissibles sexuellement), comme partout. Un grand nombre de prostituées pratiquent le pouce (le stop).

Carnaval de neige de Québec, bain de neige Saint-Hubert.

MŒURS ET FAITS DE SOCIÉTÉ

Voici quelques coutumes et traditions du pays :

- **Célébrer la fête nationale le 1er juillet.** L'immanquable spectacle sur la colline du Parlement à Ottawa est à voir ! Les Québécois, par contre, considèrent plutôt que leur fête nationale est le 24 juin, journée de la Saint-Jean-Baptiste.
- **Fêter Halloween :** fin octobre.
- **Commencer la journée** par un copieux « déjeuner » (petit déjeuner) composé de rôties (toasts) ou de pains dorés à la française (pain perdu) arrosés de sirop d'érable, d'œufs miroir, brouillés ou retournés, accompagnés de bacon ou de saucisses, sans oublier les incontournables patates sautées (hash brown) et le café allongé.
- **Commencer le repas de midi** par une bonne soupe de pois ou de légumes.
- **Aller à la cabane à sucre** à l'arrivée du printemps (s'applique surtout à l'Est du pays où l'on retrouve les érables à sucre).
- **Participer en famille et entre amis** aux « épluchettes de blé d'Inde » et au barbecue l'été.
- **Aller aux pommes** en automne (auto-cueillette).
- **Se réunir en famille,** le dimanche, pour le repas du soir (souper).

RELIGION

Le Canada n'a pas de religion officielle et prône le pluralisme religieux, même si l'influence du christianisme est notable dans certains domaines, particulièrement dans l'organisation des jours fériés. Toutefois le Canada reconnaît l'existence de Dieu, comme le montrent les références faites dans le préambule de la Constitution et dans l'hymne national, et cela dans les versions française et anglaise.
Avant l'arrivée des premiers colons français au XVIe siècle, différentes communautés amérindiennes qui peuplaient déjà le territoire pratiquaient leur propre spiritualité. Puis, le catholicisme s'est installé pendant de longues années, comme le protestantisme avec l'immigration britannique vers la fin du XVIIIe siècle.
À partir des années 1960, on parle d'ouverture et de pluralisme. L'immigration contribue à diversifier le paysage religieux : islam, hindouisme, judaïsme, sikhisme, bouddhisme... Toutefois, la religion s'immisce moins dans la vie politique que chez son voisin frontalier, même si des sujets tels que l'avortement, l'union libre ou le mariage homosexuel restent hautement tabous dans certaines régions. Cette tendance est toutefois en baisse, preuve en est l'organisation des Gay Games à Vancouver en 1990 et des Outgames à Montréal en 2006.

Halloween.

ARCHITECTURE

Les vestiges de la Nouvelle-France et l'influence anglaise

L'architecture a considérablement évolué du XVIIe siècle à nos jours, qu'elle soit religieuse, domestique ou urbaine. Même si l'architecture canadienne témoigne d'une forte influence française et anglo-saxonne, elle a su se forger des caractéristiques propres, inspirées de l'art autochtone et issues des difficultés climatiques et topographiques du pays.

Le modèle français

Il ne subsiste au Québec aucun vestige antérieur aux premiers établissements du XVIIe siècle. Construits par des artisans venus de France, les édifices simples de cette époque sont inspirés des styles régionaux, en particulier bretons et normands. Des fortifications protégeaient les bourgs stratégiques de Montréal, Québec et Trois-Rivières. La citadelle de Québec constitue à cet égard le meilleur exemple d'architecture militaire française de la province. La maison Jacquet, rue Saint-Louis à Québec, en pierre et à un étage surmonté d'une haute toiture rouge percée de lucarnes, demeure un des rares témoignages du XVIIe siècle. À la fin de ce siècle, l'architecte Claude Baillif élève des bâtiments monumentaux, d'abord administratifs puis religieux, à la suite de l'installation au Québec de plusieurs ordres : ceux des Ursulines, des Augustines et des Jésuites. L'architecture s'inspire alors du classicisme français : monastères des Ursulines de Québec et de Trois-Rivières, le Vieux-Séminaire de Québec et celui de Saint-Sulpice à Montréal. Une série d'incendies ayant ravagé la Basse-Ville de Québec, de nouvelles réglementations incitent désormais à la construction d'édifices mieux adaptés au climat nord-américain : c'est la naissance d'une architecture québécoise, caractérisée par un toit d'ardoise à deux pentes sans chien-assis, des murs en pierre sans décor de bois susceptible de s'enflammer, de hautes cheminées toujours installées sur les larges pignons des côtés afin d'éviter les incendies. Le meilleur exemple en est la maison de Pierre Calvet (1725) à Montréal.

L'influence anglaise

Après la conquête anglaise, l'influence de l'Angleterre se fait prépondérante et va progressivement modifier le paysage architectural du Canada. Le modèle est désormais la maison anglo-saxonne, à cheminées massives et toit à quatre pentes peu inclinées. Les rives du Saint-Laurent deviennent les lieux de villégiature d'une bourgeoisie aisée. Le château Ramezay, à Montréal, est à ce titre représentatif d'une demeure du début du XVIIIe siècle.Très prisé des Anglais, le style palladien, emprunté à Palladio, architecte italien du XVIe siècle, domine l'architecture des villes canadiennes pendant le premier quart du XIXe siècle : inspiré du modèle antique, il affectionne frontons, pilastres, colonnes doriques ou ioniques et corniches moulurées. Les meilleurs exemples en sont la cathédrale anglicane de la Sainte-Trinité à Québec et le marché Bonsecours à Montréal. Le patrimoine architectural canadien établi dans le courant du XIXe siècle constitue toujours le reflet des styles en vogue en Grande-Bretagne à cette époque.

Le Marché Bonsecours, vieux Montréal.

Ainsi, le Parlement du Canada et de nombreuses universités construites à cette époque (Toronto, Hamilton, Saskatoon) sont d'inspiration néo-gothique, et cela dans l'ensemble du pays.

La recherche d'un style national

Il faut attendre le XXe siècle pour qu'un véritable style architectural canadien émerge. Celui-ci s'inspire toujours de manière hétéroclite des traditions française et britannique, mais les influences américaines et internationales commencent à poindre. Ainsi, l'Université de Montréal, dont la construction a été dirigée par l'architecte québécois Ernest Cormier dès 1928, est considérée par ses contemporains comme étant le premier édifice moderne du Canada. La recherche d'un style architectural typiquement national a rythmé les constructions des édifices jusqu'à nos jours, dans la mesure où cette quête se fait en parallèle de la constitution de l'unité du pays. L'architecture canadienne est aujourd'hui caractérisée par une forte inspiration venant de son voisin frontalier, mais aussi d'Asie par le biais des immigrations massives venant de ce continent. Ainsi, l'influence asiatique est si bien marquée dans les bâtiments de Vancouver que la ville est parfois surnommée *Hong Kouver*. La tour CN de Toronto, la plus haute du Canada et symbole du pays, constitue le reflet des influences américaines et asiatiques de l'architecture du pays.

ARTISANAT

L'artisanat est demeuré très vivace au pays. C'est celui d'une société rurale qui privilégie le travail du bois et la ferronnerie pour créer des objets utilitaires : ustensiles de cuisine, moules de bois pour le sucre d'érable (feuilles ou cœurs), girouettes à motifs de coq ou fauniques, meubles...Dès les débuts de la colonisation, la nécessité de se protéger des grands froids de l'hiver a contribué au développement du tissage et de la broderie, pour la confection de couvre-lits en patchwork (assemblage de bouts de tissu de diverses couleurs), de châles, d'écharpes de laine, de mitaines (gants), de tuques (bonnets) et de chaussons.
De nos jours, la création de bijoux modernes a pris le relais de cet artisanat traditionnel.

CINÉMA

La notion d'identité dans le cinéma canadien est plutôt complexe. L'art du cinéma est jeune, et comme le territoire canadien est immense, plusieurs styles se sont développés, des provinces atlantiques jusqu'à Vancouver sans réellement avoir un point d'ancrage commun. Ajoutez à cela le facteur des deux langues et ça vous donne un cinéma très hétéroclite. Quelques points unissent tout de même l'histoire du cinéma, d'est en ouest. Le principal en est la lutte continuelle afin de soutenir une identité constamment mise en danger par le cinéma américain.

Des débuts encourageants

C'est un Manitobain du nom de James Freer qui tourna, en 1897, le premier film de l'histoire du cinéma canadien : un documentaire décrivant la vie traditionnelle dans les prairies. En 1898-99, celui-ci fut engagé par le gouvernement afin de réaliser plusieurs films visant à promouvoir le Canada et à favoriser l'immigration. À partir de 1910, quelques maisons de production ouvrirent à Montréal, Toronto et Halifax, où l'on produisit surtout des films de fiction. Ce fut une période de succès qui se prolongera pendant la guerre et mènera à la création des premiers studios.

La création de l'ONF

En 1923, les studios d'Hollywood engloutissent complètement l'industrie du cinéma canadien. S'ensuit une période où les Américains dirigent, de la production jusqu'à la diffusion, tous les films tournés au Canada. Graduellement, avec un peu d'aide du gouvernement, l'industrie canadienne renaît, sans grand succès, en misant sur la production de documentaires. Les années 1930 sont marquées par une baisse de production à travers le pays. Cette situation poussera le gouvernement à créer l'Office national du film (ONF) en 1939. À partir de ce moment, l'histoire du film canadien est indissociable de l'ONF qui depuis ce temps produit et distribue des films canadien en français et en anglais.

La naissance du cinéma québécois

C'est le cinéma québécois qui profitera le plus de l'apport de l'ONF. Jusque-là confinée à produire des films de propagande religieuse ou à distribuer des produits américains, l'industrie cinématographique québécoise se démarquera du reste du Canada à partir des années 1960. *Pour la suite du monde* (1963) et *Un pays sans bon sens* (1970) de Pierre Perrault sont le début d'une identité cinématographique québécoise. Ces œuvres de cinéma vérité se feront remarquer à Cannes. Du côté anglophone, les années 1960 sont marquées par des succès tels que *Lonely boy* de Wolf Koenig et Roman Kroitor en 1962, mais les acteurs et réalisateurs sont, la plupart du temps lorsqu'ils connaissent du succès, rapidement récupérés par l'industrie américaine.Les années 1970 voient arriver une tendance érotico-comique mais aussi et surtout une vague de docu-fictions et de drames mettant en scène les milieux ouvriers et les gens ordinaires : *L'Acadie* (1972), *Les Ordres* (1974) et *Les Noces de papier* (1990) de Michel Brault ; *Les Mâles* (1970), *La Vraie Nature de Bernadette* (1972), *La Mort d'un bûcheron* et *Maria Chapdelaine* (1983) de Gilles Carle ; *Mon oncle Antoine* (1971) et *Kamouraska* (1973), tiré du roman d'Anne Hébert, de Claude Jutra. Ce réalisateur a acquis une renommée internationale pour ces deux films.Plus récemment, un jeune metteur en scène et scénariste, Philippe Falardeau, tire son épingle du jeu. Ses films peignent la société canadienne actuelle, souvent de manière satirique. Ainsi, *Pâté chinois* (1997), décrit avec humour l'immigration chinoise massive dans l'ensemble du pays. Le cinéma québécois se dirige vers la voie de l'humour, avec des films comme *C.R.A.Z.Y.* de J.-M. Vallée, ou *La Grande Séduction* de J.-F. Pouliot.

Quelques grands noms du cinéma canadien

- **Denys Arcand**. Il conquiert le public européen et américain avec, entre autres, *Le Crime d'Ovide Plouffe* (1984), *Le Déclin de l'Empire américain* (1986), comédie couverte de récompenses, *Jésus de Montréal* (1989), nominé à Cannes et à Hollywood, et enfin *Les Invasions Barbares* (2003), qui a obtenu une panoplie de récompenses internationales : le prix de la meilleure actrice pour Marie-José Croze et du meilleur scénario au festival de Cannes 2003, trois césars pour meilleur film, meilleur scénario et meilleur réalisateur, et l'oscar du meilleur film en langue étrangère 2004. Son dernier film, *L'Âge des Ténèbres* (2007), est bien moins apprécié que les précédents.
- **David Cronenberg.** Son univers, étrange et souvent inquiétant, semble obsédé par les rapports qu'entretient le corps humain avec la machine et la technologie. Souvent maltraité par la critique, il demeure un des cinéastes les plus influents de sa génération. Quelques films : *Crimes of the future* (1969), *Shivers* (1975), *Scanners* (1980), *Videodrome* (1981), *The Fly* (1987, en VF *La Mouche*), *Naked Lunch* (1991, en VF *Le Festin nu*)…
- **Xavier Dolan.** *J'ai tué ma mère* (2009) est le premier long métrage de ce réalisateur de 22 ans. En plus d'avoir été sélectionné et remporté des prix à la Quinzaine des Réalisateurs de Cannes, ce film s'est vu attribuer d'autres distinctions, notamment à Rotterdam et au Québec. Il a également réalisé *Les Amours Imaginaires* qui a pris l'affiche à l'été 2010.
- **Atom Egoyan.** On lui doit entre autres : *Family Viewing* (1987), *The Adjuster* (1991), *Exotica* (1994), *De beaux lendemains* (1997), *Le Voyage de Felicia* (1999) et *Ararat* (2002). Bien qu'influencé par le travail de Cronenberg, Egoyan a choisi de travailler sur des films à petit budget. Acclamé par la critique, il a reçu de nombreux prix.
- **Philippe Falardeau.** *Le Sort de l'Amérique* (1996), *Pâté chinois* (1997), *La Moitié gauche du frigo* (2000), *Jean Laliberté : A Man, His Vision and the Whole Lot of Concrete* (2001), *Congorama* (2006).

Que rapporter de son voyage ?

- **Alimentation :** sirop et sucre d'érable, soupe, liqueur de Chicoutai (liqueur de mûre de la Côte-Nord au Québec) ou liqueur de Minaki (apéritif de bleuet).
- **Artisanat autochtone.** Amérindien : objets en vannerie et en écorce de bouleau, mocassins, calumets, bijoux. Inuit : sculptures et gravures. Traditionnel : tissage de coton, sculpture de bois, paire de raquettes tressées et taillées à la main.
- **Vêtements :** plein air, sport et jeans (moins chers) ou manteau de fourrure.

- **François Girard.** *Trente-deux films brefs sur Glenn Gould* (1993) et *Le Violon rouge* (1998). Cinéma d'auteur. Reconnaissance internationale pour ces deux films.
- **Norman Jewison.** Né à Toronto en 1926, il est un des pionniers du cinéma canadien anglais. Il a, entre autres, réalisé *Jesus Christ Superstar* (1973) et *Moonstruck* (1987). Il a gagné 9 oscars et a été nominé à 45 reprises au Academy award.
- **Zacharias Kunuk.** *Atanarjuat, la légende de l'homme rapide* (2001) : une histoire typiquement inuk, racontée et interprétée par les Inuits (vie traditionnelle d'autrefois dans le Grand Nord). Caméra d'or au festival de Cannes.
- **Jean-Claude Lauzon.** *Un zoo la nuit* (1987) et *Léolo* (1992). Aujourd'hui décédé, il a abordé les thèmes de la ville, la nuit, la violence.
- **Denis Villeneuve.** *Un 32 août sur Terre* (1998), *Maelström* (2000). et *Incendies* (2010).

LITTÉRATURE

Une importante distinction est habituellement faite entre la littérature canadienne anglaise et la littérature canadienne française.

La littérature canadienne française

La littérature francophone a su manier l'héritage français et les nouvelles conditions de vie des colons pour donner un mélange unique, dont les particularités sont visibles jusque dans le langage utilisé. Aux XVIe et XVIIe siècles, les principales inspirations des rares écrivains viennent de leurs expériences en tant que colons et voyageurs. Il faut attendre la fin du XVIIIe siècle pour que les histoires de « Sauvages » et de conquêtes cessent de marquer l'imaginaire des écrivains, voire le début du XIXe siècle en France, comme le montre l'ouvrage de Voltaire intitulé *L'Ingénu* (1760), contant les péripéties d'un jeune Huron débarquant en métropole. Ce siècle est marqué par les premiers écrits véritablement québécois, dont les inspirations sont principalement patriotiques, compte tenu du contexte historique.Enfin, au XXe siècle, de nombreux thèmes viennent ponctuer l'imaginaire des écrivains, laissant place à une succession de courants littéraires. Dès les années 1910, l'École littéraire de Montréal et les Exotistes prennent le terroir comme thème principal d'inspiration, et restent ainsi liés au patriotisme fortement présent à l'époque. Au sortir de la Seconde Guerre mondiale, le marasme ambiant entraîne une période appelée la Grande Noirceur, qui laisse place à la Révolution tranquille. De nouvelles idéologies venues de France et des États-Unis érodent le conservatisme traditionnel et permettent au Québec d'entrer dans une nouvelle ère. Toutefois, depuis la fin des années 1980, le postmodernisme commence à remettre en cause les acquis de la période précédente. L'incertitude de l'avenir et la remise en question du passé habitent alors l'imaginaire littéraire.

- **Nancy Huston.** Née à Calgary, elle devenue un écrivain majeur de la francophonie. Elle s'illustre en 2006 lorsqu'elle reçoit le prestigieux prix littéraire français, le Femina, pour son livre *Lignes de faille* (Actes Sud). Citons aussi *Cantiques des plaines* et *Tombeau de Romain Gary*.
- **Antonine Maillet.** Très connue en France, c'est l'ambassadrice de la littérature acadienne. Née à Bouctouche, au cœur de l'Acadie (Nouveau-Brunswick), bon nombre de ses livres sont édités à Paris chez Grasset et ont remporté un vif succès tant en France qu'en Belgique ou en Suisse : *Pélagie-la-Charrette* (prix Goncourt 1979), *La Sagouine*, *La Gribouille*, *Le Huitième Jour* et *L'Oursiade*. Elle dépeint l'homme enraciné dans sa terre originelle.
- **Gabrielle Roy.** Née au Manitoba en 1909, elle y a été institutrice avant de partir en Europe puis de s'établir au Québec où elle demeura jusqu'à sa mort, en 1983. Ses romans ont pour thème la vie urbaine (*Le Montréal des travailleurs misérables*), les milieux modestes et leurs destinées obscures (*Bonheur d'occasion*, prix Fémina 1947). D'autres romans ont suivi : *La Montagne secrète* (1961) et *La Rivière sans repos* (1970).
- **Michel Tremblay.** Écrivain prolifique qui défend l'âme et le patois du Québec. Le premier, il ose porter à la scène cette langue populaire qu'est le joual dans *Les Belles-Sœurs*. Ses pièces nourries de culture populaire québécoise sont devenues de véritables classiques, traduites dans toutes les langues.

La littérature canadienne anglaise

La littérature anglophone au Canada constitue le reflet des particularités du pays : la nature spécifique, sauvage et resplendissante, la situation géographique vis-à-vis des États-Unis et des francophones à l'Est. Ce mouvement littéraire, que certains qualifient de réaliste, se penchait sur les préoccupations de la société des XVIIIe et XIXe siècles, qui tournaient autour de l'occupation de cet immense territoire qu'est le Canada. Au début du XXe siècle, des écrivains contestent la tutelle de la Grande-Bretagne sur la culture canadienne, et travaillent sur la création d'un style nord-américain. Dès lors, la littérature multiplie les réflexions sur les origines des Canadiens et la place du pays dans le monde. Plusieurs auteurs contribuent à mieux définir l'écriture canadienne anglaise.

- **Margaret Atwood.** Margaret Eleanor « Peggy » Atwood est une romancière, poétesse et critique littéraire canadienne. Elle fait partie des écrivains canadiens les plus célèbres.
- **Pierre Berton.** Il était écrivain, journaliste et animateur de télévision canadien. Il a rédigé une quarantaine d'ouvrages. Reconnu comme un spécialiste de l'histoire du Canada, il a aussi reçu trois fois le prix littéraire du Gouverneur général.
- **Douglas Coupland.** Auteur-vedette d'un roman en 1991, *Generation X*, qui décrit la nouvelle génération, diplômée et sans emploi. Citons aussi *Microserfs* (1995).
- **Robert Kroetsch.** Ce romancier et poète était la figure la plus influente au Canada dans l'introduction d'idées sur le postmodernisme. Il a publié de nombreuses œuvres dont deux ont remporté le prix littéraire du Gouverneur général.

Bibliographie sélective

- ***Maria Chapdelaine*, Louis Hémon (1914).** Roman phare de la littérature sur le Canada qui décrit la dureté de la vie des paysans, soumis aux terribles conditions climatiques.
- ***Un homme et son péché*, Claude-Henri Grignon (1933).** La vie de Séraphin Poudrier, paysan avare, qui mène une double activité d'agriculteur et d'usurier dans les Laurentides. Adaptation récente au cinéma, immense succès.
- ***Les Derniers Rois de Thulé*, Jean Malaurie (1955).** Témoignage ethnographique sur la vie des derniers Esquimaux.
- ***Harricana*, Bernard Clavel (1983).** Une fiction située dans le Nord du Québec, chez les trappeurs d'Abitibi.
- ***Les Fous de Bassan*, Anne Hébert (1984).** L'émigration au Québec de loyalistes restés fidèles au gouvernement anglais, pendant la guerre d'Indépendance américaine.
- **Trilogie *Le Goût du Bonheur : Gabrielle* (2000), *Adélaide* (2001), *Florent* (2001) de Marie Laberge.** Dramaturge, romancière, comédienne, scénariste et metteur en scène, elle fut récompensée à de multiples reprises, tant pour ses œuvres littéraires que ses pièces de théâtre.

MUSIQUE

La chanson folklorique canadienne française

La tradition orale a préservé très peu de chansons issues du folklore culturel canadien du XVIe, XVIIe et XVIIIe siècle. Mais au début du XIXe siècle, certains journaux publient des chansons anonymes. Quelques auteurs cependant se feront connaître, c'est le cas notamment de Napoléon Aubin qui rédige et publie *Le Fantasque* vers les années 1840.

Le patriotisme, source d'inspiration

Durant la rébellion de 1837-1838, à l'image des soldats anglais et des paysans canadiens français qui se livraient une guerre sanglante, les journaux respectifs de chaque clan se livraient une guerre de chansons de ralliement, ponctuée de nationalisme. Le nationalisme semble d'ailleurs être le leitmotiv des chansons répertoriées à cette époque. Il y aura, pendant la période entourant la rébellion, plus de chansons publiées dans les journaux que pendant les deux décennies précédant l'événement. Des années qui suivent, on retient des chansons telles que *Un Canadien errant* et *Le drapeau de Carillon*. C'est en 1880 que Calixa Lavallée chantera ironiquement pour la première fois le *Ô Canada !* (l'hymne national canadien) pendant la Saint-Jean-Baptiste, l'actuelle fête nationale des Québécois souverainistes (initialement, ce sont les francophones qui se nommèrent « canadien »). Les chansons de cette époque reviennent souvent autour des thèmes des travaux quotidiens, des fêtes saisonnières, de la mémoire de « la douce France » ou de l'Angleterre.

L'entre-deux-guerres

La chanson canadienne française du début du XXe siècle, plus fraîche dans la mémoire collective, sera marquée par les noms de Lionel Daunais et Roland Lebrun mais surtout de Mary Travers. Surnommée La Bolduc, elle serait la première auteur-compositeur-interprète du Canada français. Cette célèbre gaspésienne d'origine décrivait la dure réalité qu'était la vie à Montréal pendant l'entre-deux-guerres. Le « turlutage », manière d'entremêler les syllabes à la façon du folklore acadien, était sa marque de commerce. Robert Charlebois, non moins célèbre chanteur québécois et ancien actionnaire de la microbrasserie Unibroue, lui a dédié une excellente bière du nom de « La Bolduc ».Pour en savoir plus sur la chanson folklorique canadienne française : www.chansonduquebec.com

Quelques grands noms de la chanson québécoise

- **Robert Charlebois,** sans qui la langue musicale québécoise ne serait pas. Il révolutionne la chanson québécoise, dans les années 1960, en élargissant sa palette musicale : il introduit la guitare électrique et colle sur des textes en joual de la musique rock, des arrangements jazzy ou des rythmes sud-américains. Ce talentueux showman fait entrer la chanson québécoise dans le monde du spectacle et de l'industrie du disque. Il a su gagner tous les publics, y compris les intellectuels. Il a été promu officier de l'Ordre du Canada en 1999.
- **Céline Dion.** Qui ne connaît pas les performances vocales et sens du spectacle à l'américaine de cette célèbre québécoise. On aime ou on n'aime pas, mais Céline Dion est incontestablement une figure phare de la variété francophone.
- **Félix Leclerc.** LA référence québécoise en Europe. Chansonnier (c'est-à-dire auteur-compositeur-interprète) très apprécié des milieux intellectuels français, disparu en 1988, mais toujours présent dans nos cœurs. Il a renouvelé le genre de la chanson québécoise en lui rendant ses origines populaires, liée aux problèmes spécifiques du Québec, dans le contexte de la « Révolution tranquille ». Il a aussi écrit des contes, des fables et des romans. Il a inspiré Brassens et Brel.
- **Et aussi :** Gilles Vigneault, Richard Desjardins, Luc Plamondon, Diane Dufresne, Pauline Julien, Sylvain Lelièvre, Claude Léveillé, Claude Dubois, Michel Rivard, Gerry Boulet, Jean-Pierre Ferland, Ginette Reno, Beau Dommage, Harmonium, Jean Leclerc (Leloup), Dédé Fortin, Les Cowboys Fringants, Daniel Bélanger, Isabelle Boulay, Linda Lemay...

Du côté anglophone

Le Canada anglais a produit un nombre considérable d'artistes qui ont connu une carrière fulgurante à l'international. Leonard Cohen et Neil Young connaissent de brillantes carrières dans la musique folk. Sans oublier la chanteuse country Shania Twain, Bryan Adams, et Alanis Morissette reconnue pour son originalité et celle de sa voix. Parmi les plus populaires, on retient aussi : Amanda Marshall, Tom Cochrane, Matthew Good Band, Nelly Furtado, The Tragically Hip, Our Lady Peace, Ashley McIsaac, Sam Roberts, Rufus Wainwright, Arcade Fire...

PEINTURE ET ARTS GRAPHIQUES

Les premiers artistes voient le jour à la fin du XVIIIe siècle. Les clients étant principalement l'Église et la bourgeoisie, l'art est essentiellement à caractère religieux. Chaque village possédait son église qui faisait l'objet de grands efforts de décoration (sculptures, dorures, autels, retables, baldaquins, orfèvrerie) dans le style baroque. C'est ainsi que la famille Baillairgé acquit sa renommée en embellissant bon nombre d'églises québécoises au XVIIIe siècle.

Il faut attendre le XIXe siècle pour que se dégage un art profane. Les artistes, pour la plupart formés en Europe, exécutent des portraits et des paysages que leur commande la nouvelle bourgeoisie canadienne française. Le plus connu est sans conteste Antoine Plamondon (1804-1895), suivi de Théophile Hamel (1817-1870) et de Joseph Légaré (1795-1855), le premier à se lancer dans la peinture événementielle. Durant tout le XIXe siècle, l'influence européenne reste dominante du fait de l'arrivée au pays d'artistes d'outre-Atlantique comme l'Irlandais Paul Kane (1810-1871), célèbre pour l'intérêt ethnologique de ses tableaux d'Amérindiens, ou Cornélius Krieghoff (1815-1872), d'origine hollandaise, peintre de la vie quotidienne des nouveaux habitants du continent. Au XXe siècle, l'influence de l'École de Paris continue de se faire sentir chez les peintres d'inspiration impressionniste comme Suzor-Côté (1869-1937), auteur de belles natures mortes, chez le fauve James Wilson Morrice (1865-1924) et le pointilliste Ozias Leduc (1864-1955), originaire de Mont-Saint-Hilaire au Québec.

À la même époque, la sculpture perd son caractère exclusivement religieux. Louis-Philippe Hébert (1850-1917) a exécuté, à Montréal, maintes statues historiques de caractère commémoratif : Maisonneuve, Jeanne Mance, Mgr Ignace Bourget. Autre sculpteur célèbre, Alfred Laliberté (1878-1953), qui sera inspiré par l'Art nouveau.

C'est également au début de ce siècle qu'un grand peintre paysagiste se fait connaître et lance le début d'un art typiquement canadien : il s'agit de Tom Thomson (1877-1917). Il est le fondateur de l'un des groupes de peintres le plus marquant de l'Ontario et du Canada : le Groupe des Sept. Ce regroupement était constitué des peintres paysagistes suivants : J. E. H. Macdonald, Franz Johnston, Arthur Lismer, F.H. Varley, Franklin Carmichael, Lawren Harris, et le Montréalais A. Y. Jackson.

Avec la Première Guerre mondiale, des artistes délaissent la peinture des paysages pour s'attaquer à des thèmes plus sociaux. C'est le cas notamment des tableaux de Peraskeva Clark et de Carl Schaefer.

Après la Seconde Guerre mondiale, la peinture est dominée par le groupe des automatistes (Riopelle), puis par celui des plasticiens qui lancent le mouvement de l'art abstrait. Ce dernier prend son envol au Québec avec des peintres comme Riopelle et Borduas et attirera Lawren Harris et le Groupe des Onze.

DÉCOUVERTE

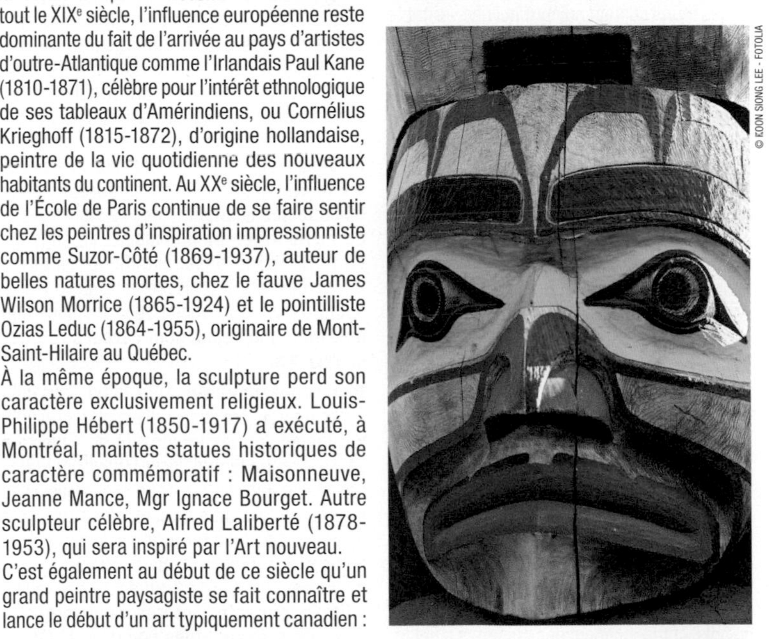

© KOON SIONG LEE - FOTOLIA

Arts autochtones

Les diverses communautés autochtones se sont efforcées de mettre en valeur leur patrimoine culturel. Celui-ci est avant tout un patrimoine vivant, héritage spirituel reposant sur le respect des coutumes ancestrales ainsi que des lieux sacrés ou profanes.Ces communautés ont créé des musées, des boutiques d'artisanat, des galeries d'art, des centres d'interprétation, des reconstitutions de villages traditionnels. Elles organisent aussi, en juillet et en août, une grande fête culturelle (ouverte au public) appelée Pow wow, consistant en mets traditionnels, folklores, chants au tambour, danses, musique, contes et légendes, rites et cérémonies, et diverses activités comme le montage d'une tente, l'allumage d'un feu, la préparation de la bannique, etc.Au Canada, c'est surtout dans les domaines de la musique, du spectacle, du théâtre, de la sculpture et de la peinture que l'expression artistique des Amérindiens et des Inuits connaît aujourd'hui une véritable explosion.

L'art amérindien

Art traditionnel. Les peuples nomades de langue algonquienne (Algonquins, Mic-macs, Montagnais, Cris), qui vivent dans la forêt boréale, s'étaient spécialisés dans le travail des perles d'os, de pierre, de coquillages ou de graines, ainsi que dans la broderie au poil d'orignal et de caribou ou aux piquants de porcs-épics. Autrefois, ils s'échangeaient des ceintures de wam-pum, ornées de perles de coquillages, pour conclure des traités ou lors des cérémonies de paix. Ils continuent à décorer leurs vestes et leurs mocassins, en peaux de caribou ou d'orignal, de motifs perlés et à fabriquer des objets usuels en écorce de bouleau, décorés de motifs géométriques incisés et peints où domine la couleur rouge. Les femmes huronnes, sédentarisées depuis toujours, consacrent beaucoup de temps à la confection des broderies en poil d'orignal dont on peut admirer de superbes exemplaires, tandis que les hommes sculptent des masques en bois, confectionnent des raquettes à neige, des canots et de la corde. Les Mohawks créent des bijoux en argent ornés de perles et des sculptures traditionnelles en pierre. Les Abénaquis sont passés maîtres dans l'art de la vannerie de frêne. Ils fabriquent aussi des masques en cosses de maïs, des bijoux perlés et des totems. Dans le Grand Nord, entre toundra et taïga, les Naskapis, proches voisins des Inuits, ont développé un artisanat particulier fondé exclusivement sur le caribou, transformant les peaux, les bois, la corne, les os en vêtements, outils, bijoux et sculptures.

Art contemporain. Les artistes amérindiens ont su renouveler l'art traditionnel en employant d'autres matériaux et de nouveaux procédés artistiques, tout en continuant à puiser leur inspiration dans leur patrimoine culturel, inventant un nouveau langage dans la tradition des chamanes. On assiste aujourd'hui à l'émergence d'un art amérindien d'avant-garde.

L'art inuit

Art traditionnel. Les témoignages les plus anciens sont des pétroglyphes gravés sur le roc des collines de stéatite, trouvés à Kangiqsujuaq, dans le détroit d'Hudson. Déjà, le peuple de Thulé, ancêtre des Inuits, venu du Groenland, fabriquait des peignes et des statuettes, supports de ses croyances et pratiques religieuses. Au début du XIXe siècle, les Inuits sculptaient de nombreux objets miniaturisés en stéatite mais aussi en ivoire de morse et en os de baleine, en échange de produits de base, comme le sel et les armes que leur fournissaient les Européens. Ayant perdu leur signification religieuse ou magique, ces objets sont devenus sources de revenus.

Art contemporain. Aujourd'hui, l'art inuit contemporain est essentiellement représenté par les sculptures en stéatite ou « pierre à savon », roche tendre, facile à travailler et très abondante dans les régions septentrionales du Canada. Mais d'autres roches, plus dures, sont également à l'honneur, comme la serpentine verte, la dolomite ou le quartz. Les sculptures modernes, qui peuvent atteindre des tailles impressionnantes, représentent presque toujours la faune et les hommes du Grand Nord. Les Inuits pratiquent aussi la sculpture en bois de caribou, la gravure sur pierre et la broderie.

Il se tient environ mille festivals par an au Québec, et plus ou moins autant dans les autres provinces, avec des thématiques aussi variées que le western, les traversées en canot sur glace, la bière ou les montgolfières. Vous avez donc l'embarras du choix. Comme il est impossible de tous les nommer dans cette section, nous avons fait une sélection des plus importants au pays, généralement tenus dans les grandes villes, sans oublier ceux pour le moins originaux.

Les Canadiens sont de bons vivants et tout prétexte est bon pour faire la fête et profiter des joies de la vie : carnavals d'hiver (généralement en février), célébration de la Saint-Patrick (fête des Irlandais en mars), journée nationale des autochtones (21 juin), Saint-Jean-Baptiste (fête nationale du Québec le 24 juin), fête du Canada (1er juillet), fête des vendanges (en septembre), Halloween (fin octobre), marchés de Noël (en décembre), etc.

Prévoyez donc de vous informer à l'avance auprès des offices du tourisme afin de connaître la liste complète des festivités se déroulant lors de votre séjour au pays.

Janvier

■ CARNAVAL DE QUÉBEC

Plaines d'Abraham,
Place de l'Assemblée-Nationale
et Place d'Youville
Québec
✆ +1 418 626 3716
✆ +1 866 422 7628
www.carnaval.qc.ca
bonhomme@carnaval.qc.ca

De fin janvier à mi-février. Une effigie vendue au coût de 13 CAN $ est obligatoire pour plusieurs activités et est valide pour toute la durée du carnaval.

Au moment où il fait bien froid et où n'importe qui resterait chez soi, une fièvre hivernale s'empare de la ville. Anciennement, le Carnaval de Québec était synonyme d'une fête plutôt réservée aux adultes. Aujourd'hui, la programmation du plus gros carnaval d'hiver au monde s'adresse également aux petits. Bonhomme Carnaval, défilés, bain de neige, découverte des cultures nordiques, activités hivernales et culturelles, et animations de tous genres se réunissent pour vous faire découvrir les joies de l'hiver. Un incontournable !

■ IGLOOFEST

Quai Jacques-Cartier,
Quais du Vieux-Port, Montréal
✆ +1 514 496 7678
www.igloofest.ca
info@piknicelectronik.com
M° Champ-de-Mars.

En janvier, de 18h30 à minuit. 18 ans et plus. Billet : 12 CAN $ par soir, 10 CAN $ en prévente. Igloopasse disponible pour tout l'événement. Plusieurs points de vente dont La Vitrine Culturelle et en ligne sur le site d'Igloofest.

Sortez vos moonboots et vos vêtements d'hiver et venez vivre les soirées les plus électrisantes de l'hiver ! Neufs soirs durant, sur trois week-ends, les meilleurs artistes de la scène électronique se rassemblent sur un site extérieur époustouflant, devant des milliers de festivaliers le sourire aux lèvres : c'est ça Igloofest. De quoi vous faire oublier les rigueurs de l'hiver !

■ LA GRANDE TRAVERSÉE CASINO DE CHARLEVOIX

Départ de la marina
de l'Isle-aux-Coudres
✆ +1 418 438 2568
www.grandetraversee.com
grande.traversee@isleauxcoudres.com

Fin janvier. Nombreuses activités parallèles organisées pendant le week-end.

Servant de prologue à la course du Carnaval de Québec, cet événement consiste en une course de canots sur glace composée d'équipes du Québec, de la France et de d'autres villes en Amérique du Nord. Ce parcours de 8 km entre l'île et la rive nord est parsemée de courants, marées, glace et frasil. À voir !

■ POLAR BEAR SWIM

English Bay, Vancouver
✆ +1 604 665 3418
www.vancouver.ca/parks/events/polar-bear/index.htm
glenn.schultz@vancouver.ca

Le 1er janvier à 14h30. Départ depuis l'English Bay Bathhouse.

Chaque année, à la Saint-Sylvestre, plus de 2 000 personnes se jettent dans les eaux glacées de l'English Bay, perpétuant ainsi une tradition qui date de 1921.

■ PUSH - INTERNATIONAL PERFORMING ARTS FESTIVAL

Divers endroits à Vancouver
✆ +1 604 605 8284
✆ +1 866 608 8284
www.pushfestival.ca
info@pushfestival.ca
Mi-janvier à début février. Billets à l'unité et passes pour le festival disponibles. Certains événements sont gratuits.
Un festival qui met à l'honneur les arts de la scène sous toutes leurs formes à travers de nombreuses performances.

■ WINTERLICIOUS

Divers endroits à Toronto
✆ 311 – +1 416 392 2489
www.toronto.ca/winterlicious
311@toronto.ca
De fin janvier à mi-février. Événement estival en juillet : Summerlicious.
Toronto prend des airs de fête gourmande cet hiver ! Ce festival se consacre aux arts de la table avec des événements culinaires mémorables. 150 restaurants, parmi les meilleurs de la Ville Reine, offriront un menu 3-services à prix fixe pendant toute la durée de l'événement. Que faites-vous cet hiver ?

Février

■ ANNUAL VANCOUVER CHINESE NEW YEAR PARADE

Chinatown, Vancouver ✆ +1 604 681 1923
www.cbavancouver.ca
info@cbavancouver.ca
Date variable selon le calendrier chinois (peut varier de fin janvier à mi-février). Gratuit.
Cette grande parade, qui se déroule au coeur du quartier chinois, célèbre le Nouvel An selon le calendrier lunaire chinois. 30 000 participants y prennent part chaque année. Des activités culturelles sont également au programme.

■ BAL DE NEIGE – WINTERLUDE

Parc Jacques-Cartier, Gatineau
✆ +1 613 239 5000 – +1 800 465 1867
www.canadascapital.gc.ca/baldeneige/
info@ncc-ccn.ca
Les 3 premiers week-ends de février. Accès gratuit à la plupart des activités.
L'événement hivernal à ne pas manquer à quelques minutes du centre-ville de Gatineau et à Ottawa. Activités extérieures, spectacles, sculptures de glace, et bien plus encore. Notez qu'un site avec glissoires et activités familiales vous attend au parc Jacques-Cartier à Gatineau.

▸ **Autre adresse :** À Ottawa : Parc de la Confédération et Patinoire du Canal Rideau.

■ FESTIVAL DU VOYAGEUR

Parc du Voyageur.
866, rue Saint Joseph, Winnipeg
✆ +1 204 233 2556 – +1 800 665 4443
www.festivalvoyageur.mb.ca
info@festivalvoyageur.mb.ca
Mi à fin février. Entrée adulte : 13 CAN $. Laissez-passer 10 jours adulte : 22 CAN $.
En février, le quartier français de Saint-Boniface devient le théâtre de festivités qui évoquent l'époque des trappeurs. Pendant cette grande fête d'hiver se déroulent de nombreux spectacles et animations, des concours de violon et de gigue, un défilé des flambeaux et bien plus encore.

■ FESTIVAL MONTRÉAL EN LUMIÈRE

Divers endroits à Montréal
✆ +1 514 288 9955 – +1 855 864 3737
www.montrealenlumiere.com
montrealenlumiere@equipespectra.ca
Mi à fin février. Trois festivals en un qui réunissent les meilleurs talents d'ici et d'ailleurs dans des domaines aussi variés que la danse, le théâtre, la musique et les arts de la table. Site extérieur gratuit sur les Quais du Vieux-Port pour La Fête de la Lumière. Nuit Blanche le dernier samedi du festival.

■ TALKING STICK FESTIVAL

Divers endroits à Vancouver
✆ +1 604 683 0497
www.fullcircleperformance.ca
info@fullcircle.ca
Début à mi-février. Certaines activités payantes, d'autres gratuites.
Festival qui célèbre les artistes aborigènes et leur culture. Une belle façon d'en apprendre davantage sur les Premières nations.

■ VANCOUVER PLAYHOUSE INTERNATIONAL WINE FESTIVAL

Playhouse Theatre
Angle des rues Hamilton et Dunsmuir
Vancouver
✆ +1 604 873 3311 – +1 877 321 3121
www.playhousewinefest.com
info@playhousewinefest.com
Fin février à début mars. Un grand festival dédié aux vins parmi les plus importants et anciens au monde. Au menu des activités : dégustations et accords mets-vins, repas gourmets, conférences, compétitions culinaires… Une belle occasion pour rencontrer les gens de l'industrie venant des quatre coins de la planète.

© AUTHOR'S IMAGE

Carnaval de neige de Québec.

■ **WHISTLER WINTER ARTS FESTIVAL**
Divers endroits à Whistler
✆ +1 604 935 8410
www.artswhistler.com
info@artswhistler.com
Début à fin février.
Un mois entier dédié aux arts : arts de la scène, événements littéraires, projections de films, sculptures sur neige, expositions, spectacles, animation de rue, etc.

■ **YUKON QUEST**
Shipyard's Park, Whitehorse
✆ +1 867 668 4711
www.yukonquest.com
questadmin@polarcom.com
Début à mi-février (des activités se poursuivent jusqu'à la fin du mois).
La Yukon Quest, la course de traîneaux à chiens réputée la plus difficile du monde, se déroule sur plus de 1 600 km à travers le Grand Nord canadien et l'Alaska. Les années impaires, les concurrents partent de Whitehorse pour arriver à Fairbanks et les années paires, la course est dans le sens inverse.

Mars

■ **PACIFIC RIM WHALE FESTIVAL**
Ucluelet
✆ +1 250 726 7798
www.pacificrimwhalefestival.com
info@pacificrimwhalefestival.com
Mi à fin mars. L'événement se déroule également à Tofino et au Pacific Rim National Park Reserve. Migration annuelle des baleines grises sur la côte ouest de l'île de Vancouver. Plusieurs événements sont organisés en parallèle : projection de documentaires, expositions d'art, spectacles musicaux, etc.

■ **ROYAL MANITOBA WINTER FAIR**
1175 18th Street, Brandon
✆ +1 204 726 3590
✆ +1 877 729 0001
www.brandonfairs.com
info@brandonfairs.com
Fin mars à début avril. Adulte : 16 CAN $. Pass pour 3 jours : 42 CAN $.
La plus importante foire agricole organisée dans l'Ouest canadien. Exposition de bétail, présentations diverses dans le domaine agricole, concours de chevaux, courses de poneys attelés, et beaucoup plus encore.

■ **VANCOUVER INTERNATIONAL DANCE FESTIVAL**
Roundhouse Community Centre
181 Roundhouse Mews, Vancouver
✆ +1 604 662 4966
www.vidf.ca – info@vidf.ca
Début à mi-mars.
Une manifestation que regroupe des artistes régionaux autant qu'internationaux sur le thème commun de la danse.

▸ **Autre adresse :** Shadbolt Centre for the Arts : 6450 Deer Lake Avenue, Burnaby.

Avril

■ STRATFORD SHAKESPEARE FESTIVAL

Festival Theatre. 55 Queen Street
Stratford ✆ +1 800 567 1600
www.stratfordfestival.ca
orders@stratfordshakespearefestival.com
Mi-avril à début novembre.
Depuis 1953, ce festival consacré à Shakespeare et au théâtre ravit les foules. Aujourd'hui, plus d'un demi-million de spectateurs assistent au Festival de Stratford tous les ans. Il présente des pièces en français régulièrement. Un incontournable pour les amoureux du style !

Autre adresse : Autres lieux des représentations : Avon Theatre, 99 Downie Street ; Tom Patterson Theatre, 111 Lakeside Drive ; Studio Theatre, 34 George Street East.

■ TELUS WORLD SKI & SNOWBOARD FESTIVAL

Au Village et à la station de ski
Whistler
www.wssf.com
Mi à fin avril. Certaines activités gratuites, d'autres payantes.
Dix jours de concerts, d'activités artistiques, de compétitions et de fête. Un immanquable !

■ WINNIPEG COMEDY FEST

Winnipeg ✆ +1 204 780 3333
www.winnipegcomedyfestival.com
info@winnipegcomedyfestival.com
Début à mi-avril. Certains spectacles gratuits, d'autres payants.
Un grand festival dédié à l'humour avec des comédiens venant principalement du Canada et des États-Unis. Quelques spectacles en français.

Mai

■ FESTIVAL CANADIEN DES TULIPES

Parc Major's Hill
et Parc des Commissaires
Ottawa
✆ +1 613 567 5757 – +1 800 668 8547
www.tulipfestival.ca
info@festivaldestulipes.ca
Les 3 premières semaines de mai. Certaines activités gratuites, d'autres payantes. Passeport rabais en vente au coût de 20 CAN $.
Le Festival canadien des tulipes d'Ottawa, devenu le plus important festival des tulipes du monde, est né sous la forme d'un cadeau offert, il y a six décennies, sous le signe de l'amitié internationale. Depuis, chaque printemps, plus d'un million de belles tulipes sont exposées au public avec au programme des spectacles et de l'animation pour toute la famille. À ne pas manquer : le Pavillon international avec artisanat, plats typiques et spectacles de danse traditionnelle.

■ KNOX MOUNTAIN HILLCLIMB

Knox Mountain Park Road
Kelowna
www.knoxmtnhillclimb.ca
info@knoxmtnhillclimb.ca
Vers la fin mai. Activités parallèles organisées (expositions de voitures, spectacles musicaux, etc.). Depuis une cinquantaine d'années, des équipes régionales de pilotes rallye se donnent rendez-vous pour aller jusqu'au sommet du mont Knox, en empruntant le plus long chemin montagneux pavé d'Amérique du Nord. À voir !

■ SWIFTSURE INTERNATIONAL YACHT RACE

Victoria Harbour, Victoria
✆ +1 250 592 9098
www.swiftsure.org
swiftsure.info@rvyc.bc.ca
Fin mai. Longue course qui réunit plus de 200 voiliers au départ de Victoria, vers le détroit de Juan de Fuca.

Juin

■ THE BARRIE JAZZ AND BLUES FESTIVAL

Heritage Park, Barrie
✆ +1 800 668 9100
www.barriejazzbluesfest.com
bjbfest@bconnex.net
Début à mi-juin. Certains spectacles gratuits, d'autres payants.
Depuis une quinzaine d'années, cet événement annuel présente d'excellents spectacles de musique jazz et blues. Le site extérieur se trouve à Heritage Park, mais des spectacles ont lieu un peu partout dans la région.

■ CARROUSEL OF THE NATIONS

Au centre-ville et dans
la grande région de Windsor
✆ +1 519 255 1127 – +1 877 237 9264
www.carrouselofnations.ca
3 week-ends en juin.
Depuis plus de 35 ans, ce festival présente la diversité culturelle de Windsor avec au menu des spectacles musicaux, un grand bazar, des « villages » de plusieurs pays, des dégustations, des activités pour enfants, et plus encore.

■ **CIRQUE DU SOLEIL**
Sous le Grand Chapiteau
aux Quais du Vieux-Port
Montréal
✆ +1 800 450 1480
www.cirquedusoleil.com
contact@cirquedusoleil.com
M° Champ-de-Mars. Dès la mi-juin (date et événement à confirmer). Achat des billets sur leur site Internet ou via le Réseau Admission. Événement déjà confirmé pour 2012 : « Michael Jackson - The Immortal World Tour » au Centre Bell.
On ne présente plus le Cirque du Soleil, figure mythique des arts de la scène québécois. À l'origine, une petite troupe d'amuseurs publics dans les rues de Baie-Saint-Paul, menée par Guy Laliberté, et près de 30 ans plus tard, une machine à rêves. Le siège social est toujours basé au Québec, où la compagnie ne manque pas de se produire plusieurs fois par an. À l'année, elle parcourt également le monde entier avec divers spectacles aussi féeriques que novateurs. Modernisateur de l'univers « circassien », le Cirque du Soleil réinvente cet univers au moyen de décors majestueux, de costumes somptueux et de numéros magiques. Des spectacles à ne rater sous aucun prétexte !

■ **EDMONTON INTERNATIONAL JAZZ FESTIVAL**
Plusieurs endroits à Edmonton
✆ +1 780 990 0222
www.edmontonjazz.com
info@edmontonjazz.com
Fin juin à début juillet. Certains spectacles gratuits, d'autres payants.
Le jazz sous toutes ses formes dans une dizaine de lieux au centre-ville, dont un petit site extérieur.

■ **FESTIVAL DE LA CHANSON DE TADOUSSAC**
Au coeur du village de Tadoussac
✆ +1 418 235 2002
✆ +1 800 861 4108
www.chansontadoussac.com
chanson@tadoussac.com
Vers la mi-juin. Spectacles payants, forfaits disponibles. Camping temporaire près des dunes (20 CAN $ peu importe la durée du séjour) avec service de navette.
Le plus grand des petits festivals ! Durant quatre jours, auteurs, compositeurs, interprètes et musiciens de toute la francophonie se donnent rendez-vous à Tadoussac pour célébrer la chanson.

■ **FESTIVAL DES FROMAGES FINS DE VICTORIAVILLE**
Pavillon Agri-Sports.
400, boulevard Jutras Est
Victoriaville
✆ +1 819 751 9990
✆ +1 855 751 9990
www.festivaldesfromages.qc.ca
info@festivaldesfromages.qc.ca
Vers la mi-juin. Entrée journalière adulte : 5 à 30 CAN $. Passeport week-end : 30 à 35 CAN $. Coupons de dégustation : 5 CAN $ pour 10 coupons. Camping à proximité avec service de navette.
Autrefois tenu à Warwick, c'est le plus important événement canadien consacré principalement aux fromages fins avec une centaine de variétés différentes provenant de tout le Québec. Également au menu : produits régionaux, dégustations, animations culinaires, conférences, circuits découvertes guidées, spectacles musicaux, activités pour les enfants et les familles, etc.

■ **FESTIVAL INTERNATIONAL DE JAZZ DE MONTRÉAL**
305 Place des Festivals, Montréal
✆ +1 514 871 1881
✆ +1 855 299 3378
www.montrealjazzfest.com
commentaires_jazz@equipespectra.ca
Fin juin à début juillet.
Festival de renommée mondiale regroupant les grands noms du jazz. Plus de 650 concerts, dont 370 gratuits, à l'extérieur et en salle.

■ **LES FRANCOFOLIES DE MONTRÉAL**
Place des Festivals, Montréal
✆ +1 514 876 8989
✆ +1 888 444 9114
www.francofolies.com
info-francos@equipespectra.ca
Début à mi-juin. Spectacles en salle payants, gratuits à l'extérieur.
Un événement musical avec des artistes francophones d'Europe, d'Afrique, des Amériques, des Antilles. Spectacles dans plusieurs salles et à l'extérieur.

■ **GRAND PRIX DU CANADA**
Circuit Gilles-Villeneuve, Parc Jean-Drapeau
Montréal ✆ +1 514 350 0000
www.circuitgillesvilleneuve.ca
Vers la mi-juin. Les meilleurs pilotes du monde se disputent une des étapes du championnat du monde de Formule 1. Surveillez les différents événements entourant le week-end dont la journée « portes ouvertes ».

■ LONDON FRINGE FESTIVAL

Divers endroits à London
✆ +1 519 434 0606
www.festival.londonfringe.ca
www.londonfringe.ca
info@londonfringe.ca
Mi à fin juin. Programmation à l'année également. Billets à l'unité et différents Pass disponibles pour le festival.

Pendant une dizaine de jours, vivez au rythme des arts. Le théâtre, les arts visuels, le cinéma et l'art oratoire (*spoken word*) sont au rendez-vous. Au total, plus de 40 compagnies théâtrales canadiennes présentent des productions dignes des applaudissements des visiteurs.

■ MONDIAL DE LA BIÈRE

Place Bonaventure
800, rue de La Gauchetière Ouest, Montréal
✆ +1 514 722 9640
www.festivalmondialbiere.qc.ca
mbiere@globetrotter.net
Vers le début juin. Entrée libre. Coupons de dégustation : 1 CAN $. Depuis 2009, le Mondial se tient également à Strasbourg en France (octobre).

Amateurs de bières, inscrivez ces dates dans votre agenda à l'aide d'un stylo indélébile, et rangez le tout précieusement sous clé. C'est l'événement bièrophile de l'année à ne pas manquer ! Comment résister à l'appel de plus de 350 bières différentes, de cidres, d'hydromels, le tout agrémenté de délices du terroir québécois. Novice en la matière ou bièrophile accompli, les kiosques et événements de dégustation, les ateliers, les conférences et les débats sauront satisfaire les plus exigeants.

■ PRIDE TORONTO

Divers endroits à Toronto
✆ +1 416 927 7433
www.pridetoronto.com
office@pridetoronto.com
Fin juin à début juillet.

Célébration de la fierté gay avec bon nombre d'événements organisés dans le Village (Church-Wellesley Village) : party, défilé, journée communautaire, etc.

■ RIO TINTO ALCAN DRAGON BOAT FESTIVAL

Creekside Community Centre
1 Athletes Way, Vancouver
✆ +1 604 688 2382
www.dragonboatbc.ca
info@dragonboatbc.ca
Vers la mi-juin. Gratuit.

Cette course de bateaux-dragons, reconnue comme la plus importante en Amérique du Nord, attire annuellement pas moins de 180 équipes et 100 000 festivaliers. Nombreuses activités pour tous et des spectacles musicaux viennent compléter la programmation.

■ THE GREAT WALK

Gold River
✆ +1 250 245 1045
www.greatwalk.com
greatwalk@greatwalk.com
Début juin.

Conséquence d'un défi anodin entre les maires des deux villes, il y a une soixantaine d'années, cette marche de 63,5 km entre Gold River et Tahsis est devenue une tradition annuelle. Elle a pour but de ramasser des fonds pour soutenir des œuvres de charité.

■ THE TRIAL OF LOUIS RIEL

Humboldt Court House
805 8th Avenue, Humboldt
✆ +1 306 728 5728
www.rielcoproductions.com
En juin (date variable). Tournée dans plusieurs villes en Saskatchewan (voir site Internet pour les dates et billets).

Chaque année, cette compagnie de théâtre rejoue le procès de Louis Riel, le leader des métis insurgés contre le gouvernement central en 1885.

■ TORONTO JAZZ FESTIVAL

Plusieurs endroits à Toronto
✆ +1 416 928 2033
www.torontojazz.com
Fin juin à début juillet. Certains spectacles gratuits, d'autres payants.

Pendant ce festival, des concerts de jazz tous styles confondus sont présentés dans des théâtres, des églises, des bars, etc. Le site extérieur gratuit se trouve au Metro Square. Une ambiance festive très appréciée des Torontois et des visiteurs.

■ VICTORIA INTERNATIONAL JAZZFEST

Plusieurs endroits à Victoria
✆ +1 250 388 4423
www.jazzvictoria.ca – info@jazzvictoria.ca
Fin juin à début juillet.

Incontournable festival de jazz auquel participent nombreux artistes d'ici et d'ailleurs. Spectacles en salle et à l'extérieur. Autre festival organisé par The Victoria Jazz Society : Vancouver Island Blues Bash au début septembre.

■ WINDSOR SUMMERFEST
Windsor ✆ +1 519 254 2880
www.summerfestwindsor.org
mrssanta@mnsi.net
Mi-juin à début juillet. Certains événements gratuits, d'autres payants.
Plusieurs festivités sont organisées à travers la ville pour souligner le début de l'été : spectacles musicaux, manèges, feux d'artifice, défilé de la Fête du Canada, etc.

■ WOODSTOCK EN BEAUCE
Rang 8 Nord
Saint-Éphrem-de-Beauce
✆ +1 877 411 5151
www.woodstockenbeauce.qc.ca
info@woodstockenbeauce.qc.ca
Fin juin à début juillet. Billets à la journée et passeport 5 jours disponibles. Camping sur place. L'un des plus gros festivals de musique au Canada, Woodstock en Beauce présente des dizaines d'artistes de calibre international ainsi que de nombreux artistes locaux sur des scènes extérieures et dans la Grange Woodstock. Près de 80 000 personnes sont présentes chaque année pour cet événement tant attendu.

Juillet

■ 1001 POTS
2435, rue de l'Église, Val-David
✆ +1 819 322 6868
www.1001pots.com – expo@1001pots.com
De mi-juillet à mi-août : lundi-dimanche, 10h-18h. Droits d'entrée : 2 CAN $.
Il s'agit de la plus grande exposition d'objets en céramique en Amérique du Nord. Le site, en plein air, regroupe les œuvres de plus d'une centaine d'artisans québécois, accomplis ou de la relève. Au détour de l'exposition, vous admirerez des objets décoratifs, des vases, tirelires, bijoux, tableaux, pots et bien d'autres. À découvrir absolument.

■ BAYFEST
Centennial Park, Sarnia
Sarnia-Lambton
✆ +1 519 337 4474 – +1 866 450 4474
www.sarniabayfest.com
Début à mi-juillet. Coûts des billets et pass : de 10 à 300 CAN $. Possibilité de camper sur le site (40 CAN $ par jour par site).
Bayfest, qui s'étend sur deux week-ends, est devenu un des événements musicaux en plein air les plus importants de la région des Grands Lacs, avec les meilleurs groupes du Canada et des États-Unis.

■ BRANDON FOLK, MUSIC AND ARTS FESTIVAL
Keystone Centre Grounds, Brandon
✆ +1 204 717 1690
www.brandonfolkfestival.ca
brandonfolkfestival@gmail.com
Entre la mi et la fin juillet. Adulte : 35 CAN $ par jour, 70 CAN $ pour le Pass festival.
Un festival réputé au Manitoba, axé sur les artistes émergents, la diversité culturelle et artistique. Possibilité de camper sur le site du festival.

■ CALGARY STAMPEDE
1410 Olympic Way Southeast
Calgary
✆ +1 403 269 9822 – +1 800 661 1767
www.calgarystampede.com
Début à mi-juillet. L'enceinte du Stampede est ouverte de 8h à minuit. Admission générale sur le site : 15 CAN $. Billets pour les rodéos : 36 à 378,75 CAN $. Billets pour les spectacles musicaux et forfaits aussi disponibles.
Un des plus grands rodéos du monde rappelant le passé cowboy de la ville. Un incontournable au pays ! Autres activités sur le site : spectacles musicaux, animations, expositions, etc.

■ CARIBANA
Plusieurs endroits à Toronto
✆ +1 416 391 5608
www.caribanatoronto.com
info@torontocaribbeancarnival.com
Mi à fin juillet. Plusieurs événements gratuits, d'autres payants. Haute en couleur, cette manifestation porte bien son nom. C'est la magie du Sud qui envahit Toronto : musique, danses, rythmes viennent enfiévrer les rues. Activités un peu partout en ville, à Exhibition Place et Ontario Place. Nombreuses soirées dans les clubs de la ville.

■ CRAVEN COUNTRY JAMBOREE
Craven
Vallée de la rivière Qu'appelle
✆ +1 306 757 0007 – +1 866 388 0007
www.cravencountryjamboree.com
info@cravencountryjamboree.com
Vers la mi-juillet. À 15 min de voiture de Régina. Passe pour le festival : à partir de 139 CAN $. En juillet, cette petite bourgade de la jolie vallée « Qu'appelle » accueille le plus grand rassemblement de musique country du Canada. Pendant quatre jours sans interruption, les artistes se relaient sur la scène devant un public immense venu apprécier autant les joies de la musique que celles du camping.

■ FESTIVAL D'ÉTÉ DE QUÉBEC

Dans le Vieux-Québec, le Port
et le quartier Saint-Roch
✆ +1 418 529 5200 – +1 888 992 5200
www.infofestival.com
infofestival@infofestival.com
Début à mi-juillet. Passeport festival et billet un jour disponibles. Spectacles extérieurs et en salle.
Ce festival de musique de grande renommée convie annuellement les artistes du monde francophone et d'ailleurs. Musique et arts de la rue sur 11 jours de festivités et d'effervescence. Des grandes pointures, tels Metallica, Elton John et Paul McCartney y ont donné des spectacles mémorables.

■ FESTIVAL DIVERS/CITÉ

Au Village gai, Montréal
✆ +1 514 285 4011
www.diverscite.org
contact@diverscite.org
Fin juillet à début août. Certaines activités gratuites, d'autres payantes.
Un des plus importants événements de la fierté gaie et lesbienne en Amérique du Nord, qui attire plus d'un million de festivaliers. Communauté, party, culture, folie, insomnie...

■ FESTIVAL INTERNATIONAL DES RYTHMES DU MONDE

Zone Portuaire et rue Racine
Ville de Saguenay (Chicoutimi)
✆ +1 418 545 1115 – +1 866 922 3476
www.rythmesdumonde.com
info@rythmesdumonde.com
Fin juillet à début août.
Ce grand événement multiethnique réunit au-delà de 950 artistes, artisans, musiciens et danseurs en provenance d'une vingtaine de pays. La musique et la danse habitent la zone portuaire et le centre-ville en colorant les lieux d'une ambiance cosmopolite où la foule se presse aux spectacles gratuits, présentés sur les scènes extérieures.

■ FESTIVAL INTERNATIONAL NUITS D'AFRIQUE DE MONTRÉAL

Place des Festivals
et différentes salles en ville
Montréal
✆ +1 514 499 9239
www.festivalnuitsdafrique.com
info@festivalnuitsdafrique.com
Vers la mi-juillet. Spectacles en salle payants, gratuits en extérieur. Programmation annuelle en salle (voir site Internet).
Un festival d'été unique en Amérique du Nord, regroupant les meilleures formations de la scène africaine, antillaise et sud-américaine. Spectacles gratuits sur un site extérieur le dernier week-end.

■ FESTIVAL OF THE SOUND

Charles W. Stockey Centre for the Arts
2 Bay Street, Parry Sound
✆ +1 705 746 2410 – +1 866 364 0061
www.festivalofthesound.ca
info@festivalofthesound.ca
Mi-juillet à début août. Quelques événements gratuits, la majorité payants. Billets à l'unité, passes et forfaits sont disponibles.
Le Festival of the Sound est reconnu comme l'un des plus innovateurs et dynamiques en son genre au pays. S'échelonnant sur trois semaines dès la mi-juillet, cette fête de la musique classique s'est vue décerner la prestigieuse médaille des Arts du lieutenant-gouverneur. Intercalez entre les 50 concerts l'une ou l'autre des nombreuses activités organisées : une croisière à bord du *Island Queen* ou du *M.V. Chippewa*, des ateliers pour enfants, des lectures, etc.

■ FÊTE DU CANADA DANS LA CAPITALE

Divers endroits à Ottawa
✆ +1 613 239 5000
✆ +1 800 465 1867
www.capitaleducanada.gc.ca/feteducanada/
info@ncc-ccn.ca
Le 1er juillet. Gratuit.
Des attractions pour toute la famille, concerts, spectacles. La soirée s'achève par un feu d'artifice et un méga concert sur la colline du Parlement.

■ GLENGARRY HIGHLAND GAMES

34 Fair Street, Maxville
✆ +1 613 527 2876 – +1 866 298 1666
www.glengarryhighlandgames.com
exec@glengarryhighlandgames.com
Fin juillet. Billets en pré-vente : de 18 à 28 CAN $, 35 à 50 CAN $ pour les 2 jours. A la porte : de 20 à 30 CAN $. Camping disponible sur place.
Inaugurés en 1948, les jeux de Glengarry sont de calibre international. Le petit village de Maxville, tout à fait particulier, à l'âme très écossaise, se transforme en un bourg très compétitif où des géants, colossaux lanceurs de lourds *cabers* (poteaux), côtoient d'agiles danseurs aux jambes rapides comme l'éclair. Le tout se passe dans un stade bâti à la fin du XIXe siècle. C'est à couper le souffle ! Plus de 60 orchestres s'affrontent dans l'espoir de

remporter les championnats nord-américains de cornemuse. Sous l'ambiance envoûtante de la musique celtique, des troupes s'efforcent de gagner une coupe super-convoitée. Partout où le scotch et les tartans sont appréciés, on rêve de ces trophées ! Éblouissant !

■ HUNTSVILLE FESTIVAL OF THE ARTS

Divers endroits à Huntsville
✆ +1 705 789 4975 – +1 800 663 2787
www.huntsvillefestival.on.ca
info@huntsvillefestival.on.ca
En juillet et août (programmation à l'année). Tarifs variables selon l'événement.
Chaque année, ce festival rassemble les meilleurs artistes dans les domaines de la musique, de la danse et du théâtre. Deux autres petits événements en font partie : Huntsville Jazz Festival et Fringe Festival (théâtre). La plupart des spectacles ont lieu au Algonquin Theatre.

■ MISSION FOLK MUSIC FESTIVAL

Fraser River Heritage Park, Mission
✆ +1 604 826 5937 – +1 866 494 3655
www.missionfolkmusicfestival.ca
missionfestival@shaw.ca
Vers la fin juillet. Billets à l'unité et passes pour le festival disponibles.
Mission accueille un festival de musique folk très renommé (qui surpasse d'ailleurs régulièrement celui de Vancouver).

■ LE MONDIAL DES CULTURES

Parc Woodyatt
53, rue du Pont, Drummondville
✆ +1 819 477 5412
✆ +1 800 265 5412
www.mondialdescultures.com
info@mondialdescultures.com
Début à mi-juillet. Macaron valide pour 11 jours : 35 à 60 CAN $. Bracelet 1 jour : 12 à 16 CAN $ (gratuit pour les 12 ans et moins). Forfaits disponibles.
Voué au folklore mondial, le festival est une invitation à la découverte des peuples du monde avec une programmation variée de plus de 400 spectacles présentés par des compagnies de danse venant des quatre coins du globe, sans oublier le Québec. Le festival se met en branle par un défilé dans les rues de Drummondville. Sur le site, un marché international offre de l'artisanat exotique, alors que les divers restos proposent des arômes pour le moins ensorcelants. Une organisation du tonnerre, un coût minime et de la couleur, de la danse, de la musique, des activités : tout est mis en œuvre pour vous faire rêver.

■ NANAIMO MARINE FESTIVAL - WORLD CHAMPIONSHIP BATHTUB RACE

Nanaimo ✆ +1 250 753 7223
www.bathtubbing.com
mail@bathtubbing.com
Vers la fin juillet.
Course exceptionnelle de baignoires ! 48 km de Nanaimo à Vancouver pour les plus sérieux, et autour de Nanaimo pour les amateurs.

■ SUNFEST

Victoria Park, London ✆ +1 519 672 1522
www.sunfest.on.ca – info@sunfest.on.ca
Début juillet. Entrée libre (série annuelle payante). Depuis plus d'une quinzaine d'années, le Sunfest jouit d'une réputation internationale grâce à ses spectacles de danse et de musique du monde, son jazz canadien, ses démonstrations artisanales et ses dégustations gastronomiques.

■ TORONTO FRINGE FESTIVAL

Plusieurs endroits à Toronto
✆ +1 416 966 1062 – +1 866 515 7799
www.fringetoronto.com
general@fringetoronto.com
Début à mi-juillet. Billet à l'unité : 10 CAN $. Passes festival aussi disponibles.
Avec une centaine de troupes venues du monde entier présenter leurs pièces, vous assisterez à des performances très variées. Assurez-vous de bien choisir votre soirée. Le festival dure une dizaine de jours, pour le plus grand plaisir des amateurs de théâtre.

■ TOUR DE L'ABITIBI – COUPE DES NATIONS

1re Avenue Ouest, Amos
✆ +1 819 444 2014
www.tourabitibi.qc.ca
courrier@tourabitibi.qc.ca
Mi à fin juillet. Étape nord-américaine de la Coupe des Nations juniors (compétition cycliste internationale pour hommes âgés de 17 et 18 ans). Plus de 25 équipes (160 coureurs) parmi les meilleurs du monde. À cet événement est jumelé le Tour de la relève (200 cyclistes filles et garçons âgés entre 6 et 16 ans). Un bel événement pour la relève !

■ TRAVERSÉE INTERNATIONALE DU LAC-SAINT-JEAN

1130, boulevard Saint-Joseph, Roberval
✆ +1 418 275 2851 – www.traversee.qc.ca
traversee@traversee.qc.ca
Fin juillet. Passeport pour 5 soirs de spectacles et 2 feux pyromusicaux : 17 CAN $. Admission soirées sans passeport : 5 à 8 CAN $.

Depuis 1955, cet événement attire l'élite mondiale de la nage en eau libre. Roberval vous invite pour cette fête ponctuée d'activités spéciales, de spectacles traditionnels en plein air, de feux d'artifices et du marathon de la relève, sans oublier le fameux souper dans les rues réunissant 10 000 convives autour d'une table de 1 km de long.

■ **WINDSOR INTERNATIONAL FRINGE FESTIVAL**
Divers endroits à Windsor
✆ +1 519 944 1312
www.windsorfringe.com
fringe@actorstheatreofwindsor.com
Mi à fin juillet. Billet pour un représentation : 10 CAN $. 5 billets pour 40 CAN $, 10 pour 70 CAN $. Événements extérieurs gratuits.
Ce grand événement présente depuis 2007 des pièces de théâtre amateur dans plusieurs salles de la ville mais également en plein air (Buskers Festival, Chalk & Chocolate Festival, The Visual Fringe, etc.). Un incontournable de la scène artistique au pays !

Août

■ **CALGARY INTERNATIONAL REGGAEFEST**
Shaw Millennium Park
1220 9 Avenue SW, Calgary
✆ +1 403 355 5696
www.calgaryreggaefestival.com
crfinfo@reggaefest.ca
Vers la mi-août. Adulte : 40 CAN $ à la porte, 30 CAN $ en prévente. En plein coeur de la ville, nombreux concerts célébrant la culture et la musique reggae. Des événements spéciaux ont également lieu en dehors du site principal.

■ **CANADIAN NATIONAL EXHIBITION**
Exhibition Place
200 Prince's Boulevard, Toronto
✆ +1 416 393 6300
www.theex.com – info@theex.com
Mi-août à début septembre. Admission générale : 16 CAN $. Pass un jour pour les manèges : 36 CAN $ (admission en extra). Tickets à l'unité également disponibles.
Cette grande exposition tient à la fois de la Foire de Paris, du Salon de l'agriculture et de la Foire du Trône. D'innombrables activités y sont offertes ainsi que des spectacles musicaux et événements spéciaux.

■ **COUPE ROGERS**
Stade Uniprix du Parc Jarry
Montréal
✆ +1 514 273 1234 – +1 855 836 6470
www.rogerscup.com
billet@tenniscanada.com
Début à mi-août.
Tournoi de tennis qui réunit les meilleurs joueurs au monde sur le circuit professionnel international. Les championnats masculin et féminin sont présentés en alternance avec Toronto.

■ **EDMONTON FOLK MUSIC FESTIVAL**
Gallagher Park
9411 97 Ave NW, Edmonton
✆ +1 780 429 1999
www.edmontonfolkfest.org
tickets@efmf.ab.ca
Début août.
Un des festivals de musique les plus importants de la capitale de l'Alberta. Spectacles sur le site extérieur et dans diverses salles de la ville.

■ **FESTIVAL DU COCHON DE SAINTE-PERPÉTUE**
113, rue Saint-Charles
Sainte-Perpétue
✆ +1 819 336 6190 – +1 888 926 2466
www.festivalducochon.com
info@festivalducochon.com
Début août. Admission quotidienne et « Passeporc » 5 jours.
Un festival unique au monde où vous pourrez assister à des compétitions hors du commun. La course au cochon, dont le but est d'attraper un cochon qui court dans une marre de boue, est un must ! Ferme, kiosques d'artisans, bistro, parc d'attractions avec gonflables et euro-bungee, spectacles musicaux extérieurs avec écrans géants, bref, une expérience bien amusante.

■ **LES FÊTES DE LA NOUVELLE-FRANCE SAQ**
Dans le Vieux-Québec
✆ +1 418 694 3311 – +1 866 391 3383
www.nouvellefrance.qc.ca
Début août. Laissez-passer officiel : 10 CAN $, 8 CAN $ en prévente.
Le Québec du XVIIe siècle renaît ! Pendant une semaine, les filles du roi, coureurs des bois et autres personnages de l'époque enva-

Retrouvez l'index général en fin de guide

hissent les rues. Reconstitutions, théâtres, animateurs, costumes, rien n'est laissé au hasard pour remonter au temps du régime français.

■ **GRAND PRIX DE TROIS-RIVIÈRES**
1760, avenue Gilles-Villeneuve
Trois-Rivières
✆ +1 819 370 4787
✆ +1 866 866 4787
www.gp3r.com
info@gp3r.com
Début août. Camping disponible sur place.
Un événement que ne manqueront pas les amateurs de course automobile. Formula Tour 1600, NASCAR, Touring et bien plus encore, en plein cœur de la ville. Festivité d'ouverture, animation de piste, journée portes ouvertes, accès illimité aux enclos.

■ **INTERNATIONAL DE MONTGOLFIÈRES DE SAINT-JEAN-SUR-RICHELIEU**
5, chemin de l'Aéroport
Saint-Jean-sur-Richelieu
✆ +1 450 347 9555
www.montgolfieres.com
festival@montgolfieres.com
Vers la mi-août. Adulte : 20 à 25 CAN $ par jour, 39 à 49 CAN $ pour le passeport 9 jours.
Le plus grand événement du genre du pays avec plus d'une centaine de montgolfières, dont plusieurs aux formes étonnantes. D'ailleurs, pour 170 à 210 CAN $ par personne, vous pouvez vous-même vous envoler ! Spectacles d'envergure tous les soirs, activités d'animation pour tous, un incontournable depuis près de 30 ans.

■ **INTERNATIONAUX DE TENNIS JUNIOR BANQUE NATIONALE**
Parc Larochelle
366, rue Marquis, Repentigny
✆ +1 450 581 8470
www.tennis-junior-repentigny.com
internationauxjuniors@videotron.ca
Fin août à début septembre. Admission générale gratuite. Loge : 20 à 25 CAN $ par jour.
Compétition sportive de niveau international sanctionnée par Tennis Canada et la Fédération internationale de tennis. Il s'agit de l'un des dix plus importants tournois du genre au monde où plus de 40 pays participent.

■ **PACIFIC NATIONAL EXHIBITION**
Hastings Park
Vancouver
✆ +1 604 253 2311
www.pne.ca – info@pne.ca
Foire : de mi-août à début septembre. Parc d'attractions : fin avril à fin septembre. Soirées spécial Halloween en octobre. Tarifs selon l'activité choisie.
Cet immense parc d'attractions, situé à quelques minutes du pont pour North Vancouver, organise annuellement une grande foire avec au menu des expositions, des activités culturelles et sportives, des spectacles musicaux, des manèges et plus encore.

■ **PRINCE EDWARD COUNTY JAZZ FESTIVAL**
Regent Theatre
224 Main Street, Picton
✆ +1 613 476 8416
✆ +1 877 411 4761
www.pecjazz.org
info@pecjazz.org
Vers la mi-août. Billets : 38 CAN $ par spectacle. Certains spectacles gratuits.
En août, rendez-vous avec le jazz dans la merveilleuse région de la baie de Quinte. Les principaux concerts ont lieu dans une salle patrimoniale de Picton : le Regent Theatre. Spectacles gratuits sur les rives du lac Ontario et dans les vignobles. Venez voir des artistes renommés tout en dégustant des vins savoureux et en goûtant aux délices de la route des saveurs du comté.

■ **ROGERS CUP**
Rexall Centre, York University
1 Shoreham Drive, Toronto
✆ +1 877 283 6647
www.rogerscup.com
tickets@tenniscanada.com
Début à mi-août.
Tournoi de tennis qui réunit les meilleurs joueurs au monde sur le circuit professionnel international. Les championnats masculin et féminin sont présentés en alternance avec Montréal.

■ **YUKON RIVERSIDE ARTS FESTIVAL**
Au centre-ville,
en bordure de la rivière Yukon
Dawson City
✆ +1 867 993 5005
www.kiac.ca/artsfest/
kiac@kiac.ca
Vers la mi-août.
Cet événement annuel accueille des artistes du Yukon, des Territoires du Nord-Ouest et de l'Alaska afin de faire découvrir l'art et l'artisanat du Grand Nord. Aussi au programme : ateliers, projections de films, spectacles.

Septembre

■ CINÉFEST SUDBURY

SilverCity Sudbury
355 Barrydowne Road
Sudbury – Grand Sudbury
✆ +1 705 688 1234
✆ +1 877 212 3222
www.cinefest.com
cinefest@cinefest.com

Mi à fin septembre. Billet pour un visionnement : 11,50 CAN $ (4 billets pour 42 CAN $, 10 pour 92,50 CAN $). Billet pour un film gala et cocktail : 21,50 CAN $. Passeport festival : 220 à 300 CAN $.

Le festival international du film Cinéfest de Sudbury attire tous les ans plus de 30 000 cinéphiles. Beaucoup de ses adeptes disent qu'il s'agit d'un heureux mélange de professionnalisme et de laisser-faire, dimension souvent évacuée dans les happenings des plus grands centres. L'événement collabore depuis quelques années avec le réputé festival de Toronto, ce qui lui permet de mettre la main sur des bobines encore vierges et de diffuser des premières très convoitées... Des activités connexes ainsi que des forums ajoutent une dimension fort instructive à l'expérience.

■ FESTIVAL INTERNATIONAL DE LA CHANSON DE GRANBY

Le Palace
135, rue Principale, Granby
✆ +1 450 375 2262 – +1 800 387 2262
www.ficg.qc.ca

Début à mi-septembre. Billet à l'unité : 20 à 35 CAN $. Forfait 5 soirées : 110 CAN $, 6 soirée : 115 CAN $.

Un des plus prestigieux concours du genre au Canada. Le Festival international de la chanson de Granby s'adresse aux amateurs et a servi de tremplin à bon nombre d'artistes québécois aujourd'hui fort réputés.

■ FÊTE BIÈRES ET SAVEURS

Lieu historique national du Fort-Chambly
Chambly
✆ +1 450 447 2096
www.bieresetsaveurs.com
info@bassinenfete.com

Début septembre. Admission adulte : 10 CAN $. Passeport 4 jours : 25 CAN $, 18 CAN $ en prévente.

Cet événement convie chaque année les bièrophiles, du simple amateur au plus aguerri, à une grande fête aux airs de marché du terroir à l'époque de la Nouvelle-France. Pendant quatre jours, les amateurs de saveurs sont invités à déguster des produits brassicoles québécois et importés, en plus de pouvoir découvrir de nouveaux menus associés à la bière. Une centaine de kiosques de produits de dégustation, de l'animation, des conférences, des spectacles, des grandes terrasses pour relaxer entre amis, tout y est pour une expérience mémorable dans le cadre enchanteur de la Vallée du Richelieu.

■ KLONDIKE ROAD RELAY

Whitehorse
✆ +1 867 668 4236
www.klondikeroadrelay.com

Début septembre.

Course à relais de renommée internationale.

■ MARATHON OASIS DE MONTRÉAL

Circuit de 42 km
Montréal ✆ +1 450 679 4928
www.marathondemontreal.com
info@marathondemontreal.com

Fin septembre.

Un évènement pluridisciplinaire populaire englobant plusieurs activités portant sur l'importance de l'activité physique et ses bénéfices pour la santé. S'y tient également l'étape montréalaise du circuit international de marathon.

■ OKANAGAN WINE FESTIVAL

Plusieurs endroits
dans la vallée de l'Okanagan
Kelowna ✆ +1 250 861 6654
www.thewinefestivals.com
info@thewinefestivals.com

Début septembre à fin octobre. Quatre festivals pendant l'année (printemps, été, automne et hiver).

Les amateurs de chardonnay, pinot noir, merlot ou vin de glace affluent de partout pour cet événement qui se déroule durant les vendanges. Nombreux événements organisés dans les vignobles et autres lieux de la région de l'Okanagan.

■ THE WORD ON THE STREET

Queen's Park, Toronto
✆ +1 416 504 7241
www.thewordonthestreet.ca
toronto@thewordonthestreet.ca

Fin septembre. Gratuit.

Festival littéraire international pour les amoureux de la lecture. Plusieurs activités organisées et programmation pour les enfants. Ce festival a aussi lieu à Vancouver, Lethbridge, Saskatoon, Kitchener et Halifax.

■ **TORONTO INTERNATIONAL FILM FESTIVAL**
Reitman Square - TIFF Light Box
350 King Street West, Toronto
✆ +1 416 599 8433
✆ +1 888 599 8433
www.tiff.net
customerrelations@tiff.net
Début à mi-septembre.
Une fois l'an, les grandes vedettes du cinéma viennent présenter leurs nouveaux chefs-d'œuvre au Festival international du film de Toronto, une manifestation très attendue des nombreux fans du septième art.

▸ **Autre adresse :** Plusieurs salles au centre-ville de Toronto (voir site Internet).

Octobre

■ **FESTIVAL INTERNATIONAL DE LA POÉSIE**
Divers endroits à Trois-Rivières
✆ +1 819 379 9813
www.fiptr.com
Début octobre. Certaines activités gratuites, d'autres payantes.
Dans plus de 70 lieux différents (cafés, restaurants, musées, galeries d'art...) se retrouvent 100 poètes venus d'environ 30 pays. Plus de 400 activités sont donc offertes pendant 10 jours consécutifs dédiés à la poésie.

■ **LIGUE NATIONALE DE HOCKEY (NHL)**
www.nhl.com
Saison régulière : début octobre à début avril. Championnats de la Coupe Stanley par la suite jusqu'en juin. Achat de billets directement auprès des équipes/arénas.
La saison de hockey reprend en octobre pour le plus grand bonheur des amateurs. Les équipes canadiennes sont : Canucks de Vancouver, Flames de Calgary, Oilers d'Edmonton, Jets de Winnipeg, Maple Leafs de Toronto, Senators d'Ottawa et Canadien de Montréal.

■ **SCOTIABANK NUIT BLANCHE**
Divers endroits à Toronto
www.scotiabanknuitblanche.ca
scotiabanknuitblanche@toronto.ca
Début octobre. De 19h au levée du soleil. Gratuit.
Une nuit blanche consacrée à l'art contemporain à travers les quartiers de Toronto avec quelque 130 destinations. Prévoyez donc une petite sieste en après-midi avant d'entamer votre circuit !

■ **VANCOUVER INTERNATIONAL WRITERS AND READERS FESTIVAL**
Granville Island, Vancouver
✆ +1 604 681 6330
www.writersfest.bc.ca
viwf@writersfest.bc.ca
Vers la mi-octobre.
Depuis 1988, ce festival littéraire compte parmi les plus importants en Amérique du Nord. Les Vancouvérois, fervents lecteurs, y rencontrent leurs auteurs préférés et profitent des activités offertes.

Novembre

■ **COUP DE CŒUR FRANCOPHONE**
Dans plusieurs quartiers de Montréal
✆ +1 514 790 1245 – +1 800 361 4595
www.coupdecoeur.qc.ca
coupdecoeur@coupdecoeur.ca
Début à mi-novembre. Prix des billets à l'unité : 40 CAN $ et moins.
Événement pancanadien dédié à la chanson francophone. Consultez le site Internet pour connaître la programmation et les villes participantes.

■ **WINTER FESTIVAL OF LIGHTS**
Divers endroits à Niagara Falls
✆ +1 905 374 1616 – +1 800 563 2557
www.wfol.com – info@wfol.com
Début novembre à fin janvier. Certains événements gratuits, d'autres payants.
Illumination de la ville (3 millions d'ampoules !), feux d'artifice, concerts en plein air (Noël et jour de l'an), marche à la chandelle, festival d'humour et bien plus. Le nouvel an y est célébré de façon magistrale et accueille de nombreux touristes chaque année. Nouvelle attraction depuis 2009 : Rink at the Brink, une patinoire extérieure aménagée près des chutes. Droits d'entrée, et location de patins et casques disponibles sur place.

Décembre

■ **SALON DES MÉTIERS D'ART DU QUÉBEC**
Place Bonaventure
800, rue de la Gauchetière Ouest
Montréal ✆ +1 514 397 4807
www.salondesmetiersdart.com
Les 3 premières semaines de décembre. Entrée libre.
Exposition-vente d'objets d'art de toutes sortes avec plus de 400 exposants présentant leurs créations. Une foule d'idées originales pour les cadeaux de Noël.

Cuisine locale

PRODUITS CARACTÉRISTIQUES

Plats populaires

- **La poutine :** frites garnies de fromage en grains, le tout nappé d'une sauce « gravy » (poutine régulière) ou de sauce tomate à la viande (poutine italienne). Bien connue au Québec, elle s'est répandue dans pratiquement toutes les moyennes et grandes villes du pays.
- **Le « smoked meat »** est une viande fumée sur du pain de seigle (ou en sandwich), accompagnée de cornichons à l'aneth et de salade de chou. Si vous êtes de passage au Québec, ne manquez pas de faire un arrêt chez Schwartz's à Montréal, LA place à smoked meat !
- **Les sous-marins** sont des gros sandwichs bien garnis.
- **Les hot-dogs** se mangent sur le pouce dans le centre-ville d'Ottawa, de Toronto ou de Vancouver, par exemple. Très bon marché, ils sont appréciés des citadins et des touristes.

Plats traditionnels

Ils remontent à l'époque des premiers colons et font désormais partie du folklore. On les consomme essentiellement sur les tables familiales lors des réunions de famille et dans certains restaurants spécialisés dans la cuisine traditionnelle. Ce sont toujours des plats caloriques : soupe de gourganes (grosses fèves), crêtons (terrine de porc haché ressemblant aux rillettes), fèves aux lard, canard au sirop d'érable, gibelotte de lapin au cidre, cipaille (sipaille, cipâte), pâté de viande aux pommes de terre, et diverses tourtières, à l'origine à base de gibiers, aujourd'hui confectionnées avec des viandes de porc et de veau mélangées, dont les recettes varient d'une région à l'autre (la plus connue : la tourtière du Lac-Saint-Jean).L'art de cuisiner sur un feu de bois fait partie des traditions amérindiennes. Les autochtones font la distinction entre la « nourriture de bois » qui est à la base de leur régime alimentaire traditionnel et celle des Blancs achetée au supermarché. La « nourriture de bois » se compose essentiellement de produits frais tirés de leur environnement. Selon la saison ou le lieu, il s'agit de saumon, phoque, caribou, orignal, porc-épic, ours, et de baies (framboises, bleuets, atocas...). Ces mets sont servis rôtis, bouillis ou cuits, accompagnés de thé et de la fameuse « bannique » amérindienne, sorte de pain ayant la consistance d'un gâteau. Traditionnellement, la nourriture, qui était considérée comme un cadeau offert par l'esprit des animaux, revêtait un caractère sacré. Aussi les repas étaient-ils accompagnés de rituels, de chants et de battements de tambour. Ils se terminaient par une danse d'action de grâces appelée « makoucham ».
Aujourd'hui, il est possible pour le visiteur de déguster la « nourriture de bois » assis, dans une tente, sur un matelas de sapinage. Par ailleurs, de plus en plus de restaurants proposent, à leur menu, des mets autochtones.

Poissons et crustacés

Dans l'Ouest canadien, on dégustera le saumon frais ou fumé ; dans la région des Grands Lacs en Ontario, les *fish and chips* ont la cote (plat combinant du poisson pané et des pommes de terre frites) ; en Gaspésie, la morue fraîche ou séchée ; aux îles de la Madeleine, le homard chaud accompagné d'un beurre d'ail fondu ou même en morceaux sur des pizzas nappées de fromage. Quant au *surf and turf*, ce sont des plats mixtes de fruits de mer et de viande. Les huîtres se dégustent crues ou cuites, entre amis, lors de « parties d'huîtres », accompagnées de bière. Les pétoncles se mangent souvent panés et frits. Une chose est certaine : la fraîcheur des produits est garantie dans l'Est et l'Ouest du pays !

Desserts

On goûtera la bûche (gâteau roulé), la tarte au sucre avec des noix, le pudding chômeur au sirop d'érable, les muffins (gâteaux ronds cuits au four) aux carottes parfumés au chocolat ou fourrés aux bleuets et autres fruits (à consommer au petit déjeuner ou au goûter), sans oublier les incontournables crèmes glacées « dures » ou « molles » (à l'italienne), etc.

Spécialités à base d'érable

À goûter absolument ! Ce sont tous les produits dérivés de l'érable sucrier, une des très nombreuses variétés d'érable : sirop, sucre, tire, tarte au sucre...

C'est au printemps, le temps des sucres, que les érables sucriers sortent de la torpeur de l'hiver pour sécréter une sève abondante, à haute teneur en sucre comestible, que l'on recueille dans des seaux suspendus aux becs verseurs fichés dans les troncs. On fera ensuite bouillir l'eau d'érable (sève naturelle) pour obtenir le fameux sirop d'érable (sève bouillie débarrassée de son eau). Aujourd'hui, les seaux ont été, pour la plupart, remplacés par des tuyaux en plastique reliés à un évaporateur central.
Pour fêter la récolte, ont lieu des « parties de sucres » qui rassemblent parents et amis. On déguste alors toutes sortes de mets cuits dans le sirop d'érable, on en arrose les crêpes et l'on verse du sirop très épaissi, encore bouillant, sur la neige, qui se transforme en une sorte de caramel que l'on enroule sur un bâtonnet : c'est la tire d'érable. On profite de l'occasion pour faire un repas de jambon, d'omelette, de fèves au lard (haricots cuits au four avec des lardons et de la mélasse) et d'oreilles de crisse (grillades de lard très salées), mets que l'on arrose généreusement de sirop d'érable. Ce que l'on appelle péjorativement « sirop de poteau » est un sirop d'érable de piètre qualité, quelquefois même un succédané aromatisé à l'érable.

Baies et maïs

Dans la région du Lac-Saint-Jean au Québec poussent les bleuets, qu'il convient de distinguer de la myrtille commune, dont les baies de couleur bleutée sont plus fermes et de grosseur pouvant varier de la taille du petit pois (bleuets sauvages) à celle de la framboise (bleuets cultivés). Ils servent notamment à la fabrication du « vin de bleuet » qui rappelle le porto. Ils entrent dans la composition de nombreux desserts, tout comme les cerises, framboises, fraises, mûres, pêches et pommes qui poussent partout au pays. Les récoltes ont lieu de juin à septembre selon le fruit.
Un autre fruit de la même famille, l'atoca ou canneberge, airelle des marais d'Amérique, sert à la préparation d'une gelée rouge, légèrement acidulée, qui accompagne bien la dinde et le gibier.
Au mois d'août, lors de la cueillette du blé d'Inde (maïs doux pour l'homme, par opposition au maïs que l'on donne aux animaux), a lieu « l'épluchette de blé d'Inde », réunion de famille typiquement canadienne, pendant laquelle on épluche des épis de maïs. Les convives dégustent le maïs directement sur l'épi, bouilli ou grillé, simplement tartiné de beurre et de sel, accompagné d'une bonne bière fraîche.

Boissons

Bières. La bière est la boisson par excellence qui accompagne tous les plats. Le Canada en est un gros producteur. En plus des grandes compagnies dominant le marché (Molson-Coors, Labatt-InBev, Carling, Sleeman...), les bières de microbrasserie locales sont très appréciées (bière naturelle de dégustation) : Microbrasserie Charlevoix, La Barberie, Dieu du Ciel !, Granite Brewery, Mill Street Brewery, Muskoka Cottage Brewery, Pump House, Wild Rose Brewery... Sans oublier les nombreuses brasseries artisanales qui vous feront déguster leur divin nectar sur les lieux mêmes de brassage.

Vins. Au Canada, l'Ontario est la province du vin par excellence et du très bon vin de surcroît. La route des vins du comté de Prince Edward ou celle de la rive nord du lac Erié vaut le déplacement. Mais ne ratez surtout pas une visite des vignobles de la péninsule de Niagara. Le goût des vins de glace de la région vous surprendra. La vallée de l'Okanagan en Colombie-Britannique est également une région de choix, ne serait-ce que par son climat très favorable à la culture des vignes, sans oublier les Cantons-de-l'est au Québec. Cela dit, les vins californiens, tout comme les vins sud-américains (chiliens et argentins), ou même australiens, sont beaucoup moins chers que les vins français.

HABITUDES ALIMENTAIRES

On déjeune le matin. On dîne à midi. On soupe le soir, vers 17h ou 18h, surtout en région. Midi et soir, la table d'hôtes (souvent appelée « menu du jour » le midi) désigne le menu accompagné généralement d'une entrée et parfois d'un dessert et du café. Il faut compter au minimum entre 6 et 10 CAN $ pour un snack, de 8 à 15 CAN $ en moyenne pour une assiette chaude garnie accompagnée d'une salade, et les tables d'hôtes de 10 à 40 CAN $. Attention, pour les repas, il faut ajouter aux taxes (5 à 13 % selon la province) le service de 15 %. Pour bien compter, il faut donc majorer les prix de 20 à 30 % !

Jeux, loisirs et sports

DISCIPLINES NATIONALES

Hockey sur glace

Véritable phénomène de société, le hockey sur glace est demeuré longtemps le seul sport pratiqué par les francophones du Québec. Aujourd'hui les choses ont bien changé mais, le hockey reste la grande passion des Canadiens qui deviennent virulents lorsqu'il s'agit de défendre leur équipe préférée. Le hockey a, bien sûr, ses stars auxquelles s'identifient les enfants qui chaussent des patins à glace dès l'âge de 3 ans. Ces héros s'appelaient Maurice Richard, Jean Béliveau, Guy Lafleur, Bobby Orr, Wayne Gretzky... D'autres aujourd'hui ont pris la relève, tels que Sidney Crosby.La Ligue National de Hockey (LNH), fondée à Montréal, est la plus compétitive au monde. Le club montréalais est le plus prestigieux avec 24 Coupes Stanley à son actif (championnats). La ville de Winnipeg verra le retour de son équipe, les Jets, à l'automne 2011 après 15 ans d'absence. Quant à la ville de Québec, elle pourrait bien également voir sous peu le retour d'une équipe locale (anciennement les Nordiques), au grand bonheur des amateurs.

Et pour prouver une nouvelle fois au monde entier que le hockey sur glace est bel et bien un sport historiquement canadien, et que seul le pays sait le pratiquer avec autant de panache, l'équipe masculine a remporté la médaille d'or aux Jeux olympiques de 2010 à Vancouver, en battant (3 buts à 2) chez elle un de ses plus grands ennemis hockeyeurs : les États-Unis. L'équipe féminine a elle aussi remporté l'or à Vancouver. Le Canada a également remporté en 2004 la Coupe du monde de hockey sur glace (masculin et féminin), ainsi qu'en 2007 (masculin et féminin). En fait, les équipes féminine et masculine montent pratiquement chaque année sur le podium depuis la création de ces championnats mondiaux. L'équipe junior canadienne U20 se démarque aussi et vient de conquérir en 2009 son cinquième titre consécutif en plus d'avoir remporté la médaille d'argent en 2010 et 2011.

Match de football américain au Skydome à Toronto.

© TRAVEL ALBERTA

Bow Lake.

Curling

Moins connu que le hockey car moins impressionnant et moins médiatisé à l'étranger, le curling n'en reste pas moins un sport national au Canada, peut-être davantage chez les anglophones. Il s'agit de lancer une pierre de granite d'une vingtaine de kilos sur une patinoire (dans un couloir), un peu comme le bowling ou la pétanque, et d'atteindre une cible. Sauf qu'une fois le lancer effectué, les coéquipiers (les balayeurs) doivent frotter la glace pour tenter de faire progresser la pierre encore plus loin, et la faire dévier de quelques centimètres jusqu'au but. Et là encore, comme au hockey, le succès est au rendez-vous ! Les équipes canadiennes, tant féminine que masculine, montent pratiquement chaque année sur le podium, et bien souvent sur la plus haute marche. Les équipes junior se démarquent bien également avec de nombreux titres mondiaux au cours des dernières années.

Autres sports

À côté de ces sports nationaux, citons également le « football » (que l'on appelle football américain, à ne pas confondre avec le soccer qui est l'équivalent de notre football), mais aussi le rugby, le soccer, le patinage, la motoneige, la pêche, la chasse, le traîneau à chiens, le ski ou encore le canoé-kayak. Les Canadiens sont des grandes adeptes du plein air.

ACTIVITÉS À FAIRE SUR PLACE

Le Canada offre de nombreux circuits. Tout est parfaitement organisé, que vous vouliez faire du ski de piste ou de fond, entreprendre une expédition en traîneau à chiens, escalader des glaciers, faire du canot-camping ou du cyclotourisme, descendre des rivières en rafting, pêcher la truite géante dans le Grand Nord ou chasser la gélinotte, partir pour un raid en 4x4, faire des randonnées en motoneige, etc. Tout est possible et dépend des cordons de votre bourse. Ces expéditions nécessitent cependant une bonne condition physique et un accompagnement spécialisé.

En été

Les grands espaces naturels, les innombrables lacs et rivières, les parcs et réserves sont propices à de nombreuses activités de plein air.

- **Randonnée pédestre.** Les sentiers sont très nombreux et bien balisés dans les parcs.
- **Cyclisme.** Malgré les distances, les cyclistes sont de plus en plus nombreux à sillonner les routes. Parfois, et pas seulement dans les villes, une voie spéciale leur est réservée.

© YUKIKO YAMANOTE - ICONOTEC

La Route Verte offre quelque 4 300 km de voies cyclables reliant pratiquement toutes les régions du Québec, tandis que le Sentier Transcanadien traverse d'est en ouest tout le pays, et même le Nord. Pour l'instant, le 3/4 du parcours total de 22 000 km est complété.

Chasse et pêche. Activités pratiquables dans tout le pays. Les pourvoiries exploitent un territoire tout en offrant leurs services. Ainsi elles proposent des forfaits pour des expéditions assez coûteuses et qu'il faut réserver longtemps à l'avance mais, elles se chargent de tout : transport, hébergement, équipement et accompagnement avec guides qualifiés. On peut se procurer le répertoire des pourvoiries dans les kiosques à journaux. La chasse est interdite dans les parcs mais permise dans les réserves, à condition d'être en possession d'un permis (sauf dans certaines régions où la chasse est réservée à la population locale). Le gibier doit être enregistré et il faut respecter les règlements de sécurité. La pêche est autorisée dans de nombreux parcs, à condition d'avoir un permis.
Les permis de chasse et de pêche s'obtiennent dans les magasins de sport ou auprès des pourvoiries. Leur prix varie en fonction de la saison, du territoire, du type de gibier ou de poisson.

Équitation. Nombreux centres équestres à travers le pays.

Escalade. On peut la pratiquer de mai à octobre et également en hiver sur quelques sites. Il existe plusieurs centres d'escalade intérieurs mais il faut devenir membre et passer une petite formation de quelques heures.

Golf. Le Canada compte des milliers de terrains. Certains sont privés.

Canot/Kayak de mer. Se pratique sur les lacs, les rivières et la mer. Possibilité de canot-camping avec portage. Une certification est requise pour le kayak en mer.

Kayak d'eau vive/Rafting. La descente des rivières se pratique beaucoup dans plusieurs provinces. Des expéditions de plusieurs jours sont organisées.

Planche à voile. Se pratique de la mi-juin à septembre.

Voile. Les nombreux lacs du Canada permettent la pratique de ce sport. Mais la navigation en mer ou sur le Saint-Laurent, par exemple, s'adresse aux initiés.

Plongée sous-marine. Les côtes Est et Ouest, les Grands Lacs et l'estuaire/golfe du Saint-Laurent offrent d'excellents spots.

En hiver

Grâce aux conditions d'enneigement exceptionnelles (de 3 m à 3,75 m de neige en moyenne annuelle), la pratique des sports d'hiver s'étale de décembre à mars ou avril. Les nombreuses patinoires des villes attirent les patineurs et les joueurs de hockey. Nombreuses sont les stations de ski, principalement dans l'Est et l'Ouest du pays, où l'on peut pratiquer le ski de piste ou de fond et les randonnées en raquettes. Les parcs nationaux et provinciaux ainsi que les réserves proposent, eux aussi, des activités hivernales variées.

Traîneau à chiens. Plusieurs compagnies d'aventure ainsi que des hôteliers offrent cette activité fort plaisante. Vous trouverez bon nombre d'excellentes références dans les différentes provinces de ce guide.

Motoneige. On peut louer sur place les équipements nécessaires (vêtements et motoneige) auprès d'un loueur spécialisé, d'un hôtel ou d'un centre de villégiature, lesquels doivent être inscrits auprès de la fédération provinciale des clubs de motoneigistes. Chacune chapeaute ses clubs qui gèrent les sentiers balisés, les refuges chauffés et différents services. Permis de conduire obligatoire, carte de crédit pour caution. Il faut également se pourvoir d'une assurance spéciale et savoir respecter certaines règles de sécurité.

Enfants du pays

Bryan Adams

Originaire de Kingston, mais vivant à Vancouver, cette rock-star fut sûrement l'une des meilleures de la musique canadienne. Il a chanté avec les plus grands, et a connu un succès non négligeable en Europe et dans le reste du monde.

Arcade Fire

Groupe originaire de Montréal, formé au début des années 2000, ils représentent l'originalité et l'inventivité d'un certain rock indépendant mêlant habilement accords musicaux sophistiqués, mélodies entraînantes et textes de qualité. Encensé par les fans et la critique, le groupe remporte en 2011 le Grammy Award de l'album de l'année, devançant alors aux scrutins d'importantes vedettes de la pop américaine.

Denys Arcand

Dès son premier long-métrage en 1970, *On est au coton*, il analyse la société québécoise. Il connaît un succès auprès du grand public international avec *Le Déclin de l'empire américain* (1986) et sa suite en 2003, *Les Invasions barbares*, un film drôle et amer récompensé aux Oscars, aux Césars et au Festival de Cannes de cette même année.

Bernard Assiniwi

D'origine crie, il s'est très tôt intéressé à la culture amérindienne. Comédien, animateur à la radio, il a produit une série d'émissions sur la vie quotidienne des Amérindiens, avant de publier des romans inspirés de la culture algonquienne, notamment *La Saga des Béothuks* (1996), *Ikwé, la femme algonquienne* (1998) et *Windigo et la naissance du monde* (1999).

Marie-Claire Blais

Née à Québec en 1939, elle occupe une place primordiale dans la littérature québécoise. Elle dépeint des univers sombres et tourmentés et développe les thèmes de la solitude et de la marginalité. *Une saison dans la vie d'Emmanuel* a obtenu le prix Médicis en 1966 et a été portée à l'écran. Son roman *Visions d'Anna* a remporté le prix de l'Académie française en 1983. En 1994, elle a rejoint l'Académie des lettres du Québec et en 1999 elle a été faite chevalier des Arts et des Lettres. Plus récemment, elle a publié *Dans la foudre et la lumière* (2001) et *Des rencontres humaines* (autobiographie, 2002). En 2005, elle a obtenu le Prix Gilles-Corbeil pour l'ensemble de son œuvre.

Gilles Carle

Réalisateur, scénariste, monteur et producteur, Gilles Carle est une icône dans l'industrie du cinéma québécois. On lui doit entre autres les grands succès que sont *La Vraie Nature de Bernadette, Les Plouffe* et *Maria Chapdelaine*. Parmi les honneurs remportés, il a été nommé Chevalier de l'Ordre de la Pléiade en 2004 et Grand Officier de l'Ordre national du Québec en 2007. Il décède en 2009 des suites de la maladie de Parkinson. Des funérailles nationales sont alors organisées à la Basilique Notre-Dame-de-Montréal.

Jim Carrey

Il débute sa carrière de comédien à la fin des années 1970 dans les cabarets de Toronto, où il officie comme imitateur après avoir passé quelques années au Yuk Yuk Club de Toronto. Dans les années 1980, il obtient quelques rôles intéressants à la télé et au cinéma. Mais c'est véritablement dans le milieu des années 1990 que ce grand acteur comique se dévoile sur le grand écran, notamment avec des films comme *Dumb and Dumber*, *Ace Ventura* et *The Mask*. En 2007, il a accepté un rôle dans un thriller fantastique, *The Number 23*, et a joué dans quelques autres films depuis, dont *I Love You Phillip Morris* où il partage la vedette avec Ewan McGregor. Ces deux acteurs ont récemment été promus chevaliers des Arts et des Lettres par le ministre français de la Culture, Frédéric Mitterrand.

Wayne Douglas Gretzky

Il est l'un des grands noms du hockey sur glace, tant dans la Ligue nationale de hockey qu'avec Equipe Canada (championnats mondiaux, olympiques). Selon de nombreux amateurs de hockey, il est le meilleur joueur de toute l'histoire. Après sa carrière comme joueur, il fut l'entraîneur des Coyotes de Phoenix, équipe membre de la LNH, de 2005 à 2009.

Stephen Harper

Actuel Premier ministre du Canada et chef du Parti conservateur, il a été député de Calgary pendant près de dix ans. Membre fondateur du Parti réformiste, dissolu dans sa 13e année en 2000, il contracte en 2003 un accord avec le chef progressiste-conservateur, Peter McKay, afin de fusionner les deux partis. Élu en 2006, il forme depuis mai 2011 un gouvernement majoritaire. Sa victoire a mis fin à plus de douze ans de gouvernement libéral.

Félix Leclerc

Une icône au Québec, cet auteur-compositeur-interprète, chansonnier, poète, écrivain et acteur québécois est l'instigateur de la tradition des chansonniers québécois et fut une voix très puissante du nationalisme au Québec.

René Lévesque

Il fait ses débuts en tant que journaliste, correspondant de guerre et animateur de radio et de télévision. Ensuite, il se hisse sur la scène politique québécoise comme député, ministre et chef politique. Il fonde le Parti québécois (PQ) en 1968 et prend la tête du gouvernement de 1976 à 1985. C'est à lui que l'on doit la nationalisation de l'hydroélectricité dans les années 1960 et le référendum de 1980 sur la souveraineté du Québec.

Lucy Maud Montgomery

Cette écrivaine de l'Île-du-Prince-Édouard est connue mondialement pour son œuvre *Anne... la maison aux pignons verts*. Traduite en 16 langues, ce sont plusieurs générations d'enfants qui ont suivi les aventures d'Anne. À Cavendish, à l'Île-du-Prince-Édouard, un site historique national est dédié à Anne et un autre à Lucy Maud.

Michael Ondaatje

Romancier et poète canado-sri-lankais, il est surtout connu pour son livre *L'Homme flambé* qui a inspiré le scénario du film *Le Patient Anglais* (The English Patient).

Pierre Elliott Trudeau

Chef politique fédéral très connu, il est Premier ministre du Canada de 1968 à 1979 et de 1980 à 1984. Grand fédéraliste prônant l'unité canadienne, il demeurera, tout au long de sa carrière, opposé à la souveraineté du Québec. Son plus grand héritage politique en faveur du peuple restera la Charte canadienne des droits et libertés.

Shania Twain

Née en Ontario et vivant en Suisse depuis quelques années, cette chanteuse de musique country a vu sa carrière exploser au niveau mondial : au total, ce sont des dizaines de millions d'albums qui ont été vendus ! Un musée lui est d'ailleurs dédié dans la ville où elle a passé toute son enfance : Timmins.

Gilles et Jacques Villeneuve

Deux pilotes automobiles très connus ayant accédé à la Formule 1. Jacques a remporté le titre de champion du monde en 1997 avec l'écurie Williams-Renault. Son père, coureur pour Ferrari à la fin des années 1970 et au début des années 1980, n'a jamais remporté de titres et est décédé lors des qualifications du Grand Prix de Belgique en 1982.

Neil Young

Auteur-compositeur-interprète et guitariste de folk, country et rock canadien. Il est devenu l'un des musiciens les plus respectés et influents de sa génération. Dans les années 1970, il atteint son apogée. Le style de Neil Young est facilement reconnaissable. Ses chansons relèvent la plupart du temps de deux styles folk-rock et une forme orginale de hard rock. Toutefois, on retrouve de nombreux styles dans son répertoire : soul, swing, musique électronique. Il est également considéré comme l'un des plus grands guitaristes à s'être exprimés dans ces différents styles.

Communiquer au Canada

COMMUNIQUER EN ANGLAIS

Quel que soit votre pays de destination, vous n'en franchirez réellement les frontières qu'en abattant – du moins un peu – les barrières de la langue. Pour communiquer, il vous suffit de comprendre... un peu et de vous faire comprendre... un peu !

La "langue de Shakespeare" est aujourd'hui la langue de la communication internationale, et le monde anglophone s'étend bien au-delà des frontières de la Grande-Bretagne. On estime que d'ici 2050, la moitié de la planète saura comprendre, sinon parler, l'anglais de manière plus ou moins efficace. Raison de plus pour vous y mettre – ou vous y remettre pour rafraîchir vos souvenirs. En très peu de temps, avec un minimum de connaissances grammaticales, de vocabulaire utile et d'informations sur le pays, vous deviendrez un interlocuteur de choix. Celui – ou celle – qui fait l'effort de faire un pas vers l'autre en apprenant sa langue. Vous en serez d'autant plus apprécié par les Canadiens qui, en contrepartie, vous offriront un accueil très chaleureux.

Welcome! – *Bienvenue !*

Vous trouverez ci-dessous quelques bases utiles pour communiquer.

Cette rubrique est réalisée en partenariat avec 

Prononciation et transcription phonetique

Quelques remarques pour commencer

La transcription phonétique que nous vous proposons a pour but de vous aider à bien prononcer l'anglais sans avoir à apprendre les codes de la phonétique internationale. Il s'agit ici d'une transcription "à la française", où nous avons utilisé, dans la mesure du possible, les règles dont vous vous servez pour lire le français. Mais l'anglais, comme chacun sait, ne se prononce pas exactement comme le français. Voici donc quelques remarques avant de démarrer :

• En anglais, contrairement au français, la syllabe tonique (celle qui se prononce de manière plus appuyée) se situe rarement en fin de mot. Dans les mots de plusieurs syllabes, la syllabe tonique sera donc soulignée :

movement *mou:vme'nt* mouvement

Appuyez bien sur la première syllabe du mot.

• Certaines voyelles sont longues ; nous les faisons suivre de " : ". Pensez-y en prononçant :

meat *mi:t* viande

En prononçant le *i:*, prenez deux fois plus de temps que pour le i de "vite" par exemple.

• L'anglais ne connaît pas les nasales. Pour vous éviter des erreurs de prononciation, dans notre transcription phonétique, nous séparons les voyelles du n (et parfois du m) au moyen de l'apostrophe (') :

wind *wi'nd* vent

hand *Hà'nd* main

Vous trouverez encore l'apostrophe dans d'autres cas. Souvenez-vous qu'elle indique toujours que deux lettres se prononcent de manière bien distincte.

• En fin de mot, le **d**, le **s**, le **t**, ne sont jamais muets – pensez à bien les prononcer !

rabbit *ràbit* lapin

mustard *mœsted* moutarde

rabbits *ràbitss* des lapins

On entend bien le *t* et le *d* final. Pour plus de "sécurité", nous doublons le *s* final dans la prononciation.

• La langue anglaise comprend plusieurs diphtongues et triphtongues, c'est-à-dire des sons qui combinent deux ou trois voyelles dont certaines se prononcent de manière plus atténuée que la ou les autres. Pour faire ressortir visuellement ces nuances importantes, nous avons choisi de mettre en exposant les sons qui se prononcent de façon atténuée. Le principe est simple : **mouse** *ma^ou^ss* souris – le *a* se prononce "normalement" , alors que le *^ou^* est atténué. Mais attention, liez bien les deux sons, ne les prononcez pas de manière hachée !

• Nombreux sont les mots anglais qui se terminent en **-er** ou ➜**or**. Pour vous éviter de prononcer, par exemple, le mot **dresser** (buffet de cuisine) soit *dressé*, soit *dresseur*, ou encore *dressère* à la manière d'une Arletty parlant d'atmosphère, nous avons choisi de transcrire cette terminaison par *^eu^* ; le mot anglais **dresser** se prononce donc *drèss^eu^*.

• Finalement, vous verrez qu'en anglais une même lettre ou un même groupe de lettres peut avoir plusieurs prononciations. Vous découvrirez ces différences à l'usage, avec notre transcription phonétique, et vous les maîtriserez bientôt.

Grammaire

L'ordre des mots dans la phrase

Dans beaucoup de cas, la phrase anglaise se présente comme la phrase française :

sujet	verbe	complément d'objet
Alex	**books**	**a trip.**
àlèkss	*boukss*	*e trip*
Alex	réserve	un voyage.

Dans la proposition affirmative, le sujet et le verbe se suivent toujours. Cet ordre sera donc conservé, même si d'autres éléments interviennent :

sujet	verbe	circonstanciel (de lieu)	circonstanciel (de temps)
The plane	**leaves**	**for Edinburgh**	**at nine o'clock.**
DHe plè^i^n	*li:vz*	*fò: èdi'nbre*	*àt nain eklòk*
L'avion	part	pour Edinburgh	à neuf heures.

Cet ordre reste également inchangé dans les phrases plus complexes qui combinent propositions principales et subordonnées :

sujet	verbe	objet	conjonction	sujet	verbe
I	**am eating**	**a pizza**	**because**	**I**	**am hungry.**
*a^i^*	*à'm i:ting*	*e pidzà*	*bikòz*	*a^i^*	*à'm Hœ'ngri*
Je	mange	une pizza	parce que	j'	ai faim.

Dans les phrases interrogatives, l'auxiliaire (**to do, to be,** etc.) précède le sujet qui, à son tour, précède le verbe exprimant l'action. S'il y a un complément, celui-ci suit le verbe :

Does	**Ann**	**like**	**chocolate ?**
dœz	*à'n*	*la^i^k*	*tchòkle't*
[aux. **do** 3e pers. sing.]	Ann	aime	chocolat
Est-ce que	Ann	aime	le chocolat ?

Verbes et temps

Impossible de faire un tour d'horizon complet de la conjugaison anglaise ici. Nous vous présenterons donc seulement les temps qui vous seront les plus utiles pour la conversation courante.

Le présent

• **Forme simple**

Sa formation est très facile, en anglais : seule la troisième personne du singulier diffère des autres. Il suffit d'ajouter un **-s** à la forme infinitive du verbe.

I	**eat**	*a^{i}*	*i:t*	je	mange
you	**eat**	*you:*	*i:t*	tu	manges
he / she	**eats**	*Hi: / chi:*	*i:tss*	il / elle	mange
we	**eat**	*wi:*	*i:t*	nous	mangeons
you	**eat**	*you:*	*i:t*	vous	mangez
they	**eat**	*DHè^{i}*	*i:t*	ils / elles	mangent

Après **-s**, **-sh**, **-ch**, **-x**, ou encore derrière un verbe se terminant en consonne + **y**, on ajoute **-es** à la 3e personne :

to miss (manquer) **he misses**	*Hi: missiz*	il manque
to watch (regarder) **she watches**	*chi: wòtchiz*	elle regarde
to mix (mélanger) **she mixes**	*chi: miksiz*	elle mélange

Notez aussi **he / she / it goes** *[Hi: / chi: / it go^{ou}z]* il / elle / cela va, et **he / she / it does** *[Hi: / chi: / it dœz]* il / elle / cela fait.

• **Les auxiliaires** ***to be*** **(être) et** ***to have*** **(avoir)**

La plupart des verbes se conjuguent selon ce modèle très simple où seule la 3e personne du singulier diffère des autres. Toutefois, les auxiliaires "être" **(to be)** et "avoir" **(to have)** font exception. En voici la conjugaison au présent :

Être : **to be** *[te bi:]*

I	**am**	*a^{i}*	*à'm*	je	suis
you	**are**	*you:*	*a:*	tu	es
he / she	**is**	*Hi: / chi:*	*iz*	il / elle	est
we	**are**	*wi:*	*a:*	nous	sommes
you	**are**	*you:*	*a:*	vous	êtes
they	**are**	*DHè^{i}*	*a:*	ils / elles	sont

Avoir : **to have** *[te Hàv]*

I	**have**	*a^{i}*	*Hàv*	j'	ai
you	**have**	*you:*	*Hàv*	tu	as
he / she	**has**	*Hi: / chi:*	*Hàz*	il / elle	a
we	**have**	*wi:*	*Hàv*	nous	avons
you	**have**	*you:*	*Hàv*	vous	avez
they	**have**	*DHè^{i}*	*Hàv*	ils / elles	ont

• **Faire :** ***to make*** **et** ***to do***

L'anglais possède deux verbes "faire". En gros, **to make** s'emploie pour exprimer l'idée de création, de construction :

She makes a cake.
chi: mè^{i}kss e kè^{i}k
Elle fait un gâteau.

We make a plan.
wi: mè^{i}k e plà'n
Nous faisons un plan.

Dans les autres cas, "faire" se traduit par **to do** :

What can I do?
wòt kà'n a^{i} dou:
Que puis-je faire ?

Mais **do** nous intéresse aussi parce qu'il est employé pour former l'interrogation et la négation, au présent et au prétérit.

Le voici conjugué au présent :

I	**do**	*a^{i}*	*dou:*	je	fais
you	**do**	*you:*	*dou:*	tu	fais
he /she / it	**dœs**	*Hi: / chi: / it*	*dœz*	il / elle	fait
we	**do**	*wi:*	*dou:*	nous	faisons

you	**do**	*you:*	*dou:*	vous	faites
they	**do**	*DHèi*	*dou:*	ils / elles	font

• **Forme progressive**

La forme progressive indique qu'une action est en train de se faire. En anglais, elle se construit à l'aide de l'auxiliaire **to be** (être) suivi du radical du verbe qui exprime l'action et qui prend la terminaison **-ing** :

Un exemple tout simple avec **to go** *[te goou]*, aller.

I am going	*ai à'm gooui'ng*	je vais (suis en train d'aller)
you are going	*you: a: gooui'ng*	tu vas (es en train d'aller)
he / she / it is going	*Hi: / chi: iz gooui'ng*	il / elle va (est en train d'aller)
we are going	*wi: a: gooui'ng*	nous allons (sommes en train d'aller)
you are going	*you: a: gooui'ng*	vous allez (êtes en train d'aller)
they are going	*DHèi a: gooui'ng*	ils / elles vont (sont en train d'aller)

La plupart des verbes anglais se construisent sur le même modèle : infinitif + **-ing.**

they are sleeping
DHèi a: sli:pi'ng
ils dorment (ils sont en train de dormir)

Le passé

Pour parler du passé, l'anglais utilise essentiellement le prétérit (simple et progressif) et le *present perfect.*

• **Le prétérit**

Le prétérit correspond le plus souvent à notre passé composé, mais il peut aussi, selon le contexte, se traduire par un imparfait, ou par un passé simple. Il s'emploie pour parler d'actions ou de faits complètement terminés et sans rapport avec le présent.

Pour les verbes réguliers et à la forme affirmative, le prétérit se forme toujours en ajoutant au radical du verbe la terminaison **-ed** :

I visited Scotland last year.
ai vizitid skòtle'nd la:st yieu
L'année dernière, j'ai visité l'Écosse.

• **Forme simple**

I rented	*ai rè'ntid*	j'ai loué
you rented	*you: rè'ntid*	tu as loué
he / she rented	*Hi: / chi: rè'ntid*	il / elle a loué
we rented	*wi: rè'ntid*	nous avons loué
you rented	*you: rè'ntid*	vous avez loué
they rented	*DHèi rè'ntid*	ils / elles ont loué

Pour le verbe **to be**, être :

I was	*ai wòz*	j'étais
you were	*you: weu:*	tu étais
he / she was	*Hi: / chi: wòz*	il / elle était
we were	*wi: weu:*	nous étions
you were	*you: weu:*	vous étiez
they were	*DHèi weu:*	ils / elles étaient

Pour le verbe **to have,** avoir :

I had	*ai Hàd*	j'avais
you had	*you: Hàd*	tu avais
he / she / it had	*Hi: / chi: / it Hàd*	il / elle avait

etc.

had reste inchangé à toutes les personnes.

Pour **to do**, faire :

I did	*ai did*	je faisais

you did	*you: did*	tu faisais
he / she did	*Hi: / chi: / it did*	il / elle faisait

etc.

did reste inchangé à toutes les personnes.

• **Forme progressive**

Elle se traduit généralement par l'imparfait :

What were you doing when I called you? – I was eating.
wòt weu: you: dou:i'ng wè'n a^i kò:ld you: – a^i wò:z i:ti'ng
Que faisais-tu quand (au moment où) je t'ai appelé ? – Je mangeais (j'étais en train de manger).

Le prétérit progressif se forme comme le présent progressif, mais avec **to be** au passé :

to eat (manger) au prétérit progressif :

I was eating	*ai wòz i:ti'ng*	je mangeais (j'étais en train de manger)
you were eating	*you: weu: i:ti'ng*	tu mangeais (tu étais en train de manger)
he / she was eating	*Hi: / chi: wòz i:ti'ng*	il / elle mangeait (il / elle était en train de manger)
we were eating	*wi: weu: i:ti'ng*	nous mangions (nous étions en train de manger)
you were eating	*you: weu: i:ti'ng*	vous mangiez (vous étiez en train de manger)
they were eating	*DHèi weu: i:ti'ng*	ils / elles mangeaient (ils / elles étaient en train de manger)

• **Le "present perfect" simple**

Il se forme avec **have** + participe passé (terminaison **-ed** pour les verbes réguliers), ce qui le fait ressembler à notre passé composé. Mais il s'emploie généralement lorsqu'il existe une relation entre un fait passé et la situation actuelle :

It has rained all morning.
it Hàz rèin'd ò:l mo:ni'ng
Il a plu toute la matinée (et il pleut peut-être encore).

to live (vivre) au present perfect :

I have lived	*a^i Hàv livd*	j'ai vécu
you have lived	*you: Hàv livd*	tu as vécu
he / she has lived	*Hi: / chi: Hàz livd*	il / elle a vécu
we have lived	*wi: Hàv livd*	nous avons vécu
you have lived	*you: Hàv livd*	vous avez vécu
they have lived	*DHè^i Hàv livd*	ils / elles ont vécu

I have been in London for two weeks.
a^i Hàv bi:n i'n lœ'nde'n fò: tou: wi:kss
Je suis à Londres depuis deux semaines.

Le futur

Pour exprimer le futur en anglais, différentes possibilités s'offrent à vous.

• **Futur simple**

Il correspond au futur simple français et se construit avec **will** + l'infinitif sans **to** :

I will go	*a^i wil / go^ou*	j'irai
you will go	*you: wil go^ou*	tu iras
he / she will go	*Hi: / chi: wil go^ou*	il / elle ira
we will go	*wi: wil go^ou*	nous irons
you will go	*you: wil go^ou*	vous irez
they will go	*DHè^i wil go^ou*	ils / elles iront

• **Forme progressive**

Elle s'emploie surtout pour parler d'une action qui sera en train de se dérouler à un moment du futur et se forme avec **will be** + verbe en **-ing.** En français, cette forme se traduit généralement par un futur simple.

I will be having breakfast at nine o'clock tomorrow morning.
a^i wil bi: Hàvi'ng brèkfest àt nain eklòk temòro^ou mò:ni'ng
Demain matin à neuf heures, je prendrai / serai en train de prendre mon petit déjeuner.

Exemple de conjugaison : **to take** (prendre) au futur progressif

I will be taking	*a^i wil bi: tè^iki'ng*	je prendrai (je serai en train de prendre)
you will be taking	*you: wil bi: tè^iki'ng*	tu prendras (tu seras en train de prendre)
he / she will be taking	*Hi: / chi: wil bi: tè^iki'ng*	il / elle prendra (il / elle sera en train de prendre)
we will be taking	*wi: wil bi: tè^iki'ng*	nous prendrons (nous serons en train de prendre)
you will be taking	*you: wil bi: tè^iki'ng*	vous prendrez (vous serez en train de prendre)
they will be taking	*DHèi wil bi: tè^iki'ng*	ils / elles prendront (ils / elles seront en train de prendre)

- **Futur proche**

Pour indiquer un futur proche, l'anglais emploie souvent le présent progressif :

We are going to the cinema this evening.
wi: a: go^oui'ng te DHe sinema DHiss i:vni'ng
Nous allons (irons) au cinéma ce soir.

Négation et interrogation

La négation simple

Contrairement au français (ne... pas), l'anglais n'a besoin que d'un seul mot négatif dans la phrase :

Nobody likes me.
no^oubòdi la^ikss mi:
Personne ne m'aime.

Négation et interrogation avec auxiliaire

Pour la négation, si la phrase comporte un auxiliaire, on fait suivre ce dernier (**be**, **have**, **can**, **must**, etc.) de **not**, puis on ajoute le verbe qui porte l'action :

I am not working today.
a^i à'm nòt weu:ki'ng tedè^i
Je ne travaille pas aujourd'hui.

Pour l'interrogation, on commence par l'auxiliaire conjugué, on le fait suivre du sujet puis du verbe porteur de l'action :

Have you seen Nick?
Hàv you: si:n nik
As-tu vu / Avez-vous vu Nick ?

Négation et interrogation avec do

En l'absence d'auxiliaire, la négation et l'interrogation se forment toutes deux avec **do** au présent, **did** au prétérit (sauf pour **to be** et les verbes modaux).

Pour former la négation, on conjugue **to do**, on le fait suivre de la négation **not** puis de l'infinitif sans **to** du verbe qui indique l'action :

I do not like tea.	*a^i dou: nòt la^ik ti:*	Je n'aime pas le thé.
You did not eat.	*you did nòt i:t*	Tu n'as pas mangé / vous n'avez pas mangé.

L'interrogation se construit avec la forme conjuguée de **to do** suivie du sujet de la question puis du verbe à l'infinitif sans **to** :

Does he like tea?	*dœz Hi: la^ik ti:*	Aime-t-il le thé ?
Did she eat?	*did chi: i:t*	A-t-elle mangé ?

Auxiliaires de mode

Nous n'entrerons pas ici dans les détails des verbes modaux anglais, qui ne présentent d'ailleurs pas de difficulté particulière. Voyons simplement les principales caractéristiques de ces verbes et observons les exemples.

• **Can** *kà'n* (pouvoir) s'emploie pour exprimer la possibilité, la capacité (savoir / pouvoir faire quelque chose), ou pour demander, accorder, refuser une permission.

Can you swim?
kà'n you: swi'm
Sais-tu nager ?

Yes, I can.
yèss a^{i} kà'n
Oui (je sais).

• **Could** *koud* (pouvoir) permet essentiellement d'exprimer une demande polie ; il s'emploie aussi pour parler de la permission au passé.

Could you pass me the bread, please?
koud you: pàss mi: DHe brèd pli:z
Pourriez-vous me passer le pain, s'il vous plaît ?

• **May** *mè^{i}* (pouvoir) s'emploie pour demander ou accorder une permission de manière plus formelle, ou pour exprimer une possibilité.

May I smoke?
mè^{i} a^{i} smo^{ou}k
Puis-je fumer ?

• **Might** *ma^{i}t* ("il se pourrait que..." / pouvoir au conditionnel).

Ruth might come next week.
rou:TH ma^{i}t kò'm nèxt wi:k
Il se pourrait que Ruth vienne, la semaine prochaine. (Probabilité moindre qu'avec **may**.)

• **Must** *mœst* (devoir) exprime l'obligation ou une déduction.

You must go now.
you mœst go^{ou} na^{ou}
Tu dois y aller / partir maintenant.

• **Shall** *chàl* – sans traduction propre – s'emploie dans les questions, pour faire une suggestion, une proposition ou pour demander un conseil.

Shall we go?
chàl wi: go^{ou}
On y va ?

• **Should** *choud* (devoir) s'utilise pour exprimer la notion de devoir ou une déduction. Moins fort que **must**, il exprime une recommandation plus qu'une obligation.

You should see that film.
you: choud si: DHàt film
Tu devrais / Vous devriez (aller) voir ce film.

• **Will** permet d'exprimer le futur (voir la rubrique "Le futur").

• **Would** permet d'exprimer le conditionnel.

She said she would go shopping.
chi: sèd chi: woud go^{ou} chòpi'ng
Elle a dit qu'elle irait faire des courses.

Attention ! Les verbes modaux ne prennent pas d'**s** à la 3e personne du singulier, ils s'emploient sans **to**, sans **do** pour les questions et ils n'ont ni infinitif, ni participe passé propres.

Les contractions

Dans la langue de tous les jours, l'anglais emploie constamment un grand nombre de contractions. Voici la liste des contractions les plus courantes :

- **to be (être) :**

I'm *a^i^m*, **you're** *yò:r*, **he's** *Hi:z* / **she's** *chi:z* / **it's** *itss*, **we're** *wi:r*, **they're** *DHè^e^* ou encore **where's** *wèrz* (où est ?)…

- **to have (avoir) :**

I've *a^i^v*, **you've** *you:v*, **he's** *Hi:z*, **she's** *chi:z*, **it's** *itss*, **we've** *wi:v*, **you've** *you:v*, **they've** *DHè^i^v*…

- **will [futur] :**

I'll *a^i^l*, **you'll** *you:l*, **he'll** *Hi:l*, **she'll** *chi:l*, **it'll** *it'l*, **we'll** *wi:l*, **you'll** *you:l*, **they'll** *DHè^i^l*…

La forme négative des verbes se contracte également – on remplace le **o** de **not** par une apostrophe : **isn't** *iz'nt* pour **is not**, **aren't** *a:'nt* pour **are not**, **wasn't** *wòz'nt* pour **was not**, **don't** *do^ou^nt* pour **do not**, **doesn't** *dœz'nt* pour **does not**, **didn't** *did'nt* pour **did not**, **can't** *kà:'nt* pour **cannot**, **won't** *wò:nt* pour **will not…**

DÉCOUVERTE

Conversation

Les indispensables

▸ oui	**yes**	*yèss*
▸ non	**no**	*no^ou^*
▸ peut-être	**perhaps / maybe**	*peHàpss / mè^i^bi:*
▸ SVP/STP	**…please…**	*pli:z*
▸ Avez-vous...?	**Do you have...?**	*dou: you: Hàv*
▸ Combien coûte… ?	**How much is…?**	*Ha^ou^ mœtch iz*
▸ J'ai besoin de…	**I need…**	*a^i^ ni:d*
▸ J'ai…	**I have…**	*a^i^ Hàv*
▸ Je cherche…	**I am looking for…**	*a^i^ à'm louki'ng fò:*
▸ Je ne sais pas.	**I don't know**	*a^i^ do^ou^nt no^ou^*
▸ Je suis…	**I am…**	*a^i^ à'm*
▸ Je voudrais…	**I would like…**	*a^i^ woud la^i^k*
▸ Où se trouve …?	**Where is…?**	*wè^e^ iz*
▸ Pouvez-vous m'aider ?	**Can you help me?**	*kà'n you: Hèlp mi:*
▸ Puis-je avoir...?	**Can I have…?**	kà'n a^i^ Hàv
▸ À quelle heure… ?	**What time… ?**	wòt ta^i^m
▸ ouvert / fermé	**open / closed**	o^ou^pe'n / klo^ou^zd
▸ À l'aide ! / Au secours !	**Help!**	Hèlp

Rien compris ? Essayez ça !

▸ Je parle juste un peu anglais.
I can only speak a bit of English.
a^i^ kà'n o^ou^nli spi:k e bit òv i'nglich

▸ Pouvez-vous répéter, s'il vous plaît ?
Can you repeat that please ?
kà'n you: ripi:t DHàt pli:z

▸ Parlez-vous français ?
Do you speak French ?
dou: you: spi:k frè'nch

▸ Parlez plus lentement, s'il vous plaît.
Can you speak more slowly please?
kà'n you: spi:k mò: slo^ou^wli pli:z

▸ Je ne comprends pas.
I don't understand.
a^i^ do'nt œ'ndestà'nd

- Comment prononce-t-on ce mot ?
  How do you pronounce this word ?
  Haou dou: you: prenaounss DHiss weu:d

- Comment écrivez-vous cela ?
  How do you spell it ?
  Haou dou: you: spèl it

Les salutations

Bonjour. (général)	**Hello.**	*Hèloou*
Bonjour. (matin)	**Good morning.**	*goud mò:ni'ng*
Bonjour. (après-midi)	**Good afternoon.**	*goud àftenou:n*
Bonsoir !	**Good evening!**	*goud i:vni'ng*
Bonne nuit !	**Good night!**	*goud nait*

- Comment vas-tu / allez-vous ?
  How are you?
  Haou a: you:

- Je vais très bien merci !
  I'm very well thank you!
  aim vèri wèl Thà'nk you:

- Comment ça va ?
  How's it going?
  Haouz it goou i'ng

- Bien merci !
  Fine, thanks!
  fain THà'nkss

- Comment t'appelles-tu / vous appelez-vous ?
  What's your name ?
  wòtss yò: nèim

- Je m'appelle Robert.
  My name is Robert.
  mai nèim iz ròbeut

monsieur	**Mr**	*misteu*
madame	**Mrs**	*missiz*
mademoiselle	**Miss**	*miss*

- Enchanté(e).
  I'm pleased to meet you.
  aim pli:zd te mi:t you:

Au revoir !	**Good-bye !**	*goud bai*
Bonne nuit !	**Good night !**	*goud nait*
Salut !	**Bye-bye! / Bye !**	*bai bai / bai*
À plus tard !	**See you later !**	*si: you: lèiteu*
À bientôt !	**See you soon !**	*si: you: sou:n*

La politesse

- Je vous / t'en prie. / Il n'y a pas de quoi. / De rien.
  You're welcome.
  yò: wèlke'm

Je suis (vraiment) désolé(e).	**I'm (very) sorry.**	*aim vèri sòri*
Désolé(e), excusez-moi.	**Sorry.**	*sòri*
Ce n'est rien !	**That's all right !**	*DHàtss ò:l rait*
Comment ?	**Pardon ?**	*pa:de'n*
Excusez-moi ?	**Sorry ?**	*sòri*
Merci !	**Thank you ! / Thanks !**	*THà'nk you: / THà'nkss*
Merci beaucoup !	**Thank you very much !**	*THà'nk you: vèri mœtch*
Un grand merci !	**Thanks a lot !**	*THà'nkss e lòt*

Faire connaissance

- D'où venez-vous ?
  Where are you from?
  wèe a: you: frò'm

- Je viens de Belgique. / Je suis Français(e). / Je suis Suisse.
  I'm from Belgium. / I am French. / I am Swiss.
  aim frò'm bèldje'm / ai à'm frè'nch / ai à'm swiss
- J'ai vingt-cinq ans.
  I'm twenty five (years old).
  aim twè'nti faiv (yiez o:ld)
- Que faites-vous dans la vie ?
  What do you do for a living?
  wòt dou: you: dou: fò: e livi'ng
- Où travaillez-vous ?
  Where do you work?
  wèe dou: you: weu:k

Je suis…	**I'm a(n)…**	*aim e*
artiste	**artist**	*a:tist*
fonctionnaire	**civil servant**	*sivel seu:ve'nt*
ingénieur	**engineer**	*èndjinie*
agriculteur	**farmer**	*fa:meu*
infirmier / infirmière	**nurse**	*neu:ss*
commercial(e)	**salesperson**	*sèilzpeu:sse'n*
secrétaire	**secretary**	*sèkreteri*
vendeur(euse)	**shop assistant**	*chòp essiste'nt*
étudiant(e)	**student**	*styoudc'nt*
chauffeur de taxi	**taxi driver**	*tàksi draiveu*
professeur	**teacher**	*ti:tcheu*
écrivain	**writer**	*raiteu*

Les transports

- Excusez-moi, où se trouve …, s'il vous plaît ?
  Excuse me, where is… please?
  ekskyouz mi: wèe iz… pli:z
- Pouvez-vous m'indiquer le chemin pour… ?
  Could you tell me the way to…?
  koud you: tèl mi: DHe wèi te:
- Pouvez vous m'emmener à… ?
  Can you give me a lift to…?
  kà'n you: guiv mi: e lift te:
- S'il vous plaît, déposez-moi à la gare.
  Please drop me off at the train station.
  pli-iz dròp mi: òf àt DHe trein stèiche'n

aéroport	**airport**	*èepor't*
aller et retour	**return**	*riteu:n*
aller simple	**single**	*si'nguel*
arrivée	**arrival**	*eraivel*
autocar	**coach**	*koutch*
bagages	**luggage/baggage**	*lœguidj / bàguidj*
bus à double étage	**double decker bus**	*dœb'l dèkeu bœss*
départ	**departure**	*dipa:tcheu*
gare ferroviaire	**train station**	*trèin stèiche'n*
gare routière	**coach station**	*koutch stèichen*
horaire	**timetable**	*taimtèibel*
louer	**to hire/rent**	*te Ha-yeu / rè'nt*
quai	**platform**	*plàtfò:m*

DÉCOUVERTE

◗ réservation	**booking**	*bouki'ng*
◗ salle d'attente	**departure lounge/hall**	*dipa:tch^{eu} la^{ou}ndj/Hò:l*
◗ tarif	**fare**	*fè^{e}*
◗ taxi	**cab**	*kàb*
◗ vol	**flight**	*fla^{i}t*
◗ wagon-lit	**sleeper train**	*sli:p^{eu} trè^{i}n*

◗ Je voudrais réserver un aller (aller-retour) pour …
I'd like to book a (return) flight to…
aid laik te bouk e riteu:n flait te…

◗ Où est l'arrêt de bus / la gare ?
Where is the bus stop / the station ?
wè^{e} iz DHe bœss stòp / DHe stè^{i}che'n

◗ Un billet pour…, s'il vous plaît.
A ticket to…, please.
e tikèt te… pli:z

◗ Combien coûte un billet pour… ?
How much is a ticket to…?
Ha^{ou} mœtch iz e tikèt te

◗ De quel quai part le train pour… ?
What platform does the train to… leave from?
wòt plàtfò:m dœz DHe trè^{i}n te… li:v frò'm

◗ Je voudrais louer une voiture.
I'd like to hire a car.
aid laik te Ha-y^{eu} e ka:

◗ Où est la station-service la plus proche ?
Where's the nearest petrol station?
wè^{e}z DHe ni:rest pètrel stè^{i}che'n

◗ autoroute	**motorway**	*mo^{ou}terwè^{i}*
◗ essence	**petrol**	*pètrel*
◗ essence sans plomb	**unleaded petrol**	*œ'nlèdid pètrel*
◗ freins	**brakes**	*brè^{i}kss*
◗ gazole	**diesel**	*di:zel*
◗ moteur	**engine**	*è'ndji'n*
◗ pare-brise	**windscreen**	*wi'ndskri:n*
◗ permis de conduire	**driving licence**	*dra^{i}vi'ng la^{i}sse'nss*
◗ phares	**headlight**	*hèdla^{i}t*
◗ vitesse (1re, 2e, etc.)	**gear**	*gui^{eu}*
◗ panneau de signalisation	**road sign**	*ro^{ou}d sa^{i}n*
◗ volant	**steering wheel**	*sti:ri'ng wi:l*

◗ Quand le bateau part-il ?
When does the boat leave?
wè'n dœz DHe bo^{ou}t li:v

◗ Combien de temps la traversée dure-t-elle ?
How long does the crossing take?
Ha^{ou} lò'ng dœz DHe kròssi'ng tè^{i}k

◗ bateau	**boat**	*bo^{ou}t*
◗ côte	**coast**	*ko^{ou}st*

▸ traversée	**crossing**	*kròssi'ng*
▸ port	**harbour**	*Ha:b[eu]*

L'hébergement

▸ Je voudrais réserver une chambre double, s'il vous plaît.
I'd like to book a double room please.
a[i]d la[i]k te bouk e dœb'l rou:m pli:z

▸ Pour trois nuits / deux semaines, s'il vous plaît.
For three nights / two weeks please.
fò: THri: na[i]tss / tou: wi:kss pli:z

▸ Combien coûte une chambre simple ?
How much is a single room?
Ha[ou] mœtch iz e si'nguel rou:m

▸ Le petit déjeuner est-il inclus ?
Is breakfast included?
iz brèkfest i'nklou:did

▸ La chambre a-t-elle un bain / une douche ?
Does the room have a bath / shower?
dœz DHe rou:m Hàv e bàTH / chaw[eu]

▸ accueil	**reception**	*rissèpche'n*
▸ arrivée	**check in**	*tchèk i'n*
▸ camping	**campsite**	*kà'mpsa[i]t*
▸ clé	**key**	*ki:*
▸ couverture	**blanket**	*blà'nkit*
▸ drap	**sheet**	*chi:t*
▸ lit	**bed**	*bèd*
▸ salle de bain	**bathroom**	*bàTHrou:m*
▸ serviette	**towel**	*ta[ou]el*

Manger et boire

▸ Je voudrais un sandwich au fromage et au jambon, s'il vous plaît.
I'd like a cheese and ham sandwich please.
a[i]d la[i]k e tchi:z à'nd Hà'm sà'ndwitch pli:z

▸ Que voulez-vous boire ?
What would you like to drink?
wòt woud you: la[i]k te dri'nk

▸ Du thé, s'il vous plaît.
Tea please.
ti: pli:z

▸ Avez-vous du jus de pomme ?
Do you have any apple juice?
dou: you: Hàv èni àpel djou:ss

▸ addition	**bill**	*bil*
▸ carte, menu	**menu**	*mènyou*
▸ dessert	**dessert**	*dizeu:t*
▸ plat principal	**main course**	*mè[i]n kò:ss*
▸ hors-d'œuvre	**starter**	*sta:t[eu]*
▸ table	**table**	*tè[i]b'l*
▸ agneau	**lamb**	*là'm*
▸ beurre	**butter**	*bœt[eu]*
▸ bœuf	**beef**	*bi:f*
▸ champignons	**mushrooms**	*mœchrou:mz*

- concombre **cucumber** *kyoukœ'mbeu*
- fromage **cheese** *tchi:z*
- fruit **fruit** *frou:t*
- jambon **ham** *Hà'm*
- légumes **vegetables** *vèdj-teb'lz*
- œuf **egg** *èg*
- pain blanc **white bread** *wait brèd*
- pain complet **brown bread** *braoun brèd*
- pâtes **pasta** *pàstà*
- poisson **fish** *fich*
- porc **pork** *pò:k*
- pommes de terre **potatoes** *petèitoouz*
- poulet **chicken** *tchike'n*
- riz **rice** *raiss*
- salade verte **lettuce** *lètiss*
- saucisse **sausage** *sòssidj*
- thon **tuna** *tiouneu*
- tomate **tomato** *tòma:toou*
- veau **veal** *vi:l*
- végétarien **vegetarian** *vèdjetèrien*
- viande **meat** *mi:t*
- volaille **poultry** *poultri*

- huile **oil** *òil*
- poivre **pepper** *pèpeu*
- sel **salt** *sòlt*

- fourchette **fork** *fò:k*
- verre **glass** glàss
- couteau **knife** *naif*
- assiette **plate** *plèit*
- cuillère **spoon** *spou:n*

- bière **beer** *bieu*
- bière brune **bitter** *biteu*
- bière blonde **lager** *la:gueu*
- une boisson non alcoolisée **a soft drink** *e sòft dri'nk*
- café **coffee** *kòfi:*
- cidre **cider** *saideu*
- eau **water** *wò:teu*
- jus de fruits **fruit juice** *frou:t djou:ss*
- lait **milk** *milk*
- panaché **shandy** *chà'ndi*
- thé **tea** *ti:*
- vin **wine** *wai'n*

- J'aimerais réserver une table pour quatre personnes pour 8 heures, s'il vous plaît.
  I'd like to book a table for four people for 8 o'clock please.
  ai'd laik te bouk e tèib'l fò: fò: pi:p'l fò: èit eklòk pli:z

- Nous voudrions commander.
  We would like to order.
  wi: woud laik tou ò:deu

- Je voudrais le steak, s'il vous plaît.
  I'd like the steak please.
  aid laik DHe stèik pli:z

▶ Je voudrais un verre de vin / d'eau, s'il vous plaît.
I'd like a glass of wine / water please.
a^i^d la^i^k à glàss òv wa^i^n / wò:t^eu^ pli:z

▶ L'addition, s'il vous plaît.
Can we have the bill please?
kà'n wi: Hàv DHe bil pli:z

Il n'y a pas vraiment d'équivalent pour "bon appétit" en anglais, mais on vous souhaitera :

▶ Bon appétit !
Enjoy your meal!
è'ndjò^i^ you^e^ mi:l

Le shopping

▶ Vendez-vous des cartes postales ?
Do you sell postcards?
dou: you: sèl pò:stka:dz

▶ Avez-vous cette chemise en bleu ?
Do you have this shirt in blue?
dou: you: Hàv DHiss cheu:t i'n blou:

▶ Puis-je essayer ceci ?
Can I try this on?
kà'n a^i^ tra^i^ DHiss ò'n

▶ C'est trop grand.
It's too big.
itss tou: big

▶ Ça coûte combien ?
How much is it?
Ha^ou^ mœtch i:z it

▶ Ça ne me va pas.
It doesn't suit me.
it dœzn't sou:t mi:

▶ Prenez-vous les cartes de crédit ?
Do you take credit cards?
dou: you: tè^i^k krèdit ka:dz

▶ acheter	**to buy**	*te ba^i^*
▶ billet	**note**	*no^ou^t*
▶ bureau de change, monnaie	**change**	*tchè^i^ndj*
▶ chèque	**cheque**	*tchèk*
▶ cher	**expensive**	*ikspè'nssiv*
▶ pas cher	**cheap**	*tchi:p*
▶ pièce de monnaie	**coin**	*kò^i^n*
▶ soldes	**sales**	*sè^i^lz*

DÉCOUVERTE

boulanger	**baker**	*be^{i}k^{eu}*
boucher	**butcher**	*boutcheu*
épicerie	**grocery store**	*gro^{ou}sseri stò:*
grand magasin	**department store**	*dipa:tme'nt stò:*
magasin, boutique	**shop**	*chòp*
magasin de chaussures	**shoe shop**	*chou: chòp*
magasin de souvenirs	**souvenir shop**	*sou:veni^{eu} chòp*
marché aux puces	**flea market**	*fli: ma:kèt*
pressing	**dry cleaner**	*dra^{i} kli:n^{eu}*
supermarché	**supermarket**	*sou:pema:ket*
argent (matière)	**silver**	*silv^{eu}*
bague	**ring**	*ri'ng*
boucles d'oreilles	**earrings**	*i:ri'ngz*
bracelet	**bracelet**	*brè^{i}sle't*
chaussures	**shoes**	*chou:z*
collier	**necklace**	*nèkless*
jupe	**skirt**	*skeu:t*
manteau	**coat**	*ko^{ou}t*
montre	**watch**	*wòtch*
or	**gold**	*go^{ou}ld*
pantalon	**trousers**	*tra^{ou}z^{eu}z*
pullover	**jumper**	*djœ'mp^{eu}*
robe	**dress**	*drèss*
t-shirt	**t-shirt**	*ti:cheu:t*

Situer dans l'espace

(à) droite	**(on the) right**	*(ò'n DHe) ra^{i}t*
(à) gauche	**(on the) left**	*(ò'n DHe) lèft*
à côté de	**next to**	*nèkst te*
derrière	**behind**	*biHa^{i}nd*
devant	**in front of**	*i'n freunt òv*
en direction de	**towards**	*tewò:dz*
en face de	**opposite**	*òpezit*
ici	**here**	*Hi^{e}*
loin	**far**	*fa:*
près	**near**	*ni^{e}*
tout droit	**straight on**	*strè^{i}t ò'n*
croisement	**crossing**	*kròssi'ng*
église	**church**	*tcheu:tch*
feu de signalisation	**traffic lights**	*tràfik la^{i}ts*
pâté de maisons	**row of houses**	*ro^{ou} òv Ha^{ou}ziz*
place	**square**	*skwè^{e}*
rue	**street**	*stri:t*
tout droit	**straight on**	*strè^{i}t ò'n*
nord, en direction du nord	**north**	*nò:TH*
sud, en direction du sud	**south**	*sa^{ou}TH*
est, en direction de l'est	**east**	*i:st*
ouest, en direction de l'ouest	**west**	*wèst*

Pouvez-vous m'indiquer le chemin pour… ?
Can you tell me the way to....
kà'n you: tèl mi: DHe wè^{i} te

- S'il vous plaît, pour aller à … ?
  Can you tell me how to get to....?
  kà'n you: tèl mi: Haou te gè't te

Situer dans le temps

aujourd'hui	**today**	*tedèi*
date	**date**	*dèit*
demain	**tomorrow**	*temòroou*
hier	**yesterday**	*yèsstedèi*
jour	**day**	*dèi*
(le) matin, (dans la) matinée	**(in the) morning**	*i'n DHe mò:ni'ng*
ce matin	**this morning**	*DHiss mò:ni'ng*
(à) l'heure du déjeuner	**(at) lunchtime**	*àt leunchtaim*
(dans l') après-midi	**(in the) afternoon**	*i'n DHi: a:ftenou:n*
mois	**month**	*mœ'nTH*
semaine	**week**	*wi:k*
soir	**evening**	*i:vni'ng*
ce soir (cette nuit)	**tonight**	*tenait*
lundi	**Monday**	*mœ'ndèi*
mardi	**Tuesday**	*tyou:zdèi*
mercredi	**Wednesday**	*wè'nzdèi*
jeudi	**Thursday**	*THeu:zdèi*
vendredi	**Friday**	*fraidèi*
samedi	**Saturday**	*sàtedèi*
dimanche	**Sunday**	*sœ'ndèi*
janvier	**January**	*djànyoueri*
fevrier	**February**	*fèbyoueri*
mars	**March**	*ma:tch*
avril	**April**	*eipril*
mai	**May**	*mèi*
juin	**June**	*djou:n*
juillet	**July**	*djoulai*
août	**August**	*ò:guest*
septembre	**September**	*septè'mbeu*
octobre	**October**	*òktooubeu*
novembre	**November**	*nòvè'mbeu*
décembre	**December**	*dissè'mbeu*
saison	**season**	*si:ze'n*
printemps	**spring**	*spri'ng*
été	**summer**	*sœmeu*
automne	**autumn**	*ò:te'm*
hiver	**winter**	*wi'nteu*

L'heure

une heure	**an hour**	*e'n aweu*
une minute	**a minute**	*e minit*
une demi-heure	**half an hour**	*Ha:f e'n aweu*
un quart d'heure	**quarter of an hour**	*kwò:teu òv e'n aweu*

- Quelle heure est-il, s'il vous plaît ?
  What time is it please?
  wòt taim i:z it pli:z
- Il est…
  It's…
  itss

DÉCOUVERTE

- 2h20 — **twenty (minutes) past two**
  twè'nti (minitss) pa:st tou:
  deux heures vingt
- 17h30 — **half past five / five thirty**
  Ha:f pa:st faiv / faiv THeu:ti
  cinq heures et demie / cinq heures trente
- 15h45 — **quarter to four**
  kwò:teu te fò:
  quatre heures moins le quart
- 12h00 — **twelve o'clock** (pour l'heure pleine, **"o'clock"** est obligatoire)
  twèlv eklòk
  douze heures
- Il est midi / minuit.
  It's midday / midnight.
  itss MID'dèi / midnait

Tout sur les nombres

0	**zero**	*zirou*
1	**one**	*wœ'n*
2	**two**	*tou:*
3	**three**	*THri:*
4	**four**	*fò:*
5	**five**	*faiv*
6	**six**	*sikss*
7	**seven**	*sève'n*
8	**eight**	*èit*
9	**nine**	*nain*
10	**ten**	*tè'n*
11	**eleven**	*ilève'n*
12	**twelve**	*twèlv*
13	**thirteen**	*THeu:-ti:n*
14	**fourteen**	*fò:-ti:n*
15	**fifteen**	*fif-ti:n*
16	**sixteen**	*sikss-ti:n*
17	**seventeen**	*sève'nti:n*
18	**eighteen**	*èi-ti:n*
19	**nineteen**	*nain-ti:n*
20	**twenty**	*twè'nti*

Au-delà de vingt, le principe est le même qu'en français, c'est-à-dire qu'on ajoute l'unité après la dizaine :

22	**twenty two**	*twè'nti-tou:*
30	**thirty**	*THeu:ti*
31	**thirty one**	*THeu:ti-wœ'n*
40	**forty**	*fò:ti*
50	**fifty**	*fifti*
60	**sixty**	*sikssti*
70	**seventy**	*sève'nti*
80	**eighty**	*èiti*
90	**ninety**	*nainti*
100	**one hundred**	*wœ'n Hœ'ndred*
500	**five hundred**	*faiv Hœ'ndred*
1 000	**one thousand**	*wœ'n THaouze'nd*
10 000	**ten thousand**	*tè'n THaouze'nd*

COMMUNIQUER EN QUEBECOIS

Le Québec compte six millions de francophones sur une population totale de sept millions d'habitants. C'est au Québec que se trouve la deuxième plus importante concentration de francophones au monde. Au Canada, sur les 29 millions d'habitants que comporte cet immense pays, un quart possède le français comme langue maternelle. Pour autant, vous, francophone de France, de Belgique, de Suisse, d'Afrique ou d'ailleurs, risquez d'être surpris par le français que vous entendrez parler : un accent différent, des expressions particulières, une syntaxe parfois étonnante, une morphologie spéciale, font du français du Canada une langue souvent déroutante. Nous aimerions vous familiariser avec ce français, de telle manière que lorsque vous l'entendrez, au lieu de faire une moue surprise et parfois moqueuse, vous puissiez en comprendre la finesse et l'humour, et participer confortablement à la conversation avec vos lointains cousins d'Amérique.

Nous vous proposons ici quelques mots et expressions du français populaire parlé dans les villes de Québec et de Montréal qui, à elles seules, couvrent les deux tiers de la population de la **Belle Province.** *Les variations dialectales sont très importantes au Canada : il existe de nombreuses différences entre le français de la Gaspésie, celui du lac St-Jean, l'acadien, le français du Nouveau-Brunswick et celui du Manitoba, pour ne prendre que quelques exemples. Il existe aussi entre ces variétés de nombreux points communs.*

Officiellement, le Canada est un pays bilingue. L'anglais et le français se valent, et vous devriez théoriquement pouvoir employer ces deux langues où que vous soyez sur le territoire canadien. Dans la réalité, plus vous vous dirigez vers l'ouest du Canada, moins vous entendrez parler français (seul le Manitoba possède une communauté francophone conséquente sur le plan démographique).

La langue française s'est établie en Amérique du Nord au cours du XVIIe siècle lors de la colonisation française. La plus grande partie des colons venaient du nord-ouest ou du centre-ouest de la France, le groupe le plus compact provenant de Normandie. La variété de français qui s'est développée en Nouvelle-France était un mélange entre les dialectes régionaux de l'époque et le français standard qui était en train de prendre forme. Le français du Québec, coupé de la mère patrie, a poursuivi son évolution seul, au contact d'un environnement anglophone omniprésent, tandis qu'en France, sous l'effet de lois uniformisatrices, notre français prenait graduellement le visage qu'on lui connaît aujourd'hui. Le Québec évolua donc en vase clos et se fia à ses propres ressources linguistiques pour s'adapter au monde moderne. Évidemment, les emprunts à l'anglais furent également nombreux, mais comme vous le verrez, ils ne sont pas les mêmes que ceux pratiqués en France.

Cette rubrique est réalisée en partenariat avec 

Se saluer

En fait, la manière de se saluer ou de se quitter diffère peu d'avec la France. Signalons toutefois que *au revoir* est peu utilisé. On emploie **bonjour** pour se saluer comme pour se quitter (même s'il est minuit !).

- le bisou — **le beau bis, le bec**
- Salut ! — **Allô !**
- Au revoir ! — **Bye-bye !**
- Au revoir ! — **À la revoyure !**
- À bientôt ! — **À tantôt !**
- À très bientôt, j'espère ! — **Au plaisir de se revoir !**

Le tutoiement est généralisé dans toutes les parties francophones du Canada. En fait, que vous soyez en train de converser avec un employé de banque, que vous soyez ausculté par votre médecin ou servi par un charmant garçon dans un restaurant, il y a de fortes chances pour que l'on vous dise **tu**... Ne soyez pas surpris non plus d'entendre **s'il vous plaît** à tout bout de champ et rarement *s'il te plaît*. Cette dernière forme s'emploie très peu. On tutoie, mais on dit **s'il vous plaît** !

Remarquez également la prononciation : **tu** devient *"tsu"*, et **moi** et **toi** deviennent *"moé"* et *"toé"*. Pour mettre encore un peu plus d'emphase, on ajoutera aux pronoms sus-cités le démonstratif **là** qui se prononce *"lô"*. On a donc : *"moé-lô – toé-lô"*. Mais le vrai Québécois fait encore plus fort ! Il lui arrive souvent de redoubler, ou de tripler le **là**. On peut ainsi entendre : *"moé-lô-lô"* !

Les pronoms **nous** et **vous** sont rarement employés tels quels. On dit plutôt **nous autres** et **vous autres**.

Ça marche.	**Ça clique.**
Ça va.	**Ça fite.** (angl. *to fit*)
Ça va pas, c'est pas juste.	**C'est pas fair.**
C'est d'accord, c'est juste !	**C'est fair !**
C'est sûr, naturellement !	**Beau dommage !**
C'est très compliqué.	**C'est une vraie poutine.**
Il n'y a pas de quoi. (réponse habituelle à "merci")	**Bienvenue** (angl. *you're welcome*)
Pas du tout !	**Pantoute !**
Tout baigne !	**C'est tiguidou !**
Tout va bien !	**Oaki-dou !** (angl. *oakie doakie*)

Le logement

immeuble en copropriété	**le condo** (abrév. de **condominium**)
immeuble de deux, trois ou quatre appartements	**duplex / triplex / quadruplex**
habiter, demeurer	**rester**
déménager	**mouver** (angl. *to move*)
avoir un bel intérieur, de beaux meubles	**être ben greyé**
faire de petites réparations dans la maison, bricoler	**radouer la maison**
le balcon	**la galerie**
la fenêtre	**le châssis**
les meubles	**le butin**
le robinet	**la champlure**
l'évier	**le sink** (angl. *sink*)
la serviette de table	**la napkin** (angl. *napkin*)
la casserole	**la saucepane / la chassepanne**
le poêlon	**la poêle**
l'aspirateur	**la balayeuse**
le paillasson	**le gratte-pieds**

- **les camiliennes**
Nom donné aux toilettes publiques de Montréal, d'après le patronyme du maire Camilien Houde qui les introduisit.

- **les bécosses** (angl. *backhouse* = maison de derrière)
À l'origine, des toilettes extérieures, aujourd'hui, les toilettes elles-mêmes.

- **la toilette sèche**
Les toilettes à pompe qu'on trouve dans les campings.

Boire et manger

l'addition	**la facture / la note**
donner un pourboire	**tipper**
faire de la cuisine de tous les jours	**faire l'ordinaire**
fast food	**service rapide**
manger comme un glouton	**manger en pépère**
manger des desserts, des sucreries	**se sucrer le bec**
la nourriture	**le manger**
plateau	**cabaret**
le pourboire	**le tip**
prendre une bonne bouchée	**prendre une mordée**

▸ **la cabane à sucre**
Petite cabane ou petit restaurant simple dans la nature, se situant dans une **érablière**, où l'on consomme à l'arrivée du printemps des spécialités à base de sirop d'érable.

▸ **aller aux sucres**
Aller dans une érablière déguster du sirop d'érable.

Grâce à ses traditions d'origine française, le Québec offre de meilleurs restaurants que partout ailleurs sur le continent nord-américain. De plus, les nombreux immigrants ont enrichi la tradition culinaire par leur cuisine variée.

▸ abréviation de la bière Molson	**la mol, une mol**
▸ le bacon	**le lard**
▸ bière brassée artisanalement à la maison	**la bière à la bibitte**
▸ les boissons alcoolisées	**les boissons**
▸ les boissons en général	**les breuvages**
▸ broc dans lequel on sert la bière	**le pichet**
▸ les chips	**les croustilles**
▸ le gâteau	**le pain sucré**
▸ les haricots verts	**la fève à palette**
▸ le hot-dog	**le chien chaud**
▸ le maïs	**le blé d'Inde**
▸ pommes frites	**patates frites**
▸ sirop d'érable caramélisé et épaissi	**la tire**
▸ sorte de beignet frit et sucré	**la croquignole**
▸ sorte de grosse myrtille	**le bleuet**
▸ tourte au poisson et aux légumes	**le cipaille** (angl. *sea-pie*)
▸ sandwich gigantesque	**le sous-marin**
▸ les sodas	**les liqueurs douces**

▸ Ça a bon goût.
Ça goûte bon.

Sur la route

▸ accélérer	**peser sur le gaz**
▸ une amende	**un ticket**
▸ avoir une crevaison	**faire un flat**
▸ le camion	**le truck**
▸ conduire	**chauffer**
▸ conduire une voiture	**mener un char**

DÉCOUVERTE

- faire de l'auto-stop — **poucer, faire du pouce**
- ferry-boats — **bacs / traversiers**
- remplir le réservoir, faire le plein — **tanker son char**
- la route carrossable — **le chemin passable**
- le vélo — **le bicic**
- la voiture — **le char, la machine**
- la voiture d'occasion, la caisse — **la minoune**

Faire des achats

- à carreaux — **carreauté**
- le bonnet — **la tuque**
- le bureau de tabac — **la tabagie**
- le centre commercial — **le centre d'achat** (angl. *shopping centre*)
- les chaussettes — **les bas**
- le chausson — **la chaussette**
- les chaussures de neige — **les alaskas**
- épicerie ouverte 24h / 24 — **le dépanneur**
- faire les courses — **magasiner** (angl. *to shop*)
- les gants — **la mitasse**
- les lunettes — **les barniques**
- le maillot de corps — **la camisole**
- le manteau — **le coat** (angl. *coat*)
- le manteau chaud, pardessus — **le capot**
- le sac à main — **la sacoche**
- les sandalettes — **les babouches/slounes**
- les soldes — **la vente**
- le soutien-gorge — **la brassière**
- tout ce que le corps humain peut porter : vêtements, tissus, accessoires... — **guenilles**
- surchaussures en caoutchouc que l'on porte en hiver pour protéger ses souliers — **les claques / les chaloupes**

Il règne une véritable confusion en ce qui concerne les poids et mesures dans le Canada francophone, malgré l'introduction officielle du système métrique depuis de nombreuses années. Voici quelques exemples :

- **la ligne** — 1,587 mm
- **le pouce** — 2,54 cm
- **la verge** — 0,914 m
- **une once** — 28,349 g
- **le quarteron** — 0,113 kg
- **la chopine** — 0,568 l
- **la gallon canadien** ou **impérial** — 4,545 l

Ainsi, si quelqu'un mesure 1,71 m et pèse 60 kg, il mesurera au Québec **4 pieds 11 pouces** et pèsera **133 livres** (on grossit bien plus vite en **livres** !).

- acompte, provision — **le dépôt** (angl. *deposit*)
- le blé — **le foin**
- dépenser — **friper**
- être économe — **être ménager**
- nom populaire donné au dollar — **la tomate, la fripée**
- payer en liquide — **payer en argent sonnant**
- prendre, faire payer — **charger** (angl. *to charge*)
- As-tu de la monnaie ?
  As-tu du change ?

COLOMBIE-BRITANNIQUE

Mount Robson.

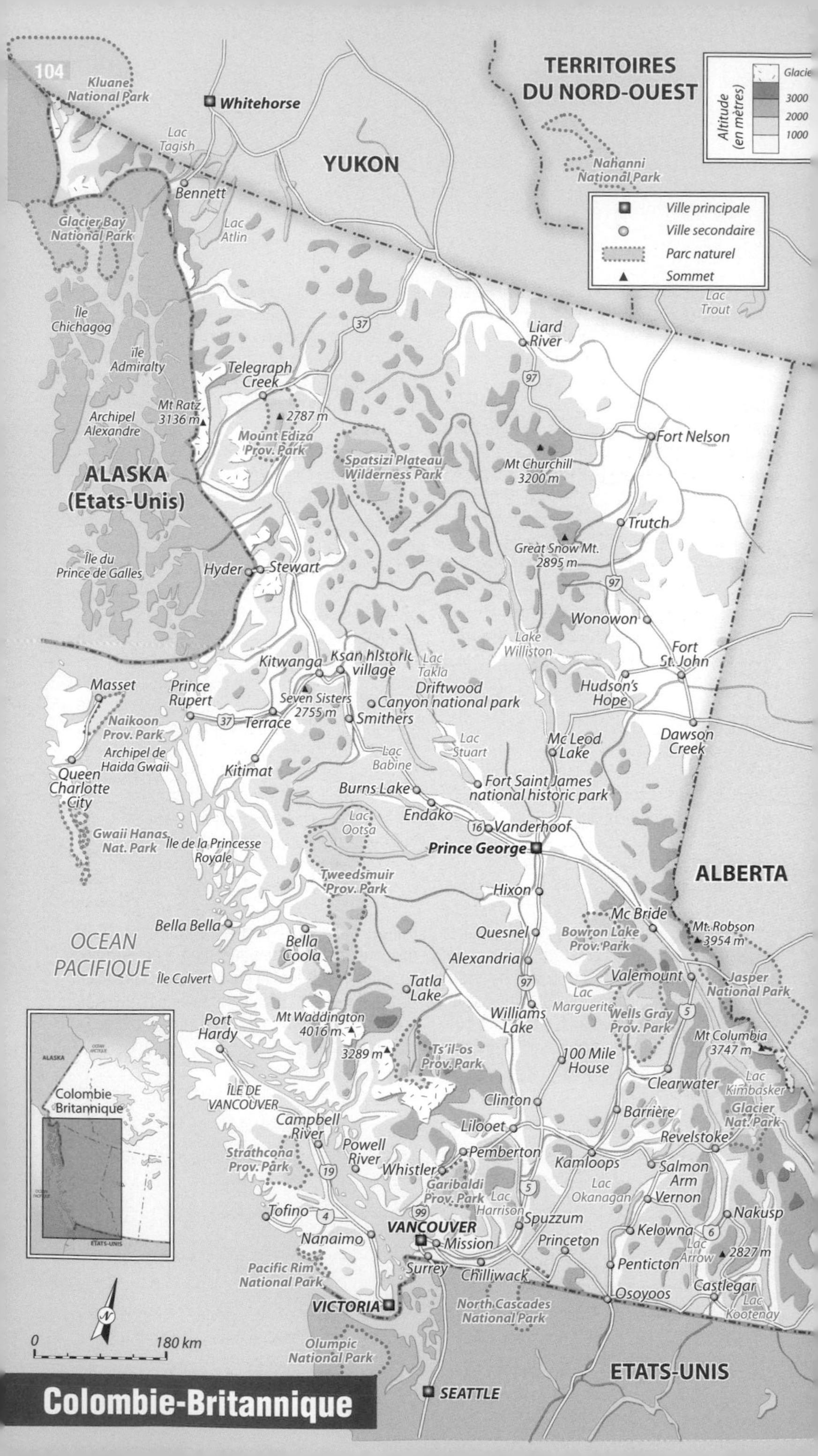

Colombie-Britannique

Colombie-Britannique

Imaginez un territoire presque deux fois plus grand que la France, entre l'océan Pacifique et les Rocheuses, et où la mer, la montagne, les lacs et les rivières côtoient d'immenses forêts de cèdres et de sapins. Dans cette vaste province verte et bleue, la vallée de l'Okanagan, célèbre pour ses vignes et ses arbres fruitiers, source d'emplois saisonniers, ajoute une touche dorée. « L'esprit de l'Ouest » souffle sur ce décor de la démesure, qui bénéficie pourtant d'un climat tempéré. Les villes aussi sont à l'honneur : de Victoria, capitale administrative de la province à la vibrante Vancouver, elles sont parmi les plus agréables à vivre du pays. Il n'est donc pas étonnant que le tourisme soit devenu une des ressources principales de la Colombie-Britannique et que tant de films y soient tournés.

Les Premières nations

Les premières traces de l'homme dans le vaste territoire de la Colombie-Britannique remontent à environ 10 000 ans, soit un peu après la fin de la dernière période glaciaire. Venus d'Asie, par le détroit de Béring, ces hommes firent preuve d'ingéniosité afin de s'adapter à des conditions de vie extrêmement rigoureuses. La Colombie-Britannique est la province qui abrite le plus de peuples des Premières nations, elle compte environ 197 tribus différentes. Aujourd'hui, 169 000 Amérindiens vivent dans la province, les Tsimshians, les Kwakiutls, les Nootkas et les Salishs sont devenus des spécialistes de l'édification de totems. L'appréciation de leur vibrante tradition artistique dépasse les frontières du Canada et est reconnue mondialement. Contrairement à la croyance populaire, la fabrication de totems est assez récente dans l'histoire amérindienne, elle correspond plus ou moins à l'arrivée des colons européens, et c'est en Colombie-Britannique que l'on retrouve les plus importantes collections notamment au musée d'Anthropologie de Vancouver.

La ruée vers l'or et le développement de la province

Jusqu'à la fin du XIXe siècle, la Colombie-Britannique est un des rares endroits sur la planète où les Européens n'ont pas encore mis le pied. Ce sont d'abord les Espagnols qui, en 1774 déclarent ce territoire qui longe la côte du Pacifique. Les Russes, 4 ans plus tard, font de même pour le territoire allant de l'Alaska jusqu'à San Francisco. Mais le navigateur James Cook est le premier à cartographier la région et ce sont les Anglais en 1843, qui instaurent la seule véritable colonie sur l'île de Vancouver. En 1858, suite à la découverte d'or dans le fleuve Fraser, plus de 20 000 prospecteurs venus du monde entier s'installent dans la région de Vancouver. Pour des raisons de logistique face à cette ruée, les Anglais fondent la colonie de la Colombie-Britannique. En 1866, Vancouver est annexée à celle-ci et Victoria devient la capitale de la nouvelle colonie.

Les immanquables de la Colombie-Britannique

- **A Vancouver,** se promener le long du Seawall dans Stanley Park avant d'aller dîner dans un izakaya (taverne japonaise), très à la mode.
- **Visiter les vignobles de la vallée Thompson-Okanagan** et vous laisser enivrer par ses crus.
- **Déambuler sous une voûte de fleurs printanières** pendant qu'il neige à l'extérieur dans les jardins Butchart à Victoria.
- **Une promenade dans le Fort Langley** vous mènera à une époque colorée où Autochtones, Canadiens, Écossais et Hawaïens s'adonnaient ensemble au commerce des fourrures, à la transformation du saumon et à l'exploitation agricole.

Avec la promesse de la part du Canada, de créer un chemin de fer qui reliera l'est et l'ouest du territoire, la Colombie-Britannique entre dans la Confédération canadienne en 1885. La ruée vers l'or et la construction du chemin de fer canadien ont été les principaux facteurs du développement de la région. Aujourd'hui, les vastes forêts qui occupent 56 % du territoire représentent la première ressource économique de cette province. Le secteur touristique est en plein essor et le deuxième en importance dans l'économie, avec notamment le coup de fouet donné par la tenue des Jeux olympiques d'hiver en 2010.

VANCOUVER

Son cadre naturel : voilà ce qu'on retient d'abord de Vancouver. Une baie grandiose avec des îles sur fond de montagnes boisées et de glaciers. Ensuite seulement, on verra la ville. Une ville capitale, qui n'en a pas le titre, mais se comporte comme telle. Hôtels luxueux et sièges de nombreuses entreprises sont concentrés dans un centre-ville qui met en appétit les investisseurs immobiliers, notamment asiatiques. Mais Vancouver ne se limite pas à ce bouquet de gratte-ciel. C'est aussi une opulente et résidentielle ville verte (troisième ville du Canada, après Toronto et Montréal, et second port de l'Amérique du Nord), au climat imprévisible mais clément, et qui puise ses principales ressources dans la forêt, le tourisme, la pêche et l'extraction de minerais. Le climat, contrairement au reste du Canada, y est modéré grâce à la proximité de l'océan Pacifique ; les températures estivales tournent autour de 20 °C et descendent rarement en dessous de 0 °C en hiver.

Nichée entre l'océan Pacifique et les vigoureuses montagnes côtières, Vancouver est de loin la plus pittoresque des villes canadiennes. Unique par l'harmonisation parfaite entre la mère Nature et une urbanité cosmopolite et moderne, et unique par ses diversités culturelles, des « Premières Nations » amérindiennes aux riches communautés asiatiques. Pour le voyageur de passage comme pour ses résidents, Vancouver est avant tout une ville de plein air, éminemment appréciable pour sa qualité de vie, où se pratiquent la voile, la randonnée, le ski en hiver et le jardinage toute l'année. Mais, parfois, Vancouver c'est aussi le temps gris, la pluie et les sans-abri qui font la manche au pied des majestueux gratte-ciel colorés, véritables chefs-d'œuvre de l'architecture moderne. Influencée par la ville de Seattle, bastion de la contre-culture américaine, Vancouver est une ville bohème, digne représentante de l'esprit qui règne sur les grands centres de la côte ouest. Il y a environ 150 ans, la Ruée vers l'or et la frénésie d'enrichissement personnel ont façonné la région. Aujourd'hui, c'est la quête de liberté et des grands espaces qui, chaque année, attire dans cette ville des milliers de jeunes venant des quatre coins de la planète. Avec rien dans les poches, ces jeunes aventuriers caressent l'espoir d'y trouver du travail temporaire, afin de profiter de la saison de ski ou tout simplement de flirter un moment avec la West Coast soul. Parce que Vancouver, c'est aussi le royaume des skieurs et des planchistes, pour certains voyageurs, ce qui n'était au départ qu'une brève escale devient un port d'attache permanent. Alors, en déambulant dans le centre-ville, on s'aperçoit que les résidents de Vancouver sont à l'image de son histoire, jeunes et cosmopolites. On y trouve d'ailleurs plus d'auberges de jeunesse que dans n'importe quelle autre ville au Canada. Dernière escale occidentale avant l'Orient, Vancouver séduit, et dérange aussi, surtout les « gens de l'Est » : elle caracole en tête des sondages qui recensent les villes où il fait bon vivre. Adossée aux petites Rocheuses, la ville a les pieds dans le Pacifique. Une carte postale idéale qui fait réfléchir, la tentation de poser ses valises chatouille. Les quartiers de Vancouver sont une invite et les communautés qui les composent enrichissent la diversité culturelle de la ville. Il y a d'ailleurs plus de résidents issus de l'immigration que de natifs de Vancouver ou du Canada. Bienvenue dans une mosaïque ethnique où personne ne vous demandera votre passeport.

Quartiers

Limitée au nord et à l'ouest par la mer, au sud par l'un des bras de la rivière Fraser, la ville de Vancouver est entourée d'eau. Son centre est repérable par ses quelques gratte-ciel. Outre ce cœur historique et économique, quelques voies animées, comme Broadway, 4th Avenue, 10th Avenue et Commercial Street, méritent d'être mentionnées. Le reste de la ville et de

© ISTOCKPHOTO.COM/MOROFOTO

Vue du pont de Granville depuis False Creek.

sa périphérie se divise en une multitude de quartiers résidentiels, plus ou moins cossus et verdoyants.

Downtown

◗ **Downtown.** Le centre-ville est traversé par quelques grandes artères commerçantes : Robson et Georgia Streets que croisent Granville et Burrard Streets. Dans ce périmètre, l'hôtel Vancouver impose une première halte. Sa silhouette massive en pierre grise défie le temps (enfin, depuis 1928) et sa toiture en cuivre vert-de-gris habille le ciel de la ville. Tout près, le musée d'Art de Vancouver, qui fut jadis un palais de justice, satisfera l'amateur de vieilles pierres, bien que celles-ci ne datent que de 1912. En face, le Pendule, gigantesque balancier de 27 m de long et de 1 600 kg, oscille inexorablement dans le hall de la Hong Kong Bank of Canada (885 W Georgia Street) et semble donner une autre échelle au temps. Derrière le musée, Robson Square, où se disputent des parties d'échecs simultanées, est un poste d'observation idéal pour contempler, une fois encore, cette sorte d'immense manoir écossais qu'est l'hôtel Vancouver, et pour apprécier son impact sur son environnement. Son vis-à-vis (925 West Georgia Street) en est une version moderne et diaphane, ornée de gargouilles et de sculptures. Sa voisine, la cathédrale Christ Church (la plus vieille église de Vancouver, vitraux et beau plafond en bois), paraît bien petite. De son clocher s'échappent, chaque jour à midi, les quatre premières notes de O Canada (à 21h, c'est au tour du canon de Stanley Park de jouer les coucous suisses).

◗ **Canada Place.** Contrairement à ce que l'on pourrait croire, il ne s'agit pas d'une place au sens classique du terme. Construit en 1986, c'est en fait un bâtiment étrange, mi-bateau mi-mécano. Il abrite, entre autres attractions, un cinéma Imax. Les grands paquebots (un million de voyageurs par an) en partance pour l'Alaska larguent ici les amarres et passent devant l'immense tas de soufre, gigantesque triangle jaune d'or plaqué sur le fond bleu marine de la baie. L'architecture de Canada Place représente les cinq continents : cinq grandes voiles hissées haut, saluant les visiteurs et autres explorateurs. C'est là que se sont tenues la plupart des cérémonies des Jeux olympiques de 2010.

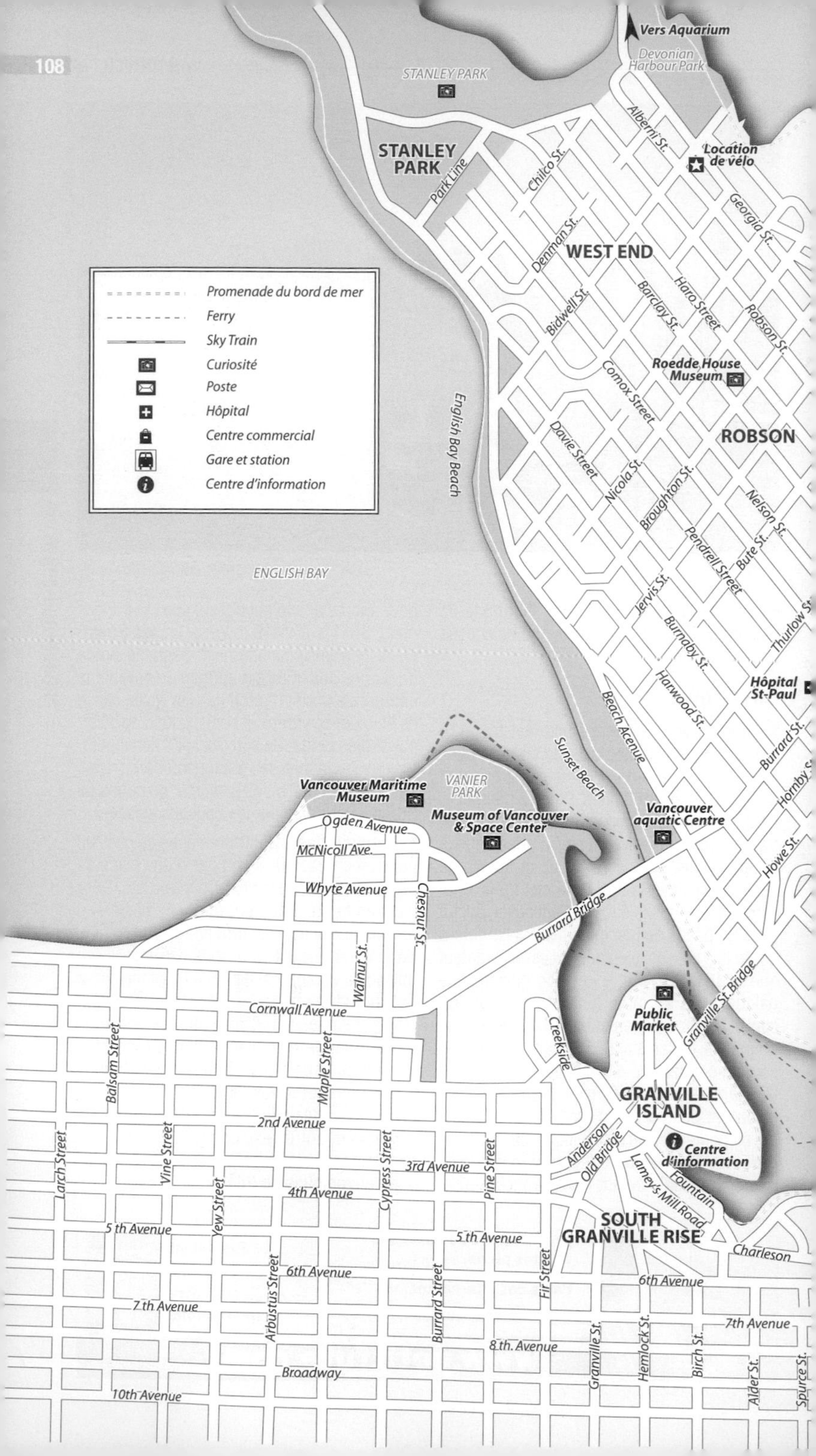

Promenade du bord de mer
Ferry
Sky Train
Curiosité
Poste
Hôpital
Centre commercial
Gare et station
Centre d'information

Vers Aquarium
Devonian Harbour Park
STANLEY PARK
STANLEY PARK
Park Line
Chilco St.
Alberni St.
Location de vélo
Georgia St.
Denman St.
WEST END
Bidwell St.
Barclay St.
Haro Street
Robson St.
Roedde House Museum
Comox Street
ROBSON
English Bay Beach
Davie Street
Nicola St.
Broughton St.
Nelson St.
Pendrell Street
Bute St.
Jervis St.
Thurlow St.
Burnaby St.
Harwood St.
Hôpital St-Paul
Beach Acenue
Burrard St.
Hornby St.
Sunset Beach
ENGLISH BAY
Vancouver Maritime Museum
VANIER PARK
Museum of Vancouver & Space Center
Vancouver aquatic Centre
Howe St.
Ogden Avenue
McNicoll Ave.
Whyte Avenue
Chesnut St.
Burrard Bridge
Walnut St.
Cornwall Avenue
Public Market
Granville St. Bridge
Creekside
Balsam Street
Maple Street
GRANVILLE ISLAND
2nd Avenue
Larch Street
Vine Street
Cypress Street
Pine Street
3rd Avenue
Anderson
Old Bridge
Centre d'information
4th Avenue
Yew Street
Lamey's Mill Road
Fountain
5 th Avenue
5 th Avenue
SOUTH GRANVILLE RISE
Charleson
Arbustus Street
6th Avenue
Burrard Street
Fir Street
6th Avenue
7 th Avenue
7th Avenue
8 th. Avenue
Granville St.
Hemlock St.
Birch St.
Alder St.
Spruce St.
Broadway
10th Avenue

Vancouver

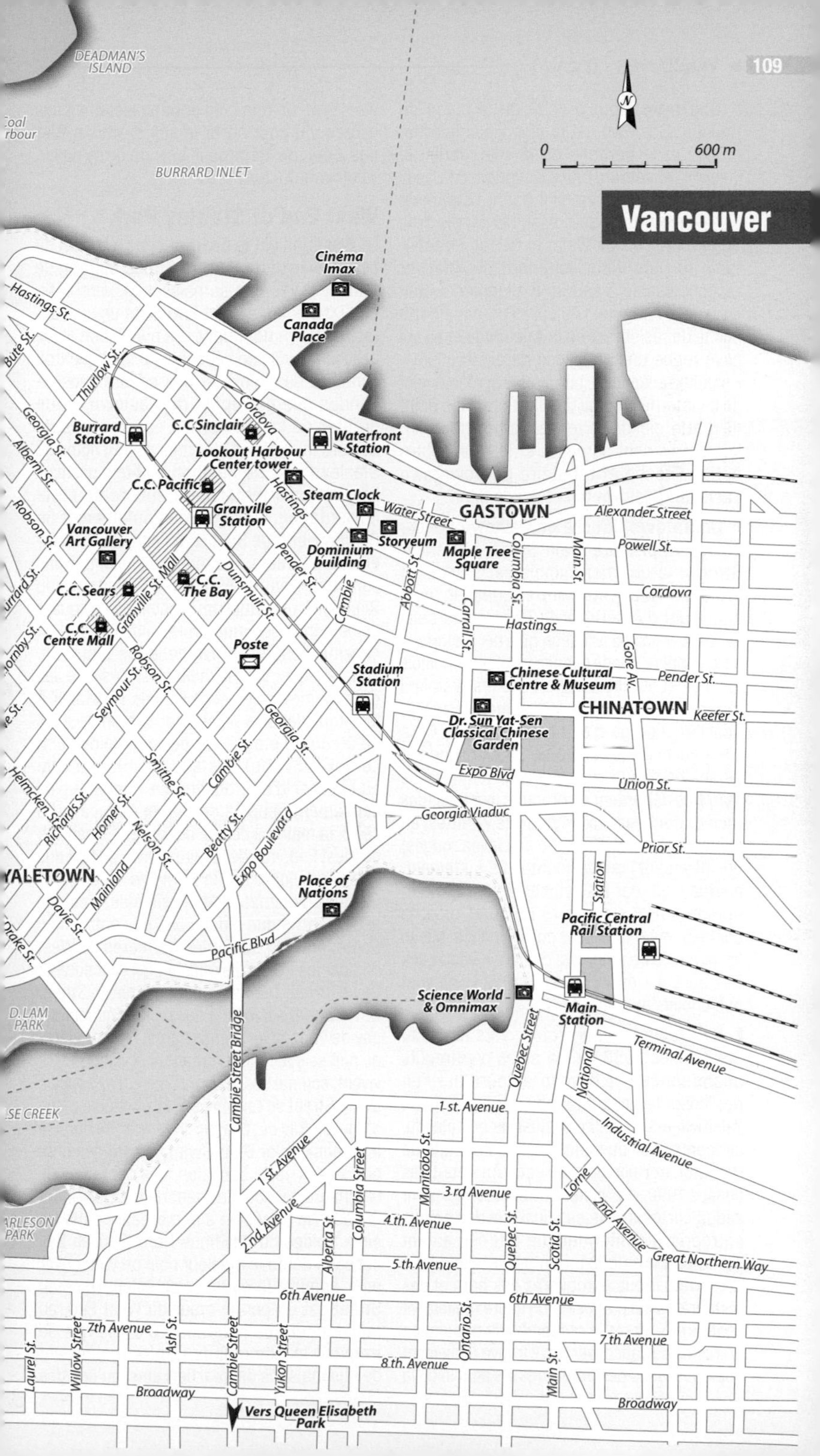

DEADMAN'S ISLAND
Coal Harbour
BURRARD INLET
0
600 m
Vancouver
Cinéma Imax
Canada Place
Hastings St.
Bute St.
Thurlow St.
Georgia St.
Alberni St.
Robson St.
Burrard St.
Hornby St.
Burrard Station
C.C Sinclair
Cordova
Waterfront Station
Lookout Harbour Center tower
C.C. Pacific
Hastings
Steam Clock
Granville Station
Water Street
GASTOWN
Alexander Street
Vancouver Art Gallery
Storyeum
Dominium building
Maple Tree Square
Columbia St.
Main St.
Powell St.
C.C. Sears
Granville St. Mall
C.C. The Bay
Dunsmuir St.
Pender St.
Cambie
Abbott St.
Carrall St.
Cordova
C.C. Centre Mall
Poste
Hastings
Robson St.
Seymour St.
Gore Av.
Pender St.
Chinese Cultural Centre & Museum
Stadium Station
CHINATOWN
Keefer St.
Dr. Sun Yat-Sen Classical Chinese Garden
Georgia St.
Cambie St.
Smithe St.
Helmcken St.
Richards St.
Homer St.
Nelson St.
Beatty St.
Expo Boulevard
Expo Blvd
Union St.
Georgia Viaduc
Prior St.
YALETOWN
Mainland
Davie St.
Drake St.
Place of Nations
Station
Pacific Central Rail Station
Pacific Blvd
D. LAM PARK
Science World & Omnimax
Main Station
Terminal Avenue
Quebec Street
National
Cambie Street Bridge
FALSE CREEK
1st. Avenue
Industrial Avenue
1st. Avenue
Columbia Street
Manitoba St.
3.rd Avenue
Lorne
2nd. Avenue
CHARLESON PARK
2.nd. Avenue
Alberta St.
4.th. Avenue
Quebec St.
Scotia St.
Great Northern Way
5.th Avenue
6th Avenue
6th Avenue
7th Avenue
Willow Street
Ash St.
Cambie Street
Yukon Street
Ontario St.
7.th Avenue
Laurel St.
8.th. Avenue
Main St.
Broadway
Broadway
Vers Queen Elisabeth Park

Gastown. Tout proche de la place du Canada, Gastown est le plus vieux quartier (1867) et le berceau de la ville. Jadis, le volubile (et soiffard) Jack Deighton, dit Gassy Jack, y installa le premier bar. La statue de cet « aventurier » se dresse sur Maple Tree Square (au coin de Water et Carrall Streets), face au plus vieux bâtiment du quartier reconnaissable à sa forme allongée (il était en bois à l'origine). Aujourd'hui, dans cette poche de résistance en brique rouge et au sol pavé règne une ambiance de dilettantisme, « méditerranéenne », qui change agréablement de l'austérité du quartier d'affaires. Ici, point de gratte-ciel de verre, de marbre et d'acier, les pierres sont poreuses et les immeubles petits. Proche et tributaire du Downtown Eastside, Gastown renaît doucement.

Chinatown. Proche de Gastown (longer Powell et prendre Main Street et Pender Street), le quartier chinois est, si l'on en croit les dépliants touristiques, le plus important d'Amérique du Nord après celui de San Francisco. C'est un quartier historique à part entière, fondé par une colonie de Chinois qui s'y est établie aussi tôt que les premiers pionniers, à la fin du XIXe siècle. Bref, le quartier regorge d'édifices d'époque. Mais c'est surtout l'exotisme de ses kiosques et de ses boutiques qui retient l'attention. Les marchés débordent de produits insolites (des racines séchées aux grenouilles vivantes, en passant par les pâtisseries aux fèves rouges) qui intriguent l'œil occidental. Et, justement, ouvrez l'œil, car les symboles sont partout, notamment les couleurs rouge et or et le chiffre 8, qui sont censés porter chance. Même les noms de commerces, comme « Good Luck Restaurant » ou « Golden Market », ne sont pas choisis au hasard.

Yaletown. Ce qui n'était, vers le milieu des années 1980, qu'un amas d'entrepôts abandonnés est devenu aujourd'hui l'un des coins les plus branchés de Vancouver. Yaletown est en réalité un quartier peu étendu, concentré sur quelques blocks à l'angle de Hamilton et Helmcken Streets. Au début des années 1990, ces vastes entrepôts déserts ont séduit certains artistes, ainsi que des petites entreprises d'informatique attirées autant par le charme du lieu que par le faible coût des loyers. Vous y trouverez des bars et des restaurants qui proposent un cadre réellement chaleureux, et où se rassemble la population branchée de Vancouver. On y trouve également quelques-unes des boutiques les plus in de la ville. Bref, un bon coin pour passer quelques heures, ou pour sortir le soir si vous n'avez pas peur de dépenser vos dollars (www.yaletowninfo.com).

West End et Stanley Park

Le West End est le quartier situé à l'ouest du centre-ville et de Burrard Street, mitoyen de Stanley Park. Dès sa naissance, vers la fin du XIXe siècle, le West End a été un quartier résidentiel plutôt huppé. La population aisée de la jeune ville de Vancouver n'était que trop contente de s'éloigner des odeurs nauséabondes des entrepôts de Gastown, et de profiter de la vue sur les eaux calmes du Burrard Inlet et des charmes du tout nouveau Stanley Park. De nombreux hôtels particuliers en bois témoignent encore de cette implantation. Rendez-vous notamment au Barclay Heritage Square, à l'angle de Barclay et Nicola Streets. Pas moins de neuf maisons construites entre 1890 et 1908, dont celle du Roedde House Museum, donnent à ce square coincé entre les immeubles plus récents un charme désuet qui rappelle les fastes de cette époque. Vers le milieu du XXe siècle, les classes moyennes sont venues s'installer à leur tour dans le West End. Les immeubles de 20 ou 30 étages ont poussé rapidement, ce qui, au début des années 1970, a valu au quartier d'être qualifié de « zone la plus densément peuplée de tout le Canada ». En 1973, la mairie a décidé de freiner l'expansion du West End, afin de le faire revivre en tant que quartier. Aujourd'hui, le West End est un subtil mélange d'animation et de quiétude, quiétude assez inattendue à deux pas du centre-ville. En général, on définit les frontières du West End par les trois axes majeurs qui l'encadrent : Davie Street, Denman Street et Robson Street. Davie Street est le haut lieu de la communauté gay de Vancouver. Restaurants, bars et boîtes de nuit se succèdent, créant un « village » très vivant, comme ses habitants aiment à l'appeler. Davie Street se termine sur la splendide plage d'English Bay où, chaque 1er janvier, se déroule le fameux Polar Bear Swim, le bain des ours polaires. A cette occasion, des centaines de baigneurs particulièrement réchauffés fêtent la nouvelle année en s'immergeant dans les eaux froides du Pacifique Nord. English Bay est sans doute le meilleur coin de Vancouver pour admirer le coucher de soleil. Denman Street est un peu le cœur du West End, au moins pour ses habitants. C'est là que se trouvent le Community Centre (équivalent de nos maisons de quartier) ainsi qu'une des nombreuses bibliothèques municipales de la ville. On peut y faire ses courses ou y manger un morceau, tout en restant à quelques foulées de Stanley Park, ce qui est un argument de poids pour un Vancouvérois typique ! Le vrai charme du West End, c'est qu'il offre la possibilité de quitter à tout moment la cohue de ses rues très fréquentées, en marchant quelques dizaines de mètres vers l'intérieur du quartier. Les bruits de la ville s'atténuent alors immédiatement et vous vous retrouvez dans des petites rues paisibles et bordées d'arbres. Des espaces verts ont été aménagés au bout de certaines rues, créant ainsi des culs-de-sac qui limitent, pour notre bonheur, la circulation automobile. En déambulant dans ce quartier, vous tomberez sur des maisons en bois du début du siècle au charme irrésistible. Allez également admirer la caserne de pompiers construite en 1907 à l'angle des rues Nicola et Nelson. Ce serait la première caserne d'Amérique du Nord à avoir accueilli des véhicules à moteur (www.englishbay.com).

Granville et Kitsilano

Granville Island. C'est vers la fin des années 1880 que Granville Island a connu son premier aménagement. Les entrepreneurs locaux ont profité de ces 16 hectares de surface libre à proximité immédiate des eaux de False Creek pour y développer des aciéries, abattoirs, scieries. Ces entrepreneurs ont transformé « Mud Island », l'île boueuse, en un pôle économique dynamique. L'activité industrielle de Granville Island a connu son apogée au cours des années 1920, avant de régresser rapidement après la Seconde Guerre mondiale, alors que les industries quittaient progressivement le centre-ville de Vancouver. Au début des années 1970, le gouvernement fédéral et des partenaires locaux ont décidé de faire sortir Granville Island de son état d'abandon, en la transformant en un lieu de vie et de détente pour les touristes de passage comme pour les habitants de la ville. Granville Island, l'île aux multiples vies, qui n'est en réalité pas vraiment une île puisqu'une mince bande de terre la relie à la rive sud, a parfaitement réussi sa reconversion. Elle s'est métamorphosée aujourd'hui en un des quartiers les plus attrayants de Vancouver.

False Creek. En descendant Helmcken Street depuis Yaletown jusqu'aux eaux calmes de False Creek, vous traverserez une vaste et toute récente zone résidentielle. Vous apercevrez en passant le toit blanc du BC Place Stadium, construit à l'occasion de l'Exposition universelle de 1986. Ce stade de 60 000 places est recouvert par le plus grand toit gonflable au monde, aménagement bien utile sous le climat de Vancouver !

Kitsilano (Kits). Beauté tranquille et douceur de vivre... Les charmes du quartier de Kitsilano, situé au sud du centre-ville juste après le pont de Burrard, ne laissent jamais indifférent. Vers la fin des années 1960, la popularité de Kitsilano parmi les jeunes générations l'a érigé en lieu de contre-culture hippie. De ce passé tumultueux, il ne reste que quelques vestiges ainsi qu'un état d'esprit : une sorte de romantisme adapté à la société de consommation moderne, mêlant convictions écologistes, recherche d'une certaine spiritualité et épanouissement personnel. Ça donne les bobo ou « bourgeois bohèmes » comme on les appelle, qui gagnent bien leur vie et profitent de la société de consommation, tout en achetant des produits organiques et en se déplaçant à vélo.

South Granville. Entre le sud du Granville Bridge et la 16th Avenue, South Granville n'en finit pas de s'étirer et de se développer. Tiraillée entre son engouement pour les hauteurs et le charme de ses maisons cossues d'antan, elle démolit pour reconstruire plus moderne, mais garde ses façades, comme dans Gastown. Accolée à Shaughnessy (à partir de la 16th Avenue en « remontant » vers le sud), elle s'embourgeoise doucement et se dote de boutiques souvent fort distinguées, comme Meinhardt, par exemple, où une bouteille d'Evian coûte 5 $.

Sud-ouest

Kerrisdale. Autour de West Boulevard et de la 41st Avenue. Quartier familial, plutôt aisé et éduqué, très apprécié pour ses rues bordées d'arbres et sa qualité de vie. Le coin offre de nombreux restaurants et boutiques, ainsi que des activités culturelles toute l'année.

Marpole. Granville Street, à partir de la 57th Avenue en allant vers le sud (vers l'aéroport). Marpole est un quartier très vivant, essentiellement composé de communautés asiatiques. Vous y trouverez de très nombreux petits restaurants et des boutiques ou cabinets de médecine traditionnelle naturelle : vous aurez le choix entre les acupuncteurs, les praticiens de shiatsu ou les pharmaciens vendant des plantes médicinales chinoises.

Commercial Drive et le Sud-Est

▸ **Commercial Drive (The Drive)**. Les Italiens ont envahi les lieux après les deux guerres mondiales et en ont fait une véritable « Petite Italie ». Par la suite, ils ont migré vers East Hastings et la communauté chinoise est venue changer un peu le visage de la rue. Pourtant, la marque italienne y est indélébile : les nombreux cafés, les restaurants arborant le drapeau vert-blanc-rouge et l'ambiance pizza, pasta, i musica dominent toujours. Très souvent, des conversations aux consonances latines, autant italiennes que françaises, portugaises ou espagnoles, se font entendre dans la rue. Dans cette ambiance de quartier latin, The Drive attire tout naturellement les militants de la cause gay ou de « l'égalité entre les pays du Nord et du Sud », les artistes de rue, les adeptes du « Drum Jam » dans Grandview Park ou d'ex-hippies reconvertis en yuppies qui tiennent mordicus à cultiver leurs tomates dans le jardin communautaire du quartier.

▸ **SoMa (Main Street)**. La portion sud de la rue Main entre Broadway et 29th Avenue, ou SoMa pour les intimes, est en pleine métamorphose. De quartier glauque et excentré, Main est en train de devenir l'endroit où il faut être vu et ça commence à faire classe de dire qu'on habite dans SoMa. Les logements y sont encore à un prix assez raisonnable (pour combien de temps, telle est la question) et la vie de quartier se raffine constamment. SoMa est devenu pour certains un compromis acceptable entre le quartier de Kitsilano, décontracté et chic, et les environs de Commercial Drive, très bohèmes mais à plus forte criminalité.

▸ **Little India.** Sur Main, entre la 49th et 51st Avenue. Vous voilà dans un autre monde, dans un décor où dominent hommes à turbans et femmes en élégants saris. La communauté indienne constitue le 2e plus important groupe ethnique de la ville, avec plus de 100 000 représentants, dont le plus célèbre est certainement l'ex-Premier ministre provincial, Ujjal Dosanjh. Les trois blocks constituent un de leurs quartiers privilégiés, le Punjabi Market, où tous, du dentiste au restaurateur, partagent un patrimoine indien. Les boutiques aux couleurs merveilleuses intriguent et éveillent les sens. Des effluves d'épices émanant des comptoirs d'alimentation aux boutiques de vêtements féminins traditionnels ou saris, tout dégage un parfum d'Orient.

Se déplacer

L'arrivée

Avion

■ **CANADA LINE**
✆ (604) 953 3333
www.translink.ca – news@translink.ca
Un train toutes les 7 minutes en heures de pointe, et toutes les 15 minutes sinon. 8,75 $ l'aller simple. Train direct entre l'aéroport et le centre-ville, en 26 minutes. Un des moyens les plus simples et les plus économiques pour se rendre ou venir de l'aéroport.

■ **YVR VANCOUVER INTERNATIONAL AIRPORT**
A 15 km au sud du centre-ville – www.yvr.ca
Ici, l'ambiance est sécurisée et le personnel sympathique. C'est propre, confortable et efficace. Pas d'inquiétude au moment de récupérer vos bagages, ils finissent toujours par arriver. Comme dans tous les aéroports, on y voit se croiser des gens du monde entier ; en fait, c'est seulement une partie représentative des communautés ethniques de Vancouver ! A l'instar d'un musée, l'aéroport a été décoré d'œuvres d'artistes amérindiens (d'une valeur de plus de 4 millions de dollars). Des grands noms de l'art autochtone local y exposent une vingtaine de pièces majeures, dont la sculpture de bronze *Jade Canoe*, de Bill Reid, et la sculpture de verre et aluminium *Origin of Light*, de Lyle Wilson. A l'étage des départs internationaux, du côté des restaurants, le diaporama « Pacific Passage » vous rappellera des souvenirs de la province. Air Canada et WestJet sont les deux principales compagnies aériennes présentes à YVR. Toutefois, avec 17 millions de passagers par an, YVR est desservi par de nombreuses autres compagnies internationales. Un taxi pour le centre-ville vous coûtera environ 30 $ (compter 25 minutes, selon la circulation).

Train

■ **PACIFIC CENTRAL STATION**
1150 Station Street
✆ +1 888 842 7245 – www.viarail.ca
La gare est desservie par Via Rail et Amtrack (depuis les Etats-Unis). La station du Skytrain (métro) qui permet d'accéder au centre-ville est à quelques pas. Depuis Vancouver, le « Canadien » file vers l'est, en direction de Toronto, via Jasper, Edmondton, Saskatoon et Winnipeg. Comptez 500 $ et 3 jours pour parcourir l'intégralité de ce trajet.

■ **ROCKY MOUNTAINEER**
Suite 101, 369 Terminal Avenue
✆ +1 604 606 7245
www.rockymountaineer.com
reservations@rockymountaineer.com
Propose des circuits en train dans tout l'Ouest canadien.

◗ **Autre adresse :** 1755 Cottrell Street

■ **VIA RAIL**
Station St, Vancouver,
www.viarail.ca

Bus

■ **PACIFIC CENTRAL STATION**
1150 Station Street
✆ +1 888 842 7245
www.viarail.ca

■ **PACIFIC COACH LINES**
1150 Station Street
✆ +1 800 661 1725
www.pacificcoach.com
info@pacificcoach.com

Bateau

Au départ de Vancouver, il y a deux terminaux de ferries. Selon celui que vous prenez, pour Victoria et Nanaimo, sachez que les noms des terminaux à l'arrivée sont différents.

■ **BC FERRIES**
✆ +1 888 223 3779
www.bcferries.com
Parce qu'elle est une péninsule, la ville de Vancouver a recours aux ferries, plutôt pratiques, qui permettent d'admirer les plus beaux atouts du centre-ville et de ses environs. Au début du XXe siècle, les ferries permettaient aux habitants de passer d'une rive à l'autre. Mais la popularité croissante des voitures les a contraints à disparaître en 1958. Quelques années plus tard, l'augmentation de la population de North Vancouver a favorisé le retour graduel des ferries. Les « Seabus » fonctionnent au diesel, mesurent 34 m de long, peuvent contenir 400 passagers et vont à une vitesse de 11,5 nœuds. Le Seabus relie exclusivement le centre-ville à North Vancouver. La traversée de 12 minutes vous fera passer d'une rive à l'autre entre 6h et 00h30 environ (23h le dimanche). Le dimanche et les jours fériés, les traversées commencent à 8h. Les départs ont lieu toutes les 15 minutes durant la journée et toutes les 30 minutes en soirée. Les tarifs sont ceux de Translink. Note : au départ de Vancouver, il y a deux terminaux de ferries. Selon celui que vous prendrez, pour Victoria et Nanaimo, sachez que les noms des terminaux à l'arrivée sont différents.

◗ **Principales routes desservies** : Vancouver – Victoria ; Vancouver – Nanaimo ; Prince Rupert – Port Hardy ; Powell River – Comox ; Anacortes (US) – Sidney ; Seattle (US) – Victoria ; et Port Angeles (US) – Victoria.

◗ **Note :** au départ de Vancouver (sur le continent), il y a deux terminaux de ferries. Selon celui que vous prendrez, pour Victoria et Nanaimo, sachez que les noms des terminaux à l'arrivée sont différents.

■ **GRANVILLE ISLAND FERRIES**
✆ +1 604 684 7781
www.granvilleislandferries.bc.ca
info@granvilleislandferries.bc.ca
Pour traverser False Creek en petits bateaux-taxis.

Voiture

Vancouver est la seule ville nord-américaine qui ne soit pas traversée par une autoroute. Sachez que les deux grands axes qui se croisent sont la Transcanadienne (Highway 1), orientée est-ouest, et la Highway 99, orientée nord-sud. On roule à droite. Les autoroutes sont gratuites et, quand elles ne sont pas séparées par un terre-plein, les voies sont divisées par des lignes jaunes. La vitesse autorisée en ville est de 50 km/h, à moins d'une indication contraire (comme près des écoles), et de 100 km/h sur les autoroutes. Comme la plupart des villes nord-américaines, Vancouver apparaît d'abord comme un puzzle de quartiers. Attention aux sens interdits ! Il est cependant aisé de s'y déplacer, sauf peut-être pour trouver les ponts – Burrard Bridge, Cambie Bridge et le long Granville Bridge – qui, tels des ponts-levis, séparent le centre ville du reste du monde. Les parkings sont assez chers (de 4 à 9 $ l'heure) et les mises à la fourrière rapides.

◗ **Stationnement.** Retenez que le stationnement dans les rues, que ce soit à Vancouver ou ailleurs, ne se fait que dans le sens de la circulation. En clair, à moins d'être dans une rue à sens unique, vous ne pourrez vous garer que sur le côté droit de la rue.

◗ **Parcmètres.** Les « pervenches », femmes et hommes, sont relativement visibles (pantalons ou shorts selon la température, bleus et vestes jaunes avec réflecteurs). Pensez à bien lire les panneaux de signalisation, surtout dans le centre-ville : les grands axes sont exclusivement réservés à la circulation pendant les heures de pointe.

Or, les parcmètres n'indiquent rien de cela : vous pourriez très facilement vous garer, payer pour votre stationnement et retrouver votre véhicule embarqué à la fourrière ! Vérifiez bien les heures prévues pour le stationnement. Contrairement à la périphérie de Vancouver, le stationnement en ville est payant, et très régulièrement inspecté jusqu'à 20h. Sachez aussi que le climat de Vancouver a incité quelques ingénieux à mettre au point un papier spécial contraventions, totalement imperméable et indéchirable. Tout est centralisé et fait de façon numérique : sitôt votre plaque d'immatriculation et votre infraction saisies dans l'ordinateur portable des agents de stationnement, votre « fichier » est enregistré et transmis au central de la ville de Vancouver. Vous avez alors la possibilité de payer par Internet, par téléphone, par courrier ou en personne.

▶ **Piétons.** Les piétons ont presque toujours la priorité sur les véhicules. Ne soyez pas surpris si un automobiliste ralentit en pleine ligne droite pour laisser passer un piéton, même en infraction (puisqu'il traverse en dehors des passages protégés). Gardez les yeux « wide open », grand ouverts.

▶ **Signalisation routière.** Les panneaux sont relativement explicites. Toutefois, n'hésitez pas à demander confirmation. Souvenez-vous que la plupart des intersections avec des feux de signalisation autorisent de tourner à droite même quand le feu est rouge (assurez-vous cependant que cette autorisation est indiquée). Certains virages à gauche, à un croisement avec des feux tricolores, ne sont autorisés qu'à certaines heures (souvent avant et après les heures de pointe).

▶ **Location de voitures.** Essayez de réserver à l'avance. N'oubliez pas que vous paierez plus cher si vous prenez une voiture depuis l'aéroport.

■ **BUDGET**
416 West Georgia Street
✆ +1 604 668 7000

■ **DISCOUNT**
✆ +1 604 310 2277

En ville

Le « métro » (Skytrain) de Vancouver est construit en surface, même plutôt en voie aérienne. Fruit d'une technologie très fiable, ce métro n'a pas de conducteur : il est sécurisé, silencieux, rapide et non polluant : 3 lignes parcourent la ville, dont une toute neuve construite à l'occasion des J.O. de 2010. Pensez à garder votre titre de transport oblitéré : les contrôles sont inopinés.

■ **TRANSLINK**
590 Beatty Street Mezz
✆ +1 604 953 3333
www.translink.bc.ca
Translink est le nom de la compagnie de transport en commun de l'agglomération. Bus, Skytrain et Seabus (entre North Vancouver et Vancouver, pour éviter les embouteillages sur le Lions Gate Bridge) fonctionnent de 5h à 2h. Le prix des titres de transport varie en fonction des zones (2,50 $ pour la zone 1). Après 18h30, en semaine, le week-end et les jours fériés, tarif unique de 2,50 $. Si vous achetez votre ticket auprès du chauffeur de bus, pensez à avoir le compte exact. Suggestion : si vous ne prenez pas le Pass pour la journée (9 $), procurez-vous un carnet de 10 tickets, vendu dans les pharmacies, magasins de quartier et petits supermarchés (21 $ pour la zone 1).

Taxi

Le taxi est un des moyens de transport les plus utilisés à Vancouver, car le réseau de transports en commun ne permet pas d'aller partout. De plus, le taxi est un mode de transport sûr et plutôt bon marché. Comptez une dizaine de dollars si vous restez dans le centre-ville, et entre 28 et 32 $ pour un trajet de ou vers l'aéroport.

■ **VANCOUVER TAXI**
302 Industrial Avenue
✆ +1 604 871 1111
www.avancouvertaxi.com
vancouvertaxi@telus.net

■ **YELLOW CAB**
1441 Clark Drive
✆ +1 604 681 1111
www.yellowcabonline.com

Vélo

■ **BAYSHORE BICYCLE**
745 Denman Street
✆ +1 604 688 2453
www.bayshorebikerentals.ca
info@bayshorebikerentals.ca

■ **STANLEY PARK RENTALS**
1798 West Georgia Street
✆ +1 604 688 5141
www.stanleyparkcycle.com
info@stanleyparkcycle.com

Pratique

Tourisme

■ **TOURISM BRITISH COLUMBIA**
Suite 802, 865 Hornby Street
✆ +1 800 435 5622 – www.hellobc.com
Informations sur la région.

■ **VANCOUVER TOURIST INFO CENTRE**
200 Burrard Street ✆ +1 604 683 2000
www.tourismvancouver.com/visitors
privacyofficer@tourismvancouver.com

Représentations / Présence française

■ **ALLIANCE FRANÇAISE**
6161 Cambie Street ✆ +1 604 327 0201
Fax : +1 604 327 1144
www.alliancefrancaise.ca
info@alliancefrancaise.ca

■ **CONSULAT DE FRANCE À VANCOUVER**
1130 West Pender Street, Suite 1100
✆ +1 604 681 4345
Fax : +1 604 681 4287
http://consulfrance-vancouver.org
info@consulfrance-vancouver.org
Héberge également une antenne du Centre de coopération et d'action culturelle

Postes et télécom

Les cafés Internet sont omniprésents dans le centre-ville de Vancouver. Souvent, les « dépanneurs » et petits marchands du coin possèdent quelques ordinateurs, mais il faut regarder attentivement les vitrines car ce n'est pas toujours clairement indiqué. De très nombreux cafés se sont mis à l'heure du wi-fi.

■ **POSTE CENTRALE**
349 W Georgia Street
✆ +1 604 662 5723
Ouverte du lundi au vendredi de 8h à 17h30. Une poste est ouverte le week-end à Chinatown (523 Main Street), le samedi de 8h à 17h et le dimanche de 10h à 14h.
Vous trouverez souvent les bureaux de poste à l'arrière de magasins : l'avantage, c'est qu'ils sont ouverts plus tard. Repérez le sigle de Canada Post en vitrine.

Urgences

■ **URGENCES**
✆ 911

Se loger

Bien que Vancouver soit la ville la plus chère du pays, elle reste malgré tout accessible aux voyageurs à petit budget… si l'on sait où aller. Le prix des auberges de jeunesse est le même que celui des auberges de jeunesse d'autres villes du Canada. Trouver des hôtels de première catégorie est ici un jeu d'enfant : Vancouver est la seule ville d'Amérique du Nord qui dispose, avec le Sutton Place et le Pan Pacific Hotel, de deux hôtels classés 5-diamants AAA (American Automobile Association).

Downtown

Bien et pas cher

■ **HI VANCOUVER CENTRAL**
1025 Granville Street
✆ +1 866 762 4122
www.hihostels.ca – info@hihostels.ca
A partir de 33 $ en dortoir, 85 $ la chambre double avec salle de bains.
A ce prix-là, vous aurez du mal à trouver plus central. Certes le quartier est l'un des plus populaires de la ville, et pas le plus agréable. Les sorties de bars et de clubs au petit matin drainent une population à la démarche pas toujours assurée… Mais vous pourrez vous rendre facilement n'importe où en peu de temps. Les chambres sont confortables et propres, sans excès.

■ **SAMESUN BACKPACKERS**
1018 Granville ✆ +1 877 972 6378
www.samesun.com
Compter 29 $ pour un lit en dortoir et 75 $ la chambre privée.
L'auberge, propice aux rencontres et aux activités, a pignon sur la rue Granville, dans un quartier qui, depuis quelques années, tend à devenir le secteur des clubs, discothèques et aussi de la prostitution et des sex-shops.

Confort ou charme

■ **KINGSTON HOTEL**
757 Richards Street ✆ +1 888 713 3304
www.kingstonhotelvancouver.com
reservations@kingstonhotelvancouver.com
A partir de 155 $ la chambre double, petit déjeuner inclus en haute saison.
Dans un immeuble du début du XXe siècle rénové, des chambres petites mais confortables. Idéalement situé au centre-ville, tous les quartiers sont facilement accessibles à pied.

Luxe

■ FAIRMONT HOTEL VANCOUVER

900 W Georgia Street
✆ +1 866 540 4452
www.fairmont.com/hotelvancouver
hvc.concierge@fairmont.com
Chambres à partir de 299 $.
Ce n'est pas le plus étoilé, mais quelle allure ! Construit dans les années 1930, cet hôtel château de 555 chambres s'impose au centre de la ville par sa grandeur et sa majesté.

■ THE GEORGIAN COURT HOTEL

773 Beatty Street
✆ +1 800 663 1155
www.georgiancourt.com
Environ 180 chambres de 189 $ à 215 $ pour deux personnes.
En face du Stadium et tout à fait à l'est de Robson Street. Un bijou ! Dans un quartier calme, mais à quelques rues du cœur de Vancouver, cet hôtel luxueux à taille humaine mérite le détour. Un restaurant, The William Tell, un bistro et un bar & grill.

West End et Stanley Park

■ BUCHAN HOTEL

1906 Haro Street
✆ +1 800 668 6654
www.buchanhotel.com
A partir de 89 $ la chambre double.
Petit hôtel (63 chambres) proche de Stanley Park et relativement bien équipé. Télévision câblée.

■ HI DOWNTOWN

1114 Burnaby Street
✆ +1 604 684 4565
www.hihostels.ca
info@hihostels.ca
près de Thurlow Street.
A partir de 33 $ en dortoir. Quelques chambres privées mais sans salle de bains à 83 $.
Une auberge de jeunesse de la chaîne hostelling international. Moins centrale que sa voisine HI Central, mais dans un quartier plus calme et agréable. En revanche, les chambres mériteraient un coup de jeune. Les chambres privées, notamment, sont chères pour leur confort. Une bonne option si HI Central n'a plus de place.

■ SYLVIA HOTEL

1154 Gilford Street
✆ +1 604 681 9321
www.sylviahotel.com
info@sylviahotel.com
A partir de 129 $ la chambre double en haute saison. Logé dans un immeuble de 1912, le Sylvia Hotel est très idéalement placé le long d'English Bay. Un très bon choix si vous cherchez des chambres lumineuses, spacieuses, avec une belle vue, et dans des prix raisonnables. Que demander de plus ?

■ WESTIN BAYSHORE

1601 Bayshore Drive
✆ +1 800 937 8461
www.westinbayshore.com
A partir de 242 $. Un hôtel magnifique, surplombant le Coal Harbour, juste à l'entrée est de Stanley Park. A l'image de la chaîne Westin, la décoration est assez neutre mais soignée, et le personnel redouble d'attentions sans jamais se montrer hautain.

Granville et Kitsilano

■ HOSTELLING INTERNATIONAL-VANCOUVER JERICHO BEACH

1515 Discovery Street
Jericho Park
✆ +1 604 224 3208
www.hihostels.ca
info@hihostels.ca
A partir de 24 $. Parking 4 $ (en été). Pas de couvre-feu. Auberge de jeunesse de 286 lits.
A 15 minutes du centre (Bus 4), proche de la jolie plage de Jericho. Membre de la chaîne Hostelling International, qui possède 3 hostels à Vancouver. Celui-ci, bien qu'aussi propre que les deux autres, possède une atmosphère plus « plage et surf ».

■ THE CORKSCREW INN B&B

2735 West 2nd Avenue
Kitsilano ✆ +1 877 737 7276
www.corkscrewinn.com
info@corkscrewinn.com
A partir de 180 $ la double en haute saison.
Un B&B charmant avec une collection impressionnante de tire-bouchons ! La décoration n'est pas réellement *design*, mais les chambres sont aussi accueillantes que les propriétaires.

Se restaurer

Toutes les cuisines du monde (ou presque) sont présentes à Vancouver. Du petit restaurant au sidewalk cafe en passant par les tables gastronomiques, se restaurer ou se régaler ne pose vraiment aucun problème. De tous les Canadiens, ce sont les Vancouvérois qui pratiquent le plus le restaurant. On y trouvera donc de la qualité avant tout et, grâce à la compétition, sans forcément trop dépenser. Incontournable fournisseur quotidien de milliers de Vancouvérois, la chaîne internationale Starbucks est absolument partout dans la ville, devenue capitale mondiale de la caféine, antidote à la morosité de certains jours pluvieux. Les cafés font presque office de résidence secondaire pour certains accros ; ce sont aussi des lieux de rencontre et de divertissement. Toutefois, les puristes évitent Starbucks et ne jurent que par le « coffee house » de leur quartier, plus personnel et beaucoup plus chaleureux.

Downtown

Bien et pas cher

■ **AZIA**
990 Smithe Street
✆ +1 604 682 8622
www.aziarestaurants.com
sales@aziarestaurants.com
De 7 $ à 18 $.
L'Asie du Sud-Est en plein centre-ville ! Adjacent au cinéma Paramount, l'Azia est idéal pour un dîner avant ou après votre sortie ciné. Service impeccable, décor séduisant et menu typique de Malaisie, de Singapour et de Thaïlande. Le *nasi goreng* est exceptionnel et le dessert à la mangue donnerait presque envie d'en commander un deuxième…

■ **CENTURY**
432 Richards Street
✆ +1 604 633 2700
www.centuryhouse.ca
mitchell@centuryhouse.ca
Entre 8 $ et 30 $.
Ce restaurant est un petit bijou caché dans un vieil immeuble qui abritait autrefois une banque. L'adresse est peu connue parce qu'elle se trouve ni dans le centre-ville ni vraiment dans Gastown. Mais sa cuisine mérite que l'on fasse un peu de marche dans une partie de la ville moins sympathique.

■ **NU**
1661 Granville Street
juste sous le pont Granville
✆ +1 604 646 4668
www.whatisnu.com
Plats entre 13 $ et 20 $.
Endroit très à la mode de type lounge, aux tons bleu et brun, et des fauteuils qui empêchent de s'avachir et incitent à déguster ! Vue directe sur Granville Island, menu distingué et service de qualité (ne vous attachez pas à votre premier serveur : il semblerait que chaque nouveau plat soit servi par un serveur différent).

■ **SALA THAI**
888 Burrard Street ✆ +1 604 683 7999
www.salathai.ca – info@salathai.ca
De 8 $ à 20 $. Bienvenue en Thaïlande, avec service en costume traditionnel et décor à l'avenant. Simple et pas cher.

▸ **Autre adresse :** 3364 Cambie Street ✆ +1 604 875 6999

Bonnes tables

■ **BRIX**
1138 Homer Street
✆ +1 604 915 9463
www.brixvancouver.com
Plats entre 22 et 35 $. Il faut y aller ne serait-ce que pour le patio à l'entrée de cette petite ruelle, où l'on se croit dans le sud de la France ou quelque part en Italie. Depuis 1999, Brix accueille des artistes et prête ses murs de brique à des expositions temporaires. Il sert aussi et surtout des mets européens avec quelques touches asiatiques. Un délice !

■ **GUU**
838 Thurlow Street
✆ +1 604 685 8817
www.guu-izakaya.com
thurlow@guu-izakaya.com
Pour l'ambiance, pour des tapas japonais délicieux et inhabituels, et pour les prix. Levez les yeux : vous pourriez passer devant sans le voir.

■ **RARE**
1355 Hornby Street ✆ +1 604 669 1256
De 12 $ à 65 $. Si vous vous demandez où trouver du raffinement et de l'élégance, ne cherchez plus : le service méticuleux et la finesse de la cuisine font de ce restaurant un des joyaux de Vancouver. Offrez-vous le délicieux menu dégustation et laissez-vous surprendre par les choix du chef, vous ne le regretterez pas.

West End et Stanley Park

■ CARDERO'S

1583 Coal Harbour Quay
✆ +1 604 669 7666
www.vancouverdine.com/carderos
info@vancouverdine.com
De 10 $ à 29 $. Le poisson y est à l'honneur (le saumon cuit au feu de bois de cèdre...), et l'on peut contempler l'activité nautique et terrestre des alentours.

■ HAPA IZAKAYA

1479 Robson Street
✆ +1 604 689 4272
www.hapaizakaya.com
De 9 $ à 19 $. Réservation recommandée.
Ne vous fiez pas à son aspect extérieur qui pourrait laisser croire que l'endroit est fermé. Il n'en est rien, c'est même plutôt très couru. Ce bar à tapas est en effet très à la mode et ne désemplit pas, et pour cause : toute proche de Stanley Park, c'est la halte idéale après une journée d'emplettes dans Robson Street.

▸ **Autre adresse :** Egalement une adresse dans Kits (1516 Yew Street) et dans Yaletown (1193 Hamilton Street).

Granville et Kitsilano

■ LUMIERE

2551 West Broadway
✆ +1 604 739 8185
www.lumiere.ca – info@lumiere.ca
Le menu dégustation est une merveille rare et chère. Plus abordable, le Feenie's (la porte d'à côté, même chef) vous enchantera également.

■ MONK'S MCQUEENS BAR

601 Stamps Landing
False Creek, près du pont Cambie
✆ +1 604 877 1351
www.monkmcqueens.com
Compter moins de 20 $. L'ambiance est en général excellente chez Monk. La vue sur Vancouver est splendide, et on ne saurait manger plus près de l'eau. Une institution.

■ REFUEL

1944 West 4th Avenue
✆ +1 604 288 7905
www.refuelrestaurant.com
info@refuelrestaurant.com
Entre 12 $ et 35 $. Refuel est le fruit du savoir-faire d'un chef audacieux, Robert Belcham, accompagné de Tom Doherty, sommelier. La cuisine, contemporaine, est de très bonne facture.

■ SOPHIE'S COSMIC CAFE

2095 West 4th Avenue
✆ +1 604 732 6810
www.sophiescosmiccafe.com
De 8 $ à 25 $.
L'endroit est réputé pour ses brunches et ce n'est pas sans raison, comme en témoigne la file d'attente sur le trottoir. Un capharnaüm excentrique et séduisant où les œufs Bénédicte au saumon sont un vrai délice !

Sud-ouest

■ SENOVA

1864 West 57th Avenue
✆ +1 604 266 8643
www.senovavancouver.com
info@senovarestaurant.com
Entre 20 $ et 40 $.
Manuel Ferreira, Landais d'origine portugaise, a su enrichir de ses racines un menu très alléchant et ensoleillé.

Commercial Drive et le Sud-Est

■ FOUNDATION

2301 Main Street
✆ +1 604 708 0881
www.vancouverfoundation.ca
info@vancouverfoundation.ca
De 8 à 20 $.
Une cuisine végétarienne excellente, et une salle rétro aux tables en Formica très années 1950. Service sympathique et détendu.

■ HABIT

2610 Main Street
✆ +1 604 877 8582
www.habitlounge.ca
nigel@habitlounge.ca
De 9 $ à 18 $.
Une déco à la croisée des chemins entre le lounge et le *diner*, avec de confortables banquettes en cuir. Les plats sont simples et délicieux et le service est humain et chaleureux.

■ HAVANA

1212 Commercial Drive
✆ +1 604 253 9119
www.havanarestaurant.ca
info@havanarestaurant.ca
Une galerie d'art, un petit théâtre et une cuisine qui bouge, pas comme les gravures aux murs, en souvenir d'un certain Hemingway sur une île salsa. La terrasse est chauffée. Possibilité de déjeuner et de dîner à prix abordables dans un cadre convivial.

Sortir

La scène nocturne de Vancouver a pris de l'ampleur au cours des dernières années. La loi qui autorise les bars à fermer à 4h du matin plutôt qu'à 2h n'y est peut-être pas étrangère. Cependant, certains bars ont refusé de rester ouverts si tard. Vous trouverez aussi quelques after-hours, où la musique ne se tait qu'aux petites heures du matin. Certaines de ces boîtes sont légales et on n'y sert que des boissons non alcoolisées après 2h. D'autres sont plus « sauvages » : si vous êtes tentés, guettez les flyers dans les magasins branchés ou à la sortie des boîtes, ils vous mèneront tout droit vers ces endroits. Les hebdomadaires gratuits de la ville sortent tous les jeudis : surveillez les bornes dans les rues. The Georgia Straight, le plus volumineux, fait le point sur l'actualité culturelle de Vancouver ; il est distribué dans presque tous les magasins. Le WestEnder est sensiblement similaire, et le Xtra West s'adresse à la communauté gay. Le soir, l'animation se concentre surtout dans quelques rues (Robson, Granville, Davie et Denman). Le quartier de Gastown reste assez vivant. Vous devez avoir 18 ans pour pouvoir entrer dans les boîtes mais, si vous en avez moins de 25, vous aurez à présenter vos papiers, les portiers de Vancouver ne prenant pas de risques.

■ **1181**
1181 Davie Street
✆ +1 604 687 3991
www.tightlounge.com
info@tightlounge.com
Un bar gay se revendiquant hétéro-friendly, tout en longueur, à la déco très design.

Cafés / Bars

■ **CORDUROY**
1943 Cornwall Avenue
✆ +1 604 733 0162
www.corduroyrestaurant.com
A côté de Kits Beach, un bar intime qui donne sa chance aux jeunes talents locaux, musique ou humour selon le jour de la semaine.

■ **LOOSE MOOSE**
724 Nelson Street
✆ +1 604 633 1002
Au croisement avec Granville Street.
Ambiance très canadienne. Idéal pour s'emballer devant un match de hockey en sirotant une (plusieurs ?) bière.

■ **SUBEEZ CAFE**
891 Homer Street
✆ +1 604 687 6107
www.subeez.com
info@subeez.com
Une ambiance « électrique, énergétique, sympathique », dans un décor original. Possibilité de manger à partir de 6 $.

■ **THE RAILWAY CLUB**
579 Dunsmuir Street
✆ +1 604 681 1625
www.therailwayclub.com
amelia@therailwayclub.com
Un des plus vieux bars de Vancouver, programmant de la musique live tous les soirs de la semaine.

Clubs et discothèques

■ **BAR NONE**
1222 Hamilton Street
✆ +1 604 684 3044
www.donnellygroup.ca/barnone
tn@dhmbars.ca
Ambiance très hype new-yorkaise pour ce night-club où le Vancouver riche et branché se rencontre, dans le quartier non moins riche et branché de Yaletown. Il est prudent d'appeler pour être sur la liste des invités.

■ **ROXY**
932 Granville Street
✆ +1 604 331 7997
www.roxyvan.com – info@roxyvan.com
Lundi concours de karaoké, et live band du mardi au dimanche de 19h à 4h.
Il faut y aller pour comprendre : Le Roxy est un de ces établissement qui définissent la vie nocturne d'une ville. Tout le monde connaît, les uns vous le conseilleront chaleureusement, les autres vous diront qu'il est passé de monde. Mais l'ambiance est bonne enfant et l'endroit toujours bondé.

Spectacles

■ **ARTS CLUB THEATRE COMPANY**
1585 Johnston Street
Granville Island
✆ +1 604 687 1644
www.artsclub.com
boxoffice@artsclub.com
Billets entre 30 et 60 $.
Cette compagnie, qui propose d'importantes productions théâtrale canadiennes et internationales, se produit également au Stanley Theatre.

Port de Vancouver.

■ CN IMAX THEATRE

1455 Quebec Street
✆ +1 604 443 7443
www.imax.com/vancouver
12 $ le billet.
Si vous n'avez jamais tenté l'expérience du système imax, avec son écran géant, Vancouver est sans doute le meilleur endroit pour le faire. Il existe plusieurs salles équipées dans la ville, celle-ci est la plus centrale.

■ COMMODORE BALLROOM

868 Granville Mall
✆ +1 604 739 7469
Grand complexe avec un bon programme de spectacles et une piste de danse posée sur un lit de ressorts : du bonheur pour les concerts live.

À voir / À faire

Les habitants de Vancouver vous le diront, l'intérêt de la ville n'est pas la ville elle-même, mais plutôt son environnement. Vous êtes sur une plaque tournante donnant accès à la mer comme à la montagne, d'immenses terrains de jeux à ciel ouvert. Dans cet esprit, un des pricinpaux attraits de la métropole est son ensemble de parcs, à commencer par le parc Stanley, dans lequel se ruent les Vancouvérois dès que le soleil pointe son nez ! Mais la ville est également dynamique en termes de culture, et les musées ne manquent pas. Et laissez vous tenter par la perspective d'une simple balade dans l'un des quartiers qui font l'identité de la ville.

Downtown

■ DR SUN YAT SEN CLASSICAL GARDEN

578 Carrall Street
Chinatown
✆ +1 604 662 3207
www.vancouverchinesegarden.com
director@vancouverchinesegarden.com
Ouvert de 9h30 à 19h en été, horaires réduits hors saison et fermé le lundi en hiver. Entrée 12 $. Véritable oasis de tranquillité, le Sun Yat Sen est le premier jardin à la façon de la dynastie Ming construit hors de la Chine.
Les jardins publics sont remarquables, mais les petits jardins privés ne sont pas mal non plus. Les habitants de Vancouver vouent en effet une véritable passion à l'art du jardinage. Devant leur porte, sur leurs balcons, partout où les fleurs peuvent pousser, ils exercent leurs talents. Une fois par an, quelques-uns de ces jardins, choisis par une des nombreuses sociétés horticoles, sont ouverts au public.

■ LOOKOUT HARBOUR CENTRE TOWER

555 West Hastings Street
✆ +1 604 689 0421
www.vancouverlookout.com
info@vancouverlookout.com
Entrée 15 $. Ouvert tous les jours de 9h à 21h (8h30 - 22h30 en haute saison).
Cette tour de 216 m (167 m pour l'étage d'observation) offre un magnifique point de vue sur Vancouver. L'effet est le même que dans tous les édifices semblables partout dans le monde, cela dit, la vue à 360° sur la ville et ses environs est saisissante.

Points d'intérêt de Vancouver

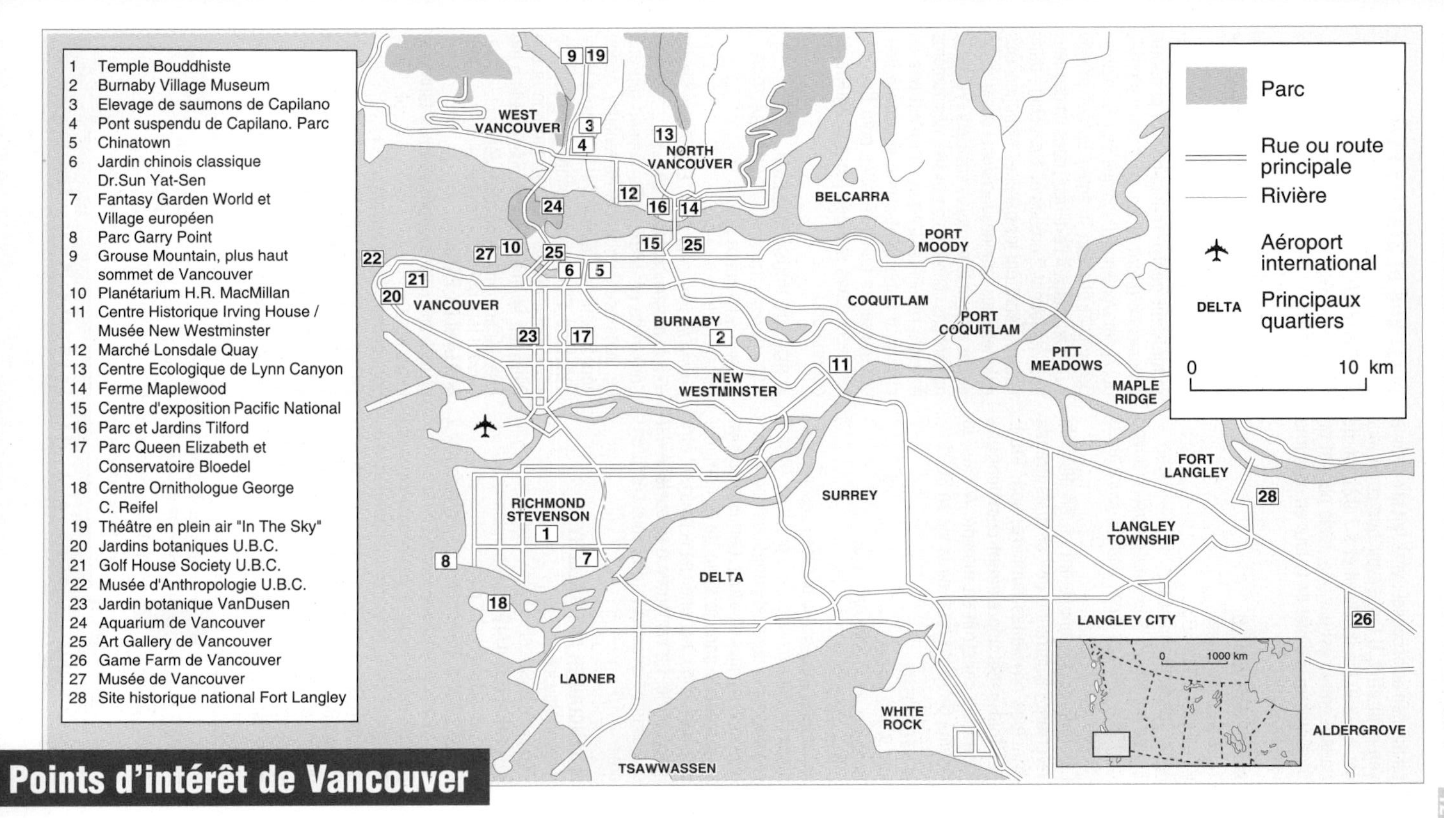

La montée en ascenseur vitré fait elle-même son petit effet. Il faut savoir que cette tour est à 3 550 km d'Ottawa et à 7 921 km de Paris. L'entrée est payante, mais permet de remonter au sommet de la tour en nocturne le même jour.

■ **SCIENCE WORLD**
1455 Quebec Street
✆ +1 604 268 6363
www.scienceworld.bc.ca
Entrée adultes 21 $ en haute saison. Ouvert de 10h à 17h. Les week-ends et jours fériés de 10h à 18h.
Les enfants s'y amuseront et, en plus, ils y verront l'illustration de quelques grands principes physiques (lumière, son, etc.). Les tout-petits apprendront comment une marmotte construit sa maison. A tous, le cinéma Omnimax fera voir la vie en 360°.

■ **STORYEUM**
142 Water Street
Gastown ✆ +1 604 687 8142
Entrée 22 $.
Ici, dans le sous-sol du bâtiment, est reconstituée l'histoire (courte) de la province. On suit ses diverses étapes et péripéties comme en tournant les pages d'un livre. Certaines scènes sont traitées dans le style de la comédie musicale, choix inattendu sans pourtant être inapproprié. La remontée à la surface est émouvante : levez les yeux et vous comprendrez.

■ **VANCOUVER ART GALLERY**
Robson Square
750 Hornby Street
✆ +1 604 662 4719
www.vanartgallery.bc.ca
Entrée 19,50 $. Ouvert tous les jours de 10h à 17h. Le mardi, nocturne jusqu'à 21h.
Dans cet ancien palais de justice sont exposées différentes collections d'art contemporain ou régional. On verra, tout particulièrement, l'exposition consacrée à Emily Carr (née à Victoria en 1871), connue pour ses peintures, ses écrits et sa forte personnalité. Un étage entier est réservé aux aquarelles.

West End et Stanley Park

■ **AQUARIUM**
845 Avison Way ✆ +1 604 659 3400
www.vanaqua.org
visitorexperience@vanaqua.org
Entrée 21 $. Ouvert en été de 9h30 à 19h et le reste de l'année de 9h30 à 17h. Parking 5 $ en été, 3 $ le reste de l'année.
C'est l'un des trésors du Stanley Park et un modèle du genre. Didactique et plaisant, l'Aquarium décrit la vie de 4 écosystèmes (forêt amazonienne, Pacifique Sud, Colombie-Britannique et océan Arctique). En tout, plus de 8 000 animaux. A l'extérieur, dans un des deux bassins jouent 2 orques et 1 dauphin ; dans l'autre s'ébattent les baleines blanches. Des galeries sous-marines facilitent l'observation de ces mammifères, qui vivent à leur rythme et ne sont pas contraints d'exécuter des numéros à heure régulière. L'Aquarium n'est pas un cirque, il appartient à une société privée qui utilise les fonds récoltés pour financer les recherches menées par son équipe de chercheurs.

■ **ROEDDE HOUSE MUSEUM**
1415 Barclay Street ✆ +1 604 684 7040
www.roeddehouse.org
info@roeddehouse.org
Fermé le samedi et lundi. Entrée adultes 5 $ (6 $ le dimanche pour le thé).
Construite en 1893, cette maison reprend les lignes de l'architecte Rattenbury, connu pour le bâtiment législatif et l'Empress Hotel à Victoria. Elle est maintenant gérée par une association dédiée à sa restauration et son entretien, en particulier depuis qu'elle a été classée au patrimoine canadien.

■ **STANLEY PARK**
http://vancouver.ca/parks/parks/stanley/index.htm
pbcomment@vancouver.ca
Entrée 25 $. Ouvert en été de 9h30 à 19h et le reste de l'année de 10h à 17h30. Parking 5 $ en été, 3 $ le reste de l'année.
C'est, à juste titre, une des fiertés de la ville. Ses 400 ha dominés par les grands cèdres

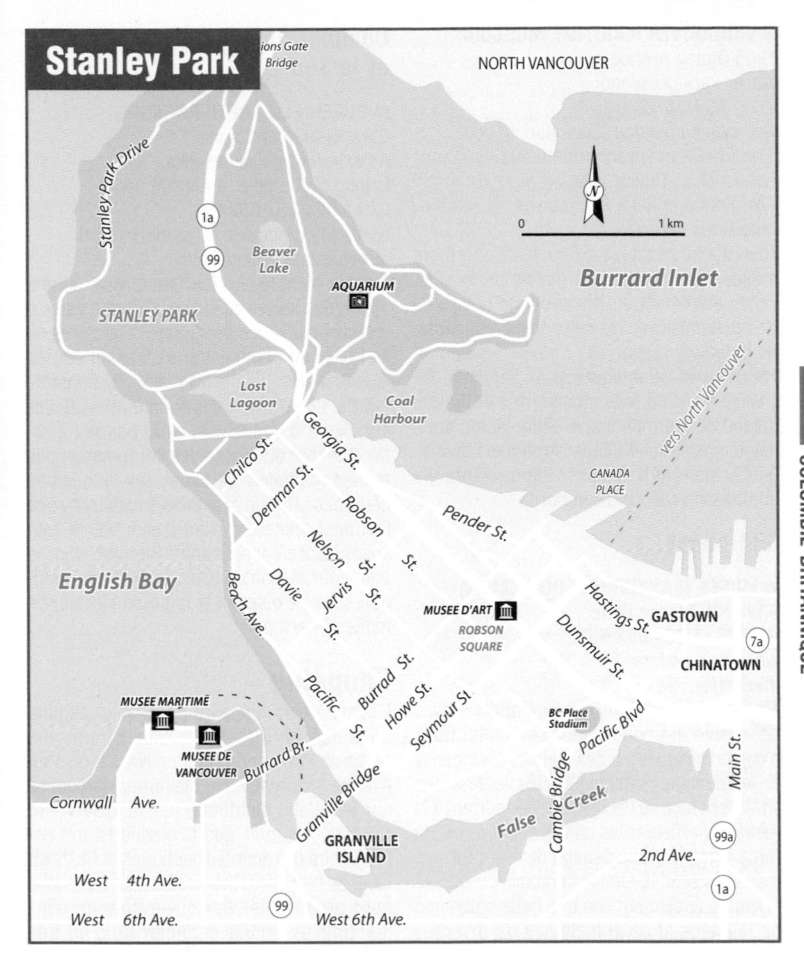

rouges invitent aux promenades et aux sports de plein air. Escortés par les écureuils gris, les nouveaux arrivants sont surpris de rencontrer, au détour d'un sentier, des vendeurs de tableaux, des portraitistes et des caricaturistes qui donnent à l'endroit une allure de Montmartre. Pour faire un tour du parc en calèche : Horse-Drawn Tours, à l'entrée du parc, après le Rowing Club ✆ (604) 681 5116. Prix adultes 25 $. Cette visite guidée permet de ne rien perdre des beautés du parc, dont Deadman's Island, Coastal Red Cedar Forest et The Girl in a Wet Suit Statue (une sirène pleine de charme !) sont quelques exemples.

▶ **A vélo,** tâchez de bien respecter les règles de circulation. Sinon, gare aux contraventions ! Ne pas manquer également le Lost Lagoon (un nom digne du Bounty), à l'entrée du Stanley Park, ni l'aquarium, véritable attraction du parc.

Granville et Kitsilano

■ **MUSEUM OF VANCOUVER (MOV)**
1100 Chestnut Street
Vanier Park, Kitsilano
✆ +1 604 736 4431
www.museumofvancouver.ca
Entrée 12 $. Ouvert de 10h à 17h (20h le jeudi), fermé le lundi en hiver.
La Colombie-Britannique y est intelligemment présentée et expliquée en détail par des archéologues et des ethnologues. Le musée abrite aussi le planétarium MacMillan, qui offre une belle vue sur les montagnes et où sont organisées des projections laser.

■ **VANCOUVER MARITIME MUSEUM**
1905 Ogden Avenue
Vanier Park, Kitsilano
✆ +1 604 257 8300
www.vancouvermaritimemuseum.com
director@vancouvermaritimemuseum.com
Entrée 11 $. Ouvert tous les jours de 10h à 17h. Fermé le lundi hors saison, et horaires réduits les autres jours.
Tout proche de Kitsilano Beach, ce charmant musée retrace l'histoire navale de la ville, celle notamment du *Discovery*, le navire de George Vancouver, ou celle, plus émouvante, du bateau à vapeur *The Beaver*, échoué en 1888, après 50 ans de loyaux services. On y verra aussi de belles maquettes et un vrai bateau de notre temps, le *Saint-Roch*, qui a longtemps patrouillé dans l'Arctique. La visite guidée permet d'imaginer l'éprouvante vie quotidienne menée à son bord.

Sud-ouest

■ **MUSÉE D'ANTHROPOLOGIE (MOA)**
6393 NW Marine Drive
UBC ✆ +1 604 822 5087
www.moa.ubc.ca
info@moa.ubc.ca
Entrée 14 $ (réduction le mardi après 17h).
Le musée est connu pour ses collections d'objets fabriqués par des peuples aborigènes de la Colombie-Britannique. Ses vastes pans vitrés font face au Pacifique et permettent à la lumière d'effleurer les immenses totems ; la force sereine qui se dégage de leurs formes massives semble remplir l'espace. Le musée présente également une très belle collection de faïences et de porcelaines de diverses époques. Le fonds archéologique est exposé dans des salles vieillottes qui ressemblent à ce qu'elles sont, des antres de chercheurs. L'architecture du musée, signée Arthur Erikson, est magnifique.

■ **VANDUSEN BOTANICAL GARDENS**
5251 Oak Avenue
Shaughnessy
✆ +1 604 257 8335
www.vandusengarden.org
volunteer@vandusen.org
Ouvert tous les jours de 9h à 20h30 en juin, juillet et août. Entrée 10,25 $. Horaires et prix réduits les autres mois.
Jardins absolument magnifiques, surtout en décembre, pendant le Festival of Lights où plus d'un million de lumières sont disséminées à travers le parc.

Commercial Drive et le Sud-Est

■ **QUEEN ELISABETH PARK**
33rd Avenue et Cambie Street.
A l'extérieur du centre-ville, le long de Cambie Street (Cambie)
✆ +1 604 257 8584
www.city.vancouver.bc.ca/parks/parks/queenelizabeth/index.htm
C'est le point le plus haut de la ville, situé à 152 m au-dessus de la mer. Superbe vue sur le Downtown. Le samedi, les 53 hectares de ce ravissant parc sont pris d'assaut par les jeunes mariés pour la traditionnelle photo de famille. Compte tenu des nombreuses ethnies qui vivent à Vancouver, vous pourrez ainsi faire un tour du monde des coutumes et des tenues nuptiales. Le ballet des limousines décorées offre un spectacle très kitsch, que l'on peut apprécier avant d'aller voir le tout aussi coloré conservatoire Bloedel, dont le dôme abrite plantes (plus de 500 espèces), poissons et oiseaux tropicaux. Ambiance moite et parfumée.

Shopping

L'activité commerçante de la ville culmine dans Robson Street, Granville Street, une partie de 4th Avenue, de Broadway et de 10th Avenue (ces zones sont clairement indiquées sur les plans distribués par le Travel Info Center). Ajoutons que Granville Island est l'épicentre des activités nautiques et Gastown celui de l'artisanat indien. Comme toute ville nord-américaine, Vancouver compte d'innombrables centres commerciaux, du très huppé Pacific Centre (Howe – Granville) au gigantesque Eaton Center (station Metrotown), mais aussi quelques magasins spécialisés fort intéressants. Enfin sachez que la majorité des magasins sont ouverts tous les jours de 10h à 18h et le dimanche de 12h à 18h. Nocturne les jeudis et vendredis jusqu'à 21h.

■ **MOUNTAIN EQUIPMENT CO-OP**
428 W 8th Avenue
✆ +1 604 872 7858
www.mec.ca
Une adresse incontournable pour les adeptes de la randonnée à pied ou à vélo, pour les kayakistes et les campeurs. On y trouve des vêtements et divers équipements de qualité, mais aussi des guides et des renseignements. Il faut être membre pour être client (5 $).

Deep Cove.

■ **PACIFIC CENTRE**
Georgia Street
au coin de Howe Street
✆ +1 604 688 7236
www.pacificcentre.ca
pccguestservices@cadillacfairview.com
Ouvert le lundi et mardi de 10h à 19h, du mercredi au vendredi de 10h à 21h, le samedi de 10h à 19h et le dimanche de 11h à 18h.
Situé en plein centre-ville, le Pacific Centre abrite plus de 145 boutiques.

Sports / Détente / Loisirs

► **Plages.** La ville de Vancouver compte près de 18 km de plages soit 11 plages, dont la plupart sont dans le centre-ville. En été, la ville a des allures de station balnéaire, et les professionnels sortent de leurs bureaux pour aller directement sur le sable. Le tout au pied des montagnes Rocheuses et des barbecues et tournois de beach-volley à la saveur exceptionnelle. Proche du centre, English Bay est à Vancouver, en moins rectiligne, ce que la Promenade des Anglais est à Nice. On peut venir s'y faire bronzer, boire un verre (tant que ce n'est pas alcoolisé...) ou participer le 1er janvier au traditionnel bain de l'Ours polaire. Les trois plages de Stanley Park (1re, 2e et 3e du nom) la prolongent vers le nord. De l'autre côté de la baie, la plage de Kitsilano est l'une des plus appréciées. Un peu plus à l'ouest, les plages de Jericho et de Locarno prolongées par Spanish Bank offrent plus de tranquillité. Les surveillants de plage, très british – casque colonial et tenue rouge –, scrutent l'horizon sans ciller, même le dimanche quand les familles viennent pique-niquer. Toujours plus à l'ouest, Wreck Beach, une plage de nudistes, fait parfois parler d'elle.

► **Piscines.** Même en été, l'eau du Pacifique paraît assez froide. On peut alors se réfugier dans les piscines et parcs aquatiques de la ville.

ENVIRONS DE VANCOUVER

Vancouver est un terrain de jeu pour les amoureux de la nature. Le périmètre du Lower Mainland offre de nombreuses excursions à moins d'une heure de route de la ville. De la promenade dans Stanley Park, à pied ou à vélo (4 heures en prenant son temps), à la randonnée pour la journée dans les environs (de 2 à 7 heures selon la dénivellation), les environs de Vancouver restent un joyau de la région. Si vous manquez d'idée, pensez à une balade en kayak dans le Burrard Inlet, la plongée à Porteau Cove ou au barefoot (ski nautique pieds nus) sur les lacs avoisinants. Les activités existent pour tous les niveaux et tous les centres d'intérêt.

NORTH VANCOUVER

Au nord du Downtown de Vancouver, sur l'autre rive du Burrard Inlet, cette ville est le centre historique de l'ethnie indienne de la région, la Squamish First Nation. C'est aussi le point de départ vers l'Ouest canadien sauvage (Capilano, Grouse, Squamish, Whistler, mais aussi l'île de Vancouver via Horseshoe Bay).

Transports

Comment y accéder et en partir

Pour sortir de la ville, se diriger vers Stanley Park par la Highway 99 et emprunter le Lions Gate Bridge (par la route) ou le Seabus : vous voilà sur la North Shore.

À voir / À faire

■ **CAPILANO RIVER SUSPENSION BRIDGE**
3735 Capilano Road
✆ +1 877 985 7474
www.capbridge.com
info@capbridge.com
Sur la route de Grouse Mountain. Entrée 27,95 $.
Un pont suspendu de 150 m de longueur, à 70 m du sol, permet de traverser la rivière. Ce pont est le point de départ de nombreux sentiers de randonnée qui mènent à des points d'observation. Le site possède la plus grande collection de totems d'Amérique du Nord et, pendant l'été, on peut y voir les artistes des « premières nations » sculptant le bois.

Retrouvez l'index général en fin de guide

Horseshoe Bay.

Des guides sont aussi à la disposition des visiteurs pour expliquer la faune et la flore de la région. Si vous reculez devant la dépense, continuez sur la Highway 1 et allez dans le Lynn Canyon (sortie 19) : c'est gratuit, et le spectacle naturel est le même.

Shopping

■ **LONSDALE QUAY**
123 Carrie Cates Court ✆ +1 604 985 6261
www.lonsdalequay.com
e-comments@lonsdalequay.com
Ouvert de 9h à 19h tous les jours, plus longtemps pour les restaurants. Prendre le Seabus pour rejoindre North Vancouver. Centre commercial et attractions sur les quais.

GROUSE MOUNTAIN

C'est le sommet de Vancouver (1 177 m d'altitude). Pour monter au sommet, on utilisera le Skyride, à moins que l'on ne se contente de crapahuter sur le Grouse Grind, une randonnée plutôt verticale que les Vancouvérois connaissent presque par cœur et qui fait l'objet d'une course annuelle. Il faut vraiment y aller, pour profiter d'une vue splendide sur Vancouver ou se laisser glisser sur quelques pentes enneigées en hiver. Un cinéma en trois dimensions (Theater in the Sky) et de très haute définition donne l'impression au spectateur d'être dans l'action. A voir : Born to fly, pour survoler la Colombie-Britannique (même ceux qui ont le vertige apprécieront).

■ **GROUSE MOUNTAIN RESORTS**
6400 Nancy Greene Way
✆ +1 604 980 9311
www.grousemountain.com
guestservices@grousemountain.com
À 15 minutes en voiture ou en autobus de la rive de North Vancouver. Ouvert tous les jours, de 9h à 22h. Pour monter au sommet (Skyride), compter 39,95 $, 55 $ si vous avez des skis.

WEST VANCOUVER

C'est la municipalité la plus riche de l'agglomération : un genre de Beverly Hills, sur les hauteurs, surplombant le Pacifique. Les British Properties abritent un golf et des demeures qui rivalisent de taille et d'opulence. De nombreux acteurs et autres millionnaires (sinon milliardaires) habitent sur la côte ; leurs propriétés ne sont souvent visibles que d'un bateau. Ambleside Park, sous le Lions Gate Bridge, est un petit paradis au bord de l'eau. Enfin, le Lighthouse Park est très prisé des familles et des amoureux le week-end.

HORSESHOE BAY

La Highway 1 y mène après 20 km, mais il vaut mieux continuer sur 3rd Main Street et Marine Drive (à West Vancouver, en sortant du Lions Gate Bridge). Cette route étroite offre, entre les arbres et les maisons en bois, une vue panoramique et romantique sur la grande baie de Vancouver. Horseshoe Bay est un petit village plein de charme (en forme de fer à cheval, comme son nom l'indique) qui est surtout le point de départ pour le ferry vers l'île de Vancouver.

CYPRESS MOUNTAIN

La petite station ne désemplit pas en hiver, et pour cause : ouvertes jusqu'à 22h, ses pistes enchantent les locaux après une journée de travail. La nuit, le panorama sur la ville est époustouflant. En été, les randonnées partent de la base et vous réservent des vues magnifiques, surtout en allant vers les Two Lions (sommets incontournables et réputés parmi les Vancouvérois parce que faciles à reconnaître).

■ CYPRESS PROVINCIAL PARK

✆ +1 604 926 6007
www.cypresspark.bc.ca
info@cypresspark.bc.ca
Ce parc de plus de 3 000 ha est situé à l'ouest de Capilano. Planté de cèdres rouges et jaunes, il abrite de nombreuses espèces animales sauvages. Une randonnée (haletante) conduit aux Strachan Meadows, où la vue sur Bowen Island et Howe Sound est à couper le souffle. Ouvert toute l'année (y compris en hiver pour le ski). A lire : *Day trips from Vancouver de Jack Christie* (éditions Brighouse Press). Ce petit guide fait le détail de nombreuses randonnées autour de la ville comme les très agréables balades à faire dans Cypress Provincial Park.

BOWEN ISLAND

A 15 minutes en ferry, cette petite île est idéale pour une échappée d'une journée à la recherche de la tranquillité. Même en plein été, vous n'aurez aucun mal à vous isoler de la foule : l'île a beau être petite, son parc (Crippen Regional Park) et ses plages sont suffisamment grands pour qu'on puisse se croire sur une île perdue, bien loin d'une métropole.

■ BOWEN ONLINE

www.bowen-island-bc.com

MOUNT SEYMOUR PROVINCIAL PARK

A l'est de cette partie nord de Vancouver, en empruntant le Second Narrows Bridge par la Highway 1, le Mount Seymour Provincial Park propose, après une marche épuisante, une vue imprenable sur la région, à 1 508 m d'altitude. Le parc voisin (à l'ouest), le Lynn Headwater Park, donne la preuve que la nature sauvage est aux portes de Vancouver.

▸ **À voir** : un vieux moulin de 1908 et surtout, une piscine naturelle en forme de cœur ! A la sortie du pont, prendre la Dollarton Highway pour atteindre après 9 km Deep Cove.

DEEP COVE

Un des joyaux de Vancouver ! Cette crique dans un bras de mer (Indian Arm) est le paradis des pêcheurs, des kayakistes et de tous les amoureux de l'eau. Un des plus beaux sites aquatiques à quelques kilomètres de Vancouver. Cette ville balnéaire est le point de départ d'une randonnée de 41 km qui suit le Baden Powell Trail. Vous pouvez aussi ne randonner que pendant une heure et vous retrouver à surplomber l'Indian Arm, bras de mer réputé pour les escapades en kayak.

BURNABY

Burnaby est le deuxième centre d'emplois de la région après Vancouver ; l'industrie de haute technologie y est en pleine expansion. La ville dispose également de montagnes boisées, de parcs et de terrains de golf. Au-dessus de sa colline (Mount Burnaby), se trouve la SFU (Simon Fraser University), l'autre grande université de Vancouver. Le Nikkei Place est un complexe destiné à la communauté japonaise comprenant un musée, un jardin, un centre de loisirs, des appartements et des boutiques. L'édifice est récent, même si la communauté est loin d'être une nouvelle venue. A l'aube de la Seconde Guerre mondiale, les Japonais étaient plus de 20 000 en Colombie-Britannique, fortement concentrés dans le dynamique Japantown aux alentours de la rue Powell, près de Gastown. Aujourd'hui, le Japantown est plutôt moche et déserté par les visages asiatiques. Au Japanese Canadian National Museum de Nikkei Place, on vous apprendra qu'à la suite de l'entrée en guerre des Japonais et du bombardement de Pearl Harbor, les autorités canadiennes avaient vu d'un mauvais œil ce « péril jaune » bien établi sur le territoire. En 1942, la paranoïa du gouvernement s'est traduite en actes : tous les Japonais de la ville, incluant des jeunes Canadiens de 2e et 3e générations, ont été parqués dans des camps ou carrément déportés.

Même si le gouvernement a reconnu sa bévue (en 1988...) et a indemnisé les Japonais, on peut comprendre que ceux-ci évitent depuis de se regrouper en communauté. Depuis la guerre, Nikkei Place est ainsi leur première tentative, empreinte d'un symbolisme prudent. Le reste de Burnaby n'est pas très intéressant, à part son parc (Central Park) de 90 hectares. Au XIXe siècle, ses arbres ont servi à construire des navires de la Flotte Royale.

Pratique

Tourisme

L'office du tourisme est logé dans l'attraction principale de la ville, le centre commercial Metrotown.

Se loger

■ BURNABY CARIBOO RV PARK
8565 Cariboo Place ✆ +1 604 420 1722
www.bcrvpark.com
camping@bcrvpark.com
Camping. En haute saison, compter 42,50 $ pour une tente. Au sud-est de la ville, au nord de New-Westminster : 237 emplacements.

■ HAPPY DAY INNS
7330 6th Street ✆ +1 800 655 9733
www.happydayinn.com
desk@happydayinn.com
A partir de 79 $ en été pour une chambre double. Parking gratuit. Un peu excentré, ce motel est une étape sur le chemin de découverte de la Fraser River et du sud de la région. Près du grand centre commercial « Metrotown ». Chambres aménagées avec kitchenette.

À voir / À faire

■ NIKKEI PLACE
www.nikkeiplace.org
skajiwara@nikkeiplace.org
Le National Nikkei Museum & Heritage Centre est ouvert du mardi au vendredi de 10h à 21h et le samedi de 9h à 16h30.
Dans le jardin cohabitent des espèces de plantes canadiennes et japonaises. Dans le hall d'entrée, un pilier de cèdre rouge canadien et un autre de cyprès « hinoki » japonais supportent le bâtiment. Si vous avez un peu de temps, le centre communautaire est particulièrement riche en activités originales, du genre ateliers sur le port du kimono ou sur la confection de cerfs-volants, cours de peinture traditionnelle japonaise ou démonstrations de toutes sortes d'arts martiaux, de l'aïkido au kempo.

Shopping

■ METROTOWN
✆ +1 604 438 2444
www.metropolis.shopping.ca
info@metropolisatmetrotown.com
Ouvert de 10h à 21h du lundi au samedi et de 11h à 19h le dimanche. Situé dans la banlieue de Vancouver, à quelques stations en Skytrain, cet immense centre commercial, avec ses 470 magasins, est un pôle d'attraction pour les habitants de la région.

NEW WESTMINSTER

Cette « ville royale », située à une dizaine de kilomètres au sud-est du Downtown de Vancouver, était à l'origine une ville de prospecteurs d'or, fondée par un colonel de l'armée de la couronne britannique. C'est aujourd'hui un grand port qui assure à celui de Vancouver un appui de taille. La ville est connue pour son architecture historique et pour son pont, le « Pattullo Bridge », qui relie New Westminster à Surrey. Ce pont (payant) a vu son nom détourné par un jeu de mots en « Pay-Toll-O Bridge ».

■ INFO CENTRE
New Westminster Quay
810 Quayside Drive ✆ +1 604 526 1905
postmaster@newwestcity.ca
Sur les quais, on peut visiter un sous-marin russe, le Cobra.

SURREY

Dessinée par le lit de la rivière Fraser au nord et la frontière américaine au sud, Surrey est la deuxième agglomération de la Colombie-Britannique (après Vancouver), en voie de devenir la première vers 2020. Un tiers de sa superficie est constitué de terres agricoles protégées où serpentent 330 km de rivières et cours d'eau. Parce que son économie repose principalement sur l'agriculture, vous pourrez y visiter, de mai à octobre, de nombreux marchés fermiers. Surrey attache aussi une grande importance aux arts et à la culture, comme en témoignent les expositions d'art et autres concerts du Surrey Arts Centre. Enfin, la petite ville de Cloverdale, lieu de plusieurs tournages cinématographiques, est le fief des antiquaires.

■ RAINFOREST REPTILE REFUGE
1395-176th Street ✆ +1 604 538 1711
Genre de spa pour les reptiles et amphibiens de toute sorte, abandonnés par des propriétaires peu scrupuleux.

© ISTOCKPHOTO.COM/PAULMORTON

■ **SURREY INFORMATION**
15105A-105th Avenue
✆ +1 604 581 7130
www.surrey.ca

RICHMOND

Richmond doit son nom à une famille de fermiers australiens, les McRoberts, famille qui s'installa ici en 1860, donnant à l'endroit le nom d'une ville australienne. Cette colonie est l'une des plus vieilles de la Colombie-Britannique. La ville de Richmond a connu dernièrement un boom économique, avec l'arrivée massive d'immigrants aisés en provenance de Hong-Kong et de Taiwan. Il paraît que ces immigrants récents ont choisi de s'installer à deux pas de l'aéroport en raison du faible coût des taxes et du nom même de la ville, « Rich – mond », censé porter chance (en évoquant la richesse). L'agglomération regroupe maintenant la plus forte concentration d'Asiatiques du pays, d'où son surnom d'Asia West. Le shopping étant un véritable sport pour les Hongkongais, les centres commerciaux ont véritablement poussé comme des champignons depuis quelques années. Au point que Richmond loge maintenant le plus gros district commercial asiatique en Amérique, après San Francisco. Les magasins se répartissent dans plusieurs centres commerciaux, dont les plus gros sont le Yaohan Centre et le Aberdeen Centre, et proposent des produits similaires à ceux du Chinatown, en version chic, moderne et grand format. Une visite au President Plaza Hotel (8181 Cambie Road) vaut le coup, si par hasard vous vous trouvez dans le coin. Pas pour l'hôtel, évidemment, mais pour le petit temple bouddhiste qu'il abrite. Le temple organise aussi des activités d'initiation au bouddhisme, dont des « Basic Buddhist Etiquette Class », en anglais. Vous pourriez passer la journée à visiter les temples bouddhistes ou sikhs à Richmond, mais le plus impressionnant, en ce qui concerne l'architecture, est certainement le Guan Yin Temple sur Steveston Highway. L'autre attraction (et non la moindre) de cette agglomération est l'aéroport international de Vancouver.

■ **RICHMOND INFORMATION CENTRE**
11980 Deas Thruway
✆ +1 877 247 0777
www.tourismrichmond.com
info@tourismrichmond.com

WHITE ROCK

Ville pittoresque au bord de l'océan. Son front de mer coloré, sa longue jetée, ses plages, ses sentiers de randonnée et ses bons restaurants attirent des visiteurs toute l'année. Peace Arch Park se trouve juste à la frontière américaine (elle correspond d'ailleurs à un poste de douane). La Peace Arch a été construite en 1921 pour commémorer la paix entre les deux pays.

■ **CITY OF WHITE ROCK**
15322 Buena Vista Avenue
✆ +1 604 541 2100
www.city.whiterock.bc.ca
whiterockcouncil@city.whiterock.bc.ca

ÎLE DE VANCOUVER

L'île de Vancouver, la plus grande du littoral pacifique nord-américain, appartient à la chaîne des montagnes côtières : ses sommets enneigés culminent à 2 200 m. Elle fait partie des îles du golfe de la Colombie-Britannique (the Gulf Islands). Le climat y étant doux et humide, l'île est devenue un lieu de retraite très apprécié. L'ouest de l'île reçoit les précipitations les plus élevées d'Amérique du Nord, favorisant la subsistance d'une forêt humide. Les tempêtes de novembre sont devenues une attraction très abordable sur des plages immenses et désertes, sous des ciels aux couleurs stupéfiantes. L'exploitation forestière est l'une des activités principales de l'île, avec la pêche, l'agriculture et les industries minières et d'extraction du cuivre, du fer et de l'or. Sans oublier la très importante industrie du tourisme, grâce à ses parcs naturels, ses sites historiques et son ouverture sur l'océan Pacifique, peuplé de baleines et d'orques. Enfin, l'île de Vancouver est le berceau de quelques célébrités, aujourd'hui sous les feux de la rampe. Parmi elles, Pamela Anderson (Ladysmith), Diana Krall (Nanaimo), Steve Nash (Victoria) et Nelly Furtado (Victoria).

Histoire

Les peuples des « premières nations », structurés autour de la chasse, la cueillette et la pêche, habitaient l'île depuis environ 8 000 ans. L'arrivée des Espagnols, des Russes, des Français, des Anglais et des Américains date, elle, du XVIIIe siècle. Bien que décimés par plusieurs épidémies, les villages autochtones sont encore présents aujourd'hui et représentent plus de 3 % de la population de l'île : on y compte 44 « premières nations » distinctes et 271 réserves indiennes. Les expéditions commerciales, dont celle de James Cook, et scientifiques, comme celle de George Vancouver, ont favorisé la présence anglaise. En 1843, la Compagnie de la Baie d'Hudson envoie dans l'île James Douglas, afin qu'il y choisisse l'emplacement d'un fort. Bientôt, un petit village se développe à l'extrémité sud de l'île, autour du fort Victoria. En 1846, le traité de Washington fait de l'île un territoire britannique, qui devient colonie de la couronne en 1849. L'île est rattachée à la colonie continentale de la Colombie-Britannique en 1866, et la colonie unie adhère au dominion du Canada en tant que province de la Colombie-Britannique en 1871. Le développement des scieries et de l'industrie minière a pour effet de grossir la population dont le nombre s'élève à 51 000 en 1900, essentiellement concentrée sur l'axe Victoria-Nanaimo. Le développement économique de l'île, étroitement lié à l'abondance et à la diversité de ses ressources naturelles, favorise l'apparition de villes florissantes et d'une infrastructure économique et sociale bien développée dans toutes les régions de l'île.

Géographie

L'île de Vancouver est séparée du continent par plusieurs détroits : Georgia, Johnstone et Queen Charlotte à l'est, et Juan de Fuca au sud. Située à 250 km de l'archipel Haida Gwaii (anciennement îles de la Reine-Charlotte) et à 7 500 km du Japon, l'île de Vancouver couvre plus de 32 000 km² de terre, possède 3 440 km de côtes et s'étend sur 500 km du nord au sud, et sur 100 km d'est en ouest. Son littoral est très échancré, particulièrement du côté ouest, où plusieurs criques semblables à des fjords (les plus longues étant celles d'Alberni et de Muchalat) se découpent dans un intérieur densément boisé et montagneux, avec des pics s'élevant en moyenne de 600 à 1 000 m. Le mont Golden Hinde (2 200 m), le mont Elkhorn (2 194 m) et le mont Colonel Foster (2 133 m) font partie des plus hauts sommets de l'île.

Population

« Premières nations » est le nom donné aux premiers habitants de la région. Les autochtones ont leurs terres, autrement appelées « réserves », et leurs droits sont définis par des lois provinciales. Après la fusion de plusieurs familles aborigènes, trois groupes se distinguent encore aujourd'hui : les Songhees (autour d'Esquimalt Harbour), les Klallams (Albert Bay) et les Saanichs (Cowichan, dans le Sud). L'île compte 750 000 habitants (17 % de la population totale de la Colombie-Britannique), dont 27 000 Amérindiens et 12 000 francophones.

- **Victoria** : 78 000 hab (agglomération 335 000).
- **Nanaimo** : 79 000 hab.
- **Salt Spring** : 10 000 hab.
- **Gabriola** : 4 000 hab.
- **Galiano** : 1 000 hab.

Île de Vancouver

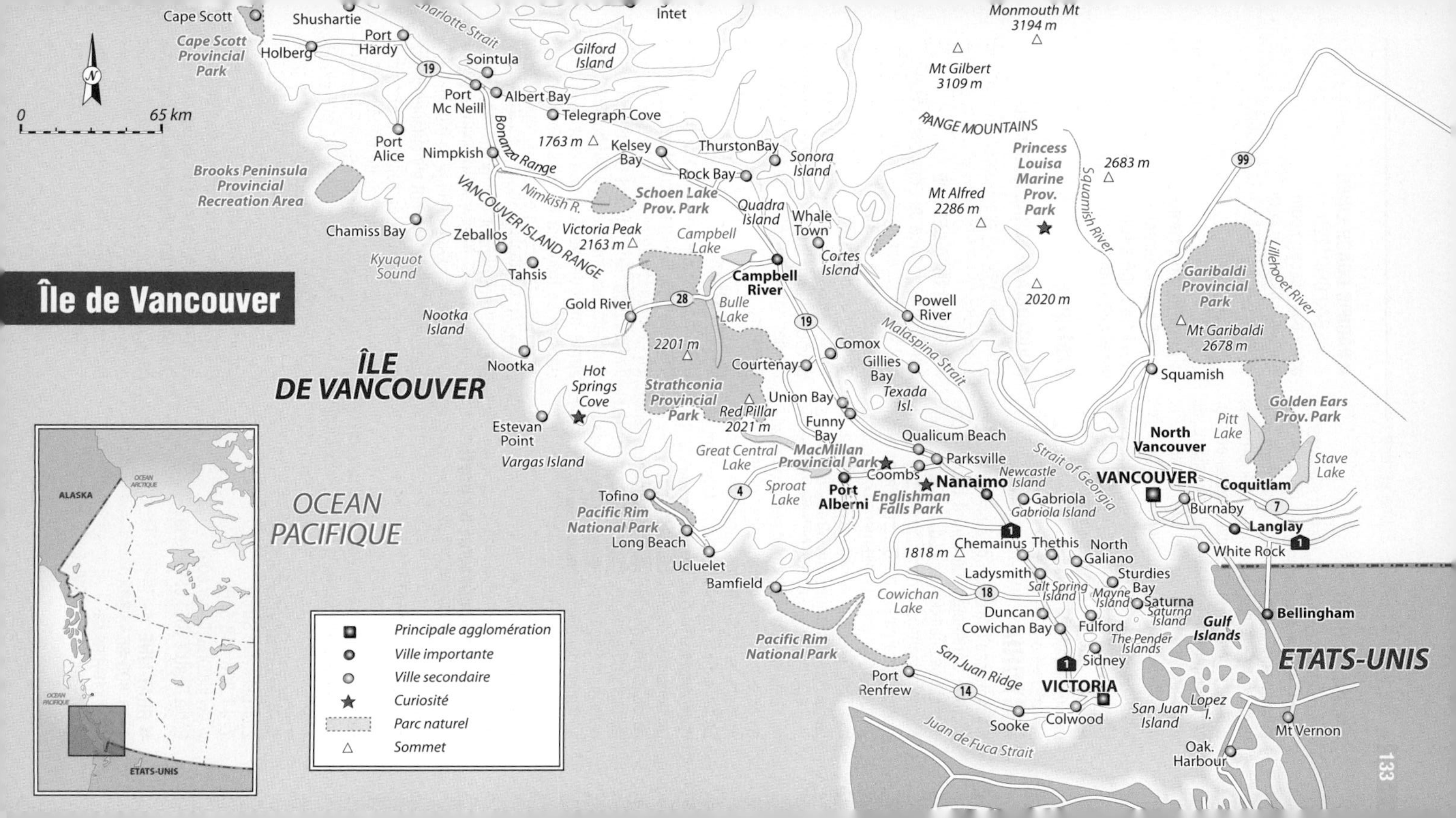

Faune et flore

Les baleines sont partout, surtout au printemps pendant leur migration vers le nord. Les professionnels du tourisme le savent qui vous proposent des balades en Zodiak proches de leurs domaines. Ces escapades en mer sont également ponctuées d'apparitions de dauphins, de lions de mer et d'aigles. L'île de Vancouver est un refuge idéal pour les saumons lors de leur remontée vers le nord. De Ucluelet à Qualicum, en passant par Port Alberni, que vous soyez pêcheur ou non, ouvrez grand vos yeux !

VICTORIA

Elégante capitale de la Colombie-Britannique, Victoria bénéficie d'un climat doux, d'une population chaleureuse et d'une atmosphère balnéaire inattendue dans une capitale. La ville la plus britannique du Canada raconte son histoire à travers ses bâtiments centenaires fort bien préservés, ses rues entretenues, ses parcs ombragés parsemés de totems, ses vieilles maisons restaurées devenues des boutiques à la mode et ses promenades en calèche ou ses bus à étage : chère vieille Angleterre ! La ville portuaire se parcourt facilement à pied, comme le faisaient les chercheurs d'or à la fin du XIXe siècle. Les résidents de Victoria vivent selon un rythme un peu lent, celui des saisons et des marées, sans jamais oublier leurs traditions, notamment celle du thé de l'après-midi, qu'il soit vert ou au jasmin dans le Chinatown, ou un Earl Grey classique dans le centre-ville…

Transports

Comment y accéder et en partir

■ **BC TRANSIT**
✆ +1 250 382 6161
www.transitbc.com
La compagnie de bus provinciale dessert de nombreuses destinations de l'île, de Victoria à Port Hardy.

■ **CLIPPER NAVIGATION**
254 Belleville Street
✆ +1 206 448 5000
www.victoriaclipper.com
Entre Seattle (US) et Victoria.

■ **GRAY LINE**
✆ +1 800 667 0882
www.grayline.ca
Bus de Vancouver à Victoria.

■ **PACIFIC COACH LINES**
✆ +1 800 661 1725
www.pacificcoach.com
info@pacificcoach.com
De Vancouver à Victoria et Nanaimo.

Se déplacer

■ **AVIS/RENT A CAR**
1001 Douglas Street
✆ +1 250 386 8468
www.avis.com

Pratique

■ **VICTORIA GENERAL HOSPITAL**
1 Hospital Way
✆ +1 250 727 4212

■ **VISITOR INFO CENTRE**
Sur le port, en face de l'Empress Hotel
812 Wharf Street
✆ +1 800 663 3883
✆ +1 250 953 2033
www.tourismvictoria.com
Si vous débarquez sans réservation d'hôtel, rendez-vous dans ce centre et on vous assistera.

Orientation

Dans la continuation de la Transcanadienne (Highway 1), Douglas Street regroupe tous les centres d'affaires et mène sur la route de Nanaimo. Government Street, qui lui est parallèle, est une rue où il fait bon flâner les après-midi de week-end. C'est dans cette rue que se trouvent les plus vieux édifices de la ville. Des bâtiments qui, représentant l'héritage britannique, ont été restaurés et abritent maintenant des boutiques ou des cafés. Entre les rues Government et Wharf, le Bastion Square se compose de deux rues seulement, mais on peut s'y balader un bon moment. Un quartier rempli d'histoires, dont même des histoires de fantômes. Les artistes et artisans de la région viennent y vendre leurs créations : verre soufflé, savons naturels, bijoux, chapeaux peints à la main et mosaïques. Ils installent leur stand un peu avant midi et y restent jusqu'au coucher du soleil quand il fait beau. Dans la rue Fort, entre Blanshard Street et Cook Street, sont installées les meilleures boutiques d'antiquités de la ville. Que vous soyez un collectionneur ou non, vous serez émerveillé par toutes les belles choses qu'on peut y trouver. L'une des attractions principales du centre-ville est l'imposant hôtel The Empress, à l'entrée du port de plaisance.

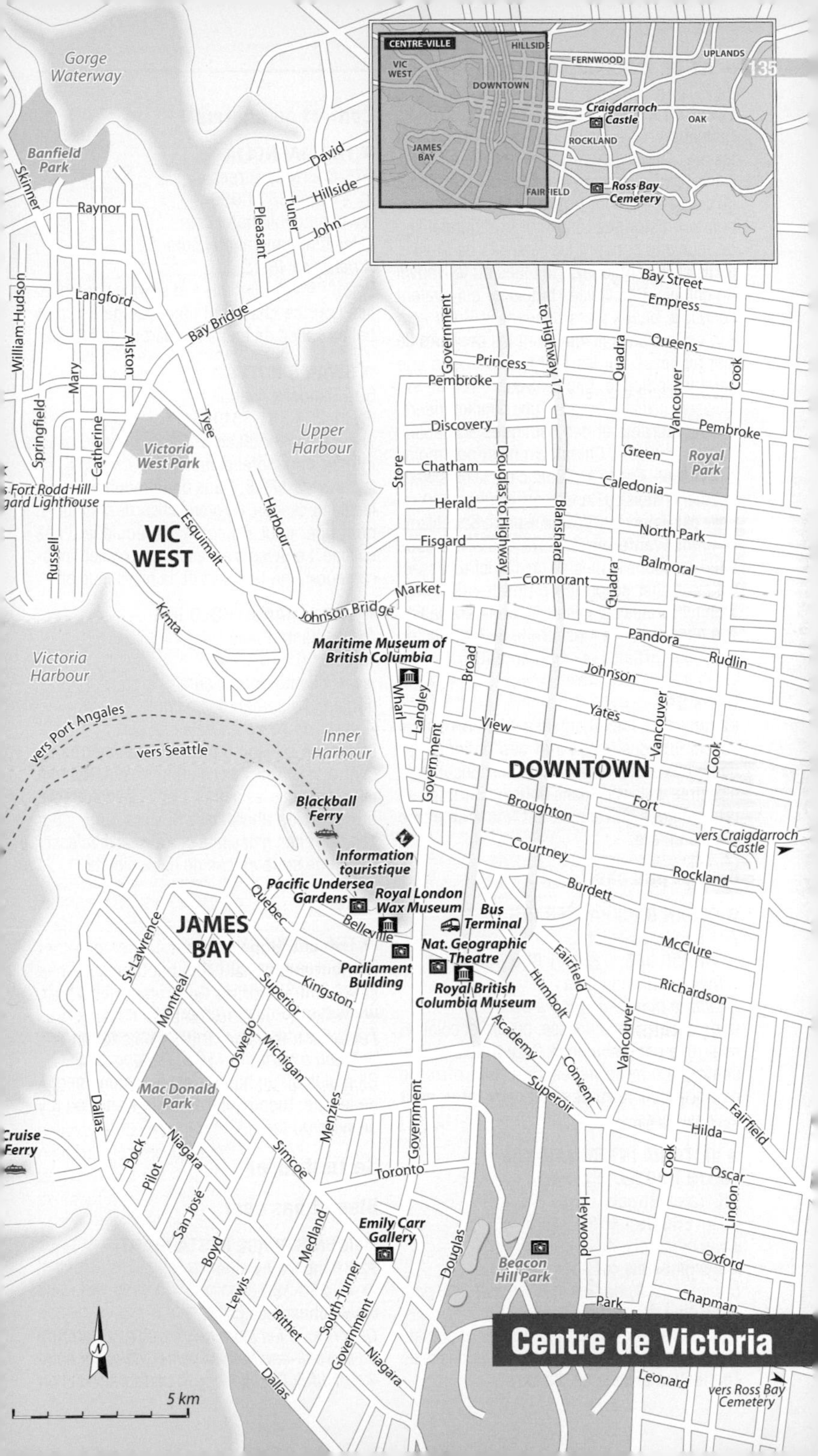

Centre de Victoria
CENTRE-VILLE
VIC WEST
DOWNTOWN
JAMES BAY
HILLSIDE
FERNWOOD
UPLANDS
Craigdarroch Castle
OAK
ROCKLAND
FAIRFIELD
Ross Bay Cemetery
Gorge Waterway
Banfield Park
Upper Harbour
Victoria West Park
Victoria Harbour
Inner Harbour
Royal Park
VIC WEST
DOWNTOWN
JAMES BAY
Maritime Museum of British Columbia
Blackball Ferry
Information touristique
Pacific Undersea Gardens
Royal London Wax Museum
Bus Terminal
Nat. Geographic Theatre
Parliament Building
Royal British Columbia Museum
Mac Donald Park
Cruise Ferry
Emily Carr Gallery
Beacon Hill Park
vers Port Angales
vers Seattle
vers Craigdarroch Castle
vers Ross Bay Cemetery
Fort Rodd Hill
gard Lighthouse
Bay Bridge
Johnson Bridge
to Highway 17
Douglas to Highway 1
5 km

Construit en 1905 par l'architecte Francis Rattenbury, ce luxueux établissement accueille les nostalgiques du royaume et élégants de la ville à l'heure du *five o'clock tea*. A l'autre bout du centre-ville, vous trouverez Market Square, quartier historique rénové et traditionnel lieu de réunions pendant les festivals de la ville, qu'ils célèbrent le jazz, le blues ou le Nouvel An chinois. Ces vieilles bâtisses, qui avaient connu de beaux jours pendant la Ruée vers l'or, ont retrouvé la vitalité et les couleurs de leur jeunesse qui les font ressembler à une peinture indienne. Market Square réunit, sur plusieurs niveaux, autour d'une cour intérieure, des restaurants et des boutiques agréables. Un peu plus loin, Chinatown n'est pas moins pittoresque. Fondé en 1858, c'est le plus vieux quartier chinois du Canada et jusqu'en 1910, ce fut le plus important de tout le pays. Sa rutilante et flamboyante porte, Gate of Harmonious Interest, donne la mesure de sa gloire passée. On peut aller se perdre parmi les fioritures architecturales chinoises, jusque dans la Fan Tan Alley, la rue la plus étroite de Victoria, où se mêlent artistes et commerçants.

Se loger

La capacité d'hébergement de Victoria couvre l'ensemble des besoins et des budgets. De nombreux motels bon marché se concentrent à l'entrée de la ville (dans Douglas Street). Les prix indiqués correspondent à une chambre double en été.

Bien et pas cher

■ OCEAN BACKPACKER INN
791 Pandora Street
✆ +1 250 385 1785, +1 888 888 4180
www.oceanisland.com
Chambre double de 28 $ à 86 $.
Cette auberge de jeunesse, propre et colorée, respire la bonne humeur. On y trouve tout le confort moderne nécessaire. Elle offre de nombreuses formules intéressantes pour les chambres.

■ VICTORIA INTERNATIONAL YOUTH HOSTEL
516 Yates Street
✆ +1 250 385 4511
www.hihostels.ca
info@hihostels.ca
Compter 20 $ pour les membres et 24 $ pour les autres.
Très bien située sur le front de mer et près de Market Square, cette auberge de jeunesse de 104 lits est divisée en dortoirs.

Confort ou charme

■ THE MAGNOLIA
623 Courtney Street
✆ +1 250 381 0999
www.magnoliahotel.com
sales@magnoliahotel.com
A partir de 169 $.
Esprit « hotel-boutique » et service personnalisé pour ce charmant hôtel équipé des plus belles salles de bains en marbre de la ville.

■ SWAN'S HOTEL
506 Pandora Avenue
✆ +1 250 361 3310
www.swanshotel.com
info@swanshotel.com
A partir de 179 $. Dans un immeuble rénové idéalement situé, un grand choix de chambres, dont une, pour 6 personnes, équipée d'une cuisine. Le Swan's est aussi un excellent pub-restaurant où l'on sert de la bière maison.

■ VILLA MARCO POLO INN
1524 Shasta Place
✆ +1 250 370 1524
www.villamarcopolo.com
enquire@villamarcopolo.com
A partir de 165 $ en haute saison.
Luxueuse maison à quelques kilomètres du centre-ville. Une des chambres est nettement plus petite que les autres, bien que confortable, et donc plus abordable. Si vous optez pour celle-ci, Liam n'hésitera pas à vous surclasser dans une suite en cas de disponibilité.

Luxe

■ THE EMPRESS
721 Government Street
✆ +1 250 384 8111
www.fairmont.com/empress
Formules disponibles (renseignez-vous : ferry + hôtel) à partir de 150 $. Parking 15 $.
Bien plus qu'un hôtel, c'est le « monument » de la ville. Rien n'interdit de le visiter ou d'y prendre un thé.

Se restaurer

Bien et pas cher

■ JOHN'S PLACE RESTAURANT
723 Pandora Avenue
✆ +1 250 389 0711
www.johnsplace.ca
Ouvert tous les jours de 7h à 21h, à partir de 8h le week-end.Petit-déjeuner, déjeuenr entre 8 $ et 14 $. Excellent petit restaurant où l'on

© ISTOCKPHOTO.COM/GROVEB

Victoria by night.

peut manger des petits plats canadiens ou mexicains, des burgers, des salades et des soupes. C'est un lieu réputé à Victoria pour ses petits-déjeuners et brunch très copieux. Les pancakes sont vraiment impressionnants et l''atmosphére est très chaleureuse !

Bonnes tables

■ BLUE'S BAYOU CAFE
899 Marchant Road
© +1 250 544 1194
www.bluesbayoucafe.com
Parfait, surtout en terrasse, l'été, avec vue imprenable sur l'océan, et des mets créoles et cajuns vraiment abordables.

■ FERRIS
536 Yates Street
© +1 250 382 2344
www.ferrisoysterbar.com
Comptez 30 à 40 $ pour un dîner.
Deux étages, et deux ambiances. A l'étage un élégant et intime bar à huitres, au rez-de-chaussée un restaurant plus détendu et plus traditionnel.

■ REBAR
50 Bastion Square
© +1 250 361 9223
www.rebarmodernfood.com
Une table végétarienne avec du goût, un esprit funky et de la vraie bonne cuisine : idéal pour un brunch !

Luxe

■ MATISSE
512 Yates Street
© +1 250 480 0883
www.restaurantmatisse.com
Compter de 30 à 50 $.
John est irlandais, mais amoureux de la cuisine française. Et il faut bien dire qu'il y fait honneur. Pour se fairc plaisir.

Sortir

L'animation nocturne n'est pas le fort de Victoria. La ville s'efforce de préserver sa tranquillité, ce qui ne veut pas dire non plus qu'elle passe son temps à dormir. Il suffit de savoir où aller.

■ BIG BAD JOHN'S
919 Douglas Street
© +1 250 383 7137
Très vieux pub où il est de rigueur de jeter par terre les écorces de cacahuètes et de coller un billet dédicacé sur le mur. Indescriptible. A voir.

■ SPINNAKERS BREW PUB
308 Catherine Street
© +1 250 386 2739
www.spinnakers.com
spinnakers@spinnakers.com
En bord de mer, soirées arrosées de bières maison, dans un style vieille Europe.

À voir / À faire

■ BEACON HILL PARK

1 Centennial Square
www.beaconhillpark.ca
Dans le prolongement de Douglas Street.
C'est le plus grand parc de la ville (62 ha). Le jeudi soir, on peut assister aux cours de danses écossaises. Par temps clair, on aperçoit le mont Olympic aux Etats-Unis, de l'autre côté du détroit Juan de Fuca.

■ BUTCHART GARDENS

800 Benvenuto Avenue
✆ +1 250 652 5256
www.butchartgardens.com
email@butchartgardens.com
De 15,50 $ à 26,50 $ selon la saison. Visites de nuit et de jour. Situés à 21 km au nord de Victoria, les Butchart Gardens méritent le détour. Le visiteur se promène le long de leurs allées paisibles et découvre au passage des centaines de fleurs odorantes et colorées. Aucun panneau n'en indique le nom – certains pourraient le regretter – mais les Butchart Gardens invitent davantage au plaisir des sens qu'à celui de la connaissance. Toutefois, des salles plus didactiques sont prévues pour renseigner ceux qui le désirent. Feux d'artifice en juillet et août, les samedis soir.

■ CRAIGDARROCH CASTLE

1050 Joan Crescent
✆ +1 250 592 5323
www.craigdarrochcastle.com
info@thecastle.ca

Butchart Gardens.

Entrée 13,75 $. Ouvert tous les jours.
Cette prestigieuse demeure a été construite à la fin du siècle dernier pour Robert Dunsmuir, l'homme le plus influent de l'île (qui mourut avant la fin des travaux). Le château a quatre étages et une quarantaine de chambres. La visite est passionnante. Ne pas manquer de gravir les 87 marches de la tour pour admirer un joli point de vue sur Victoria et sa région.

■ EMILY CARR GALLERY

Wharf Street
✆ +1 250 384 3130
www.emilycarr.com
ecarr@shaw.ca
Fermé le dimanche et lundi et en hiver.
Cette petite galerie sur le front de mer expose des toiles de l'artiste née à deux pas d'ici. Emily Carr a su faire danser les arbres comme personne. On peut également visiter la maison, de style victorien, où elle a vécu et travaillé.

■ FORT RODD HILL & FISGARD LIGHTHOUSE

603 Fort Rodd Hill Road
✆ +1 250 478 5849
www.fortroddhill.com
Entrée 5 $.
Une batterie d'artillerie du siècle dernier (1890) et un phare (1873) perché sur un rocher volcanique, classés sites historiques nationaux. Le phare blanc et rouge est ravissant.

■ GALLOPING GOOSE TRAIL

✆ +1 250 478 3344
www.gallopinggoosetrail.com
Ce sentier de 60 km au milieu d'un parc de 151 hectares est en fait une ancienne route de chemin de fer de 100 km, qui reliait Sidney à Victoria puis Victoria à Sooke, transformée en route récréative. Il est permis de l'emprunter pour faire du jogging, à vélo, à rollers ou à cheval, tant que le véhicule n'est pas motorisé. C'est aussi un tronçon reconnu du Trans-Canada Trail qui traverse tout le pays. Il longe la côte de Bazan Bay et de Cordova Bay, vous offrant des paysages à couper le souffle.

■ JARDIN À PAPILLONS

Victoria Butterfly Gardens
1461 Benvenuto Avenue
✆ +1 250 652 3822, +1 877 722 0272
www.butterflygardens.com
Jardin tropical où plus de 3 000 papillons mais aussi des flamants roses, des perroquets et autres oiseaux colorés évoluent dans une sorte de cage géante où l'on se promène. On

© ISTOCKPHOTO.COM/GOLDISTOCKS

Fisgard Lighthouse sur l'île de Vancouver.

peut aussi découvrir des plantes carnivores et plus de 200 espèces d'orchidées. Selon une croyance locale, si un papillon vient se poser sur vous, c'est un signe de chance.

■ MARITIME MUSEUM OF BRITISH COLUMBIA

28 Bastion Square
✆ +1 250 385 4222
www.mmbc.bc.ca
Entrée 12 $. Ouvert tous les jours de 10h à 17h.
Des maquettes, des uniformes, des documents racontent l'histoire de la Royal Navy.

■ NATIONAL GEOGRAPHIC THEATRE

675 Belleville Street
✆ +1 877 480 4887
www.imaxvictoria.com
kpimlott@imaxvictoria.com
Voir la programmation pour la sélection et les horaires.
L'écran de ce cinéma Imax est dix fois plus grand que celui des salles de cinéma standard. Que ce soit pour apprécier des films en 3D, survoler le Grand Canyon, descendre en eaux profondes, nager avec les dauphins, vous êtes plongé dans l'univers du National Geographic.

■ PACIFIC UNDERSEA GARDENS

490 Belleville Street
✆ +1 250 382 5717
www.pacificunderseagardens.com
Ouvert de 9h à 20h en juillet et août. Entrée : 10,95 $. Prix spéciaux pour enfants.
Situé dans le port, cet observatoire marin permet d'approcher la faune marine de la région (quelque 500 espèces, dont des saumons, des requins…).

■ ROYAL BRITISH COLUMBIA MUSEUM

675 Belleville Street
✆ +1 888 447 7977
www.royalbcmuseum.bc.ca
reception@royalbcmuseum.bc.ca
Entrée 14 $.
C'est le musée idéal. On se perd un peu dans toutes ses galeries, mais quel plaisir de découvrir la culture autochtone et l'histoire de la province aussi élégamment et intelligemment présentées ! Sur tout un étage, une ville est entièrement reconstituée, avec des rues pavées, des maisons, des magasins ou des hôtels plus vrais que nature, ce qui nous donne l'impression de déambuler dans une bourgade du début du siècle dernier.

■ SOOKE EAST PARK

BC Parks
✆ +1 250 391 2300
www.eastsookepark.com
Hors-d'œuvre du West Coast Trail. Accessible facilement par la route en voiture : depuis le centre-ville, prenez la Douglas Street, qui deviendra la route 14 vers l'est. Le sentier qui vous conduit à l'extrémité du parc fait 10 km. Idéal pour un pique-nique et pour goûter un peu l'aventure de ce célèbre parcours.

Sports / Détente / Loisirs

Vélo, kayak, canoë, pêche, golf, randonnée, parapente, sports aquatiques et exploration des baleines ne sont que quelques exemples des activités pratiquées à Victoria.

- **Planche à voile.** Le lac Nitimat réunit les meilleures conditions pour la pratique de la planche à voile sur l'île.
- **Plongée.** Le détroit de Georgia est protégé des vagues et des courants plus froids de la face est de l'île. Il offre donc des zones de plongée sous-marine incomparables, surtout autour des îles en face de Nanaimo.
- **Randonnées dans les environs.** Plusieurs randonnées sont possibles sur l'île de Vancouver, où 70 % du territoire est inhabité. D'ailleurs, on peut difficilement parler de l'île sans mentionner le célèbre West Coast Trail, une randonnée difficile qui mettra à l'épreuve vos capacités physiques. Pour des randonnées plus accessibles, rendez-vous, au sud-est de l'île, au parc Juan de Fuca et, encore plus près de Victoria, au parc régional East Sooke (1 400 hextares). Trois parcs de trois dimensions différentes, mais longeant tous la côte extraordinaire de cette partie sauvage de l'île de Vancouver.

Visites guidées

■ GRAYLINE

4196 Glanford Avenue
✆ +1 800 663 8390
www.graylinewest.com
infovictoria@graylinewest.com
Plusieurs départs par jour. Billets en vente (33 $) devant The Empress, dans un kiosque mobile près des cars.
C'est l'occasion de renouer avec la tradition anglo-saxonne en s'offrant ce tour de 1 heure 30 en double-decker, ces cars rouges à deux étages. Il est conseillé de venir 30 minutes à l'avance si l'on veut s'assurer une place au deuxième. Le chauffeur guide nomme et commente les différents quartiers et musées. Il raconte l'histoire de Victoria. Pour ceux qui n'ont pas de voiture, le tour est encore plus intéressant puisqu'il emmène les visiteurs hors du centre-ville.

■ GREAT PACIFIC ADVENTURES

1000 Wharf Street
✆ 1 877 733 6722 – +1 250 386 2277
www.greatpacificadventures.com
99 $ par personne (69 $ pour les enfants). Cinq départs par jour (9h, 10h30, 13h, 14h30, 17h)
Visite guidée en bateau ou en zodiac au large de l'Ile de Vancouver pour observer les baleines. Les commentaires sont effectués par des biologistes ou des naturalistes.

■ PRINCE OF WHALES

Lower Causeway Level
812 Wharf Street ✆ 1 888 383 4884
www.princeofwhales.com
95 $ par adulte (75 $ par enfant) pour un tour de 3h en zodiac ou en bateau.
Croisière en bateau rapide ou en zodiac pendant plus de trois heures pour observer les baleines et les orques au large de Victoria. Les bateaux sont tous équipés d'hydrophone pour écouter les vocalises des cétacés.

Shopping

Vous trouverez des magasins et galeries d'art autochtone tout au long de Government Street.

■ MUNRO'S BOOKS

1108 Government Street
✆ +1 888 243 2464
www.munrobooks.com
service@munrobooks.com
La lumière filtre à travers les vitraux, c'est un beau décor pour choisir un livre. Victoria compte d'innombrables librairies, dont certaines restent ouvertes tard le soir.

■ ROGERS'

913 Government Street ✆ +1 800 663 2220
www.rogerschocolates.com
info@rogerschocolates.com
Elégant magasin de chocolats de qualité. Une institution locale.

SOOKE

Ville de 4 500 âmes qui vous accueillera très chaleureusement, avec ses galeries d'art, son musée et ses très bons restaurants. Evadez-vous ensuite dans le French Beach Provincial Park, idéal pour un pique-nique ou une simple balade loin de tout, avec si vous avez de la chance, les baleines grises pour compagnie.

■ SOOKE HARBOUR HOUSE

1528 Whiffen Spit Road
✆ +1 250 642 3421 – +1 800 889 9688
www.sookeharbourhouse.com
info@sookeharbourhouse.com
Premiers prix à partir de 300 $ la nuit.
Un incontournable de la tradition hôtelière locale. Hôtel luxueux dans un cadre ravissant.

■ SOOKENET

www.sookenet.com

PORT RENFREW

A 104 km de Victoria, la Botanical Beach est un joyau naturel de la côte du détroit Juan de Fuca. Avant de vous y aventurer, promettez de ne rien toucher et de vous informer de l'environnement dans lequel vous allez pénétrer... Faites un dernier détour par le Red Creek Fir ; vous y trouverez les plus grands sapins Douglas du Canada.

COWICHAN BAY

Village de pêcheurs par excellence, Cowichan Bay est aussi, en été, un lieu de compétition de danseurs traditionnels amérindiens, lorsque les autochtones organisent des « pow wow » ouverts au public.

■ **COWICHANBAY.COM**
www.cowichanbay.com
cbia@cowichanbay.com

DUNCAN

A 50 km au nord de Victoria, cette petite ville au cœur de la Cowichan Valley abrite un intéressant patrimoine historique consacré aux premières nations.

■ **FAIRBURN FARM CULINARY RETREAT & GUESTHOUSE**
3310 Jackson Road
✆ +1 250 746 4637
www.fairburnfarm.bc.ca
info@fairburnfarm.bc.ca
A partir de 120 $.
Pour une idée de retraite campagnarde. Vous y aurez le choix entre des leçons de cuisine, le ramassage des champignons ou encore des forums de fabrication du pain. L'établissement suit le mouvement de slow food, et ce n'est pas par hasard !

■ **QUW'UTSUN'CULTURAL AND CONFERENCE CENTRE**
200 Cowichan Way
✆ +1 877 746 8119
www.quwutsun.ca
kathyp@quwutsun.ca
Au centre de la ville, vous pourrez étudier plus de 80 totems. Pour découvrir l'histoire et la culture du peuple cowichan des tribus salishs.

CHEMAINUS

Charmante ville touristique de 4 000 habitants, dont l'histoire et la culture sont retracées sur une trentaine de peintures murales au hasard des rues. Un esprit quelque peu Far-West perdure dans le coin, notamment sous forme de quelques devantures de boutiques à l'allure désuète et d'un bureau de poste unique pour le courrier des résidents.

■ **CHEMAINUS.COM**
www.chemainus.com

■ **CHEMAINUS FESTIVAL OF MURALS SOCIETY**
9796 Willow Street
Fax : +1 250 246 4184
www.muraltown.com
info@muraltown.com
Pour tout savoir sur les fresques murales de la ville.

LADYSMITH

Nommée après une bataille victorieuse pour les Anglais à Ladysmith, en Afrique du Sud, cette petite ville de la côte a gardé le charme de ses maisons d'époque. Aventurez-vous jusqu'au Transfer Beach Park, où les nageurs et les kayakistes s'en donnent à cœur joie.

■ **LADYSMITH.CA**
www.ladysmith.ca
info@ladysmith.ca

NANAIMO

Ville portuaire, Nanaimo doit une partie de son développement et de sa notoriété actuels au ferry qui la relie à Vancouver par Horseshoe Bay. Sa position centrale à l'est de l'île de Vancouver et son port protégé par deux îles (Newcastle et Protection) lui ont valu dans le passé le surnom de « Hub City » (la ville pivot). Son histoire commence en novembre 1854, époque où 24 familles de mineurs anglais viennent s'y installer, après 5 mois et demi de voyage (en passant le cap Horn). Une pierre (Pioneer Rock) et une proue de bateau, rappelant celle du Princess Royal, commémorent l'établissement de ces colons. Puis la ville se développe grâce à l'exploitation de la houille et de l'industrie du bois.
Aujourd'hui, ses 85 000 habitants vivent principalement du tourisme. Nanaimo poursuit son essor un peu à son insu. La proximité de Vancouver en a fait une ville plutôt orientée vers le consumérisme : centres commerciaux, circulation surprenante pour une île si modestement peuplée et émergence de nombreuses banlieues.

Nanaimo

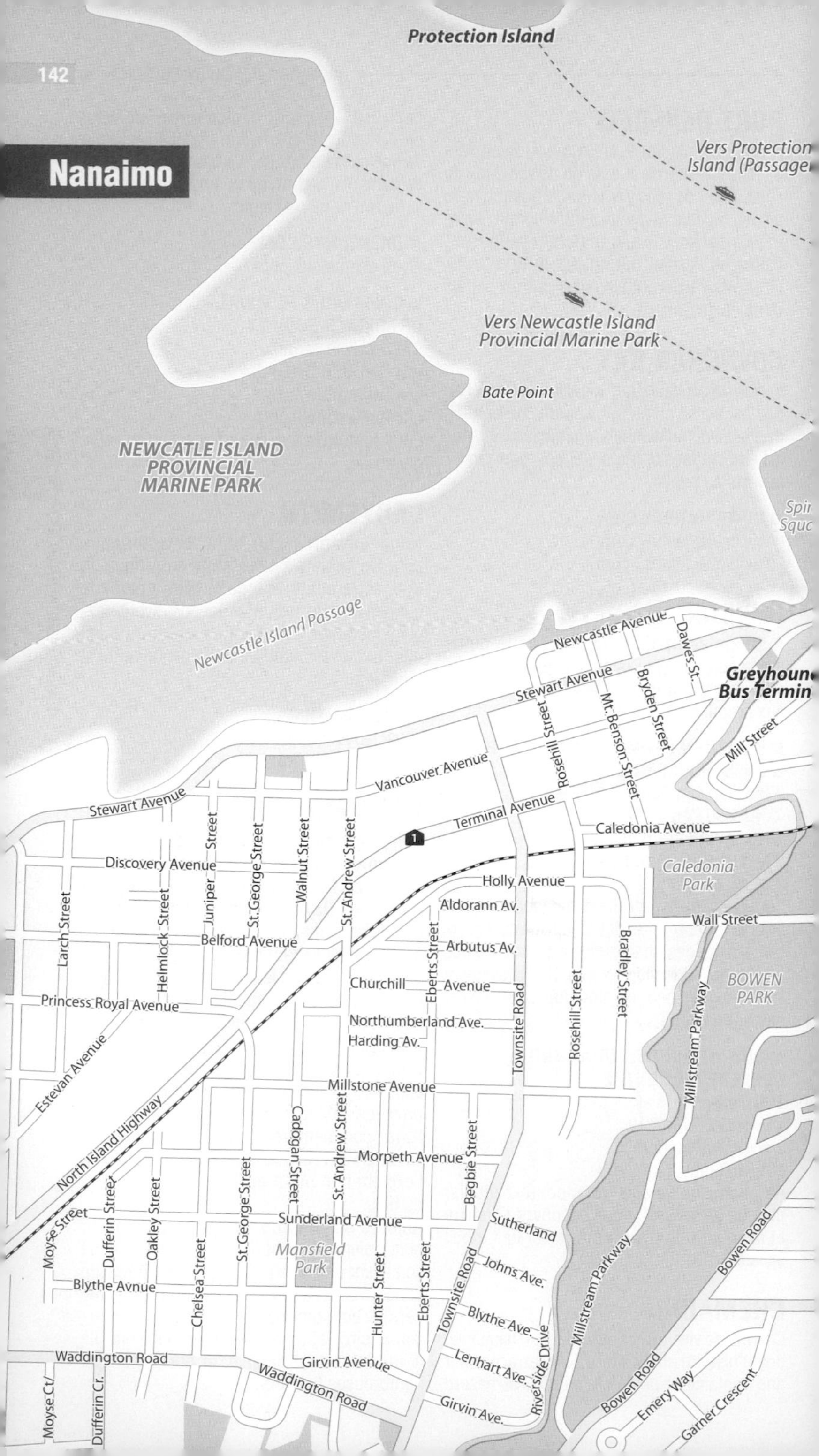
Protection Island
Vers Protection Island (Passage
Vers Newcastle Island Provincial Marine Park
Bate Point
NEWCATLE ISLAND PROVINCIAL MARINE PARK
Newcastle Island Passage
Newcastle Avenue
Dawes St.
Stewart Avenue
Bryden Street
Greyhoun Bus Termin
Mt. Benson Street
Rosehill Street
Mill Street
Vancouver Avenue
Stewart Avenue
Terminal Avenue
Caledonia Avenue
Caledonia Park
Juniper Street
St. George Street
Walnut Street
St. Andrew Street
Discovery Avenue
Holly Avenue
Aldorann Av.
Wall Street
Larch Street
Helmlock Street
Belford Avenue
Arbutus Av.
Eberts Street
Bradley Street
BOWEN PARK
Churchill Avenue
Princess Royal Avenue
Northumberland Ave.
Harding Av.
Townsite Road
Millstream Parkway
Estevan Avenue
Millstone Avenue
North Island Highway
Cadogan Street
Begbie Street
Morpeth Avenue
Moyse Street
Dufferin Street
Oakley Street
Sunderland Avenue
Sutherland
Mansfield Park
Johns Ave.
Bowen Road
Blythe Avnue
Chelsea Street
Hunter Street
Blythe Ave.
Riverside Drive
Waddington Road
Girvin Avenue
Lenhart Ave.
Moyse Ct/
Dufferin Cr.
Girvin Ave.
Emery Way
Garner Crescent

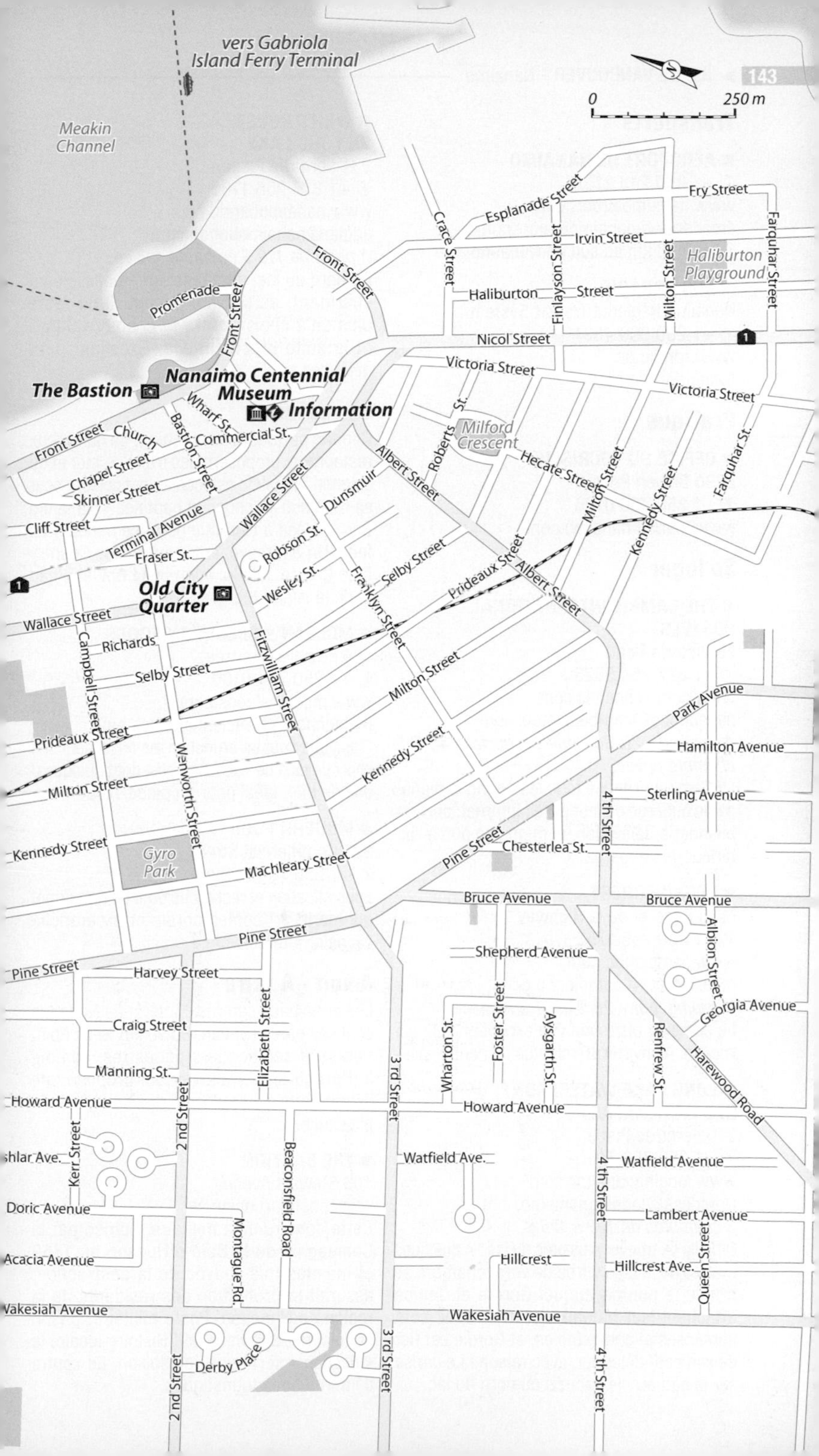
vers Gabriola
Island Ferry Terminal
Meakin
Channel
0
250 m
Esplanade Street
Fry Street
Irvin Street
Crace Street
Finlayson Street
Milton Street
Haliburton
Playground
Farquhar Street
Front Street
Promenade
Front Street
Haliburton
Street
Nicol Street
Victoria Street
Victoria Street
Nanaimo Centennial
Museum
The Bastion
Information
Wharf St.
Bastion Street
Commercial St.
Front Street
Church
Chapel Street
Skinner Street
Roberts St.
Milford
Crescent
Hecate Street
Milton Street
Kennedy Street
Farquhar St.
Albert Street
Dunsmuir
Wallace Street
Terminal Avenue
Cliff Street
Fraser St.
Robson St.
Wesley St.
Selby Street
Franklyn Street
Prideaux Street
Albert Street
Old City
Quarter
Wallace Street
Richards
Campbell Street
Selby Street
Fitzwilliam Street
Milton Street
Park Avenue
Hamilton Avenue
Prideaux Street
Kennedy Street
Milton Street
Wenworth Street
Sterling Avenue
4 th Street
Kennedy Street
Gyro
Park
Machleary Street
Pine Street
Chesterlea St.
Bruce Avenue
Bruce Avenue
Pine Street
Pine Street
Harvey Street
Shepherd Avenue
Albion Street
Georgia Avenue
Craig Street
Elizabeth Street
Foster Street
Aysgarth St.
Wharton St.
Renfrew St.
Harewood Road
Manning St.
3 rd Street
Howard Avenue
Howard Avenue
2 nd Street
Kerr Street
shlar Ave.
Beaconsfield Road
Watfield Ave.
4 th Street
Watfield Avenue
Doric Avenue
Montague Rd.
Lambert Avenue
Acacia Avenue
Hillcrest
Hillcrest Ave.
Queen Street
Wakesiah Avenue
Wakesiah Avenue
Derby Place
2 nd Street
3 rd Street
4 th Street

Transports

■ AÉROPORT DE NANAIMO
© +1 250 245 2157
www.nanaimoairport.com
emaddock@nanaimoairport.com
Situé à 18 km au sud de Nanaimo.

■ BUS URBAINS
Nanaimo Regional Transit System
© +1 250 390 4531
www.rdn.bc.ca
transprt@rdn.bc.ca

Pratique

■ OFFICE DU TOURISME
2290 Bowen Road
© +1 250 756 0106
www.tourismnanaimo.com

Se loger

■ THE CAMBIE INTERNATIONAL HOSTELS
63 Victoria Road
© +1 877 754 5323
www.cambiehostels.com
nanaimobc@cambiehostels.com
A partir de 20 $ la nuit en dortoir, 44 $ la chambre privée.
Le Cambie propose tous les services dignes d'une auberge de jeunesse : Internet, cuisine, buanderie, télévision, et même un pub à l'intérieur de l'auberge.

■ LIVING FOREST
Maki Road et de la Highway 1
© +1 250 755 1755
www.campingbc.com
reservations@campingbc.com
Camping. Entre 26 $ et 41 $ la place.
Le camping offre une vue exceptionnelle sur l'océan. A environ 10 minutes du centre-ville.

■ LONG LAKE WATERFRONT BED & BREAKFAST
240 Ferntree Place
© +1 250 758 5010
www.lodgingnanaimo.com
frontdesk@lodgingnanaimo.com
3 chambres de 125 à 175 $.
Difficile de trouver plus près du lac ! A quelques mètres de la baie vitrée de votre chambre se trouve le ponton auquel Gordie et Janice attachent leur bateau. Les chambres sont immenses et confortables, et Gordie est fier de son petit déjeuner, avec raison ! La cerise sur le gâteau : le Jacuzzi au bord du lac.

■ WHITE HOUSE ON LONG LAKE
231 Ferntree Place
© +1 877 956 1185
www.nanaimobandb.com
admin@nanaimobandb.com
A partir de 119 $ en haute saison.
Au bord du lac, au calme, un établissement charmant, au service parfait. Il ne reste plus qu'à choisir entre la chambre Safari et la suite présidentielle. Excellent petit déjeuner.

Se restaurer

Comme partout dans la région, de nombreux restaurants proposent des fruits de mer et du saumon. Nanaimo est localement célèbre pour sa friandise au chocolat baptisée « Nanaimo Bar », créée à l'époque pour les mineurs de fond. On en trouve, entre autres, au Country Club Centre, à la jonction de la Bowen Road et de la Island Highway.

■ MCLEAN'S SPECIALTY FOODS
426 Fitzwilliam Street
© +1 250 754 0100
www.mcleansfoods.com
thebigcheese@mcleansfoods.com
Classique pour un brunch, mais aussi pour son choix de plus de 150 fromages, dont quelques-uns de l'île, idéal pour un pique-nique.

■ MODERN FOOD
221 Commercial Street
© +1 250 754 5022
Sophistication et recherche pour ce restaurant qui marie art contemporain et excentricité culinaire intéressante.

À voir / À faire

Les principaux centres d'intérêt de Nanaimo sont ses parcs (Beban, Bowen et Neck Point Parks) et ses sentiers pédestres, comme le Harbourside Walkway qui propose une promenade romantique dans le port de plaisance.

■ THE BASTION
450 Stewart Avenue
www.bastionrunning.ca
Cette construction militaire, édifiée par la Compagnie de la Baie d'Hudson en 1853 et maintes fois sauvée de la destruction, assurait la protection des résidents de la région de Nanaimo. Poste militaire, prison et aujourd'hui musée de l'Histoire locale, le « bastion » sert aussi, en saison, de centre d'informations touristiques.

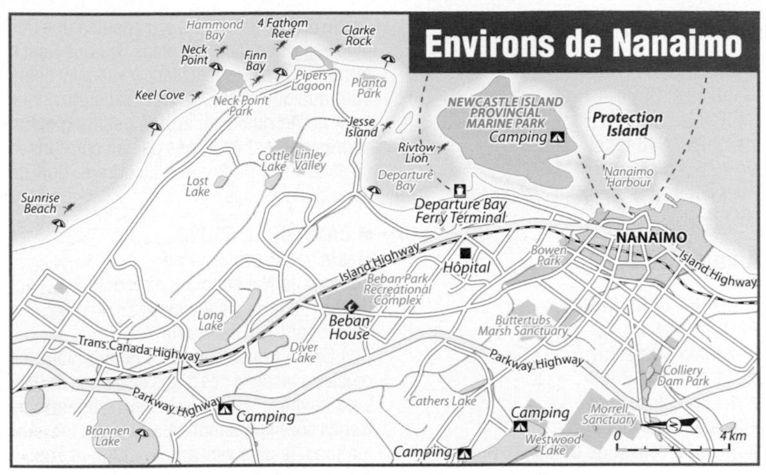

■ **NANAIMO CENTENNIAL MUSEUM**
100 Museum Way ✆ +1 250 753 1821
www.nanaimomuseum.ca
Récemment déménagé au sein du Conference Center, ce petit musée reconstitue l'histoire de la ville, et notamment celle de son quartier chinois entièrement détruit par un incendie en 1960. Succincte mais intéressante évocation des mines de charbon.

■ **OLD CITY QUARTER**
www.oldcityquarter.com
info@oldcityquarter.com
« Vieux quartier » de la ville, avec, comme principal centre d'intérêt, la gare (« E&N Rail Station »), qui a accueilli le premier train venant de Victoria en 1883. Le quartier a de nombreux restaurants et boutiques, mais est peu fréquenté.

OCEANSIDE (PARKSVILLE ET QUALICUM BEACH)

Désormais connues sous le nom d'Oceanside, ces deux villes jumelles sont devenues une destination traditionnelle pour des vacances en famille.Avec 19 km de plages de sable et 140 festivals annuels, l'Oceanside est un lieu de villégiature aux très nombreuses activités, prévues aussi bien pour ses résidents que pour ses visiteurs.

Transports

■ **VANCOUVER ISLAND COACH LINES OU GREYHOUND**
✆ +1 800 661 8747 – www.greyhound.ca
webmaster@greyhound.ca
De Nanaimo à Parksville (28 $).

Pratique

■ **QUALICUM BEACH VISITOR INFORMATION CENTRE**
2711 West Island Highway
✆ +1 250 752 9532
www.qualicum.bc.ca
chamber@qualicum.bc.ca
Parksville n'a pas de centre-ville : elle est toute tournée vers son front de mer. Qualicum Beach a son bourg, avec des commerces et des cafés, dans les terres.

Se loger

■ **MACLURE HOUSE B&B INN**
1051 Resort Drive
Parksville
✆ +1 250 248 3470
www.bedbreakfasthome.com/maclure-house/
À partir de 110 $ la nuit.
Les chambres sont décorées avec goût. La Suite Ocean dispose d'une salle de bain originale. Restaurant sur place.

■ **TIGH-NA-MARA RESORT HOTEL**
1155 Resort Drive
Parksville
✆ +1 800 663 7373
www.tigh-na-mara.com
info@tigh-na-mara.com
A partir de 229 $.
Outre sa vue sur l'océan, le complexe hôtelier propose des cottages très bien conçus et le plus grand spa de la Colombie-Britannique (Grotto Spa).

Se restaurer

■ KALVAS

180 Molliet Street
Parksville
✆ +1 250 248 6933
De 12 $ à 60 $.
Spécialités de steak et de poisson. Très bien !

À voir / À faire

■ HORNE LAKE CAVES PROVINCIAL PARK

Stn. Main Courtenay,
✆ +1 250 248 7829
www.hornelake.com
info@hornelake.com
A 26 km à l'ouest de Qualicum Beach, sortie 75 de la Highway 19
Petite aventure de spéléologie, avec matériel à louer (emporter deux lampes torches). Sensations garanties !

■ MILNER GARDENS AND WOODLAND

2179 West Highland Highway
Parksville
✆ +1 250 752 8573
www.milnergardens.org
milnergardens@shaw.ca
24 ha de forêts et 4 ha de jardins sont ici entretenus par des bénévoles et des étudiants en horticulture.

■ RATHTREVOR BEACH PROVINCIAL PARK

Parksville
Dans ce parc de 348 ha se trouvent les plus belles plages préservées à l'est de Parksville. A marée haute, la baignade est agréable car le niveau de la mer est peu élevé et l'eau a été réchauffée par le soleil durant la marée basse.

Sports / Détente / Loisirs

Il y a six terrains de golf dans la région de Parksville-Qualicum Beach, et plus d'une douzaine à une heure de voiture.

MACMILLAN PROVINCIAL PARK

De Parksville, la Highway 4 se dirige vers l'ouest et commence à grimper sur l'épine dorsale de l'île de Vancouver, jusqu'à ce qu'elle entame sa descente vers Port Alberni. Bien que le tourisme s'y soit fort développé, au point de devenir une destination très à la mode, cette partie de l'île est sans aucun doute l'une des plus belles. La fameuse plage de Long Beach offrant 11 km de sable blanc y est sans doute pour quelque chose.Le Macmillan provincial park abrite quelques arbres géants (pins et cèdres rouges) épargnés par les entreprises forestières (le site est d'ailleurs le don de l'une d'entre elles).

■ CATHEDRAL GROVE

MacMillan Provincial Park
Au nord de Nanaimo, en direction de Port Alberni (Highway 4)
en passant par Parksville
Ces pins et cèdres rouges géants sont les précieux vestiges des forêts disparues de l'île. L'enchevêtrement et la position de certains troncs sont époustouflants. D'après les estimations, le plus vieil arbre (« King of Tree ») serait âgé de huit siècles.

PORT ALBERNI

Port Alberni est plus une halte pour remplir votre réservoir ou votre estomac qu'une véritable halte touristique. Cependant, les plus aventuriers pourront embarquer sur l'un des bateaux de la poste, le MV Lady Rose ou le MV Frances Barkley (renseignements sur www.ladyrosemarine.com) : en plus du courrier, ces cargos apportent des vivres aux communautés les plus reculées. Le long du parcours de l'Alberni Inlet et du Barkley Sound, vous verrez sans doute des orques, des ours et des aigles. L'expédition part du nord de Harbour Quay, à Port Alberni, à 8h, et rejoint Bamfield via Kildonan, pour franchir ensuite les eaux du Barkley Sound et du Broken Group Islands avant d'arriver à Ucluelet. Les kayakistes peuvent également embarquer, et seront déposés à Sechart, point de départ des expéditions en kayak à travers les Broken Group Islands. Comptez 34 $ pour un aller simple pour Bamfield, 37 $ pour Ucluelet. Prévoyez un chapeau et un coupe-vent : la météo est très changeante.

■ ARROWVALE RIVERSIDE CAMPGROUND & COTTAGES

5955 Hector road
✆ +1 250 723 7948
http://arrowvale.ca
info@arrowvale.ca
A partir de 25 $ la nuit pour le camping et 149 $ pour le cottage équipé.
Situé à 6 km de Port Alberni au bord de la rivière Somass. Idéal pour se retrouver au calme.

■ **CLAM BUCKET**
4479 Victoria Quay ✆ +1 250 723 1315
Entre 8 et 17 $. Bien que ce ne soit pas un haut lieu de gastronomie, l'ambiance y est fort agréable. Entre les choix de burgers vous trouverez sans doute votre bonheur dans les plats de fruits de mer.

■ **HUMMINGBIRD B&B**
5769 River road ✆ +1 250 720 2111
www.hummingbirdguesthouse.com
info@hummingbirdguesthouse.com
A partir de 130 $. Un havre de paix confortable et propre. Si la pluie vous empêche de sortir, vous aurez l'occasion d'y passer de longues heures à vous entraîner au snooker.

PACIFIC RIM NATIONAL PARK

Le Pacific Rim National Park, d'une immense richesse végétale et animale se divise en trois parties : Long Beach (entre Tofino et Ucluelet), les Broken Islands (une centaine d'îles à l'entrée du Barkley Sound, accessibles en bateau à partir d'Ucluelet, Toquart Bay, Port Alberni) et le sentier de la côte ouest, sauvage et accidenté, qui s'étend sur 75 km entre Bamfield et Port Renfrew. L'accès à ces zones est payant. Comptez un budget de 8 $ par jour et par personne

■ **PACIFIC RIM VISITOR CENTRE**
2791 Pacific Rim Highway
✆ +1 250 726 4600
www.pacificrimvisitor.ca
info@pacificrimvisitor.ca

■ **WEST COAST TRAIL**
Pacific Rim National Park Reserve
✆ +1 250 726 7721, +1 800 663 6000
www.westcoasttrailbc.com
pacriminfo@pch.gc.ca
Ouvert du 1er mai au 30 septembre. Il faut téléphoner pour obtenir un permis d'accès obligatoire qui leur coûtera 25 $ non remboursables. Le nombre des participants est limité à 26 par jour seulement et il y a en général une liste d'attente. Compter également 70 $ pour l'utilisation du sentier et 25 $ pour le ferry aller-retour.
Située dans le Pacific Rim National Park, cette route de 75 km passe par des chutes, des caves, des arches formées par la mer et des plages ; il faut même prendre un ferry. Mais ce n'est pas une petite balade. Comparable au GR20, en Corse, cette randonnée pédestre passe pour la plus impressionnante du pays (y compris en ce qui concerne les dépenses : pour la préservation du territoire, pour votre accès – réglementé – au site, et pour vos vivres). Le West Coast Trail est connu mondialement pour le très grand défi qu'il offre aux aventuriers chevronnés. C'est donc une balade qui ne convient qu'aux sportifs très expérimentés, et bien équipés.

▸ **Deux sites donnent accès au West Coast Trail** : Pachena Bay ✆ + 1 250 728 3234 et Gordon River ✆ +1 250 647 5434. Cette dernière, pourtant plus proche de Victoria (2 heures en voiture), est la portion la plus difficile. Téléphonez au West Coast Trail Express, situé au 3954 Bow Road, Victoria ✆ +1 250 477 8700, pour vous informer sur les transports en bus au départ de Victoria.

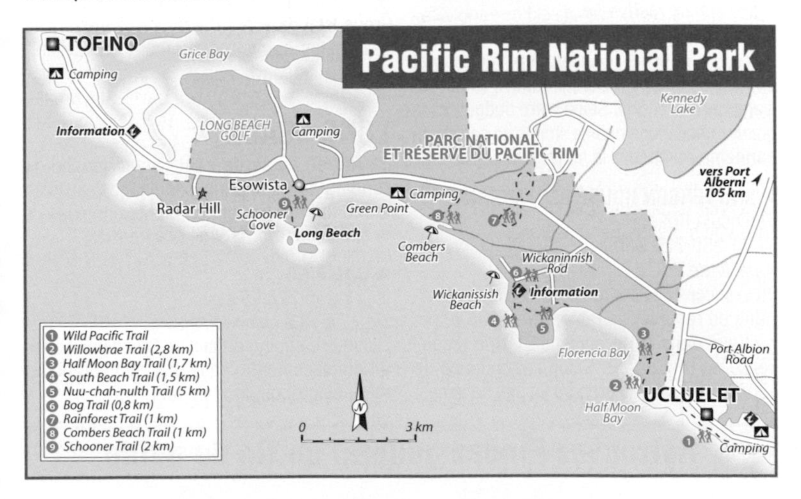

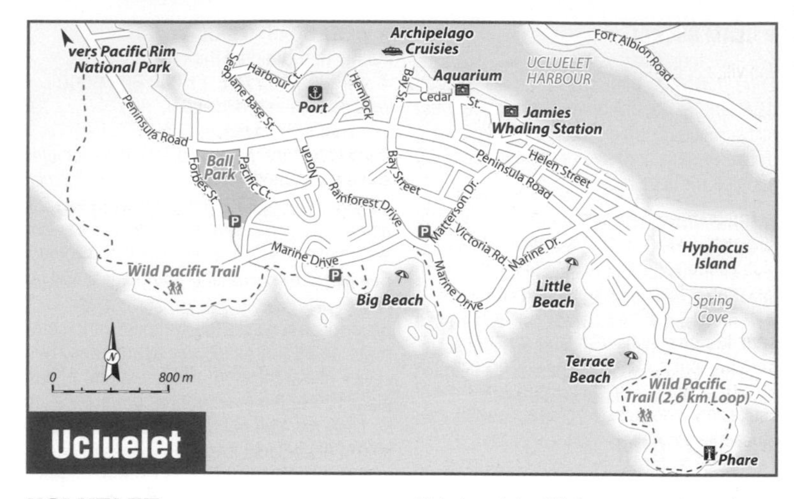

UCLUELET

Prononcer « you-clou-lette ». Dans la langue amérindienne, le nom de ce village de pêcheurs signifie « port sûr et accueillant ». En effet, tout y est axé sur l'océan, de la pêche à l'observation des baleines en passant par les croisières « nature ». Le village n'est pas bien grand mais il offre un accès direct à la réserve du Pacific Rim National Park. Il offre également l'avantage d'être un peu moins cher que Tofino, bien que moins charmant.

■ CANADIAN PRINCESS RESORT

1943 Peninsula Road
✆ +1 250 598 3366
www.canadianprincess.com
Comptez entre 89 et 289 $ selon le type d'expérience recherché.
Voici une façon originale de passer la nuit à Ucluelet. En effet, le Canadian Princess est un antique bateau à vapeur amarré au port et transformé en hôtel. Selon votre budget, vous pouvez choisir une cabine simple, la cabine du capitaine ou encore la suite. A essayer...

■ MATTERSON HOUSE RESTAURANT

Peninsula Road
✆ +1 250 726 6600
A partir de 9 $.
Vu le succès de l'endroit, il est toujours préférable de réserver sa table. Atmosphère très rustique dans cette ancienne ferme reconvertie en restaurant. Selon l'abondance, le service peut parfois prendre un peu de temps. Mais les plats délicieux, souvent « maison » vous feront vite oublier ce détail.

■ SURF'S INN

2081 Peninsula road
✆ +1 250 726 4426
www.surfsinn.ca
surfsinn@hotmail.com
A partir de 27 $ la nuit en dortoir. Pour une chambre double, les prix varient entre 65 et 125 $.
Si vous êtes plusieurs personnes, le must est sans doute de choisir le cottage à 250 $ qui offre confort et bon goût. Ou bien, il est encore possible de choisir une suite confortable à 150 $.

■ UCLUELET CHAMBER OF COMMERCE

200 Main Street
✆ +1 250 726 4641
www.ucluelетinfo.com
info@ucluеletinfo.com

LONG BEACH

11 km de plage de sable blanc jonché de rondins de bois et de coquillages, au pied d'une forêt dense et des monts enneigés de la chaîne de montagnes Mackenzie.

■ CAMPING

✆ +1 250 726 7721
De 12 à 18 $ selon la saison.
L'unique camping officiel de Green Point offre 94 emplacements, sans douche ni branchement électrique, la vraie nature !

Retrouvez l'index général en fin de guide

TOFINO

Joli village situé à l'extrémité du Pacific Rim National Park et de Long Beach – une longue lanière de sable et de falaises battues par l'océan – Tofino est un des joyaux de l'île de Vancouver. L'endroit est réputé pour la visite régulière des baleines. Ces stars locales, qui jouent un rôle déterminant dans l'activité de la région, sont visibles de la plage mais il est plus excitant de s'en approcher en bateau (les propositions de « Whale Watching » fleurissent dans le village). La meilleure période pour les observer est de la mi-mars à la mi-avril, lors du Whales Festival où quelque 20 000 baleines grises migrent. Dans les eaux calmes de sa baie abritée par un rideau d'îles boisées, Tofino est un paradis pour les kayakistes et les surfers de tous horizons et de tous niveaux. C'est aussi un port de pêche où pêcheurs et ostréiculteurs vendent leurs produits (saumons, cabillauds, crevettes, crabes et autres fruits de mer). Un des quais du port est connu sous le nom de « dock aux crabes ».

Tofino est peuplé d'un mélange de hippies, de surfers, d'activistes écologistes, de pêcheurs et d'autochtones (peuples Tla-o-qui-aht et Ahousaht, qui vivent en dehors du village, sur l'autre rive). Le village est un peu victime de son succès : sa géographie attire les amateurs de nature, mais le nombre des activités touristiques, des hébergements et des restaurants de luxe semble un peu démesuré par rapport à sa taille.

Pratique

■ **TOURISM TOFINO**
1426 Pacific Rim Highway
✆ +1 888 720 3414, +1 250 725 3414
www.tourismtofino.com
info@tourismtofino.com

▸ **Autre adresse :** 455 Campbell Street

Se loger

Plus de 100 hébergements. Pourtant, en raison d'une popularité croissante, il est préférable de réserver, surtout en été.

■ **THE INN AT TOUGH CITY**
350 Main Street
✆ +1 877 725 2021
www.toughcity.com
cityinn@toughcity.com
A partir de 169 $ en haute saison.
Le décor est à base d'éléments recyclés et de quelques antiquités : reflet parfait du village.

■ **MIDDLE BEACH LODGE**
400 Mackenzie Beach Road,
Pacific Rim Highway
✆ +1 250 725 2900
www.middlebeach.com
info@middlebeach.com
A partir de 165 $.
Tout simplement très beau. Chambres avec vue sur la forêt ou directement sur l'Océan. Le lodge est vraiment situé dans un havre de nature incroyable avec une plage privée. C'est l'occasion de se faire plaisir !

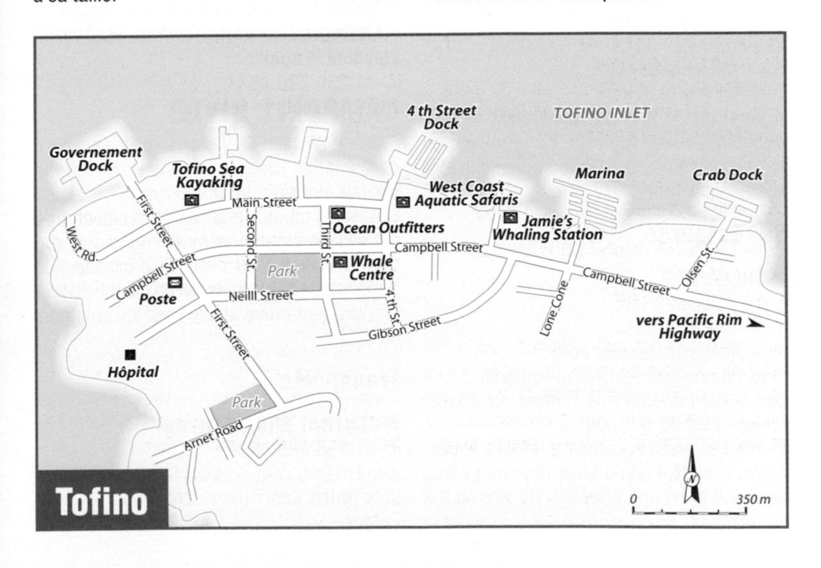

Tofino.

SAUNA HOUSE B&B
1286 Lynn Road
✆ +1 250 725 2113
www.saunahouse.net
saunahouse@seaviewcable.net
A partir de 115 $.
Nikki se cache au fond des bois, ce qui ne laisse pas indifférent les visiteurs. Tout est en bois. Simple et charmant. Comme son nom l'indique, le sauna est presque inévitable. Quoi de mieux après quelques heures de marche au bord de l'océan ?

■ **WHALERS ON THE POINT GUESTHOUSE**
81 West Street
✆ +1 250 725 3443
www.tofinohostel.com
info@tofinohostel.com
A partir de 34 $ la nuit en dortoir, 90 $ la chambre privée. Auberge de jeunesse de style chalet en rondins, hébergement le plus abordable à Tofino.

Se restaurer

■ **SHELTER**
601 Campbell Street
✆ +1 250 725 3353
www.shelterrestaurant.com
reservations@shelterrestaurant.com
Sur la rue principale, à l'entrée du village. Environ 20 à 25 $ le plat.
Ambiance feutrée et branchée, service impeccable, et plats d'une grande finesse. Le tout accompagné d'une sélection de vins tout à fait honnête.

■ **SOBO**
311 Neill Street
✆ +1 250 725 2341
www.sobo.ca – artie@sobo.ca
A partir de 8,50 $.
L'endroit est à la mode et abordable ! Le meilleur rapport qualité-prix du coin avec de nombreux plats préparés sur place. En toute confiance, essayez les plats de poissons et les cookies au chocolat.

À voir / À faire

Pêche, randonnée, kayak, expéditions pour aller voir les baleines… Si vous êtes chanceux, un tour en hydravion au-dessus de la côte et du Clayoquot Sound pourrait vous apporter tout un lot de cadeaux de la nature. En effet, vous pourriez voir des baleines, des ours et toute cette côte tellement exceptionnelle.

■ **OCEAN OUTFITTERS**
421 Main Street ✆ +1 250 725 2866
www.oceanoutfitters.bc.ca
oceanoutfitters@telus.net
A partir de 79 ou 89 $ selon que vous préfériez le Zodiac ou le bateau pour observer les baleines.
D'autres formules sont possibles pour observer les ours ou profiter de sources thermales chaudes. Dans tous les cas, prévoyez crème solaire et vêtements chauds…

■ **TOFINO SEA KAYAKING**
320 Main Street ✆ +1 800 863 4664
www.tofino-kayaking.com
Compter 84 $ par jour pour un kayak double.
La région s'y prête vraiment. N'hésitez pas à vous diriger vers les îles Meares, elles valent vraiment le détour.

CAMPBELL RIVER

Située à 266 km de Victoria, la ville ouvrière de Campbell River est connue pour être la capitale mondiale du saumon, mais c'est aussi une région réputée pour la pâte à papier. On y fait de belles randonnées en montagne, des balades en kayak ou à vélo. Sa proximité avec Quadra et Cortes Islands fait de Campbell River une aire récréative idéale pour les amateurs de nature.

Transports

■ **CENTRAL MOUNTAIN AIR**
✆ +1 888 865 8585
www.flycma.com – info@flycma.com
Vols entre Vancouver, Campbell River et Comox.

■ **MARINE LINK**
Campbell River
7990 Island Hwy
✆ +1 250 286 3347
www.marinelinktours.com
Au départ de Campbell River, le long des détroits de Georgia, Johnstone et Queen Charlotte.

Pratique

■ **CAMPBELL RIVER VISITOR INFORMATION CENTRE**
1235 Shoppers Row
✆ +1 877 286 5705
www.visitorcenter.ca
www.campbellrivertourism.com
info@visitorcenter.ca

Se loger

■ **HIDDEN HARBOUR B&B**
57 Murphy Street
✆ +1 888 588 7834
www.hiddenharbour-bb.com
info@hiddenharbour-bb.com
A partir de 110 $ la chambre double.
Idéal pour un couple ou pour une famille, car les suites peuvent accueillir 4 personnes pour un prix raisonnable. Jurgen est intarissable sur la région, et l'omelette d'Inge est probablement la meilleure de la côte.

■ **ELK FALLS PROVINCIAL PARK**
✆ +1 250 954 4600
www.env.gov.bc.ca/bcparks/explore/parkpgs/elkfalls.html
office@rlcenterprize.com
Camping. 15 $ la nuit. 122 emplacements.

Se restaurer

■ **CHEESECAKE 101**
660 Island Highway
✆ +1 250 286 0382
www.cheesecake101.com
cheesecake101cr@shawbiz.ca
L'endroit est très réputé et ce n'est pas un hasard.

Sports / Détente / Loisirs

◗ **Pêche :** Une des activités principales de la région. De nombreuses agences locales proposent des sorties en mer ou en rivière.

◗ **Fermes d'élevage :** Cambpell River compte de nombreuses fermes d'élevage de saumons, que l'on peut visiter.

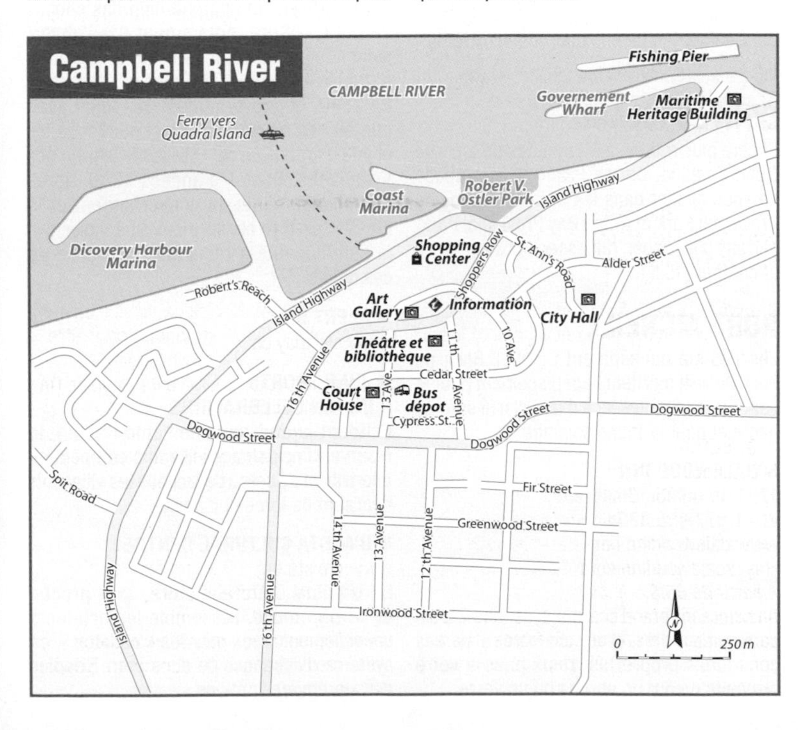

- **Kayak :** soit au départ de Campbell River, soit des îles Quadra ou Cortes. Nombreuses agences de location de kayaks.
- **Balades :** les environs de la ville et les îles sont de petits paradis pour les randonneurs. Nous vous conseillons par exemple Elk Falls, une courte balade au bord de la rivière, au nord de la ville.
- **Vélo :** VTT ou ville, également de nombreuses options pour les amateurs de 2-roues non motorisés.
- **Croisières :** Campbell River marque le début de l'Inside Passage, combinaison d'îles et de canaux qui offrent un paysage splendide. Des croisière de 1 à plusieurs jours permettent de les découvrir
- **Baleines :** elles sont facilement visibles dans les divers points d'eau. Les lieux visités sont les mêmes en général que ceux accessibles depuis Telegraph Cove, plus au nord.

QUADRA ISLAND

A 10 minutes de ferry de Campbell River (le Discovery Passage ne fait que 1,6 km entre les deux rives), Quadra Island offre un spectacle naturel idyllique. Arrêtez-vous au Cape Mudge Lighthouse, construit en 1898 pour guider les bateaux sur les eaux tumultueuses de la région.

CORTES ISLAND

Encore plus retirée, à 20 minutes de ferry de Quadra Island, Cortes Island vous propose de vous évader dans les Manson's Landing Provincial Park et Smelt Bay Provincial Park, parfaits pour nager, ramasser des coquillages et camper (15 $).

PORT MCNEILL

Les 198 km qui séparent Cambell River de Port McNeill méritent le déplacement pour le panorama, pour les lacs d'une clarté surprenante et pour la faune sauvage.

■ DALEWOOD INN

1703 Broughton Boulevard
✆ +1 877 956 3304
www.dalewoodinn.com
stay@dalewoodinn.com
A partir de 65 $.
Un hôtel sans grand charme, type motel, mais parfaitement situé, et aux chambres et parties communes proprettes. Deux pubs à votre disposition pour un en-cas ou un verre.

■ GWAKAWE CAMPGROUND

Alert Bay
✆ +1 250 974 5274
À partir de 15 CAN $.
Géré par la tribu des 'Namgis, ce camping vous donne un accès direct à la plage (douche, eau courante et bois pour feux de camp).

■ PORT MCC NEILL VISITOR INFORMATION CENTRE

351 Shelley Crescent
✆ +1 250 956 3131

ALERT BAY

Le patrimoine des « premières nations » est parfaitement représenté et préservé à Alert Bay, dans son architecture et ses artefacts, grâce au village des Kwakwaka'wakw. Dans Front Street, on peut voir la trace de l'immigration écossaise, sous la forme notamment d'une église anglicane. Mais l'attraction la plus intéressante d'Alert Bay est son totem le plus haut du monde (53 m), situé tout à côté de la Big House, centre communautaire de la tribu. En juillet et août, le T'sasala Cultural Group y présente des spectacles de danse (15 $). On apprend bien des choses de cette culture, notamment par l'observation de peintures et de sculptures d'ours, d'orques et d'aigles figurant sur le totem. En 1880, le gouvernement canadien avait interdit ces manifestations et confisqué les objets d'art en vue de « civiliser » la tribu des Kwagiulths. Dans les années 1980, après des changements au gouvernement et la pression exercée par les tribus amérindiennes, la communauté a récupéré une partie de ces objets.

■ ALERT BAY

www.alertbay.ca

■ JUNE SPORTS & INDIAN CELEBRATIONS

Pendant la deuxième semaine de juin, la réserve Nimpkish accueille une compétition intertribale au cours de laquelle les villageois rivalisent de force et d'agilité.

■ U'MISTA CULTURAL CENTRE

www.umista.org
Le U'Mista Cultural Centre, tout proche de la Big House, rassemble les artefacts spécialement créés pour les « potlatch », ce système d'échanges de dons entre peuples des « premières nations ».

PORT HARDY

Dernière ville sur la Island Highway, Port Hardy abandonne peu à peu son économie traditionnelle, basée sur la forêt, la pêche et les mines, pour se tourner de plus en plus vers le tourisme. Port Hardy est aussi le point de départ du ferry pour Prince-Rupert. Les veilles de départ, le village se remplit de touristes sur le point de quitter l'île, et il est recommandé de réserver sa table pour pouvoir dîner.

Pratique

■ **PORT HARDY CHAMBER OF COMMERCE**
7250 Market street
✆ +1 250 949 7622
Fax : +1 250 949 6653
www.ph-chamber.bc.ca
phccadm@cablerocket.com

Se loger

■ **AN OCEAN STORM B&B**
5885 Beaver Harbour Road
✆ +1 250 949 9611
www.anoceanstormbb.com
contact@anoceanstormbb.com
A partir de 120 $ la double.
Les chambres de ce magnifique Bed & Breakfast au bord de l'eau sont décorées avec goût, mais c'est surtout le Penthouse qui invite à prolonger son séjour.

À voir / À faire

■ **CAPE SCOTT**
www.capescottwatertaxi.ca
info@capescottwatertaxi.ca
Le parc offre un sentier de 130 km dans la nature, au départ de Shushartie Bay (ouest de Port Hardy) jusqu'à Cape Scott.

■ **PORT HARDY MUSEUM**
7110 Market Street ✆ +1 250 949 8143
www.northislandmuseums.org
phmachin@telus.net
Outils en pierre datés de 8000 av. J.-C., souvenirs et reliques des premiers colons danois.

Sports / Détente / Loisirs

■ **DUVAL POINT LODGE**
✆ +1 877 282 3474
✆ +1 250 230 0322
www.duvalpointlodge.com
duval@island.net
David et Lisa Beckman vous accueillent dans cette baie protégée des éléments à une quinzaine de minutes de Port Hardy, pour vous faire découvrir tous les secrets de la pêche.

■ **NORTH ISLAND DIVING AND WATER SPORTS**
✆ +1 250 949 8006
www.northislanddiver.com
info@northislanddiver.com
Markus Kronwitter vous emmène découvrir les merveilles des fonds marins des alentours de Port Hardy.

ÎLES DU GOLFE

Les îles du Golfe, au nombre de 200 environ, sont devenues des destinations de villégiature ou de retraite, professionnelle, spirituelle ou sportive, incomparables. Depuis fort longtemps, leurs paysages sont des sources d'inspiration, c'est pourquoi ces îles sont à présent la résidence de nombreux artistes ou d'anciens citadins lassés de la folie urbaine. Grâce à leur situation géographique, elles bénéficient du climat le plus tempéré du Canada, officiellement qualifié de semi-méditerranéen. D'abord le refuge d'évadés de la guerre du Viêt Nam, les îles du Golfe ont conservé leur caractéristique d'enclave hippie, même parmi les jeunes générations, venues cultiver des plantations organiques, exercer leur sens artistique et passer leur temps dans les coffee-shops. Au cours de ces quinze dernières années, des stars d'Hollywood et des entrepreneurs des villes sont également venus chercher refuge sur ces îles, y favorisant l'implantation de restaurants de grande cuisine, de beaux hôtels et de plusieurs galeries d'art. Cependant ces îles restent encore une destination exceptionnelle, vierge par endroits, et leur développement économique n'est pas une priorité.Conseil futé : les îles du Golfe n'offrent pas toujours des hébergements adaptés aux jeunes enfants. Renseignez-vous avant de partir : un âge minimum est souvent requis (entre 12 et 16 ans) pour des raisons de sécurité. Si vous voyagez en famille, la meilleure option reste la location de cottage.

Transports

Pour accéder aux îles du Golfe, vous devrez d'abord faire une halte sur l'île de Vancouver. Renseignez-vous sur les tarifs : ils peuvent paraître compliqués de premier abord. En outre, il est recommandé de réserver certaines traversées, particulièrement lors des week-ends estivaux.

Conseil : si vous prévoyez de visiter plusieurs îles, achetez le Sail Pass, pour 4 jours (210 $) ou 7 jours (250 $). Pensez à l'acheter avant de partir (impossible de l'obtenir au terminal), sur le site de BC Ferries ou dans les centres d'informations touristiques.

■ BC FERRIES
Vancouver
✆ +1 888 223 3779
Voir la rubrique Vancouver / Se déplacer / L'arrivée / Bateau

SATURNA ISLAND

Saturna possède des plages idylliques et organise, chaque 1er juillet, un grand méchoui pour ses 350 habitants et ses visiteurs. Pour les amateurs de vie tranquille et sauvage, l'île dispose de petits vignobles intéressants.

■ BREEZY BAY B&B
131 Payne Road
✆ +1 250 539 5957
www.breezybaybb.ca
breezybaybb@islandnet.ca
A partir de 118 $, 75 $ hors saison.
Environ 20 hectares de terrain autour de cette ferme de 1890, avec accès direct à la plage pour nager ou faire du kayak.

■ EAST POINT PARK
✆ +1 877 762 2073, +1 250 539 9849
www.eastpointresort.com
eastpointcottage@gmail.com
A partir de 121 $ le cottage.
À voir pour ses plages (Russel Reef, Veruna Bay, Sheel Beach) et son phare. Les randonneurs peuvent rejoindre le Mount Warburton Pike et suivre ensuite le Brown Ridge Nature Trail : vues imprenables. Les kayakistes, quant à eux, pagaieront autour de Tumbo Island, pour admirer ce cadre naturel et sauvage.

■ SATURNA LODGE & RESTAURANT
130 Payne Road ✆ +1 866 539 2254
www.saturna.ca – innkeeper@saturna.ca
A partir de 119 $ en été et 79 $ hors saison.
Pourquoi ne pas s'offrir une nuit loin de tout, confortable et charmante ?

■ SATURNA TOURISM
100 E Pt Rd, Saturna
www.saturnatourism.com

PENDER ISLANDS

Ces deux îles sont reliées par un pont de bois qui enjambe un canal. Réputées pour leurs criques protégées et leurs plages, elles sont idéales pour un séjour loin du vacarme de la ville. Le Nord de l'île plus développé que le Sud semble s'être quelque peu détourné de sa vieille vocation fermière.

Transports

Comment y accéder et en partir

Le terminal de ferry se trouve à North Pender dans la baie de Otter. Les deux îles sont reliées par un pont. On peut s'y rendre, en ferry (www.bcferries.com), à partir de Galiano situé à 45 minutes. Ou encore de Mayne (25 minutes), Salt Spring (40 minutes), Saturna (50 minutes), Swartz Bay (2 heures). Un service de bateau-taxi relie Otter à Salt Spring et Saturna. Il n'est pas indispensable d'avoir une voiture pour se déplacer sur les îles. Des taxis y sont disponibles et de nombreux hôtels proposent des services de shuttle.

Se déplacer

■ OTTER BAY MARINA
2311 McKinnon Road ✆ +1 250 629 3579
www.otterbaymarina.ca
Location de vélos.

Pratique

■ PENDER ISLAND TOURISM
www.penderislandchamber.com

Se loger

■ POET'S COVE RESORT AND SPA
9801 Spalding road
✆ +1 888 512 7638
www.poetscove.com
reservations@poetscove.com
A partir de 299 $ en été.
Sans doute l'un des endroits les plus luxueux du coin. Une décoration soignée avec des patios qui offrent une superbe vue sur l'océan. Au restaurant, choix incroyable de plats locaux et internationaux. Vous serez sans doute surpris par la grandeur et le confort des salles de bains. La magie du lieu réside aussi dans son centre de spa. Une bonne étape pour se relaxer dans les vapeurs d'eucalyptus...

Se restaurer

■ AURORA
✆ +1 250 629 2100 – www.poetscove.com
Compter 24 à 42 $. Du poisson, mais aussi de l'agneau local : un régal ! Les plats sont de saison. Il est préférable de réserver, vu le succès du lieu.

■ HOPE BAY CAFE
4301 Bedwell Harbour
✆ +1 250 629 6668
www.hopebaycafe.com
Compter 10 à 26 $. Un bistrot inattendu situé dans le bâtiment rénové d'un ancien general store. Un chef formé dans les grandes villes officie aux fourneaux.

À voir / À faire

■ MARINE BEAUMONT PARK
Ses plages (Hamilton Beach, Medicine Beach) offrent un cadre parfait pour les balades à vélo.

■ MOUNT NORMAN REGIONAL PARK
Les sentiers pédestres s'enfoncent dans la forêt dense et débouchent parfois sur des plages sauvages et des points de vue étonnants. Le sentier démarre de la route Ainslie Point. Une paire de jumelles est indispensable !

MAYNE ISLAND

Île bucolique, longtemps connue comme étant le centre de l'agriculture insulaire, Mayne Island s'emploie à préserver ses pâturages et sa qualité de vie. C'est aussi une île qui regorge d'histoires. En effet, elle était le point d'arrêt incontournable pour les nombreux chercheurs d'or qui rejoignaient le continent. Il en reste quelques sites historiques, notamment quelques chapelles édifiées par les pionniers. Outre cela, Mayne island est aussi un repaire d'écrivains et d'artistes en tout genre.

Transports

Comment y accéder et en partir

Service direct de ferry (www.bcferries.com) pour rejoindre Village Bay au départ de Galiano (25 minutes).

Pratique

■ MAYNE ISLAND COMMUNITY CHAMBER OF COMMERCE
www.mayneislandchamber.ca
info@mayneislandchamber.ca

Se loger

■ COACH HOUSE ON OYSTER BAY B&B INN
511 Bayview Drive ✆ +1 888 629 6322
A 3 km du ferry. A partir de 170 $. Idéal pour être au milieu de la nature avec toutes les commodités. La maison étant située face au Georgia Strait, vous pourrez peut-être voir des otaries, des orques et aussi des daims.

■ TINKERERS' B&B
417 Sunset Place ✆ +1 250 539 2280
www.bbcanada.com/133.html
info@bbcanada.com
A partir de 110 $. Jurgen et Judith vous accueillent en anglais, allemand ou espagnol. Le français n'est pas encore à leur programme mais l'accueil vous fera vite oublier cela. Leur maison est tout simplement charmante et les chambres sont assez différentes, pour tous les goûts. Les chambres du dessus disposent d'une salle de bains commune, mais offrent des vues exceptionnelles.

Se restaurer

■ OCEANWOOD COUNTRY INN
630 Dinner Bay Road ✆ +1 250 539 5074
www.oceanwood.com
info@oceanwood.com
Compter 55 $ (prix fixe). C'est le restaurant de l'hôtel du même nom. Le décor est à la hauteur de la cuisine.

■ SUNNY MAYNE BAKERY CAFÉ
Village Bay road ✆ +1 250 539 2323
www.sunnymaynebakery.com
Entre 5 et 12 $. Ce petit café accueillant propose de succulents petits déjeuners, des soupes, des sandwiches et des pizzas.

À voir / À faire

■ GEORGINA POINT HERITAGE PARK
A l'extrémité de l'île, un phare, érigé en 1885 et en service jusqu'en 1997, vous invite à découvrir un site intéressant.

■ MINER'S BAY
Devenue le centre névralgique et commercial de l'île, Miner's Bay dispose d'hébergements et de restaurants de renommée mondiale. Toutefois, elle a bien d'autres atouts, plus vrais et plus discrets. A vous de les découvrir…

■ PLAGES
Bennett Bay est probablement la meilleure plage pour nager. Campbell Bay et Dinner Bay Park sont parfaites pour un pique-nique.

GALIANO ISLAND

Bien qu'elle paraisse filiforme sur la carte, Galiano Island est plutôt montagneuse. L'île est devenue une terre d'élection pour les résidences secondaires de quelques personnalités du continent. Le soir venu, ne vous attendez pas à des attractions rythmées et illuminées. Ne soyez pas non plus effrayé par le côté très commercial des environs du terminal de ferry. Il n'est pas représentatif du reste de l'île. Au fur et à mesure que vous vous en écartez, la forêt et le calme reprennent leurs droits.

Se loger

■ BELLHOUSE INN
29 Farmhouse Road
✆ +1 800 970 7464
www.bellhouseinn.com
bookings@bellhouseinn.com
A partir de 135 $.
Une vraie ferme de 1890, meublée à l'ancienne, avec un verger et une vue imprenable sur l'Active Pass.

■ BODEGA RIDGE
120 Manastee Road
✆ +1 877 604 2677
www.bodegaridge.com
info@bodegaridge.com
A partir de 200 $ la nuit.
L'endroit idéal pour se retirer au calme. L'endroit est d'ailleurs connu pour les retraites. Les chambres sont confortables. Possibilité de louer des vélos sur place.

Se restaurer

■ LA BERENGERIE
2806 Montague Road
✆ +1 250 539 5392
Entre 12 et 25 $.
Huguette Benger, originaire d'Avignon, est installée dans ce lieu depuis un peu plus de vingt ans. Elle vous replongera, au travers de ses menus, dans l'ambiance des bistrots français. C'est aussi avec beaucoup de subtilité qu'elle accorde ses mets de plats locaux. Une aventure culinaire à ne pas manquer.

À voir / À faire

Randonneurs, vététistes et kayakistes, Galiano vous lance un défi physique, surtout au sud de l'île, où vous attendent les Mount Sutil, Mount Galiano (330 m) et Georgeson Bay (appelée the Bluffs). On y verra de nombreux moutons, on pourrait se croire en Ecosse !

■ ACTIVE PASS
Le passage qui sépare Galiano de Mayne est très fréquenté par les plaisanciers et les ferries : points de vue du Bellhouse Provincial Park (au bout de Jack Road), ou du Montague Harbour Provincial Park.

SALT SPRING ISLAND

La plus grande des îles du Golfe est surtout réputée pour ses galeries et ses studios d'art. Ses fermes, ses vignobles et ses paysages grandioses attirent de plus en plus de gens du milieu des affaires ou de l'industrie du cinéma. Ganges, le centre de l'île, accueille des coffee-shops, des galeries, et un marché le samedi (d'avril à octobre).

Pratique

■ SALT SPRING ISLAND
www.saltspringisland.org
info@saltspringisland.org

Se loger

■ SALT SPRING VINEYARDS B&B
151 Lee Road ✆ +1 250 653 9463
www.saltspringvineyards.com
info@saltspringvineyards.com
A partir de 165 $ (2 nuits minimum).
Dormir à côté d'un vignoble ? *The must !* Outre le charme des chambres, dont certaines équipées de Jacuzzi, c'est un endroit idéalement situé pour rayonner sur l'île. Situé à 6 km du terminal de ferry. Ne manquez pas une dégustation de leur pinot gris…

■ SEABREEZE INNE
101 Bittancourt Road ✆ +1 800 434 4112
www.seabreezeinne.com
info@seabreezeinne.com
A partir de 79 $ en basse saison et 119 $ en haute saison. Bonne alternative aux B&B plus chers des environs.

Se restaurer

■ MOBY'S MARINE PUB
124 Upper Ganges Road
✆ +1 250 537 5559
www.mobys.ca
Avis aux amateurs d'ambiance locale. Ce restaurant, idéalement situé avec vue sur le port, offre une nourriture typique de pub avec de nombreux fruits de mer. Le dimanche soir, le repas est souvent rythmé par un groupe local de jazz.

À voir / À faire

■ **RUCKLE PROVINCIAL PARK**
A 10 km du terminal de Fulford Harbour Ruckle Park est le plus grand parc provincial des îles du Golfe. On y trouve des forêts rocheuses propices aux randonnées et des piscines naturelles formées par les marées.

NEWCASTLE ISLAND

Petite île accessible en ferry (embarquement toutes les heures), Newcastle est un formidable endroit pour camper en compagnie de chevreuils, de castors et d'une multitude d'oiseaux. Un sentier permet de faire le tour de l'île à pied et, en partie, à vélo. On passe par Kanaka Bay, une crique parfaite pour se baigner. Le Newscastle Island Provincial Park est une destination parfaite pour les randonneurs, les cyclistes et les campeurs. Newcastle était le site de deux villages indiens salishs, avant que les colons britanniques n'y découvrent du charbon en 1849. Depuis, le terrain est redevenu inculte et les sentiers sont relativement courts (jusqu'à 4 km), dont le Mallard Lake Trail, qui mène au lac du même nom, et le Shoreline Trail, caractérisé par son parcours sinueux longeant les falaises et propice à l'observation des aigles. Le parc dispose de 18 campings (15 $ en moyenne).

GABRIOLA ISLAND

L'île de Gabriola est idéale pour les séjours de détente, sans exclure l'aventure. Comme dans la plupart des îles voisines, les activités principales y tournent autour des arts, de la musique et des fermes. Le quartier commercial du Folklife Village propose d'excellentes galeries d'art. Sandwell Provincial Park est l'une des plus belles plages de Gabriola, et Drumbeg Provincial Park offre des plages idéales pour nager. Gabriola est aussi réputée pour ses pétroglyphes (pierres gravées préhistoriques), surtout près de la United Church (à 10 km du ferry).

■ **GABRIOLA.ORG**
www.gabriola.org

ARCHIPEL DE HAIDA GWAII

L'archipel de Haida Gwaii, appelé « îles de la Reine-Charlotte » jusqu'au 3 juin 2010, est un ensemble de territoires sauvages, paisibles et mystérieux, à 130 km des côtes du nord-ouest de la Colombie-Britannique, séparées par le détroit Hecate. La population totale y est de 6 000 habitants dont 3 000 représentants du peuple haida. L'est de l'archipel n'est pas plus humide que Vancouver (125 cm de pluie par an), alors que l'ouest est comparable à la côte Ouest de Vancouver Island, avec 450 cm de pluie par an. Reconnues comme les Galapagos canadiennes, ces îles forment un ensemble de beautés naturelles peuplé d'animaux sauvages. Haida Gwaii est leur nom autochtone, ces îles étant en effet le berceau du peuple haida. Les Haidas, aussi appelés les Vikings du Pacifique, étaient réputés pour leur témérité qui leur permettait de braver les tempêtes en mer et de vivre en harmonie avec la nature. Ils étaient également d'excellents artistes, des sculpteurs de totems et d'argillite, une ardoise noire dont ils font aujourd'hui encore de petites sculptures totémiques et d'autres destinées à la bijouterie. Les totems sont les esprits sacrés des humains, ancêtres et protecteurs du clan, ils témoignent de la persistance de la culture haida et de ses rites tribaux. Cette culture amérindienne est riche en enseignements depuis des siècles. Skidegate et Old Masset sont les deux villes où cette culture perdure et continue à se développer. Prenez le temps de la découvrir, de la comprendre et de renouer avec ce qu'elle préserve. Ces îles sont le refuge isolé de résidents, très amicaux et décontractés. Toutefois, informez-vous avant de partir : étant donné le nombre limité d'hébergements, il est recommandé de réserver. Enfin, considérez que la majorité des produits de consommation courante disponibles dans l'archipel est importée. Attendez-vous à payer plus cher et à ne pas trouver systématiquement ce à quoi vous êtes habitué.

Histoire

Selon les plus récentes découvertes archéologiques, les Haidas vivent sur ces îles depuis environ 9 000 ans. On estime qu'à son apogée, le « peuple de la mer » aurait compté 30 000 individus, dispersés dans quelque 50 villages. Pour la petite histoire, les îles ont été baptisées Reine-Charlotte car parti en mission pour le commerce de fourrures de loutre, Lord Howe était capitaine du vaisseau appelé Queen Charlotte, du nom de l'épouse du roi George III, commanditaire de mission d'exploration de ces terres en 1787. Guerriers téméraires, pêcheurs et chasseurs habiles, et sculpteurs du bois, les habitants haidas chassaient les loutres pour leur fourrure, pêchaient le saumon et le flétan, et avaient même des esclaves. A la suite de l'arrivée des Européens, dans les années 1830, quelques épidémies et maladies mortelles ont emporté 95 % de la communauté, ce qui a forcé le peuple haida à abandonner leurs traditions et à se laisser enfermer dans des réserves, autour de Skidegate et de Masset. Toutefois, depuis quelques décennies, le peuple haida renaît de ses cendres et ses totems ressurgissent sur l'horizon des îles. Le patrimoine culturel et naturel de la communauté a retrouvé de son prestige et l'art haida est désormais transmis aux jeunes générations dans un souci de préservation. Pour preuve, le peuple nisga'a a pu négocier, en 2000, le premier traité passé entre une « première nation » (autochtone) de la province et le gouvernement (provincial et fédéral), ce qui lui a permis de contrôler 1 930 km², soit près de 1/10e de son territoire ancestral. Le 3 juin 2010, le toponyme officiel des Îles de la Reine Charlotte devient « Archipel de Haida Gwaii », marquant la reconnaissance par le gouvernement des droits des Haida sur cette terre.

Géographie

Haida Gwaii est un archipel d'environ 150 îles, dont 138 font partie de la réserve du parc national Gwaii Haanas, situé sur une portion de Moresby Island, dans le Sud. Elles ont été classées sur la liste du patrimoine mondial de l'Unesco. Le Skidegate Channel sépare Moresby Island de Graham Island, l'île située au nord. La totalité des îles s'étend sur 290 km de long et 85 km de large (au point le plus large). Les plages sont nombreuses : 1 269 km de falaises, 933 km de plages érodées, 172 km de plages de sable. Si vous pensez aller vous baigner, équipez-vous correctement : la température de l'eau ne dépasse pas les 13 °C en août (et 6 °C en février).

Faune et flore

L'archipel abrite la plus importante population d'ours noirs du monde avec 10 000 représentants. Outre l'ours noir et les gros mammifères sauvages, les îles accueillent la plus importante concentration de faucons pèlerins en Amérique du Nord, ainsi que des grues, des hérons cendrés et des aigles à tête blanche. Que ce soit en eau douce ou salée, le Pacifique regorge de mammifères marins spectaculaires : baleine grise, baleine à bosse, orque épaulard, dauphin, marsouin, lion de mer (3 300 !), otarie et phoque. Entre Baja, Californie et la mer de Behring, la baleine grise poursuit sa migration le long des côtes des îles de l'archipel Haida Gwaii. On dit qu'elle se sert de sa mémoire visuelle pour se repérer et se guider au long de ses 130 km quotidiens. Cinq catégories de saumons sont recensées : Sockeye, Coho, Pink, Chum et Chinook. Dans les rivières, en plus du saumon, on peut pêcher le kokanee, la lotte, le brochet, la truite, etc. Mais, attention ! La pêche est interdite dans les réserves autochtones. A noter également qu'il existe 20 sortes de moules (dites « de Californie » ou « bleues ») dans les Gwaii Haanas. 116 espèces de plantes exotiques sont aussi recensées dans l'archipel alors que les chanterelles sont des champignons typiquement du coin. Cueillis autour du Skidegate Lake, pour être exportés chaque année au Japon, leur ramassage peut nécessiter jusqu'à 200 personnes en haute saison (août).

Économie

L'économie de l'archipel repose sur la forêt, la pêche commerciale, les mines et le tourisme. Près de 32 % de la population travaille soit pour le gouvernement, soit dans l'industrie de services.

Transports

- **Avion.** L'aéroport principal est Sandspit, situé au nord de Moresby Island. Air Canada Jazz assure un vol quotidien au départ de Vancouver à destination de Sandspit.
- **Ferry.** Le seul ferry qui assure la liaison avec les îles part de Prince-Rupert et rejoint Skidegate (sud de Graham Island) tous les jours en été. La traversée de 7 heures peut être agitée. Soyez prévoyant si vous êtes sujet au mal de mer. Réservez ! Aller simple : 33 $ par passager et 122 $ par véhicule. Le terminal se trouve à Skidegate, à 5 km à l'est de Queen Charlotte City.
Le Skidegate-Alliford Bay Ferry assure la traversée entre les îles Graham et Moresby. Départ à chaque heure pleine entre 7h et 22h30. Aller-retour : 7,55 $/adulte, 3,80 $/enfant et 18,55 $/voiture.
- **Pour vous déplacer sur l'île**, ne comptez pas sur les transports publics : il n'y en a pas.

■ **BC FERRIES**
Vancouver ✆ +1 888 223 3779
Voir la rubrique Vancouver / Se déplacer / L'arrivée / Bateau

■ **NORTH PACIFIC SEAPLANES**
Prince Rupert ✆ +1 800 689 4234
www.northpacificseaplanes.com
seaplane@citytel.net
Liaisons au départ de Prince-Rupert vers l'archipel Haida Gwaii, renseignez-vous sur la fréquence des vols.

■ **PACIFIC COAST AIRLINES**
Vancouver ✆ +1 800 663 2872
www.pacific-coastal.com
reserve@pacificcoastal.com
Au départ de Vancouver et à destination de Masset.

QUEEN CHARLOTTE CITY

Appelé « Charlotte » par les locaux, le village de pêcheurs est perché le long des rives de Bearskin Bay, à 5 km à l'ouest du terminal du ferry. C'est dans ce village que vous trouverez le plus de logements et de restaurants. Il est aussi le point de départ de nombreuses activités.

Pratique

■ **QUEEN CHARLOTTE VISITOR CENTRE**
3220 Wharf Street
✆ +1 250 559 8316
Fax : +1 250 559 8952
www.qcinfo.ca
info@qcinfo.ca
Ouvert de 10h à 19h de juin à août, et de 10h à 14h en mai et septembre.
En plus des informations touristiques, le centre vous fournit les prévisions météorologiques, indispensables pour vos excursions en mer. N'oubliez pas de demander le guide vous donnant toutes les informations nécessaires pour votre séjour (hébergement, restaurants, randonnées, plans de village...).

Se loger

■ **DOROTHY & MIKE'S GUEST HOUSE**
3127 2nd Avenue
✆ +1 250 559 8439
www.qcislands.net/doromike
doromike@qcislands.net
Chambres à partir de 79 $, avec ou sans salle de bains. Cet établissement à la délicate atmosphère insulaire vous offre un aperçu des antiquités et de l'art local. La vue est superbe, surtout de la terrasse qui est en même temps un parfait solarium. Des chambres de tailles et de prix différentes permettent un large choix.

■ **THE FLOATHOUSE**
Wharf A, Queen Charlotte Harbour
✆ +1 250 559 8686
De 150 $ à 225 $ la nuit.
Pour vivre sur l'eau et dans le centre-ville, avec une vue imprenable, depuis la salle de bains sur le mont Geneviève, aussi appelé Sleeping Beauty par les locaux.

■ **PREMIER CREEK LODGE & HOSTEL**
3101 3rd Avenue
✆ +1 888 322 3388, +1 250 559 8415
www.qcislands.net/premier
premier@qcislands.net
De 35 $ (hostel) à 90 $ la nuit (lodge).
Le plus vieil hôtel de tout l'archipel, construit en 1910 et entièrement rénové. Confort basique, avec « cuisinettes », barbecue, location de vélos et vue sur le port.

Se restaurer

■ **QUEEN B'S**
3201 Wharf Street
✆ +1 250 559 4463
Entre 8 et 20 $.
Les tables offrent non seulement une vue sur l'océan mais aussi une vue sur les nombreux objets issus de l'art local et qui décorent l'endroit. Un endroit sympa avec de nombreux plats mijotés maison. Nourriture organique, quiches, pizzas et le vendredi, jour du poisson, il n'est pas rare de voir du saumon frais au menu.

■ **SEA RAVEN**
3301 3rd Avenue
(dans le motel Sea Raven)
✆ +1 800 665 9606, +1 250 559 4423
www.searaven.com
searaven@qcislands.net
Spécialités de poisson, fraîchement pêché. Idéal pour un dîner.

À voir / À faire

■ **BALANCE ROCK**
A 1 km au nord de Skidegate
Ce très gros caillou défie les lois de... l'apesanteur et les tempêtes de la côte Pacifique. Pour certains locaux, il représente le centre spirituel de leur univers.

■ **GOLDEN SPRUCE TREE TRAIL**

Cette courte randonnée (à peine 30 minutes) retrace l'histoire d'un épicéa qui avait « ressuscité » après qu'un bûcheron l'eut abattu. L'arbre avait laissé quelques graines, essentielles, qui, confirmant la croyance haida, ont permis l'apparition d'un nouveau petit épicéa, qui est maintenant replanté et entretenu au Millenium Memorial Park à Port Clements.

■ **HAIDA GWAII MUSEUM**

A l'est du terminal de Skidegate,
au Qay 'Ilnagaay
✆ +1 250 559 4643
www.haidaheritagecentre.com
info@haidaheritagecentre.com
Ouvert de 9h à 18h en été. Entrée 15 $.
Ce musée possède la plus grande collection de sculptures d'argillite et de bois au monde, des artefacts des premiers pionniers, des bijoux, des lithographies et des objets retraçant l'histoire locale.

■ **THE PESUTA TRAIL**

Sur la route quittant Skidegate
pour se rendre à Tlell
juste après avoir traversé la Tlell River
Cette promenade de 10 km aller-retour (2 à 3 heures) traverse une superbe forêt avant de longer l'océan. Au terme de cette randonnée, vous découvrirez l'épave d'un bateau échoué en 1928 dans une tempête. Il ne reste que la proue mais elle est le témoin de la violence du naufrage.

■ **PORT DE PÊCHE**

En fin de journée, lorsque les nombreux bateaux de pêche reviennent au port, il est amusant de se promener près de l'entrepôt de conserverie de poissons. Outre le vidage de poissons, vous pourrez observer les nombreux requins qui viennent se régaler des déchets rejetés à la mer.

■ **QAY'LLNAGAAY HERITAGE CENTRE**

Ouvrant sur six totems incomparables, ce centre est non seulement un lieu de rassemblement, mais aussi le domicile du Bill Reid Teaching Centre, Bill Reid étant un artiste de Haida Gwaii internationalement renommé.

MASSET

Masset est la plus vieille ville de l'archipel, fondée en 1909, à l'est d'une communauté haida appelée Massett. Du fait de la présence d'une ancienne base militaire, Masset offre des services tels que la communication par fibre optique, ce qui surprend dans un tel lieu. La population est très amicale et accueillante, et vous ne tarderez pas à vous habituer à ses pratiques.

Pratique

■ **CENTRE D'ACCUEIL TOURISTIQUE**

100 Hanson
✆ +1 867 667 3084

Se loger

■ **COPPER BEECH HOUSE**

1590 Delkatla
✆ +1 250 626 5441, +1 855 626 5441
www.copperbeechhouse.com
info@copperbeechhouse.com
120 $ la double.
Un arrêt recommandé pour apprécier la belle nature, celle de David, excellent cuisinier, celle des gens du coin et celle de la région...

■ **HARBOURVIEW LODGING**

1608 Delkatla
✆ +1 800 661 3314
✆ +1 250 626 5108
harbourviewlodge@telus.net
Au modeste prix de 50 $.
Situé à côté de l'accès au port. Sans doute le meilleur rapport qualité-prix du coin. Trois chambres aménagées dans le soubassement d'une maison. Mais il ne faut pas se fier aux apparences. Celles-ci sont de bon goût et propres. Deux salles de bains partagées mais avec sauna, ce qui est non négligeable après une longue randonnée.

Se restaurer

■ **MILE ZERO PUB**

Collison Avenue et Main Street
✆ +1 250 626 3210
daddycools@mhtv.ca
A partir de 6 $.
Pour une pinte de bière, du poisson frais ou un burger.

■ **SANDPIPER RESTAURANT**

Collison Avenue et Orr Street
✆ +1 250 626 3672
www.sandpiperrestaurant.com
steve@sandpiperrestaurant.com
Ouvert du lundi au samedi de 8h30 à 21h. Déjeuner 10 $, dîner entre 15 et 20 $.
Le Sandpiper ne paie pas de mine, certes, mais sert une cuisine tout à fait honorable dans le registre des fruits de mer.

À voir / À faire

■ AGATE BEACH

Pour profiter pleinement de la beauté de la nature sauvage environnante, il faut y venir tôt dans la journée et réserver un emplacement sur le terrain de camping de la plage (Agate Beach Campground, 15 $). Ces sites de camping sont tout simplement exceptionnels !

■ DELKATLA SANCTUARY

Accès par la Tow Hill Road vers Naikoon Provincial Park (randonnée de 9 km jusqu'au Pesuta, épave d'un naufrage de 1928). Possibilités de camping au Misty Meadows Campground. Des oies sauvages, des grues, des cygnes, des hérons bleus, etc.

■ NAIKOON PROVINCIAL PARK

Un parc avec plus de 100 km de plages, dont le calme est de temps en temps troublé par le « chant » des baleines grises qui migrent entre mai et juin. On y rencontre aussi des ours noirs, des daims et des loutres. On peut faire un bref arrêt au petit village de Tlell, dépourvu de « centre-ville » et habité par des artistes.

■ TOW HILL ET NORTH BEACH

Situé à une vingtaine de kilomètres de Masset, ce site est un incontournable. Vous avez deux options. Soit, entamer une promenade sur l'interminable plage de North Beach, soit suivre le sentier du Cape Fife (Tow Hill Trail). Pour ce dernier, il vous faudra parcourir 10 km dans une forêt absolument étonnante avec ses allures tropicales. Au final, vous arriverez sur la plage souvent sujette au vent mais offrant solitude et beauté. Un refuge gratuit offre 6 planches en bois pour y étendre son matelas. Premier arrivé, premier servi.

GWAII HAANAS NATIONAL PARK

Le parc est renommé pour sa concentration de totems à l'entrée des anciens villages haidas. Flore luxuriante et dense, mousse épaisse et spongieuse, plages interminables et presque désertes, et des eaux d'une clarté surréelle. En descendant jusqu'à Anthony Island, on arrive à Ninstints, village de totems le mieux préservé au monde. La petite île a été classée sur la Liste du patrimoine mondial de l'Unesco en 1981, soit 97 ans après que les dernières familles haidas eurent abandonné leurs maisons.

Transports

■ SOUTH MORESBY AIR CHARTERS

✆ +1 250 559 4222

Il propose des vols jusqu'à Hot Springs Island et SGang Gwayy 'Ilnagaay. Renseignez-vous sur les restrictions de poids en vigueur.

Pratique

■ GWAII HAANAS NATIONAL PARK RESERVE & HAIDA HERITAGE SITE

A Sandspit, tout près
de l'aéroport de l'archipel
✆ +1 250 559 8818
www.pc.gc.ca/fra/pn-np/bc/gwaiihaanas/index.aspx
Réservations demandées pour des raisons de quotas et de préservation. Entrée 19,60 $/jour, retraité 16,60 $, enfant 9,80 $. Session d'orientation obligatoire avant d'entrer dans la réserve.

Se loger

■ MORESBY ISLAND GUEST HOUSE

385 Beach Road
✆ +1 250 637 5300, +1 877 874 1654
www.moresbyislandguesthouse.com
info@moresbyislandguesthouse.com
De 30 à 75 $ par jour, petit déjeuner compris.
Point de ralliement populaire des mordus de kayak, avec salles de bains et cuisine à partager.

Sports / Détente / Loisirs

▸ **Pêche en mer.** De nombreuses organisations touristiques proposent des séjours au départ de Vancouver, incluant le vol jusqu'aux îles, l'hébergement, les sorties en mer, l'équipement de pêche et tous les petits détails qui rendent votre escapade plutôt luxueuse.

▸ **Kayak.** Voici quelques agences de tourisme qui proposent des sorties en kayak. Elles offrent des séjours d'une semaine en kayak autour et dans le parc. Comparez les prix (à partir de 1 600 $ pour 7 jours).

■ BUTTERFLY TOURS GREAT EXPEDITIONS

✆ +1 866 568 3770, +1 604 740 7018
www.butterflytours.bc.ca
islandsofbeauty@telus.net

■ MORESBY EXPLORERS

✆ +1 800 806 7633, +1 250 637 2215
www.moresbyexplorers.com
web@moresbyexplorers.com
Sorties kayak et bateau.

Gwaii Haanas National Park

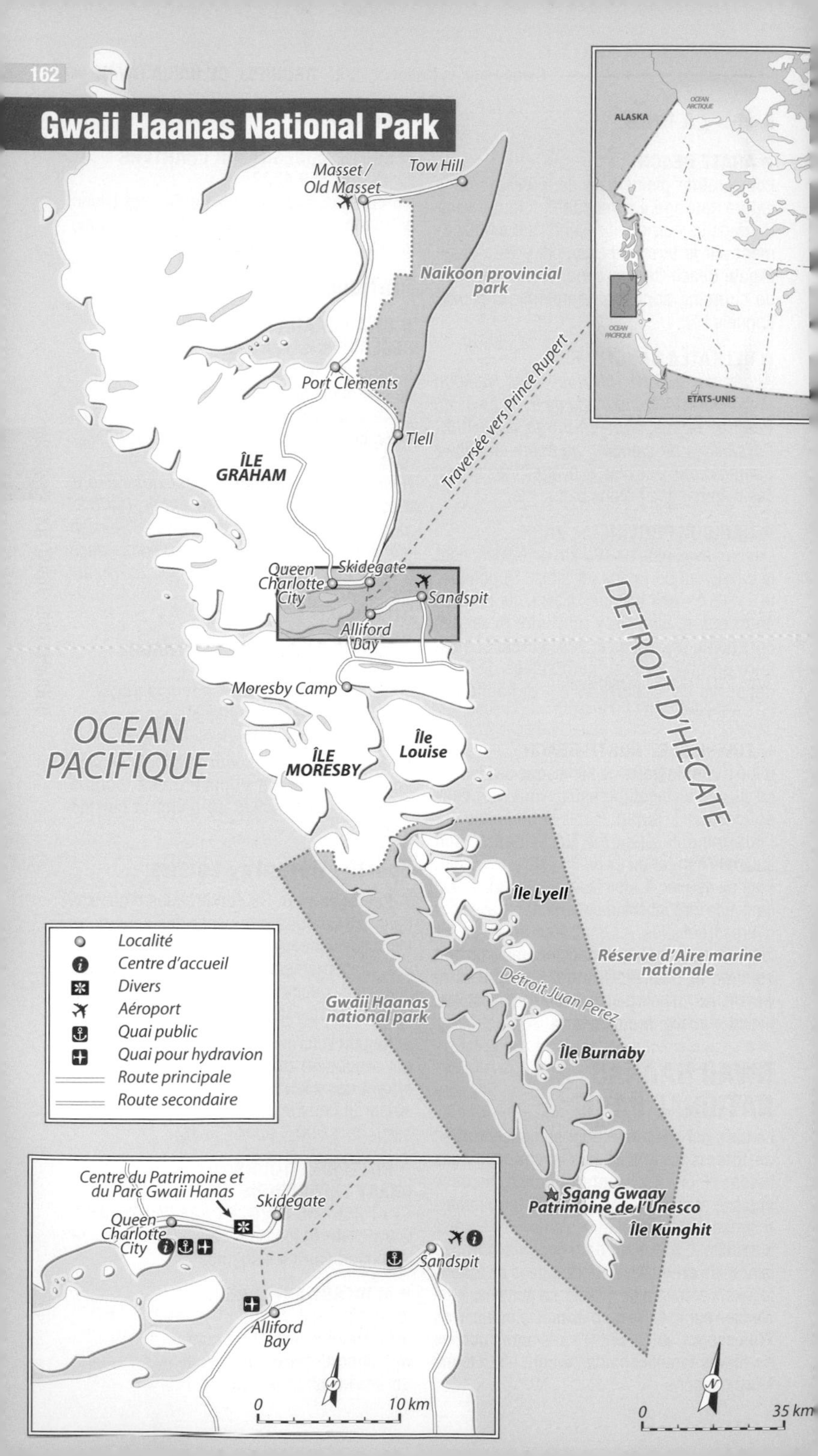

Gwaii Haanas National Park.

Visites guidées

■ **ECOSUMMER EXPEDITIONS & PACIFIC RIM PADDLING COMPANY**
www.ecosummer.com
Ils offrent des séjours d'une semaine en kayak autour et dans le parc. Comparez les prix (à partir de 1 600 CAN $ pour 7 jours).

▶ **Autre adresse :** www.pacificrimpaddling.com

■ **MORESBY EXPLORERS**
✆ +1 800 806 7633
✆ +1 250 637 2215
www.moresbyexplorers.com
web@moresbyexplorers.com
Proposent des sorties kayak et bateau.
South Moresby Air Charters (www.smair.com) propose des vols jusqu'à Hot Springs Island et SGang Gwayy 'Ilnagaay. Renseignez-vous : des restrictions de poids sont en vigueur.

CHAÎNE CÔTIÈRE

Une fois sorti du Grand Vancouver, vous pourrez rejoindre divers endroits à une heure ou deux de la ville. Au nord, vous découvrirez la Sunshine Coast. Accessible uniquement par ferry, c'est une destination privilégiée pour nager, bronzer, plonger, pêcher ou encore faire du kayak. Vous pourrez aussi vous attaquer aux montagnes environnantes, source de plaisirs pour les randonneurs et autres amateurs de glisse. En allant vers l'est, vous longerez la vallée de Fraser, rivière qui nourrit l'agriculture régionale.

Géographie

La côte sud-ouest de la province est très découpée et entourée de montagnes peu accessibles. L'axe appelé « Sea to Sky » passe par les hauteurs de différents parcs, ainsi Whistler est devenue une station très réputée pour ses dénivelés et son domaine skiable. La vallée de Fraser, elle, est plus sinueuse et peu élevée. Les distances entre chaque ville augmentent et le panorama s'élargit. De la chaîne des montagnes côtières aux Rocheuses, la région est ponctuée de milliers de lacs et sillonnée d'innombrables rivières. La nature a des merveilles, parfois encore cachée, les sources chaudes notamment. Les plus grandes de ces sources sont aujourd'hui exploitées et, hélas, payantes.

Faune et flore

▶ **Ours** : noir ou grizzly, l'ours habite tout l'ouest du pays. Informez-vous à l'entrée des parcs provinciaux et apprenez à vous comporter de façon à assurer votre sécurité.

▶ **Kokanee :** outre une marque de bière canadienne, c'est aussi une famille de saumon que l'on trouve souvent dans cette région.

▶ **Lamas et autruches** : vous verrez peut-être ces animaux élevés dans la région.

SUNSHINE COAST

Avec plus de 2 000 heures de soleil dans l'année, la Sunshine Coast mérite bien son nom. Située sur la côte nord-est du Georgia Strait et entre le Howe Sound (sud) et le Desolation Sound (nord), cette côte bénéficie de criques, de plages de sable blanc, de lagons tranquilles et de forêts très denses. Ici, les horaires des ferries dictent l'activité et le rythme des villages.

GIBSONS

Gibsons est un vieux village de pêcheurs, à deux minutes de Langdale. Descendez Gower Point Road, autour du petit port, et vous y trouverez des boutiques d'art, d'antiquités et des coffee-shops. La marina offre également la possibilité d'une jolie balade de 10 minutes le long de l'eau (éclairée la nuit).

Transports

■ BC FERRIES
www.bcferries.com
C'est la seule façon d'atteindre la Sunshine Coast depuis Vancouver. Embarquement à Horseshoe Bay (nord de Vancouver) vers Langdale (terminal de Gibsons). La traversée du Howe Sound dure 40 minutes.

Pratique

■ GIBSONS VISITOR INFO CENTRE
A l'entrée est de la ville 417 Marine Drive
✆ +1 604 886 2374
www.gibsonschamber.com

Se loger

■ CAPRICE B&B
1111 Gower point drive
✆ +1 604 886 4270, +1 866 886 4270
www.capricebb.com
stay@capricebb.com
A partir de 130 $. Deux nuits minimum en été.
Charmante petite maison nichée entre les arbres. Trois chambres dont deux avec mini-cuisine. La maison offre une magnifique vue sur l'océan.

■ SOAMES POINT B&B
1000 B Marine Drive
✆ +1 604 886 8599, +1 877 604 2672
www.soamespointbb.com
soamesptbb@dccnet.com
A partir de 175 $.
Ce qui frappe sans doute est l'immensité du terrain. Située au bord de mer, le jardin est l'endroit idéal pour savourer un bon verre de vin face au coucher de soleil. Raffinement au rendez-vous.

Se restaurer

■ MOLLY'S REACH
647 School Road ✆ +1 604 886 9710
www.mollysreach.ca
info@mollysreach.ca
A partir de 8 $. Réputé pour ses petits déjeuners copieux. Vous ne pourrez le rater, c'est le grand bâtiment jaune au bord de l'océan. Possibilité de manger également, lunch et souper. Les inconditionnels de séries télévisées feront un détour par cet établissement : c'est là que, dans les années 1980, a été tournée la série *The Beachcombers*.

À voir / À faire

■ ELPHINSTONE PIONEER MUSEUM
716 Winn Road ✆ +1 604 886 8232
Probablement la collection de coquillages la plus importante au monde (plus de 25 000).

■ HOUSE OF HEWHIWUS
Berceau de la Sechelt Indian Nation. Centre culturel, musée et magasin de souvenirs.

■ PURPOISE BAY PROVINCIAL PARK
A 4 km au nord de Sechelt, jolie plage et sentiers jusqu'à Angus Creek, lieu de reproduction des saumons.

■ ROBERT'S CREEK PROVINCIAL PARK
Roberts Creek Provincial Park
A 9 km au nord de Gibsons, piscines naturelles en fonction des marées. Idéal pour un pique-nique.

SECHELT

Ce village ne dispose malheureusement pas du charme de Gibsons. Il est souvent une étape pour les voyageurs mais aussi un point de départ pour les amateurs de randonnée, vélo ou kayak.

■ FOUR WINDS B&B
5482 Hill Road ✆ +1 800 543 2989
www.fourwindsbeachhouse.com
A partir de 149 $. En pleine nature, presque les pieds dans l'eau, avec la perspective de quelques visites « sauvages » (baleines, hérons et phoques) dans le Georgia Strait. Massage en option !

■ **PORPOISE BAY PROVINCIAL PARK**
✆ +1 604 886 8232
www.env.gov.bc.ca/bcparks
Situé à 5 km au Nord de Sechelt.
Un sanctuaire pour promeneurs et cyclistes.

■ **ROCKWATER SECRET COVE RESORT**
5356 Ole's Cove Road
✆ +1 877 296 4593, +1 604 885 7038
www.rockwatersecretcoveresort.com
reservations@rockwatersecretcoveresort.com
Une perle située à 15 minutes de Sechelt. Suivre la Highway 101 pour s'y rendre. Entre 159 et 350 $ selon le type de logement choisi : une cabine, une tente de luxe aménagée en suite ou une chambre dans le Resort.
La volonté des nouveaux propriétaires était de transformer le lieu en havre de romantisme et c'est réussi. Chaque tente de luxe a son Jacuzzi et sa terrasse avec vue sur mer. A essayer absolument ! Le restaurant du Resort est idéal pour les amateurs de produits de la mer.

SEA TO SKY

De la mer au ciel. Au sortir de Vancouver, en prenant la Highway 99 (Sea to sky Highway) vers le nord, le panorama est à couper le souffle : montagnes, falaises, lacs, forêts et une faune très présente et préservée. Une cour de récréation géante qui offre des activités en plein air tout au long de l'année. En remontant la côte du Howe Sound, vous suivrez les falaises jusqu'à Squamish, paradis des grimpeurs, et continuerez le long du parc glaciaire pour arriver enfin à Whistler, au milieu de deux montagnes jumelles, Whistler et Blackcomb.

SQUAMISH

Squamish signifie « mère du vent » en langue salish. La ville vit de l'industrie du bois, mais son activité économique se tourne de plus en plus vers la construction : à mi-chemin entre Vancouver et Whistler, Squamish est un peu comme une banlieue éloignée des deux pôles touristiques. Les pick-up et les VTT y sont toutefois plus présents que les grues de construction, et c'est tant mieux.

Se loger

■ **DRYDEN CREEK RESORT**
✆ +1 877 237 9336
www.drydencreek.com
info@drydencreek.com
A partir de 24 $ (camping) et 89 $ (chalet).
Environ 6 hectares dans le Garibaldi Provincial Park : un bonheur ! Renseignez-vous sur leurs offres spéciales, certaines incluent le golf ou le ski.

■ **GLACIER GALLERY B&B**
1071 Glacier Drive ✆ +1 604 898 9775
www.austeneverest.com/glaciergallery.html
peter@austeneverest.com
A partir de 120 $. Sur les hauteurs de Squamish, rencontrez Peter Austen, guide de haute montagne, écrivain et voyageur très érudit. Une causette avec lui, les poteries de Kay, sa femme, et le panorama, et vous voilà au paradis !

Se restaurer

■ **HOWE SOUND BREW PUB**
37801 Cleveland Avenue
✆ +1 604 892 2603
www.howesound.com
info@howesound.com
Un autre pub, avec un lounge (North Beach Lounge), dans un cadre très alpin.

■ **SHADY TREE**
40456 Government Road
✆ +1 604 898 1571
www.shadytreepub.com
info@shadytreepub.com
Le bon vieux pub de « quartier » où les locaux et les gens de passage se croisent et parlent du dernier match de hockey, entre autres. Ambiance bon enfant.

À voir / À faire

Squamish est connue comme la capitale des jeux en plein air, et même son centre d'informations s'appelle le Squamish Adventure Centre (sur la Highway 99, immanquable – www.adventurecentre.ca). 85 % du matériel de construction du centre provient de Squamish, et son architecture rappelle les ailes d'un aigle. Ce terrain de jeux géant offre des possibilités infinies : vélo, canoë, pêche, golf, randonnée, kayak, planche à voile, bateau, skateboard, ski et surf, descente de rapides. Mais la principale attraction de Squamish est l'escalade de son fameux Chief.

■ **BC MUSEUM OF MINING**
1 Forbes Way – Britannia Beach
✆ +1 800 896 4044
www.bcmuseumofmining.org
general@bcmm.ca
Ouvert en été tous les jours de 9h à 16h30. Tarif adulte 21,50 $, retraité et étudiant 16 $, enfant 13,50 $.

Site de tournage de quelques films ou séries, ce musée vous invite dans les galeries de la mine pour revivre quelques moments de la vie quotidienne des mineurs de l'époque. Essayez-vous à une petite recherche d'or à la fin de votre visite.

■ **MURRIN PROVINCIAL PARK**

Situé le long de l'autoroute, ce petit parc est parfait pour une pause, ou aller pêcher, marcher, nager ou escalader. Un peu plus au nord, arrêtez-vous au Shannon Falls Provincial Park : les chutes éponymes de 335 m de haut sont tout simplement impressionnantes.

■ **PORTEAU COVE PROVINCIAL PARK**

www.seatoskyparks.com
info@seatoskyparks.com
Zone de plongée réputée (avec 4 bateaux naufragés au fond de l'eau), mais également spot de planche à voile réputé pour ses vents forts.

■ **STAWAMUS CHIEF**

www.stawamuschiefpark.ca
Haut de 762 m, le Chief est un monolithe de granite vieux de plus de 100 millions d'années. Ses craquelures et autres fractures en font un environnement parfait pour les grimpeurs puisqu'il offre plus de 1 000 routes différentes pour atteindre ses sommets, en escalade libre ou assistée. Les grimpeurs locaux le vénèrent et le respectent un peu comme un dieu : vous les verrez se préparer à sa base, ou déjà accrochés à sa paroi. Spectacle fascinant.

WHISTLER

Nichée au pied de deux sommets, Whistler (2 182 m) et Blackcomb (2 287 m), la station de Whistler recense 10 000 habitants, dont plus de la moitié sont des saisonniers. Whistler a des airs alpins évidents et son côté village, bien qu'un peu surfait, lui permet de caracoler en tête des meilleures stations de ski en Amérique du Nord. Whistler est devenue LA station de ski très réputée, le Megève de l'Ouest canadien. Le coût de la vie y était déjà relativement élevé avant que Vancouver ne soit sélectionnée pour accueillir les J.O. d'hiver de 2010. Mais, depuis, les prix de tous les services ont fait un sacré bond et dépassent souvent l'entendement. Et pourtant, il y a toujours ce « petit » quelque chose qui fait qu'on y revient : son cadre inégalé.

Transports

■ **GREYHOUND**

✆ +1 800 661 8747
www.greyhound.ca
Commercial.Sales@greyhound.com
Dessert Whistler Village, et Whistler Creek. 25 $ l'aller depuis Vancouver.

Pratique

■ **TOURISM WHISTLER**

4010 Whistler Way ✆ +1 800 944 7853
www.tourismwhistler.com
reservations@whistler.com
Ouvert tous les jours de 10h à 18h.
Pour vérifier les conditions des routes, l'enneigement, et tous les autres petits détails indispensables avant de partir.

Se loger

Whistler dispose d'une grande capacité d'hébergement allant du grand luxe à des formules beaucoup plus abordables. Les établissements recensés dans cette rubrique ne sont que des indications. Un conseil : surfez sur Internet pour vous renseigner sur les prix, très variables selon la saison et la distance par rapport au village. Vous aurez le choix entre 3 200 chambres d'hôtel, 2 700 appartements, 2 100 maisons à louer, 147 B&B et 275 lits dans des auberges !

Bien et pas cher

HOSTELLING INTERNATIONAL

1035 Legacy Way ✆ +1 604 932 5492
10 km avant le village en venant de Vancouver sur la Highway 99, prendre à droite sur Cheakamus Lake Road, en direction du village olympique.
Environ 40 $ par personne en dortoir l'hiver, et 155 $ la chambre double avec salle de bain. Réservation indispensable en haute saison (hiver).
Inaugurée en juillet 2010, l'auberge de jeunesse s'est ouverte au cœur du village olympique en cours de réhabilitation. Les dortoirs de 4 lits ont chacun leur salle de bains, et les chambres doubles sont dignes d'un trois-étoiles. Le bar installé au rez-de-chaussée sert sandwichs et plats du jour. Un peu loin du village, mais des bus fréquents desservent la station.

Retrouvez l'index général en fin de guide

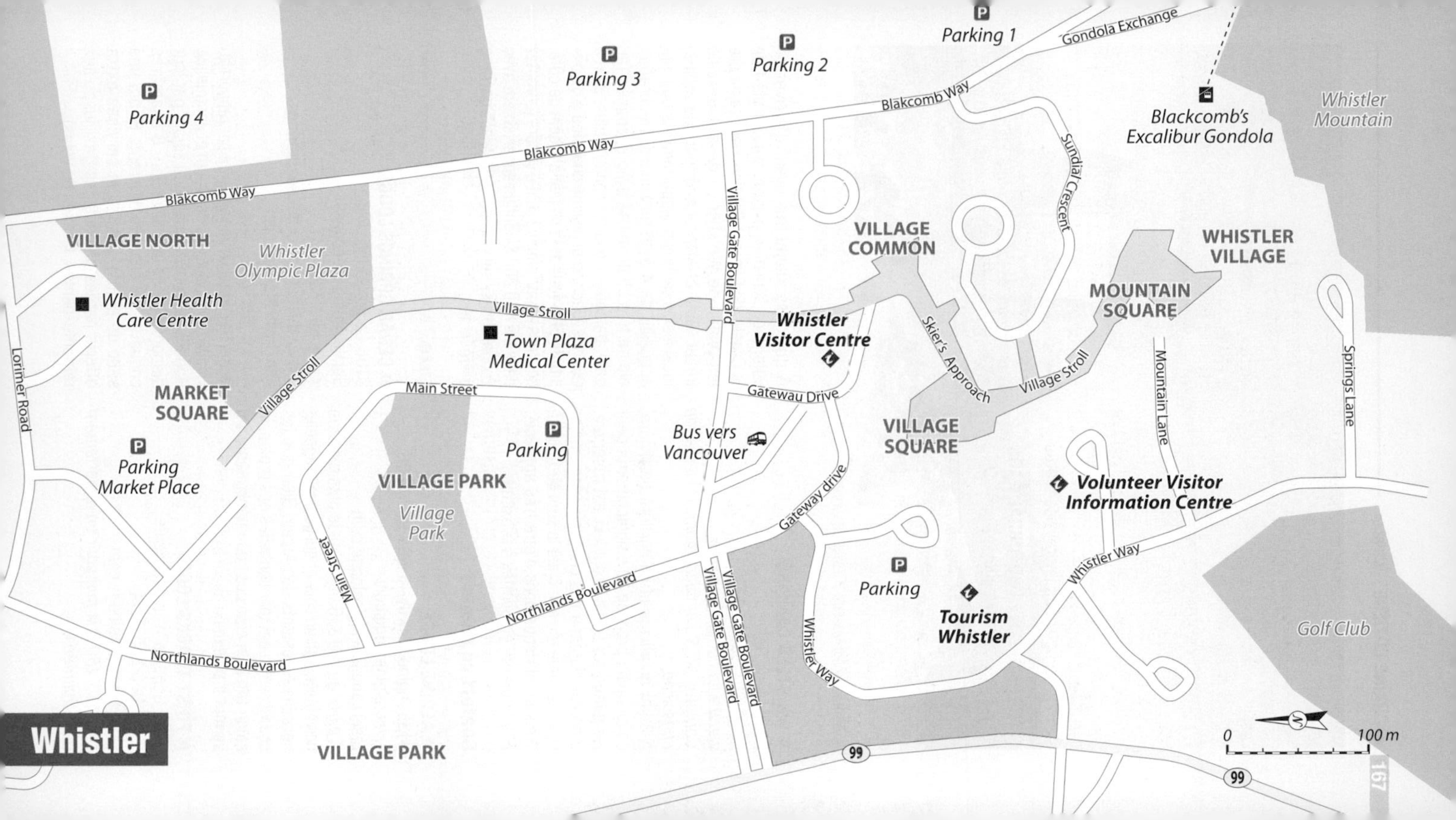
Whistler
Parking 1
Parking 2
Parking 3
Parking 4
Gondola Exchange
Blakcomb Way
Blackcomb's
Excalibur Gondola
Whistler
Mountain
Sundial Crescent
VILLAGE COMMON
WHISTLER VILLAGE
MOUNTAIN SQUARE
VILLAGE NORTH
Whistler
Olympic Plaza
Whistler Health
Care Centre
Village Stroll
Village Gate Boulevard
Whistler
Visitor Centre
Town Plaza
Medical Center
Skier's Approach
Mountain Lane
Springs Lane
Lorimer Road
MARKET SQUARE
Main Street
Gatewau Drive
Parking
Market Place
Bus vers
Vancouver
VILLAGE SQUARE
VILLAGE PARK
Village
Park
Gateway drive
Volunteer Visitor
Information Centre
Northlands Boulevard
Whistler Way
Tourism
Whistler
Golf Club
99
0
100 m

Inukshuk au sommet de Whistler Mountain.

■ **WHISTLER CAMPING**
8018 Mons Road
✆ +1 604 905 5533
www.whistlercamping.com
Compter 35 $ l'emplacement. Réservation conseillée.
A 3 km du village et en bordure de rivière, ce camping propose 30 emplacements pour les tentes sur une aire qui leur est réservée, à bonne distance des camping-cars, majoritaires sur le terrain. C'est le seul camping à Whistler, il risque donc d'être très apprécié. Eau courante et toilettes à proximité.

Confort ou charme

■ **ALPINE LODGE**
8135 Alpine Way ✆ +1 604 932 5966
www.alpinelodge.com
reservations@alpinelodge.com
A partir de 125 $. Sans doute le plus rustique des hôtels, tout en bois, et qui pourrait rappeler certains logements des Alpes. Bien que les chambres soient fonctionnelles et simples, le salon offre un côté cosy non négligeable s'il se met à pleuvoir.

■ **FIRST TRACKS LODGE**
2202 Gondola Way, Creekside
✆ +1 866 385 0614
www.firsttrackslodge.com
De 170 à 480 $ la nuit pour un appartement de 2 chambres.
A quelques kilomètres avant d'arriver au village de Whistler, exactement au pied de la Creekside Express Gondola pour rejoindre les pistes de Whistler : i-dé-al ! Service impeccable et attentionné (parking inclus, local à skis sécurisé). Appartements pouvant accueillir de 4 à 10 personnes. Décoration alpine très chaleureuse avec cheminée (au gaz), balcon privé et lits confortables. Bain à remous, Jacuzzi et piscine chauffée à disposition. Et si vous avez un peu d'argent de côté, certains appartements sont à vendre (comptez dans les 850 000 $ pour un appartement avec 2 chambres, service de gestion et parking privé inclus).

Luxe

■ **CEDAR SPRINGS LODGE**
8106 Cedar Springs Road
Sortie Alpine Meadows
✆ +1 800 727 7547
www.whistlerinns.com/cedarsprings
info@whistlerinns.com
A partir de 119 $.
Bed & Breakfast un peu excentré par rapport au village. Les propriétaires (Joern et Jacqueline Rohde) assurent la qualité du séjour par leur disponibilité et leur attention. 8 chambres coquettes de capacité différente (6 ont une salle de bains). Jacuzzi et services extra offerts par les propriétaires (taxi jusqu'aux remonte-pentes, location de vélos).

Se restaurer

Whistler Village a plus de 90 restaurants. Aucun problème donc pour trouver de la très bonne cuisine à prix presque raisonnables.

■ **BEARFOOT BISTRO**
4121 Village Green
✆ +1 604 932 3433
www.bearfootbistro.com
info@bearfootbistro.com
Menu de trois plats à 98 $ (5 plats à 148 $).
Un nouveau venu à Whistler qui propose une cuisine innovante et fine aux goûts surprenants et aux mélanges inhabituels. Des menus de dégustation sont proposés.

■ **CRÊPE MONTAGNE**
116 4368 Main Street
✆ +1 604 905 4444
www.crepemontagne.com
laurence@crepemontagne.com
Joli restaurant tenu par un Québécois et une Belge. Décor chaleureux, service courtois, portions gigantesques. La raclette (30 $) et la fondue au fromage (20 $-27 $) sont excellentes (souvenez-vous : portions gigantesques). Pour les petits budgets, la jambon-fromage est à 10 $.

■ **INGRID'S VILLAGE CAFE**
4305 Skiers Approach
✆ +1 604 932 7000
www.ingridswhistler.com
ingrid@ingridswhistler.com
Entre 5 et 10 $.
Le meilleur resto du coin pour manger végétarien et diététique à un prix convenable. Les portions sont généreuses, le service ultrarapide et c'est succulent. Vous faites vous-même votre choix de boulettes (cajun, indien, barbecue, veau, agneau ou lentilles) dans l'immense frigo. On y ajoute divers légumes et on tasse le tout dans un pain frais.

■ **WHISTLER BREWHOUSE**
4355 Blackcomb Way
✆ +1 604 905 2739
www.markjamesgroup.com/brewhouse.html
Compter de 6 $ à 17 $.
Comme son nom l'indique, c'est un 3 en 1 : d'un côté, on trouve le restaurant, de l'autre le pub et, en haut, la micro-brasserie. On y sert surtout des pizzas et des burgers. Un vrai pub !

Sortir

Les sorties commencent tôt puisque les skieurs quittent les pistes à 16h, alors que la soirée se poursuit jusqu'à 2h du matin. Une petite bière sur l'une des nombreuses terrasses du village, avant d'aller faire une sieste à l'hôtel et on repart pour la soirée. Vous serez d'attaque pour découvrir les bons plans « sorties » de Whistler. La plupart des boîtes et des pubs se ressemblent et sont situés dans le Village Square. Le prix d'entrée est d'environ 5 $ en été et, bien sûr, le double en hiver. L'hebdomadaire gratuit *Pique* recense les animations de la semaine.

Note : la majorité des saisonniers viennent d'Australie. Ne vous attendez donc pas ici à entendre l'« accent canadien ». Si vous êtes à Whistler le 26 janvier, jour de la fête nationale australienne, gardez votre ouverture d'esprit ! Sachez aussi que l'âge de la majorité au Canada est de 19 ans. Ne vous étonnez pas de voir de longues files d'attente devant les entrées des boîtes de nuit en temps « normal ». Lors des congés (parfois décalés) des Américains, les mêmes files d'attente s'allongent encore plus. L'âge de la majorité aux Etats-Unis étant à 21 ans, on peut comprendre l'enthousiasme des jeunes adultes venus passer du bon temps à Whistler.

■ **THE BOOT**
7124 Nancy Greene Drive
✆ +1 604 932 3338
C'est là que vous trouverez de très nombreux Australiens, ceux qui vous auront aidés aux remontées mécaniques.

■ **LONGHORN**
4280 Mountain Square
✆ +1 604 932 5999
www.longhornsaloon.ca
info@longhornsaloon.ca
Littéralement au pied des pistes (du côté Whistler). Toujours agréable de prendre un verre « après-ski » sous les braseros de la grande terrasse.

■ **SAVAGE BEAGLE**
4222 Village Square ✆ +1 604 938 3337
www.savagebeagle.com
info@savagebeagle.com
A la fois bar lounge et discothèque, le Savage Beagle attire une foule sexy. Une des boîtes les plus « urbaines » du village, avec son éclairage rouge tamisé et son salon Martini. Les consommations sont plutôt chères.

Retrouvez le sommaire en début de guide

À voir / À faire

■ GARIBALDI PROVINCIAL PARK

Hwy 99, Squamish, BC, Canada
✆ +1 604 898 3678
www.garibaldipark.com
Le long de la Highway 99, le Garibaldi Provincial Park propose, sur ses 1 950 km², des campings (environ 200), des sentiers de grande randonnée et des hauts sommets (Garibaldi, 2 678 m, et Sir Richard, 2 438 m).

Sports / Détente / Loisirs

Maître mot en vogue parmi les nombreux professionnels des loisirs, tous plus ou moins orientés vers le sport, encore plus du côté de Whistler. Eté comme hiver, les activités peuvent être réparties en 4 zones. La zone alpine (Whistler Mountain) propose des promenades sur 48 km de sentiers (enneigés, fleuris ou graniteux). La zone cyclable présente plus de 100 km de voies goudronnées (ou non) le long des lacs (et des golfs) et à travers les forêts. La zone des activités sportives se trouve au pied de Blackcomb Mountain, où l'on peut pratiquer le golf, l'escalade, l'équitation, etc. Enfin, la zone skiable se situe autour du glacier Horstman (Blackcomb Mountain) et est praticable toute l'année. Avec ses 5 lacs, dont le fameux Green Lake aux eaux vertes et froides qui lui viennent des glaciers, Alta Lake, plus propice à la baignade, et « The river of golden dreams » (tout un programme !), Whistler est aussi un décor de rêve pour pratiquer divers sports nautiques. En outre, vous pourrez observer une grande variété d'animaux de façon rapprochée, notamment des ours et des marmottes. Et souvenez-vous que Whistler ne rime pas qu'avec hiver !
Le vélo de montagne est un sport très populaire à Whistler où une course cycliste a lieu tous les jeudis. Plus d'une centaine de coureurs dévalent les pentes et suivent le même circuit, qu'ils soient experts ou débutants. Une fois le prix d'inscription acquitté, la course se déroule et le gagnant remporte la cagnotte. Vous n'avez qu'à vous présenter avec votre vélo et vous inscrire. Informez-vous à la boutique des « Fanatik ».

Sports

■ STATIONS DE WHISTLER ET BLACKCOMB

Ouvert de la mi-novembre à la fin avril pour Blackcomb (1 382 hectares) et de la fin novembre à la mi-juin pour Whistler (1 925 hectares). Pour 95 $, vous aurez droit aux deux montagnes. Le prix baisse généralement avant le mois de novembre et après le mois de mars. Si vous skiez plus d'une journée, le prix est réduit (avec la Edge Card). Un petit truc ? Procurez-vous votre forfait dans un magasin 7 Eleven de Vancouver et vous économiserez 15 % du prix (le dernier disponible se trouve à Squamish, sur votre route !).
La saison est longue, en raison de la quantité de précipitations annuelles : 9 m de neige. Whistler et Blackcomb, la petite dernière des stations, attirent 2 millions de skieurs chaque année. Les deux montagnes comptent plus de 200 pistes à explorer, dont l'une fait 11 km. Avec ses 38 remonte-pentes, vous n'attendez jamais très longtemps. Depuis 2008, la « peak to peak gondola », un téléphérique de 4,4 km, permet de passer d'un sommet à l'autre en 11 minutes sans redescendre jusqu'au village. Les plus experts apprécieront le merveilleux enneigement des 12 cols, dont certains ne sont accessibles qu'en hélicoptère. Plus d'une quinzaine de boutiques louent de l'équipement de ski. Elles offrent les mêmes produits et sensiblement les mêmes prix. Il faut compter 45 $ pour un équipement de base complet (ski, bâtons et chaussures). Des rabais sont accordés si vous louez pour plus d'une journée.

■ SUMMIT SPORT

118-4293 Mountain Square
✆ +1 604 932 6225, +1 866 608 6225
www.summitsport.com
info@summitsport.com
Equipements de ski. A partir de 53 $ la location complète à la journée.
Alors que certains loueurs s'évertuent à faire du chiffre en servant le plus de clients possibles à toute vitesse, Summit sport est fier de vous servir lentement, pour être certain de vous louer ce qui vous convient. Appréciable.

■ WHISTLER RIVER ADVENTURES

4165 Springs Lane
✆ +1 888 932 3532
www.whistlerriver.com
Descentes de différentes rivières de la région (Birkenhead, Elaho, Green).

Activités

■ VALLEY TRAIL

www.whistlervalleytrailrun.org
C'est une piste principalement pavée qui contourne les lacs Alpha, Nita, Alta et Green. Elle passe par 2 des 3 golfs. La promenade est

splendide. La Valley Trail peut se faire à rollers ou à vélo. Le sentier qui entoure Lost Lake est, quant à lui, en petit gravier. Vous pourrez vous y arrêter pour une baignade.

■ **WHISTLER ALPINE GUIDES BUREAU**
113-4350 Lorimer Road
✆ +1 604 938 9242
www.whistlerguides.com
Renseignements sur les randonnées.

■ **WHISTLER OUTDOOR EXPERIENCE**
8020 Alpine way
✆ +1 604 932 3389
www.whistleroutdoor.com
A cheval, sur l'eau, dans la neige ou dans les airs.

VALLÉE DE LA RIVIÈRE FRASER

La région située à l'est de Vancouver est connue sous le nom de la Fraser Valley. Simon Fraser était le premier Européen à naviguer sur ce fleuve auquel il a laissé son nom. Très fertile, la vallée Fraser, parsemée de fermes, de cultures, de lacs, de parcs et de rivières, est le poumon vert de la Colombie-Britannique et recèle les trésors de ses diverses communautés, depuis l'époque des « premières nations » jusqu'à nos jours.

▶ **Pour traverser la vallée**, vous avez le choix entre deux routes : la Transcanadienne (Highway 1) longe le sud de la rivière, et la Highway 7 suit les méandres de la rive nord.

FORT LANGLEY

Le village de Fort Langley a conservé son architecture de l'époque et mérite un arrêt. Le fort recrée ce que la Hudson's Bay Company utilisait comme un relais de poste et d'échange pour l'Ouest canadien. Il a vu passer les commerçants en fourrures et en saumons, les explorateurs et les chercheurs de fortune, qui se dirigeaient vers les mines d'or dans le Nord. A présent, le site revit, animé par des locaux en costumes d'époque.

▶ **Accès.** Sortie 66 sur la Highway 1, nord sur la 232nd Street pendant 5 km.

■ **FORT LANGLEY**
✆ +1 604 888 8835
Fax : +1 888 889 6019
www.fortlangley.com
bia@fortlangley.com

CHILLIWACK

Cœur vert agricole de la vallée fertile du Fraser, Chilliwack (« eaux vives et courants forts » pour les Amérindiens) constitue une autre grande aire de jeux de plein air, notamment pour les pêcheurs, les randonneurs et les gourmands de produits fermiers (notamment le miel !). Le tourisme agricole est en effet source d'activités : des œufs aux fruits en passant par l'élevage d'émeus, c'est désormais l'or de Chilliwack.
Entre juillet et septembre, on peut se perdre dans un labyrinthe géant au milieu de champs de maïs : amusant tant qu'on ne se fait pas surprendre par la nuit (à moins de choisir un soir de pleine lune). Pour les sports aquatiques, rendez-vous à Cultus Lake, et aller finir la journée à l'aéroport pour déguster les tartes maison de Barbara Mitchell : une véritable institution, très discrète (au bout du petit terminal de l'aéroport). Même les pilotes avouent : « We fly for pie » ! Un peu plus loin, à 16 km à l'est (sortie 135), allez rêver devant les Bridal Veil Falls (122 m), au pied du Mount Cheam.

■ **TOURISM CHILLIWACK**
www.tourismchilliwack.co

HARRISON HOT SPRINGS

On dit qu'en 1859 un chercheur d'or, qui s'était égaré sur le Harrison Lake en canoë, tomba à l'eau. Loin de périr dans l'onde glacée, il trouva l'eau chaude et plaisante. En 1886, un hôtel fut construit sur les bords du lac. Harrison Hot Springs (avec ses 60 km, ce lac est la plus vaste étendue d'eau douce de Colombie-Britannique) est un lieu de vacances et de cures grâce à deux sources minérales et une plage de sable (ainsi qu'un lagon). Ces sources chaudes émergent des rives sud du lac ; leur température varie de 155 °C (sulfure) à 160 °C (potasse). Les eaux du lac, assez fraîches quoi qu'en dise la légende, sont propices aux sports nautiques. En septembre, le World Championship of Sand Sculpture (championnat du monde de sculpture sur sable) est unique en son genre : en bordure du lac, et en l'absence de marée, les sculptures restent debout pendant un mois après la sélection du jury.

Se loger

Pas moins de 6 terrains de camping se sont implantés à Harrison Hot Springs ou dans les environs immédiats.

■ CAMPING DU SASQUATCH PROVINCIAL PARK

✆ +1 604 986 9371

Compter 15 $.

Il tient son nom d'une créature mythique de la tradition salish (mi-homme, mi-bête).

■ HARRISON HOT SPRINGS RESORT

100 Esplanade Avenue

✆ +1 800 663 2266

www.harrisonresort.com

Environ 300 chambres avec vue sur le lac pour la plupart. A partir de 179 $ (voir les promotions sur Internet).

Seul ce complexe hôtelier possède un accès direct aux piscines de sources chaudes.

YALE

Yale était un centre forestier, un relais de pionniers chercheurs d'or et un poste de traite des fourrures. Jusqu'en 1886, le village était le terminus du transport de marchandises en bateau à vapeur pour la côte ouest. C'est aussi à Yale que se trouve la plus ancienne église de la province : St John the Divine Church (1859).

■ HELL'S GATE AIRTRAM

www.hellsgateairtram.com

hellsgateairtram@gmail.com

A 30 km au nord, le téléphérique Hell's Gate Airtram peut vous emmener dans les gorges du Fraser, appelées aussi « portes de l'enfer ».

RÉGION DE THOMPSON-OKANAGAN

La vallée de la Thompson River attire les amateurs de plaisance qui apprécient l'étendue de ses lacs et de ses rivières (plus de 1 000 km à disposition). L'Okanagan est une région à part : véritable oasis de lacs aux eaux tempérées et de « jardins fruitiers », elle se découvre à pied, à vélo, en canoë ou à cheval, comme l'ont fait le peuple amérindien et les premiers Européens au XIXe siècle. Délimitée au nord par le plus haut pic des Rocheuses, le mont Robson, et, au sud, par la ville la plus chaude du Canada, Osoyoos, la région d'Okanagan est probablement la plus contrastée du Canada. Des petits lacs paisibles et colorés y coexistent avec les lacs les plus vastes et les plus profonds de la Colombie-Britannique (Kamloops, Shuswap, Okanagan). Son relief semble être un trait d'union entre la région de Vancouver, maritime et montagneuse, et les massives montagnes Rocheuses qui fendent le continent américain. Son climat doux en fait un paradis pour les Canadiens de l'Ouest (et les Américains !) qui viennent y passer leurs vacances. L'enneigement dans les montagnes de l'intérieur est plus « sec » que sur la chaîne côtière. Résultat, la glisse est plus rapide, mais les températures sont plus basses. Avant de céder à l'appel des grands espaces et de vous aventurer dans des régions reculées, pensez à vous informer sur les mesures de sécurité à prendre.

Parcourir la vallée

Le passage du « Haut Pays » (High Country), situé au nord/nord-ouest du Thompson Okanagan, au « Bas Pays » (Low Country), qui comprend le sud de la région, se fait par la Highway 5 South vers Merritt. C'est une autoroute agréable qui traverse de grandes forêts suivies de plaines arides. A partir de Merritt, prendre la Highway 97C East, qui mène à Peachland. A partir de là, le lac Okanagan monopolise l'attention tellement ses rives sont gracieuses, ses eaux plaisantes et lumineuses. Au sud (Highway 97), direction Penticton via Summerland, on trouvera de nombreuses possibilités de baignades en été. De l'autre côté des rives du lac Okanagan, en face de Peachland, s'étend l'Okanagan Mountain Provincial Park, qui mérite une visite. Au nord, la Highway 97 mène à Kelowna et à son pont flottant. La route continue jusqu'à Salmon Arm ou Sicamous, en passant par Vernon. La beauté du lac Okanagan et de ses paysages est à couper le souffle. Au nord de Vernon, la Highway 97 West mène à un ranch – véritable petite ville – construit au XIXe siècle par un chercheur d'or américain qui fit de la région une terre d'élevage de bétail (Historic O'Keefe Ranch). Visite instructive.

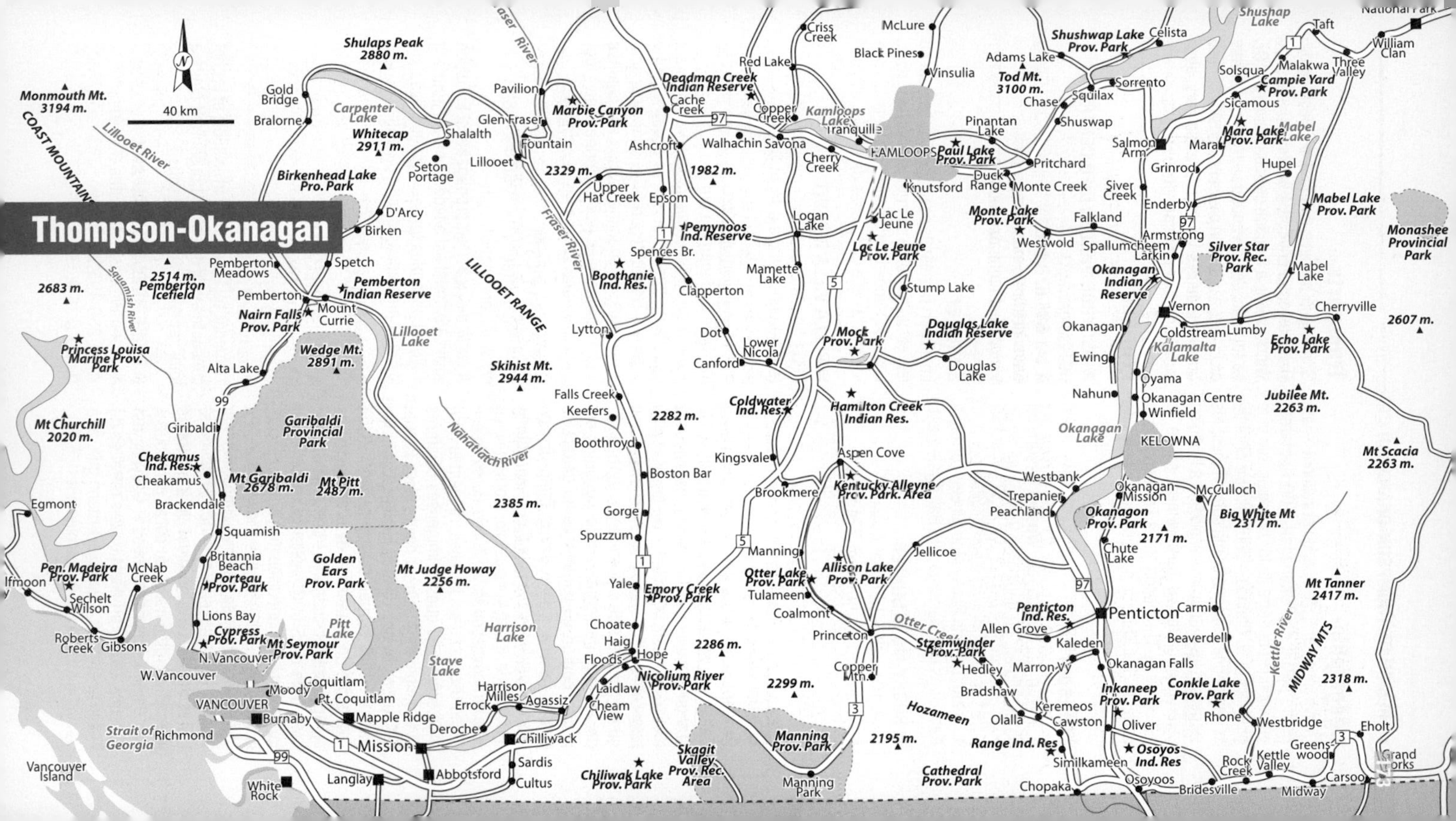

Thompson-Okanagan
40 km
N
COAST MOUNTAINS
Monmouth Mt. 3194 m.
Lillooet River
Squamish River
2683 m.
2514 m. Pemberton Icefield
Princess Louisa Marine Prov. Park
Mt Churchill 2020 m.
Egmont
Ifmoon
Pen. Madeira Prov. Park
Sechelt
Wilson
Roberts Creek
Gibsons
McNab Creek
Vancouver Island
Strait of Georgia
Shulaps Peak 2880 m.
Gold Bridge
Bralorne
Carpenter Lake
Whitecap 2911 m.
Shalalth
Seton Portage
Birkenhead Lake Pro. Park
D'Arcy
Birken
Spetch
Pemberton Meadows
Pemberton
Mount Currie
Pemberton Indian Reserve
Nairn Falls Prov. Park
Lillooet Lake
Wedge Mt. 2891 m.
Alta Lake
99
Giribaldi
Garibaldi Provincial Park
Chekamus Ind. Res.
Cheakamus
Mt Garibaldi 2678 m.
Mt Pitt 2487 m.
Brackendale
Squamish
Britannia Beach
Porteau Prov. Park
Lions Bay
Cypress Prov. Park
Mt Seymour Prov. Park
N. Vancouver
W. Vancouver
VANCOUVER
Burnaby
Richmond
White Rock
Moody
Coquitlam
Pt. Coquitlam
Mapple Ridge
Golden Ears Prov. Park
Pitt Lake
Mt Judge Howay 2256 m.
Stave Lake
Harrison Lake
Mission
Langlay
Abbotsford
Deroche
Errock
Harrison Milles
Agassiz
Chilliwack
Sardis
Cultus
Pavilion
Marbie Canyon Prov. Park
Glen Fraser
Fountain
Lillooet
Fraser River
LILLOOET RANGE
Skihist Mt. 2944 m.
Nahatlatch River
2385 m.
2329 m.
Upper Hat Creek
Epsom
Cache Creek
Ashcroft
97
1982 m.
Pemynoos Ind. Reserve
Spences Br.
Boothanie Ind. Res.
Clapperton
Lytton
Falls Creek
Keefers
2282 m.
Boothroyd
Boston Bar
Gorge
Spuzzum
Yale
Emory Creek Prov. Park
Choate
Haig
Hope
Floods
Laidlaw
Cheam View
Nicolium River Prov. Park
2286 m.
Skagit Valley Prov. Rec. Area
Chiliwak Lake Prov. Park
Criss Creek
Red Lake
Deadman Creek Indian Reserve
Copper Creek
Kamloops Lake
Tranquille
Walhachin
Savona
Cherry Creek
KAMLOOPS
Logan Lake
Mamette Lake
Dot
Canford
Lower Nicola
Coldwater Ind. Res.
Kingsvale
Brookmere
Manning
Otter Lake Prov. Park
Tulameen
Coalmont
Princeton
Copper Mtn.
2299 m.
Manning Prov. Park
Manning Park
McLure
Black Pines
Vinsulia
Knutsford
Lac Le Jeune
Lac Le Jeune Prov. Park
5
Stump Lake
Mock Prov. Park
Douglas Lake Indian Reserve
Douglas Lake
Hamilton Creek Indian Res.
Aspen Cove
Kentucky Alleyne Prov. Park. Area
Allison Lake Prov. Park
Jellicoe
Otter Creek
Stzemwinder Prov. Park
Hedley
Bradshaw
Hozameen
3
2195 m.
Cathedral Prov. Park
Adams Lake
Tod Mt. 3100 m.
Chase
Pinantan Lake
Paul Lake Prov. Park
Duck Range
Monte Creek
Pritchard
Monte Lake Prov. Park
Westwold
Falkland
Spallumcheem
Shushwap Lake Prov. Park
Celista
Shushap Lake
Squilax
Sorrento
Shuswap
Salmon Arm
Siver Creek
Grinrod
Enderby
Armstrong
Larkin
Okanagan Indian Reserve
Vernon
Okanagan
Ewing
Nahun
Coldstream
Kalamalta Lake
Oyama
Okanagan Centre
Winfield
Okanagan Lake
KELOWNA
Westbank
Trepanier
Peachland
Okanagan Mission
Okanagon Prov. Park
Chute Lake
2171 m.
Penticton
Penticton Ind. Res.
Allen Grove
Kaleden
Okanagan Falls
Marron Vy
Keremeos
Olalla
Cawston
Range Ind. Res
Similkameen
Chopaka
Inkaneep Prov. Park
Oliver
Osoyos Ind. Res
Osoyoos
Taft
Solsqua
Malakwa
Three Valley
William Clan
National Park
Campie Yard Prov. Park
Sicamous
Mara Lake Prov. Park
Maral
Mabel Lake
Hupel
Mabel Lake Prov. Park
Silver Star Prov. Rec. Park
Mabel Lake
Lumby
Cherryville
Echo Lake Prov. Park
Jubilee Mt. 2263 m.
McCulloch
Big White Mt 2317 m.
Carmi
Beaverdell
Conkle Lake Prov. Park
Rhone
Westbridge
Rock Creek
Kettle Valley
Bridesville
Midway
Greenswood
Carsoo
Eholt
Grand Forks
Kettle River
MIDWAY MTS
2318 m.
Mt Tanner 2417 m.
Mt Scacia 2263 m.
2607 m.
Monashee Provincial Park

Géographie

L'environnement, plutôt aride et vallonné – une petite partie de l'Okanagan (100 hectares) est connue pour être l'endroit le plus sec et le plus chaud du Canada – pourrait être celui de la campagne espagnole, mais les vignes, les vergers et les grands lacs apportent à la région sérénité et harmonie. Relativement sèche, la vallée de la Thompson River est cependant propice à la culture de nombreuses variétés de fruits et légumes, au milieu des montagnes.

Transports

- **Avion.** La compagnie Westjet assure un vol quotidien, au départ de Vancouver et de Calgary, vers Penticton et Kelowna.
- **Train.** Le train Rocky Moutaineer s'arrête à Kamloops et à Kelowna. Via Rail également.

■ **ROCKY MOUNTAINEER**
Suite 101 – 369 Terminal Avenue
Vancouver ✆ +1 604 606 7245
Voir la rubrique Vancouver / Se déplacer / L'arrivée / Train

OSOYOOS

Présentant un visage singulier, unique au Canada, la ville d'Osoyoos, située à l'extrémité sud de la vallée de l'Okanagan, est l'endroit le plus chaud du pays. Son nom est dérivé du terme amérindien soyoos, qui signifie « l'endroit où les deux lacs se rencontrent ». Cette oasis de verdure, de vergers et de vignobles est aussi l'endroit où commence un désert, le seul du Canada, qui traverse les Etats-Unis en passant par le Nevada pour finalement aboutir au Mexique, 6 000 km plus loin. Alors que d'un côté du sommet du Mount Kobau, qui se dresse au nord-ouest dans la vallée, règnent le froid et le silence, et que les immenses conifères et la neige sont balayés par le vent, la ville d'Osoyoos baigne dans la chaleur, parmi les cactus et les serpents à sonnettes... Une montagne de distance et deux écosystèmes complètement distincts ! Les environs de cette ville de 5 000 habitants abritent une faune extrêmement diversifiée qui comprend, entre autres, 300 espèces d'invertébrés. En été, la ville attire de nombreux touristes, qui viennent de Vancouver ou des Etats-Unis. L'Etat de Washington n'est qu'à quelques kilomètres, et le cours du dollar contribue à ces « immigrations estivales ». Osoyoos est aussi un lieu de prédilection des retraités de l'Alberta et de la Colombie-Britannique, à la recherche d'un climat plus clément.

Transports

Située à la bordure de l'Etat de Washington, Osoyoos est à environ 4 heures 30 à l'est de Vancouver, à la jonction des autoroutes 3 et 97. Le terminal de Greyhound se trouve à l'entrée de la ville, à la station d'essence Husky. Service quotidien depuis Vancouver et Calgary, ainsi qu'à l'intérieur de la province.

Pratique

■ **OSOYOOS VISITOR INFO CENTRE**
9912 Highway 3
✆ +1 888 676 9667
www.destinationosoyoos.com
visit@destinationosoyoos.com

Se loger

La plupart des hôtels se concentrent autour du lac, et sur le bras de mer qui relie les deux rives. Les prix grimpent en été, où l'ambiance n'a rien à envier à celle des plages de la Côte d'Azur.

■ **BELLA VILLA RESORT**
6904 Ponderosa Drive
(rue perpendiculaire à Main Street)
✆ +1 888 495 6751
www.bellavillamotel.com
info@bellavillamotel.com
A partir de 135 $ en haute saison.
Excellente vue sur le lac et accès direct à la plage. Trois catégories de chambres sont proposées, et chacune d'elles est équipée d'une cuisine avec poêle, réfrigérateur, four à micro-ondes, ustensiles et cafetière.

■ **SPANISH FIESTA**
7104 Main Street ✆ +1 250 495 6833
www.falcon-spanish.com
A partir de 79 $. Comprenant aussi le Falcon voisin, ce motel est bondé en été, et pourtant il n'est pas le plus luxueux. Plage privée sur le lac et ambiance estivale garantie.

Se restaurer

■ **CHALET HELVETIA**
8312 – 74th Avenue
✆ +1 250 495 7552
A partir de 8 $.
La fondue au fromage est irrésistible et le chef concocte aussi des plats qui sauront plaire à tous : steak, poulet, poisson...

■ **RIDGE BREWING COMPANY**
A la jonction des autoroutes 3 et 97
✆ +1 250 495 7679
De 7 $ à 16 $.

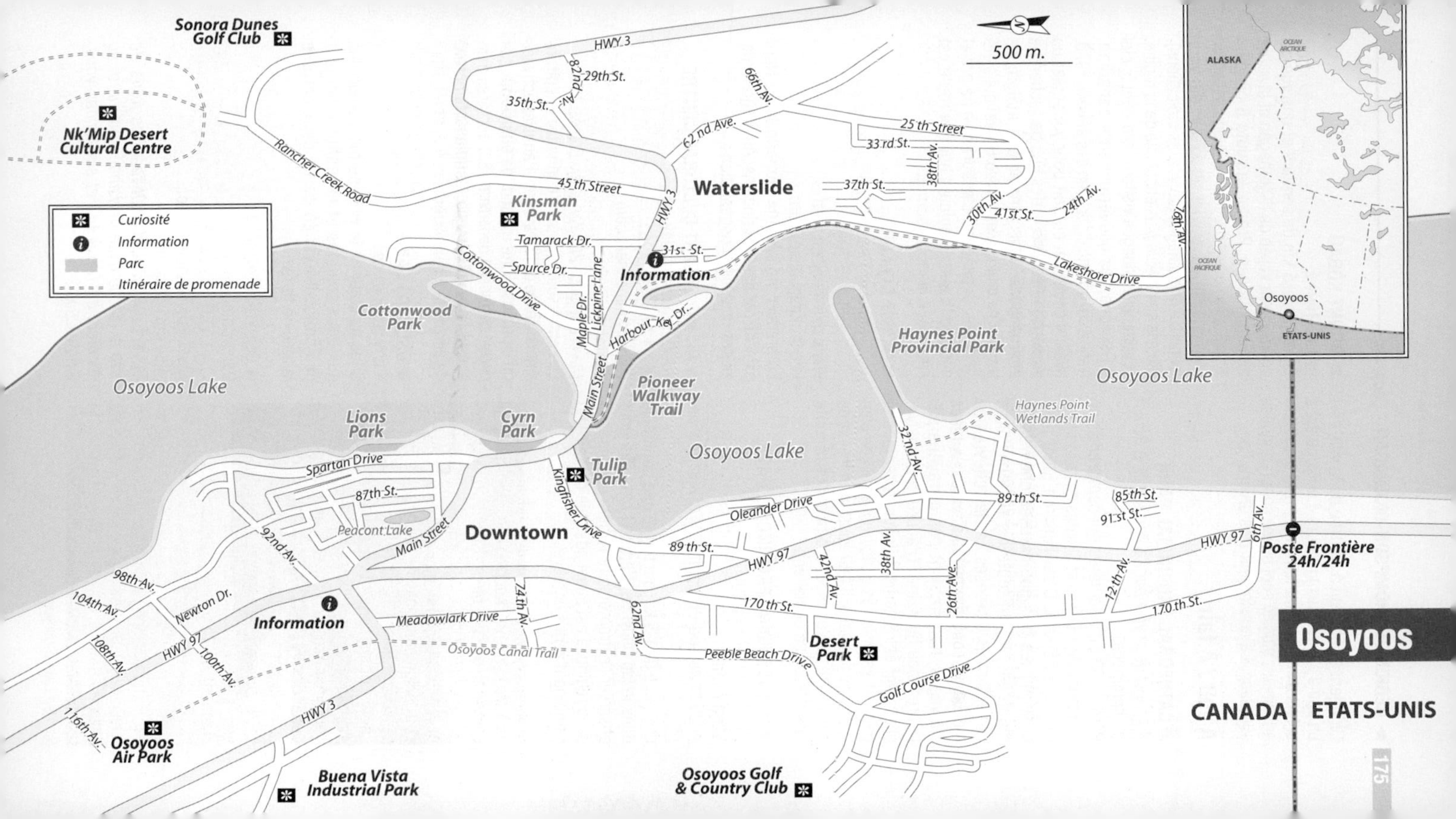
Osoyoos
CANADA
ETATS-UNIS
Poste Frontière 24h/24h
500 m.
ALASKA
OCEAN ARCTIQUE
OCEAN PACIFIQUE
Osoyoos
ETATS-UNIS
Curiosité
Information
Parc
Itinéraire de promenade
Sonora Dunes Golf Club
Nk'Mip Desert Cultural Centre
Rancher Creek Road
45 th Street
HWY 3
82nd Av.
29th St.
35th St.
66th Av.
62 nd Ave.
25 th Street
33 rd St.
38th Av.
37th St.
30th Av.
41st St.
24th Av.
16th Av.
Waterslide
Kinsman Park
Tamarack Dr.
Spurce Dr.
Maple Dr.
Lickpine Lane
31st St.
Information
Cottonwood Drive
Cottonwood Park
Harbour Key Dr.
Lakeshore Drive
Haynes Point Provincial Park
Osoyoos Lake
Pioneer Walkway Trail
Haynes Point Wetlands Trail
Main Street
Lions Park
Cyrn Park
Tulip Park
Spartan Drive
87th St.
Peacont Lake
Kingfisher Drive
Downtown
92nd Av.
98th Av.
104th Av.
Newton Dr.
108th Av.
HWY 97
100th Av.
116th Av.
Osoyoos Air Park
Information
Meadowlark Drive
74th Av.
Osoyoos Canal Trail
62nd Av.
Peeble Beach Drive
Golf Course Drive
Desert Park
Osoyoos Golf & Country Club
Buena Vista Industrial Park
Oleander Drive
89 th St.
32 nd Av.
42nd Av.
26th Ave.
170 th St.
85th St.
91 st St.
12 th Av.
6th Av.

L'immense bâtiment à l'entrée de la ville sert un peu d'accueil aux visiteurs. Le Ridge est à la fois un restaurant familial et une brasserie artisanale ; plus de sept bières sont fabriquées sur place. La cuisine est très diversifiée.

À voir / À faire

■ CATHEDRAL PROVINCIAL PARK

A l'ouest de la ville par l'autoroute 3, à 30 km de Keremeos.

Parc de 33 000 hectares qui comprend une montagne de 2 621 m et 5 pistes de randonnée (de 16 à 28 km). C'est l'endroit idéal pour observer les très nombreuses chèvres de montagne. Il faut toutefois rester vigilant et garder ses distances car les chèvres de montagne, contrairement à d'autres animaux sauvages, ne semblent pas effrayées par la présence humaine. D'allure inoffensive, elles sont extrêmement agiles et rapides et peuvent devenir très dangereuses si l'on s'en approche trop près. Il faut aussi prendre garde aux pierres qu'elles font tomber sur la route lorsqu'elles se déplacent.

■ HAYNES POINT PROVINCIAL PARK

(Off Hwy #97 South)
32nd Avenue
A 2 km au sud du centre-ville, sur la route 97.

Une piste de 1,5 km qui forme une péninsule dans le lac Osoyoos. L'endroit est idéal pour observer l'extraordinaire variété des oiseaux de la région. Il est aussi possible d'y faire du camping d'avril à octobre.

Spotted Lake à Osoyoos.

■ MOUNT KOBAU

9013 3 Hwy E
Entrée libre. 5 km de sentiers et une vue qui donne sur la vallée de l'Okanagan et la vallée de Simikameen. Prenez la route 3 pendant 11 km vers l'ouest d'Osoyoos, jusqu'à l'entrée d'un chemin de gravier de 17 km qui vous mènera à la montagne (suivez les indications). C'est le sommet le plus ensoleillé de la région, et comme les nuages visitent rarement le ciel d'Osoyoos, les gouvernements canadien, français et américain, à la fin des années 1970, avaient choisi cet endroit pour y installer un immense télescope, à des fins de recherche internationale. Mais, finalement, malgré les travaux en cours, c'est l'île d'Hawaï qui a été préférée. Cependant, c'est grâce à ce projet non abouti que qu'aujourd'hui une route est aménagée jusqu'au sommet.

■ NK'MIP CELLARS

1400 Rancher Creek Road
✆ +1 250 495 2985
www.nkmipcellars.com
info@nkmipcellars.com
Le premier vignoble de l'Amérique du Nord exploité par des Amérindiens. Au programme, visites guidées et dégustations.

■ NK'MIP DESERT CULTURAL CENTRE

1000 Rancher Creek
✆ +1 250 495 7901
www.nkmipdesert.com
cstringam@oib.ca
Ouvert de 9h à 20h (en été). Entrée 12 $.
Le centre souhaite faire connaître la culture amérindienne de l'Okanagan. Parmi les activités qu'il propose, une randonnée guidée dans le désert permet de découvrir 26,8 hectares d'un écosystème très fragile, peuplé notamment de serpents à sonnettes.

■ OSOYOOS LAKE

www.osoyoos.ca
Situé au cœur de la ville, ce merveilleux lac aux eaux chaudes et exceptionnellement peu profondes est coupé en deux par une langue de terre.

■ OSOYOOS MUSEUM

Dans Community Park
✆ +1 250 495 2582
www.osoyoosmuseum.ca
museum1@vip.net
Ouvert en juillet et août tous les jours de 10h à 16h, le reste de l'année du mardi au vendredi de 10h à 14h et sur rendez-vous. Entrée : 5 $.

Il explique le système de l'irrigation dans la région, présente une exposition sur la police lors de la Ruée vers l'or, réunit des objets de l'artisanat amérindien et reconstitue une école en bois de 1891.

■ **SPOTTED LAKE**
Sur la Highway 3, à 8 km à l'ouest de la ville.
Phénomène naturel très particulier, ce lac contient plus de minéraux que d'eau, ce qui fait qu'on peut le traverser à pied. Il est constitué d'une concentration de calcium, de sodium, de sulfate, d'argent et de titane. Les NK'Mip, peuple des « premières nations » de la région, l'appellent le « KT Lix », ou « eau et boue curatives », et s'en sont longtemps servis à des fins thérapeutiques. En été, les rayons du soleil cristallisent les minéraux et d'énormes cercles de couleur se forment sur le lac.

PENTICTON

35 000 habitants. Située entre Kelowna et Osoyoos, entre l'Okanagan Lake (au nord) et le Skaha Lake (au sud), la ville de Penticton a des faux airs d'Osoyoos. Bien que plus grande et moins attrayante que cette dernière, elle est un haut lieu de villégiature estivale. En amérindien, son nom signifie « un endroit où rester pour toujours ». Sur les rives du lac Okanagan, on peut visiter un ancien bateau à aubes du Canadian Pacifique : le SS Sicamous. Il reliait Penticton à Vernon de 1914 à 1935. Chaque année, à la fin du mois d'août, se déroule dans la ville une étape du championnat international de triathlon. Au mois de mai, s'y tient le festival de Meadowlark qui célèbre le patrimoine écologique de la vallée. Cette petite ville chaleureuse mérite un arrêt d'une journée ou deux, ne serait-ce que pour profiter de ses belles plages quand le temps le permet.

Pratique

■ **PENTICTON VISITOR INFO CENTRE**
553 Railway Street
✆ +1 800 663 5052
www.tourismpenticton.com
visitors@penticton.org

Se loger

■ **HOSTELLING INTERNATIONAL**
464 Ellis Street ✆ +1 866 782 9736
www.hihostels.ca – info@hihostels.ca
A partir de 20 $ en dortoir, 57 $ la chambre privée. En plein centre-ville, dans un bâtiment historique.

■ **PENTICTON LAKESIDE RESORT**
21 Lakeshore Drive W
✆ +1 800 663 9400
www.pentictonlakesideresort.com
sands@rpbhotels.com
A partir de 246 $.
Près de 200 chambres avec balcon et Jacuzzi. Ce n'est pas ce qu'on fait de plus intime, mais la vue sur l'Okanagan Lake est tout de même magnifique.

■ **WRIGHT'S BEACH CAMP**
4200 Skaha Lake Road
✆ +1 250 492 7120
www.wrightsbeachcamp.com
info@wrightsbeachcamp.com
Camping. Sur la Highway 97 South. A partir de 40 $.
A l'ombre !

Se restaurer

■ **THEO' GREEK RESTAURANT**
687 Main Street
✆ +1 250 492 4019
www.eatsquid.com
mail@eatsquid.com
De 7 à 48 $.
Une taverne qui sert des plats succulents.

À voir / À faire

■ **LAKESHORE DRIVE**
Là où tout (ou quasiment) se passe : promenades le long de la plage, jeux de beach-volley, etc. Meilleur endroit pour voir et être vu.

■ **PENTICTON MUSEUM**
787 Main Street
✆ +1 250 490 2451
www.pentictonmuseum.com
museum@city.penticton.bc.ca
Un musée intéressant qui, photos à l'appui, reconstitue des scènes de la vie locale au XIXe siècle, depuis le commerce de fourrures aux premiers immigrants chinois, en passant par une importante section de taxidermie.

Sports / Détente / Loisirs

En plus du VTT, du golf et du ski, les sports aquatiques sont omniprésents à Penticton. On se doit de traverser les deux lacs sur des bateaux à gros boudins ou sur n'importe quoi qui flotte. Vous le ferez en compagnie d'autres mordus, et n'en sortirez probablement pas sec mais vivant.

KELOWNA

En langue salish, Kelowna signifie « grizzly ». Cette ville, dont l'opulence des ressources naturelles surprend les visiteurs, se veut aussi une destination culturelle majeure. Mais c'est probablement dans ses paysages multicolores et dans la beauté de ses contrastes naturels que réside son patrimoine artistique. Toutefois, un petit quartier du centre-ville de Kelowna consacre ses activités, publiques et privées, à l'art sous toutes ses formes. Artistes régionaux ou internationaux célébrant le vin ou la sculpture exposent et vendent leurs œuvres dans cet « Art District ».

À l'image de la nature environnante, la majorité des habitants de Kelowna sont plutôt prospères : selon les statistiques officielles, on y trouve plus de millionnaires que partout ailleurs au Canada. Kelowna compte 105 000 hab. mais ce chiffre augmente de quelques milliers pendant l'été, quand des jeunes travailleurs venant de tous les horizons affluent dans la région pour ramasser les fruits dans les nombreux vergers. Depuis le premier pommier planté en 1884, par le père Pandosy, un missionnaire marseillais, la production de fruits a représenté la principale activité économique de la ville. Cependant la plage, la faible accumulation de pluies, le climat sec et chaud sont autant d'éléments qui favorisent également son activité touristique. Mais ce climat favorable l'est aussi aux feux de forêt. Au cours de l'été 2003, le feu a complètement ravagé le parc provincial de Kelowna. Les dommages environnementaux et économiques causés par cette catastrophe ont été inestimables. 300 nouveaux ha ont également brulé par un autre feu en 2009. Aussi veillez à éteindre vos feux de camp en y versant de l'eau. Comme d'autres villes de l'Okanagan bénéficiant du même climat, Kelowna attire bon nombre de retraités.

Transports

Comment y accéder et en partir

▶ **Voiture.** Kelowna est à 395 km de Vancouver, soit à environ 4 heures de route. Comptez 7 heures à partir de Calgary en passant par la Highway 1, via les Rocheuses. La ville est à 408 km (5 heures) de l'Etat de Washington. Située sur la Highway 97, Kelowna est à 68 km au nord de Penticton et à 47 km au sud de Vernon.

■ **BUS GREYHOUND**
Terminal
2366 Leckie Road
www.greyhound.ca

Se déplacer

■ **KELOWNA TRANSIT**
www.busonline.ca/regions/kel
Un ticket pour une zone coûte 2 $.

Pratique

■ **KELOWNA VISITOR INFO CENTRE**
544 Harvey Avenue
✆ +1 800 663 4345
www.tourismkelowna.com
info@tourismkelowna.com
L'artère commerçante est Bernard Street. City Park offre près d'un kilomètre de plage de sable blanc. A l'entrée du parc, on est accueilli par Ogopogo, la réplique d'un serpent qui, selon la légende, vit dans l'Okanagan Lake (un loch Ness local).

Se loger

■ **BEAVER LAKE RESORT**
6350 Beaver Lake Road (Winfield)
✆ +1 250 762 2225
www.beaverlakeresort.com
info@beaverlakeresort.com
A partir de 85 $ pour un chalet rustique. Possibilité de camper pour 29 $.
A quelques minutes de Kelowna, pour le prix d'une chambre dans le centre-ville, mais à flanc de montagne et les pieds dans l'eau (verte). Nombreuses activités à disposition.

■ **GRAND OKANAGAN**
1310 Water Street ✆ +1 888 890 3222
www.grandokanagan.com
A partir de 259 $.
Du grand luxe, qui n'est pas sans évoquer le Miami des années 1920.

■ **KELOWNA INTERNATIONAL HOSTEL**
2343 Pandosy Street ✆ +1 250 763 6024
www.kelowna-hostel.bc.ca
kelownahostel@silk.net
A partir de 18 $ la nuit en dortoir, 50 $ la chambre privée.
Crystal, la jeune et dynamique propriétaire de cette toute petite auberge très familiale, prend soin de ses locataires comme de ses propres enfants. Elle leur sert des crêpes (gratuitement) tous les matins et chaque jour propose plusieurs activités. Le centre-ville n'est qu'à 10 minutes à pied.

Sutherland Bay à Kelowna.

■ A VIEW TO REMEMBER B&B
1090 Trevor Drive
✆ +1 888 311 9555
www.kelownabandb.com
info@kelownabandb.com
3 chambres, à partir de 119 $ la double.
Une vue sur le lac dont on se souvient, effectivement ! Les chambres sont très confortables quoiqu'un peu sombres, et Sue et Dann, outre leur gentillesse, sont intarissables lorsqu'il s'agit de vous aider à faire le tri parmi les nombreuses activités de la région.

Se restaurer

■ DOC WILLOUGHBY'S
353 Bernard Avenue
✆ +1 250 868 8288
www.docwilloughby.com
A partir de 12 $.
Sa structure et sa grande cheminée lui donnent l'aspect d'un immense chalet suisse. Après 20h, l'ambiance est plus celle d'un pub irlandais que d'un restaurant familial. La viande fumée est à l'honneur, mais le chef propose aussi pâtes, burgers, fruits de mer, steaks... Très grande variété de bières.

■ MAMA ROSA ITALIAN RESTAURANT
561 Lawrence Avenue
✆ +1 250 763 4114
Un restaurant familial depuis trois générations. Confortable et abordable, avec des pizzas délicieuses.

■ RAUDZ
1560 Water Street
✆ +1 250 868 8805
www.raudz.com
info@raudz.com
A partir de 18 $.
Une ambiance bar à vins feutrée, et des plats d'une grande finesse. Un des meilleurs restaurants de la ville.

■ THE YELLOWHOUSE
526 Lawrence Avenue
✆ +1 250 763 5136
www.theyellowhouse.ca
info@theyellowhouse.ca
Entre 20 et 25 $ le plat. Le lundi, menu de 3 plats à 25 $.
Un cadre feutré et une cuisine raffinée. Pour se faire plaisir sans se ruiner le soir.

À voir / À faire

■ ART DISTRICT
1435 Water Street
✆ +1 866 903 3384
www.kelownaculturaldistrict.com
ask@kelowna.ca
L'Art District est situé dans le centre-ville, sur Water et Ellis Streets, entre les avenues Clement et Queensway. Dans ce quartier dédié à l'art sous toutes ses formes, les visiteurs pourront probablement dénicher une œuvre ou un objet qui comblera leurs vœux.

■ BEAR CREEKS PROVINCIAL PARK
10 km à l'ouest de Kelowna (par la Highway 97). Entrée libre.
Au milieu des paysages majestueux de la vallée de l'Okanagan, trois chemins de randonnée sont aménagés : Canyon (1 heure 30), Mid-Canyon (30 minutes) et Creek Side (15 m). Quelques aires de détente jalonnent les différentes pistes. La végétation, mixte et représentative du reste de la vallée, est dominée par les pins de Ponderosa, immenses conifères légèrement dégarnis, dont l'écorce a la propriété d'être résistante au feu.

■ KETTLE VALLEY
www.myratrestles.com
kenogami@sepaq.com
A 13 km au sud-est de Kelowna, à Myra Canyon Trestles. Ce parcours de 24 km, par des sentiers de randonnées pédestres ou à vélo, est une ancienne voie de chemin de fer dont la construction a été abandonnée en 1963.

■ OKANAGAN HERITAGE MUSEUM
470 Queensway Avenue
✆ +1 250 763 2417
www.kelownamuseum.ca
info@kelownamuseums.ca
Ouvert du lundi au vendredi de 10h à 17h, samedi de 10h à 16h, fermé dimanche et vacances scolaires. Dons suggérés à l'entrée.
A l'image de la ville, les objets exposés sont récents et datent principalement du XIXe ou XXe siècle. Toutefois, dans une autre partie du musée, quatre galeries rassemblent des vestiges provenant des cinq continents. Une autre section du musée est consacrée aux jouets miniatures.

■ OKANAGAN LAKE PROVINCIAL PARK
Pour s'y rendre, suivre Lakeshore Road vers le sud, en traversant le quartier de Mission ; compter une dizaine de minutes en partant du centre-ville.
On y trouvait plusieurs sentiers pédestres aménagés, ainsi qu'une flore et une faune d'une richesse inestimable. Malheureusement, les feux de forêt de l'été 2003 ont pratiquement rasé le parc. La végétation qui y repoussera sera peut-être différente de l'ancienne.

■ WINE MUSEUM
1304 Ellis Street ✆ +1 250 868 0441
www.kelownamuseum.ca
wwilson@kelownamuseums.ca
Ouvert du lundi au vendredi de 10h à 18h, le samedi de 10h à 17h, dimanche et vacances scolaires de 11h à 17h. Don suggéré à l'entrée.
Le musée relate l'histoire du vin dans la vallée de l'Okanagan et offre, bien sûr, la possibilité d'y goûter.

Sports / Détente / Loisirs

■ MISSION HILL
1730 Mission Hill Road
✆ +1 250 768 6448
www.missionhillwinery.com
info@missionhillwinery.com
Une très belle exploitation, restée familiale, et dont la visite est fort intéressante. Le tout bien sûr conclu par la traditionnelle dégustation, pour les « fans de wine » !

KAMLOOPS

La cinquième plus grande ville de la Colombie-Britannique avec ses 89 000 habitants se trouve au croisement de deux rivières, North Thompson et Thompson. Ses paysages se caractérisent par leur grande variété : montagnes massives et colorées, eaux paisibles et puissantes des deux rivières qui charrient des convois de troncs d'arbres, centaines de lacs entourant la ville et qui sont des hauts lieux de pêche (une variété de truite a pris le nom de Kamloops), et une station de ski au nord, par la Highway 5 (Sun Peak Resort). Kamloops est une ville carrefour puisqu'elle permet de rejoindre Jasper à 439 km au nord (via le magnifique Wells Gray Park), Revelstoke à l'est, Penticton au sud, Hope au sud-ouest et Whisler à l'ouest (via Cache Creek). Centre agricole de la région, Kamloops attire de plus en plus de retraités de la côte Pacifique.

Pratique

■ KAMLOOPS VISITOR INFO CENTRE
Sortie 368
1290 West Trans-Canada Highway
✆ +1 800 662 1994
www.tourismkamloops.com
inquiry@tourismkamloops.com

Se loger

■ COAST CANADIAN INN
339 Saint Paul Street
✆ +1 800 663 1144
www.coasthotels.com
À partir de 115 CAN $.
En plein centre-ville, cet hôtel de 94 chambres possède tout le confort d'un établissement de luxe (piscine, restaurant, pub).

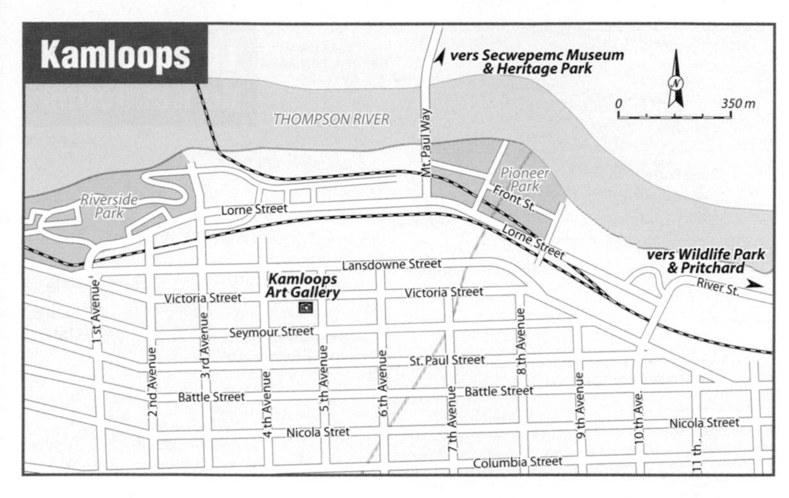

Se restaurer

■ **STORMS**
1502 River Street
✆ +1 250 372 1522
www.storms.kamloops.com
Tout à côté du quai d'embarquement du Wanda Sue (bateau à roue à aubes), l'une des meilleures cuisines européenne et nord-américaine de Kamloops`

À voir / À faire

■ **KAMLOOPS ART GALLERY**
101 465 Victoria Street
✆ +1 250 828 3543
www.kag.bc.ca
Entrée 5 CAN $.
La plus grande galerie d'art publique de l'intérieur de la province. Elle expose les travaux de plus de 1 200 artistes canadiens.

■ **SECWEPEMC MUSEUM & HERITAGE PARK**
355 Yellowhead Highway
✆ +1 250 828 9801
www.secwepemc.org/museum
yvonne.fortier@secwepemc.org
Entrée 6 CAN $.
Reconstitutions de villages traditionnels du peuple shuswap et présentation de la culture aborigène.

■ **THE BALANCING ROCK**
Curiosité locale peu connue des touristes, ce rocher en équilibre depuis environ 9 000 ans surplombe le lac Kamloops. Après Savona, s'arrêter sur l'aire de repos qui offre un beau point de vue sur le lac. En revenant à pied le long de la route, on verra le rocher situé en contrebas.

■ **WILDLIFE PARK**
9007 Dallas Drive
✆ +1 250 573 3242
www.bczoo.org – info@bczoo.org
Sur la Highway 1, sortie 390/391. Ouvert de 9h30 à 17h ou 18h selon la saison. Entrée 12 CAN $ 95.
Superbe zoo où vivent 70 spécimens de la région et d'autres, plus exotiques (grizzly, cougar, tigre, zèbre, perroquet).

SALMON ARM

A 108 km à l'est de Kamloops, Salmon Arm n'est pas une ville typiquement touristique. On y privilégie le golf, les sports aquatiques et la randonnée, notamment dans le Shuswap Lake Provincial Park et dans le parc de Copper Island.

Pratique

■ **SALMON ARM VISITOR INFO CENTRE**
20 Hudson Avenue NE
✆ +1 250 832 2230
www.sachamber.bc.ca
info@visitsalmonarm.com

Se loger

De nombreux campings sont installés dans les parcs environnants : Shuswap Lake Provincial Park (22 $), Silver Beach Provincial Park (14 $) et Herald Provincial Park (22 $) sont de bonnes adresses.

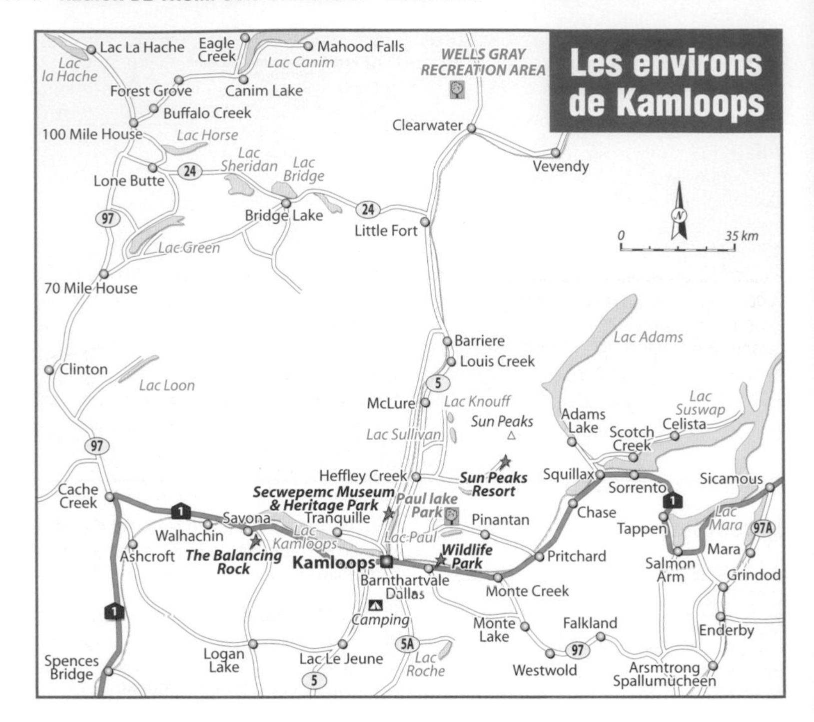

■ **QUAAOUT LODGE**
1663 Little Shuswap Lake Road, Chase
✆ +1 800 663 4303
www.quaaout.com
reservations@quaaoutlodge.com
Entre 89 $ et 170 $.
Tenu par une tribu secwepemc, cet établissement est directement lié à la culture aborigène.

À voir / À faire

■ **SALMON RUN**
Un cadeau de la nature ! Environ deux millions de saumons affluent tous les 4 ans, en octobre, dans l'Adams River, pour s'y reproduire ou mourir. La rivière étant peu profonde, la visibilité est parfaite et le spectacle saisissant. Suivez les indications au nord de Roderick Haig-Brown Provincial Park.

CLEARWATER

Clearwater est la porte d'entrée du majestueux Wells Gray Provincial Park, un site vénéré par les puristes de la randonnée et d'aventure, et l'un des derniers des Rocheuses canadiennes encore épargné par le tourisme de masse.

Transports

Les bus Greyhound desservent Clearwater depuis Vancouver et Kamloops mais une voiture est indispensable pour explorer le parc.

Pratique

■ **CLEARWATER-WELLS GRAY INFO CENTRE**
425 East Yellowhead Highway
✆ +1 250 674 3334
www.wellsgray.ca
info@wellsgray.ca
Sur la Highway 5, à l'entrée de Clearwater, à la bifurcation pour le parc.
Le parc est ouvert toute l'année, mais le centre d'information est fermé en hiver.

Se loger

■ **DUTCH LAKE MOTEL**
333 Roy Road, Clearwater
✆ +1 877 674 3325
www.dutchlakemotel.com
dutchlake@mercuryspeed.com
A partir de 102 $ en haute saison, 68 $ en hiver.

Balcons avec vue sur le lac Dutch, en retrait de l'autoroute. Le Dutch Lake Motel propose également des emplacements de camping.

■ TROPHY MOUNTAIN BUFFALO RANCH B&B

Sur la route de Wells Gray Park
✆ +1 250 674 3095
www.buffaloranch.ca
info@buffaloranch.ca
A partir de 95 $. Au milieu des pâtures, un hébergement rustique et chaleureux, comme dans un bon vieux western. Possibilité de camper aussi pour 18 $ par tente (plus 3 $ par personne). Ouvert uniquement de mai à octobre.

À voir / À faire

■ WELLS GRAY PARK

www.wellsgray.ca
info@wellsgray.ca
Troisième plus grand parc de Colombie-Britannique, de plus de 500 000 hectares, le Wells Gray Park regorge de montagnes, rivières, lacs, formations volcaniques, glaciers et forêts. En outre, ours, élans, castors, loups et aigles sont ici chez eux. On peut y pratiquer tous les sports de plein air, et les plus beaux endroits du parc font l'objet d'intenses excursions, à pied ou en canoë. Les sports aquatiques se pratiquent sur les lacs Clearwater, Azure, Mahood et Murtle, le long desquels se trouve la majorité des campings du parc (14 $). Parmi les cascades plus ou moins grandes du parc, les plus réputées sont les Helmcken Falls, qui font deux fois la taille des chutes du Niagara. Elles sont facilement accessibles par la route (au point de former l'arrière-plan de nombreuses photos de mariage de la région).

MOUNT ROBSON PROVINCIAL PARK

Perché à 3 954 m, le Mount Robson est abondamment photographié ou filmé par les voyageurs. Le parc, d'une superficie d'environ 225 000 hectares, a été créé en 1913 dans le but de préserver la beauté sauvage des canyons, des forêts et de la montagne. Les plus courageux délaisseront leur voiture et attaqueront les 23 km (aller) du célèbre Berg Lake Trail. Cette randonnée de 725 m d'élévation est populaire à juste titre. Le Berg Lake se trouve sur la face nord du Mount Robson, à 2 400 m. Prévoyez de camper et réservez à l'avance : les campings se remplissent très vite. Vous pouvez vous informer auprès de compagnies d'hélicoptères qui vous déposeront au point de vos randonnées, à pied, en ski, en bateau ou à vélo. Il est aussi possible de faire des randonnées d'une journée. Renseignez-vous au centre d'information touristique situé au pied du mont Robson. Les rangers vous donneront des cartes détaillées pour vos promenades.

■ INFORMATIONS

✆ +1 800 689 9025

Mount Robson.

NORD DE LA COLOMBIE-BRITANNIQUE

En continuant sur la Highway 97, vous arriverez dans le nord de la province, là où les journées sont plus longues en été et plus courtes en hiver. Pensez-y en préparant votre voyage : les conditions climatiques hivernales rendent les routes de cette région souvent impraticables.

PRINCE GEORGE

71 000 habitants. Plus grande ville du nord de la Colombie-Britannique, Prince George se trouve géographiquement au centre de la province. Située au confluent des rivières Fraser et Nechako, la ville a longtemps été un axe de transport utilisé d'abord par les « premières nations », et ensuite par les colons européens. En 1914, la voie de chemin de fer Grand Trunk a valu à la ville de Prince George d'être reconnue et de figurer sur la carte.

Transports

Comment y accéder et en partir

■ AIR CANADA JAZZ
✆ +1 888 247 2262
www.flyjazz.ca

■ GREYHOUND CANADA
✆ +1 800 661 8747
www.greyhound.ca
commercial.sales@greyhound.com
Les bus relient Vancouver à Prince George tous les jours.

■ WESTJET
✆ +1 888 937 8538
www.westjet.com

Se déplacer

■ HERTZ
✆ +1 800 263 0678
www.hertz.com

■ NATIONAL
✆ +1 800 268 9711
www.nationalcar.ca

Pratique

■ PRINCE GEORGE VISITOR INFO CENTRE
1198 Victoria Street
✆ +1 800 668 7646
www.nbctourism.com

Se loger

■ COAST INN OF THE NORTH
770 Brunswick Street
✆ +1 800 716 6199
www.coasthotels.com
A partir de 135 $.
Si vous voulez de l'espace, demandez une chambre d'angle (corner suite).

■ COLLEGE HEIGHTS MOTEL
5 km à l'ouest du centre-ville Highway 16
✆ +1 250 964 4708
A partir de 40 $. Basique : pas d'Internet, pas de liaison satellite pour la télé.

■ ESTHER'S INN
1151 Commercial Crescent
✆ +1 800 663 6844
www.esthersinn.com
info@esthersinn.com
A partir de 104 $ la double.
Avec un atrium très fleuri, version Polynésie, autour d'une piscine et de quelques chutes d'eau. Le restaurant de l'hôtel, Papaya Grove, sert un délicieux brunch dominical !

Se restaurer

■ RIC'S GRILL
4547 George Street
✆ +1 250 614 9096
www.ricsgrill.com
Environ 30 $ pour un diner. Steaks sous toutes les formes, à toutes les sauces.

■ WHITE GOOSE BISTRO
1205 3rd Avenue
✆ +1 250 561 1002
www.whitegoosebistro.ca
Entre 8 et 32 $ le plat.
Idéalement situé downtown, cet endroit offre une touche de raffinement avec son menu à la française. On y trouve des salades, des sandwiches, des pâtes et même du bœuf bourguignon.

À voir / À faire

■ EXPLORATION PLACE
Fort George Park
✆ +1 250 562 1612
www.theexplorationplace.com
info@theexplorationplace.com
Ouvert tous les jours de 9h à 17h. Tarif : 8,95 $, enfant 5,95 $.

Un stop idéal pour découvrir un peu d'histoire et de nature. L'accent est mis sur les Premières Nations, plus précisément. Prince George compte plus de 120 parcs, dont la plupart sont reliés les uns aux autres par les Heritage River Trails (total de 11 km). Fort George Park en est le point de départ et d'arrivée : avec ses 36 ha, c'était d'abord un site de commerce de fourrures. Ne manquez pas le Cottonwood Island Nature Park : les sédiments des inondations régulières de la Nechako River ont formé cette île, qui blanchit en été à cause du coton.

■ **PRINCE GEORGE NATIVE ART GALLERY**
1600 3rd Avenue
✆ +1 250 564 3568
www.pgnfc.com
info@pgnfc.com

■ **PRINCE GEORGE RAILWAY & FOREST INDUSTRY MUSEUM**
850 River Road
✆ +1 250 563 7351
www.pgrfm.bc.ca
admin@pgrfm.bc.ca
En été ouvert tous les jours de 10h à 17h, en hiver de mardi à samedi de 11h à 16h. Entrée 6 $.
Une collection importante de trains et voitures d'époque. Quelques pièces uniques, dont un chasse-neige datant de 1903.

■ **TWO RIVERS GALLERY**
✆ +1 888 221 1155
www.tworiversartgallery.com
Ouvert du mercredi au samedi de 10h à 17h, 21h le jeudi et dimanche de 12h à 17h. Entrée 7,50 $.
A l'angle de Patricia Boulevard et de Dominion Street, un espace stylé devenu une icône culturelle du nord de la province puisqu'il réunit les créations d'artistes locaux et régionaux. De là, rendez-vous au Connaught Hill Park : d'en haut, on peut voir la vallée et le centre-ville.

VANDERHOOF

Vanderhoof est le centre géographique de la Colombie-Britannique (comme l'indique une marque à 5 km à l'est de la ville). Plus vous irez vers l'ouest, plus vous verrez de lacs ; ils sont plus de 300 qui représentent près de 5 000 km de rives. Si vous êtes pêcheur, c'est une destination faite pour vous. La région, assez rustique, n'a pas d'hôtels 5-étoiles avec Spa. Ici, c'est la nature qui domine (les glaciers, les saisons…), et les communautés.

FORT SAINT JAMES NATIONAL HISTORIC SITE

A 59 km de Vanderhoof par la Highway 27. Il s'agit du premier site colonisé par les Européens, sans qu'il ait été habité par un peuple des « premières nations ».

■ **FORT SAINT JAMES NATIONAL HISTORIC SITE**
P.O. Box 1148, Fort St James
✆ +1 250 996 7191
www.pc.gc.ca/lhn-nhs/bc/stjames/index_f.asp
Ouvert tous les jours de 9h à 17h. Entrée 7,80 $.

HAZELTON

Ce village fondé en 1866 a pour principal intérêt d'abriter le Ksan Historic Village, qui permet d'en savoir plus sur les peuples autochtones dc la région.

■ **KSAN HISTORICAL VILLAGE AND MUSEUM**
✆ +1 877 842 5518
www.ksan.org – ksan@ksan.org
Ouvert en été tous les jours de 9h à 17h, en hiver en semaine de 9h30 à 16h30. Entrée musée 2 $ (visite guidée tour complet 10 $).
Cette visite vous emmène dans un village autochtone typique : sculptures, fabrication d'outils et de bijoux. Informez-vous des horaires du spectacle du 'Ksan Performing Arts Group. Ksan signifie « entre les rives ».

TERRACE

Les environs de Terrace méritent le détour pour leurs parcs et activités variées (pêche sportive, ski, kayak, etc.)

Pratique

■ **TERRACE VISITOR INFO CENTRE**
4511 Keith Avenue
✆ +1 877 635 4944
www.visitterrace.com

Se loger

■ **LAKELSE LAKE PROVINCIAL PARK**
Camping, à 25 km au sud de Terrace
✆ +1 250 638 8490
nwescapesbc@telus.net
Compter 24 $. En plus de douches, ce camping offre des plages de sable et la possibilité de nager en toute sécurité.

À voir / À faire

■ KHUTZEYMATEEN GRIZZLY BEAR PRESERVE

À 40 km au nord-ouest de Terrace, se trouve le premier sanctuaire consacré aux ours grizzlis. Pour y entrer, il faut faire partie d'un groupe autorisé (guidé) ou accompagné par un ranger. Pour information, le kermodei, une espèce d'ours noir avec une fourrure blanche, et non-albinos, fait parfois quelques apparitions dans la vallée de Terrace.

■ NISGA'A MEMORIAL LAVA BED PROVINCIAL PARK

Au nord de Terrace. La coulée de lave provoquée par une éruption volcanique en 1750 avait tout dévasté sur son chemin. On peut encore s'en rendre compte sur 18 km de long et 3 km de large. Le panorama lunaire est parfois déroutant : demandez une brochure d'informations au Visitor Centre. Après la découverte du Lava Lake, on peut continuer à se familiariser avec le phénomène de lave le long du Volcanic Cone Trail, qui conduit à un cratère. Pour une meilleure protection du site, il est conseillé de recourir aux services d'un guide local.

Sports / Détente / Loisirs

■ SHAMES MOUNTAIN SKI AREA

Lakelse Ave. ✆ +1 877 898 4754
www.shamesmountain.com
info@shamesmountain.com
Forfait à 41,50 $.
A 35 km à l'ouest de Terrace, la petite station est reconnue pour recevoir des tonnes de neige et relativement peu de visiteurs.

KITIMAT

A 62 km au sud de Terrace, on peut respirer d'autres grands espaces. Randonnée pédestre ou à VTT et, bien sûr, pêche : vous êtes en pleine nature.

■ VISIT KITIMAT

www.visitkitimat.com
kitimatchamber@telus.net

PRINCE-RUPERT

13 000 habitants. Ancien port de pêche, Prince Rupert est une ville en transition dont l'économie se tourne désormais de plus en plus vers l'écotourisme. Exposée à l'océan, la ville est un lieu de rencontre : qu'on arrive ou qu'on parte de/vers l'Alaska, les îles de la Reine-Charlotte ou l'île de Vancouver, Prince Rupert invite au métissage. Ici, les « premières nations » se mêlent aux Canadiens d'origine européenne sans problèmes d'intégration. Imaginez des totems au milieu de rues aux noms anglais et de bâtiments géants et modernes abritant des hôtels ou des administrations. Bienvenue sur la côte !

Transports

Comment y accéder et en partir

L'aéroport de Prince Rupert, Digby Island Airport, se trouvant sur une île, tous les passagers qui arrivent prennent un bus qui les conduit au terminal des ferries. Là, ils embarquent sur un ferry pour gagner Prince Rupert, en 35 minutes (Atlin Terminal pour les passagers d'Air Canada, et Howard Johnson Highliner Plaza Hotel pour les passagers de Hawkair). Ce trajet ne vous coûtera rien, il est compris dans votre billet d'avion.

■ GREYHOUND CANADA

✆ +1 800 661 8747
www.greyhound.ca
commercial.sales@greyhound.com
Relie Vancouver à Prince George tous les jours, à partir de 117 $.

Pratique

■ PRINCE RUPERT VISITOR INFO CENTRE

Cow Bay Road, suite 215
✆ +1 800 667 1994
www.tourismprincerupert.com
info@tourismprincerupert.com

Se loger

■ EAGLE BLUFF B&B

201 Cow Bay Road
✆ +1 800 833 1550
www.bbcanada.com/2453.html
A partir de 65 $.
Construit sur pilotis, et quelle décoration ! Vue imprenable sur la marina.

■ PILLSBURY GUESTHOUSE

Pacific Place 1
✆ +1 250 624 2277
www.princerupertlibrary.ca/pillsbury
bnb@citytel.net
70 $ la chambre double.
La première maison édifiée sur la côte ouest ! D'où l'adresse : Pacific Place 1. Datant du début du XXe siècle, elle servit de camp de

base aux ingénieurs du rail. Joël Pillsbury, édifia cette maison avant d'ébaucher les plans de la future ville que sera Prince Rupert. Colleen, votre hôte, est une dame à part. Fille d'ingénieur du rail également, elle se fait appeler aussi Tante Fifi. Grande fan d'Edith Piaf, elle vous interprétera avec plaisir l'un de ses nombreux airs au petit déjeuner.

■ PINERIDGE B&B

1714 Slocan Avenue
✆ +1 888 733 6733
www.pineridge.bc.ca
pineridge@citytel.net
A partir de 99 $.
Certainement les plus grandes chambres disponibles en ville ; vous aimerez le côté artistique apporté par les très aimables propriétaires.

■ PIONEER HOSTEL

167 3rd Street East
✆ +1 888 794 9998
www.pioneerhostel.com
pioneer@citytel.net
Dortoir à partir de 25 $, chambre double à partir de 60 $.
Une auberge de jeunesse confortable et accueillante.

Se restaurer

■ COW BAY CAFE

205 Cow Bay Road
✆ +1 250 627 1212
Entre 11 et 25 $.
Un incontournable pour les amateurs de plats fins et simples. Laissez-vous conseiller sur le vin de la région qui accompagnera votre mets. Il est préférable de réserver pour profiter de cette expérience. A essayer.

■ WATERFRONT RESTAURANT

(au Crest Hotel)
222 1st Avenue West
✆ +1 250 624 6771
www.cresthotel.bc.ca
info@cresthotel.bc.ca
Nappe blanches et verres en cristal pour du saumon de la rivière Skeena. Un régal !

À voir / À faire

■ MUSEUM OF NORTHERN BRITISH COLUMBIA

100 1st Avenue
✆ +1 250 624 3207
www.museumofnorthernbc.com
Ouvert de juin à septembre du lundi au samedi de 9h à 20h, dimanche de 9h à 17h, le reste de l'année du lundi au samedi de 9h à 17h. Entrée 5 $.
Un musée véritablement fascinant, qui expose des objets des peuples haida, tsimshian et nisga'a.

■ NORTH PACIFIC HISTORIC FISHING VILLAGE

Port Edward
✆ +1 250 628 3538
www.cannery.ca
northpac@citytel.net
20 km au sud de Prince Rupert. Ouvert en juillet et août tous les jours de 10h à 17h, jeudi jusqu'à 20h. En mai, juin et septembre du mardi au samedi seulement. Entrée 12 $.
Toute l'histoire du saumon et de la vieille conserverie du XIXe siècle qui employait des autochtones, des Japonais, des Chinois et des Européens. Après de très bonnes années, la conserverie a fermé en 1968. A voir, pour apprécier l'évolution des populations de la côte ouest et de l'industrie de la pêche.

Sports / Détente / Loisirs

■ SEASHORE CHARTERS

B6-215 Cow Bay Road
✆ +1 800 667 4393
www.seashorecharters.com
info@seashorecharters.com

STEWART

Au carrefour Meziadin (Highway 37 et 37A), dirigez-vous vers Stewart, à 65 km à l'ouest, en longeant la chaîne côtière, toute glacée. Vous monterez jusqu'à Bear Glacier et descendrez vers Stewart et son Portland Inlet, 4e plus long fjord du monde. Pendant la Ruée vers l'or, la population de la ville était montée à 10 000 (après 1910) et 4 quotidiens étaient publiés. Après la Première Guerre mondiale, il ne restait que 20 habitants ! Stewart compte aujourd'hui 800 âmes et vit en parallèle avec Hyder (90 habitants), « terre » américaine puisqu'elle appartient à l'Alaska. Les enfants de Hyder vont à l'école au Canada, les gens achètent en dollars canadiens et tout fonctionne selon l'heure du Pacifique. Sauf pour le postier : il est payé en dollars américains et vit à l'heure de l'Alaska. En s'attardant dans le village, on ne manquera pas d'apprendre quelques anecdotes de ses traditions.

Transports

Comment y accéder et en partir

- **L'autoroute Stewart-Cassar.** De Terrace, la Highway 37 remonte vers le nord, isolé, lointain et vierge, et rejoint Watson Lake (Yukon) après 1 963 km de routes difficiles et désertées par les populations, mais pas par la faune sauvage des montagnes du Nord. Les paysages sont absolument confondants de beauté, et ils se méritent.

TELEGRAPH CREEK

Sur votre route, vous pourrez vous ravitailler à Iskut, village tahltan qui dispose d'une station d'essence et d'un magasin d'appoint. On traverse des parcs provinciaux (Stikine River, Spatsizi Plateau Wilderness et Grand Canyon of the Stikine) avant d'atteindre Dease Lake (à 65 km d'Iskut). 119 km plus loin, on arrive à Telegraph Creek (300 habitants), après être passé par des endroits quelque peu effrayants par leur étroitesse ou leur escarpement. Près de là, pour vivre une expérience exceptionnelle, on peut faire l'ascension du Mount Edziza, montagne volcanique qui culmine à 2 787 m. La région connaît d'importantes variations de température et la neige reste parfois tout l'été sur les sommets. En altitude, la faune se compose de chèvres de montagne et de mouflons. Un peu plus bas, on trouve le caribou des Selkirks, le grizzly et l'élan. Les cabanes et les poteaux abandonnés le long d'une piste qui traverse la partie sud du parc actuel et qui passe par le col Raspberry sont les vestiges d'un projet de ligne télégraphique devant relier l'Amérique du Nord, l'Asie et l'Europe. Le visiteur qui souhaite accéder à ces régions isolées devra emprunter des sentiers difficiles, être expérimenté et entièrement autonome.

DAWSON CREEK

Jadis, circuler sur l'Alaska Highway relevait de l'exploit. Aujourd'hui, presque toute la route est bitumée et bordée sur toute sa longueur de petits hôtels. Ce qui n'a pas changé, c'est la vue. C'est toujours cette vieille magie des Rocheuses, avec une faune abondante et de magnifiques rivières préservées. Dawson Creek est le km 0 de l'Alaska Highway : une borne indique les distances des grandes villes le long de l'autoroute. Dawson Creek compte 12 000 habitants.

■ **ALASKA CAFE**
Alaska Hotel
10209 10th Street
✆ +1 250 782 7040
Dans un ancien magasin de bonbons des années 1930, une cuisine de pub très abordable.

L'autoroute de l'Alaska

Au nord-est de Prince George, les paysages et les modes de vie sont très similaires à ceux du nord-ouest de l'Alberta. Outre leur point commun géographique, la Peace River, les deux régions partagent la même topographie et la même économie. C'est pourquoi cette région de la Colombie-Britannique suit le même fuseau horaire que l'Alberta, soit une heure de plus que dans le reste de la province. Réglez vos montres ! En remontant vers le nord sur la Highway 97 depuis Prince George, vous traverserez le Carp Lake Provincial Park : ses îlets et lacs sont plus faciles à explorer en bateau, mais des randonnées pédestres peuvent déjà vous donner une bonne idée du cadre. A 180 km de Prince George, MacKenzie possède un énorme lac, le Williston Lake, réservoir de la région. En allant vers l'est, vous attaquerez les Rocheuses au Pine Pass. Là, la petite et bien nommée station de ski Powder King (www.powderking.com – forfait à 40 $) enregistre plus de 12 m de neige par an. A Chetwynd, connue en 1912 comme « la petite prairie », vous aurez le choix de continuer vers le nord jusqu'à Hudson's Hope (Highway29) ou d'aller vers l'est pour gagner Dawson Creek. Hudson's Hope, petite ville de 1 000 habitants, ancien centre de commerce de fourrures, attire désormais les curieux grâce à ses deux barrages : W.A.C. Bennett Dam et le Peace Canyon Dam.

■ **ALASKA MILEPOST**
www.themilepost.com – books@themilepost.com
Pour plus d'informations sur cette autoroute, procurez-vous l'*Alaska Milepost*, publié chaque année.

Élan au bord de l'Alaska Highway.

■ **ALASKA HOTEL**
10209 10th Street ✆ +1 250 782 7998
www.alaskahotel.com
info@alaskahotel.com
A partir de 55 $.
Très central et basique. Pas de téléphone, pas de télévision, et salle de bains commune.

■ **DAWSON CREEK VISITOR INFO CENTRE**
✆ +1 866 645 3022
www.tourismdawsoncreek.com
info@tourismdawsoncreek.com

■ **MILE ZERO CAMPGROUND**
A 1 km au nord de Dawson Creek
✆ +1 250 782 2590
Camping. A partir de 15 $.

FORT SAINT-JOHN

L'extraction de pétrole, de gaz et de charbon constitue les principales ressources de Fort Saint John (15 000 habitants). Vous ne pourrez pas manquer son derrick de 40 m de haut, au North Peace Museum. Au nord de la ville, vous pourrez vous promener autour de Charlie Lake ou dans le Beaton Provincial Park.

■ **FORT SAINT JOHN VISITOR INFO CENTRE**
✆ +1 250 785 3033

■ **QUALITY INN NORTHERN GRAND**
9830 100th Avenue (Fort Saint John)
✆ +1 800 663 8312
www.qualityinnnortherngrand.com
info@qing.ca
A partir de 149 $.
Un petit luxe, avec accès Internet (haut débit) et sol chauffant dans les salles de bains...

FORT NELSON

A 374 km de Fort Saint John, après avoir traversé des forêts boréales et des paysages de plus en plus montagneux, on arrive à Fort Nelson. Les rivières Muska, Prophet et Sikanni Chief convergent ici et forment la Liard River. Le Fort Nelson Historical Museum retrace l'ambitieuse épopée de la construction de l'Alaska Highway, un projet proprement gigantesque pour l'époque. Toujours plus au nord, et avant d'entrer dans le Yukon, on gagne encore de l'altitude jusqu'au Summit Pass (1 295 m), après avoir traversé le Stone Mountain Provincial Park, très fréquenté, surtout pour le Summit Lake (à 140 km à l'ouest de Fort Nelson). La route continue à travers le Muncho Lake Provincial Park et ses 88 000 hectares. Arrêtez-vous au Muncho Lake, la vue y est magique. La balade se termine dans les piscines naturelles du Liard River Hot Springs Provincial Park, dont le microclimat a permis de prospérer à plus de 80 espèces de plantes endémiques.

■ **FORT NELSON VISITOR INFO CENTRE**
✆ +1 250 774 6868

LE YUKON ET LE NORD-OUEST

Monts Tombstone depuis Dempster Highway.

Le Yukon

Le Yukon est une terre sauvage de près de 500 000 km² répartis au nord de la Colombie-Britannique, entre l'Alaska à l'ouest et les Territoires du Nord-Ouest à l'est. Le territoire représente moins de 5 % de la surface totale du Canada, mais est aussi grand que la Californie. Ici, le climat, l'eau (Yukon signifie « grande rivière » en amérindien), la montagne, les conifères et les nombreux animaux partagent une paix que viennent rechercher de rares touristes. Le Yukon est une destination à part, et ce territoire oublié constituera pour le voyageur un dépaysement total. Autrefois terre d'aventures, pendant la brève et ravageuse fièvre de l'or, le Yukon semble s'être refermé après le passage de cette marée humaine, arrivée du monde entier, l'espoir de faire fortune y avait en effet attiré des optimistes venus d'aussi loin que l'Australie ! Venus, mais repartis. Il fallait beaucoup d'or pour faire rester sous ces latitudes ceux qui ne sont pas naturellement pourvus d'une épaisse fourrure. Aujourd'hui, la région compte 35 000 habitants et 15 000 ours en tout. Pourtant, à l'embouchure du Klondike, après la découverte de l'or par George Carmack dans le ruisseau Bonanza, le 17 août 1896, la petite ville de Dawson compta jusqu'à 40 000 âmes. Parmi ces hommes se trouvaient Jack London ainsi qu'un personnage célèbre de Carl Barks : Balthazar Picsou ! Les ambitieux avaient de quoi espérer faire fortune dans le Yukon : l'or au Klondike, l'argent dans la région de Mayo. Dans les années 1920, les mines d'argent étaient la principale industrie de tout le territoire. Il se dégageait de cette époque une « french touch » bien palpable. Il y avait ici jadis une ville appelée Paris, en raison de la ville de naissance du facteur de l'époque. Dawson était surnommée « Paris du Nord » : les charmes de la Belle Epoque mettaient du piquant et de la couleur dans la vie des mineurs. Champagne, bonne chère, bon vin, opéra et ballet faisaient partie des délices culturels offerts. Aujourd'hui encore près de 10 % de la population yukonnaise est francophone. Mais toute cette effervescence finit par retomber. Et les populations autochtones, appartenant aux cinq groupes « athapascan ou tlingit ou encore inuit », n'eurent plus qu'à se féliciter du départ de cette première vague d'envahisseurs. Un siècle plus tard, le territoire du Yukon replié sur ses exploitations minières mène une petite vie prospère, bien caché par ses forêts sillonnées par quelques trappeurs traquant les lynx, les martres et autres petites bêtes. Plus de 60 % de la population se concentre dans la ville de Whitehorse, capitale politique et administrative. Les instances dirigeantes du territoire vont leur petit bonhomme de chemin et, d'ici quelques années, le Yukon devrait accéder aux mêmes droits que les autres provinces du Canada. Parmi les trois territoires faisant partie de la Confédération canadienne, le Yukon est une entité distincte sur les plans politique et géographique, depuis son adhésion au Canada en 1898. Les mines, les barrages hydrauliques, la gestion des forêts ne seraient alors plus sous tutelle fédérale directe. Autant d'éléments qui feraient de cette zone une terre d'avenir, si ce n'était le froid ! Un froid qui ne décourage pas la faune : 500 000 élans, 10 000 ours bruns, 185 000 caribous et bien d'autres.

Histoire

D'abord il y avait l'eau, et une seule île, qui appartenait à l'Otarie. Corneille enleva le bébé de l'Otarie et demanda du sable en échange. Et c'est avec ce sable qu'elle créa le monde. Plus tard, elle sculpta l'homme dans de l'écorce de peuplier. La version des géographes est un peu différente : il y a 25 000 ans, à la suite de la glaciation, il y aurait eu un passage partant de la Sibérie. C'est celui qu'auraient emprunté les premiers habitants arrivés d'Asie. On a découvert, près d'Old Crow, la plus ancienne trace d'activité humaine en Amérique du Nord, datant de 20 000 ans. On sait que les premiers habitants du Yukon mangeaient du mammouth laineux, du bison, du cheval et du caribou. Plus près de nous, au début du XIXe siècle, la Compagnie de la Baie d'Hudson établit des comptoirs sur les rives des principaux cours d'eau du Yukon. En 1898, la grande Ruée vers l'or du Klondike (célébrée aujourd'hui par des festivités dans la ville d'Edmonton) vint bouleverser le calme de ces terres du Nord à la vie jusque-là rythmée par le seul passage des saisons. Une catastrophe pour les autochtones, puisque les réserves naturelles de gibier furent détruites et que des feux de forêt endommagèrent gravement l'écosystème. Pendant la Seconde Guerre mondiale, l'armée américaine investit le Yukon, base logistique de l'Alaska. Après le départ des Américains, la route de l'Alaska changea complètement le mode de vie des habitants des forêts. Enfin, dans les années 1950, la circulation fluviale et le commerce des fourrures évoluèrent de façon telle qu'il devint impossible de gagner sa vie en tant que trappeur. De nombreuses familles se virent contraintes de devenir citadines. L'exploitation d'un gisement de plomb et de zinc, à Faro, dans les années 1960, fut le point de départ de l'ère industrielle moderne dans le Yukon.

Géographie

Le Yukon appartient à la cordillère canadienne, une suite de montagnes et de vallées qui s'enchaînent selon un alignement nord-ouest. Tout au nord, le long de la côte Arctique, c'est la toundra. Situé dans le parc national Kluane, le mont Logan culmine à 5 959 m d'altitude, c'est le sommet le plus élevé du Canada. La chaîne des monts Saint Elias comprend plus de 20 montagnes de plus de 4 200 m de haut. Le fleuve Yukon, long de 3 185 km, est le deuxième cours d'eau du Canada. A sa source, on trouve le Kluane, le Teslin, le Bennett et le Laberge, les 4 plus grands lacs du territoire. Enfin le Yukon abrite le désert de Carcross, désert le plus petit du monde, fut formé par un lac glaciaire couvrant toute la superficie de la vallée. Depuis le retrait des glaciers, les vents puissants en provenance du lac Bennett y déplacent constamment le sable, ce qui rend le sol peu propice à la végétation.

Climat

En matière de climat, les températures moyennes dépassent les 10 °C pendant seulement 4 mois de l'année. Les températures moyennes de janvier varient entre - 20 °C et - 30 °C et, certaines journées de l'été enregistrent des 32 °C.

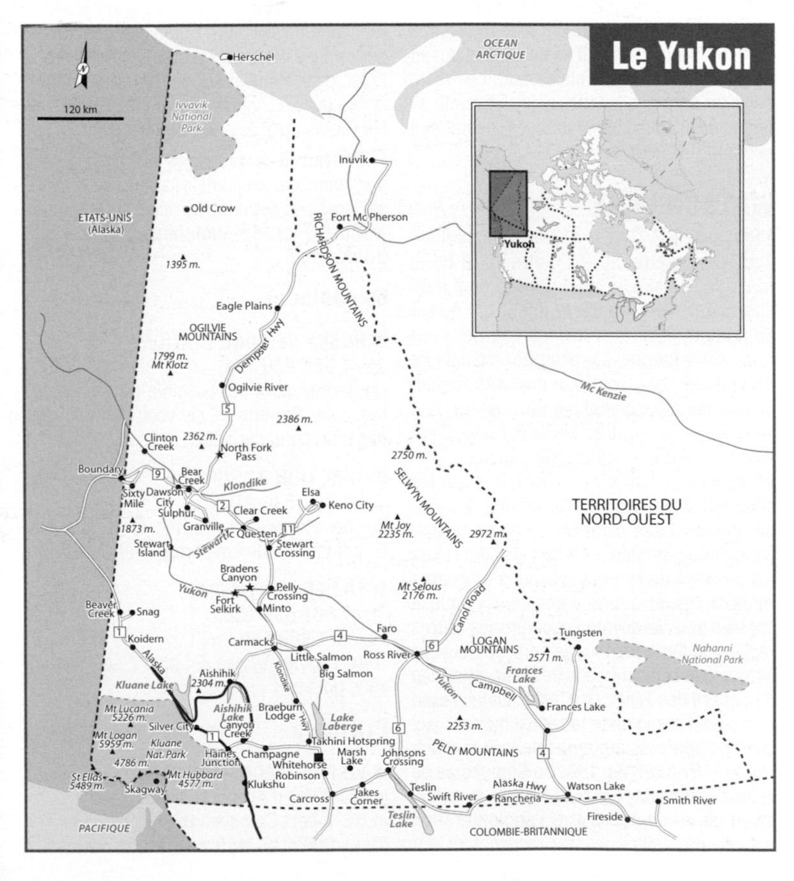

Le climat semi-désertique du Yukon rend les - 40 °C de l'hiver supportables parce que le temps est sec. Cela dit, avant de partir, contactez le centre des visiteurs pour qu'on vous aide à préparer vos valises en fonction des activités que vous comptez pratiquer. Passé le cercle arctique (66° 30'), entre le 21 juin et le 21 septembre, le soleil ne se couche jamais : on peut alors admirer les aurores boréales. Ces dernières sont causées par d'énormes éruptions qui se produisent à la surface du soleil. Ces expulsions continues de quantités de matières sont appelées « vents solaires ». Quand elles sont particulièrement intenses, c'est leur rencontre avec le champ magnétique qui provoque ce qu'on appelle une aurore polaire (aurore boréale au nord). Pour des raisons physiques, il arrive que l'oreille humaine perçoive le son engendré par le phénomène, ce qui s'expliquerait par l'existence d'un phénomène électrique simultané produisant un son au niveau du sol. Dans certaines régions du Yukon, lors du solstice d'été le 21 juin, le soleil ne se couche pas et on peut même lire en pleine nuit. Les nuits estivales sont très longues et le ciel, teinté de dégradés de rouge, émerveille les spectateurs pendant des heures.

WATSON LAKE

1 600 habitants. Située à 10 km de la frontière sud du territoire, au kilomètre 1019 de la route de l'Alaska, la ville a pris le nom d'un chercheur d'or, Franck Watson, qui quitta Edmonton (Alberta, province voisine) pour venir y faire fortune. Les panneaux indicateurs de Watson Lake sont une curiosité locale. Le premier a été planté par un GI en 1942, à l'époque de la construction de la route. C'est aujourd'hui une tradition que d'indiquer aux voyageurs le nombre de kilomètres qui les séparent d'autres villes du monde. La ville de Watson Lake offre aux voyageurs une panoplie de services. Le Sud-Est du Yukon est traversé de rivières sauvages et de très rares routes, et la forêt boréale qui y pousse est bien plus verdoyante que dans les autres régions du territoire. Plus au nord, se trouve la pittoresque agglomération de Teslin, chef-lieu du Conseil des Tlingits de Teslin. Le lac Teslin se trouvait sur la piste terrestre menant aux champs aurifères au temps de la Ruée vers l'or de 1897-1898. En 1898, la Compagnie de la Baie d'Hudson y a établi un poste de traite, avant de se déplacer vers l'agglomération actuelle de Teslin.

Transports

Comment y accéder et en partir

Entre Dawson Creek, en Colombie-Britannique, et Fairbanks en Alaska, vous roulez sur la route de l'Alaska (Alaska Highway, 960 km) qui traverse le Yukon. Il s'agit d'une route militaire construite pendant la guerre, lorsqu'on pensait possible une invasion des Etats-Unis par l'Alaska. On y trouve des stations-service environ tous les 50 km. La route Stewart-Cassiar est une route de gravier, où les services sont moins nombreux que sur la route de l'Alaska. Elle commence près de Smithers (C-B) et prend fin près de Watson Lake, à la jonction de la route de l'Alaska. Une autre route, la route Dempster (735 km), terminée en 1979, passe à travers les montagnes Ojilvie et Richardson, traverse le cercle arctique et se termine à Inuvik, en pleine toundra. C'est l'aventure, puisque avant Inuvik on ne traverse que 3 villes. Pensez à l'essence et aux pneus de rechange (gravillons). Sur le parcours de ces deux routes célèbres, on trouve facilement à se loger, en particulier sur des aires de camping aménagées. La vitesse moyenne autorisée sur les routes du Yukon est de 90 km/h.

- **Des bus** de la compagnie Greyhound (www.greyhound.ca) assurent la liaison avec le Yukon six jours par semaine au départ d'Edmonton (Alberta) et de Vancouver (Colombie-Britannique).

Se déplacer

■ HUSKY SERVICE STATION
✆ +1 867 536 2511
Un garage où il est possible de prendre de l'essence. Profitez-en, car vous n'en trouverez pas beaucoup sur votre route.

■ JUNCTION 37 SERVICE
✆ +1 867 536 2795
Une des stations les plus efficaces si vous avez le moindre doute concernant votre véhicule.

■ TILDEN RENT-A-CAR
✆ +1 867 536 2265
Fax : +1 867 536 2523
Ouvert toute l'année. En plus d'une voiture, vous pouvez y louer un canoë.

Pratique

■ VISITOR RECEPTION CENTRE
Intersection d'Alaska Highway 1
et de Robert Campbell Highway
✆ +1 867 536 7469

Se loger

■ BELVEDERE MOTOR HOTEL

Po Box 370
✆ +1 867 536 7712
A partir de 70 $ la chambre.
Un petit hôtel d'une cinquantaine de chambres assez modernes (certaines ont des lits à eau : waterbeds). Restaurant.

■ NUGGET CITY

A 20 km à l'ouest de Watson Lake
(juste après le croisement avec Cassiar)
✆ +1 867 536 2307
www.nuggetcity.com
nuggetcity@telus.net
Compter 94 $ la nuit, 188 $ avec Jacuzzi ; emplacements de camping de 26 $ à 35 $ la nuit.
Les chalets sont absolument impeccables, tous avec un balcon et une connexion satellite pour la télévision.

■ WATSON LAKE HOTEL

✆ +1 867 536 7782
www.watsonlakehotels.com
Dans le centre-ville. Repas entre 3 et 20 $.
Un hôtel de 48 chambres confortables. Egalement un sauna, bienfaisant après une dure journée de ski. On y mange pour un prix raisonnable. Bar et café.

À voir / À faire

■ ALASKA HIGHWAY SIGNPOST FOREST

✆ +1 867 536 7469
www.signpostforest.com
En 1942, un soldat américain, nostalgique de Danville, en Illinois, érigea le premier une pancarte indiquant la direction de sa région natale. Depuis, des milliers de personnes ont suivi son exemple et, à présent, 50 000 pancartes du monde entier ornent des mâts.

■ NORTHERN LIGHTS CENTRE

Route de l'Alaska et Frank Trail
✆ +1 867 536 7827
www.northernlightscentre.ca
nlc@northwestel.net
Centre d'interprétation des aurores boréales (service en français sur demande). La visite dure 1 heure, début à 13h, 14h, 15h, 18h30, 19h30 et 20h30.

■ RANCHERIA FALLS

A 135 km à l'ouest de Watson Lake
sur la route de l'Alaska.
On peut faire une halte dans cette jolie vallée et pousser jusqu'aux chutes Rancheria.

■ WATSON LAKE SKI CLUB

Box 303 ✆ +1 867 536 8000
www.watsonlake.ca
cdo@watsonlake.ca
Ouvert de décembre à mars.
Sur la Robert Campbell Highway, une aire skiable avec des pistes accessibles à tous les skieurs. On y trouve toutes les commodités d'une station moderne : location de skis, école de ski, restauration.

ATLIN

En vous dirigeant vers Whitehorse, à hauteur de Jakes sur l'Alaska Highway (60 km avant Whitehorse), vous pouvez emprunter la route qui mène au petit village d'Atlin. La route est en gravier et longue d'une centaine de kilomètres. En chemin, vous pourrez très vite apercevoir un début de randonnée dans les White Mountains. Très physique en raison de la dénivellation, cette promenade vous propulse en moins de 2 heures sur le toit du Yukon. Une formidable vue vous y attend et vous récompensera de l'effort. Un peu plus loin, le camping d'Etat de Snafu Lake offre une dizaine d'emplacements dans un cadre idyllique. Calme au rendez-vous. Si vous désirez vous rendre jusqu'à Atlin, c'est l'occasion de découvrir un petit hameau de pêcheurs loin de la foule touristique. Les services en tout genre y sont très limités.

WHITEHORSE

Située au pied des montagnes Big Salmon Range, avec à l'ouest et au sud la chaîne côtière, la ville est née pendant la fameuse Ruée vers l'or de 1898. Au début du XXe siècle, le chemin de fer s'arrêtait à Whitehorse plutôt qu'à Dawson. Devenue capitale du territoire du Yukon en 1950, Whitehorse est aujourd'hui le siège de l'administration et une ville touristique, située au 1 489 km sur la route de l'Alaska. Cette ville de 20 500 habitants est résolument contemporaine et accueille une communauté artistique vivante, des activités et des festivals hauts en couleur.

Transports

■ KLONDIKE RECREATIONAL RENTALS LTD

107 Copper Road
✆ +1 867 668 2200, +1 800 561 2002
Couvre à la fois l'Alaska et le Yukon. Location de motor-homes, d'unités de campement, de canoës, de Zodiac…

Pour la petite histoire

Le terme *Mush* est une déformation du français marche, utilisé pour signifier « conduire un traîneau à chiens ». En 1860, les mushers de toutes les nationalités dressaient toujours leurs chiens en français.

Comment y accéder et en partir

■ AIR CANADA
✆ +1 888 247 2262 – www.aircanada.com
Vols journaliers sans escale à destination de Whitehorse.

■ AIR NORTH
150 Condor Road
✆ +1 800 661 0407, +1 867 668 2228
www.flyairnorth.com
customerservice@flyairnorth.com
Vols en provenance de Vancouver, Calgary et Edmonton.

■ ALKAN AIR
105 Lodestar Lane
✆ +1 867 668 2107, +1 800 661 0432
www.alkanair.com
Liaisons intérieures du Yukon.

■ CONDOR
www.condor.com
reservation.en@condor.com
Vols en provenance de Francfort.

Se déplacer

■ CANADA CAMPERS INC
110 Copper Road ✆ +1 867 663 3610
Ouvert toute l'année. Vous trouverez ici tous les véhicules souhaités pour les loisirs, du truck au motor-home ultramoderne, équipés pour tout type d'expédition. Vous louez, vous roulez, et vous rendez le véhicule dans votre ville d'arrivée.

■ KLONDIKE RECREATIONAL RENTALS LTD
107 Copper Road
✆ +1 867 668 2200, +1 800 561 2002
Couvre à la fois l'Alaska et le Yukon. Location de motor-homes, d'unités de campement, de canoës, de Zodiac…

■ NORCAN LEASING LTD
213 Range Road
✆ +1 867 668 2137, +1 800 661 0445
www.norcan.yk.ca
Ouvert toute l'année. Location de voitures, camions, camionnettes et 4x4.

■ TRANSPORTS PUBLICS
Whitehorse Transit
✆ +1 867 668 7433

Pratique

■ HÔTEL DE VILLE DE WHITEHORSE
✆ +1 867 668 8660
www.tourwhitehorse.com
L'hôtel de ville vous offre un permis de stationnement de trois jours. Allez le prendre dès votre arrivée !

Tourisme

■ AGENCE FRANCO-YUKONNAISE
302 Strickland Street
✆ +1 867 668 2663
www.afy.yk.ca – afy@afy.yk.ca
Service aux francophones.
Bien qu'il ne s'agisse pas d'un centre d'information touristique, un service Internet gratuit est mis à disposition et l'accueil est en français. Pour ceux qui désirent travailler au Yukon, de nombreux services y sont offerts pour vous aider dans vos démarches. Par ailleurs, des petites annonces y sont affichées pour se joindre à des activités. Vaut le détour.

■ HÔTEL DE VILLE DE WHITEHORSE
✆ +1 867 668 8660
L'hôtel de ville vous offre un permis de stationnement de 3 jours. Allez le prendre dès votre arrivée !

■ VISITOR CENTRE
100 Hanson
✆ +1 867 667 3084
www.city.whitehorse.yk.ca
▶ **Autre adresse :** 2nd Ave. et Lambert Street.

Se loger

Bien et pas cher

■ BEEZ KNEEZ BACKPAKERS
408 Hoge Street
✆ +1 867 456 2333
www.bzkneez.com
hostel@klondiker.com
En dortoir, 30 $ ou en chambre privée à partir de 65 $.
On y est comme chez soi. Un vrai moulin et un accueil chaleureux. Deux chambres de 4 personnes, une de 6 personnes et des chambres de 2 ou 3 personnes. A disposition : barbecue, jardin, lave-linge et Internet. Idéalement situé, non loin du centre.

■ **MENDENHALL MALAMUTE B&B**
A 75 km de Whitehorse
vers Kulane
✆ +1 867 668 7275
www.malamutebandb.org
malamute@northwestel.net
De 60 $ à 90 $ par nuit pour 2 personnes. Ouvert de mai à septembre. Réservation nécessaire entre octobre et avril.
Cabanes et tipis pour les plus aventureux, comme à l'époque des trappeurs.

Confort ou charme

■ **CASEY'S B&B**
608 Wood
✆ +1 867 668 7481
www.caseybandb.com
De 109 $ à 159 $ la double.
Situé en plein centre-ville. Chambres claires et modernes, accès à une « cuisinette » sur demande, et Jacuzzi.

Luxe

■ **L'AUBERGE YUKONNAISE**
Mile 900 Alaska Highway,
à 20 min de Whitehorse
✆ +1 867 456 2135
Compter à partir de 155 $ la nuit, petit déjeuner compris. Dîner sur réservation 30 $.
Nicole propose 5 chambres avec une salle de bains privée. Vue panoramique époustouflante, surtout en hiver, au moment des aurores boréales.

■ **GOLD RUSH INN**
411 Main street
✆ +1 867 677 4471
www.yukonhotels.com
A partir de 169 $.
Idéalement situé sur la rue principale. Récemment rénové, ce qui rend les chambres plus confortables. Fait partie du groupe Best Western.

■ **THE HIGH COUNTRY INN**
4051 4th Avenue
✆ +1 867 667 4471
www.highcountryinn.yk.ca
Chambre double à partir de 169 $.
Un des plus grands hôtels de la région, de 84 chambres. Le décor est chaleureux : antiquités, cheminée, piano et vieille moto. Accessible aux personnes à mobilité réduite.

Se restaurer

Bien et pas cher

■ **KLONDIKE RIB AND SALMON BBQ**
2116 2nd Avenue
✆ +1 867 667 7554
krs@klondiker.com
Entre 8 et 25 $.
Sans doute l'un des endroits les plus typiques avec une nourriture locale raffinée. Si le soleil est au rendez-vous, alors la terrasse vous charmera. S'il pleut, l'intérieur vous séduira sans doute encore plus. Spécialités : musque, caribou, bison, flétan, saumon... et on en passe. Agréable tant le midi pour un lunch qu'en soirée. A ne pas manquer !

■ **SANCHEZ CANTINA**
211 Hanson street
✆ +1 867 668 5858
A partir de 8 $ suivant le repas.
Ambiance mexicaine en plein Yukon. La nourriture est vraiment traditionnelle et vaut le détour si on veut s'évader vers des ambiances du Sud. A l'heure de midi, leur terrasse est vraiment bien orientée. Fermé le dimanche.

Bonnes tables

■ **BAKED CAFE & BAKERY**
108-100 Main Street
Il ne s'agit pas d'un restaurant mais d'un snack agréable pour déjeuner ou prendre un café. Nombreux choix de pâtisseries artisanales. Accès Internet gratuit. Une petite terrasse sur la rue principale permet de se plonger dans l'ambiance en dégustant un bon café.

■ **THE CHOCOLATE CLAIM**
305 Strickland ✆ +1 867 667 2202
www.chocolateclaim.com
chocolateclaim@northwesttel.net
Café aux allures européennes avec douceurs quotidiennes concoctées sur place. Déjeuners équilibrés et desserts délicieux, avec ou sans chocolat.

■ **SAKURI SUSHI**
404 Wood Street
✆ +1 867 668 3298
Ouvert tous les jours.
Très démocratique pour un restaurant japonais perdu dans le Grand Nord. Récemment ouvert, ce restaurant allie raffinement et saveurs orientales. Un choix incroyable de combinaisons de sushis ou de plats à base de poisson.

■ THE WHARF ON FOURTH
4040 4th Avenue
✆ +1 867 667 7473
Bien que ce ne soit pas un restaurant, cette poissonnerie vaut le détour. En plus des quelques plats préparés, il est difficile de résister au large choix de produits de la mer. Idéal si vous cuisinez vous-même.

À voir / À faire

■ CARCROSS
A plus ou moins 85 km de Whitehorse, ce petit hameau de 400 âmes voit sa population augmenter avec le passage du train de la White Pass. Quelques vieilles constructions, dont un magasin charmant, témoignent d'un passé révolu. Une petite pause vaut la peine. La gare est transformée en musée, entrée libre.

■ DUNES DE CARCROSS
Deux kilomètres avant d'arriver à Carcross, vous serez sans doute surpris de croiser des dunes sur votre gauche. Voici le témoignage surprenant des vestiges d'un lac de l'époque glaciaire.

■ GREY MOUNTAIN ROAD
A l'est de la ville, près du S.S.Klondike, empruntez la Grey Mountain Road pour arriver à un superbe point de vue sur la ville. Accessible en voiture, si vous roulez lentement, ou à pieds.

■ MACBRIDE MUSEUM
1124-1st Avenue (dans Wood Street)
✆ +1 867 667 2709
www.macbridemuseum.com
lchalykoff@macbridemuseum.com
Ouvert en été tous les jours de 9h30 à 17h30, en hiver du mardi au samedi de 10h à 16h ou sur rendez-vous. Entrée adulte : 10 $.
Ce bâtiment, en rondins de bois et au toit de terre, est le gardien de la mémoire de tout le Yukon depuis la Préhistoire. Les collections sont présentées de façon attrayante.

■ MILES CANYON
A une dizaine de kilomètres
au sud de la ville
(après Whitehorse Dam)
Embarcadère MV Schwatka
Tous les jours en été.
La navigation s'est considérablement simplifiée depuis la création, en 1926, d'un barrage qui assagit les eaux. Lorsque Jack London descendit ce défilé, naviguant entre les parois de basalte rosé, l'aventure était autrement plus risquée qu'aujourd'hui.

■ NORTH END GALLERY
118,1116 first Avenue
✆ +1 867 393 3590
www.northendgallery.ca
info@northendgallery.ca
Ouvert du lundi au samedi de 10h à 18h, entre juin et septembre également le dimanche.
Galerie d'art avec beaucoup d'objets fabriqués par les Premières Nations. Vaut le détour pour le plaisir des yeux.

■ OLD LOG CHURCH
Elliott Street (sur 3rd Avenue)
✆ +1 867 668 2555
L'unique cathédrale en bois du monde, fondée au début du siècle dernier. La messe a lieu tous les dimanches matin à 10h30.

■ S. S. KLONDIKE STERNWHEELER TOUR
2nd Avenue, près du pont
✆ +1 867 667 3910
Amarré à Robert Campbell Bridge. Ouvert l'été.
Visite d'un bateau à aubes, autrefois en service (de 1866 à 1955) pour le transport des passagers et du minerai. Le faste des cabines de 1re classe en dit long sur les fortunes qui se sont bâties au début du siècle dernier.

■ TAKHINI HOTSPRINGS
Km 10
Takhini Hotsprings Rd
✆ +1 867 456 8000
www.takhinihotsprings.yk.ca
swim@takhinihotsprings.com
Situé à 25 minutes de la ville, le complexe des sources thermales Takhini comprend un café, un terrain de camping, des promenades équestres et une aire de pique-nique.

■ WHITEHORSE RAPIDS DAM
Au bout de Nisutlin Drive
dans le quartier de Riverdale
Ouvert de 8h à 22h. Entrée libre.
La plus grande migration de saumons au monde ! Ils remontent le courant et passent ce barrage par la plus longue échelle à poissons en bois qui soit. Le barrage offre ainsi un spectacle véritablement unique.

■ YUKON BERINGIA INTERPRETIVE CENTER
Km 1473 Alaska Highway
✆ +1 867 667 8855
www.beringia.com
beringia@gov.yk.ca
Ouvert de mai à septembre de 9h à 18h, le reste de l'année le dimanche de 12h à 17h ou sur rendez-vous. Entrée 10 $.

Lake Kluane depuis Silver City.

Musée centré sur les mammouths et l'époque glaciaire. A l'époque de la Ruée vers l'or, de nombreux ossements ont été mis au jour. Encore de nos jours, il n'est pas rare de tomber sur ces vestiges préhistoriques en creusant le sol. Des scènes interactives recréent parfaitement l'univers de l'époque.

■ **YUKON BREWERY COMPANY**
102 A copper road
✆ +1 867 668 4183
www.yukonbeer.com
Visite gratuite tous les jours à 14h.
Pour les amateurs de bières, c'est l'endroit idéal pour une pause. Vous serez sans doute surpris que cette brasserie fonctionne de façon encore assez artisanale malgré sa présence dans tout le Yukon. On embouteille en canettes à la main ! Les goûts proposés sont parfois surprenants et délicieux.

KLUANE NATIONAL PARK

Réserve du parc national de Kluane. Prononcez « Klou-a-né ». A 2 heures de route à l'ouest de Whitehorse. Des deux Kluane, ce n'est pas la terre de glaciers, sauvage et aride, voire dangereuse, qui intéresse le visiteur. C'est plutôt la ceinture verte à l'est, formée de basses terres et sur laquelle vit une quantité exceptionnelle d'animaux : grizzlis, ours noirs, moutons de Dall, etc. Le lac Kathleen, navigable et poissonneux, peut constituer à lui seul une destination de vacances. Un terrain de camping est ouvert aux visiteurs désireux d'y passer moins de 2 semaines. La pêche est autorisée et le permis, obligatoire, est à retirer au centre d'accueil. Des sentiers comme le Auriol Range ou le Saint Elias, autrefois route de mineurs, peuvent faire l'objet de randonnées intéressantes, à ski en hiver, à pied en été. Le sentier Rock Glacier est peut-être le plus apte à donner une idée précise de la géographie du Kluane. Quant au village fantôme de Silver City, au sud du lac Kluane, il passionnera les enfants comme les amateurs d'atmosphères insolites. Le centre d'information touristique se trouve à l'entrée du parc, près de Destruction Bay, et est tenu par les rangers. Informez-vous bien pour les différentes randonnées. Vu la nombreuse présence de grizzlys, il est indispensable de se munir des bombes anti-ours mis à votre disposition. Les rangers seront à même de vous conseiller sur les différents parcours en fonction de votre condition et du temps dont vous disposez. Service en français.

Pratique

■ **KLUANE NATIONAL PARK RESERVE VISITOR RECEPTION CENTRE**
Haines Junction
✆ +1 867 634 2251
www.pc.gc.ca/kluane
A 2 heures de route à l'ouest de Whitehorse.

Se loger

■ **DALTON TRAIL LODGE**
Haines Junction
✆ +1 867 634 2099
www.daltontrail.com
info@daltontrail.com
Chambre à 230 $ la nuit par personne, repas inclus. Forfait pêche 2 460 $ pour 5 jours. Possibilité de dîner pour 35 $.
Le lac Dezadeash ou la rivière Kathleen sont de véritables petits paradis (parmi d'autres) pour les pêcheurs à la mouche, amateurs de « touladis » de 40 livres, d'ombres arctiques ou de saumons.

■ **KLUANE BASE CAMP**
Haines Junction
✆ +1 867 841 4841
Outre le camping (25 $ pour deux) et l'auberge de jeunesse (20 $ la nuit par lit), l'endroit propose des cabines à partir de 80 $ la nuit pour deux avec le petit déjeuner.
Le logement est spartiate mais propre et idéalement situé au pied du parc Kluane. Cécile, votre hôte, parle français.

À voir / À faire

■ **PINE LAKE**
Parfait pour le camping et la famille : 6 km à pied ou à vélo, par le sentier transcanadien. Faire la boucle. Celle des chercheurs et des prospecteurs de l'époque : à partir de Haines Junction, partez vers la côte de l'Alaska en passant par le parc national Kluane et le parc Tatshenshini-Alsek. Après une halte à Dalton Post et aux chutes Million Dollar, descendez jusqu'à Haines, prenez le traversier jusqu'à Skagway et faites la boucle pour revenir à Whitehorse.

Le Klondike

Le Klondike est une rivière canadienne, dans le Territoire du Yukon, affluent du fleuve Yukon. Le nom vient de Throndëk, nom donné par le peuple amérindien Hän de la région. La signification va du marteau qui sert à planter les pieux dans une rivière au fleuve qui aligne plusieurs pieux retenant les filets de pêche. La rivière est longue d'environ 160 km et se jette dans le Yukon à Dawson City. La rivière a donné son nom à la région. Les prospecteurs n'arrivèrent jamais à prononcer convenablement le nom indien. Celui-ci dériva vers le mot Klondike. En 1896, des riches gisements aurifères furent découverts dans la région, occasionnant la ruée vers l'or du Klondike. Cet emballement prit fin vers 1906.

Visites guidées

■ **CENTRE D'ACCUEIL DU PARC NATIONAL KLUANE**
A Hianes Junction
✆ +1 867 634 2345
Ouvert tous les jours de la mi-mai à la mi-septembre de 8h à 20h. Situé sur la route de l'Alaska. Suivez les panneaux de signalisation.
Informations sur les services de guidage du parc privés dans la région pour vous accompagner dans le parc.

■ **CENTRE D'INTERPRETATION TACHÄL DHÄL**
Mont Sheep,
près du pont de la rivière Slims
au km 1 796 de la route de l'Alaska
Informations sur les randonnées pédestres et observatoire de mouflons.

DAWSON CITY

C'est une petite ville de 1 300 habitants installée sur une berge du Yukon. Mai sachez qu'il n'en a pas toujours été ainsi. Dawson City fut en effet le point de convergence de milliers de prospecteurs après la découverte de pépites d'or dans la rivière Bonanza, à la fin du XIXe siècle. La population y aurait atteint jusqu'à 30 000 personnes et cette ville, était le plus grand pôle de l'Ouest, après San Francisco. Certes, en fouillant la boue des placers, on pouvait édifier des fortunes, mais ceux qui, en ville, canalisaient l'or en offrant des distractions aux milliers d'hommes sur place, furent les vrais fondateurs de Dawson City, qui vit aujourd'hui dans le souvenir. Souvenir de l'effervescence d'antan, lorsque les maisons de jeux, les saloons étaient ouverts jour et nuit. On dit d'ailleurs que le propriétaire de l'Auditorium Theatre aurait, entre 1899 et 1906, empoché plus de 1,5 million de dollars.
Cette ville, témoin d'un passé fort, est une incontournable si on traverse le Yukon. Par jours de brume, loin du tumulte touristique, on peut encore ressentir la force du passé.

Chilkoot Trail

Route de commerce des Tlingits

La piste Chilkoot comptait parmi les cinq routes de commerce qu'empruntaient les Tlingits de la côte pour se rendre dans l'intérieur. Chacune d'entre elles appartenait à un clan, et c'est le chef du clan qui gérait les échanges qui s'effectuaient le long de leur piste. Chaque année, les commerçants tlingits se rendaient dans l'intérieur, chargés de graisse d'eulakane, de poissons séchés et d'autres produits de la mer à échanger contre des fourrures, des vêtements en peau et d'autres produits avec les autochtones de l'intérieur. Lorsque arrivèrent les commerçants de fourrures, russes, britanniques et américains, au milieu du XIXe siècle, les Tlingits eurent à leur disposition des biens d'échange en provenance d'Europe ; ils bénéficièrent dès lors d'un nouvel avantage commercial sur leurs partenaires de l'intérieur sans compter que les pistes qu'ils contrôlaient leur permirent de s'établir comme intermédiaires dans le commerce lucratif des fourrures avec les Européens.

Porte d'entrée des prospecteurs

En 1880, la marine américaine négocia une entente avec les Tlingits en vertu de laquelle les prospecteurs et les explorateurs étaient autorisés à faire une utilisation limitée de la piste Chilkoot. La piste devint rapidement la route principale des prospecteurs qui se rendaient jusqu'au bassin du cours supérieur du fleuve Yukon. Grâce au contrôle qu'ils exerçaient sur la piste, les Tlingits parvinrent pour leur part à établir un monopole lucratif dans le transport des marchandises. Ils purent non seulement tirer profit de cette nouvelle activité, mais aussi exercer un contrôle sur la circulation de marchandises vers l'intérieur, ce qui leur permit de conserver leur position commerciale avantageuse. A mesure que s'intensifiait la circulation, le transport de marchandises prit davantage d'importance que le commerce lui-même. Les porteurs locaux commencèrent vite à éprouver de la difficulté à répondre à la demande, ce qui mit à l'épreuve le système traditionnel des droits fonciers des Tlingits.

La route du pauvre jusqu'au Klondike

Au cours de l'été 1896, la découverte d'un filon d'or dans le Klondike transforma le filet intermittent de prospecteurs courageux qui empruntaient la piste tous les printemps en une marée incontrôlable de chercheurs d'or infortunés. Plusieurs routes s'offraient aux prospecteurs qui souhaitaient se rendre aux champs aurifères, mais la piste Chilkoot était la plus courte et la moins chère. C'est donc celle qu'empruntèrent la plupart des chercheurs d'or. On l'appelait la route du pauvre, car un homme pouvait y transporter son matériel sans aide. Ployant sous le poids des provisions, du matériel et d'autres articles, une file ininterrompue de prospecteurs avançait lentement et prudemment, abattant au passage les quelques arbres qui poussaient dans les environs. Ils transformèrent graduellement la piste en une énorme fondrière. Les gens quittaient bureaux, magasins et entreprises agricoles pour chercher de l'or dans les sables du Klondike, et se retrouvaient, manquant d'expérience, d'organisation et de connaissance du milieu sauvage, en plein cœur d'une vaste migration vers le nord. Au début, les porteurs tlingits et tagishs profitèrent de cette marée de monde, mais le seul volume de circulation, la concurrence des autres porteurs et les améliorations techniques apportées à la piste eurent tôt fait de mettre fin à leur monopole. D'un simple treuil actionné par des chevaux pour tirer les traîneaux au haut de la dernière section en pente raide menant au col, on passa graduellement à un réseau complexe de téléphériques pouvant transporter neuf tonnes de matériel à l'heure, de Sheep Camp jusqu'au sommet du col.

Le chemin de fer White Pass and Yukon Route

Au cours de l'été 1899, le chemin de fer White Pass and Yukon Route fit son arrivée au lac Bennett. La piste Chilkoot fut presque aussitôt abandonnée au profit de cette manière plus nouvelle, plus rapide et moins chère de transporter les marchandises et les gens jusque dans l'intérieur. Au début, les téléphériques tentèrent de soutenir la concurrence mais ils furent rapidement achetés par la société ferroviaire, qui démantela par la suite le réseau. Pendant une courte période, la ville de Bennett, qui se trouvait au terminus de la voie ferrée, connut un essor. Mais le 29 juillet 1900 lorsque le « clou d'or » fut planté à Carcross, ce qui mena la voie ferrée jusqu'à Whitehorse, son importance diminua petit à petit.

Pratique

■ VISITOR RECEPTION CENTRE
✆ +1 867 993 5566
Ouvert tous les jours de mai à septembre de 10h à 18h.

Se loger

Bien et pas cher

■ THE DAWSON CITY BUNKHOUSE
Au croisement de Front et Prince Streets
✆ +1 867 993 6164
www.dawsoncitybunkhouse.com
info@dawsoncitybunkhouse.com
A partir de 60 $.
Un petit hôtel de 32 chambres (5 avec salle de bains). Accueil chaleureux. Très bon rapport qualité-prix pour l'endroit.

■ HOSTELLING INTERNATIONAL DAWSON CITY RIVER HOSTEL
Situé de l'autre côté de la Yukon River, face à la ville
✆ +1 867 993 6823
www.hihostels.ca
info@hihostels.ca
À partir de 18 CAN $ en dortoir et de 46 CAN $ en chambre privée. Auberge de jeunesse rustique avec 38 lits et tous les services dont vous rêvez pour une expérience près de la nature… même un sauna ! Ouvert en été uniquement.

Confort ou charme

■ THE DOWNTOWN HOTEL
2nd Street et Queen Street
✆ +1 867 993 5346
www.downtownhotel.ca
stay@downtownhotel.ca
A partir de 118 $ en été et 95 $ en hiver.
Hôtel de 60 chambres complètement rénové et modernisé. Une adresse de luxe à laquelle il ne manque rien, avec toujours le caractère western de l'époque de la ruée vers l'or. Si vous voulez vraiment devenir un vrai Yukonais, ne manquez pas de déguster un sourtoe cocktail au bar de l'hôtel. C'est une véritable attraction et tradition. Et si vous deviez déguster un whisky avec un vrai orteil humain au fond de votre verre ?

■ ELDORADO HOTEL
Au coin de la 3rd Avenue et Princess Street
✆ +1 867 993 5451
www.eldoradohotel.ca
eldorado@yknet.ca
A partir de 128 $.
L'hospitalité légendaire des gens du Nord caractérise cet hôtel rénové. Chambres tout confort, et personnel trié sur le volet, arborant fièrement, en été, les costumes des années 1898 et de la ruée vers l'or !

■ MIDNIGHT SUN HOTEL
Au croisement de Queen Street et 3e Avenue
✆ +1 867 993 5495
www.midnightsunhotel.com
reservations@midnightsunhotel.com
Sobre, une touche de passé et bien situé, cet hôtel offre des chambres à partir de 120 $. Son bar, situé dans le bâtiment voisin, semble être l'endroit branché pour prendre un dernier verre.

Se restaurer

■ ANTOINETTE'S FOOD CACHE
2nd Avenue
✆ +1 867 993 6822
Un des meilleurs restos de la ville. Cuisine des Caraïbes concoctée par Antoinette qui ne manquera pas de vous parler en français si l'occasion s'y prête. Outre la cuisine, le service est excellent. A essayer !

■ THE JACK LONDON DINING ROOM
1025 Second Ave
Ouvert tous les jours de 6h à 22h (23h les vendredis et samedis).
Restaurant du Downtown Hotel : saumon frais, barbecue dans le patio. Incontournable.

■ KLONDIKE KATE'S RESTAURANT
Au coin de la 3rd Avenue et de King Street
✆ +1 867 993 6527
www.klondikekates.ca
info@klondikekates.ca
Restaurant bon enfant, dans un décor du « Vieux Dawson City », qui a remporté deux années de suite le concours de la « meilleure terrasse du Yukon ». On y propose mêmes des vrais repas de cowboy. A essayer !

Sortir

■ DIAMOND TOOTH GERTIE'S GAMBLING HALL
4th Avenue et Queen Street
Casino qui porte le nom d'une légende de Dawson. Ambiance Lucky Luke et 3 spectacles de french cancan chaque soir !

À voir / À faire

■ DAWSON CITY MUSEUM

5th Avenue ✆ +1 867 993 5291
www.dawsonmuseum.ca
info@dawsonmuseum.ca
Entrée adulte : 9,45 $.
Il retrace l'histoire de la ville et de la ruée vers l'or. Plus de 25 000 objets, témoins de l'époque. Très intéressant et émouvant.

■ GOLD BOTTOM TOURS

966 Main Street
✆ +1 867 993 5023
www.goldbottom.com
info@goldbottom.com
David, né à Dawson et fils de chercheur d'or, vous emmène sur ses propres concessions pour une expérience inoubliable. Il exerce cette activité durant l'été afin de perpétuer la tradition familiale et tout de même pour gagner un peu d'argent. En 3 ou 4 mois, il peut empocher entre 60 000 et 100 000 dollars canadiens avec cette activité. Vous vous prêterez également au jeu, en tournant votre assiette métallique dans la rivière à la recherche de poussière d'or. Pas aussi facile qu'il n'y paraît ! Le tour de 4 heures coûte 43 $. En théorie, il propose des tours en français le mercredi. A vérifier.

■ JACK LONDON INTERPRETIVE CENTER

8e Avenue
Pour les horaires d'ouverture, contactez le Visitor Reception Centre.
Tous les jours, un historien passionné raconte la vie de Jack London.

■ MIDNIGHT DOME

A 9 km de Dawson par la Dome Road.
Cette colline vous offrira une superbe vue sur la ville et les grands sillons des résidus miniers de la vallée de la rivière Klondike.

■ PISTE DE L'ARGENT

Les 15 km à partir de Stewart Crossing sont une aire protégée pour la mise bas des élans. Prenez votre temps et gardez l'œil ouvert : les élans fréquentent les marais en bordure de la route. Parcourir le sentier du Ridge Way. Une demi-journée à vélo ou trois jours à pied, pour longer la rivière du Klondike et savourer l'atmosphère des champs aurifères.

■ LE SENTIER DU RIDGE WAY

Une demi-journée à vélo ou 3 jours à pied, pour longer la rivière du Klondike et savourer l'atmosphère des champs aurifères.

■ SOLEIL DE MINUIT

Au solstice d'été, le 21 juin, le soleil ne se couche pas au cercle polaire arctique. C'est l'occasion de porter un toast à votre expédition un peu originale !

■ TOMBSTONES

Le cœur de ce parc aux pics noirs et granités et aux lacs alpins idylliques se trouve à une journée de marche de la route Dempster. On peut y apercevoir de nombreux animaux, oiseaux et plantes sauvages. L'entrée s'y trouve au Visitor Centre du km 71. De nombreuses randonnées sont proposées. Pensez toujours à vous équiper, la météo peut changer rapidement.

Dempster Highway

Cette superbe route, la Highway 5, démarre à 45 km au sud de Dawson city. Bien que beaucoup auront pour objectif d'atteindre le Cercle Arctique, il faut être conscient que cette route est dangereuse et longue. Des graviers pendant 750 km jusqu'à Inuvik, situé dans les territoires du Nord. Une fois sur la route, la station-service la plus proche est à 400 km. Il est vivement recommandé d'emporter des réserves d'essence, d'eau et du matériel pour réparer les crevaisons. Trois campings d'Etat sont dispersés sur la route ainsi qu'un motel. Le meilleur moment pour sillonner cette magnifique route est entre juin et septembre. Cependant, il peut y faire froid à tout moment. Le mieux est de prendre tous les renseignements au Western Arctic Information Centre à Dawson (Front Street). Cette région reculée comprend une bonne partie des aires d'habitation du troupeau de caribous de la Porcupine ainsi que cinq grands parcs sauvages. Le Nord du Yukon est le territoire des « Vuntut Gwitchin, des Tr'ondëk Hwëch'in et des Inuvialuit », peuples autochtones qui y sont installés depuis des millénaires et qui vivent de la chasse, la pêche, la trappe et la cueillette saisonnière. Old Crow est la seule agglomération que compte le Nord. Riche de 300 habitants, elle est située au confluent des rivières Old Crow et Porcupine. De la chaîne des monts Tombstone jusqu'au cercle Arctique, les paysages sont d'une rare beauté.

Territoires du Nord-Ouest

Cette « région-continent » est constituée essentiellement de lacs, de rivières et de glaciers impressionnants qui dominent de vastes étendues polaires. À l'ouest, la frontière avec le territoire du Yukon est marquée au nord par les monts Mackenzie et le delta du même nom, l'un des plus grands du monde, qui chemine jusqu'à la mer de Beaufort. Le Nahanni National Park Reserve, site du patrimoine mondial, couvre 4 700 km² au sud-ouest. Le paysage est grandiose et la rivière Nahanni, qui serpente au sud du parc, est le fil conducteur des principales attractions : canyons majestueux, falaises abruptes, chutes d'eau inoubliables (Virginia Falls), sources minérales chaudes, rapides tumultueux (Figure of Eight). En fait, le grand centre d'activités des Territoires est Yellowknife. Sur les rives du Grand Lac des Esclaves, cette ville doit son essor à l'exploitation du cuivre et de l'or. À présent, grand centre de sports de plein air, elle accueille chaque année, à la fin du mois de juin, un tournoi de golf, qui se déroule à la clarté de minuit ; car en été, il y fait jour 24 heures sur 24.

Faune et flore

Les Territoires du Nord-Ouest abritent de véritables viviers animaliers. Dans le riche delta du Mackenzie, la faune est variée : rats musqués, castors, visons, martres, renards et ours. Les esturgeons viennent s'y reproduire ainsi que de nombreux poissons. Les oiseaux migrateurs ont également fait du delta une escale de leur périple. En traçant une diagonale du delta du Mackenzie, au nord-ouest, jusqu'à la frontière nord du Manitoba, au sud-est, on délimite au sud la zone boisée des Territoires du Nord-Ouest. Les sapins, peupliers, mélèzes et épicéas constituent l'essentiel de la flore de la forêt boréale du sud et de l'ouest de cette région boisée. Le nord et l'ouest de cette région forment une gigantesque toundra, parsemée de mousses, de lichens et de multiples fleurs, en été.

Les immanquables des Territoires du Nord-Ouest

- **Faire** une randonnée en traîneau tiré par des chevaux à l'île Cornwallis.
- **Partir** en canoë-kayak sur la sauvage rivière Nahanni Sud.
- **Marcher** sur les traces des explorateurs en faisant une randonnée au nord du 60e parallèle sur le Sentier transcanadien.
- **Aller** à la rencontre des bisons au parc national Wood Buffalo, dont la superficie est plus grande que la Suisse.

Climat

Il est caractérisé globalement par une longue saison d'hiver, des températures très basses et de faibles précipitations. Cependant, le climat présente des particularités. À l'ouest des Territoires, la région des Grands Lacs (Great Bear et Great Slave) et de la rivière Mackenzie connaît des hivers rigoureux, mais aussi des étés relativement chauds. Le reste des Territoires se partage entre un climat arctique, avec huit mois de gel, et un climat polaire. La région offre aussi le spectacle des aurores boréales, immenses rideaux de lumières transparentes ou multicolores, phénomène météorologique également visible dans la région d'Edmonton, en Alberta.

Population et économie

Environ 42 000 personnes habitent le territoire et, à l'exception des peuplades d'origine, sont regroupées dans la ville de Yellowknife.

Installés au sud de la calotte glaciaire, les autochtones, d'origine asiatique, forment aujourd'hui deux groupes aux mœurs somme toute identiques : les Inuits et les Dénés. Leur mode de vie est basé sur la chasse au phoque, au morse ou à la baleine, en canoë ou en traîneau. Le fruit de cette chasse fournit la nourriture, les habits, les outils et de nombreux autres débouchés, notamment la sculpture sur os (l'art des communautés de l'île de Baffin est mondialement connu). Cependant, ce cliché de l'autochtone vivant dans un igloo et de sa chasse est à présent mis à mal par le monde moderne,

© ISTOCKPHOTO.COM/MIBLUE5

Le célèbre Pyrargue à tête blanche d'Amérique du Nord.

qui y a apporté des « Algecos », des motoneiges et malheureusement aussi l'alcool. Les Territoires du Nord-Ouest comptent 11 langues officielles, dont le français et l'anglais. La traite des fourrures et l'exploitation de l'or (et du cuivre) ont amené dans ces terres au climat hostile des Européens au courage (étant donné l'époque) qui mérite l'admiration. Citons seulement Martin Forbisher, le premier à s'aventurer dans les eaux arctiques en 1576 (sic !) pour y chercher un passage vers l'Atlantique et le Pacifique ; à la fin du XVIe siècle, Samuel Hearne et Alexander Mackenzie remontèrent jusqu'à la mer de Beaufort ; John Franklin, un navigateur explorateur, périt en 1845 avec tout son équipage dans leur interminable voyage vers le Pacifique. De nos jours, la traite des fourrures a disparu pour laisser la place à une exploitation des richesses du sous-sol : or, argent, uranium, zinc, plomb et diamants. Ces gisements sont concentrés principalement dans la région du Grand Lac des Esclaves et de Yellowknife.

Transports

- **Des bus** de la compagnie Greyhound (www.greyhound.ca) assurent la liaison avec quelques localités des Territoires du Nord-Ouest.
- **Voiture.** La majeure partie du territoire est accessible uniquement par avion. Quelques routes existent, principalement près de la frontière du Yukon et dans le sud, bordant les provinces de la Colombie-Britannique et de l'Alberta. Les distances sont très longues et dépourvues de services sur des centaines de kilomètres. Partez équipés !

YELLOWKNIFE

Aux frontières de l'Arctique et au coeur de la nature sauvage, la ville de Yellowknife, capitale des Territoires du Nord-Ouest, est une ville d'aventuriers, née de la ruée vers l'or.
Sur les rives du Great Slave Lake, à 512 km au sud du cercle polaire, la ville compte environ 20 000 habitants. Paradis des activités de nature, elle est un endroit parfait pour observer le soleil de minuit, les aurores boréales, et un intéressant mélange de cultures.

Transports

■ AIR CANADA
✆ +1 888 247 2262
www.aircanada.com
Yellowknife est relié à Calgary, Edmonton ou Whitehorse.

■ FIRST AIR
✆ +1 800 267 1247
www.firstair.ca
C'est LA ligne aérienne du nord canadien. Service à partir de nombreuses villes canadiennes.

Pratique

■ NORTHERN FRONTIER REGIONAL VISITORS CENTRE
49th Street
✆ +1 867 873 4262
www.northernfrontier.com
info@northernfrontier.com
L'office du tourisme pourra vous aiguiller pour préparer votre séjour dans l'immensité virginale de cette contrée.

© TRAVEL ALBERTA

■ **TOURISM NORTHWEST TERRITORIES**
Box 610
✆ +1 867 873 7200, +1 800 661 0788
www.spectacularnwt.com
info@spectacularnwt.com

Se loger

■ **CHÂTEAU NOVA**
4401 50th Avenue
✆ +1 867 873 9700, +1 877 839 1236
www.chateaunova.com
reservation_desk@chateaunova.com
Occupation double : à partir de 179 CAN $.
Un hôtel moderne et confortable. Centre de santé, Internet dans les chambres. On y trouve un restaurant.

Se restaurer

■ **LE FROLIC**
5019 49th Avenue – 2e étage
✆ +1 867 873 9561
www.lefrolic.com
Un authentique restaurant de cuisine française, mettant en avant les ingrédients et gibiers locaux. Une carte des vins tout à fait respectable. Le restaurant avait reçu en 2005 une palme récompensant les entreprises francophones canadiennes.

■ **WILDCAT CAFE**
3904 Wiley Road
✆ +1 867 873 8850
Un incontournable de Yellowknife, avec une vue saisissante. Un petit établissement sans prétention, souvent plein de clients, où l'on vous servira les spécialités du jour apprêtées de façon simple mais savoureuse.

À voir / À faire

■ **DIAVIK DIAMOND MINES VISITOR CENTRE**
5007 50th Avenue
✆ +1 867 669 6500
www.diavik.ca
diavik@riotinto.com
Pour tout savoir sur les mines, la coupe et le polissage des diamants. Visites autoguidées sur l'Avenue Franklin.

■ **PRINCE OF WALES NORTHERN HERITAGE CENTRE**
4750 48th Street
✆ +1 867 873 7551
http://pwnhc.learnnet.nt.ca
Ouvert à l'année. Visites guidées sur réservation.
Présente des expositions sur les populations autochtones et les premiers explorateurs de la région.

Sports / Détente / Loisirs

Les Territoires du Nord-Ouest sont d'immenses terrains de jeu et de découverte pour les amateurs de sports de plein air et de nature sauvage (randonnée, canotage, golf, pêche, chasse). La culture indigène des Inuits et des Dénés est une attraction locale pleine d'intérêt.

DES KOOTENAYS AUX ROCHEUSES

Lake O'Hara dans le Yoho National Park.

Des Kootenays aux Rocheuses

A l'est de l'Okanagan, avant d'atteindre les Rocheuses, vous traverserez la Kootenay Valley. Si vous désirez éviter les foules de Banff et de Jasper, passez quelque temps dans cette région. Ensuite, vous pourrez partir à la rencontre des montagnes ultimes, les vraies, les imposantes Rocheuses. Pour skier, randonner ou tout simplement admirer les paysages. Tantôt effilées comme des lames, tantôt trapues, droites et fières ou au contraire

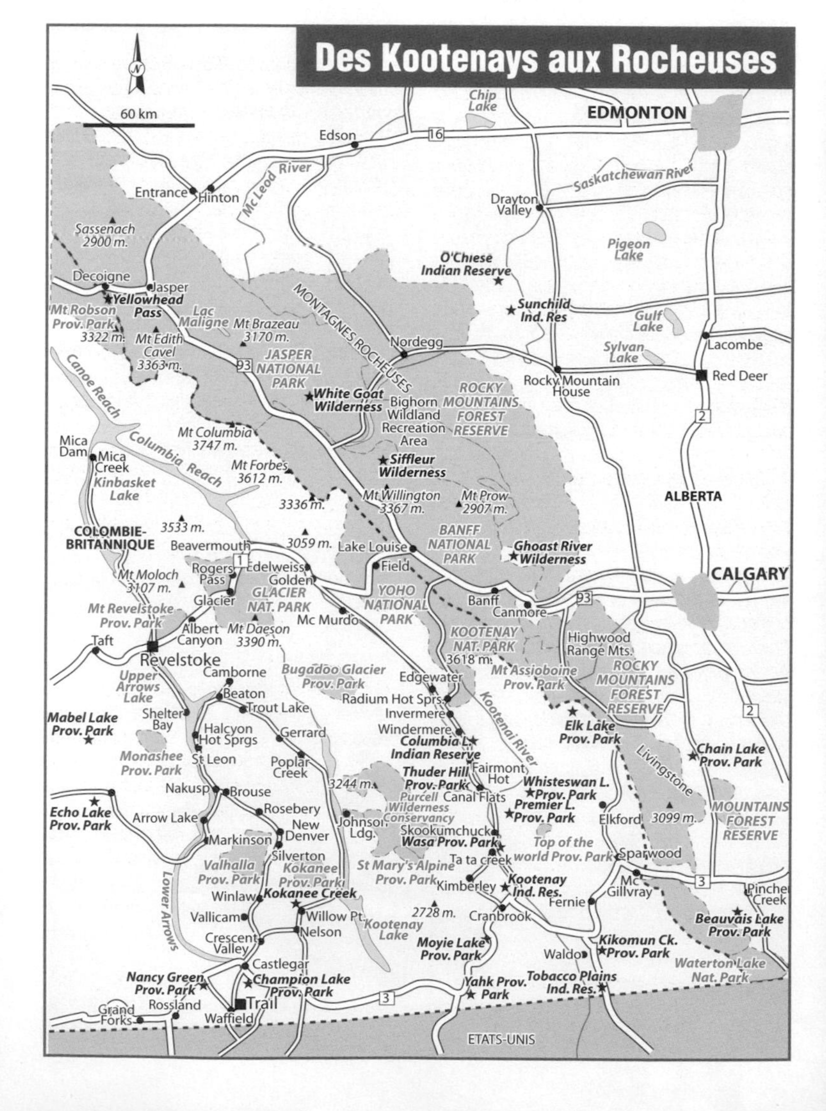

penchées, au bord du déséquilibre, ces masses rocheuses racontent une genèse tourmentée, vieille de 200 millions d'années. Surgies des chocs répétés de la plaque Pacifique contre la plaque Atlantique ou de la collision entre les îles volcaniques et le continent, ces montagnes de formes, de pierres et de couleurs différentes constituent un paysage unique où le gris clair du schiste et le gris foncé du calcaire s'insèrent dans le rose orangé de la dolomite et le rose pâle du grès quartzeux. Les lacs y incrustent leur marque bleu turquoise (admirer le lac Hector au nord de Lake Louise) que les arbres soulignent d'un camaïeu de verts, plus ou moins foncés selon l'altitude. Les sapins et les mélèzes (les seuls à perdre leurs aiguilles en hiver) sont très nombreux vers le Lake Louise, alors que le pin tordu, l'épinette blanche, le sapin Douglas et le peuplier faux tremble dominent vers Banff. On imagine le choc éprouvé par les explorateurs qui, au terme de mois de marche, parfois guidés par les Indiens, atteignaient ces lieux exceptionnels. Que ressentaient-ils en découvrant des sites aussi spectaculaires que le Lake Louise ou le Lake Maligne ? Probablement un trouble immense. Aujourd'hui encore, les randonneurs sont envahis d'indicibles émotions, même si les sentiers sont désormais très bien balisés. Les Rocheuses continuent de nous imposer leur puissance brute, inébranlable et qui semble éternelle. Les Rocheuses canadiennes sont à cheval entre deux provinces du pays, la Colombie-Britannique et l'Alberta. Situées au sud-est de la Colombie-Britannique et le long de la frontière ouest de l'Alberta, elles sont malheureusement trop souvent réduites aux parcs de Banff et Jasper, alors qu'elles englobent d'autres parcs magnifiques (Mount Revelstoke, Glacier, Yoho, Kootenay, Mount Assiniboine) en Colombie-Britannique. En venant de la ville de Kamloops (Thompson Okanagan), on peut prendre la Highway 5 North pour rejoindre la ville de Jasper et ainsi aborder les Rocheuses par le nord. La route est longue, mais elle traverse des sites merveilleux (Wells Gray Provincial Park et Mount Robson Provincial Park). Un circuit, plus classique et peut-être plus intéressant, conduit de Kamloops vers l'est (Highway 1 East) en passant par Salmon Arm, et commence la découverte des Rocheuses par la ville de Revelstoke et son parc, en continuant vers Golden et Yoho National Park, à la frontière de l'Alberta. Les habitants de la région ont conscience depuis longue date de la beauté de leurs paysages : William C. Horne, directeur de la construction du chemin de fer, disait déjà en 1885 : « Puisque nous ne pouvons exporter les paysages, nous allons importer les touristes. » Un peu plus tard, J. B. Harkin, commissionnaire du parc de Banff de 1911 à 1936 lançait : « Les gens m'accusent parfois de mysticisme à propos de l'Influence des Rocheuses. En effet, je le suis. Je crois sincèrement qu'une force intangible mais bien réelle émane de ces montagnes, une force qui purifie l'esprit et élève les consciences. »

Les immanquables des Kootenays et des Rocheuses

- **Pêcher à la mouche** à Cranbrook.
- **Observer les oiseaux migrateurs** dans le Pacific Flyway.
- **Se baigner** dans une source chaude (Hot Springs) naturelle.
- **Se balader** dans les parcs nationaux de Banff et Jasper.

Géographie

Les Kootenays s'articulent autour de trois chaînes de montagnes parallèles (axées nord-sud) : les Monashees, les Selkirks et les Purcells. On y trouve des forêts, des glaciers et des parcs à n'en plus finir. L'hiver y est connu pour ses énormes chutes de neige, mais tout est gardé comme un secret. Seules trois petites stations de ski (Red Mountain, Whitewater et Fernie) accueillent les initiés.

- **Kootenay Rockies Tourism :** www.hellobc.com/kr.

NELSON

100 000 habitants. De toutes les villes de l'intérieur de la province, Nelson est sans doute la plus séduisante, grâce à son architecture du XIXe siècle encore intacte. Le centre de la ville a conservé son style victorien. La proximité des lacs, des montagnes et des rivières attire à Nelson un nombre sans cesse croissant d'artistes, qui y trouvent matière à inspiration et s'y installent.

Transports

Comment y accéder et en partir

- **Voiture.** Nelson est à 102 km au nord de la frontière américaine et à 657 km à l'est de Vancouver.

© ISTOCKPHOTO.COM/THYLACINE

Détente au bord du lac de Nelson.

■ **BUS GREYHOUND**
✆ +1 800 661 8747
www.greyhound.ca
commercial.sales@greyhound.com
Départs quotidiens de Vancouver.

Pratique

■ **NELSON VISITOR INFO CENTRE**
225 Hall Street
✆ +1 250 352 3433
www.discovernelson.com
info@discovernelson.com

Se loger

■ **DANCING BEAR INN**
171 Baker Street
✆ +1 877 352 7573
www.dancingbearinn.com
A partir de 25 $ en dortoir ou 56 $ la chambre double privée.
Auberge inattendue qui tient plus du Bed&Breakfast par son confort, son arrangement et ses services. Sauf par le prix ! Et vous y rencontrerez forcément d'autres voyageurs.

Se restaurer

■ **MAX AND IRMA'S KITCHEN**
515A Kootenay Street
✆ +1 250 352 2332
A partir de 8 $.
Cuisine italo-californienne (oui !) autour d'un four à bois fascinant.

■ **OUTER CLOVE**
536 Stanley Street
✆ +1 250 354 1667
www.outerclove.com
Un restaurant à la cuisine « classieuse » et à l'atmosphère décontractée. L'accent est mis sur l'ail (y compris dans certains desserts).

À voir / À faire

La ville de Nelson a des parcs très agréables, tels que le Gyro Park, avec sa piscine extérieure, et le Lakeside Park, au pied du Nelson Bridge. En été, faites une promenade à bord du Tram 23 (2 $) qui longe le front de mer (enfin, du lac...).

■ **CITY HALL & COURT HOUSE**
502 Vernon Street
Pour leur architecture dessinée par Rattenbury, également responsable du Parlement et de l'Empress Hotel à Victoria.

■ **NELSON MUSEUM**
502 Vernon Street
✆ +1 250 352 9813
www.nelsonmuseum.ca
info@touchstonesnelson.ca
Ouvert du mardi au samedi de 10h à 17h, jeudi jusqu'à 20h, dimanche de 12h à 16h. Entrée 8 $.
Objets du peuple aborigène ktunaxa et des Dukhobors, membres d'une secte chrétienne russe implantée dans la région à la fin du XIXe siècle.

Sports / Détente / Loisirs

▸ **Randonnées.** Le centre touristique fournit gratuitement des cartes des chemins et des sentiers des environs. Quelques voies de chemin de fer sont maintenant utilisées pour la randonnée, à pied ou à vélo, comme le Burlington Northern Rails-to-Trails System. Au nord-est de Nelson, vous pourrez découvrir le Kokanee Glacier Provincial Park.

■ **AINSWORTH HOT SPRINGS**
✆ +1 800 668 1171
www.hotnaturally.com
info@hotnaturally.com
Ouvert tous les jours de 10h à 21h30. Entrée : 11 $. A 40 km au nord de Nelson se trouvent les sources chaudes d'Ainsworth, utilisées, à la fin du XIXe siècle, par les Amérindiens pour soigner leurs blessures et autres maux. Le complexe propose aussi des massages, des bains de vapeur et tout ce qu'il faut pour vous dorloter.

■ **STATION DE SKI DE WHITEWATER**
✆ +1 800 666 9420
www.skiwhitewater.com
Forfait à partir de 57 $.
A seulement 16 km au sud (Highway 6), cette station reçoit une moyenne de 12 m de neige par an. 80 % des pistes paraissent faciles aux bons ou très bons skieurs.

CRANBROOK

19 000 habitants. Grâce à ses environs, Cranbrook est une base de départ pour diverses explorations. La ville de Cranbrook est située à 845 km à l'est de Vancouver.

Transports

■ **AIR CANADA**
✆ +1 888 247 2262
www.flyjazz.ca
Vols entre Vancouver et Cranbrook (aéroport au nord de la ville).

Pratique

■ **CRANBROOK VISITOR INFO CENTRE**
2279 Cranbrook Street
✆ +1 800 222 6174
La Highway 3 traverse la ville et prend le nom de Van Horne Street vers le sud, à partir de 4th Street North, et de Cranbrook Street vers le nord.

Se loger

■ **CEDAR HEIGHTS B&B**
1200 13th Street
✆ +1 800 497 6014
www.bbexpo.com/cedarheights
A partir de 100 $.
Choisissez entre les chambres « Paris », « London » ou « Sydney », et n'oubliez pas d'admirer la vue sur les Rocheuses depuis le grand balcon.

■ **LAZY BEAR LODGE**
621 Cranbrook Street
✆ +1 888 808 6086
www.lazybear-lodge.ca
info@lazybearlodge.com
A partir de 65 $ la double.
Grosses fleurs et couleurs pétantes, ainsi qu'une piscine pour les clients. Que demander de plus ?

Se restaurer

■ **APOLLO RISTORANTE & STEAK HOUSE**
1012 Cranbrook Street North
✆ +1 250 426 3721
www.apolloristorante.com
postmaster@apolloristorante.com
A partir de 9 $.
Cuisine grecque à base de steaks, pâtes et pizzas !

■ **HEIDI'S**
821C Baker Street
✆ +1 250 426 7922
www.heidis.ca
A partir de 11 $.
Influences allemande et italienne. On peut même commander des schnitzler et des spaetzle !

À voir / À faire

■ **CANADIAN MUSEUM OF RAIL TRAVEL**
57 Van Horne Street South
✆ +1 250 489 3918
www.crowsnest.bc.ca/cmrt
mail@trainsdeluxe.com
Entrée 13 $. Certaines voitures, construites au début du XXe siècle pour le CPR (Canadian Pacific Railway), ont été restaurées. Du luxe !

■ **CROWNEST PASS**
www.crowsnest-highway.ca
Situé à la frontière de l'Alberta et de la Colombie-Britannique, ce col évoque une catastrophe survenue le 29 avril 1903. Au lieu-dit « Franck », la montagne s'est effondrée et a déversé 90 millions de tonnes de roches sur la ville. Le spectacle est impressionnant, les blocs de rochers semblent être en polystyrène.

■ **FORT STEELE HERITAGE TOWN**
✆ +1 250 426 7352
www.fortsteele.bc.ca
info@fortsteele.bc.ca
A 16 km au nord-est de Cranbrook. Ouvert de 10h à 16h en hiver, de 9h30 à 18h en mai, juin, septembre et octobre et 19h entre juillet et août. Entrée 5 $.
Après que le chemin de fer a mis fin à la ville de mineurs, le site a été reconstruit et revit à présent à travers quelques animations destinées à préserver son patrimoine.

Sinclair Canyon à Radium Hot Springs.

Sports / Détente / Loisirs

18 zones de pêche à la mouche, dont Elk River et Saint Mary River.

■ **SAINT EUGENE MISSION GOLF**
7777 Mission Road ✆ +1 877 417 3133
www.steugene.ca – info@steugene.ca
A partir de 60 $. Certainement le plus réputé.

■ **SKI – FERNIE ALPINE RESORT**
✆ +1 250 423 4655
www.skifernie.com
information@skifernie.com
A 93, à 16 km à l'est de Cranbrook, sur la face ouest des Rocheuses. Forfait à partir de 75 $.
Le domaine skiable dépasse les 1 000 hectares et les remontées mécaniques peuvent transporter jusqu'à 12 300 skieurs à l'heure (mais ça n'arrive jamais ici).

KIMBERLEY

Connue comme la ville bavaroise, Kimberley doit son nom à une mine de diamant d'Afrique du Sud, bien qu'elle ait bâti sa fortune sur le plomb et l'argent. Son cadre bavarois est joliment surfait et les spécialités culinaires germaniques prolifèrent. Cominco's Sullivan Mine, la dernière mine en activité, a fermé en 2001. Il reste cependant un espace de divertissement dans la station de ski, à 4 km de la ville :

■ **KIMBERLEY ALPINE RESORT**
301 Northstar Blvd
✆ +1 800 258 7669
www.skikimberley.com
information@skikimberley.com
Au sud de Canal Flats, sortez de l'autoroute et entrez dans le Whiteswan Lake Provincial Park. Forfait à partir de 59 $.
Vous y trouverez un sentier qui mène aux Lussier Hot Springs : des vraies, des naturelles, au milieu d'un parc, sans maître nageur à côté !

RADIUM HOT SPRINGS

Radium, qui compte 1 000 habitants, possède plus de 30 motels : c'est dire la densité des visiteurs dans la région. Bien sûr, vous pourrez aller aux sources chaudes, mais la ville est connue pour être sur le chemin de migration de nombreux oiseaux (le Pacific Flyway). Le Kootenay National Park abonde en sentiers, canyons et animaux sauvages. On peut parcourir le Marble Canyon (61 m de profondeur) et descendre aux Paint Pots, là où les minéraux de fer colorent les piscines naturelles en rouge et jaune. A la Hector Gorge, après la Vermillon River Valley, on s'arrêtera pour chercher les mouflons du côté du Mount Wardle, vers le nord. En redescendant vers Radium, on pourra passer le Sinclair Canyon : 10 km de méandres formés par les eaux glaciaires.

REVELSTOKE

Au pied du Mount Revelstoke National Park, la ville de Revelstoke semble coincée dans une vallée étroite, mais quelle vallée ! Le centre-ville a gardé son charme des années 1880, et les hôtels et les magasins sont logés dans des bâtiments de l'époque. Lieu renommé pour l'héli-ski, le rafting, la randonnée et l'équitation, Revelstoke rivalise facilement avec Banff et Jasper : courez-y avant que cela ne tourne à un parc d'attractions... Revelstoke est à 565 km à l'est de Vancouver et à 410 km à l'ouest de Calgary.

Pratique

■ REVELSTOKE VISITOR INFO CENTRE
204 Campbell Street ✆ +1 800 487 1493
www.revelstokecc.bc.ca

Se loger

■ MINTO MANOR
815 Mackenzie Avenue
✆ +1 877 833 9337
www.mintomanor.com
mintomanorb&b@telus.net
A partir de 105 $.
Maison de style edwardien de 1905, absolument charmante, tout comme les hôtes, et un petit déjeuner extrêmement copieux.

■ POWDER SPRINGS INN
200 3rd Street West
✆ +1 800 991 4455
www.powdersprings.ca
info@powdersprings.ca
À partir de 180 $ en haute saison.
Un hôtel confortable en plein cœur de la ville historique.

■ SAMESUN BACKPACKER LODGE
400 2nd Street West
✆ +1 877 972 6378
www.samesun.com
A partir de 25 $ en dortoir, 55 $ pour une chambre double. Une auberge de jeunesse confortable avec de nombreux services proposés.

À voir / À faire

■ COLUMBIA RIVER
✆ +1 250 814 6697
Ouvert de mai à octobre. Accès libre.
La Columbia River est la 3e plus grande rivière en Amérique du Nord en termes de débit. Parmi tous les barrages qui la contrôlent, l'un, situé à 8 km au nord de Revelstoke, se visite. 175 m de haut et 470 m de long, ou comment se sentir minuscule !

■ GLACIER NATIONAL PARK
À 72 km à l'est de Revelstoke, le Glacier National Park, logé dans les hauteurs de la chaîne des Selkirk, compte plus de 400 glaciers sur ses 2 168 km², dont 14 % sont toujours enneigés. Le permis pour y randonner ou pique-niquer s'obtient au Rogers Pass Visitor Centre (15 $ par famille). Avant de grimper, renseignez-vous sur les éventuels risques d'avalanches, favorisées par la raideur des pentes et les chutes continues de neige. Plusieurs randonnées partent du Rogers Pass, telles que le Abandoned Rails Trail ou le Balu Pass Trail (plus difficile, 5 km) qui mène à Ursus Major, la base du glacier à 2 728 m. A partir d'Illecillewaet (camping), tentez le Loop Brook Trail ou le Rockgarden Trail. La randonnée la plus longue est celle du Beaver Valley Trail : 42 km ; comptez 3 jours pour l'aller.

■ GRIZZLY PLAZA
Dans le centre-ville, une place de brique rouge avec un ours énorme. C'est là que se tient le marché du samedi. Du 1er juillet au premier lundi de septembre, en semaine, à 19h, on y donne des concerts gratuits.

■ MOUNT REVELSTOKE NATIONAL PARK
Mount Revelstoke National Park
Fort de ses 26 000 ha, le Mount Revelstoke National Park vous permet de vivre l'expérience alpine (presque) sans effort. Sa végétation variée autour des deux sommets, le Mount Coursier et le Mount Inverness, tous deux à 2 637 m, inclut des cèdres et des sapins. Un permis (8 $) est délivré à l'entrée du parc. Plusieurs randonnées sont possibles : Eagle Knoll Trail, Parapets et Eva Lake Trail. Depuis la Highway 1, on peut également accéder au parc par le Skunk Cabbage Trail ou le Giant Cedars Trail.

■ REVELSTOKE RAILWAY MUSEUM
719 Track Street West ✆ +1 250 837 6060
www.railwaymuseum.com
railway@telus.net
Ouvert de mai à octobre tous les jours de 9h à 17h (20h en juillet et août). Horaires très variables hors saison. Entrée 10 $.
L'histoire de Revelstoke et celle du chemin de fer qui a fait de la ville un petit point sur la carte, ainsi qu'une locomotive à vapeur des années 1940, restaurée.

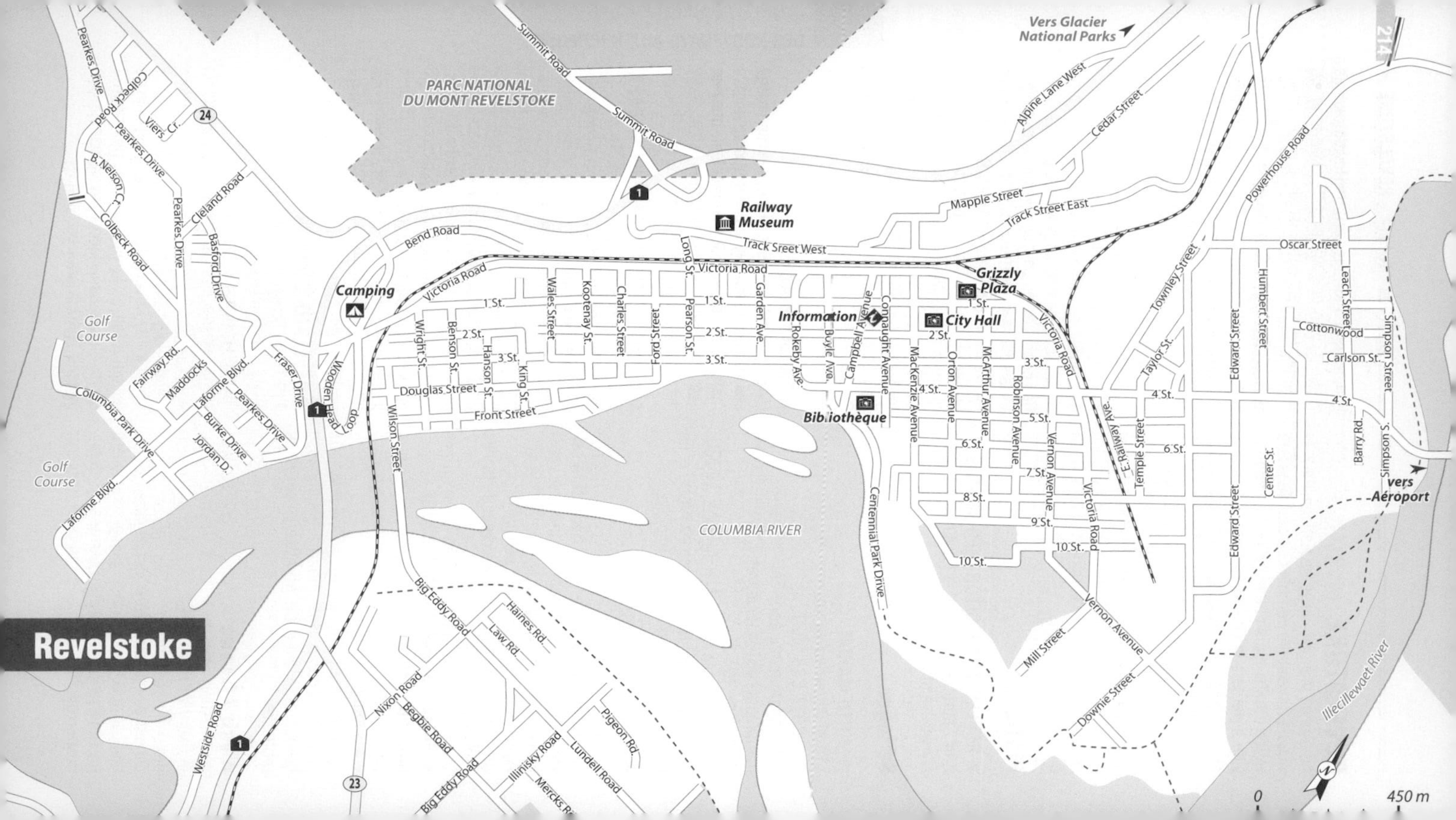
Revelstoke
Vers Glacier National Parks
Parc national du Mont Revelstoke
Summit Road
Summit Road
Alpine Lane West
Cedar Street
Powerhouse Road
Mapple Street
Track Street East
Railway Museum
Track Sreet West
Oscar Street
Pearkes Drive
Colbeck Road
Viers Cr.
24
Pearkes Drive
B. Nelson Cr.
Cleland Road
Colbeck Road
Pearkes Drive
Basford Drive
Bend Road
1
Long St.
Victoria Road
Grizzly Plaza
Townley Street
Humbert Street
Leach Street
Simpson Street
Cottonwood
Carlson St.
Camping
Victoria Road
1 St.
1 St.
1 St.
Information
City Hall
Wales Street
Kootenay St.
Charles Street
Ford Street
Pearson St.
Garden Ave.
Rokeby Ave.
Boyle Ave.
Campbell Avenue
Connaught Avenue
MacKenzie Avenue
Orton Avenue
McArthur Avenue
Robinson Avenue
Vernon Avenue
Victoria Road
Taylor St.
Edward Street
2 St.
2 St.
2 St.
Wright St.
Benson St.
Hanson St.
3 St.
King St.
3 St.
3 St.
Golf Course
Fairway Rd.
Maddocks
Laforme Blvd.
Fraser Drive
Wooden Head Loop
Douglas Street
4 St.
4 St.
4 St.
Columbia Park Drive
Pearkes Drive
Burke Drive
1
Front Street
Bibliothèque
5 St.
E. Railway Ave
Temple Street
6 St.
6 St.
Barry Rd.
Simpson S.
Wilson Street
Center St.
Golf Course
Jordan D.
7 St.
vers Aéroport
Laforme Blvd.
8 St.
Edward Street
Columbia River
9 St.
Victoria Road
10 St.
10 St.
Centennial Park Drive
Big Eddy Road
Haines Rd.
Law Rd.
Mill Street
Vernon Avenue
Illecillewaet River
Downie Street
Nixon Road
Begbie Road
Pigeon Rd.
Westside Road
1
Illinsky Road
Lundell Road
Big Eddy Road
23
Mercks R.
0
450 m

Rogers Pass au Glacier National Park.

Sports / Détente / Loisirs

■ HELI-SKI

Les agences d'héli-ski proposent des forfaits de 2 jours minimum. Compter à partir de 1 000 $. Parmi les quelques autres activités pratiquées dans le coin, figurent la motoneige, le golf et le rafting.

Revelstoke est réputée pour son fort enneigement (18 m de neige par an) et ses pentes vertigineuses. C'est donc l'occasion ou jamais de se faire parachuter en hélicoptère sur les montagnes Selkirk et Monashee, afin d'évoluer parmi des paysages autrement inaccessibles.

■ VTT

Les chemins forestiers ont été transformés en sentiers adaptés au VTT. Des cartes sont disponibles au centre d'information touristique.

GOLDEN

D'abord point d'embranchement sur le tracé du Canadian Pacific Railway, puis terminus du bateau à vapeur sur la Columbia River, la ville de Golden est désormais réputée pour sa situation à 1 heure 30 de route de cinq grands parcs nationaux. Grâce à (ou à cause de) cette proximité, les agences de sport et aventure, n'ayant pas le droit de s'implanter dans les parcs, ont investi Golden. Golden est à 713 km à l'est de Vancouver et à 134 km à l'ouest de Banff.

Transports

■ BUS GREYHOUND

✆ +1 800 661 8747 – www.greyhound.ca
commercial.sales@greyhound.com
Départs quotidiens de Vancouver ; liaisons avec Calgary.

Pratique

■ GOLDEN VISITOR INFO CENTRE

500 10th Avenue North
✆ +1 800 622 4653
www.goldenchamber.bc.ca

Se loger

■ ALPINE MEADOWS LODGE

717 Elk Road ✆ +1 888 700 4477
www.alpinemeadowslodge.com
info@alpinemeadowslodge.com
A partir de 109 $. Chambres et chalets avec Jacuzzi dans la salle de bains. A seulement 10 minutes des pistes de ski, des terrains de golf et des sentiers de randonnée.

Se restaurer

■ CEDAR HOUSE

735 Hefti Road ✆ +1 250 344 4679
www.cedarhousecafe.com
info@cedarhousechalets.com
Au sud de Golden sur la Highway 95.
Surplombant la Columbia Valley, le Cedar House propose une cuisine exquise, du saumon grillé au filet de porc aux figues.

Vivre dans un parc national

Quelques règles élémentaires de bonne conduite : ne rien jeter dans la nature, emprunter uniquement les sentiers balisés, ne rien cueillir, ne pas donner à manger à la faune, etc. Du bon sens et rien d'autre !

- **L'accès.** Gratuit pour les piétons et les cyclistes ; un droit d'entrée est réclamé aux voitures (un laissez-passer coûte environ 25 $. Des contrôles sont effectués régulièrement pour ceux qui hésiteraient à s'en acquitter. Celui-ci est disponible dans les centres d'information touristique ou au poste de péage sur la route reliant Banff à Jasper).
- **La pêche.** Le permis est obligatoire et s'obtient dans les centres d'information des parcs. Notez que le permis de pêche des parcs nationaux est différent de celui des provinces. La prise par personne est limitée (notamment des truites ; ce n'est pas une région à saumons).
- **La chasse est interdite**, évidemment !
- **La faune.** Il ne faut pas nourrir les animaux, cela provoque leur dégénérescence. Un parc national n'est pas un zoo : on n'y voit pas à coup sûr ours, élans, wapitis, cerfs, mouflons ou marmottes. Ces animaux sauvages sont ici chez eux. Il faut les respecter mais aussi s'en méfier (voir ci-après).
- **La flore.** La meilleure façon de la respecter consiste tout simplement à ne marcher que sur les sentiers.
- **La randonnée à pied, à vélo, à cheval.** Les centres d'information des parcs fournissent des cartes et des fascicules qui classent les sentiers par niveau de difficulté. Des promenades guidées thématiques permettent de découvrir des aspects particuliers de la faune, de la flore ou de la géologie locale. Certains sentiers peuvent être temporairement fermés pour garantir la tranquillité des animaux, ou simplement parce qu'ils sont impraticables pour des raisons météorologiques. Les randonneurs trouveront avantage à lire *The Canadian Rockies Trail Guide*, de Brian Patton et Bart Robinson. Cet ouvrage de référence recense, décrit et commente toutes les randonnées permises dans les Rocheuses.

Conflits avec les prédateurs

Voici les distances conseillées en cas de mauvaise rencontre :

- **Ours, coyotes, loups et cougars** : 100 m, l'équivalent de 10 cars bout à bout.
- **Elans, cerfs, wapitis, caribous, mouflons et chèvres de montagne** : 30 m, l'équivalent de 3 cars.

Que faire si vous voyez un ours ?

Les ours deviennent dangereux lorsqu'ils sont surpris, il est donc fortement conseillé de faire du bruit en marchant (parler, chanter, accrocher une clochette à son sac). Il faut être particulièrement vigilant au printemps, quand les mères qui ont mis bas cherchent à protéger leurs petits. Normalement, les ours sentent les humains de très loin et se sauvent avant que vous ne puissiez les voir. En revanche, lorsqu'il pleut, leur odorat diminue et les risques de les surprendre augmentent, ce qui peut être très dangereux. Il faut rester calme, et parler pour que l'ours sache que vous êtes un humain et non une proie. Tenter de rester en groupe et revenir lentement sur votre chemin, ne pas courir, l'ours étant beaucoup plus rapide que l'homme. Les statistiques montrent qu'aucun accident ne survient entre un ours et un groupe de plus de 5 personnes. Si vous voyez des traces fraîches d'ours, quittez l'endroit. Approcher un petit ourson peut être mortel. Renseignez-vous dans les centres d'information : si vous partez camper, certaines règles de base sont à respecter, notamment à cause de l'odorat développé du mammifère. Par exemple, évitez de porter du parfum (réduisez l'usage de produits solaires, de dentifrice ou de savon, on est en pleine nature après tout), fermez bien vos sacs-poubelle après un pique-nique et établissez votre campement autour de trois points : les détritus, votre tente, et le feu de camp et votre « coin cuisine » (à 100 m au moins de votre tente).

Que faire si vous êtes menacé par un cougar, un loup ou un coyote ?

Crier et faire tout ce que vous pouvez pour avoir l'air plus gros ; il ne faut pas ressembler à une proie. Si la bête vous attaque, répliquer agressivement. Ne jamais faire semblant d'être mort et ne jamais courir ou tourner le dos à l'animal. Pour un carnivore, votre animal domestique peut sembler appétissant, donc garder votre chien en laisse. Et ne jamais oublier que vous êtes sur leur territoire, pas l'inverse.

À voir / À faire

■ **COLUMBIA RIVER WETLANDS**
210 Fisher Rd – www.columbiavalley.ca
mail@eastkootenay.com
S'étendant à 144 km au sud de Golden, les marais de la rivière Columbia abritent près de 300 espèces d'oiseaux.

■ **KICKING HORSE MOUNTAIN RESORT**
A l'ouest de Golden ✆ +1 866 754 5425
www.kickinghorseresort.com
La station est ouverte toute l'année depuis 2001, et offre des pistes plutôt verticales aux skieurs et surfeurs expérimentés. Le Golden Eagle Express vous emmène en 12 minutes au sommet : vue inégalée sur les Rocheuses. Egalement des randonnées pédestres et à VTT, avec des élévations de 1 000 m !

YOHO NATIONAL PARK

En suivant la Highway 1 en direction du parc de Banff, vous allez entrer dans le parc national de Yoho. Quelques détours y sont possibles pour visiter quelques merveilles.
La ligne de chemin de fer du CPR a été à l'origine de nombreux accidents, en raison de la pente à 4 % accolée à la face ouest des Rocheuses, à l'intérieur du parc. En 1909, pour remédier à la situation, le Canadian Pacific y a construit deux tunnels d'une longueur totale de 1 859 m. Plus de 300 km de sentiers sillonnent le territoire du parc, mais les conditions de l'accès de ce dernier sont souvent très difficiles. Ainsi, certains accès, comme celui vers les Takakkaw Falls, sont souvent fermés en hiver et ne rouvrent pas avant juin. En langue cree, « takakkaw » signifie « merveilleux », en raison de ses chutes de 254 m. Le Mount Goodsir, de 3 562 m, est le plus haut du parc. Une autre de ses merveilles est l'Emerald Lake, recouvert de glace la majeure partie de l'année. Celui-ci vaut vraiment le détour aussi pour sa couleur magnifique. Plusieurs randonnées balisées sont possibles autour du lac, dont Emerald Lake Loop et Hamilton Falls. Le O'Hara Lake est un autre joyau du parc, au point que son accès est contrôlé. Pour l'atteindre, on peut marcher (13 km) ou prendre le car qui y conduit (15 $ + 12 $ de réservation). Long de 8,2 km, le Yoho Glacier Moraine Trail arrive aux Twin Falls. Les plus courageux continueront sur le Whaleback Trail et seront récompensés par une vue splendide sur les glaciers. Penser à demander aux employés du parc les horaires d'ouverture du pont qui y donne accès.

Lac O'Hara dans le Yoho National Park.

■ **YOHO NATIONAL PARK VISITOR CENTRE**
Columbia-Shuswap A ✆ +1 250 343 6783
Vous y trouverez l'information indispensable pour les randonnées et les sites à visiter dans le parc national et les environs. Accueil en français. Vous pourrez aussi y vérifier la disponibilité des logements.

BANFF NATIONAL PARK

Bienvenue en Alberta, sur le versant est des Rocheuses. Réglez vos montres : on passe à l'heure des montagnes, soit GMT -7, ou 8 heures de moins qu'à Paris. Et l'indicatif téléphonique change : dans cette région, c'est le 403. Premier parc national ouvert au Canada, le Banff National Park jouit d'une grande popularité depuis 1985. Sa grande beauté et le niveau de ses équipements sportifs et hôteliers justifient pleinement cet engouement, partagé par plus de 5 millions de visiteurs chaque année, dont la plupart arrivent entre juin et août. Par conséquent, Banff et sa région sont la destination n° 1 des visiteurs au Canada. La visite du parc débute par le lac Louise, et on ne peut rêver meilleure entrée en matière. La région est d'un accès facile par la Transcanadienne et le chemin de fer. Ensuite, la voiture s'impose, tellement les distances et les plus beaux sites sont éloignés de votre point de départ.

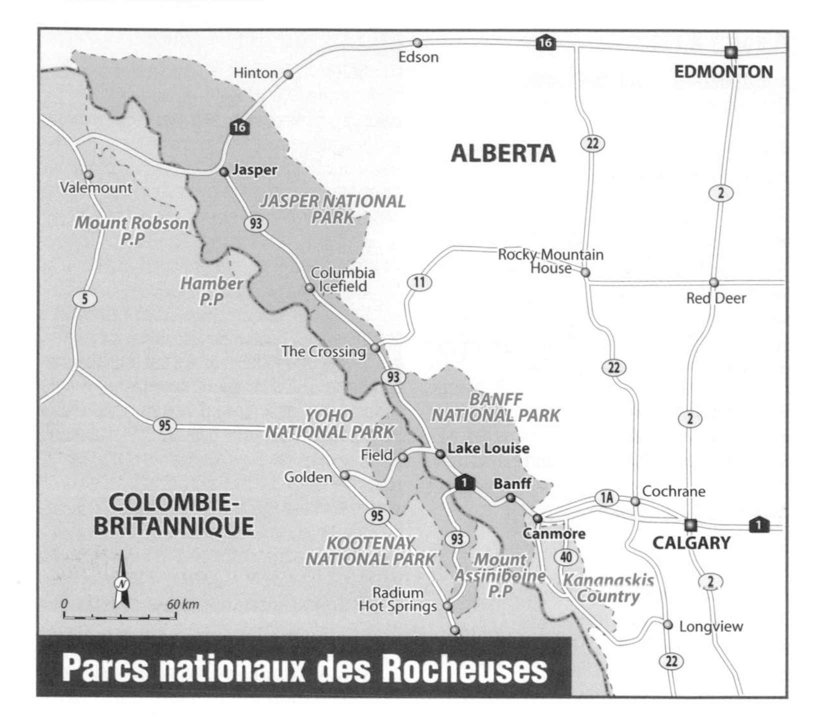

Nous vous suggérons d'emprunter d'abord la Bow Valley (1A), qui commence à 5 km à l'ouest de Banff, de continuer vers le Johnston Canyon, pour terminer au pied des glaciers, en allant vers le col de Sunwapta. Prévoyez des piles pour votre appareil photo.

Histoire

Le Canada possède le plus grand nombre de parcs au monde. La décision de préserver l'écosystème de certaines étendues trouve sa concrétisation avec la création du parc national des Rocheuses, en 1887. A cette époque, trois cheminots du Canadian Pacific (compagnie chargée par le gouvernement de construire une voie de chemin de fer qui relierait le pays d'est en ouest) firent une découverte qui allait changer le cours de l'histoire canadienne. Pendant qu'ils escaladaient et exploraient le mont Sulphur, à la recherche d'or et de fourrures, Frank McCabe, les frères William et Tom McCardell localisèrent un trou dans le sol d'où émanait une fumée à l'odeur de soufre. Ils venaient de découvrir ce que les Amérindiens connaissaient depuis longtemps : les sources thermales d'eau chaude. Cette eau, censée posséder des vertus thérapeutiques multiples, se maintient à une température de 41 °C et s'étend au travers de la glace et de la neige en plusieurs endroits des Rocheuses canadiennes. En 1885, les trois cheminots construisaient le premier hôtel de Banff et, pendant l'été de la même année, de riches touristes américains, canadiens et anglais y affluèrent afin de se baigner dans les eaux thermales et de découvrir cette nouvelle région si riche et jusqu'alors inexplorée. Les trois cheminots croyaient avoir trouvé l'or liquide qui les rendrait riches, mais le gouvernement canadien, sous l'autorité de J. A. MacDonald, ne l'entendait pas ainsi. Après plusieurs litiges au sujet de la propriété des eaux et à la fin d'un long procès, en 1887, le gouvernement déclara le secteur « parc national », plus quelque 25 km^2 qui l'entouraient. Aujourd'hui le Canada possède 46 parcs nationaux, et celui de Banff, appelé à l'origine parc national des Rocheuses, en est l'ancêtre. Le site où ont été découvertes les sources a été inscrit sur la liste du patrimoine mondial de l'Unesco.

Retrouvez le sommaire en début de guide

Pratique

■ **CONDITIONS DES SENTIERS**
✆ +1 403 762 1460

■ **NATIONAL PARK INFO CENTRE**
224 Banff Avenue, Banff
✆ +1 403 762 1550
www.pc.gc.ca
Renseignez vous sur les nombreuses activités possibles : promenades à vélo, individuellement ou avec un guide, pêche sur la Bow River, rafting, balades à cheval et, pour les plus aisés, le golf et le ski en hiver, ainsi qu'un survol de la région en hélicoptère.

■ **PRÉVISIONS MÉTÉO**
✆ +1 403 762 2088
A ne pas négliger. Chacun sait qu'en montagne les variations climatiques peuvent être très rapides.

À voir / À faire

■ **TRAIL OF THE GREAT BEAR**
✆ +1 800 215 2395
www.trailofthegreatbear.com
tgbear@telusplanet.net
Internationalement réputé, ce circuit de plus de 3 300 km s'étire du parc américain de Yellowstone jusqu'à celui de Jasper, en passant par Waterton et Banff. Il traverse les paysages les plus sauvages de l'Ouest canadien, avec ses immenses forêts et sa nature sauvage. Le grizzly est en liberté dans ces vastes étendues.

LAKE LOUISE

Ce célèbre lac est assurément un lieu touristique. Sa réputation lui vient de ses eaux d'un bleu-vert crémeux, tout simplement uniques (attention, par beau temps seulement !). Découverts en 1882 par un guide de la compagnie des chemins de fer Canadian Pacific, le lac et le Mount Victoria qui le surplombe sont très vite devenus la Mecque des grimpeurs et des skieurs. Grâce à la ligne ferroviaire tout juste inaugurée, artistes, photographes et touristes ont emboîté le pas à ces pionniers, faisant du lac Louise un endroit à la mode, une mode qui ne s'est toujours pas démentie. Dans ce décor de rêve qui donne l'impression délicieuse d'être au cœur d'une carte postale, un grand hôtel de 500 chambres domine sans partage. Ce bâtiment immense, dont certains trouveront, et on ne saurait les en blâmer, qu'il gâche le paysage, abrite de nombreux restaurants, boutiques et un service de location de canoës. Situé 4 km en contrebas, un centre touristique (appelé avec quelque exagération « le village ») rassemble tous les commerces nécessaires au confort des vacanciers (poste, restaurants, pubs, épicerie et marchands d'articles de sport). Un agréable sentier relie le village au lac. Une remontée mécanique offre une promenade inoubliable jusqu'à 2 000 m d'altitude : vue spectaculaire du lac Louise, des glaciers, de la flore… et, régulièrement, de la faune de la région. La remontée coûte 20 $ et permet de passer un après-midi paisible au cœur des « Rockies ».

Paysage du Banff National Park.

© LIGHTPHOTO - FOTOLIA

Peyto Lake sur la route des glaciers.

Histoire

A la fin du XIXe siècle, le Canadian Pacific a joué un rôle de premier plan dans la création des parcs nationaux. Lorsque les hommes de la Compagnie de Chemin de fer eurent fini de défricher le territoire des Rocheuses, le gouvernement de John A MacDonald, premier Premier ministre du Canada, se rendit compte de l'énorme potentiel économique de la région et décida de créer des parcs le long de la voie du chemin de fer. Le parc forestier du lac Louise fut fondé en 1892. A l'époque, la Gendarmerie royale du Canada était chargée de veiller à l'application des règlements relatifs aux feux de forêt et au respect des quotas concernant la coupe du bois et la chasse. Depuis 1988, son mandat s'est complexifié et il est désormais axé davantage sur la protection de l'environnement et la sauvegarde des espèces qui y vivent.

Pratique

■ SAMSON MALL

Abrite la poste, le dépôt des cars et l'agence de location de voitures. Attention, il n'y a pas de banque à Lake Louise : vous trouverez un bureau de change au Fairmont Château Lake Louise, et un distributeur au petit supermarché. Soyez prévoyant !

Se loger

■ CHÂTEAU LAKE LOUISE

111 Lake Louise Drive
✆ +1 866 540 4413
www.fairmont.com/lakclouisc
chateaulakelouise@fairmont.com
Chambres doubles à partir de 249 $ la nuit. Consulter les promotions (parfois) sur Internet.
Sur les rives du lac, un établissement de plus de 500 chambres, une véritable vedette dans l'hôtellerie nord-américaine. En ce qui concerne les aménagements intérieurs et le confort qui vous attend, ce sera vraiment la vie de château ! A noter, l'excellente tenue du restaurant, conforme au standing de l'établissement.

À voir / À faire

■ PEYTO LAKE

A 40 km au nord de Lake Louise.
Incontournable pour sa couleur et son immensité, ce lac doit son nom à un certain Bill Peyto. En 1898, au cours d'une expédition, ayant cherché quelques moments de solitude, Bill s'est égaré, a glissé, et ses compagnons de route l'ont retrouvé endormi au bord de ce lac. Joli réveil ! Allez jusqu'au Bow Summit Parking, suivez un petit sentier, et voilà.

Shopping

Juste à l'entrée de Lake Louise, il y a un complexe avec quelques boutiques, et un centre commercial est situé dans l'hôtel Château Lake Louise.
Ce sont les deux seuls endroits pour s'approvisionner.

BANFF

A 38 km à l'est de la frontière de la Colombie-Britannique (Highways 1 et 93) et à 128 km à l'ouest de Calgary, voilà une vraie (petite) ville, très touristique en été comme en hiver. Destination privilégiée des Rocheuses, connue et appréciée pour ses pistes de ski, mais aussi pour ses deux sources thermales chaudes, Banff est bouillonnante de vie, et de toutes sortes de vies. La ville a été bâtie au cœur d'un couloir naturel de migration de certaines espèces animales, dont le wapiti. Vous pourrez donc croiser une de ces bêtes, reconnaissables à leur panache et à leur démarche distinguée, en train de déambuler dans la ville, tandis que vous ferez du lèche-vitrines sur l'avenue principale. Les élans qui sont partout dans la région viennent également s'aventurer dans les rues de Banff et de Jasper. Située à 1 372 m au-dessus du niveau de la mer, Banff est la ville la plus haute du Canada. Séparée d'est en ouest par la rivière Bow (ses rives offrent une belle promenade), elle s'étend de part et d'autre de Banff Avenue, où sont installés divers magasins. Les plus chics d'entre eux affichent volontiers leurs prix en monnaie japonaise, car plus de 15 % des touristes internationaux viennent du pays du Soleil-Levant.

Transports

Comment y accéder et en partir

Avion. L'aéroport de Calgary est à 128 km à l'est de Banff et se trouve être le plus proche du Banff National Park.

ROCKY MOUNTAINEER
✆ +1 877 460 3200
www.rockymountaineer.com
reservations@rockymountaineer.com
La ligne Vancouver/Calgary fait étape à Banff

Se déplacer

BREWSTER TRANSPORT
100 Gopher Street
✆ +1 866 606 6700
www.brewster.ca
vacations@brewster.ca
Créée à Banff en 1892, cette agence proposait à l'époque des visites guidées à cheval. Aujourd'hui, elle assure, entre autres, des navettes entre les parcs et entre l'aéroport et les parcs : 79 $ (aller) entre Banff et Jasper ; 69 $ entre Lake Louise et Jasper. De l'aéroport de Calgary jusqu'à Banff, 49 $.

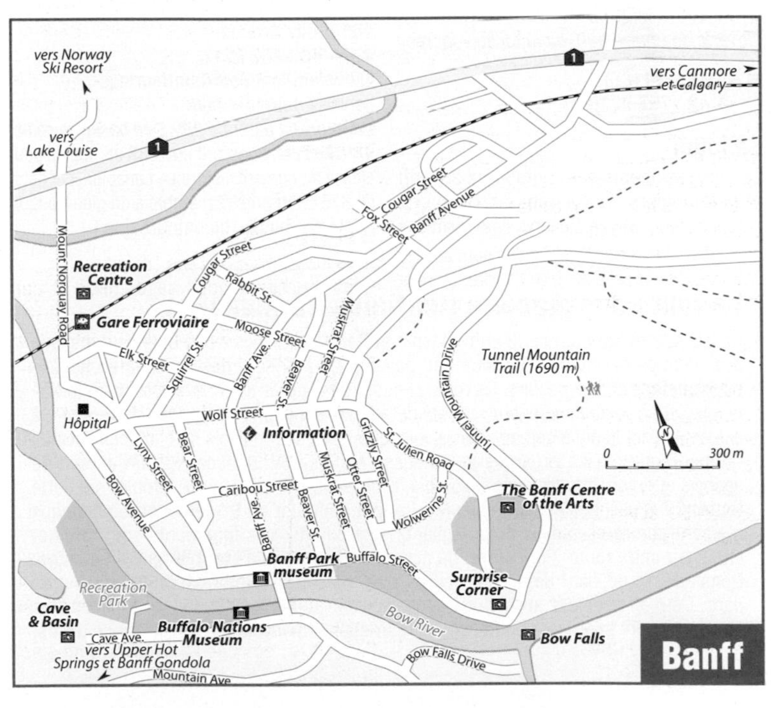

Brewster propose aussi des forfaits en car et en train à travers tout le Canada (exemple : 8 jours-7 nuits, Vancouver, Whistler, lac Le Jeune, Banff, Lake Louise, Jasper, Kamloops, à partir de 2 783 $). Elle organise aussi des circuits pour découvrir les Rocheuses par d'autres moyens plus sportifs (descente de la rivière Athabasca en rafting, pour environ 55 $, ou marche dans le vaste parc de Banff, pour une cinquantaine de dollars).

■ **LOCATION DE VÉLOS**
203 A Bear Street
✆ +1 403 760 1650

Pratique

■ **BANFF VISITOR CENTRE**
224 Banff Avenue ✆ +1 403 762 8421
www.banfflakelouise.com
Peut fournir des cartes détaillées des parcs de la région.

■ **BIBLIOTHÈQUE**
Au coin de Bear et Buffalo Streets.
✆ +1 403 762 2661
Accès Internet gratuit.

■ **POSTE**
204 Buffalo Street
✆ +1 403 762 2586
Ouverte de 9h à 17h30, du lundi au vendredi.

■ **RCMP (POLICE)**
✆ +1 403 762 2226

Se loger

Les hébergements sont nombreux à Banff et pas toujours bon marché en raison de l'affluence touristique. Beaucoup de résidents proposent une ou plusieurs chambres de type B&B. Le site Internet suivant est complet et souvent actualisé et ce, pour tout type de logement : www.banfflakelouise.com

■ **333 GUEST HOUSE**
333 Muskrat street
✆ +1 403 985 1986
www.banffguesthouse.com
A partir de 150 $ en été.
Cette maison qui date de 1915 est accueillante, charmante. La suite mise à votre disposition est assez spacieuse pour vous permettre de vous relaxer. Si la météo le permet, le petit déjeuner se fera dans le magnifique jardin. L'accueil est en français.

■ **CAMPGROUND INFORMATION**
✆ +1 403 762 1550
www.pc.gc.ca/pn-np/ab/banff/visit/visit9_E.asp
Pour des informations sur les 2 500 sites de camping dans le parc. Autour de Banff, il existe quelques grands sites de camping d'Etat avec douches, toilettes et eau. Les prix oscillent entre 17 et 28 $ selon le lieu et le confort offert. Notez qu'un permis de 9 $ pour faire du feu doit être rajouté !

■ **FAIRMOUNT BANFF SPRINGS HOTEL**
405 Spray Avenue
✆ +1 403 762 2211
www.fairmont.com/banffsprings
bshres@fairmont.com
Chambres à partir de 289 $ en basse saison et 489 $ en été. Construit en 1888 et, depuis peu, classé monument historique canadien, cet hôtel de 875 chambres ressemble à un gigantesque relais de chasse. Incontournable !

La route des glaciers (Icefields Parkway)

Le trajet (236 km), sur la 93 entre Jasper et Banff, suit l'incontournable « promenade des champs de glace », surplombée par des pics brisés, des masses rocheuses déchiquetées et des glaciers. On roule pendant des heures sur une autoroute entourée de glaciers à perte de vue, gracieuseté datant de l'époque préhistorique. L'autoroute à elle seule vaut le déplacement. Cette voie, que traversent parfois de blanches chèvres de montagne, passe près des vigoureuses chutes d'Athabasca (32 km au sud de Jasper) et du champ de glace Columbia. Un permis est requis pour circuler sur cette route (29 $ par jour et par véhicule). La limitation est de 90 km/h et les animaux n'y sont pas rares. Soyez donc vigilants et prudents. Les logements sont rares et chers sur cette route. Par contre, de nombreux campings d'Etat bordent le parcours. Demandez le dépliant détaillé sur cette route au centre d'information touristique du parc. Ceux-ci pourront aussi vous conseiller sur toutes les randonnées disponibles sur le parcours avec leurs conditions et restrictions (mauvais temps, présence d'ours, éboulement...).

Se restaurer

■ GRIZZLY HOUSE

207 Banff Avenue ✆ +1 403 762 4055
A partir de 30 $. Spécialités de fondues (savoyarde ou au chocolat, par exemple).

■ JOE BTFSPLK'S

221 Banff Avenue
✆ +1 403 762 5529
Petits déjeuners à moins de 12 $.
Décor charmant, des années 1950, qui rappelle immédiatement *Happy Days* et Fonzy.

■ THE BISTRO RESTAURANT

229 Bear Street
✆ +1 403 762 8900
Compter 15 $ à 30 $. Délicieux steaks, pizzas, et même du coq au vin.

■ THE OLD SPAGHETTI FACTORY

317 Banff Avenue
✆ +1 403 760 2779
www.oldspaghettifactory.ca
admin@oldspaghettifactory.ca
A partir de 9,50 $ pour des spaghettis.
La réputation de cette chaîne très populaire dans l'Ouest canadien n'est plus à faire. On l'apprécie pour ses légendaires spaghettis, bien sûr, mais aussi pour la soupe, le dessert et le café qui sont inclus dans le prix.

Sortir

■ AURORA

110 Banff Avenue
✆ +1 403 760 5300
www.aurorabanff.com
DJ, techno, hip-hop… La tournée des bars de Banff Avenue ne pourrait être complète sans une grande discothèque comme celle-ci.

■ ROSE AND CROWN

202 Banff Avenue
✆ +1 403 762 2121
www.roseandcrown.ca
manager@roseandcrown.ca
Plats entre 7 $ et 18 $.
C'est le bar le plus fréquenté de la ville. Les Québécois qui travaillent dans la région l'ayant adopté massivement, il n'est pas rare d'y entendre de la musique francophone.

■ THE PUMP AND TAP TAVERN

215 Banff Avenue ✆ +1 403 760 6610
C'est le genre d'endroit où la décoration et le service n'ont rien de particulier. C'est l'ambiance dictée par une clientèle jeune et bohème qui mérite le détour.

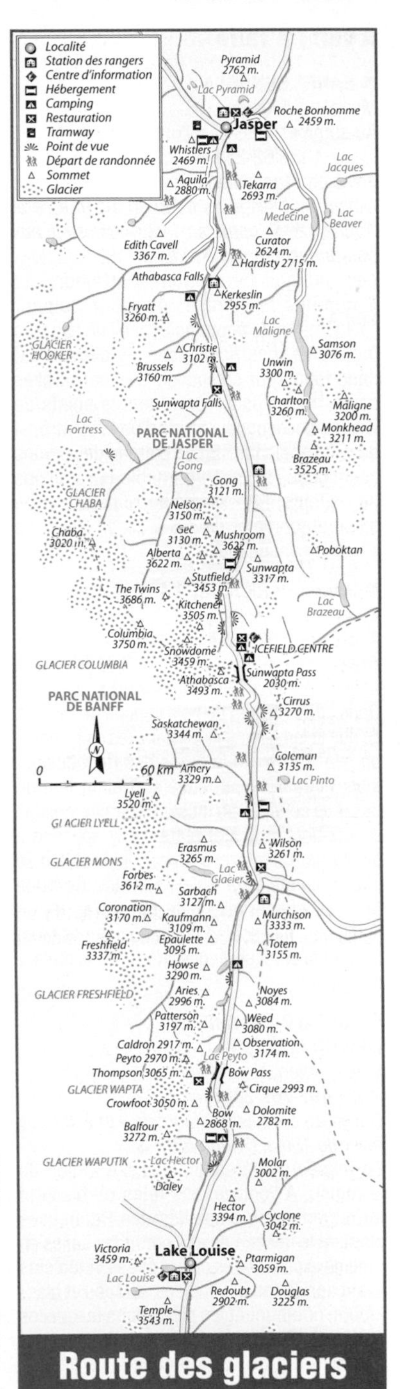

Route des glaciers

À voir / À faire

■ BANFF GONDOLA

Mountain Avenue
Au sommet, à 5 km à l'ouest de Banff
✆ +1 403 762 2523
www.banffgondola.com
Ouvert tous les jours de 8h30 à 21h en été. Adulte : 29 $, enfants : 14 $. Accessible aux personnes à mobilité réduite.
Les cabines permettent d'atteindre en 8 minutes le sommet du mont Sulphur (2 285 m) et de contempler ainsi un superbe panorama. Les Rocheuses s'y découvrent dans toute leur splendeur. Des passerelles permettent d'observer différents points de vue sur une longueur totale d'un kilomètre, et de voir l'ancienne station d'étude des rayons cosmiques (!). Incontournable (13 millions de visiteurs) ! Possibilité de se restaurer au sommet (compter de 7 $ à 30 $). Penser à s'habiller chaudement.

■ BANFF PARK MUSEUM

Cave Avenue
✆ +1 403 762 1558
Ouvert en été tous les jours de 10h à 18h, l'hiver de 13h à 17h. Entrée 3,90 $.
Dans cette maison de bois conçue de façon à ce que la lumière du jour éclaire les collections, on peut voir toute la faune des Rocheuses : loup, cougar, bison, chèvre et élan, l'un de ces gros cervidés au museau invraisemblable et aux bois larges et plats. On y apprend à distinguer un grizzly d'un ours noir et l'on se plaît à imaginer la vie de Norman Bethune Sanson, conservateur du musée au début du siècle, qui escaladait chaque jour le mont Sulphur pour recueillir des informations météorologiques.

■ BUFFALO NATIONS LUXTON MUSEUM

1 Birch Avenue
✆ +1 403 762 2388
Ouvert en été tous les jours de 11h à 18h, en hiver de 13h à 17h. Entrée 8 $.
Ce musée s'intéresse au passé indien de la région. A l'entrée, des têtes de bison et autres animaux empaillés des Rocheuses plantent le décor. Les deux grandes salles en rondins exposent des objets et des vêtements ayant appartenu aux Indiens sarcees et blackfoots, notamment les pipes dans lesquelles ils fumaient un mélange de saule rouge et de tabac. La reconstitution de la cérémonie « sundance », au cours de laquelle les Indiens s'infligeaient parfois des blessures, est particulièrement saisissante.

■ CAVE AND BASIN NATIONAL HISTORIC SITE

311 Cave Avenue
✆ +1 403 762 4900
De mai au 30 septembre ouvert tous les jours de 9h à 18h. D'octobre à fin avril ouvert de 11h à 16h, du lundi au vendredi. Entrée adulte : 4 $, enfant : 2 $. Classé par l'Unesco sur la liste du patrimoine mondial, ce site est l'ancêtre des parcs nationaux du Canada. Son petit musée permet d'en apprendre beaucoup sur l'histoire de la découverte de l'Ouest canadien. Mais son attraction principale est sans doute la visite de la grotte où fut découverte la première source thermale. Des sentiers sont aussi aménagés afin de permettre l'exploration de la faune (en particulier les oiseaux) et de la flore.

■ KANANASKIS COUNTRY

Développé dans les années 1970, à la suite du boom économique dû au pétrole, le Kananaskis Country est un projet destiné à promouvoir les activités récréatives. Pour autant, les animaux sauvages y sont encore chez eux et les 300 espèces de plantes sont concentrées dans le « petit » Bow Valley Provincial Park. Tout a été pensé : du rafting ou du kayak dans les eaux turbulentes de Canoe Meadows à la randonnée vers Barrier Lake ou Mount Lorette Ponds, en passant par les terrains de golf (www.kananaskisgolf.com), notamment sur le Mount Kidd. Le site est aménagé de façon à valoriser Nakiska (www.skinakiska.com), station où se sont déroulées les compétitions de ski alpin lors des Jeux olympiques de 1988. Fortress Mountain (www.skifortress.com) est un peu plus éloignée, mais offre davantage de neige, souvent immaculée, et pour un prix plus doux.

■ LAKE MINNEWANKA

A 10 minutes en voiture du centre-ville. Empruntez l'autoroute Transcanadienne vers l'est et prenez la direction « Lake Minnewanka ». Randonnée, canoë, pêche, tour de bateau, camping.
Un lac magnifique où les cerfs et autres bêtes sauvages se rafraîchissent régulièrement. En amérindien, « *minnewanka* » signifie « l'eau des esprits ». La « Minnewanka Loop » (fléché) vous permet de suivre un circuit d'une dizaine de kilomètres, passant par le lac Minnewanka tout d'abord, puis par les lacs Two Jack et Johnson, beaucoup plus petits, mais qui valent le détour. Notamment le lac Johnson, dont les eaux ont une couleur inoubliable.

Mount Kidd et Wedge Pond au Kananaskis Country.

■ **LAKE VERMILLON**

Ce lac chéri des photographes est aussi un excellent lieu pour s'adonner aux plaisirs du kayak ou du canoë, mais on ne peut pas en louer sur place. Les couchers du soleil y sont particulièrement spectaculaires.

■ **UPPER HOT SPRINGS POOL**

Au sommet de Mountain Avenue
5 km à l'ouest de Banff ✆ +1 403 762 1515
www.hotsprings.ca – hot.springs@pc.gc.ca
Ouvert tous les jours de 9h à 23h en été et de 10h à 22h d'octobre à mai. Entrée : 7,50 $. Location de maillots de bain : 2 $.

Les Hot Springs sont des sources d'eau extérieures extrêmement chaudes. Tirant toute sa chaleur des profondeurs de la terre, l'eau chargée de minéraux remonte à la surface, pour le plus grand plaisir de tous (et leur plus grand bien !). Pour une expérience totale, y aller le soir pendant une tempête de neige.

Sports / Détente / Loisirs

▸ **Randonnée.** Banff, idéalement placé au cœur du parc national, est un point de départ privilégié pour de nombreuses randonnées, de toutes durées et de tous niveaux de difficulté. Fenland Trail : 1,5 km, environ 30 minutes. Balade idéale pour observer la faune (castors, aigles, etc.) près de Vermillion Lake. Tunnel Moutain : 2,3 km, environ 1 heure 30. Pour de belles vues sur la vallée (attention ça grimpe un peu !). Sulphure Moutain depuis Hot Springs : 11,4 km, environ 4 heures. Une randonnée engagée, avec un dénivelé important, qui vous mènera au point d'arrivée de la Banff Gondola. Vous pourrez d'ailleurs redescendre avec le téléphérique en payant moitié-prix.

▸ **Équitation.** De nombreuses agences proposent des randonnées à cheval sur les sentiers d'autrefois, afin de découvrir les Rocheuses au rythme de la nature, où le relief et les chevaux dictent leurs volontés. Les promenades peuvent durer une journée ou plusieurs, les nuits se passent sous la tente ou dans un ranch.

▸ **Ski alpin.** Certains n'hésitent pas à parcourir des milliers de kilomètres, uniquement pour venir skier à Banff. Le mont Norquay et Sunshine Village font partie des stations de ski les plus appréciées en Amérique du Nord.

■ **CANADIAN MOUNTAIN HOLIDAYS**

217 Bear Street ✆ +1 403 762 7100
www.canadianmountainholidays.com
Info@cmhinc.com

Pour les aventuriers tentés par une combinaison vol-descente en héli-ski, CMH propose son expérience vieille de 30 ans. Possibilité de formules à la semaine ou pour groupes.

■ **SKI BANFF NORQUAY**

✆ +1 403 762 4421
www.banffnorquay.com
admin@banffnorquay.com
Adultes 55 $ la journée.

La montagne se trouve à quelques minutes de Banff, en direction de Canmore.

■ **SUNSHINE VILLAGE**
✆ +1 403 760 7609
www.skibanff.com
reservations@skibanff.com
Adulte : 79 $ la journée.
A 8 km à l'ouest de Banff, par l'autoroute Transcanadienne. Dans la région, c'est le premier choix des planchistes.

CANMORE

La ville de Canmore est située au pied des Three Sisters, dans la Bow Valley, à 28 km à l'est de Banff et à 126 km à l'ouest de Calgary. Canmore a vu sa population tripler en 20 ans. Est-ce pour avoir prêté son décor à quelques grands films (*Legends of the Fall*, *Snow Dogs* ou encore *Shanghai Noon*) ? Ou simplement pour sa situation au cœur des Rocheuses, où elle est éclipsée par Banff la rutilante, donc moins courue et nettement plus abordable ? Certes, le paysage est moins romantique qu'à Banff, mais vous y trouverez de belles possibilités de balades. Intéressant au niveau du porte-monnaie : Canmore se situe à l'exterieur du Parc National de Banff. Vous n'aurez donc pas à en payer l'entrée pendant votre séjour.

Pratique

■ **CANMORE VISITOR INFO CENTRE**
907A 7th Avenue
✆ +1 403 678 1295
www.tourismcanmore.com
Juste en face du Civic Centre.

Se loger

■ **KISKA INN**
Deadman's Flat, 7 km à l'est de Canmore
110 1st Avenue
✆ +1 866 678 4041
www.kiska.ab.ca – sales@kiskahouse.com
A partir de 120 $ la chambre double.
Accès Internet et thèmes typiquement canadiens dans chaque chambre (celle qui porte le nom d'Emily Carr est décidément très émouvante).

Se restaurer

■ **SAGE BISTRO**
1712 Bow Valley Trail
✆ +1 403 678 4878
www.sagebistro.ca
contactus@sagebistro.ca
Galette à la truite ou saumon au cumin, cuisine locale et raffinée. A ne pas manquer !

Sports / Détente / Loisirs

▶ **Randonnée.** Dans le centre-ville, un réseau de 60 km de sentiers permet aux marcheurs tranquilles de belles balades le long de la Bow River. Ces balades sont pour la plupart accessibles aux vélos, poussettes et fauteuils roulants. Pour les plus sportifs, la randonnée suivant Grotto Canyon (départ à 10 minutes de Canmore sur la Transcanadienne) vous mène jusqu'à un spectaculaire point de vue sur Canmore et le lac Gap. Environ 2 heures aller-retour.Le Heart Creek Trail, environ 1 heure 30, offre de belles vues du mont McGillivray et de Heart Mountain. Grassi Lakes

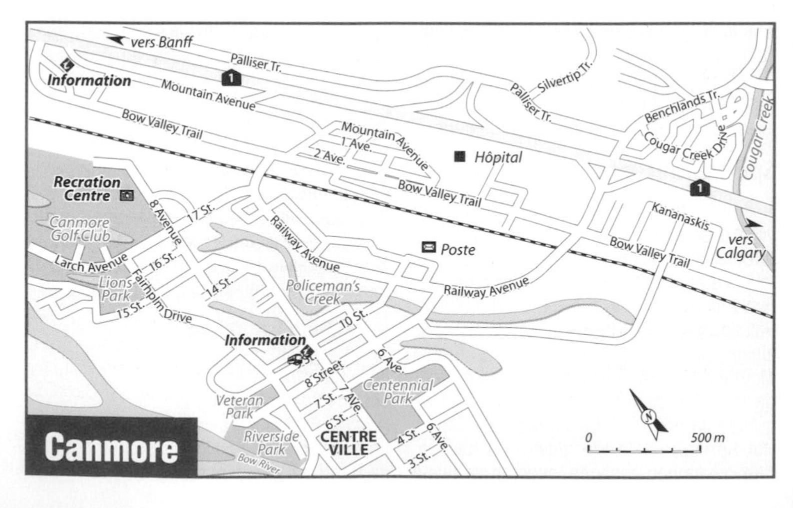

Medecine Lake dans le Jasper National Park.

est également une magnifique randonnée de 2 heures à travers la forêt et les rochers, avec des points de vue sur deux lacs des environs.Enfin, pour les randonneurs les plus chevronnés, Ha Ling Peak est une marche de 3 à 4 heures relativement difficile, et un peu moins balisée, attention de ne pas vous perdre. Mais la vue sur Canmore récompense l'effort.

▸ **Ski.** Le Nordic Centre a été construit pour les J.O. de Calgary de 1988 et, depuis, utilisé comme centre d'entraînement des athlètes (ski de fond et biathlon).

▸ **Golf.** Quatre terrains de golf entourent Canmore ; pensez à réserver. De 50 à 150 $.

■ **CANMORE GOLF AND CURLING CLUB**
2000 8th Avenue
✆ +1 888 678 4785
www.canmoregolf.net
firstname.lastname@canmoregolf.net

■ **SILVER TIP**
2000 Silvertip Trail
✆ +1 877 877 5444
www.silvertipresort.com
info@silvertipresort.com

■ **STEWART CREEK GOLF**
4100 Stewart Creek Drive
✆ +1 877 993 4653
www.stewartcreekgolf.com
gandrew@stewartcreekgolf.com

COLUMBIA ICEFIELD

Situé à 130 km au Nord de Lake Louise, il s'agit sans doute d'un incontournable sur cette route. Un centre d'information, sur place, vous donnera toutes les infos nécessaires sur les promenades du coin ainsi que toutes les options possibles pour visiter le glacier. Bien que ce soit totalement interdit, beaucoup de touristes se promènent sur le glacier, entre les crevasses, risquant ainsi leur vie et celle des secouristes dans le pire des cas. Des visites avec guide et équipement fourni sont proposées. Ne réfléchissez pas à deux fois... Ce glacier, le plus grand au sud du cercle Arctique (325 km², une superficie égale à celle de la ville de Vancouver), sert de trait d'union avec le parc national de Banff.

JASPER NATIONAL PARK

D'une superficie de 10 878 km², c'est le plus grand parc des Rocheuses canadiennes. Il attire 2 millions de visiteurs par an, qui viennent se promener, faire du vélo, de l'escalade et du cheval sur les 1 500 km de sentiers. Les excursions de plus d'une journée doivent être validées par les autorités du parc (permis payant). Malgré son succès, Jasper conserve un caractère sauvage et secret qui le distingue de son voisin, le parc national de Banff. Le parc couvre la région des sources thermales de Miette, où il est possible de prendre un bain dans des eaux à la température du corps.

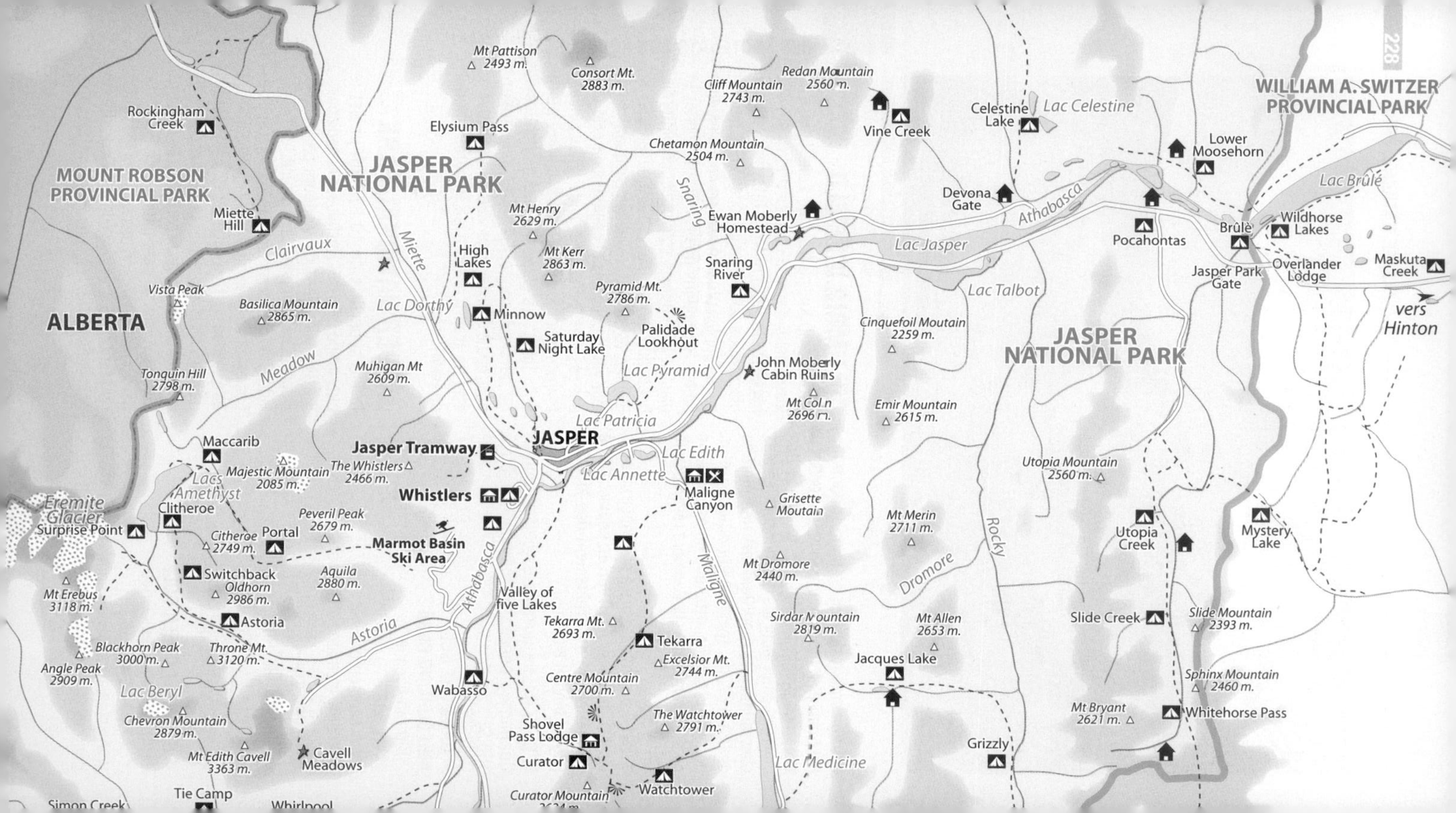

WILLIAM A. SWITZER PROVINCIAL PARK
MOUNT ROBSON PROVINCIAL PARK
JASPER NATIONAL PARK
ALBERTA
JASPER
vers Hinton
Mt Pattison 2493 m.
Consort Mt. 2883 m.
Cliff Mountain 2743 m.
Redan Mountain 2560 m.
Chetamon Mountain 2504 m.
Mt Henry 2629 m.
Mt Kerr 2863 m.
Pyramid Mt. 2786 m.
Basilica Mountain 2865 m.
Muhigan Mt 2609 m.
Tonquin Hill 2798 m.
Vista Peak
Cinquefoil Moutain 2259 m.
Emir Mountain 2615 m.
Utopia Mountain 2560 m.
Mt Merin 2711 m.
Mt Dromore 2440 m.
Grisette Moutain
Sirdar Mountain 2819 m.
Mt Allen 2653 m.
Slide Mountain 2393 m.
Sphinx Mountain 2460 m.
Mt Bryant 2621 m.
Majestic Mountain 2085 m.
The Whistlers 2466 m.
Peveril Peak 2679 m.
Citheroe 2749 m.
Aquila 2880 m.
Oldhorn 2986 m.
Tekarra Mt. 2693 m.
Excelsior Mt. 2744 m.
Centre Mountain 2700 m.
The Watchtower 2791 m.
Curator Mountain
Mt Erebus 3118 m.
Blackhorn Peak 3000 m.
Throne Mt. 3120 m.
Angle Peak 2909 m.
Chevron Mountain 2879 m.
Mt Edith Cavell 3363 m.
Rockingham Creek
Miette Hill
Elysium Pass
High Lakes
Minnow
Saturday Night Lake
Palidade Lookhout
Ewan Moberly Homestead
Snaring River
John Moberly Cabin Ruins
Vine Creek
Celestine Lake
Devona Gate
Lower Moosehorn
Pocahontas
Brûlé
Wildhorse Lakes
Overlander Lodge
Maskuta Creek
Jasper Park Gate
Utopia Creek
Mystery Lake
Slide Creek
Whitehorse Pass
Jacques Lake
Grizzly
Maligne Canyon
Tekarra
Watchtower
Shovel Pass Lodge
Curator
Jasper Tramway
Whistlers
Marmot Basin Ski Area
Valley of five Lakes
Wabasso
Maccarib
Clitheroe
Surprise Point
Portal
Switchback
Astoria
Cavell Meadows
Tie Camp
Simon Creek
Whirlpool
Eremite Glacier
Lacs Amethyst
Lac Beryl
Lac Dorthy
Lac Pyramid
Lac Patricia
Lac Edith
Lac Annette
Lac Jasper
Lac Talbot
Lac Celestine
Lac Brûlé
Lac Medicine
Clairvaux
Miette
Meadow
Snaring
Athabasca
Maligne
Rocky
Dromore
Astoria

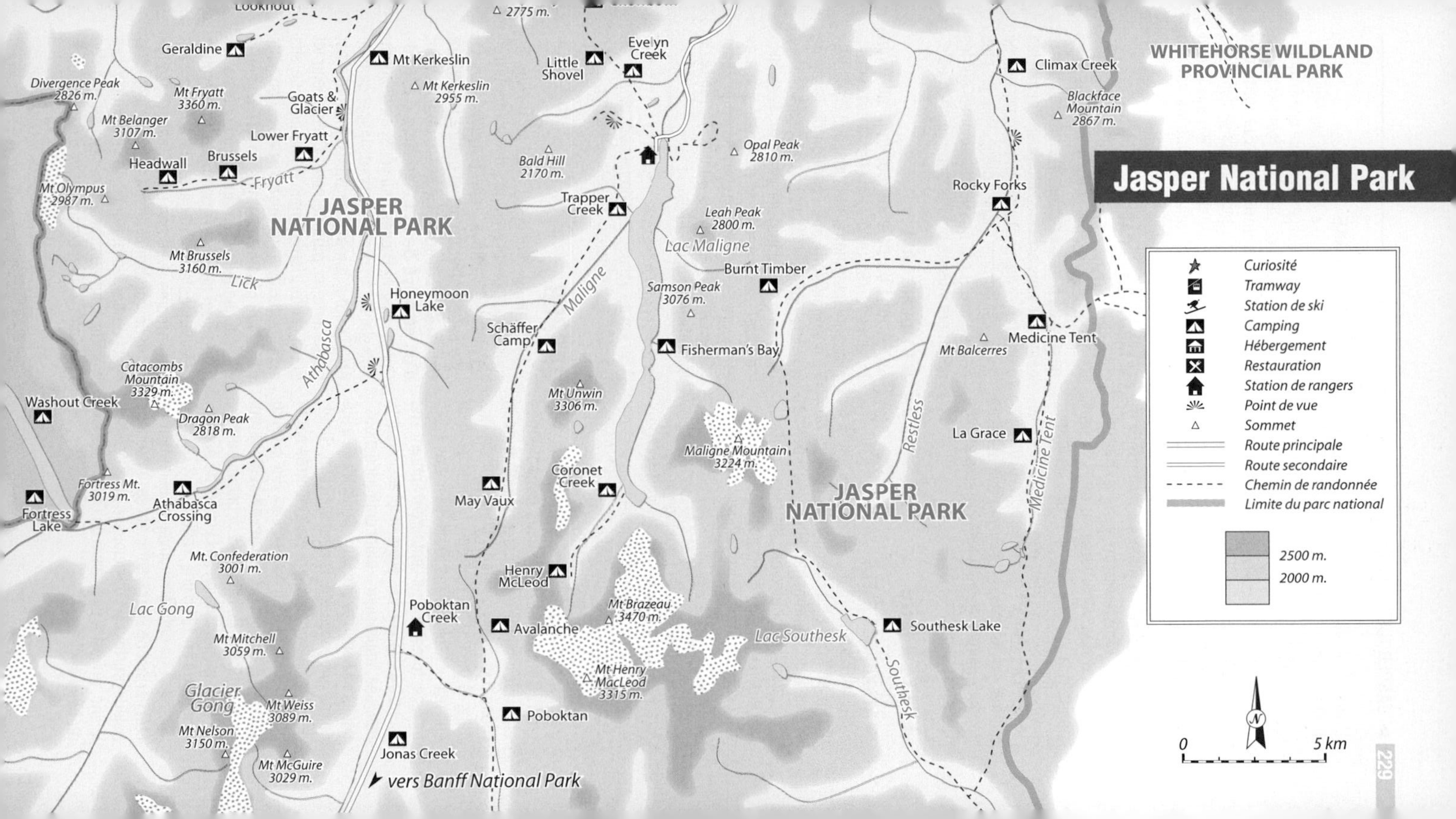
Jasper National Park
WHITEHORSE WILDLAND PROVINCIAL PARK
JASPER NATIONAL PARK
Curiosité
Tramway
Station de ski
Camping
Hébergement
Restauration
Station de rangers
Point de vue
Sommet
Route principale
Route secondaire
Chemin de randonnée
Limite du parc national
2500 m.
2000 m.
0
5 km
Geraldine
Mt Kerkeslin
Little Shovel
Evelyn Creek
Climax Creek
Divergence Peak 2826 m.
Mt Fryatt 3360 m.
Goats & Glacier
Mt Kerkeslin 2955 m.
2775 m.
Blackface Mountain 2867 m.
Mt Belanger 3107 m.
Lower Fryatt
Bald Hill 2170 m.
Opal Peak 2810 m.
Headwall
Brussels
Fryatt
Rocky Forks
Mt Olympus 2987 m.
Trapper Creek
Leah Peak 2800 m.
Lac Maligne
Mt Brussels 3160 m.
Lick
Burnt Timber
Samson Peak 3076 m.
Honeymoon Lake
Maligne
Schäffer Camp
Athabasca
Fisherman's Bay
Medicine Tent
Mt Balcerres
Catacombs Mountain 3329 m.
Washout Creek
Dragon Peak 2818 m.
Mt Unwin 3306 m.
Restless
La Grace
Maligne Mountain 3224 m.
Fortress Mt. 3019 m.
Athabasca Crossing
Fortress Lake
May Vaux
Coronet Creek
Mt. Confederation 3001 m.
Henry McLeod
Lac Gong
Poboktan Creek
Avalanche
Mt Brazeau 3470 m.
Lac Southesk
Southesk Lake
Mt Mitchell 3059 m.
Mt Henry MacLeod 3315 m.
Southesk
Glacier Gong
Mt Weiss 3089 m.
Poboktan
Mt Nelson 3150 m.
Jonas Creek
Mt McGuire 3029 m.
vers Banff National Park

L'hiver, le ski de fond est la discipline favorite à Jasper, bien qu'à Marmot Bassin on trouve quelques belles descentes de ski alpin. Le parc peut être divisé en six différents secteurs : la promenade des glaciers (glacier Athabasca), la route de la Maligne, les sources thermales de Miette (au nord-est de Jasper), le mont Whistler, le mont Edith-Cavell (3 363 m) et la région des Lacs (Patricia et Pyramid). Dans le théâtre en plein air du terrain de camping Whistlers, on vous expliquera le soir ce que vous aurez vu dans le parc pendant la journée. Même chose au Wapiti. Il est possible de faire du camping sauvage le long des sentiers de l'arrière-pays, mais un permis est obligatoire. Et sachez que dans les haltes prévues, ce sont les premiers arrivés qui s'installent.

À voir / À faire

■ ATHABASCA FALLS

A 30 km seulement de Jasper. Une chute de 23 m de haut et qu'on entend de loin. Une promenade d'une petite demi-heure permet d'observer les chutes de plusieurs points de vue différents, ainsi que le magnifique paysage qui l'entoure. A ne pas manquer.

■ LAC MALIGNE

Maligne Lake Activity Booking
627 Patricia Street ✆ +1 780 852 3370
A une cinquantaine de kilomètres au sud-est de Jasper (par Maligne Lake Road, à 2 km au nord-est par la Highway 16). Faisant partie du Jasper National Park, c'est le plus long lac (23 km) des Rocheuses canadiennes et le lac glaciaire le plus vaste du monde (donc pas de baignade !). Il y a peu de lacs dans le monde qui peuvent rivaliser avec sa splendeur (Spirit Island, Opal Hills). Les épais massifs forestiers qui l'entourent abritent une faune très variée. Les élans, impressionnants cervidés, apprécient – tout comme les moustiques – l'humidité des lieux. Son nom lui a été donné par un jésuite, le père Pierre de Smet, dont les chevaux avaient été emportés par le courant violent d'un cours d'eau. Sur la route se trouve également le Canyon Maligne qui vaut le détour. Possibilité de louer un bateau, de faire une excursion à cheval et de pêcher. A noter qu'en 1980 une truite de 9,3 kg a été pêchée. Une cafétéria (ouverte seulement en été) permet de se restaurer après une longue balade, surtout si l'on a poussé jusqu'à Spirit Island, qui offre une vision du Canada tenant du beau cliché.

■ MEDECINE LAKE

Sur la Maligne Lake Road, le lac Medicine, situé à 27 km de Jasper, demeure une énigme : il se vide de son contenu une fois par an. En fait, les eaux montent après la fonte des neiges, puis s'infiltrent progressivement dans la roche calcaire. Ainsi, le lac est quasiment vide, ses eaux s'étant transvasées dans la rivière Maligne voisine.

■ MONT EDITH CAVELL

Attention, la route, pour rejoindre le sommet, est interdite aux caravanes et aux véhicules de plus de 6 m. Ce détour en vaut vraiment la peine car vous arriverez littéralement au pied d'un glacier de montagne. Une promenade de 2 km relativement facile y mène. Pour les plus courageux, il est possible de monter sur les sommets voisins pour admirer le spectacle.

■ PYRAMID LAKE

Le lac et l'île doivent leur nom au mont Pyramid (2 763 m) qui, en effet, à cet endroit, accapare toute notre attention. Ses tons roses et orangés sont une réaction de la pyrite aux intempéries. Seuls les bateaux à moteur électrique sont autorisés sur ce lac. Possibilité de louer des canoës et des bateaux. Les alentours du lac, très fréquenté en été pour ses activités nautiques, sont un territoire de migration pour les loups.

■ SUNWAPTA FALLS

A 55 km de Jasper. Une promenade didactique au sein d'une gorge impressionnante.

JASPER

A 860 km de Vancouver, Jasper, petite ville touristique, s'étire le long de la voie ferrée où passe le fameux train transcanadien. La ville est en effet un grand centre ferroviaire depuis le début du siècle et son nom lui vient d'un employé de la Compagnie du Nord-Ouest, Jasper Hawes, qui vécut au début du XIXe siècle. Au premier abord, Jasper semble être la sœur jumelle de Banff, mais elle est plus calme et plus sereine. Certes, elle vit aussi du tourisme, mais également de ses activités ferroviaires (un tiers de ses habitants travaillent pour les chemins de fer). En été, la ville est cependant envahie de touristes et les hôtels sont quasiment complets. Réservation indispensable, sinon gare à la note ! Vivant en harmonie avec son parc, Jasper reçoit la visite de nombreux animaux nullement effarouchés par les marques de civilisation. Les wapitis (tout comme les caribous), que l'on reconnaît à leurs bois pointus et à leur croupe blanche (wapiti signifie « croupe blanche » en amérindien), s'aventurent dans les campings, traversent les routes, paissent aux abords de la ville, sans se soucier des automobilistes, invités à rouler très lentement. En hiver, il y a bien sûr le ski, mais, contrairement à ce qui se passe à Banff, les activités hivernales ne sont pas concentrées dans le même secteur et le climat nordique de Jasper contraint quelques sites à fermer pendant certaines périodes de la basse saison. En conclusion, Jasper est une ville étape, plus estivale qu'hivernale, à la sortie des fascinantes Rocheuses, à l'entrée de l'Alberta et de ses plaines interminables, à quelques heures de route de la grande agglomération d'Edmonton (via Hinton et Edson). La route est monotone mais majestueuse. On ne peut rester insensible en regardant disparaître les montagnes derrière nous. Attention aux animaux et aux excès de vitesse !

Transports

■ INFO ROUTE
✆ +1 780 852 3311

Comment y accéder et en partir

■ NAVETTE DE L'AÉROPORT D'EDMONTON
Sun Dog Tours
✆ +1 888 786 3641
www.sundogtours.com
tours@sundogtours.com

■ PROMENADES EN BATEAU
✆ +1 780 852 3370
Vers l'île Spirit et les falaises qui dominent le lac.

Se déplacer

■ FREEWHEEL CYCLE
611 Patricia Street
✆ +1 780 852 3898
www.freewheeljasper.com
info@freewheeljasper.com

■ HERTZ/RENT A CAR
607 Connaught Drive
✆ +1 780 852 3888

■ NATIONAL CAR RENTAL
607 Connaught Drive
✆ +1 780 852 1117

■ TILDEN
607 Connaught Drive
✆ +1 780 852 4972

Pratique

■ JASPER CREDIT UNION
404 Patricia Street
✆ +1 780 852 1175

■ POSTE
502 Patricia Street
✆ +1 780 852 3041

■ TORONTO DOMINION BANK
606 Patricia Street
✆ +1 780 852 6270

■ TOURISM JASPER
500 Connaught Drive
PO Box 568
✆ +1 780 852 6236
inquiries@jaspercanadianrockies.com

Se loger

Cette petite ville de 4 500 habitants offre un grand choix d'hôtels et pas moins de 1 700 emplacements de camping. Evidemment, les prix varient du simple au double suivant la saison. La pleine saison se situe entre juin et septembre. En été, de nombreux bungalows (équipés d'une cuisine) accroissent encore la capacité d'hébergement de la ville. S'adresser à la chambre de commerce pour plus d'informations.

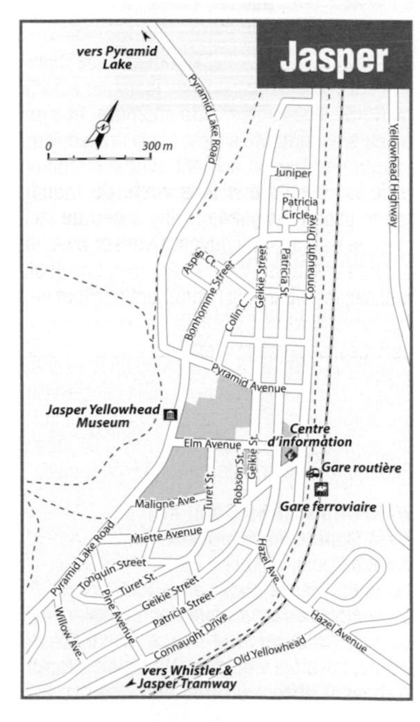

Pyramid Lake.

Camping. De nombreux sites disponibles. Compter entre 14 et 30 $ selon le site. A proximité de Jasper, 3 sites équipés (Whistlers, Wapiti, Wabasso) offrent un très bon confort. Par ailleurs, 7 différentes aires, réparties sur l'ensemble du parc, disposent des installations de base. Un permis est nécessaire pour pouvoir s'installer hors des campings ; il est délivré par les autorités du parc.

Chez l'habitant. L'hébergement chez l'habitant est bien plus économique (compter à partir de 60 $). Vous aurez votre chambre, et c'est à peu près tout. Mais c'est aussi un excellent moyen d'entrer en contact avec les locaux, sympas et bons connaisseurs de leur région. Informations sur www.stayinjasper.com

ATHABASCA HOTEL

510 Patricia Street ✆ +1 877 542 8422
www.athabascahotel.com
info@athabascahotel.com
Chambres entre 69 $ et 109 $ en hiver et entre 99 $ et 175 $ en été. Situé en plein centre-ville, cet hôtel vient de subir avec succès une cure de jeunesse. Sa joyeuse taverne, le O'Shea's Pub, contribue grandement à la vie locale.

INFORMATIONS CAMPING

www.jaspercanadianrockies.com
www.pc.gc.ca/jasper
inquiries@jaspercanadianrockies.com
De nombreux sites disponibles. Compter entre 14 $ et 30 $ selon le site. A proximité de Jasper, 3 sites équipés (Whistler, Wapiti, Wabasso) offrent un très bon confort. Par ailleurs, 7 aires différentes, réparties sur l'ensemble du parc, disposent des installations de base. Un permis est nécessaire pour pouvoir s'installer hors des campings : il est délivré par les autorités du parc.

MOUNT ROBSON INN

902 Connaught Drive ✆ +1 800 587 3327
www.mountrobsoninn.com
info@mountrobsoninn.com
Chambre double 224 $ en haute saison. Une perle ! Le grand luxe !

TEKARRA LODGE

✆ +1 877 532 5862
www.tekarralodge.com
info@unlimitedreservationservices.com
A deux pas du centre, le long de l'Athabasca river, sur la route en direction d'Edmonton. A partir de 169 $. Un petit bijou de par sa situation aux abords de la rivière. Petits lodges avec vue sur la rivière.

Se restaurer

ANDY'S BISTRO

606 Patricia Street
✆ +1 780 852 4559
A partir de 15 $.
Cuisine européenne avec quelques influences suisses. On a apprécié.

VILLA CARUSO

640 Connaught Drive
✆ +1 780 852 3920
Pour déguster les énormes steaks albertains (450 gr pour 38 $) sur la terrasse, avec une vue magique sur la vallée.

Sports / Détente / Loisirs

Si l'on aime les sensations fortes, Jasper est l'endroit rêvé pour pratiquer le kayak et le rafting. Vous y trouverez des rivières pour les débutants et d'autres pour les amateurs confirmés. Pour les plus modérés, de nombreuses promenades extraordinaires sont à faire. On pourra également faire un petit tour à cheval, ou bien découvrir les splendeurs du parc en plusieurs jours.

JASPER TRAMWAY

✆ +1 780 852 3093
www.jaspertramway.com
info@jaspertramway.com
Fermé en hiver. Prix 29 $.
Un téléphérique vous emmène à une aire de pique-nique au sommet, en compagnie des écureuils et des marmottes (les fameuses « siffleuses », ou « whistlers »).

Découverte de la nature à cheval.

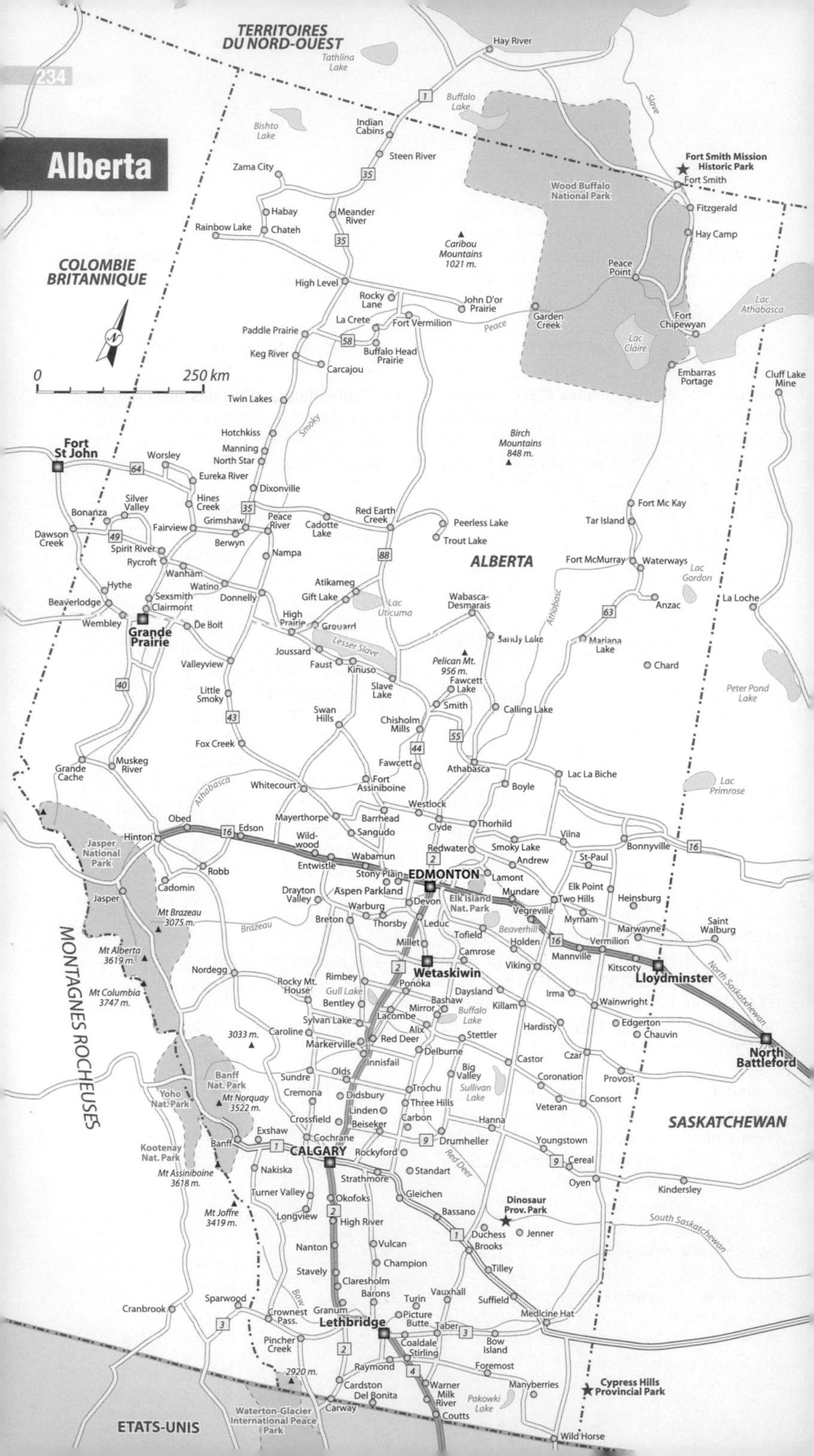
Alberta
TERRITOIRES DU NORD-OUEST
COLOMBIE BRITANNIQUE
ALBERTA
SASKATCHEWAN
MONTAGNES ROCHEUSES
ETATS-UNIS
0
250 km
N
Hay River
Tathlina Lake
Buffalo Lake
Bishto Lake
Slave
Indian Cabins
Steen River
Zama City
Fort Smith Mission Historic Park
Fort Smith
Wood Buffalo National Park
Fitzgerald
Hay Camp
Habay
Chateh
Meander River
Rainbow Lake
Caribou Mountains 1021 m.
Peace Point
High Level
Rocky Lane
John D'or Prairie
La Crete
Fort Vermilion
Garden Creek
Fort Chipewyan
Lac Athabasca
Peace
Paddle Prairie
Buffalo Head Prairie
Lac Claire
Keg River
Carcajou
Embarras Portage
Cluff Lake Mine
Twin Lakes
Smoky
Hotchkiss
Manning
North Star
Birch Mountains 848 m.
Fort St John
Worsley
Eureka River
Dixonville
Hines Creek
Silver Valley
Bonanza
Grimshaw
Peace River
Cadotte Lake
Red Earth Creek
Peerless Lake
Trout Lake
Fort Mc Kay
Tar Island
Dawson Creek
Fairview
Berwyn
Spirit River
Rycroft
Nampa
Fort McMurray
Waterways
Lac Gordon
Wanham
Hythe
Watino
Atikameg
Gift Lake
Wabasca-Desmarais
Anzac
La Loche
Sexsmith
Clairmont
Donnelly
Beaverlodge
Wembley
Grande Prairie
De Bolt
High Prairie
Grouard
Lac Utikuma
Sandy Lake
Athabasca
Mariana Lake
Joussard
Lesser Slave
Faust
Kinuso
Chard
Valleyview
Pelican Mt. 956 m.
Fawcett Lake
Slave Lake
Little Smoky
Smith
Peter Pond Lake
Calling Lake
Swan Hills
Chisholm Mills
Fox Creek
Fawcett
Athabasca
Lac La Biche
Grande Cache
Muskeg River
Fort Assiniboine
Whitecourt
Boyle
Lac Primrose
Westlock
Obed
Mayerthorpe
Barrhead
Thorhild
Hinton
Edson
Sangudo
Clyde
Vilna
Wildwood
Redwater
Smoky Lake
Bonnyville
Jasper National Park
Wabamun
Andrew
St-Paul
Robb
Entwistle
Stony Plain
EDMONTON
Lamont
Cadomin
Elk Point
Drayton Valley
Aspen Parkland
Mundare
Two Hills
Heinsburg
Jasper
Devon
Elk Island Nat. Park
Vegreville
Warburg
Mt Brazeau 3075 m.
Brazeau
Breton
Thorsby
Leduc
Myrnam
Tofield
Beaverhill
Marwayne
Saint Walburg
Holden
Vermilion
Mt Alberta 3619 m.
Millet
Camrose
Mannville
Nordegg
Wetaskiwin
Viking
Kitscoty
Lloydminster
Rimbey
Ponoka
Rocky Mt. House
Gull Lake
Daysland
North Saskatchewan
Mt Columbia 3747 m.
Bashaw
Irma
Bentley
Killam
Wainwright
Mirror
Buffalo Lake
Lacombe
Sylvan Lake
Alix
Hardisty
Edgerton
Chauvin
3033 m.
Caroline
Red Deer
Stettler
Markerville
Delburne
Czar
North Battleford
Innisfail
Castor
Banff Nat. Park
Sundre
Olds
Big Valley
Coronation
Provost
Cremona
Trochu
Sullivan Lake
Yoho Nat. Park
Mt Norquay 3522 m.
Didsbury
Three Hills
Consort
Veteran
Linden
Crossfield
Carbon
Beiseker
Hanna
Exshaw
Kootenay Nat. Park
Banff
Cochrane
Drumheller
Youngstown
CALGARY
Rockyford
Cereal
Red Deer
Mt Assiniboine 3618 m.
Nakiska
Standart
Oyen
Strathmore
Kindersley
Turner Valley
Okotoks
Gleichen
Dinosaur Prov. Park
Mt Joffre 3419 m.
Longview
Bassano
High River
South Saskatchewan
Duchess
Jenner
Nanton
Brooks
Vulcan
Champion
Tilley
Stavely
Claresholm
Barons
Vauxhall
Bow
Turin
Suffield
Cranbrook
Sparwood
Crownest Pass.
Granum
Picture Butte
Medicine Hat
Lethbridge
Taber
Pincher Creek
Coaldale
Bow Island
Stirling
2920 m.
Raymond
Foremost
Cardston
Warner
Manyberries
Cypress Hills Provincial Park
Del Bonita
Milk River
Pakowki Lake
Waterton-Glacier International Peace Park
Carway
Coutts
Wild Horse
1
35
58
64
49
35
88
63
43
40
44
55
16
2
16
2
9
1
9
2
1
3
3
2
4
16

Alberta

La province de l'Alberta est bordée à l'ouest par les Rocheuses et à l'est par les prairies. Les Rocheuses étonnent et éblouissent. Il y règne un calme sauvage, les villes y paraissent incongrues. Calgary et Edmonton, les deux principales agglomérations de cette province, grandissent, plus à l'est, dans les prairies. Boudées par ceux qui les trouvent monotones, ces vastes étendues, planes mais colorées, méritent elles aussi que l'on s'y arrête, ne serait-ce que pour la gentillesse de leurs habitants. L'Alberta, riche de cinq parcs nationaux (Jasper, Banff, Elk Island, Wood Buffalo et Waterton Lakes) et de 68 parcs provinciaux (rien que ça !), a un charme incomparable, appréciable en toute saison. Province baptisée du nom de la quatrième fille de la reine Victoria (princesse Louise-Caroline-Alberta), l'Alberta fut d'abord habitée par les tribus indiennes (les Blackfoots et les Sarcees, principalement), puis par des explorateurs européens venus y faire commerce des fourrures. En 1883, le chemin de fer Canadian Pacific atteignit Calgary et favorisa le développement de la province, qui tire aujourd'hui ses revenus du tourisme, des céréales et du pétrole. Le Canadian Pacific Railway a drainé des communautés entières en Alberta venant principalement de Chine et d'Europe.

Histoire

Le coureur des bois Anthony Henday fut le premier Européen à fouler le sol albertain en 1754. Il se lia d'amitié avec la tribu des Blackfoots et s'installa dans la région d'Edmonton. Le lac Athabasca représentait un potentiel énorme pour les marchands de fourrures et c'est sur ses rives que les Européens construisirent leur premier bâtiment, Fort Chipewyan, en 1758. En 1821, la Compagnie de la Baie d'Hudson (propriété de la couronne anglaise) prit le contrôle du commerce de fourrures dans la région, ce qui permit l'arrivée de missionnaires et, par extension, la création des premières villes. Les activités criminelles relatives au trafic du whisky pendant la Prohibition forcèrent le gouvernement à créer la police montée de l'Ouest, qui établit son premier poste à Fort Macleod, en 1874. A cette époque, la diminution de la population de bisons due à l'afflux grandissant de marchands de fourrures, la découverte des vertus de l'alcool, et les maladies introduites par les Européens, contribuèrent à la détérioration de la qualité de vie des tribus autochtones, auxquelles le gouvernement finit par attribuer des réserves (territoires).

Avec l'arrivée du chemin de fer en 1883, la population d'Alberta passa de 1 000 à 17 500 en 10 ans. Une campagne massive de publicité gouvernementale y attira des milliers d'immigrants allemands, ukrainiens et roumains au début du XXe siècle. De 73 000 en 1901, la population atteignait 584 000 habitants en 1921.

Aujourd'hui, l'Alberta produit 80 % du gaz naturel canadien, elle est le 9e producteur mondial de pétrole. Les gisements continuent d'attirer des professionnels du reste du pays : ils sont vus comme les pionniers du XXIe siècle. Une ruée a fait place à une autre, celle de l'or noir. La terre revête une importance toute particulière pour les Albertains. Qu'elle soit cultivée, creusée ou saignée, elle est une chance que la population a su exploiter sans exagérer. Le schéma international actuel pourrait néanmoins inverser cette tendance.Eh oui, la province de l'Alberta ne manque pas d'atouts. Déjà favorisée par ses richesses et ses espaces naturels, elle séduit les investisseurs grâce à l'absence de taxes sur les produits (c'est la seule province canadienne à ne pas appliquer de taxe provinciale).

Les immanquables de l'Alberta

- **Aller à Head-Smashed-In**, le précipice à bisons le mieux conservé du monde.
- **S'étourdir au sommet du complexe de saut à ski** au parc olympique Canada de Calgary.
- **Aller voir les cow-boys** du Stampede de Calgary.
- **Faire son shopping** dans l'extravagant West Edmonton Mall, véritable ville souterraine.
- **Vivre le « Grand Nord »** de la province.

SUD DE L'ALBERTA

Le sud de l'Alberta est bordé à l'ouest par la Colombie-Britannique, au sud par l'Etat américain du Montana et à l'est par la Saskatchewan, province canadienne des Prairies. La région a gardé des traces de son histoire et de sa préhistoire : les milliers d'années d'érosion dues aux vents et aux mouvements d'eau ont fini par mettre au jour des œufs de dinosaure près de Milk River et ont sculpté des hoodoos, ces mystérieux pinacles rocheux et colorés, notamment dans le Writing-on-Stone Park. Le paysage est superbe et offre maintes occasions d'apprécier les multiples facettes de la région Sud de l'Alberta (ne pas oublier de photographier les haies d'éoliennes plantées sur les collines). Le Oldman River Dam est l'occasion d'une halte agréable au bord d'une rivière turquoise (et en aval d'un barrage). La faune est omniprésente (écureuils et biches). Avant la ville de Pincher, prendre vers le sud par la route 6. Waterton Lakes est un parc national de plus de 500 km^2, à cheval sur la frontière canado-américaine, un site « où les montagnes rencontrent les prairies ». Cette juxtaposition a produit une immense richesse de fleurs (plus de la moitié des variétés de fleurs sauvages de l'Alberta) et d'animaux (dont le fameux grizzly). A admirer : l'immense lac avec, sur la rive de la ville de Waterton, le magnifique Prince of Wales Hotel, vedette privilégiée des cartes postales.

LETHBRIDGE

Troisième ville de l'Alberta, Lethbridge, à l'origine une ville minière (en 1870), est devenue aujourd'hui le centre d'une riche région agricole et d'élevage. Cette région du sud-ouest de l'Alberta profite en effet d'un microclimat créé par un vent chaud du Pacifique qui traverse les Rocheuses : le chinook – qui est également une espèce de saumon. Le principal monument de la ville est un pont ferroviaire, le plus haut (96 m) et le plus long (1,5 km) d'Amérique du Nord, le High Level Railway Bridge, construit entre 1907 et 1909. Les rives de la rivière Oldman ont été, au siècle dernier, le théâtre d'une bataille entre les Indiens Cree et Blackfoot. A parcourir : l'Indian Battle Park, la réserve naturelle de la ville, et le Helen Schuler Coulee Centre, zone protégée où sont présentées la flore et la faune de la vallée (notamment l'oiseau emblème de l'Alberta, le grand duc).

Transports

Comment y accéder et en partir

L'aéroport se trouve à 8 km au sud de Lethbridge (Highway5).

■ BUS GREYHOUND
Dépôt
411 5th Street
✆ +1 800 661 8747
www.greyhound.ca

Se déplacer

■ LA TRANSIT
✆ +1 403 320 3885

Pratique

■ CHINOOK COUNTRY TOURIST ASSOCIATION
2805 Scenic Drive
✆ +1 403 320 1222
www.chinookcountry.com
info@chinookcountry.com

Autre adresse : Autre centre d'information aux visiteurs : 50 – 1 Avenue South

Se loger

■ HERITAGE HOUSE B&B
1115 8th Avenue South
✆ +1 403 328 3824
www.ourheritage.net/bb.html
hrc@ourheritage.net
A partir de 90 $ la chambre double.
Art déco de 1937 dans un beau quartier de Lethbridge. Salle de bains commune, mais à ce prix-là !

■ LETHBRIDGE LODGE
320 Scenic Drive South
✆ +1 403 328 1123
+1 800 661 1232
www.lethbridgelodge.com
reservations.lethbridgelodge@silverbirchhotels.com
Occupation double : à partir de 115 $. Forfaits disponibles.
Un des hôtels les plus réputés de la ville, avec 190 chambres et une ambiance tropicale. Piscine intérieure et Jacuzzi.

Retrouvez le sommaire en début de guide

À voir / À faire

■ **FORT WHOOP-UP**
Box 1074
200 Indian Battle Park Road
✆ +1 403 329 0444
www.fortwhoopup.com
dordeg@fortwhoopup.com
Ouvert de 10h à 17h en été. Entrée 5 $.
Construit par des Américains du Montana en 1869, c'est alors, le plus mal famé et le principal repaire des trafiquants de spiritueux du sud de l'Alberta. L'ordre sera rétabli avec la construction du fort MacLeod et du fort Calgary. Festivités au début du mois de juillet (défilés, rodéos, etc.).

■ **NIKKA YUKO JAPANESE GARDEN**
✆ +1 403 328 3511
www.nikkayuko.com
info@nikkayuko.com
Ouvert de mai à mi-octobre tous les jours de 9h à 17h (jusqu'à 20h en juillet et août). Adulte : 7 $.
Ce jardin de grande beauté, simple et serein, est un hommage rendu par la ville à la communauté japonaise du Canada, ostracisée pendant la Seconde Guerre mondiale : 6 000 Japonais ont été déportés à Lethbridge.

Dans les environs

■ **FORT MACLEOD**
À une quarantaine de kilomètres à l'ouest de Lethbridge
✆ +1 403 557 4703
✆ +1 866 273 6841
www.nwmpmuseum.com
info@nwmpmuseum.com
Ouvert de mai à mi-octobre (tous les jours de juin à septembre de 9h à 17h). Adulte 8,50 $-10 $ selon la saison.
Fort construit par la police montée en 1874, pour lutter contre le trafic d'alcool au fort Wooh-Up. Le fort actuel, parc provincial, en est une réplique datant de la fin des années 1950 et n'est, en fait, qu'une bâtisse en bois.

■ **HEAD-SMASHED-IN BUFFALO JUMP**
A 66 km à l'ouest de Lethbridge, à 18 km à l'ouest de Fort MacLeod et à 3 km de la Highway 2 par la route 785
✆ +1 403 553 2731
www.head-smashed-in.com
info@head-smashed-in.com
Ouvert tous les jours de 10h à 17h. Adulte : 10 $.

Il y a environ 150 ans, une légende transmise de génération en génération a permis la mise au jour d'un haut lieu de la chasse indienne. Depuis 1981, le site est classé sur la Liste du patrimoine mondial de l'Unesco. Dans une plaine aride, véritable décor de Far-West hollywoodien, se dresse, massif, ce « Saut où les bisons se fracassaient la tête ». Pendant près de 6 000 ans, les Indiens des plaines (et plus précisément le peuple des Blackfoot) ont mené les bisons au haut de la falaise. Cette « chasse », organisée comme une cérémonie (The Iniskim), comportait différentes étapes : selon la légende, un appel spirituel était d'abord lancé pour garantir le succès de l'entreprise (Tipi Ring) ; une fois dans la plaine, les bisons étaient « guidés », dans un couloir de pierre de 8 km, vers un enclos (Gathering Basin) puis vers les bords de la falaise. Dissimulé dans la montagne, tel un bunker, le musée, sur plusieurs niveaux, fournit des explications sur cette chasse et son utilité. Elle avait, bien sûr, pour but l'alimentation des tribus et leur chauffage avec le fumier, mais aussi la confection des vêtements et des tipis avec les peaux, la fabrication des outils avec les os, etc. Le musée est animé par des membres de la communauté indienne.

…EDECINE HAT

…elon une légende, la ville doit son nom à un sorcier de la tribu des Cree, lequel, lors d'une bataille avec la tribu des Blackfoot, déserta et perdit sa coiffe en plumes, ce qui entraîna le massacre des siens. Les colons européens traduisirent littéralement medicine (man) par « sorcier » et hat par « coiffe », et baptisèrent le lieu de la bataille « Medicine Hat ».Situé au sud-est de l'Alberta, à quelques kilomètres de la frontière avec la Saskatchewan, Medicine Hat est une oasis boisée au milieu des prairies qui doit l'essentiel de sa prospérité à l'exploitation du gaz. Une des plus grandes nappes de gaz naturel de l'Ouest canadien se trouve en effet dans son sous-sol. Depuis une cinquantaine d'années, la poterie et la faïence ont fait la renommée mondiale de la ville. De riches dépôts d'argile abondent sur les rives de la South Saskatchewan River, près de Medicine Hat

Pratique

■ **TOURIST INFORMATION CENTRE**
8 Gehring Road SE
✆ +1 800 481 2822

Se loger

■ **BEL AIRE MOTEL**
633 14th Street SW ✆ +1 403 527 4421
A partir de 40 $. Pas luxueux et un peu bruyant à cause de l'air conditionné, mais pour le prix !

Se restaurer

■ **MAD HATTER COFFEE ROASTERY**
513 3rd Street SE ✆ +1 403 529 2344
Pour son café à 1 $.

■ **RUSTLER'S**
901 8th Street SW ✆ +1 403 526 8004
Bienvenue au Far-West : l'endroit est rustique, et une table vous rappelle qu'un jeu de poker a mal tourné dans cet établissement (pistolet et cartes de poker tachées de sang…). Très prisé pour le petit déjeuner. Bref, c'est bon et pas cher.

À voir / À faire

■ **CLAY PRODUCTS INTERPRETIVE CENTRE**
713 Medalta Avenue SE
✆ +1 403 529 1070
www.medalta.org
info@medalta.org
Ouvert tous les jours de mi-mai à septembre. Adulte : 10 $.
Pour encourager la préservation de l'histoire de la poterie et de la faïence locale.

■ **MEDICINE HAT EXHIBITION AND STAMPEDE**
✆ +1 403 527 1234
✆ +1 866 647 6336
www.mhstampede.com
mhstampede@mhstampede.com
Une extravagance annuelle depuis 1887. Ce « stampede », le deuxième plus grand rodéo en Alberta (après celui de Calgary), se déroule pendant la dernière semaine de juillet. Allez-y aussi pour la grande soirée country du samedi soir !

CYPRESS HILLS PROVINCIAL PARK

A 81 km au sud-est de Medicine Hat, près de la frontière de la Saskatchewan, le Cypress Hills Provincial Park est le deuxième plus grand parc de l'Alberta. Il s'étend dans les prairies, ce qui lui vaut le nom de Rocky Mountain Forest.
Peu fréquenté à cause de sa situation excentrée, le parc abrite une faune variée (élans, cerfs, etc.), habituelle des Rocheuses, et une grande variété d'orchidées. Le pin de Murray (« cypress », qui n'a rien de commun avec notre cyprès) orne tous les sentiers et les montagnes du parc.

■ **CYPRESS HILLS PROVINCIAL PARK**
✆ +1 403 893 3833
www.cypresshills.com
cypresshills@gov.sk.ca
Ouvert toute l'année.

■ **ELKWATER LAKE LODGE & RESORT**
À Elkwater dans les Cypress Hills
(à 60 km au sud-est de Medicine Hat)
✆ +1 403 893 3811
✆ +1 866 893 3811
www.elkwaterlakelodge.com
info@elkwaterlakelodge.com
Tarifs selon la saison et le type d'hébergement choisi. Restaurant, centre de santé, centre aquatique. Forfaits disponibles.
Magnifique centre de villégiature au cœur de la nature et des montagnes Cypress. L'hébergement se fait en suites, condos ou chalets. Une belle adresse pour les amants du plein air et de la détente !

CALGARY

Malgré les hauts buildings de son centre-ville et son statut de capitale pétrolière, Calgary est une ville tournée vers la nature et vers ses traditions. Construite au confluent de deux rivières (Bow et Elbow Rivers) et entourée de collines, cette ville est aux portes des Rocheuses canadiennes à l'ouest, et des Badlands à l'est. En juillet, le festival annuel du rodéo, le Stampede, vient rappeler à tous les habitants leur passé de cow-boys, et confère à cette ville paisible le reste de l'année une atmosphère particulière et une effervescence hors du commun. Il a d'ailleurs valu à la ville le surnom de « Cowtown ». Si vous avez l'intention de visiter la région en été, n'hésitez pas à caler votre séjour sur cet événement qui vaut le détour. Calgary a toutefois gardé sa réputation de ville olympique (en 1988), dont elle a du mal à se débarrasser. Divisée en quatre parties (nord-est, sud-est, sud-ouest et nord-ouest), Calgary est séparée, du nord au sud, par la rivière Bow, prolongée par Memorial Drive, et d'ouest en est par Centre Street. Certains axes routiers portent de jolis noms, comme le « Deerfoot Trail », drôle de « sentier » goudronné à huit voies. Tout un passé « cow-boy » qui survit et coexiste fort bien avec l'extrême modernité du Canada… Calgary compte aujourd'hui un peu plus d'un million d'habitants, et est une étape agréable sur le chemin des Rocheuses.

Histoire

« Vieille » de 130 ans, Calgary a plus un patrimoine qu'une histoire. Jusqu'à ce que Macleod ait pris les commandes du fort établi par la police montée du Nord-Ouest, en 1875, les Amérindiens portaient peu d'intérêt à ce lieu, et les commerçants de fourrures et les contrebandiers de spiritueux remontaient tous vers le nord chercher fortune. Macleod appela le site Calgary, du nom d'une baie sur l'île de Mull en Ecosse. En 1883, la station de chemin de fer de la ville était construite et Calgary commença à se développer. L'incendie de 1886 détruisit la majeure partie de la ville et une loi ordonna alors la reconstruction des nouveaux bâtiments en grès (comme en témoignent encore le tribunal et le magasin de la Hudson's Bay Company). La découverte de gisements de pétrole en 1914, à Turner Valley, a donné le départ à une industrie sur laquelle Calgary vit encore aujourd'hui. La crise pétrolière des années 1970 a contribué à l'essor de la ville, qu'elle aida à devenir un centre énergétique et financier mondialement reconnu. Les revenus des compagnies pétrolières continuent d'être investis dans la ville, les équipements sportifs, les centres culturels et les parcs. Après un ralentissement de l'économie, Calgary est repartie de plus belle après avoir accueilli les Jeux olympiques d'hiver de 1988. Elle a aujourd'hui en quelque sorte trouvé une vitesse de croisière, et cherche à diversifier son économie, à travers le tourisme notamment.

Skyline de la ville.

Malgré l'élargissement de ses limites géographiques, la ville garde un esprit très communautaire, presque comme une petite bourgade. Les entrepreneurs millionnaires y injectent beaucoup de leur argent personnel et, fiers de leur communauté, les résidents n'hésitent pas à offrir de leur temps, notamment au cours du Stampede.

Quartiers

Downtown

▸ **La 8th Avenue** (Stephen Avenue entre Barclay Mall et Macleod Trail SE) est l'artère commerçante de la ville. Cette voie piétonne permet d'accéder aux différents centres commerciaux reliés par des couloirs aériens. Non loin de la Tour et de la mairie, la petite Olympic Plaza accueille l'été des concerts et des représentations théâtrales en plein air. L'hiver, elle se transforme en patinoire.

▸ **La 11th Avenue**, alias Electric Avenue, porte bien son surnom. Ici, les frontons lumineux de nombreux bars country et de restaurants clignotent tard dans la nuit. Sur l'Olympic Plaza s'étaient tenues les cérémonies de remise des médailles des J.O. de 1988. Toutes les briques de la place ont été gravées aux noms des résidents de Calgary qui ont contribué aux J.O.

▸ **Chinatown.** La communauté asiatique est regroupée le long de la Centre Street, près de Bow River. Petites épiceries traditionnelles, restaurants, boutiques et, surtout, le Chinese Cultural Centre (197 1st Street SW).

Inglewood et le Southeast

Inglewood est un vieux quartier de Calgary, fondé en 1880, sur la 9th Avenue SE, entre les 10th et 12th Streets. C'est aujourd'hui un quartier assez branché où les habitants de Calgary aiment à se retrouver.

Mission et le Southwest

De la 4th Street South jusqu'à l'Elbow River, Mission District était le quartier où s'étaient établis les missionnaires québécois. Aujourd'hui, on y voit surtout des restaurants, des magasins et de vieilles bâtisses restaurées. La 17th avenue est un choix judicieux si vous cherchez un restaurant ou un bar pour passer la soirée.

Kensington et le nord

Kensington est un quartier situé à cheval sur la Bow River, au nord de Downtown. On y trouve la plus grande concentration de cafés de la ville ainsi que des petites boutiques.

Se déplacer

Avion

L'aéroport se trouve au nord-est du centre-ville. Il est desservi par une quinzaine de compagnies aériennes et 12 millions de passagers y transitent chaque année. A l'arrivée, vous serez accueilli par des agents coiffés de jolis chapeaux blancs de cow-boy (à la façon de JR Ewing dans Dallas...) : ce sont les White Hats, et ils sont là pour répondre à vos questions.
Comptez 30 $ environ en taxi jusqu'au centre-ville, ou prenez le Airport Shuttle Express (www.airportshuttleexpress.com), 15 $, et qui vous dépose devant les grands hôtels de la ville.

■ **CALGARY AIRPORT AUTHORITY**
2000 Airport Road N.E.
✆ +1 403 735 1200
www.calgaryairport.com
infodesk@yyc.com
Il accueille plusieurs vols venant des États-Unis et du Canada, ainsi que du Sud (Mexique, etc.) et de l'Europe (Angleterre, Allemagne). Le transport en commun (ligne d'autobus 57) dessert l'aéroport. Il y a également des navettes pour certains hôtels.

Bus

■ **GREYHOUND**
Dépôt au 877 Greyhound Way SW
✆ +1 800 661 8747
www.greyhound.ca
commercial.sales@greyhound.com

■ **RED ARROW**
205 9th Avenue
✆ +1 403 531 0350
✆ +1 800 232 1958
www.redarrow.ca
info@redarrow.ca
Une compagnie qui dessert Calgary, Banff, Lake Louise, Red Deer, Edmonton et Fort McMurray.

Voiture

■ **AVIS**
3911B MacLeod Trail S
✆ +1 403 269 6166
www.avis.com

■ **BUDGET**
3328 26 Street Ne
✆ +1 403 226 1550
www.budget.com

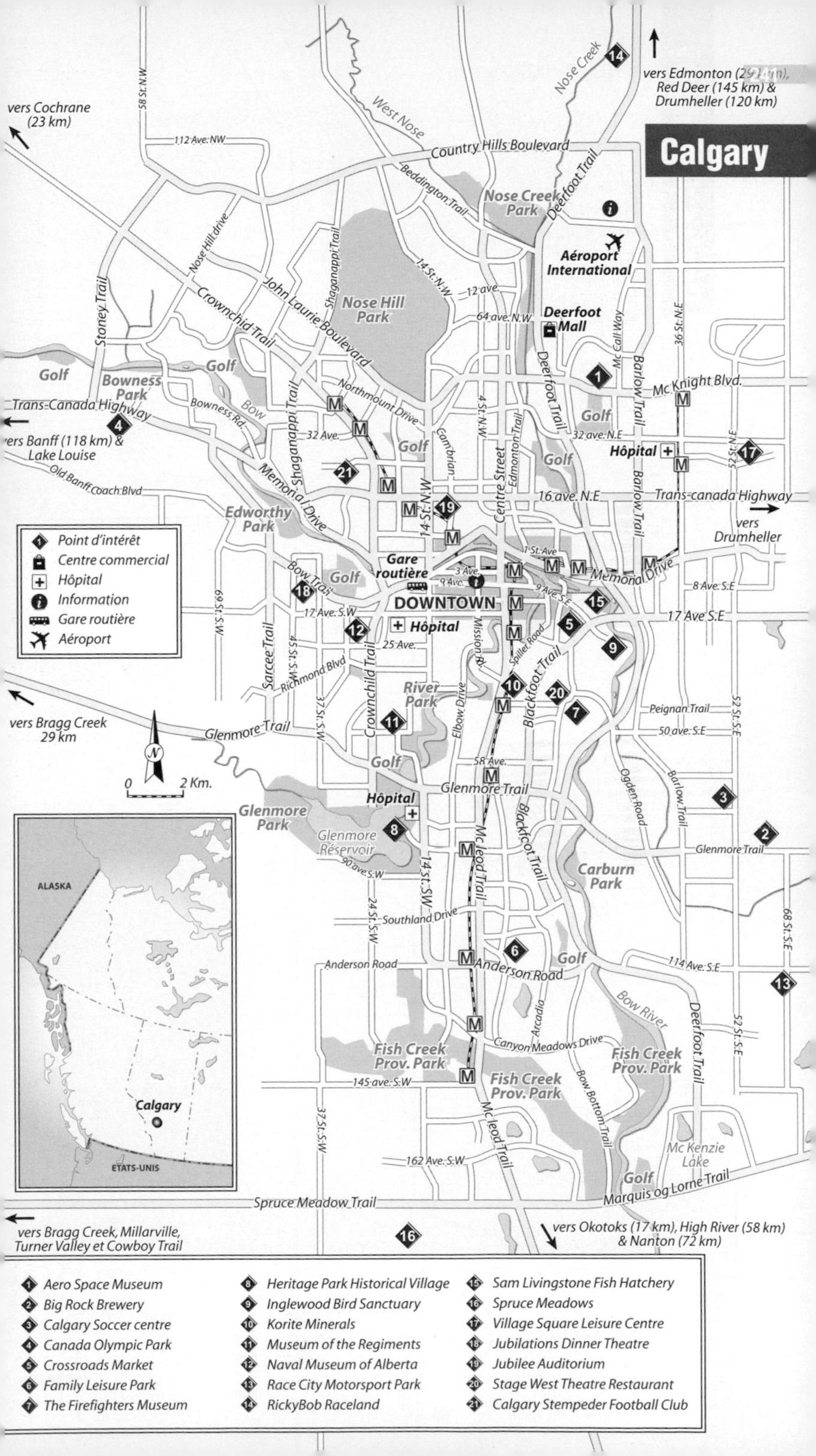
Calgary
vers Edmonton (297 km), Red Deer (145 km) & Drumheller (120 km)
vers Cochrane (23 km)
vers Banff (118 km) & Lake Louise
vers Drumheller
vers Bragg Creek 29 km
vers Bragg Creek, Millarville, Turner Valley et Cowboy Trail
vers Okotoks (17 km), High River (58 km) & Nanton (72 km)
Aéroport International
Deerfoot Mall
Nose Hill Park
Nose Creek Park
Bowness Park
Edworthy Park
River Park
Glenmore Park
Glenmore Réservoir
Carburn Park
Fish Creek Prov. Park
Mc Kenzie Lake
DOWNTOWN
Gare routière
Hôpital
Country Hills Boulevard
Trans-Canada Highway
Crowchild Trail
John Laurie Boulevard
Shaganappi Trail
Stoney Trail
Deerfoot Trail
Barlow Trail
Memorial Drive
Glenmore Trail
Blackfoot Trail
Mc leod Trail
Anderson Road
Spruce Meadow Trail
Marquis og Lorne Trail
Bow River
0 2 Km.
ALASKA
ETATS-UNIS
Calgary
Point d'intérêt
Centre commercial
Hôpital
Information
Gare routière
Aéroport
1 Aero Space Museum
2 Big Rock Brewery
3 Calgary Soccer centre
4 Canada Olympic Park
5 Crossroads Market
6 Family Leisure Park
7 The Firefighters Museum
8 Heritage Park Historical Village
9 Inglewood Bird Sanctuary
10 Korite Minerals
11 Museum of the Regiments
12 Naval Museum of Alberta
13 Race City Motorsport Park
14 RickyBob Raceland
15 Sam Livingstone Fish Hatchery
16 Spruce Meadows
17 Village Square Leisure Centre
18 Jubilations Dinner Theatre
19 Jubilee Auditorium
20 Stage West Theatre Restaurant
21 Calgary Stempeder Football Club

Centre de Calgary

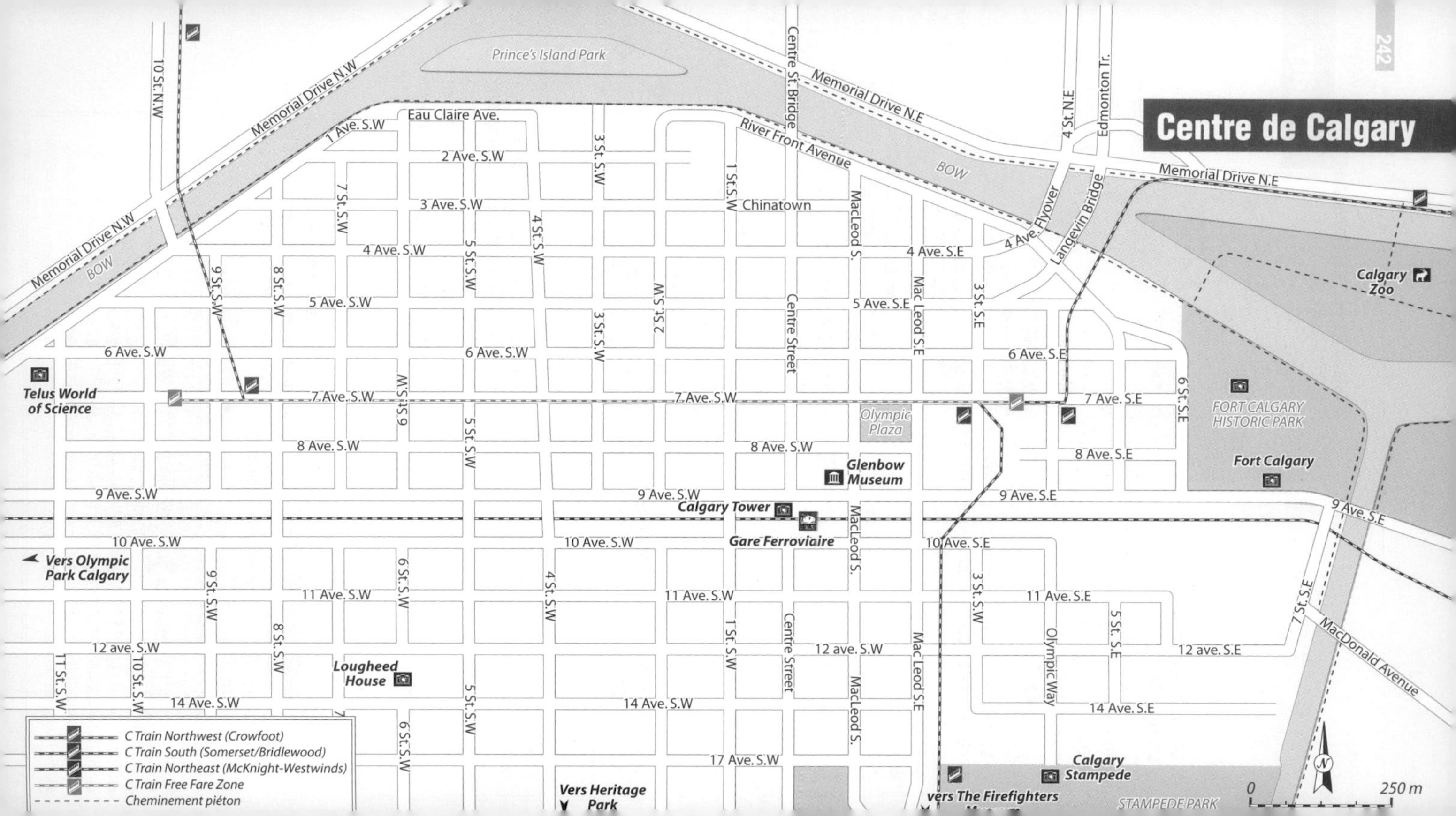

Taxi

■ **CHECKER YELLOW CAB**
316 Meridian Road Se
✆ +1 403 299 9999

Pratique

■ **CALGARY CONVENTION & VISITOR BUREAU**
238 – 11th Avenue SE ✆ +1 800 661 1678
www.tourismcalgary.com

◗ **Autre adresse :** Visitor Services Centres – 9th Avenue SW (au pied de la Tour de Calgary).

Se loger

Le centre-ville de Calgary comporte un grand nombre d'hôtels, pour la plupart appartenant à de grandes chaînes. En revanche, vous aurez plus de difficultés à trouver un hébergement bon marché. Une solution avantageuse est proposée par les Bed & Breakfast qui se développent autour de la ville, parfois à deux pas (ou quelques arrêts de bus) de Downtown.

Downtown

■ **THE FAIRMONT PALLISER HOTEL**
133 9th Avenue SW
✆ +1 403 262 1234, +1 866 540 4477
www.fairmont.com/palliser
palliserhotel@fairmont.com
405 chambres et suites à partir de 149 $. Forfaits disponibles. Centre de santé, restaurants. C'est l'hôtel historique de Calgary. Il porte le nom de l'expédition anglaise qui a conduit à la découverte, en 1858, du col Kicking Horse (dans les Rocheuses). Le sol du vaste hall d'entrée est en marbre.

Inglewood et le Southeast

CALGARY CITY VIEW
2300 6th street SE
✆ +1 877 898 1381, +1 403 237 0454
Fax : +1 403 235 3393
www.calgarycityview.com
canadamichelinebb@iname.com
Sur une colline dominant le centre-ville. 3 chambres, de 50 à 115 $ (228 $ pendant le Stampede). S'il n'y avait qu'une qualité à retenir de ce charmant B&B, ce serait sans doute cette magnifique vue sur les tours du centre-ville et les Rocheuses. Mais il y a bien plus à retenir ! A commencer par la gentillesse de votre hôte francophone, Micheline, et la proximité du centre (20 minutes à pied). Les chambres sont confortables et les parties communes chaleureuses.

■ **CALGARY INTERNATIONAL HOSTEL**
520 7th Avenue SE
✆ +1 888 762 4122
www.hihostels.ca
doina.tibu@hihostels.ca
A partir de 28 $ en dortoir pour les membres, 72 $ la chambre double.
Près de 110 lits en dortoir. Auberge de jeunesse proche du centre-ville (navette vers les autres auberges de l'Alberta). Parfaitement située : plein centre, à un block du C-Train. Le Airport Shuttle Express s'y arrête également.

■ **INGLEWOOD B&B**
1006 8th Avenue SE
✆ +1 403 262 6570
www.inglewoodbedandbreakfast.com
info@inglewoodbedandbreakfast.com
Trois chambres entre 100 $ et 165 $.
A quelques minutes du centre-ville, dans une rue résidentielle proche d'un parc et de la Bow River. Grande maison victorienne au décor moderne et simple. Excellents petits déjeuners.

Kensington et le nord

■ **ENGLISH BED, BREAKFAST AND DAY SPA**
5544 Dalhousie Drive NW
✆ +1 403 286 0777
www.englishbb.com
rsvp@englishbb.com
2 chambres à 85 $ (145 $ pendant le Stampede)
Un peu éloigné du centre-ville (mais accessible en transports en commun), ce B&B tenu par la famille English compense par la qualité de son accueil. Outre les deux chambres charmantes, vous y trouverez un Jacuzzi sur la terrasse, et Teri prodigue des massages dans une pièce de la maison prévue à cet effet.

Se restaurer

Dans le sud du centre-ville, le long de la 17th Avenue et de la 4th Street, vous trouverez absolument toutes les cuisines possibles.

Downtown

■ **HANG FUNG RESTAURANT**
119 3rd Avenue SE
✆ +1 403 269 4646
Compter moins de 10 $.
Quand les Chinois eux-mêmes y vont, c'est souvent bon signe.

■ **TEATRO**
200 8th Avenue SE
✆ +1 430 290 1012
www.teatro.ca – info@teatro.ca
Ouvert midi et soir en semaine, uniquement le soir le week-end. Environ 50 $ pour un dîner à la carte.
Une belle adresse pour apprécier une cuisine italienne de qualité, dans un cadre raffiné. Le tout sur l'une des plus charmantes places de la ville, l'Olympic Plaza.

Inglewood et le Southeast

■ **KAMHAN SZECHUAN HOUSE**
2318 Spiller Road SE ✆ +1 403 264 6030
www.kamhanszechuanhouse.com
diepandzhao@yahoo.ca
Environ 25 $ à la carte. Un très bon restaurant chinois au sud de la ville. Les propriétaires sont chaleureux, et les portions sont plus que copieuses. Et la qualité est au rendez-vous. Les hommes d'affaires du coin s'y retrouvent pour déjeuner, moins fréquenté le soir.

■ **LUCIANO'S LITTLE ITALIAN GRILL**
9223 MacLeod Trail South
au niveau du Glenmore Reservoir
✆ +1 403 253 4266
Restaurant spécialisé dans les pâtes et les sauces maison. Ambiance familiale et menus pour les enfants.

■ **THE NEWPORT GRILL**
747 Lake Bonavista Drive SE
✆ +1 403 271 6711
www.newportgrill.com
Prenez la Highway 2, direction sud.
Menu midi à partir de 15 $ et le soir, à plus de 25 $. Réservation recommandée.
Restaurant sur pilotis, dans un superbe décor. Au menu : fruits de mer, filet mignon, côtelettes d'agneau, steak « à la new-yorkaise » et bons vins. Grand standing.

Mission et le Southwest

■ **MELROSE CAFÉ AND BAR**
730 17th Avenue SW ✆ +1 403 228 3566
www.melrosecalgary.com
event@melrosecalgary.com
Bar et restaurant, comptez environ 20 $ pour dîner. Un des bars les plus fréquentés de la ville. Le must : s'y retrouver le mercredi soir pour suivre le match de hockey des Calgary Flames. Ambiance garantie dans la salle au comptoir immense et aux dizaines d'écrans de télé de toutes les tailles. Mais vous pouvez aussi choisir la deuxième salle, plus calme…

À voir / À faire

Downtown

■ **CALGARY TOWER**
101 9th Avenue SW
✆ +1 403 266 7171
www.calgarytower.com
info@calgarytower.com
Symbole de la ville, cette tour édifiée en 1967, en 24 jours, mesure 191 m de haut et offre un panorama exceptionnel sur les Rocheuses. Sa terrasse d'observation se trouve à 1 229 m d'altitude au-dessus du niveau de la mer (entrée 14 $ pour les adultes, 6 $ pour les enfants).
Il faut savoir que l'ascenseur monte au sommet de la tour en 62 secondes et que le record de la montée des 762 marches est de 9 minutes et demie. A vos marques !

■ **FORT CALGARY HISTORIC PARK**
750 9th Avenue SE
✆ +1 403 290 1875
www.fortcalgary.com
info@fortcalgary.com
Ouvert toute l'année de 9h à 17h. Adulte : 11 $ (7 $ pour les enfants).
Bâtie sur les rives de l'Elbow River, cette ancienne place forte de la police montée canadienne sert de cadre à une reconstitution historique (et architecturale) du Calgary du siècle dernier. Vous y trouverez un centre interactif où vous pourrez envoyer des messages par télégraphe et faire un tour dans un tramway de 1928. Une maison centenaire, ancienne demeure d'un superintendant, accueille aujourd'hui un salon de thé (The Deane House).

■ **GLENBOW MUSEUM**
130 9th Avenue SE ✆ +1 403 268 4100
www.glenbow.org
glenbow@glenbow.org
Ouvert toute l'année de 9h à 17h (le dimanche de midi à 17h). Adulte : 14 $.
Cette galerie d'art contemporain met régulièrement à l'honneur de jeunes peintres canadiens. Les expositions permanentes montrent de belles pièces d'art inuit. Le musée retrace également l'histoire du Canada en proposant, comme il se doit, des reconstitutions de maisons anciennes. Vous y découvrirez différentes collections d'objets usuels et parfois insolites (une sélection de fils barbelés choisis parmi les 1 200 modèles recensés en 1881 !). Le 4e étage est réservé à une exposition militaire où d'effrayantes armures de samouraï, des mousquetons et des arbalètes côtoient des armes plus récentes.

Le Stampede

La ville a beau avoir l'habitude d'accueillir de nombreux festivals, leur succès et leur ampleur cependant ne sauraient rivaliser avec cet événement par excellence qu'est le Stampede, le plus grand rodéo du monde. Chaque année, au mois de juillet, ses parades, ses spectacles et ses compétitions attirent plus d'un million de spectateurs. Pendant cette dizaine de jours, la ville entière se métamorphose.

La parade du Stampede, composée d'une trentaine de groupes de musique, de dignitaires à cheval et de vieux véhicules, parcourt la 6th Avenue en partant de MacLeod Trail SE jusqu'à la 9th Street SW, puis prend la direction du sud vers la 9th Avenue SW avant de s'en revenir vers la 4th Street. Les chevaux qui participent aux rodéos partent traditionnellement du Stampede Ranch, près de Hanna, au nord de Calgary, et traversent les plaines et la ville pour prendre leurs quartiers au Saddledome.

Le rodéo comprend six épreuves principales, à savoir le Saddle Bronc (monte avec selle d'un cheval sauvage), le Bareback (l'épreuve la plus physique où le cavalier monte un cheval à cru, sans selle ni bride), le Bull Riding (les chevaux sont remplacés par des taureaux – spectaculaire !), le Steer Wrestling (monté sur un cheval lancé au galop, le cow-boy doit immobiliser un jeune bœuf le plus rapidement possible), le Calf Roping (le cow-boy doit attraper un jeune taureau au lasso) et le Barrel Racing (épreuve féminine de course autour de tonneaux).

Le gagnant de chaque épreuve empoche plusieurs milliers de dollars. Certains y laissent la vie. La manifestation comprend aussi les mêmes épreuves pour les juniors. Le Mutton Busting consiste, pour des jeunes cow-boys, à se faire malmener par des moutons. Le soir, les courses de chariots attelés offrent un spectacle inoubliable dans une ambiance surchauffée.

En marge des épreuves, le Stampede propose aussi une exposition agricole où sont montrés les plus beaux spécimens bovins, une présentation de chevaux ainsi qu'un village indien (sic !) où sont représentées toutes les tribus locales.

■ CALGARY STAMPEDE

1410 Olympic Way Southeast

© +1 403 269 9822, +1 800 661 1767

www.calgarystampede.com

Début à mi-juillet. L'enceinte du Stampede est ouverte de 8h à minuit. Admission générale sur le site : 15 CAN $. Billets pour les rodéos : 36 à 378,75 CAN $. Billets pour les spectacles musicaux et forfaits aussi disponibles.

Un des plus grands rodéos du monde rappelant le passé cowboy de la ville. Un incontournable au pays ! Autres activités sur le site : spectacles musicaux, animations, expositions, etc.

Exposition Stampede.

Eau Claire Market à Calgary.

■ **TELUS WORLD OF SCIENCE**
701 11th Street SW
✆ +1 403 268 8300
www.calgaryscience.ca
discover@calgaryscience.ca
Ouvert de 9h45 à 16h, 17h le vendredi et de 10h à 17h le week-end et les jours fériés. Entrée adulte : 14,25 $, enfant : 10 $.
Une visite qui intéressera les enfants en leur faisant découvrir le monde scientifique au moyen de jeux multimédias interactifs, d'un planétarium, d'un observatoire et de deux salles de spectacle.

Inglewood et le Southeast

■ **THE FIREFIGHTERS MUSEUM**
4124 11th Street SE
✆ +1 403 246 3322
www.firefightersmuseum.org
info@firefightersmuseum.org
Ouvert de mai à octobre.
Toute grande ville peut être menacée par un incendie, et Calgary en a connu un en 1886, qui l'a dévastée. L'unique bâtiment qui en a réchappé se trouve au 131 8th Avenue SW. Après cette catastrophe, la ville a été reconstruite avec un minimum de matériaux inflammables et a pris le nom de Sandstone City (Ville en grès). Le musée expose des photos des divers incendies, des uniformes et des camions de l'époque.

Mission et le Southwest

■ **HERITAGE PARK**
1900 Heritage Drive SW
✆ +1 403 268 8500
www.heritagepark.ca
info@heritagepark.ab.ca
Ouvert de 10h à 17h, tous les jours de mai à septembre et les week-ends le reste de l'année. Entrée adulte : 21 $, enfant : 16 $.
Cet immense parc reconstitue, en grandeur nature, une ville du début du siècle. Les bâtiments d'origine ont seulement été déplacés de leur site initial et remis en état. Des figurants en tenue d'époque leur redonnent vie. C'est amusant et vraiment instructif. Le visiteur éprouve le sentiment étrange de pénétrer dans l'intimité d'une famille. Il peut faire quelques achats (confiseries, pâtisseries) dans de vieilles boutiques, avant de grimper dans un vénérable train qui, circulant autour du parc, laisse échapper un épais nuage de fumée.

■ **OLYMPIC PARK**
88 Canada Olympic Road SW
✆ +1 403 247 5452
www.canadaolympicpark.ca
info@winsportcanada.ca
A 10 minutes du centre-ville par la Highway 1. En venant de Banff, vous verrez tout d'abord les installations qui ont servi aux XVe Jeux olympiques en 1988. Les tremplins de saut

sont encore là : grâce à leur revêtement de fibres synthétiques, ils permettent aux champions de s'entraîner tout au long de l'année. De loin, le site paraît minuscule. Les autres constructions nécessaires aux épreuves font désormais partie des infrastructures permanentes de la ville, tel le stade en forme de selle, Olympic Saddledome, qui accueille aujourd'hui les compétitions de hockey. Sur le site olympique, un centre d'informations touristiques renseigne les visiteurs. Il leur fournit aussi des cartes indiquant les pistes cyclables. Le vélo est en effet idéal pour découvrir Calgary, notamment sa retenue d'eau appréciée par les adeptes de sports nautiques. Le Musée olympique expose les tenues des athlètes et permet de feuilleter une anthologie de leurs déclarations – certaines valent leur pesant en médailles d'or. A deux pas du musée, une grue attend les candidats au saut à l'élastique.

Shopping

■ **EATON CENTRE**
Stephen Avenue
Au niveau de 4th Street SW
✆ +1 403 441 4940
www.coreshopping.ca
corecustomerservice@20vic.com
C'est le principal centre commercial de Calgary, en plein centre-ville le long de la rue piétonne. Il est relié à d'autres (plus petits) par un réseau de walkways, ponts aériens au-dessus des rues, qui permettent de faire son shopping sans mettre le nez dehors.

■ **EAU CLAIRE MARKET**
2nd Avenue et 2nd Street SW
www.eauclairemarket.com
Le centre commercial est situé au cœur de la ville, le long de Bow River et de Prince's Island Park. Lun-mer & sam, 10h-18h ; jeu-ven, 10h-20h ; dim, 10h-17h.
Outre ses restaurants, ses magasins, sa salle de jeux d'arcades, son complexe cinématographique, il abrite un marché de produits frais (poissons, viandes, vins, fleurs, produits exotiques, charcuterie et boulangerie). Cependant, il faut bien dire qu'avec le recentrage de l'activité économique au sud de la ville, les allées sont depuis quelques années bien vides…

■ **HERITAGE TRADING POST**
Calgary International Airport
2e niveau
✆ +1 403 250 7804
Tout sur la culture indienne : livres, musique, reproductions d'objets traditionnels, produits artisanaux, vêtements en cuir (vestes et mocassins). On peut seulement regretter que ce magasin se trouve au nord de la ville, à l'aéroport, ce qui fait un peu piège à touristes…

CENTRE DE L'ALBERTA

Le centre de l'Alberta est réputé pour ses fossiles qui datent de l'époque des dinosaures. Le Dinosaur Park est comme un grand cimetière ; il regroupe plus de 300 dinosaures de 35 espèces différentes (en comparaison, le même « cimetière » découvert en Utah n'en comptait que 12). Le Dinosaur Park est inscrit sur la liste du patrimoine mondial de l'Unesco.

DRUMHELLER

La piste des dinosaures se trouve à 138 km au nord-est de Calgary. Il y a plus de 10 000 ans, la fonte des eaux de glaciers a creusé une vallée profonde dans cette région et a mis à nu les fossiles de dinosaures qui vivaient dans ces plaines au climat subtropical. La rivière Red Deer est l'axe principal de ces territoires, dits Badlands, ou mauvaises terres, qui contrastent avec les plaines immenses et ininterrompues de l'Alberta.

■ **HOODOOS ET HORSESHOE CANYON**
Les hoodoos se trouvent à 16 km au sud-est de Drumheller, route 10. Ce sont des colonnes de roches sculptées par l'érosion qui se dressent au bord de la route. Horseshoe Canyon (18 km au sud-ouest de Drumheller) est un canyon en forme de fer à cheval qui plonge les visiteurs 70 millions d'années en arrière. Les pinacles rocheux et colorés que l'on observe ici sont les mêmes que dans le Grand Canyon au Nevada. Visite instructive.

■ **ROYAL TYRELL MUSEUM OF PALEONTOLOGY**
A 6 km au nord-ouest de Drumheller
✆ +1 888 440 4240
www.tyrrellmuseum.com
tyrrell.info@gov.ab.ca
Ouvert en été tous les jours de 9h à 21h et de 10h à 17h le reste de l'année, fermé le lundi. Entrée adulte : 10 $, enfant : 6 $.

C'est un des plus importants musées au monde consacré à l'étude des dinosaures et de leur milieu. La visite suit les grandes étapes que sont la découverte des fossiles et leur examen scientifique : la maquette d'un Tyrannosaurus Rex ; la reconstitution de l'environnement de l'ouest du Canada à l'époque géologique, avec sa flore (visiter aussi la paléo-serre voisine) et sa faune ; et, enfin, le Dinosaur Hall, moment fort de cette visite aussi intéressante qu'instructive. Le musée propose également une initiation au métier de paléontologue.

La visite du musée doit être impérativement complétée par un tour du Dinosaur Trail (« la piste des Dinosaures »). En sortant du site, prendre la route 898 sur la droite, pour longer la rivière Red Deer et admirer le panorama du point de vue appelé « Horsethief Canyon ». La route descend ensuite vers la rivière que l'on peut franchir à bord d'un traversier (Bleriot Cable Ferry), pour découvrir d'autres points d'observation admirables.

Les Badlands sont fascinantes ; elles ressemblent à la « Rift Valley » africaine où ont été découverts les premiers australopithèques, dont Lucy. Une petite Afrique dans l'Ouest du Canada.

La région compte quelque 150 sites d'ossements (« Bonebeds ») de dinosaures, tous herbivores, sauf un carnivore, l' « Albertosaurus Bonebed North of Drumheller ». Cette richesse paléontologique peut être également observée dans le Dinosaur Provincial Park, à 174 km au sud-est de Drumheller, où vivent plus de 200 oiseaux sauvages.

■ TASTE OF THE PAST B&B

281 2nd Street W ✆ +1 403 823 5889
www.bbcanada.com/taste
info@bbcanada.com
Occupation double : à partir de 115 $, petit déjeuner inclus. 3 chambres.
Propose un logement dans une maison de maître du XIXe siècle.

RED DEER

Quatrième plus grande ville de l'Alberta, avec plus de 80 000 habitants, Red Deer est située à mi-chemin entre Calgary et Edmonton. La ville a vu naître Wayne Gretzky, une légende du hockey canadien. En vous promenant dans le Heritage Square, vous pourrez voir le Stevenson-Hall Block, le plus vieux bâtiment de Red Deer, ainsi qu'une ferme forestière norvégienne où est retracée la vie des communautés qui s'y étaient installées au XIXe siècle.

A l'ouest du centre, le Waskasoo Park propose une belle évasion le long de la Red Deer River. Long de 11 km, ce parc est parcouru de 75 km de sentiers, à faire à pied ou à vélo en été, et en ski de fond en hiver. Ceux qui aiment les animaux auront plaisir à visiter le Gaetz Lakes Sanctuary, qui abrite 128 espèces d'oiseaux et 25 espèces de mammifères. Enfin, à 22 km à l'ouest de la ville, le Sylvan Lake invite à la détente : 5 km de plages et une eau claire et chaude...

EDMONTON

Capitale de la province de l'Alberta, sixième ville du Canada, Edmonton compte près de 1 million d'habitants. Elle doit sa prospérité d'abord aux fourrures et à l'or, puis au gaz et au pétrole, dont elle est la capitale mondiale (on y trouve le plus long pipeline du monde, qui part de la ville et parcourt 2 856 km pour acheminer le pétrole jusqu'à Buffalo, NY - près des chutes du Niagara). C'est une grande ville moderne, où le coût de la vie est le plus bas du Canada (pas de taxes de vente provinciales) et qui est plus connue pour son immense West Edmonton Mall que pour son festival de jazz qui s'y déroule pendant les premiers jours de juillet. Certaines nuits d'Edmonton offrent le spectacle inoubliable d'un rideau lumineux causé par des particules solaires chargées en électricité et attirées par les piles magnétiques de la Terre. Ce phénomène est appelé « lumières du Nord » ou plus communément, aurore boréale.

Histoire

Pendant au moins 3 000 ans, les Amérindiens sont venus dans la North Saskatchewan River Valley pour y chercher le quartz nécessaire à la fabrication de leurs outils. Ils n'avaient ni la connaissance ni l'utilité des richesses souterraines qui furent à l'origine de la prospérité de la ville d'Edmonton. Après l'arrêt brutal du commerce de fourrures, la ville, située sur la rivière, a pu continuer à s'enrichir dans le domaine du transport. Il y a eu ensuite le charbon et maintenant le pétrole. Depuis la découverte de l'or noir à Leduc, en 1947, le sol d'Edmonton n'a cessé d'être perforé, les champs des fermiers se transformant en petites plates-formes pétrolières. L'économie de la ville est donc allée de l'avant, les affaires locales aussi, attirant de plus en plus d'investisseurs ou de rêveurs ambitieux, bien décidés à s'enrichir en extrayant les ressources de la terre. Et ce n'est encore qu'un début.

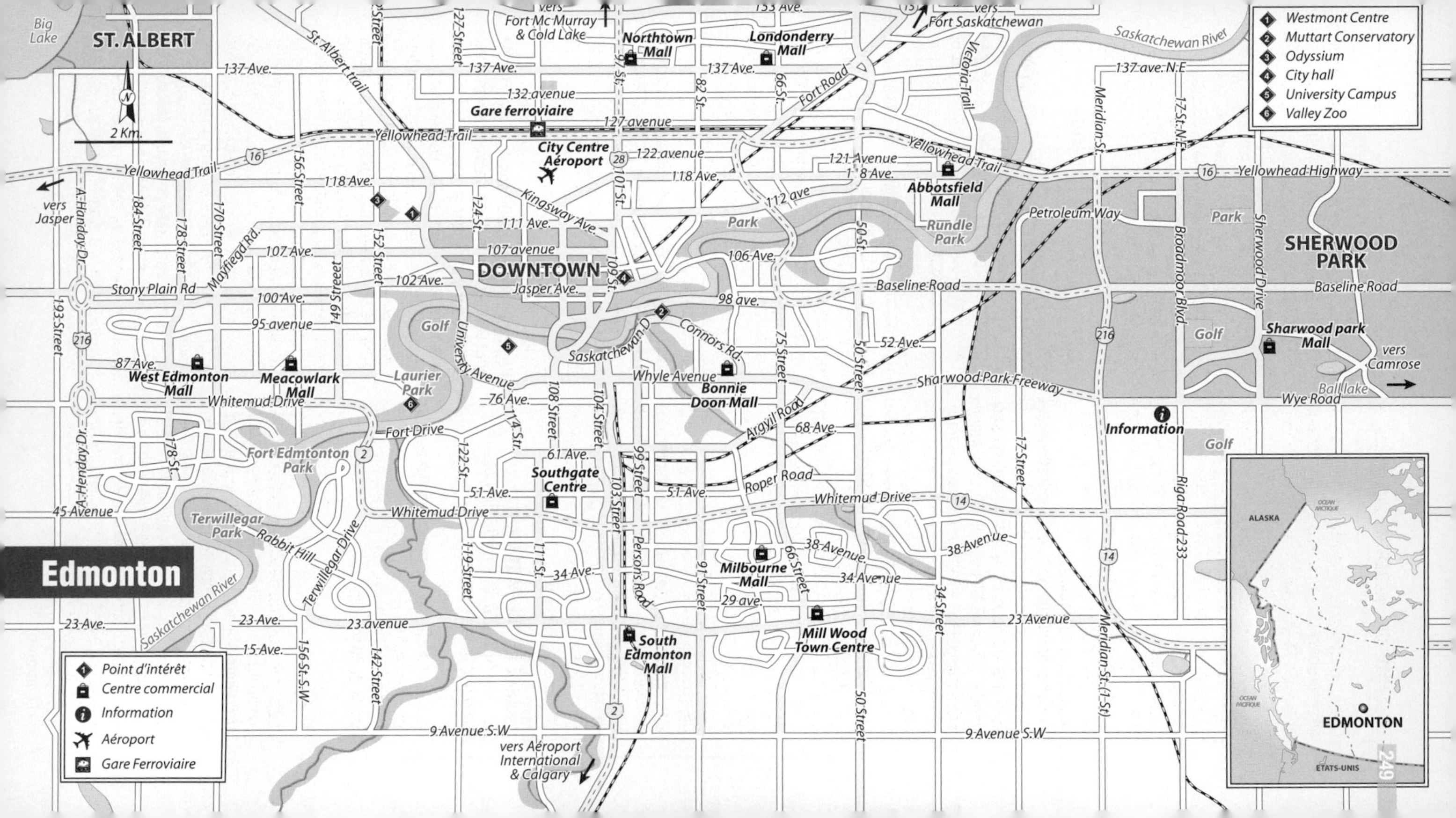
Edmonton
Westmont Centre
Muttart Conservatory
Odyssium
City hall
University Campus
Valley Zoo
Point d'intérêt
Centre commercial
Information
Aéroport
Gare Ferroviaire
ST. ALBERT
Big Lake
2 Km.
DOWNTOWN
SHERWOOD PARK
City Centre Aéroport
Gare ferroviaire
Northtown Mall
Londonderry Mall
Abbotsfield Mall
Rundle Park
West Edmonton Mall
Meacowlark Mall
Bonnie Doon Mall
Southgate Centre
Milbourne Mall
Mill Wood Town Centre
South Edmonton Mall
Sharwood park Mall
Information
Laurier Park
Fort Edmtonton Park
Terwillegar Park
Saskatchewan River
vers Fort Mc Murray & Cold Lake
vers Fort Saskatchewan
vers Jasper
vers Camrose
vers Aéroport International & Calgary
Yellowhead Trail
Yellowhead Highway
Stony Plain Rd
Whitemud Drive
Baseline Road
Sharwood Park Freeway
Wye Road
Riga Road 233
Broadmoor Blvd.
Sherwood Drive
Meridian St.
Meridian St. (1 St)
17 Street
34 Street
50 Street
75 Street
91 Street
99 Street
103 Street
104 Street
108 Street
119 Street
142 Street
149 Street
152 Street
156 Street
170 Street
178 Street
184 Street
193 Street
A. Handay Dr.
A. Henday Dr.
23 Avenue
9 Avenue S.W
45 Avenue
137 Ave.
132 avenue
127 avenue
122 avenue
118 Ave.
111 Ave.
107 avenue
102 Ave.
100 Ave.
95 avenue
87 Ave.
76 Ave.
61 Ave.
51 Ave.
34 Ave.
23 Ave.
15 Ave.
Kingsway Ave.
Jasper Ave.
University Avenue
Fort Drive
Saskatchewan D.
Connors Rd.
Whyle Avenue
Argyll Road
Roper Road
Persons Road
Terwillegar Drive
Rabbit Hill
Mayfiegd Rd.
St. Albert trail
Fort Road
Victoria Trail
Petroleum Way
ALASKA
EDMONTON
ETATS-UNIS

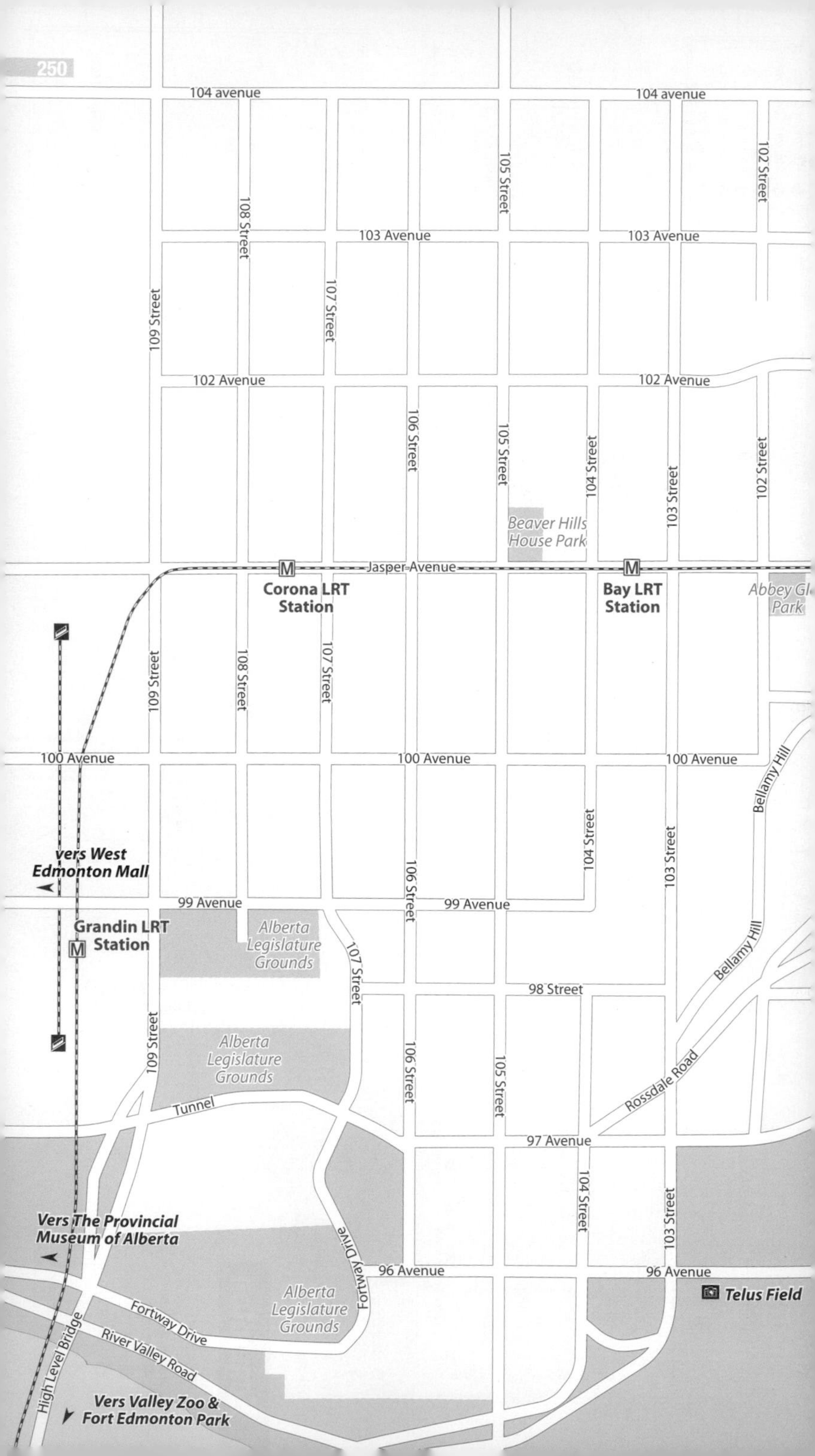

104 avenue
104 avenue
103 Avenue
103 Avenue
102 Avenue
102 Avenue
109 Street
108 Street
107 Street
106 Street
105 Street
104 Street
103 Street
102 Street
Beaver Hills House Park
Jasper Avenue
Corona LRT Station
Bay LRT Station
Abbey Gl Park
100 Avenue
100 Avenue
100 Avenue
Bellamy Hill
vers West Edmonton Mall
99 Avenue
99 Avenue
Grandin LRT Station
Alberta Legislature Grounds
98 Street
Alberta Legislature Grounds
Tunnel
Rossdale Road
97 Avenue
Vers The Provincial Museum of Alberta
Fortway Drive
96 Avenue
96 Avenue
Telus Field
Alberta Legislature Grounds
River Valley Road
High Level Bridge
Vers Valley Zoo & Fort Edmonton Park

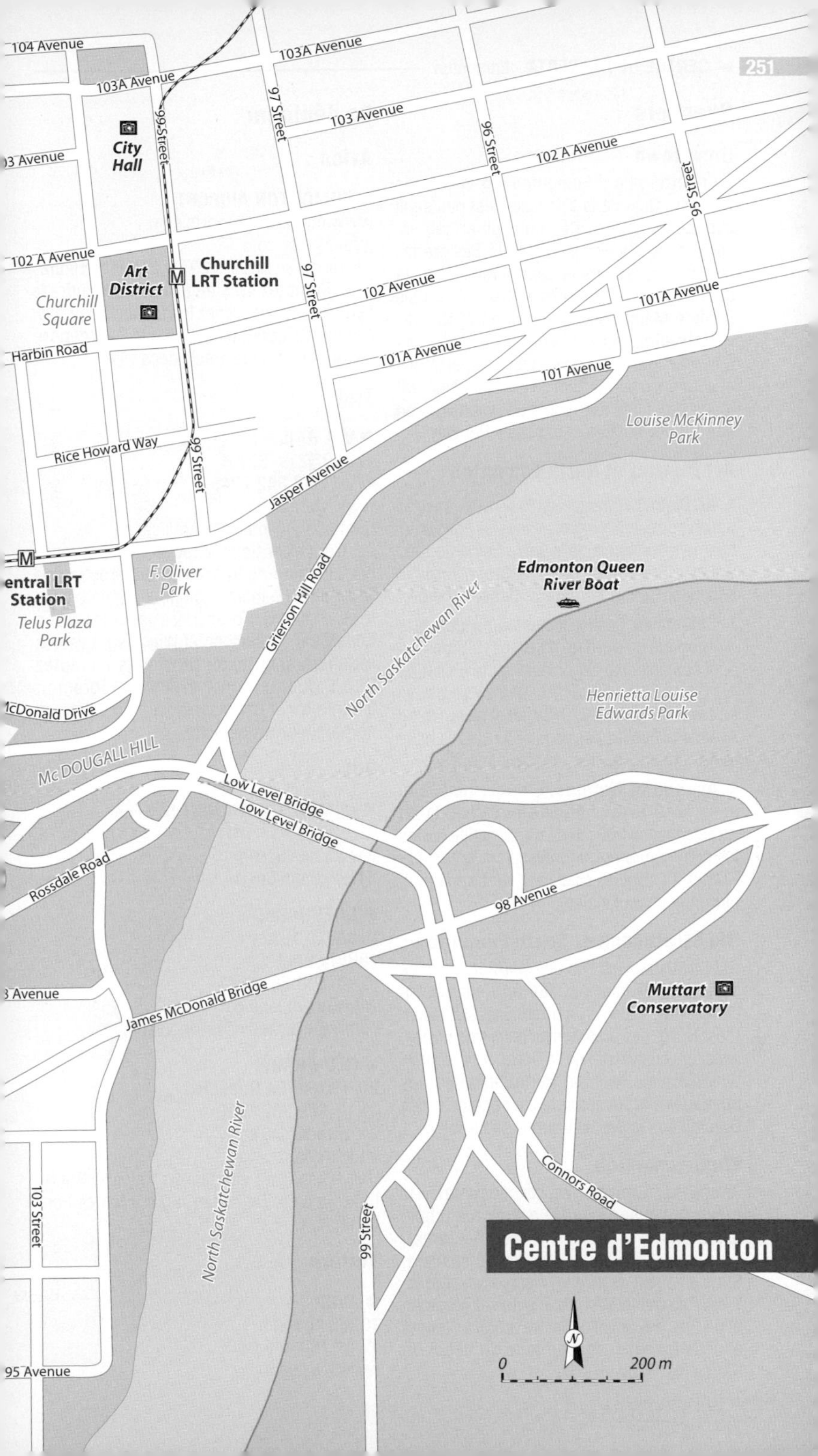

Centre d'Edmonton
104 Avenue
103A Avenue
103A Avenue
97 Street
99 Street
103 Avenue
96 Street
102 A Avenue
95 Street
City Hall
3 Avenue
102 A Avenue
Art District
Churchill LRT Station
Churchill Square
97 Street
102 Avenue
101A Avenue
Harbin Road
101A Avenue
101 Avenue
Louise McKinney Park
Rice Howard Way
99 Street
Jasper Avenue
entral LRT Station
F. Oliver Park
Telus Plaza Park
Grierson Hill Road
Edmonton Queen River Boat
North Saskatchewan River
Henrietta Louise Edwards Park
McDonald Drive
Mc DOUGALL HILL
Low Level Bridge
Low Level Bridge
Rossdale Road
98 Avenue
Muttart Conservatory
3 Avenue
James McDonald Bridge
North Saskatchewan River
Connors Road
103 Street
99 Street
95 Avenue
0
200 m

Quartiers

Downtown

Le centre-ville d'Edmonton est visible de très loin. Quant à la ville, elle n'est pas sans évoquer d'autres cités nord-américaines, comme Los Angeles par exemple. Ses gratte-ciel sont tous dans le centre-ville. C'est le quartier où sont concentrés les grands hôtels (dont le Macdonald, construit en 1915), les restaurants, les magasins et les centres d'intérêt. Des voies piétonnes, souterraines et aériennes permettent de circuler aisément d'une rue à une autre ou d'un magasin à un autre. Ce système est baptisé « Pedway ».

Art District et North Edmonton

▶ **Art District.** Axé autour du Sir Winston Churchill Square, ce quartier regroupe tous les principaux bâtiments culturels de la ville : Edmonton Art Gallery, Stanley A. Milner Library, Francis Winspear Centre For Music, Citadel Theatre.

▶ **Chinatown.** Comme toutes les grandes villes d'Amérique du Nord (et d'Europe), Edmonton possède son quartier chinois, situé à l'est du Art District. La « porte de la Chine » se trouve au croisement de la 97th Street et de la 102nd Avenue (n'oubliez pas de faire tourner la balle dans la gueule du lion, ça porte chance !).

▶ **Avenue of Nations.** C'est le nom que prend la 107th Avenue entre les 95th et 116th Streets, car ce tronçon de rue accueille toutes les communautés culturelles immigrées aux XIXe et XXe siècles (italienne, vietnamienne, ukrainienne, polonaise).

Old Strathcona et South Edmonton

Old Strathcona est l'un des quartiers les plus populaires d'Edmonton, situé en contrebas du centre-ville, le long de la rivière Saskatchewan. C'est le site des premiers pionniers de la ville. A visiter : l'université de l'Alberta. A parcourir : Whyte Avenue, avec ses vieilles librairies, ses boutiques d'art et ses cafés. A déguster : des spécialités locales au Farmer's Market.

West Edmonton

River Valley. Edmonton est connue comme « le ruban de verdure », grâce à son parc urbain le plus vaste du Canada (7 400 hectares). On y trouvera près de 100 km de sentiers. Situé à l'ouest de la ville, c'est le quartier du West Edmonton Mall, du Provincial Museum et du Space & Science Centre. Le Old Glenora abonde en bâtisses en brique du début du XXe siècle.

Se déplacer

Avion

■ **EDMONTON AIRPORT**
www.edmontonairports.com
info@flyeia.com
L'aéroport se trouve à 29 km au sud du centre-ville. Comptez 45 $ en taxi pour rejoindre le centre-ville, ou prenez le Sky Shuttle (www.skyshuttle.com), pour 15 $, qui vous dépose devant les grands hôtels de la ville.

Train

■ **VIA RAIL**
12360 121st Street
✆ +1 888 842 7245
www.viarail.ca
relations_clientele@viarail.ca
Le transatlantique effectue trois départs par semaine de Vancouver en direction de Toronto, et le même nombre de trajets dans le sens inverse. Il dessert les gares de Jasper, Edmonton, Saskatoon et Winnipeg. Les prix réguliers sont plutôt prohibitifs (comptez 900 $ pour un trajet Vancouver/Toronto), mais le trajet est magnifique et il existe de nombreuses promotions.

Bus

■ **EDMONTON TRANSIT SYSTEM**
✆ +1 780 496 1611
www.takeets.com
311@edmonton.ca

■ **GREYHOUND**
Dépôt au 10324
103rd Street
✆ +1 800 661 8747
www.greyhound.ca
commercial.sales@greyhound.com

■ **RED ARROW**
20-10014 104 Street Nw
✆ +1 800 232 1958
www.redarrow.ca
info@redarrow.ca
Une compagnie qui dessert Calgary, Banff, Lake Louise, Red Deer, Edmonton et Fort McMurray.

Voiture

■ **AVIS**
10235 101 St
✆ +1 780 448 0066
www.avis.com

■ **BUDGET**
4612 95 Street Northwest
✆ +1 780 448 2060
www.budgetedmonton.com

Taxi

■ **YELLOW CAB**
10135 31 Avenue Northwest
✆ +1 780 462 3456
www.edmontonyellowcab.com

Pratique

■ **EDMONTON TOURSIM**
9990 Jasper Avenue
✆ +1 800 463 4667
www.edmonton.com
info@edmonton.com

Se loger

Downtown

■ **COAST EDMONTON PLAZA**
10155 105th Street ✆ +1 800 663 1144
www.coasthotels.com
A partir de 89 $ la chambre double.
Sûrement, l'un des meilleurs rapports qualité-prix de la ville. Au cœur du centre-ville, proche de la plupart des magasins et restaurants, l'hôtel offre de nombreuses prestations (parking gratuit, piscine, Jacuzzi, navette pour l'aéroport). Voir, sur Internet, promotions possibles incluant le petit déjeuner et un certificat cadeau de 50 $ à dépenser au West Edmonton Mall.

■ **DAYS INN**
10041 106th Street
✆ +1 780 423 1925
www.daysinn-downtownedmonton.com
Chambre double à partir de 149 $.
En plein centre-ville, un bon rapport qualité prix bien que l'hôtel ait récemment augmenté ses tarifs.

■ **HOTEL FAIRMONT MACDONALD**
10065 100th Street
✆ +1 780 424 5181
www.fairmont.com/macdonald
hotelmacdonald@fairmont.com
De 199 $ à 279 $ la chambre double.
Le palace d'Edmonton surplombe la rivière Saskatchewan et une partie de la ville. La nuit, ses façades sont éclairées, ce qui le rend encore plus imposant.

Old Strathcona et South Edmonton

■ **EDMONTON INTERNATIONAL HOSTEL**
10647 81st Avenue
✆ +1 866 762 4122
www.hihostels.ca
central.res@hihostels.ca
A partir de 26 $ en dortoir. Chambres privées avec salle de bains disponibles.
Idéalement placé au cœur de Old Strathcona, et donc près de tous les restaurants, bars et petites boutiques qui pourraient agrémenter votre séjour. L'hostel est un peu vieillot, mais les chambres sont propres et l'accueil amical.

Skyline de la ville.

West Edmonton

■ WEST HARVEST INN
17803 Stony Plain Road
✆ +1 800 661 6993
www.westharvest.ca
whe@westharvest.ca
Au croisement de la 178th Street. A partir de 125 $ la chambre double.
A l'ouest de la ville, près du West Edmonton Mall, cet hôtel offre tout le nécessaire pour passer une nuit agréable.

Se restaurer

On trouvera, dans le centre-ville, des établissements gastronomiques et d'autres plus modestes pour les gens pressés et les petits budgets. Les restaurants de Old Strathcona proposent des cuisines aux saveurs des quatre coins du monde.

Downtown

■ THE CREPERIE
10220 103rd Street
✆ +1 780 420 6656
www.thecreperie.com
kuhnel@telus.net
Crêpes entre 20 et 25 $. Plats entre 25 et 35 $.
En plein centre-ville, ce restaurant de cuisine « à la française » propose un grand assortiment de crêpes dans un cadre provincial accueillant, mais aussi de nombreux autres plats, des moules à la marseillaise au médaillon de bœuf chasseur.

Art District et North Edmonton

■ SORRENTINO'S
10162 100th Street
✆ +1 780 424 7500
www.sorrentinos.com
info@sorrentinos.com
A partir de 20 $.
Pour les amateurs de cuisine italienne revue à la sauce canadienne. A essayer, les gnocchis maison avec du ragoût, un régal ! Le Sorrentino's a reçu, en 1999, la Cuillère d'argent, la récompense du meilleur service et celle du Dîner le plus mémorable. Cette chaîne de restaurants a six autres maillons en ville de même qualité.

Old Strathcona et South Edmonton

■ DA-DE-O
10548 Whyte Avenue
✆ +1 780 433 0930
www.dadeo.ca
Comptez 20 à 25 $ le repas.
Cuisine cajun dans un décor de la Louisiane des années 1950.

■ THE KING AND I
8208 107th Street
✆ +1 780 433 2222
www.thekingandi.ca
A deux pas de Whyte avenue, environ 20 à 30 $ le repas.
Une cuisine thaï de bonne facture, dans le quartier vivant de Old Strathcona.

■ THE UNHEARDOF
9602 Whyte Avenue
✆ +1 780 432 0480
www.unheardof.com
Antiquités, nappes blanches et vaisselle en argent, c'est l'un des restaurants les plus en vogue d'Edmonton. Son menu renouvelé toutes les semaines vous enchantera.

Sortir

Comme le veut la tradition, les samedis après-midi, les bars de Whyte Avenue se remplissent de gens, de fumée et d'effluves d'alcool. Avis aux intéressés.

■ JULIO'S BARRIO
10450 Whyte Avenue
✆ +1 780 431 0774
www.juliosbarrio.com
whyte@juliosbarrio.com
Au cœur de Old Strathcona
Ce café mexicain aux allures de repaire d'étudiants ne désemplit pas, quelle que soit la période de l'année. Ambiance pub, agrémentée à la sauce latino.

■ THE BLACK DOG FREEHOUSE
10425 Whyte Avenue
✆ +1 780 439 1082
www.blackdog.ca – admin@blackdog.ca
Avec ses 3 étages, c'est l'un des bars les plus populaires parmi les étudiants de l'université toute proche. Des groupes locaux viennent s'y produire les samedis après-midi.

À voir / À faire

Art District et North Edmonton

■ ODYSSIUM
11211 142nd Street
✆ +1 780 451 3344
www.odyssium.com
info@telusworldofscienceedmonton.com
Entrée adulte : 13,95 $, enfant : 11,95 $, 22,50 $ et 19 $ avec la présentation Imax.
Le plus grand planétarium du Canada. Toutes les sciences nous sont expliquées à l'aide de films sur écran Imax, de jeux interactifs, de simulations (notamment spatiales, au Challenger Centre). En l'an 2000, 14 millions de dollars ont été investis dans l'ancien centre spatial devenu l'Odyssium.

Old Strathcona et South Edmonton

■ MUTTART CONSERVATORY
9626 96th Street
✆ +1 780 442 5311
www.muttartconservatory.ca
311@edmonton.ca
Sur la rive est de la rivière Saskatchewan. Entrée adulte : 10,50 $, enfant : 5,25 $.
Jardins botaniques installés sous quatre pyramides : exploration d'une jungle exotique (Tropical Pyramid), marche à travers une oasis (Arid Pyramid), balade dans une forêt parfumée (Temperate Pyramid) et, enfin, découverte d'une exposition florale (Show Pyramid). En tout, plus de 800 espèces de plantes du monde entier.

■ THE PROVINCIAL MUSEUM OF ALBERTA
12845 102nd Avenue
✆ +1 780 453 9100
www.royalalbertamuseum.ca
Ouvert tous les jours de 9h à 17h. Entrée 10 $. Moitié prix pendant les matinées de week-end de 9h à 11h.
L'histoire géographique, culturelle et humaine du Canada. Expositions et événements permanents.

West Edmonton

■ FORT EDMONTON PARK
Fox Drive & Whitemud Drive
✆ +1 780 442 5311
www.fortedmontonpark.ca
Attractions@Edmonton.ca
Ouvert en été de 10h à 18h, de mai à juin jusqu'à 16h seulement la semaine, ouvert certains jours seulement en septembre et fermé le reste de l'année. Entrée adulte : 13,50 $, enfant : 6,75 $.
L'histoire de la ville, vue et commentée à travers les reconstitutions de Fort Edmonton et de quatre villages historiques (le commerce des fourrures, l'époque de la colonisation...).

■ VALLEY ZOO
13315 Buena Vista Road
✆ +1 780 442 5311
www.valleyzoo.ca
attractions@edmonton.ca
Ouvert de 9h30 à 16h en hiver jusqu'à 18h en mai, juin, septembre et octobre et 20h en juillet et août. Entrée 10,50 $.
Le zoo abrite plus de 100 espèces exotiques, en voie de disparition ou nées dans le parc. Tours à dos de chameau, balades en train miniature.

■ WEST EDMONTON MALL
8882 170th Street
✆ +1 800 661 8890
www.westedmall.com
info@wem.ca
Ce complexe commercial installé à l'ouest de la ville détient au moins deux records enregistrés dans le livre Guinness, à savoir celui du plus grand centre commercial au monde et celui du plus grand parking (20 000 places). Ce « Mall », qui est une attraction à lui seul, présente des caractéristiques délirantes : 800 magasins, 110 restaurants, 58 entrées, 26 salles de cinéma, 325 000 lumières, 23 500 employés, etc. Le site, construit en quatre étapes, couvre 8 rues (de la 170th à la 178th) et 3 avenues (de la 87th à la 90th), soit 500 km2 de surface de vente et de jeux.
Outre ses innombrables magasins, le West Edmonton Mall propose : une patinoire olympique ; deux rues à thème (Bourbon Street et Europa Boulevard) ; un département de « grossology » où l'anatomie et le fonctionnement de l'être humain sont enseignés aux enfants à l'aide de jeux interactifs ; une balade aquatique en sous-marin (« yellow ») dans le plus grand bassin intérieur du monde (encore un record) ; le Galaxyland, le plus grand parc d'attractions couvert du monde (un de plus), avec montagnes russes, trains fantômes, etc ; le World Waterpark, le clou du spectacle et de la visite ; sans oublier la plus grande piscine à vagues couverte du monde (encore un), dont la température avoisine celle des Caraïbes.

Il faut prévoir un après-midi entier pour essayer la vingtaine de toboggans d'eau, se détendre dans les trois Jacuzzi géants, sauter à l'élastique au-dessus de l'eau, descendre des rapides sur un canoë et plonger dans les vagues de la piscine de 12 000 m³. Quand on sait que la température extérieure peut approcher les - 20 °C en hiver, on comprend l'intérêt de ce genre de complexe. Les mois de plus forte affluence sont juillet-août et novembre-décembre, avec des pointes allant jusqu'à 170 000 visiteurs en un week-end. 20 millions de visiteurs (dont 10 millions de touristes) se rendent dans ce grand centre commercial chaque année.

NORD DE L'ALBERTA

La région des forêts boréales du nord de la province est plus peuplée d'animaux sauvages que d'humains. Si vous aimez les grands espaces et la solitude, continuez vers le nord.

LAKELAND

A l'est d'Edmonton, on traverse le (relativement) petit Elk Island National Park (195 km²) qui abrite plus de 3 000 mammifères. La zone est clôturée, notamment pour préserver les espèces telles que le bison. On y a le choix entre 12 sentiers, dont le Shoreline Trail (3 km), le Lakeview Trail (3,3 km : le soir, on y voit des castors) et le Wood Bison Trail (19 km aller-retour).Plus à l'est (50 km d'Edmonton), on visite l'Ukrainian Cultural Heritage Village : cette reconstitution du village des premiers immigrants d'Ukraine est stupéfiante de vérité. Lloydminster, ville de 20 000 habitants, située à cheval sur l'Alberta et la Saskatchewan, ne compte que 12 000 résidents du côté albertain : la route principale les sépare des autres. A Saint Paul, à 210 km au nord-est de la capitale provinciale, on pourra constater une autre étrangeté du Nord : une zone d'atterrissage destinée aux Ovni attend, encore et toujours, ces visiteurs venant d'ailleurs... Un peu plus loin, à la fin de la Highway 28, Cold Lake est une ville de 13 000 habitants et également la plus grande base canadienne d'avions de chasse, toute proche d'une base militaire évidemment.

GRANDE PRAIRIE

Forte de 45 000 habitants, Grande Prairie est bien loin d'Edmonton (460 km au nord-ouest), mais tout près de Dawson Creek et du Mile Zero de l'Alaska Highway, en Colombie-Britannique. Son environnement, inhabituel à cette latitude, est très fertile, d'où son nom. Autour de la ville, le Saskatoon Island Provincial Park propose la végétation aquatique de Little Lake et ses cygnes. En ville, règne l'esprit cow-boy, dont l'une des manifestations est le Bud Country Music Festival, en juillet. Les vastes espaces et le climat de la région permettent de belles balades en ballon. The Peace Country continue vers le nord, le long de la Peace River. On pourra s'arrêter à Rycroft, où le centre d'information touristique est logé sous un tipi rouge et blanc (joli clin d'œil à la paix entre les Amérindiens et les autres). A Grimshaw, on obtiendra d'autres informations dans une vieille voiture de chemin de fer, juste avant de continuer sur la Mackenzie Highway (Highway 35), celle qui rejoint les Territoires du Nord-Ouest. On traverse Manning, centre de « services » pour les industries agricole et pétrolière de la région. Faites donc un détour par La Crete, un village de mennonites, pour le plaisir de les entendre parler en plattdeutsch ! Les villages de Fort Vermilion et High Level ont préservé leur patrimoine issu du commerce du XIXe siècle. La carte tridimensionnelle de l'Alberta, exposée au Mackenzie Crossroads Museum de High Level, vous donnera une idée de la partie nord, et inaccessible, de la province.

LE CENTRE

Assemblée législative du Manitoba, Winnipeg.

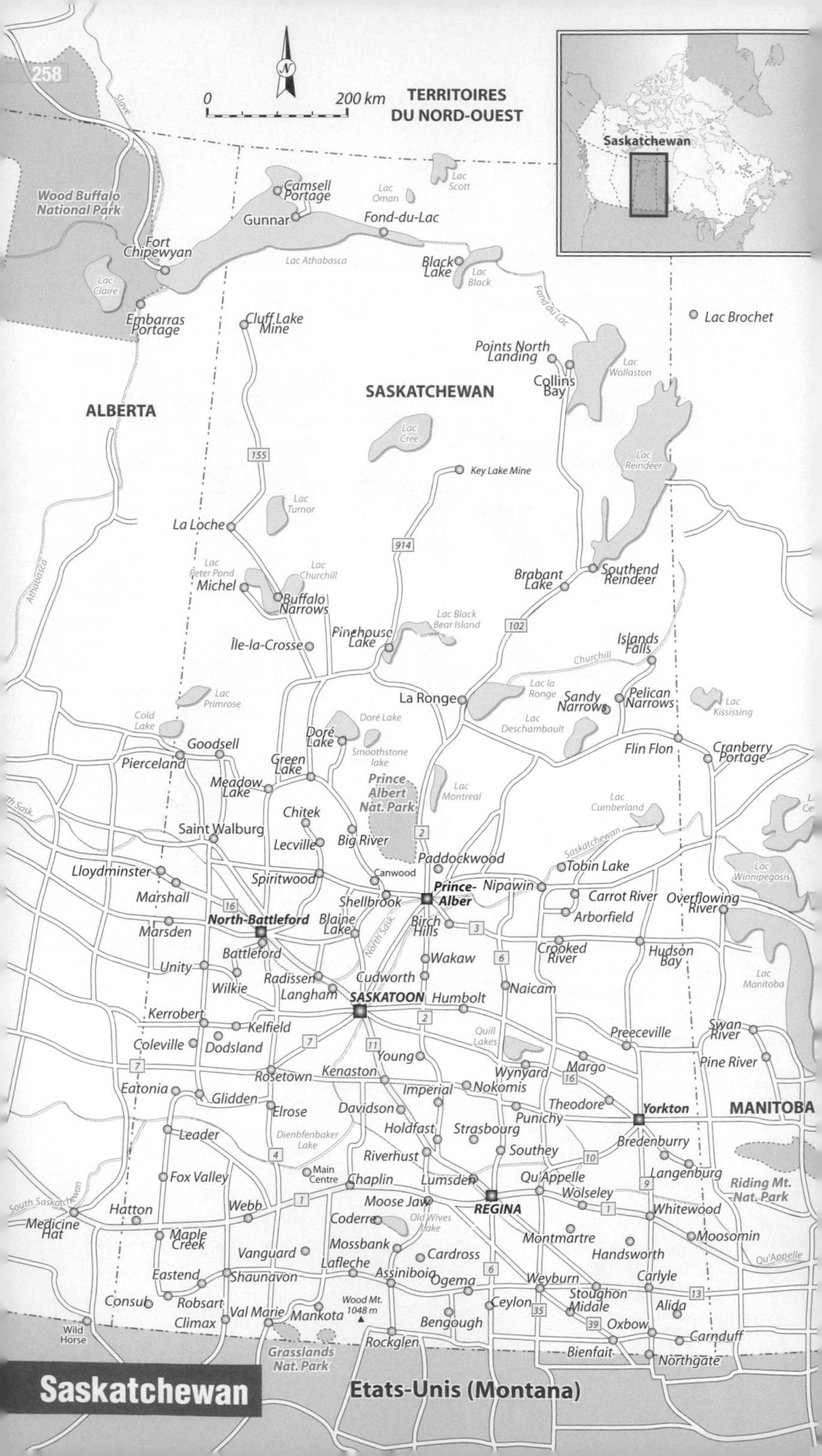

0
200 km
TERRITOIRES DU NORD-OUEST
Saskatchewan
Wood Buffalo National Park
Camsell Portage
Gunnar
Fond-du-Lac
Lac Oman
Lac Scott
Fort Chipewyan
Lac Athabasca
Black Lake
Lac Black
Lac Claire
Embarras Portage
Cluff Lake Mine
Lac Brochet
Points North Landing
Collins Bay
Lac Wollaston
SASKATCHEWAN
ALBERTA
Lac Cree
Lac Reindeer
Key Lake Mine
Lac Turnor
La Loche
Lac Peter Pond
Lac Churchill
Michel
Buffalo Narrows
Brabant Lake
Southend Reindeer
Lac Black Bear Island
Pinehouse Lake
Île-la-Crosse
Islands Falls
Churchill
La Ronge
Lac la Ronge
Sandy Narrows
Pelican Narrows
Lac Kississing
Lac Primrose
Cold Lake
Doré Lake
Lac Deschambault
Goodsell
Pierceland
Green Lake
Smoothstone lake
Flin Flon
Cranberry Portage
Meadow Lake
Prince Albert Nat. Park
Lac Montreal
Lac Cumberland
Chitek
Saint Walburg
Lecville
Big River
Paddockwood
Saskatchewan
Tobin Lake
Lac Winnipegosis
Lloydminster
Spiritwood
Canwood
Prince-Alber
Nipawin
Carrot River
Overflowing River
Marshall
Shellbrook
Arborfield
North-Battleford
Blaine Lake
Birch Hills
Marsden
Battleford
Wakaw
Crooked River
Hudson Bay
Unity
Radisson
Cudworth
Naicam
Lac Manitoba
Wilkie
Langham
SASKATOON
Humbolt
Kerrobert
Kelfield
Quill Lakes
Preeceville
Swan River
Coleville
Dodsland
Young
Margo
Pine River
Rosetown
Kenaston
Wynyard
Eatonia
Imperial
Nokomis
Glidden
Elrose
Davidson
Theodore
Yorkton
MANITOBA
Punichy
Leader
Holdfast
Strasbourg
Dienbfenbaker Lake
Bredenburry
Southey
Riverhust
Langenburg
Fox Valley
Main Centre
Chaplin
Lumsden
Qu'Appelle
Riding Mt. Nat. Park
South Saskatchewan
Hatton
Webb
Moose Jaw
REGINA
Wolseley
Whitewood
Medicine Hat
Coderre
Old Wives Lake
Maple Creek
Mossbank
Montmartre
Moosomin
Vanguard
Cardross
Handsworth
Qu'Appelle
Lafleche
Eastend
Shaunavon
Assiniboia
Ogema
Weyburn
Carlyle
Consul
Robsart
Wood Mt. 1048 m
Ceylon
Stoughon
Midale
Alida
Climax
Val Marie
Mankota
Bengough
Oxbow
Carnduff
Wild Horse
Rockglen
Bienfait
Northgate
Grasslands Nat. Park
Saskatchewan
Etats-Unis (Montana)

Saskatchewan

Dérivé de kisiskatchewanisipi, qui veut dire en langue indienne cri (ou cree) « rivière aux flots rapides », le nom de Saskatchewan semble, à première vue, bien mal lui convenir. Le visiteur qui traverse cette région par l'autoroute 1 ne voit d'elle que ses calmes et immenses plaines céréalières. La route déroule nonchalamment son tracé rectiligne et les petites collines ondulent de-ci, de-là, sans brusquer ces champs dorés aux couleurs changeantes comme la soie. Visible sur les plaques d'immatriculation des véhicules, sa devise est « Le pays du ciel vivant », et il est vrai que les mouvements des nuages dans ce ciel infini, surtout lorsque survient un orage, sont particulièrement impressionants. Au-delà de l'horizon plat, commence une région peu explorée, dentelée, où la terre joue avec l'eau. Peu de routes y conduisent, l'hydravion et les canoës y sont rois.
Que retient un voyageur de retour de la Saskatchewan ? Les vastes prairies qui, vues d'avion, ressemblent à un magnifique patchwork, les mines d'or, les époustouflants paysages, les silos à blé qui se tiennent debout comme des sentinelles, les chaudes lumières pourpres, orange et rouges de ses couchers de soleil... Les vastes plaines sont d'anciennes montagnes volcaniques et, à certains endroits, un doux parfum de clou de girofle vient vous chatouiller les narines. La province compte 5 millions d'acres de parcs.

Histoire

Jadis se répartissaient sur ce vaste territoire les tribus athapaskane, algonkienne et sioux. Les nombreux panneaux qui signalent aujourd'hui les « réserves » indiennes rappellent leur douloureux destin. Les pancartes indiquant Fort Qu'appelle, Fond-du-Lac, Bienfait et Lac La Ronge soulignent, quant à elles, l'influence des immigrants français. Les Européens ont longtemps sous-estimé la valeur des prairies du Sud, leur préférant les terres boisées du Nord, riches en gibier et en animaux à fourrure. Pouvaient-ils imaginer que ces vastes plaines produiraient, un siècle plus tard, les deux tiers du blé canadien ? On en saura davantage en visitant le parc Wanuskerwin, proche de Saskatoon, qui retrace les 6 000 ans d'héritage culturel indien. Cette province détient le record du nombre de musées par habitant.

Géographie

La province de la Saskatchewan offre pas moins de 34 parcs provinciaux. Au cœur de ces parcs, on peut jouer au golf, observer des cerfs ou planter sa tente dans un arrière-pays bien vert. La Saskatchewan, c'est aussi « la province aux 100 000 lacs ». Ils abondent dans toute la province mais surtout dans le Nord. Ils constituent le royaume des pêcheurs et des canoéistes. De majestueuses rivières, comme The Churchill ou The Clearwater, attirent aussi les baroudeurs. À voir absolument : the Little Manitou Lake, où l'on est sûr de ne pas se noyer car son eau est encore plus dense que celle de la mer Morte. La Saskatchewan du Nord est considérée comme le royaume de la meilleure pêche sportive du continent. On y accède le plus souvent par hydravion. La province de la Saskatchewan dispose également de nombreux affûts pour observer la vie sauvage. Les villes de la Saskatchewan sont pleines de vie et de chaleur. Regina et Saskatoon accueillent le tiers de la population de la province (381 586 habitants sur 985 859). Regina peut s'enorguelllir de posséder les plus grands parcs urbains du monde (dont le fameux Wascana Centre).

Économie

Le principal moteur de l'économie est l'agriculture. La Saskatchewan constitue en effet le « grenier à blé » du Canada, mais ce n'est pas là son seul atout. Cette province dispose d'importantes forêts permettant une forte exploitation sylvestre, et grâce à la richesse de ses sous-sols, elle exporte de l'uranium et de la potasse en grande quantité.

Les immanquables de la Saskatchewan

- **Visiter** le centre de formation de la Gendarmerie royale du Canada à Régina.
- **S'étonner** du contraste qu'offre la vallée de la rivière Qu'Appelle avec les plaines environnantes, à 1h de Regina.
- **Comprendre** l'immensité aux Great Sand Hills, qui s'étendent sur près de 1 900 km², parsemés de dunes de sable, d'herbes et de flore diversifiée.

REGINA

Dans cette province rurale constellée de minuscules « villes » – appellation usitée dès qu'une soixantaine d'habitants sont rassemblés autour d'un « general store » –, Regina, la capitale de la Saskatchewan, fait figure de très grande métropole avec près de 200 000 habitants. À l'origine, la ville est nommée Pile O'Bones (« tas d'os ») car les premiers colons y trouvent des amoncellements d'os de bison. Les Indiens amassaient en effet les os en croyant ramener ainsi à la vie les bisons disparus. Regina, qui doit son nom à la princesse Louise, sœur de la reine Victoria, devient la capitale des Territoires du Nord-Ouest. Malgré un paysage de prairies arides et de boue, la ville parvient à se développer. Aujourd'hui, elle est un important centre commercial agricole avec la plus grande coopérative du monde (le Saskatchewan Wheatpool) et l'industrie provinciale de la potasse.

Regina est principalement connue pour être le berceau de la police montée. Ses principaux atouts sont sa tranquillité et son atmosphère, ses habitants ayant le sens de l'accueil et de la fête. Les soirs de fin de semaine, ils savent faire régner dans les pubs une chaleureuse ambiance.

Transports

Comment y accéder et en partir

■ **AIR CANADA**
✆ +1 888 247 2262
www.aircanada.com
Dessert Regina et Saskatoon. Vol direct depuis certaines villes canadiennes.

■ **REGINA INTERNATIONAL AIRPORT**
✆ +1 306 761 7555
www.yqr.ca
comments@yqr.ca
Il accueille plusieurs vols venant des États-Unis et du Canada. Pour relier l'aéroport au centre-ville, vous pouvez opter pour un taxi ou pour un service de *shuttle*.

■ **ROAMING BUFFALO SHUTTLE SERVICE**
Aéroport de Regina
✆ +1 306 550 6877
Navettes entre l'aéroport de Regina et le centre-ville. Également plusieurs navettes vers la ville de Moose Jaw.

■ **SASKATCHEWAN TRANSPORT COMPANY**
1717 Saskatchewan Drive
✆ +1 306 787 3340
✆ +1 800 663 7181
www.stcbus.com
(dépôt commun avec la compagnie Greyhound)
Service provincial de bus desservant plus de 200 localités. Par exemple, un trajet Regina/Saskatoon vous prendra environ 3h et vous coûtera 40,40 $ (aller simple). Plusieurs bus par jour sur cet itinéraire.

■ **WESTJET**
✆ +1 877 956 6982
www.westjet.com
Moins confortable qu'Air Canada, il s'agit de sa filiale low cost. Elle offre souvent de meilleurs tarifs. Dessert Regina et Saskatoon. Vol direct depuis certaines villes canadiennes.

Se déplacer

■ **AVIS**
1450 First Ave
✆ +1 306 757 1653, +1 800 879 2847
www.avis.ca

■ **BUDGET**
2401 1st Avenue North
✆ +1 306 791 6810, +1 800 268 8970
www.budget.ca

■ **HERTZ**
601 Albert Street
✆ +1 306 791 9131, +1 800 263 0678
www.hertz.ca

■ **REGINA TRANSIT**
2124 11th Avenue
✆ +1 306 777 7433
www.reginatransit.com
Un billet de bus coûte 2,50 $ par adulte. Des lisières de 10 tickets à 20 $ sont également en vente.
La ville de Regina n'est pas très étendue, mais pour aller d'un bout à l'autre sans trop marcher, le réseau de bus de la ville est d'une aide précieuse.

Pratique

■ **TOURISM REGINA**
Highway 1 East
✆ +1 306 789 5099
✆ +1 800 661 5099
www.tourismregina.com
Ouvert toute l'année.

© TRAVEL ALBERTA

Police montée.

Se loger

Vous retrouvez toutes les grandes chaînes d'hébergement à Regina : Wyndham, Travelodge, Holiday Inn, Days Inn, Delta, Best Western, Ramada, etc. Consultez le site de l'office du tourisme pour obtenir la liste complète.

Bien et pas cher

■ BUFFALO LOOKOUT RV PARK (CAMPING)
Po Box 32075
3 miles East of Regina
Hwy #1 ✆ +1 306 525 1448
À 12 km à l'est de Regina sur la Highway 1. Ouvert de mai à mi-septembre. À partir de 28 $ par nuit. Animaux domestiques autorisés.
Camping propre et calme. L'herbe est grasse et des arbres séparent les emplacements. Magnifiques couchers de soleil. Possibilité de réserver à l'avance. Nombreux services sur place.

■ HOSTELLING INTERNATIONAL REGINA
2310 McIntyre Street
✆ +1 306 791 8165 – +1 800 467 8357
www.hihostels.ca – info@hihostels.ca
Ouvert de février à mi-décembre. Dortoirs : à partir de 28 $ pour les membres (33 $ sinon) ; chambres privées à partir de 45 $ (55 $).
Cette maison historique de 28 lits est située près du Wascana Centre et de toutes les attractions de la ville. Un petit chez-soi très accueillant ! Plusieurs services sur place dont une buanderie, une cuisine équipée et Internet.

Confort ou charme

■ CREEKSIDE TERRACE B&B
2724 Angus Boulevard
✆ +1 306 569 2682
www.creeksideterrace.sk.ca
edith@creeksideterrace.sk.ca
Occupation double : 80 $-90 $, petit déjeuner bio inclus. 2 chambres.
Magnifique demeure datant de 1914 avec foyer de pierres et boiseries. Près de toutes les commodités.

■ DRAGON'S NEST B&B
2200 Angus Street
✆ +1 306 525 2109
dragon9@accesscomm.ca
Occupation double à partir de 70 $.
Comme son nom pourrait le laisser deviner, le zen et la sagesse orientale sont à l'honneur dans ce Bed & Breakfast à quelques pas du centre-ville. Quatre chambres aux thèmes différents mais tous en rapport avec l'Asie. Calme assuré et accueil tout en douceur.

■ RADISSON PLAZA HOTEL SASKATCHEWAN
2125 Victoria Avenue
✆ +1 306 522 7691, +1 800 333 3333
www.hotelsask.com
reservations@hotelsask.com
Occupation double : à partir de 163 $.
224 chambres très belles, dont 26 suites superbes et la suite royale. Centre de conditionnement physique, centre de santé, boutiques.

Se restaurer

Regina, bien que capitale de province, reste une petite ville tranquille. La gastronomie n'est pas son point fort, loin de là. Pour trouver un restaurant gastronomique digne de ce nom, vous pourriez avoir à vous éloigner de plusieurs centaines (voir milliers) de kilomètres. Toutefois, vous trouverez quelques tables honorables qui vous éviteront de tomber dans le fast food.

■ CATHEDRAL FREEHOUSE

2062 Albert Street
✆ +1 306 359 1661
www.thefreehouse.com
info@thefreehouse.com
Ouvert tous les jours.
Un pub très fréquenté proposant des bières locales et un menu typique de ce genre d'établissement. Pas trop cher mais bruyant !

Conseil : pour un menu plus contemporain dans une ambiance plus chic, le Creek in Cathedral Bistro et sa magnifique terrasse sont à quelques pas de là (3414, 13th Avenue).

■ CRAVE KITCHEN AND WINE BAR

1925 Victoria Avenue
✆ +1 306 525 8777
www.cravekwb.com
crave@sasktel.net
Comptez 25 à 40 $ pour un repas complet.
A l'intérieur, une atmosphère feutrée et une musique discrète. A l'extérieur, une terrasse qui donne sur la principale rue du centre-ville (qui n'est pas bruyante, rassurez-vous !). Une cuisine variée et tout à fait bien exécutée, à forte tendance italienne.

■ GOLF'S STEAK HOUSE

1945 Victoria Avenue
(dans Hamilton Street)
✆ +1 306 525 5808
golfssteakhouse@sasktel.net
Un restaurant réputé pour avoir les meilleurs steaks en ville ! Impossible à rater, un énorme flambeau orne son entrée.

■ THE WILLOW ON WASCANA

3000 Wascana Drive
✆ +1 306 585 3663
www.willowonwascana.ca
info@willowonwascana.ca
Comptez 35 à 50 $ pour un repas.
Le principal attrait de ce restaurant est de taille : il est le seul à posséder une vue sur le lac. Et quelle vue ! Bien entendu, les clients se pressent pour avoir une place en terrasse, si vous êtes dans ce cas, pensez à venir tôt, voire à réserver. La cuisine est sans doute également une des plus raffinées de la ville, du filet de truite satay aux raviolis d'agneau.

Sortir

Regina n'est pas la reine de la nuit. Si vous cherchez à vous faire des amis un lundi soir à 2h du matin, les chances sont grandes que vous trouviez partout porte close.
Mais en fin de semaine, la ville s'anime et vous n'aurez aucun mal à trouver un endroit ou étancher votre soif en refaisant le monde. Regina compte notamment bon nombre de brasseries artisanales *(brew pubs)* dont trois établissements de la chaîne Brewsters Brewing Co. Restaurant (www.brewsters-brewingco.com).

Louis Riel

Né au siècle dernier, Louis Riel, un métis francophone, est considéré comme le « père du Manitoba ». Après des études à l'université de Montréal, il incite les métis francophones du Manitoba à se révolter contre l'hégémonie anglophone, notamment, en s'emparant, en novembre 1869, de Fort Garry, le principal établissement de la baie d'Hudson. Cet acte de résistance vaut aux métis l'obtention d'un statut particulier, consigné dans le Manitoba Act en 1870. Leur langue est alors reconnue au même titre que l'anglais. Mais Louis Riel, accusé du meurtre de Scott, leader des sang-mêlé ontariens (anglophones), est condamné à un exil de cinq ans. Au début des années 1880, le mécontentement grandissant dans la Saskatchewan, Louis Riel revient au Canada pour prendre la tête de la rébellion. Le conflit se radicalise. Se souvenant du succès de Fort Garry, Louis Riel veut renouveler sa tentative : le 19 mars 1885, il s'empare de l'église de Batoche et forme un gouvernement provisoire. Mais contrairement à 1869, le gouvernement fédéral réplique grâce au transport rapide des troupes par le train du Canadian Pacific. Mis en échec, accusé de trahison et condamné à mort, Louis Riel sera pendu le 16 novembre 1885, à Regina.

■ BARLEY MILL BREW PUB

6150 Rochedale Boulevard
✆ +1 306 949 1500
www.barleymill.ca
Brasserie artisanale dans le quartier nord-ouest de la ville. Une ambiance de pub traditionnel, avec une possibilité de restauration sur le pouce.

■ COPPER KETTLE

1953 Scarth Street
✆ +1 306 525 3545
www.ckpizza.ca
Sur l'une des places les plus fréquentées du centre-ville, la terrasse du Copper Kettle est aussi agréable que bondée. Parfait pour boire un verre, mais aussi pour déjeuner ou dîner, avec un grand choix de pizzas notamment.

■ THE PUMP ROADHOUSE

641 Victoria Avenue East
www.thepumproadhouse.com
jjvoss@sasktel.net
Ouvert du jeudi au samedi.
Pour se déhancher en ville, le choix est très limité... The Pump Roadhouse reste une valeur sûre avec des soirées thématiques, des spectacles live et même, des soirées de musique country.

À voir / À faire

■ LEGISLATIVE HOUSE

2405 Legislative Drive
✆ +1 306 787 2376
www.legassembly.sk.ca/visitors/default.htm
info@legassembly.sk.ca
Visites guidées gratuites en français tous les jours.
Le bâtiment, construit entre 1908 et 1912, intègre dans son décor 30 sortes de marbres. À voir, la Chambre législative, la librairie avec ses 40 000 volumes et la galerie d'art.

■ ROYAL CANADIAN MOUNTED POLICE HERITAGE CENTER

Dewdney Avenue West
✆ +1 306 522 7333
www.rcmpheritagecentre.com
info@rcmphc.com
Entrée 12 $.
Le seul centre de formation des agents de la Gendarmerie royale du Canada se trouve à Régina. Il est possible de visiter quelques bâtiments. Sur le même site se trouve le Centre du patrimoine de la GRC qui retrace les plus illustres épisodes de l'histoire de la fameuse police montée canadienne par le biais d'expositions et d'événements. Si vous avez la chance de vous trouver sur les lieux lors d'une des parades du Sergent Major (le 1er juillet par exemple pour la fête nationale du Canada), ne la manquez pas !

■ ROYAL SASKATCHEWAN MUSEUM

2445 Albert Street
✆ +1 306 787 2815
www.royalsaskmuseum.ca
info@royalsaskmuseum.ca
Ouvert tous les jours de 9h à 17h30, 16h30 en hiver. Entrée gratuite, donation de 6 $ par adulte suggérée.
Le musée, qui explique la géologie de cette région riche en uranium et en pétrole et évoque en même temps sa préhistoire, abrite, parmi d'autres curiosités, le célèbre Megamunch, un dinosaure articulé, ainsi que le squelette d'un bison géant. Une exposition relate l'histoire des populations aborigènes depuis 10 000 ans.

■ TOURISM, PARKS, CULTURE AND SPORT GOVERNMENT OF SASKATCHEWAN

3211 Albert Street
2nd Floor
✆ +1 800 205 7070
✆ +1 306 787 0745
www.tpcs.gov.sk.ca/parks
www.saskparks.net

FORT QU'APPELLE

A une heure de route au Nord-Est de Regina, au beau milieu des prairies, se trouve une vallée qui vaut largement un détour d'un ou deux jours. La rivière Qu'Appelle a creusé son sillon et créé autour de la petite ville de Fort Qu'appelle une série de lacs au bord desquels il fait bon se poser pour apprécier le paysage.

■ ECHO VALLEY PORVINCIAL PARK

✆ +1 306 332 3215
www.saskparks.net/EchoValley
EchoValleyPP@gov.sk.ca
Droits d'accès 7 $.
A 8 km de Fort Qu'Appelle, ce parc longe le lac Echo. Il offre des points de vue spectaculaires sur la vallée. Si votre emploi du temps vous le permet, n'hésitez pas à camper sur l'un des deux sites du parc : le Lakeview camping offre des emplacements isolés vous permettant vraiment de vous sentir en pleine nature. Le camping situé sur le haut de la colline offre une très belle vue. Vous pouvez également faire le tour du lac en voiture, et vous arrêter dans le petit village de Lebret.

■ **VISITORS CENTER**
Highway 10
www.fortquappelle.com
A l'entrée de la ville en venant de Regina. Une mine d'informations sur la ville et ses environs.

SASKATOON

La deuxième ville de la Saskatchewan, à 259 km au nord-ouest de Regina, s'orne de splendides jardins (Kiwanis Park) le long de la rivière qui la traverse. De nombreuses plages y sont également aménagées. Depuis le début du siècle, Saskatoon est la ville universitaire de la Saskatchewan. Son festival annuel de jazz attire les amateurs en grand nombre pendant une dizaine de jours. La ville a grandi dans l'environnement boisé qui caractérise le Nord de la province. Elle est au centre d'une riche région agricole (blé, colza et élevage) et minière (potasse). Ces deux dernières années, la ville a connu un développement sans précédent, et les rives de la rivière ont été réaménagées complètement. Le quartier de Riversdale, autrefois plutôt mal fréquenté, attire désormais une population jeune et branchée.

Transports

Comment y accéder et en partir

■ **AIR CANADA**
✆ 1 888 247 2262
www.aircanada.com
Dessert Regina et Saskatoon. Vol direct depuis certaines villes canadiennes.

■ **SASKATOON AIRPORT AUTHORITY**
2625 Airport Dr
✆ +1 306 975 8900
www.yxe.ca
comments@saskatoonairport.ca
Il accueille plusieurs vols venant des États-Unis et du Canada. Il n'y a pas de service de navette entre l'aéroport et le centre. Il est toutefois possible de prendre un taxi et certains hôtels offrent un service de navette.

■ **SASKATOON TRANSIT**
226 23rd Street East
✆ +1 306 975 3100
www.saskatoon.ca
Un billet de bus coûte 2,75 $ par adulte. Des lisières de 10 tickets à 21 $ sont également en vente.
Le centre-ville n'étant pas très étendu, quelques lignes de bus suffisent à le couvrir en grande partie. Ces lignes s'étendent à la banlieue sur les grands axes.

■ **STC BUS DEPOT (STC & GREYHOUND)**
50 23rd Street East
✆ +1 306 933 8000
www.stcbus.com
Dessert la plupart des routes à travers la province et quelques destinations des provinces voisines.
Par exemple, plusieurs départs par jour pour Regina, comptez 40 $.

■ **VIA RAIL CANADA**
✆ +1 888 842 7245
www.viarail.ca
Le train dessert une quinzaine de localités dans la province dont Saskatoon. Aucun service à Regina.

■ **WESTJET**
✆ +1 877 956 6982
www.westjet.com
Moins confortable qu'Air Canada, il s'agit de sa filiale low cost. Elle offre souvent de meilleurs tarifs. Dessert Regina et Saskatoon. Vol direct depuis certaines villes canadiennes.

Pratique

■ **SASKATOON CITY HOSPITAL**
701 Queen Street
✆ +1 306 655 8000
www.saskatooncityhospitalfoundation.com
contact@saskatooncityhospitalfoundation.com

■ **TOURISM SASKATOON**
101-202 Fourth Avenue North
✆ +1 306 242 1206, +1 800 567 2444
www.tourismsaskatoon.com
Un bureau à la documentation compète et au personnel prévenant. Une mine d'information avant d'explorer la région.

Se loger

■ **DELTA BESSBOROUGH**
601 Spadina Crescent East
(sur les rives de la Saskatchewan River, niché entre 2 parcs)
✆ +1 306 244 5521, +1 888 890 3222
www.deltahotels.com
Occupation double : à partir de 139 $.
Ce « château sur la rivière », construit entre 1930 et 1932, est un lieu où le luxe, le raffinement et la gastronomie se côtoient. Piscine intérieure, centre de santé, centre de conditionnement physique, etc.

■ **GORDON HOWE CAMPGROUND (CAMPING)**
1640 Avenue P South
✆ +1 306 975 3328
✆ +1 866 855 6655
Emplacement à partir de 19 $ pour un emplacement tente. Ouvert de mi-avril à mi-octobre. Animaux autorisés.
135 emplacements répartis sur un site rempli de verdure. Un lieu calme près du centre de Saskatoon. Plusieurs services sur place dont une buanderie, douches chaudes gratuites, etc.

■ **HOTEL SENATOR**
243 21st Street East
✆ +1 306 244 6141
www.hotelsenator.ca
Double à partir de 129 $.
Construit en 1908, cet hôtel a le charme de l'ancien... et quelquefois ses inconvénients. Le tout est très honorable et dans un style d'époque. Lors de notre passage le lobby était en réfection. Son emplacement est on ne peut plus idéal, en plein centre.

■ **WHITE PELICAN B&B**
912 Queen Street
✆ +1 306 249 2645
www.whitepelican.ca
info@whitepelican.ca
Occupation double : 100-120 $, petit déjeuner inclus (3 choix). 3 chambres.
Charmante maison au décor très champêtre. Près de toutes les commodités.

Se restaurer

A l'image de la province, Saskatoon ne brille pas par la variété et l'originalité de ses restaurants. Si vous savez vous contenter d'un hamburger bien réalisé ou d'une pizza à la garniture riche, vous trouverez tout de même de quoi satisfaire vos estomacs.

■ **COLLECTIVE COFFEE**
220 20th Street West
collectivecoffee.weebly.com
collectivecoffee@gmail.com
Entre 3 et 6 $ le café.
Une des nouvelles manifestations du développement de la ville, ce café a ouvert ses portes il y a peu dans le quartier réhabilité de Riversdale. Tout tourne autour de la qualité du café, et c'est en effet un des meilleurs du coin. La convivialité est au rendez-vous, et aux alentours de 9h nombreux sont les jeunes professionnels du quartier qui viennent chercher leur boisson favorite.

■ **COLLECTIVE COFFEE**
220 20th Street West
collectivecoffee.weebly.com
collectivecoffee@gmail.com
Entre 3 et 6 $ le café.
Une des nouvelles manifestations du développement de la ville, ce café a ouvert ses portes il y a peu dans le quartier réhabilité de Riversdale. Tout tourne autour de la qualité du café, et c'est en effet un des meilleurs du coin. La convivialité est au rendez-vous, et aux alentours de 9h nombreux sont les jeunes professionnels du quartier qui viennent chercher leur boisson favorite.

■ **SPADINA FREE HOUSE**
608 Spadina Crescent East
✆ +1 306 668 1000
www.thefreehouse.com/spadina/
spadina@thefreehouse.com
Fermé le lundi. Environ 25 $ le repas.
C'est surtout la terrasse, en face de l'hôtel Delta et à deux pas de la rivière, qui font de ce pub restaurant l'un des endroits les plus agréables de la ville pour se restaurer. La cuisine est classique, mais bien exécutée, et comme tout pub qui se respecte vous n'aurez pas à vous plaindre de l'étendue de la gamme de bières.

À voir / À faire

■ **WANUSKEWIN HERITAGE PARK**
RR #4, Penner Road
✆ +1 306 931 6767, +1 877 547 6546
www.wanuskewin.com
Ouvert toute l'année. Programmes et forfaits disponibles. Entrée 8,50 $. À 5 km au nord de Saskatoon, ce parc historique raconte 6 000 ans d'histoire, et notamment celle des Indiens qui, pendant longtemps, furent les seuls habitants de la région. 19 sites archéologiques. Hébergement en tipi et restauration sur place.

Sports / Détente / Loisirs

■ **CANADIAN WILDLIFE SERVICE**
115 Perimeter Road ✆ +1 306 975 4087
www.cws-scf.ec.gc.ca
La province de la Saskatchewan dispose de nombreux affûts pour observer la vie sauvage. Des petites routes de l'arrière-pays du Sud-ouest, où les antilopes et les cerfs peuvent être vus dans des endroits comme Redberry Lake ou le parc national du Prince Albert, ou encore Last Mountain Lakes, qui est un arrêt fréquent pour les rares grues.

PRINCE ALBERT NATIONAL PARK

À 380 km au nord de Regina et 60 km de Prince Albert, le parc national du Canada de Prince Albert présente de très beaux paysages d'une grande diversité. Ses gardes proposent des visites thématiques qui en facilitent la découverte. Le site est idéal pour faire de la randonnée ou de simples promenades, notamment sur les bords calmes et sauvages du lac Waskesiu.
Le lieu se prête également aux joies du canoë et du camping ainsi qu'à l'observation des animaux sauvages (orignal, ours, renard roux et castor principalement). En hiver, les 150 km de sentiers ravissent les skieurs de fond.

Pratique

■ PRINCE ALBERT NATIONAL PARK
✆ +1 306 663 4522
www.pc.gc.ca/princealbert/
panp.info@pc.gc.ca
Ouvert à l'année (centre d'interprétation et centre de la nature ouverts en été seulement). Adulte : 7,80 $.

■ WASKESIU LAKE MARINA
www.waskesiulake.com
info@kapasiwin.com
Pour vous renseigner sur l'hébergement et toutes les activités possibles (observation de la nature, canoë, photographie, camping, etc.).

À voir / À faire

■ CENTRE DE LA NATURE
Situé sur la promenade Lakeview
A Waskesiu
Ce centre d'interprétation offre de nombreux renseignements sur les écosystèmes, la faune et la flore du parc. Des expositions éducatives y sont régulièrement organisées, et vous y trouverez toutes les informations nécessaires sur les promenades possibles dans le parc.

Sports / Détente / Loisirs

■ SASKATCHEWAN OUTFITTERS ASSOCIATION À PRINCE ALBERT
Prince Albert – 3700 2nd Avenue West
✆ +1 306 763 5434
www.soa.ca – soa@sasktel.net
Cette association a pour but d'assister les chasseurs et les pêcheurs dans la pratique de leur activité favorite.

Visites guidées

■ SUNDOGS SLED EXCURSIONS
A Anglin Lake ✆ +1 306 960 1654
www.sundogs.sk.ca
bmuir@sundogs.sk.ca
A 65 km au nord de la ville de Prince Albert, dans les environs de Waskesiu. Cette agence propose des visites guidées, accompagnées de naturalistes sur un ou plusieurs jours à la découverte de la forêt boréale. Les programmes sont organisés selon la saison. Une partie des bénéfices est reversée à des associations de protection de l'environnement.

Grizzly.

L'autoroute 1 poursuit son cheminement à travers des étendues irrémédiablement planes. Les bords de route commencent à verdir, les forêts de feuillus apparaissent peu à peu. Bref, la province du Manitoba semble moins rustique que celle de la Saskatchewan. Elle s'en distingue également par une plus grande diversité de paysages, bien qu'elle aussi soit placée sous le signe de l'eau en dépit de ses immenses prairies. Au nord, les lacs et les rivières qui disputent l'espace à la toundra reflètent très souvent des aurores boréales.Amateurs de champs de tournesols, de plages de sable fin, de lacs immenses et innombrables, de forêts denses, de toundras arides, d'aurores boréales, bonjour et bienvenue ! Le Manitoba offre aux amoureux de la nature sauvage de multiples possibilités de se mesurer à elle : descente de rapides, camping sauvage, canotage (plus de 100 trajets possibles en canot, à l'instar de la rivière Grass parcourue par l'explorateur Samuel Hearne et qui n'a pas changé depuis le XVIIIe siècle). C'est au nord de la province que le mot « extrême » prend toute sa dimension. Là-bas, les rivières sont déchaînées, les lacs plus profonds et l'air plus vivifiant.

Histoire

En indien, manito signifie « esprit », et baw « passage ». Manitoba pourrait donc se traduire par « le passage de l'esprit ». En effet, lorsque le vent soufflait là où le lac Manitoba se rétrécit, les Indiens croyaient entendre la voix de l'esprit. Les Indiens (tribus des Cris, Saulteaux, Ojibways) ainsi que les Inuits furent les premiers occupants du vaste territoire que constitue aujourd'hui le Manitoba (649 950 km²). Le premier Européen à avoir franchi la frontière de ce territoire est le capitaine Thomas Button, en 1612. Aujourd'hui, la culture française est bien vivante au Manitoba, à en croire les pièces de théâtre du Cercle Molière ou les spectacles présentés au Centre culturel franco-manitobain. La province compte 55 000 francophones ou Franco-Manitobains. D'ailleurs, tous les centres d'information touristique ont un agent parlant couramment le français.

BRANDON

Deuxième plus grande agglomération du Manitoba avec 43 000 habitants, située dans le sud-ouest de la province, Brandon est une ville universitaire. Le campus a un charme fou. Baladez-vous à tout prix dans ses allées.

Pratique

■ BRANDON TOURISM
#1 -545 Conservation Drive
(dans le Riverbank Discovery Centre)
✆ +1 204 729 2141
+1 888 799 1111
www.brandon.com
brandontourism@wcgwave.ca
Informations sur les sites touristiques et les hébergements disponibles dans la ville.

Se loger

■ LAKEVIEW INN AND SUITES
1880 18th Street North
✆ +1 204 728 1880
www.lakeviewhotels.com
brandon@lakeviewhotels.com
Chambre double entre 85 à 155 $.
Un bon choix parmi les hôtels trois-étoiles appartenant à de grandes chaînes. Le Lakeview Inn a l'avantage de posséder une grande piscine intérieure, et un personnel particulièrement chaleureux.

■ WHITE HOUSE B&B
1705 Middleton Avenue
✆ +1 204 726 4280
www.bedandbreakfast.mb.ca
whiteshe@mts.net
Chambre double 60 à 80 $.
Une adresse sympathique vous permettant d'allier découverte de la région et accueil de ses habitants. Rien de bien attirant en termes d'hôtels à Brandon, optez donc pour ce B&B charmant aux chambres récemment rénovées proche du terrain de golf.

Se restaurer

■ THE KEG
1836 Brandon Avenue
✆ +1 204 725 4223
http://en.kegsteakhouse.com/
Ouvert tous les jours pour le repas du soir.
Ce restaurant de la chaîne nord-américaine reste une valeur sûre à Brandon. Végétariens, abstenez-vous ! Ici, le steak est roi même s'il y a quelques plats de poissons, fruits de mer et poulet.

TERRITOIRES DU NORD-OUEST
Manitoba
Lac Nejanillini
HUDSON BAY
Seal
Churchill
North River
Fort Churchill
Lac Misty
Lac Brochet
Tadoule Lake
Lac Tadoule
Lamprey
McClintock
Lac Big Sand
O'Day
Herchmer
Southern Indian Lake
Churchill
Thibaudeau
Port Nelson
York Factory
Lynn Lake
Nelson
Mc Veigh
Sundance
Fox Mine
Bird
Lac Granville
280
Herriot
Leaf Rapids
Split Lake
Gillam
Hayes
Granville
York Landing
Willbeach
Kelsey
Ilford
Shamattawa
Jeteit
Fox
Pit Siding
391
Highrock
Nelson House
Thompson
Pukatawagan
Lac Highrock
Thicket Portage
Sipiwesk
Hayes
God's
Takipy
Lac Kississing
Sherridon
Nelson
Oxford Lake
God's River
Odhill
Wabowden
Lac Cross
Snow Lake
God's Lake Narrows
God's Lake
Flin Flon
Channing
Cross Lake
Cranberry Portage
39
Jenpeg
Wekusko
6
Cormorant
Lac Molson
Lac Playgreen
Atikameg
Severn
St. Theresa Point
Norway House
The Pas
Moose lake
MANITOBA
10
Lac Cedar
Turnberry
Grand Rapids
Big Black River
Overflowing River
60
Lac Sandy
Easterville
Neginam
Lac Winnipeg
Armit
Mafeking
Lac Swan
6
Berens River
Little Grand Rapids
ONTARIO
Duck Bay
Lac Winnipegosis
Dauphin River
Jackhead Harbour
Swan River
Cowan
Skownan
Princess Harbour
Camperville
Gypsumville
Bloodvein Rver
Benito
Pine River
Pine Dock
Winnipegosis
Kooslatak
Ethelbert
Steep Rock
Sifton
Rorketon
Gull Har.
Hodgson
Manigotagan
SASKATCHEWAN
Roblin
10
Lac Dauphin
Ashern
5
Riverton
Bisset
Grandview
DAUPHIN
St.Rose du Lac
Mulvihill
Arborg
Victoria Beach
Riding Mt. Nat. Park
Alonsa
Eriksdale
Pine Falls
Russell
Gimli
McCreary
Lundar
59
Great Falls
Lac Manitoba
Erickson
Teulon
Winnipeg Beach
Lac du Bonnet
120 km
Shoal Lake
Amaranth
Birtle
16
Gladstone
St Laurent
Pinawa
Minnedosa
Selkirk
Portage La Prairie
Lake of the Wood
Rapid City
Neepawa
Withemouth
Elma
Assiniboine
Elkhorn
1
WINNIPEG
Brandon
Virden
1
Treherne
2
Waugh
Souris
Wawanesa
3
Steinbach
2
Glenboro
Carman
Reston
Morris
Hartney
10
Manitou
59
Woodridge
Pilot Mound
Lac Rainy
Melita
Boissevain
Gardenton
12
Mound
Emerson
Delauraine
Killarney
3
Morden
ETATS-UNIS

À voir / À faire

■ **ART GALLERY OF SOUTHWESTERN MANITOBA**
710 Rosser Avenue (unit #2)
✆ +1 204 727 1036
http://agsm.ca – info@agsm.ca
Lun-sam, 10h-18h.
Expositions permettant de comprendre le mode de vie des différents peuples autochtones.

■ **B. J. HALES MUSEUM OF NATURAL HISTORY**
À l'université de Brandon
270 -18th Street
✆ +1 204 727 7307
Ouvert les lundi, mercredi et vendredi de 10h à midi et de 13h à 16h. Entrée gratuite.
Ce musée, axé sur l'héritage naturel de l'Ouest du pays, présente plus de 500 spécimens d'oiseaux, mammifères et plantes locales.

■ **COMMONWEALTH AIR TRAINING PLAN MUSEUM**
Brandon Municipal Airport, Hangar #1
✆ +1 204 727 2444
www.airmuseum.ca
airmuseum@inetlink.ca
À 1,6 km au nord de Brandon. Ouvert tous les jours à l'année en été de 10h à 16h, en hiver de 13h à 16h. Adulte : 6 $.
La plus grande exposition visitable de formations aériennes de la Seconde Guerre mondiale en Amérique du Nord.

■ **PARC NATIONAL DU CANADA DU MONT-RIDING**
✆ +1 204 848 7275
www.pc.gc.ca/riding
À 100 km au nord de Brandon. Ouvert toute l'année (certains postes d'accueil sont fermés en hiver). Adulte : 7,80 $.
Un des plus beaux parcs de la région, à découvrir absolument. De nombreuses pistes (400 km) prévues pour la randonnée, la promenade en vélo de montagne ou le ski de fond dans le pays des lacs. Plus de 260 espèces d'oiseaux à observer, mais aussi des élans, des loups, des coyotes, des lynx, des castors, des ours bruns et un troupeau de bisons que vous pouvez observer autour du Lake Audy. Possibilités de camping et pêche. Wasagaming, le centre touristique situé à l'entrée du parc, est un véritable village avec ses restaurants, son épicerie, sa plage, ses stations-service…

■ **SPRUCE WOODS PROVINCIAL PARK**
✆ +1 204 827 8850
www.manitobaparks.com
Au sud-est de Brandon, ce parc familial exceptionnel comporte des espèces animales rares (la guêpe « Bembix » et une espèce de loup dite « wolf-spider »). Le parc comprend également des forêts et des prairies vierges où pousse l'herbe dont raffolent les wapitis. Nombreuses activités de plein air. Camping sur place (réservation ✆ +1 888 482 2267).

WINNIPEG

Voilà une ville très civile, agréable à vivre et à découvrir, dont le nom indien évoque l'importance de l'eau dans son environnement. En effet, les deux rivières qui la traversent ont marqué son histoire et son économie. À Winnipeg, fief de la francophonie, vous aurez tout le loisir de communiquer dans votre langue. Winnipeg accueille la plus grande communauté française des quatre provinces de l'Ouest et ses habitants se serrent les coudes (contre l'anglophonie) pour que perdure la langue de Cyrano. Avec ses 600 000 habitants, elle s'impose comme la capitale administrative du Manitoba (comme nous le rappelle l'impressionnant palais législatif surmonté du « Golden Boy »), tout en étant aussi la capitale économique et… culturelle.
Elle est même une des rares villes nord-américaines qui puisse se targuer de posséder en son sein quatre « monuments » de la culture : le théâtre (trois grandes compagnies), la musique (Winnipeg Symphony Orchestra), la danse contemporaine (Contemporary Dancers), le Royal Winnipeg Ballet, sans oublier le célèbre Opéra de Manitoba.
Pour se divertir l'estomac, la ville vous propose au menu quelque 900 restaurants (cuisine locale, française, chinoise, italienne, grecque, mexicaine, ukrainienne, indienne…). Après quoi, une bonne nuit de sommeil dans l'une des 5 000 chambres d'hôtel s'impose (environ la moitié se trouve dans le centre-ville).
Le lendemain au réveil, une petite balade dans la ville permet d'apprécier la richesse historique du site, construit au confluent de deux rivières, la Rouge et l'Assiniboine.

Retrouvez le sommaire en début de guide

Quartiers

La rivière Assiniboine partage la ville en deux parties est et ouest, d'étendues à peu près égales.

Downtown et l'ouest

L'ouest de la ville regroupe l'activité la plus importante. Activité économique, tout d'abord, avec le Downtown, centre administratif et financier commun à toutes les plus grandes villes nord-américaines, hérissé de gratte-ciel entrecoupés de centres commerciaux. Il compte également le quartier d'Exchange District, dans lequel vous pourrez admirer des bâtiments tels qu'on les voyait au Canada au début du siècle, en plus de profiter des nombreux restaurants, boutiques et bars branchés. Portage Place est un quartier plus moderne où vous vous retrouverez peut-être à table ou au cinéma. L'angle de la rue Portage et de la rue Main passe pour être le carrefour le plus venté du Canada. Les nombreuses communautés ethniques maintiennent leurs traditions, notamment la communauté chinoise rassemblée dans un (petit) Chinatown au nord.
Deux axes regroupent également les meilleurs restaurants de la ville : Osborne street et Corydon avenue.

Saint Boniface et l'est

L'est compte des quartiers plus résidentiels, mais qui ne manquent pas d'ambiance. La localité de Saint-Boniface est aujourd'hui rattachée à Winnipeg. C'est le père Norbert Provencher qui la fonda au début du XVIIIe siècle et qui fit bâtir une petite chapelle (devenue depuis, après l'incendie de 1968, la cathédrale de Saint-Boniface) au confluent des rivières Rouge et Assiniboine (appelée la « Fourche »). À deux pas, la promenade Taché mérite absolument que vous y traîniez vos baskets (ou bottes d'hiver selon la saison). La vue sur Winnipeg vaut vraiment le coup d'œil. À visiter également, le musée Saint-Boniface, qui fait revivre l'ancien couvent des Sœurs Grises, fondé en 1846, et qui nous retrace l'historique des premiers colons français. Cette bâtisse est le plus vieux bâtiment construit en rondins de chêne de tout l'Ouest canadien.

Se déplacer

Bus

■ GREYHOUND BUS TERMINAL
487 Portage Avenue ✆ +1 204 949 7777
www.greyhound.ca
webmaster@greyhound.ca

■ WINNIPEG TRANSIT
421 Osborne Street
✆ 311, +1 877 311 4974
www.winnipegtransit.com
311@Winnipeg.ca
Un billet de bus coûte 2,40 $ par adulte. Des carnets de 10 tickets sont également en vente. En saison estivale, Winnipeg Transit offre trois lignes de bus gratuites qui circulent au centre-ville et relient les attraits majeurs.

Voiture

■ AVIS
234 York Avenue
✆ +1 204 989 7521
✆ +1 800 879 2847
www.avis.ca

■ BUDGET
593 Ellice Avenue
✆ +1 204 989 8535
✆ +1 800 268 8970
www.budget.ca

■ HERTZ
276 Colony Street
✆ +1 204 925 6600
✆ +1 800 263 0678
www.hertz.ca

Taxi

■ DUFFY'S TAXI
1100 Notre Dame Avenue
✆ +1 204 925 0101
www.duffystaxi.com
manager@duffystaxi.com

■ UNICITY TAXI
340 Hargrave Place
✆ +1 204 925 3131
www.unicitytaxi.mb.ca

Pratique

■ VICTORIA GENERAL HOSPITAL
2340 Pembina Highway
✆ +1 204 269 3570
www.vgh.mb.ca
info@vgh.mb.ca

Se loger

Vous retrouvez toutes les grandes chaînes d'hébergement à Winnipeg : Comfort Inn, Travelodge, Holiday Inn, Radisson, Delta, Best Western, Hilton, etc. Consultez le site de l'office du tourisme pour obtenir la liste complète.

Winnipeg
AVENUE SELKIRK
QUARTIER CHINOIS
QUARTIER DE LA BOURSE
CENTRE VILLE
BROADWAY SHERBROOK
VILLAGE OSBORNE
AVENUE CORYDON
ST BONIFACE
NORWOOD GROVE
Rivière Assiniboine
Rivière Rouge
Seine
Lyndale Park
Flora Avenue
Stella Avenue
Magnus Avenue
Alfred Avenue
Charles Street
Pritchard Avenue
Burrows Avenue
Manitoba Avenue
Selkirk Avenue
Parr Street
McKenzie Street
McGregor
Andrew Street
Dufferin Avenue
Jarvis Avenue
Power Street
Man Street
Salter Street
Aikins Street
Robinson Street
Austin Street North
Higgins Avenue
Sutherland Avenue
King Street
Logan Avenue
Alexander Avenue
Ross Avenue
Elgin Avenue
Sherbrook Street
Bannatyne Avenue
Isabel Street
William Avenue
Mc dermot Ave.
Ellen St.
Notre-Dame Avenue
Cumberland Avenue
Princess St.
King St.
Rory Avenue
Mc Dermot Avenue
Main Street
Henderson Highway
Glenwood
Noble Ave.
Hart Avenue
Hespeler Avenue
Chalmers Avenue
Mighton Ave.
Brazier Street
Talbot Avenue
Midwinter Avenue
Rover Avenue
Hallet
Disraeli St.
Annabella Street
Sargent Avenue
Furby Street
Young Street
Colony Memorial
Ellice Avenue
Portage Avenue
Spence Street
Graham Avenue
Garry Street
Fort Street
St Marie Avenue
Edmonton St.
Smith Street
York Avenue
Kennedy Street
Donald Street
Osborne Street North
Broadway
Carlton St.
Hargrave St.
Assiniboine Avenue
Mayfair Avenue
Water Avenue
Rue St Joseph
Avenue Tache
Rue Aubert
Rue Langevin
Rue St J Baptiste
Rue la Verendrye
Notre-Dame
Rue Dumoulin
Boulevard Provencher
Av. de la Cathédrale
Rue Aulneau
Rue Richot
Rue St J. Baptiste
Rue de la Morénie
Rue des Meurons
Rue Despins
Dollard
Bertrand
Goulet
Kenny Street
Traverse Avenue
Marion Street
Horace Street
Kitson Street
Walmer St.
St Mary's Road
Enfield Crescent
Enfield Street
Hill Street
Kirkdale
Lyndale Drive
Highfield Street
Claremont Avenue
Monck Avenue
Niverville Avenue
Lloyd Street
Birchdale
Lawndale
Ferndale
Coniston Street
Roslyn Road
River Avenue
Nassau Street
Stradbrook Avenue
Wardlaw Avenue
Gertrude Avenue
Pembina Highway
Osborne Street
East Gate
Middle Gate
Wellington Crescent
Corydon Avenue
Mc Millan Avenue
Jessie Avenue
Warsaw Avenue
52
37
62
42
47
57
85
115
95
0
500 m
N

Downtown et l'ouest

■ **FORT GARRY HOTEL**
222 Broadway Avenue
✆ +1 204 942 8251, +1 800 665 8088
www.fortgarryhotel.com
ftgarry@fortgarryhotel.com
Occupation double : à partir de 129 $. Forfaits disponibles. Nombreux services sur place.
Splendide hôtel aux allures de château construit en 1913. L'adresse idéale pour les fervents du luxe et de la gastronomie !

■ **HOSTELLING INTERNATIONAL WINNIPEG DOWNTOWNER**
330 Kennedy Street
✆ +1 204 943 5581, +1 866 762 4122
www.hihostels.ca
info@hihostels.ca
Dortoir : à partir de 35 $; chambre privée : à partir de 75 $. 120 lits. Nombreux services sur place. Restaurant et pub avec spectacles.
Auberge de jeunesse récemment rénovée en plein cœur du centre-ville. La meilleure option pour les petits budgets.

■ **INN AT THE FORKS**
75 Forks Market Road
✆ +1 204 942 6555
www.innforks.com
info@innforks.com
Double à partir de 155 $.
The Forks est sans conteste l'un des endroits les plus agréables de la capitale provinciale. Le Inn en est le coeur. A deux pas de la rivière, du marché et du parc, cet hôtel boutique donne dans le design et le confort, avec une cuisine inventive et sans cesse renouvelée.

■ **PLACE LOUIS RIEL**
190 Smith Street
✆ +1 204 947 6961
www.placelouisriel.com
info@placelouisriel.com
Doubles à partir de 145 $.
Le Place Louis Riel fonctionne sur le mode de suites, c'est-à-dire qu'il propose des petits studios ou des suites, équipés d'une cuisine. Une bonne option, surtout pour ce prix, et très bien placé dans le centre-ville.

■ **THE MARLBOROUGH HOTEL**
331 Smith Street
✆ +1 204 942 6411
www.themarlborough.ca
guestservices@themarlborough.ca
A partir de 80 $ la chambre double, petit déjeuner inclus.
Situé dans un immeuble historique, le Marlborough a pris de l'âge, et le service est un peu austère. Oui mais voilà, pour ce prix, les chambres sont confortables, et la situation est absolument idéale : Exchange District d'un côté, Downtown de l'autre, et 15 minutes à pied de The Forks.

Saint Boniface et l'est

■ **NORWOOD HÔTEL**
112 Marion Street ✆ +1 204 233 4475
www.norwood-hotel.com
info@norwood-hotel.com
Doubles à partir de 119 $ petit déjeuner inclus.
A l'entrée du quartier français, le Norwood est également à 5 minutes à pied du pont qui mène à The Forks. La décoration n'est pas très originale, mais il offre un bon confort pour ce niveau de prix. Avantage de poids face à ses concurrents du centre-ville : le parking gratuit…

Se restaurer

La diversité des communautés présentes autorise un tour du monde culinaire presque complet.

Downtown et l'ouest

■ **ALYCIA'S**
559 Cathedral Avenue
✆ +1 204 582 8789
Ouvert du lundi au samedi. Restaurant ukrainien. Plats généreusement servis.

■ **AMICI**
326 Broadway Avenue
✆ +1 204 943 4997
www.amiciwpg.com
amicicatering@mts.net
Ouvert le midi en semaine et le soir du lundi au samedi.
La communauté italienne est très importante ici. Un de ses meilleurs restaurants.

■ **BAKED EXPECTATIONS**
161 Osborne Street ✆ +1 204 452 5176
www.bakedexpectations.ca
Ouvert tous les jours. Brunch le dimanche.
De bons gâteaux pour ceux qui veulent « se sucrer le bec ».

■ **CARLOS & MURPHY'S**
129 Osborne Street ✆ +1 204 284 3510
www.carlosandmurphys.com
Ouvert tous les jours. Comptez 10 $ –15 $
Un restaurant mexicain populaire et abordable.

SEGOVIA TAPAS BAR & RESTAURANT
484 Stradbrook Avenue
✆ +1 204 477 6500
www.segoviatapasbar.com
segoviatapasbar@gmail.com
Comptez 35 à 45 $ pour un dîner.
Une belle terrasse, une salle feutrée, et des tapas d'une originalité qui ravit le palais. Si par hasard les foies de volailles au cumin et à la coriandre sont au menu à votre passage, n'hésitez pas une seconde !

Saint Boniface et l'est

■ RESTO GARE BISTRO
Quartier St-Boniface
630 Des Meurons Street
✆ +1 204 837 3624
www.restogare.com – finedine@mts.net
Ouvert le midi en semaine et le soir du lundi au dimanche. Bistro français très réputé. Belle carte des vins. Service en français.

Sortir

La présence de l'université du Manitoba explique l'animation qui règne le soir sur Pembina Highway, longue artère où se succèdent hôtels et boîtes de nuit.

■ REPUBLIC NIGHTCLUB
291 Bannatyne Avenue
www.republicnightclub.ca
Ouvert du mercredi au samedi.
Ouverte en 2009, le Republic est devenue l'une des discothèques incontournables de la ville. Ambiance garantie jusqu'au petit matin.

■ TOAD IN THE HOLE
108 Osborne Street ✆ +1 204 284 7201
Ouvert tous les jours. Un pub irlandais qui s'apprécie le jour comme le soir tout en offrant de quoi se sustenter à peu de frais. Bar à spectacles « Cavern » dans le même bâtiment.

■ WINNIPEGNIGHTLIFE.CA
http://winnipegnightlife.ca
Pour tout savoir sur la vie nocturne de Winnipeg.

À voir / À faire

Downtown et l'ouest

■ ASSEMBLÉE LÉGISLATIVE DU MANITOBA
405 Broadway Avenue ✆ +1 204 945 5813
www.gov.mb.ca/legislature/info/reservation.fr.html
vanessa.gregg@leg.gov.mb.ca
Visites guidées à l'année.

■ CONFEDERATION LIFE BUILDING
457 Main Street
C'est l'un des premiers gratte-ciel construits à Winnipeg. Ses 10 étages, vieux de 80 ans, gardent fière allure.
Depuis 1980, l'édifice est désigné site du patrimoine par la ville.

■ LIEU HISTORIQUE NATIONAL DU CANADA DE LA FOURCHE
✆ +1 204 983 6757
+1 888 773 8888
www.pc.gc.ca/fourche
Site ouvert à l'année tous les jours de 8h30 à 16h. Adulte : 3,90 $.
Ce lieu servait de point de rencontre entre les différentes tribus autochtones. C'est aujourd'hui un espace de verdure et de silence à la confluence de la rivière Rouge et de la rivière Assiniboine. Il est possible de louer des bateaux pour remonter ces voies fluviales qui, en hiver, font les délices des patineurs tandis que les skieurs de fond s'amusent le long des berges.
Un peu plus loin, un marché avec ses monticules de fruits et légumes et des restaurants constituent un autre point d'intérêt.

■ THE MANITOBA MUSEUM
190 Rupert Avenue
✆ +1 204 956 2830
www.manitobamuseum.ca
info@manitobamuseum.ca
Ouvert tous les jours à l'année (fermé le lundi de septembre à mi-mai). Adulte : 6,50 $-8,50 $.
Ce musée est le plus grand centre du patrimoine de la province, combinant les thèmes de l'homme et de la nature. Collections, expositions, planétarium, et centre des sciences.

■ WINNIPEG ART GALLERY
300 Memorial Boulevard
✆ +1 204 786 6641
www.wag.mb.ca
inquiries@wag.mb.ca
Ouvert tous les jours sauf lundi de 11h à 17h, 21h le jeudi. Adulte : 9 $.
C'est l'un des plus importants musées du Canada, avec plus de 20 000 œuvres. L'art inuit, notamment, y est admirablement représenté. L'ensemble fait preuve d'un très grand éclectisme et d'une belle audace en matière d'art contemporain.

La légende de la plaine du cheval blanc

Une légende indienne raconte qu'une jeune et très jolie Indienne et son époux furent un jour pris en chasse par un soupirant déçu. Malgré la fougue du cheval blanc qu'ils montaient, les flèches des Sioux eurent raison du jeune couple. Le cheval, qui réussit à s'enfuir, continue, depuis lors, sa course errante à travers la prairie. Les Indiens croient que l'âme de la jeune fille habite le cheval blanc et qu'elle hantera les lieux jusqu'à la fin des temps. Afin de rappeler cette histoire, la statue d'un cheval blanc a été érigée à l'intersection des routes 1 et 26 (village de Saint-François-Xavier, à l'ouest de Winnipeg).

Saint Boniface et l'est

■ CATHÉDRALE SAINT-BONIFACE
190 Avenue de la Cathédrale
Saint-Boniface
✆ +1 204 233 7304
www.cathedralestboniface.mb.ca
La plus vieille basilique de l'ouest du Canada est érigée en 1818 mais de cette époque, il ne reste plus que la façade, la cathédrale ayant été détruite à plusieurs reprises par des incendies. La nef a été reconstruite en 1972 dans un style très contemporain.

■ LIEU HISTORIQUE NATIONAL DU CANADA DE LA MAISON-RIEL
330 River Road
✆ +1 204 257 1783
www.pc.gc.ca/riel
Mi-mai à septembre : lun-dim, 10h-18h. Adulte : 3,90 $.
Dans le quartier paisible de Saint-Vital, rendez hommage à Louis Riel en visitant la résidence de sa famille. Il a été le grand leader des Métis, et il est aussi considéré comme le « Père du Manitoba ». Il a dirigé, avec d'autres, les rébellions menées au Manitoba pour revendiquer les droits territoriaux des Métis. Sa tombe se trouve dans le cimetière des ruines de la cathédrale de Saint-Boniface.

■ MUSÉE DE SAINT-BONIFACE
494 avenue Taché
✆ +1 204 237 4500
www.msbm.mb.ca
info@msbm.mb.ca
Ouvert de fin mai à fin septembre de 9h30 à 16h30 5le dimanche de 12h à 16h. Adulte : 5 $. Situé dans la partie française de la ville, le musée est installé dans la plus vieille maison de Winnipeg (1844). Vous y verrez différentes pièces historiques, et notamment le cercueil de Louis Riel, inhumé dans le petit cimetière de la cathédrale Saint-Boniface.

■ ROYAL CANADIAN MINT
520 Lagimodière Boulevard
✆ +1 204 983 6429 – www.mint.ca
Adulte : 3,50 $ le week-end, 5 $ en semaine. Visites guidées à l'année. Ouvert de 9h à 17h en été seulement du mardi au samedi. Ici sont fabriquées les pièces de monnaie en cours au Canada. Même les antiques pièces d'un cent bénéficient de ces équipements ultramodernes.

STONEWALL

Au nord de Winnipeg, Stonewall est une ville riche en histoire et en espaces verts avec son parc Quarry. On y trouve des fours à chaux, un musée, des sentiers, une aire de pique-nique. À partir de Stonewall, nous vous conseillons ensuite le marais Oak Hammock, superbe endroit où vivent 260 espèces d'oiseaux et 25 espèces de mammifères. Un marais considéré comme l'une des meilleures zones de protection de la faune en Amérique du Nord en ce qui concerne l'observation des oiseaux.

■ THUNDER MOUNTAIN WATER SLIDE
À Grand Beach (80 km au nord de Winnipeg)
8 km au sud de la Highway 459
✆ +1 204 754 4066
www.thundermountainwaterslides.ca
Ouvert tous les jours de 11h à 18h en saison estivale. 15,50 $ pour les 8 ans et plus, 11 $ pour les 3-7 ans. Centre de détente familiale, glissades d'eau.

CHURCHILL

Le village de Churchill, qui compte à peine 1 000 âmes, est situé à l'extrême nord de la province, à l'embouchure de la rivière Churchill, sur la baie d'Hudson appartenant à l'océan Arctique. Dans un environnement sauvage, vous y rencontrerez sûrement l'homme qui a vu l'homme qui a vu l'homme qui a vu l'ours polaire ! Peut-être même aurez-vous l'occasion de voir cet animal fétiche par vous-même. Vous pouvez aussi y observer de superbes baleines bélugas (en juillet et en août) ainsi que de nombreuses espèces d'oiseaux, notamment dans la toundra subarctique, véritable paradis pour les observateurs d'oiseaux (pluvier doré d'Amérique, faucon gerfaut...). Sur le plan historique, la puissante Compagnie de la Baie d'Hudson était réputée pour être la plus grande compagnie de traite au monde.

Transports

■ **VIA RAIL**
www.viarail.ca
Ceux qui aiment les grands espaces devraient s'aventurer, de préférence en train, vers Churchill, à 1 670 km au nord de Winnipeg. Les paysages qui les attendent et l'ambiance qui règne dans le train Hudson Bay font oublier la distance et le temps qui passe. Certes, le voyage dure deux jours et une nuit, mais il est agrémenté des gentilles attentions du personnel Via Rail, des variations de paysages et de la fantaisie de la compagnie ferroviaire. Il n'est pas rare que le train s'arrête pour permettre au cuisinier de faire quelques emplettes ! Au fil des kilomètres, la taïga se change en toundra, la végétation et les couleurs se raréfient. À Churchill, ce petit monde en transhumance est salué par les ours polaires, les baleines et les aurores boréales. Envolés les kilomètres, oubliées les heures passées ! Attention, le train ne circule que 3 fois par semaine.

Pratique

■ **MANITOBA LODGES AND OUTFITTERS ASSOCIATION**
✆ +1 204 772 1912
✆ +1 800 305 0013
www.mloa.com – mloa@mloa.com
Association représentant des entreprises de tourisme et des hébergements dans le but de promouvoir leur activité. Source d'information utile.

■ **TOWN OF CHURCHILL**
www.churchill.ca
townofchurchill@mts.net

Se loger

■ **THE AURORA INN**
24 Bernier Street ✆ +1 204 675 2071
www.aurora-inn.mb.ca – aurorain@mts.net
Occupation double : 115 $ – 235 $ selon la saison. Une vingtaine d'appartements aménagés avec cuisine. Gratuit pour les enfants qui partagent la chambre avec un adulte. Laverie gratuite. Restaurant et bar. Proche des commerces et d'une station de train.

■ **LAZY BEAR LODGE**
PO Box 880, 313 Kelsey Boulevard
✆ +1 204 663 9377, +1 866 687 2327
www.lazybearlodge.com
info@lazybearlodge.com
Plus qu'un simple hébergement, le Lazy Bear Lodge offre une expérience authentique et propose de nombreux forfaits aventure allant du kayak de mer à l'observation de l'ours polaire. Chalets en bois rond, restaurant aux saveurs locales et aux portions généreuses, une excellente adresse.

À voir / À faire

■ **ESKIMO MUSEUM**
242 Vérendrye Street
✆ +1 204 675 2030
Ouvert de 9h à 17h, de 13h à 16h30 en hiver.
Ce musée peut se targuer d'avoir une des plus vieilles et des plus belles collections de sculptures et d'objets fabriqués par les Inuits. Vente d'artisanat, reproduction de peintures, de photographies et de sculptures.

Visites guidées

L'offre en séjours organisés ne manque pas à Churchill et de nombreuses compagnies proposent des tours d'observation de l'ours polaire et du béluga, de traîneau à chiens, de randonnée, etc. L'hébergement et les repas peuvent être inclus. Nous vous recommandons notamment ces compagnies :

■ **GREAT CANADIAN TRAVEL CO**
✆ +1 800 661 3830
www.greatcanadiantravel.com/churchill_polarbear_tours.htm
info@gctc-mst.com
Agence de voyage généraliste canadienne, qui propose entre autres des tours d'observation de l'ours polaire. Exemple de prix : 1 665 $ par personne pour 3 jours.

Pêches miraculeuses

Il n'est pas rare au Manitoba de pêcher des truites fardées de 14 à 18 kg, des esturgeons de 32 à 36 kg et des brochets de 9 à 14 kg. La saison débute à la mi-mai. Les principaux lieux de pêche sont Whiteshell et Duck Mountain. Le Manitoba est aussi le royaume des chasseurs. Ses forêts et marécages abritent de gros et petits gibiers (ours noirs, cerfs, orignaux) ainsi que d'autres, à plumes ou d'eau. Les permis exigés pour ces deux activités peuvent être délivrés dans tous les magasins de matériel de pêche et de sport.

Les parcs

Pour se faire une idée de la superficie de la province, il faut savoir que le Manitoba pourrait contenir à lui seul l'Espagne et le Portugal. Ce vaste territoire est occupé à environ 40 % de sa surface par la forêt, répartie en une cinquantaine de réserves naturelles et parcs de loisirs. La plupart de ces parcs possèdent des hôtels, motels, pavillons de chasse et de pêche, des terrains de camping, des aires de pique-nique. Beaucoup sont également pourvus de centres d'interprétation de la nature qui vous initient à la flore et à la faune manitobaine, de pistes de ski et motoneige, de terrains de golf… L'un des plus visités est le parc national du Mont-Riding, avec ses derniers troupeaux de bisons d'Amérique du Nord ; également le parc provincial Whiteshell, le plus grand du Manitoba (à voir : la réserve de bernaches Alf Hole, qui accueille au printemps plus de 200 oies du Canada) ; sans oublier le parc Nopiming, nom qui peut se traduire en saulteaux par « dans les régions sauvages » (à environ 200 km de Winnipeg, au nord de la région Whiteshell). On peut y admirer les vestiges d'anciennes mines d'or et de nombreux lacs et rivières. Le point culminant du Manitoba (Mount Baldy, 831 m), facilement accessible par la route, se trouve à l'extrême sud-est du parc provincial Duck Mountain. Le parc provincial de Grass River, au nord de Le Pas, abrite, quant à lui, quelque 150 lacs. Les accros de zones désertiques préféreront le parc provincial de Spruce Woods et son mini-désert de sable. Le jardin international de la Paix est à cheval sur la frontière du Manitoba et du Dakota du Nord. À l'entrée, on peut lire l'inscription suivante : « Nos deux nations dédient ce jardin à la gloire de Dieu et s'engagent à ne pas prendre les armes l'une contre l'autre, tant qu'il y aura des hommes. ». Le parc de Birds Hill, à côté de Winnipeg, accueille une fois l'an le célèbre Winnipeg Folk Festival. Enfin, au parc Grand Beach, à seulement 1h de route au nord de Winnipeg, vous attendent des kilomètres de plages de sable fin. L'une d'elles - la plage Grand - figure parmi les plus belles plages de sable naturel d'Amérique du Nord. Elle jouxte le lac Winnipeg, le plus étendu du Manitoba et le sixième du Canada après les Grands Lacs. Pour plus d'informations sur les parcs provinciaux et nationaux au Manitoba :

■ **DIVISION DES PARCS ET RÉSERVES NATURELLES DU MANITOBA**
www.gov.mb.ca/conservation/parks – mgi@gov.mb.ca

■ **PARCS CANADA**
www.pc.gc.ca

■ **GREAT WHITE BEAR TOURS**
✆ +1 866 765 8344
www.greatwhitebeartours.com
info@greatwhitebeartours.com
Comme son nom l'indique, spécialisé dans la découverte de l'ours polaire. L'excursion d'une journée coûte 400 $, mais vous pouvez également opter pour une offre packagée de plusieurs jours.

■ **LAZY BEAR LODGE TOURS**
PO Box 880, 313 Kelsey Boulevard
✆ +1 866 687 2327
www.lazybearlodge.com
info@lazybearlodge.com
Le Lazy Bear Lodge, l'un des hébergements les plus confortables de Churchill, organise aussi des excursions de tous prix et de toutes durées dans la région. A la découverte des ours polaires, mais aussi des belugas, excursions en kayak, etc. Comptez entre 1 500 et 2 500 $ par personne pour 3 ou 4 jours.

■ **SEA NORTH TOURS**
✆ +1 204 765 2195
www.seanorthtours.com
seanorth@mts.net
Une compagnie basée à Churchill, qui offre des tours dans les environs. A partir de 96 $ par personne pour une observation des belugas par exemple.

Shopping

■ **ARCTIC TRADDING COMPANY**
✆ +1 204 675 8804
✆ +1 800 665 0431
www.arctictradingco.com
atcpenny@mts.net
Vente de chaussons, mocassins, « mukluks » (bottes de neige) et mitaines fabriqués à l'usine. À voir également l'impressionnante collection de broderies perlées, confectionnées par les femmes de la région.

Nunavut

Le Nunavut, qui signifie « Notre Terre », est intégré au territoire canadien depuis le 1er avril 1999. Sa superficie représente un cinquième du Canada. Les Inuits habitent cette terre depuis des milliers d'années. Le territoire de 2000000 km² s'étend du nord et de l'ouest de la baie d'Hudson, jusqu'au pôle Nord. À l'est, il se jette dans la vaste baie d'Hudson et il est surplombé par les glaciers de l'île de Baffin au nord-est. Les deux tiers de cette île, constituée de fjords et de sommets enneigés, se situent au nord du cercle polaire. Le Nunavut est divisé en 26 communautés. La densité de la population est d'une personne pour 70 km².

Population

Environ 31 500 habitants vivent sur le territoire et la plus grande concentration est rassemblée dans la capitale d'Iqaluit où résident 6000 personnes. Avec une moyenne d'âge de 22 ans, la population du Nunavut est la plus jeune du Canada. Les Inuits représentent 85 % des résidents. Le territoire a quatre langues officielles : l'inuktitut, l'inuinaqtun, l'anglais et le français. Ces habitants vivent présentement une transition sociale importante, et sont parfois partagés entre les valeurs traditionnelles inuits et celles de l'Amérique du XXIe siècle. L'alcoolisme, la toxicomanie et le taux de suicide, huit fois plus élevé que le ratio national, sont des indicateurs qui témoignent des difficultés de cette transition.

Faune, flore et activités

Si vous prévoyez un voyage au Nunavut, il faut savoir qu'à certaines périodes de l'année, le soleil est présent 24 heures par jour, mais à d'autres la noirceur sévit pendant des semaines. Ces cycles ne sont pas les mêmes pour les différentes communautés du territoire. Du mois de décembre au mois de mars, la température moyenne se situe aux alentours de -30 °C. Les mois de juin, juillet et août sont les seuls où le mercure grimpe au-dessus du point de congélation.Les terres du Nunavut sont peuplées de toutes les créatures exotiques qu'on peut s'attendre à rencontrer dans la région de l'Arctique : ours polaire, phoque, grizzly, loup, yak, baleine... Plusieurs compagnies offrent des possibilités de tours guidés, que ce soit pour parcourir les glaciers en traîneaux à chiens, ou suivre la migration des caribous dans la toundra. Les aurores boréales font régulièrement partie du décor.

Économie et tourisme

Le niveau de qualité de vie au Nunavut dépend de ses infrastructures. Il n'est accessible ni en train ni en voiture, ce qui est une des principales causes de la fragilité de son économie. Touristes, nourriture ou matériaux de construction ne peuvent se rendre ou être acheminés sur le territoire que par avion. Cet isolement a pour conséquence le coût de la vie le plus élevé du Canada. Le principal employeur du Nunavut est le gouvernement, mais le secteur de l'industrie minière est en plein essor, ce qui permet la création et la viabilité de certaines entreprises privées. La chasse et la pêche restent des secteurs clés de l'industrie. La majeure partie des activités de pêche commerciale est centrée sur le turbot, la crevette et l'omble arctique. Les richesses pétrolières de ce territoire qui possède le plus grand littoral au monde représentent 15 % du gaz naturel canadien. De par son isolement, le Nunavut ne jouit pas d'une très grande notoriété touristique, mais le nouveau territoire mériterait sans doute plus d'attention, ne serait-ce qu'à cause de la richesse de son environnement et de la culture des gens qui l'habitent. Dans le secteur touristique, l'industrie des bateaux de croisière présente des possibilités de développement. Les navires de croisière visitent des collectivités comme Pond Inlet, Kimmirut et Pangnirtung. Bref, c'est le début d'une histoire nouvelle pour ce peuple qui a vécu sa part de misère par le passé, et tous les espoirs restent permis.

Les immanquables du Nunavut

- **La baie Frobisher**, admirer ses rives abruptes et rocailleuses, ainsi que ses nombreux îlots.
- **À Iqaluit**, céder le passage aux caribous qui circulent librement dans la ville.
- **Sur la glace de mer**, jouer au golf durant le festival annuel Toonik Tyme.
- **À Cape Dorset,** observer les graveurs d'art Inuit, les sculpteurs et les artisans du travail à l'aiguille.

ONTARIO

Chutes du Niagara.

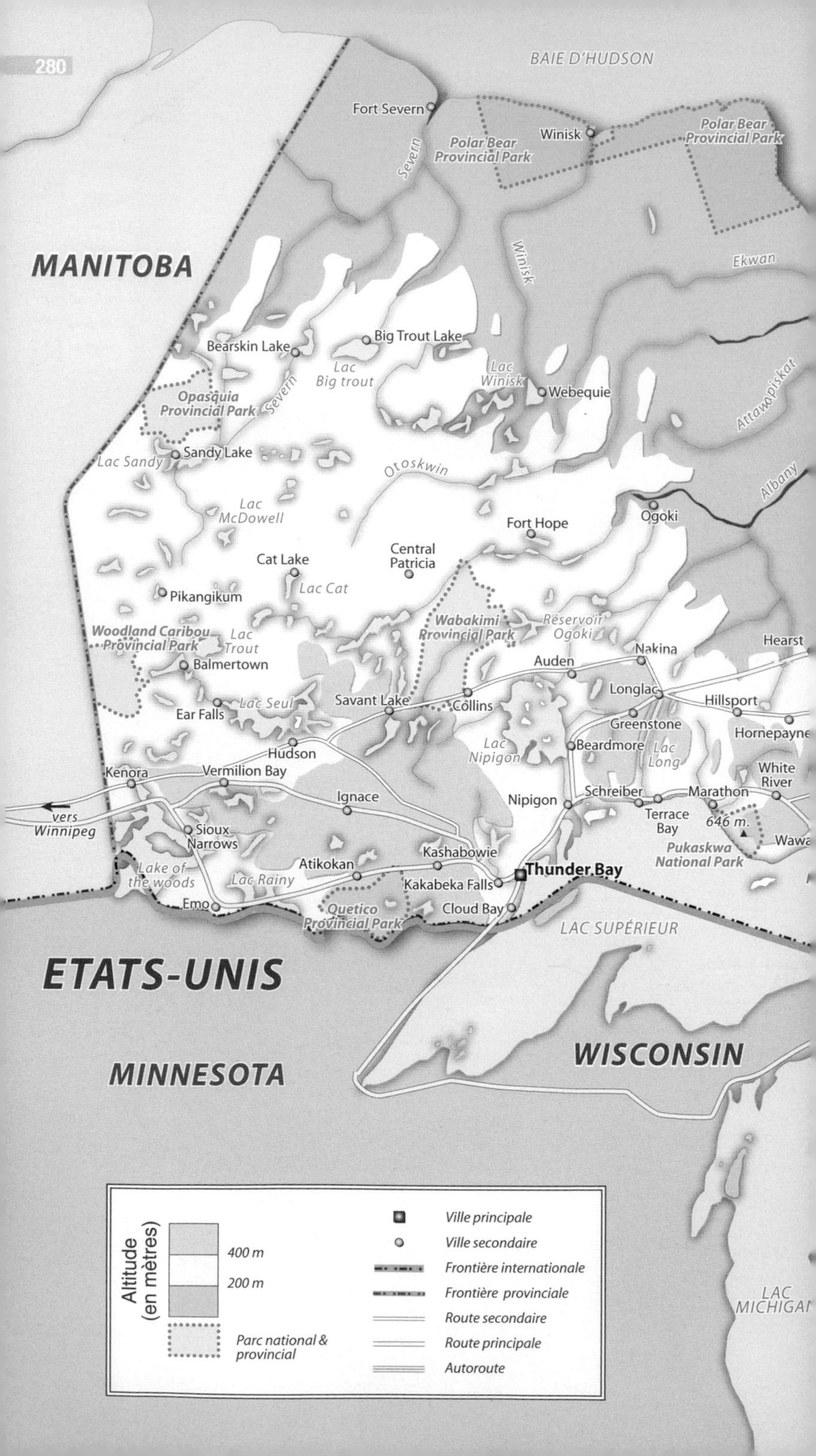
BAIE D'HUDSON
Fort Severn
Polar Bear Provincial Park
Winisk
Polar Bear Provincial Park
Severn
Winisk
Ekwan
MANITOBA
Bearskin Lake
Big Trout Lake
Lac Big trout
Lac Winisk
Webequie
Attawapiskat
Opasquia Provincial Park
Severn
Sandy Lake
Lac Sandy
Otoskwin
Albany
Lac McDowell
Fort Hope
Ogoki
Cat Lake
Central Patricia
Lac Cat
Pikangikum
Wabakimi Provincial Park
Réservoir Ogoki
Woodland Caribou Provincial Park
Lac Trout
Balmertown
Nakina
Hearst
Auden
Longlac
Hillsport
Lac Seul
Savant Lake
Collins
Ear Falls
Greenstone
Hornepayne
Hudson
Lac Nipigon
Beardmore
Lac Long
Kenora
Vermilion Bay
White River
Ignace
Nipigon
Schreiber
Marathon
Terrace Bay
646 m.
vers Winnipeg
Sioux Narrows
Pukaskwa National Park
Wawa
Kashabowie
Atikokan
Thunder Bay
Lake of the woods
Lac Rainy
Kakabeka Falls
Emo
Quetico Provincial Park
Cloud Bay
LAC SUPÉRIEUR
ETATS-UNIS
WISCONSIN
MINNESOTA
LAC MICHIGAN
Altitude (en mètres)
400 m
200 m
Parc national & provincial
Ville principale
Ville secondaire
Frontière internationale
Frontière provinciale
Route secondaire
Route principale
Autoroute

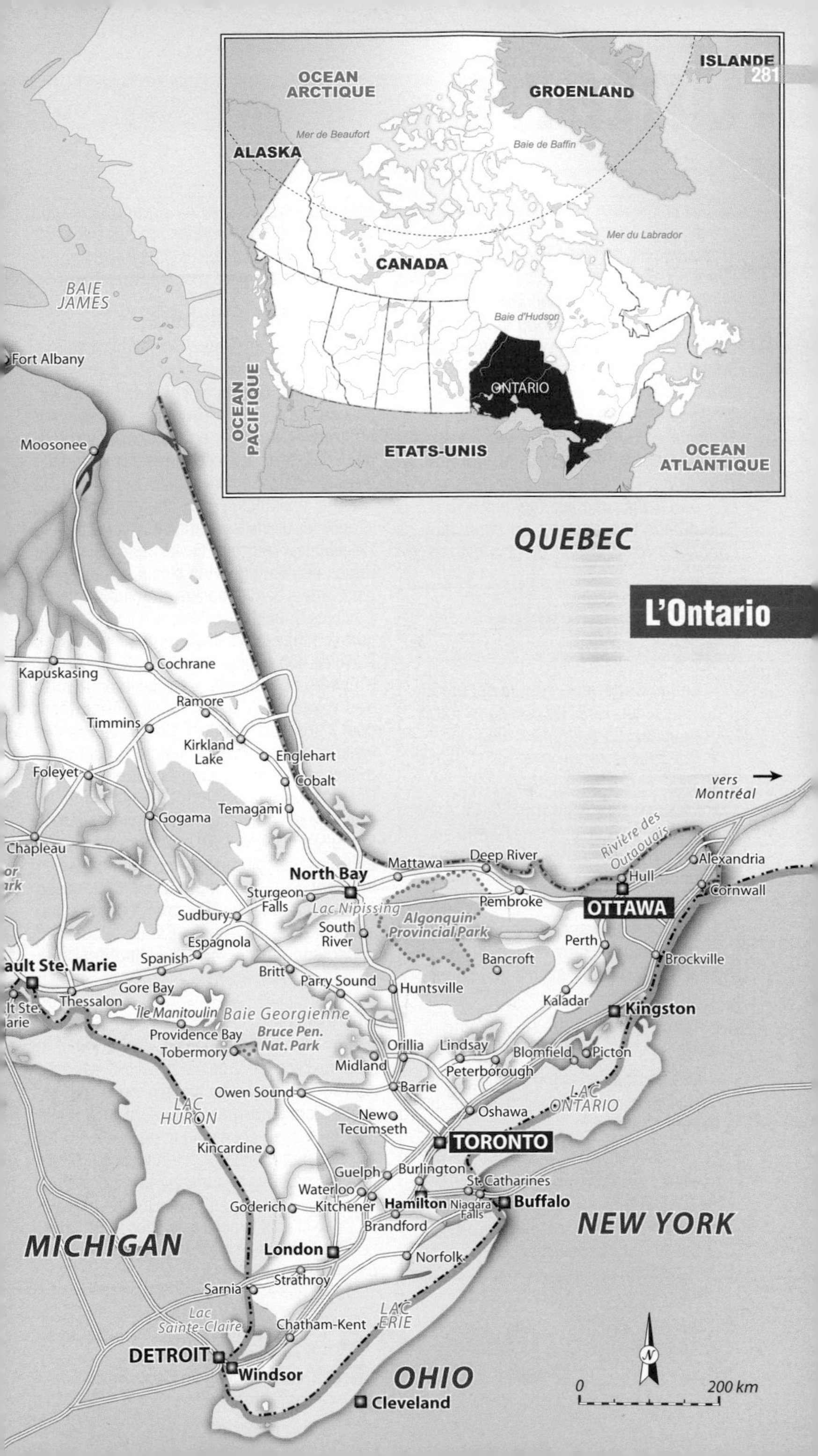

OCEAN ARCTIQUE
GROENLAND
ISLANDE
Mer de Beaufort
Baie de Baffin
ALASKA
Mer du Labrador
CANADA
Baie d'Hudson
OCEAN PACIFIQUE
ONTARIO
ETATS-UNIS
OCEAN ATLANTIQUE
BAIE JAMES
Fort Albany
Moosonee
QUEBEC
L'Ontario
Cochrane
Kapuskasing
Ramore
Timmins
Kirkland Lake
Englehart
Foleyet
Cobalt
Temagami
Gogama
Chapleau
vers Montréal
Rivière des Outaouais
Mattawa
Deep River
Alexandria
North Bay
Hull
Cornwall
Sturgeon Falls
Pembroke
OTTAWA
Lac Nipissing
Sudbury
Algonquin Provincial Park
South River
Espagnola
Perth
Bancroft
Sault Ste. Marie
Spanish
Brockville
Britt
Parry Sound
Gore Bay
Huntsville
Thessalon
Kaladar
Île Manitoulin
Baie Georgienne
Kingston
Providence Bay
Bruce Pen. Nat. Park
Tobermory
Orillia
Lindsay
Blomfield
Picton
Midland
Peterborough
Barrie
Owen Sound
LAC ONTARIO
LAC HURON
Oshawa
New Tecumseth
TORONTO
Kincardine
Guelph
Burlington
St. Catharines
Waterloo
Goderich
Kitchener
Hamilton
Niagara Falls
Buffalo
Brandford
NEW YORK
MICHIGAN
London
Norfolk
Strathroy
Sarnia
Lac Sainte-Claire
LAC ERIE
Chatham-Kent
DETROIT
Windsor
OHIO
Cleveland
N
0
200 km

Ontario

Grand comme deux fois la France, l'Ontario est une province prospère, industrielle, agricole et touristique, dominée par la présence des Grands Lacs. Hormis le lac Michigan, les quatre autres lacs – Supérieur, Huron, Érié et Ontario – baignent le Sud de la province, tandis que la baie d'Hudson se situe au nord. Deuxième en taille après le Québec, la province de l'Ontario génère plus de 40 % du revenu du Canada.

Elle jouit en outre du double privilège d'accueillir Ottawa, la capitale du Canada, et Toronto (2,5 millions habitants dans la ville et 4,5 millions avec les agglomérations), la plus grande ville du pays. La population se concentre dans le Sud de la province. Un Canadien sur trois vit en Ontario, soit plus de 12 000 000 personnes attirées par cette puissance économique et industrielle tournée presque entièrement vers les États-Unis.

Les immanquables de l'Ontario

- **Le lac Supérieur,** pour la beauté de ses sites naturels et les nombreux parcs provinciaux et nationaux, lieux privilégiés pour le camping et les activités de plein air.
- **Le parc des Algonquins.** Le parc Algonquin compte plus de 770 000 hectares de forêts denses inhabitées, à la faune et à la flore incroyablement diversifiées.
- **Île Manitoulin** sur la baie géorgienne, un pays merveilleux où s'exprime la sagesse d'une civilisation amérindienne millénaire.
- **Toronto** la culturelle, Toronto la verte.
- **Les chutes de Niagara,** majestueuses et impressionnantes elles attirent des visiteurs du monde entier.
- **La route des vins,** une belle manière de découvrir le Sud-Ouest et de longer les rives du Lac Érié.
- **Ottawa,** la capitale nationale, le meilleur des deux cultures canadiennes.

Géographie – Histoire

Le mot Ontario vient d'un terme iroquois signifiant « merveilleux lac ». La province possède 500 000 lacs et plus de 55 000 km de cours d'eau, sur lesquels il est souvent possible de naviguer en canoë. De surcroît, elle contient le tiers de la réserve mondiale d'eau douce. L'élément liquide est d'ailleurs la vedette incontestée ; aux chutes du Niagara 12 millions de visiteurs affluent chaque année. L'explorateur français Etienne Brulé visite cette région au début du XVIIe siècle et est rejoint par Samuel de Champlain, premier Européen à voir les Grands Lacs. Mais la colonisation de cette contrée commence véritablement avec l'arrivée des Anglais à la fin du XVIIIe siècle. L'histoire de l'Ontario, c'est celle de la lutte des royaumes de France et d'Angleterre pour s'approprier cette région sur le dos des « natives » (Premières nations), puis celle moins connue de la guerre contre les États-Unis qui verra la défaite des Américains. La province est créée au même moment que la Confédération en 1867 ; avant cette date, elle était connue comme étant l'Ouest canadien et avant 1841, comme le Haut-Canada (le Québec étant le Bas-Canada). L'Ontario est au cœur de la naissance de la Confédération canadienne et de son émancipation de la couronne d'Angleterre.

Économie

Avec 41 % du PIB canadien, l'Ontario est le cœur de l'économie du pays. Celle-ci est axée sur l'agriculture, l'industrie minière, l'industrie de l'automobile (passablement en baisse depuis la crise économique de 2008-2009) et celle des hautes technologies. 60 % de tous les produits manufacturés exportés par le Canada sont fabriqués en Ontario et 90 % de ceux-ci sont exportés vers les États-Unis. Le secteur du tourisme occupe également une part importante du PIB.

OTTAWA

Née au début du XIXe siècle, Ottawa a longtemps été une région agricole et forestière, où ont afflué Irlandais et Canadiens français. Jadis, avec l'Ile-aux-Allumettes, elle servait de lieu de rencontre aux peuples algonquiens. Ville au passé tumultueux, elle fut d'abord baptisée Bytown et elle a été le théâtre de batailles légendaires entre Irlandais et Canadiens français. On n'a qu'à penser à l'homme fort mythique Jos Montferrand pour faire resurgir l'image de la bourgade ouvrière. Aujourd'hui, pourtant, Ottawa la Victorienne s'impose en Haute-Ville, tandis qu'Ottawa la Francophone s'anime en Basse-Ville. Un piéton francophone (bilinguisme oblige) s'y sent parfaitement à l'aise. Tout est à sa portée, même Gatineau, la municipalité québécoise voisine. Ottawa doit son indéniable cachet au Premier ministre Sir Wilfrid Laurier qui rêvait d'en faire la Washington du Nord. Les édifices historiques, notamment les bâtiments néogothiques du Parlement (sur la colline qui domine la rivière Outaouais), ainsi que les nombreux espaces verts, la distinguent des autres villes nord-américaines. Le canal Rideau qui se faufile au cœur de la ville est un lieu de détente très apprécié des résidents et visiteurs. De nombreux festivals et manifestations culturelles ont lieu chaque année dans la capitale et ses environs. Peu importe le moment de votre visite de la ville d'Ottawa, il y aura toujours des activités pour vous captiver. Située à la frontière de l'Ontario et du Québec, cette sereine cité offre au voyageur le meilleur des deux cultures.

Quartiers

Parlement et Marché By

Ce quartier comprend l'ensemble des attractions et points d'intérêt de la capitale. Nous l'avons délimité au nord par la rivière des Outaouais, au sud par Laurier Avenue, à l'ouest par Bronston Street, et à l'est par la rivière Rideau.

▶ **Sur la colline du Parlement** trônent les trois édifices gothiques du gouvernement. Le plus important, situé au centre, héberge le Sénat et la Chambre des communes (celui de l'est est réservé au gouverneur général et celui de l'ouest abrite des bureaux parlementaires). Le Parlement accueille de nombreuses visites guidées qui permettent non seulement d'apprécier l'architecture de l'édifice mais aussi, de comprendre la répartition des pouvoirs entre les différentes institutions canadiennes. Epargnée par l'incendie de 1916, la bibliothèque du Parlement demeure le seul vestige du monument d'origine. Sa porte blindée a sauvé ses 650 000 livres. La tour de la Paix, qui domine l'ensemble, permet de voir jusqu'à 25 km à la ronde et fait entendre son concert quotidien de carillons (à 12h30, 53 cloches) dans tout le centre-ville. A 10h, la relève de la garde est exécutée avec le sérieux qui convient à cet étrange et immuable cérémonial. C'est dans les environs du Parlement que vous aurez la chance de rencontrer la fameuse police montée, en grand uniforme de cérémonie.

▶ **Mail de la rue Sparks** : première voie piétonne du Canada, elle s'étend entre Elgin et Lyon, au sud des édifices du Parlement. On trouve dans ce secteur de la ville, qui a toujours une vocation commerciale, des commerces ayant depuis longtemps pignon sur rue. Ils sont pour la plupart logés dans des édifices patrimoniaux.

▶ **Marché By** : ce lieu garde l'aspect et la vitalité qui étaient les siens il y a plus d'un siècle et demi, et demeure l'un des plus animés et des plus joyeux de la ville. En été, c'est la partie la plus cosmopolite d'Ottawa. Restaurants, bars et jolies boutiques en tous genres entourent un marché couvert où sont vendus des produits frais et des objets d'artisanat.

ONTARIO

Bus de ramassage scolaire.

Centretown

Nous avons défini ce quartier par la grande portion centrale de la ville comprise entre Laurier Avenue au nord et l'autouroute 417 (Queensway) au sud. Centretown se situe géographiquement au sud du quartier du Parlement et du Marché By et regroupe plusieurs commerces et hôtels, la gare routière, le Musée canadien de la nature, etc. Délimité à l'ouest par Bay Street, où débutent les quartiers ethniques, les attraits de Centretown se concentrent principalement jusqu'à la Queen Elizabeth Drive et le canal Rideau. La portion comprise entre le canal et la rivière Rideau à l'est (Sandy Hill, Ottawa East), de Laurier Avenue à Queensway, fait également partie de Centretown. De ce côté du canal, vous retrouverez entre autres l'université d'Ottawa, le lieu historique national de la Maison-Laurier et le parc Strathcona. Profitez-en pour vous balader à Sandy Hill, question de découvrir ses belles maisons historiques.

Chinatown et Little Italy

Lieux de prédilection pour faire de belles découvertes, les quartiers ethniques sont toujours bouillonnant d'activités et fréquentés tant par les locaux que les touristes.

- **Chinatown** : sur Somerset Street, dans l'ouest de la ville, entre Bay et Preston, s'étend le petit Chinatown d'Ottawa. De nombreuses vitrines et restaurants attirent les Ontariens d'origine asiatique, mais également les amoureux de cette culture fascinante.

- **Little Italy** : le long de Preston Street, des plaines LeBreton au nord à Carling au sud, on retrouve le quartier Little Italy et ses épiceries fines, mais également des restaurants offrant une cuisine italienne authentique.

Canal Rideau, The Glebe et le Sud

Cette portion de la ville se situe au sud de l'autoroute 417 (Queensway) jusqu'à Walkley Road plus au sud. Nous l'avons délimitée à l'ouest par la route 16 et, à l'est, par les routes 19 et 31. Ce quartier est traversé par le canal Rideau et comprend plusieurs grands parcs : Hudman, Rivière Rideau, Vincent Massey, Hogs Back et Mooneys Bay. Parmi ses attraits :

- **The Glebe** : si vous préférez les lieux animés et les belles choses de la vie, une promenade au Glebe s'impose. Ce quartier résidentiel chic est un hymne à la beauté. Les maisons, les boutiques et les restaurants sont quasiment tous d'un grand raffinement. De Queensway à Queen Elizabeth Drive, il est toujours bon de flâner.

- **Canal Rideau** : cet axe fluvial traverse la ville et lui sert de splendide déambulatoire. En hiver, ses eaux gelées se transforment en la plus longue patinoire du monde (8 km), alors qu'en été c'est l'endroit rêvé des kayakistes, des cyclistes et des flâneurs. Le canal Rideau a été construit entre 1826 et 1832, pour permettre le transport des troupes de Montréal jusqu'aux Grands Lacs. Il prend sa source à Kingston, au bord du lac Ontario, et sillonne la région avant d'atteindre Ottawa. Il ne sert plus aujourd'hui qu'à la navigation de plaisance. En 2012, on célébrera son 180e anniversaire.

Se déplacer

L'arrivée

Avion

■ **AÉROPORT INTERNATIONAL MACDONALD-CARTIER**
✆ +1 613 248 2125
www.ottawa-airport.ca
Navette d'hôtel (YOW Shuttle) : 15 CAN $ l'aller simple et 24 CAN $ l'aller-retour. Taxi : environ 30 CAN $. Transports en commun : 3 CAN $ (point de départ au poste 14 de l'aérogare au niveau 1 devant l'aire des arrivées). Service de limousine sur demande.
L'aéroport international accueille de nombreux vols provenant, entre autres, de l'Europe et des Etats-Unis. Air Canada, Porter et Westjet assurent les liaisons intérieures, ainsi que Bearskin Airlines, Canadian North et First Air en destination ou provenance du Nord ontarien et du Grand Nord.

Train

■ **VIA RAIL**
200 Tremblay Road
✆ +1 888 842 7245
www.viarail.ca
relations_clientele@viarail.ca
Heures d'ouverture de la gare : lundi-vendredi de 5h à 22h30, samedi de 6h à minuit, dimanche de 7h30 à minuit. Heures d'ouverture de la billetterie : lundi-vendredi de 5h à 21h, samedi de 6h à 19h, dimanche de 7h30 à 21h.
La ligne 95 de la compagnie OC Transpo assure le trajet vers le centre-ville depuis la gare.

Ottawa
500 m.
Musée Canadien des Civilisations
Chutes
Pont du Portage
Ottawa River Parkway
Cour Suprême du Canada
Colline du Parlement
Musée des Beaux-Arts
Marché By
des Outaouais
Rideau
Dalhousie Street
St Patrick Street
Murray Street
Beechwood
Wellington Street
Rideau Street
Cummings Bridge
Promenade Vanier
Montreal Road
Albert Street
Laurier Avenue
Kent
Bank Street
O'Connor Street
Metcalfe Street
Elgin street
Gloucester Street
Université
King Edward
Maison Laurier
Lisgar Street
Somerset Street
Mc Laren Street
Nicholas Street
Range Road
Mc Arthur Street
Booth Street
Cambridge Str.N.
Bronson Street
Percy
Bay Street
Florence Street
Gladstone Street
Chape
Mann
River Road
Donald Street
Flora Street
Arlington Street
Gare routière
Musée Canadien de la Nature
Catherine Street
Transcanadienne 417
Queen Mary Street
Pretoria
Graham Street
Carling Avenue
Globe Avenue
Queen Elisabeth Driveway
Rideau River
Rideau Canal
Echo Drive
Main street
Lac Dows
Gare ferroviaire

Basse-ville.

Bus

■ **BUS OC TRANSPO**
✆ +1 613 741 4390
www.octranspo.com
webadmin@octranspo.com
3 CAN $ le billet pour les adultes (2,50 CAN $ pour le O-Train). Pass pour la journée à 7 CAN $.

■ **OTTAWA BUS TERMINAL**
265 Catherine Street
✆ +1 613 238 5900
www.greyhound.ca
Heures d'ouverture de la gare routière et de la billetterie : tous les jours de 5h30 à minuit.
Entre les rues Kent et Lyon, le terminus de la gare routière est à quelques minutes du centre-ville. Pour vous y rendre, prenez l'autobus nº 4.

Voiture

■ **ALAMO**
226 Queen Street
✆ +1 613 232 7332
✆ +1 877 222 9075

■ **AVIS**
345 Slater Street
✆ +1 613 232 2847
✆ +1 800 879 2847
www.avis.ca

En ville

Taxi

■ **BLUELINE TAXI**
455 Coventry Road ✆ +1 613 238 1111
www.bluelinetaxi.com
infoOttawa@bluelinetaxi.com

■ **CAPITAL TAXI**
✆ +1 613 744 3333 – www.capitaltaxi.com

Pratique

Tourisme

■ **INFOCENTRE DE LA CAPITALE**
90 Wellington
✆ +1 613 239 5000, +1 800 465 1867

■ **TOURISME OTTAWA**
130 Albert Street
✆ +1 613 237 5150, +1 800 363 4465
www.ottawatourism.ca
ottawagetaways@capitaltickets.ca

Représentations / Présence française

■ **ALLIANCE FRANÇAISE – DÉLÉGATION GÉNÉRALE**
352 MacLaren Street ✆ +1 613 234 9470
www.af.ca/ottawa/ – info@af.ca

■ **AMBASSADE DE BELGIQUE**
360 Albert Street – Bureau 820
✆ +1 613 236 7267
ottawa@diplobel.fed.be

■ **AMBASSADE DE FRANCE AU CANADA**
42 Promenade Sussex
Ottawa ✆ +1 613 789 1795
Fax : +1 613 562 3735
www.ambafrance-ca.org
politique@ambafrance-ca.org

■ **AMBASSADE DE SUISSE**
5 Malborough Avenue
✆ +1 613 235 1837
ott.vertretung@eda.admin.ch

Urgences

■ **POLICE**
✆ +1 613 236 0311
www.ottawapolice.ca
info@ottawapolice.ca

Se loger

Parlement et Marché By

Bien et pas cher

■ **AUBERGE «THE KING EDWARD»**
525 King Edward Avenue
✆ +1 613 565 6700, +1 800 841 8786
www.bbcanada.com/464.html
info@bbcanada.com
Occupation simple ou double : de 90 à 120 CAN $. 3 chambres dont 2 avec salle de bains partagée. Petit déjeuner inclus. Installée dans une maison victorienne, ce Couette & Café saura séduire les amoureux de pièces d'antiquités. Trois chambres sont mises à votre disposition, alors réservez tôt si vous souhaitez profiter du charme de cette demeure.

■ **HI-OTTAWA JAIL HOSTEL**
75 Nicholas Street
✆ +1 613 235 2595, +1 866 299 1478
www.hihostels.ca – ottawa.jail@hihostels.ca
A partir de 28 CAN $ en dortoir selon la saison. Chambres privées disponibles. Programme d'activités en toute saison. Buanderie, bibliothèque, cuisine toute équipée, salle de séjour, BBQ, cour arrière. Une auberge de jeunesse peu conformiste puisqu'elle est installée dans une ancienne prison. Certains dortoirs ont été aménagés dans les cellules, tandis que les dortoirs mixtes et les chambres privées se trouvent dans la partie rénovée de l'auberge. La cellule du dernier condamné à mort demeure intacte, prête à l'emploi. La chapelle de cette prison est aujourd'hui une salle à manger. Un lieu rempli d'histoires à vous faire frissonner... Croyez-vous aux fantômes ?

Confort ou charme

■ **ALBERT AT BAY SUITE HOTEL**
435 Albert Street
✆ +1 613 238 8858, +1 800 267 6644
www.albertatbay.com
info@albertatbay.com
Occupation double : à partir de 139 CAN $. Forfaits disponibles. En plein cœur du centre-ville, le Albert dispose de grandes suites équipées d'un salon, d'une cuisine complète avec salle à manger, d'un espace de travail et plus encore, le tout au même prix qu'un hôtel régulier. Egalement sur place : restaurant, brasserie, centre de conditionnement physique, terrasse sur le toit, dépanneur 24h/24, stationnement souterrain. Un peu de luxe à prix abordable !

■ **AUBERGE MCGEE'S INN**
185 Daly Avenue ✆ +1 613 237 6089
✆ +1 800 262 4337 – www.mcgeesinn.com
contact@mcgessinn.com
Occupation simple ou double : à partir de 118 CAN $. 12 chambres. Petit déjeuner inclus. Située dans un quartier marqué par l'époque victorienne, cette maison aux briques rouges a su préserver son authenticité et attend les touristes nostalgiques qui désirent passer la nuit dans une demeure du XVIIIe siècle. L'auberge se classe régulièrement parmi les meilleurs B&B du pays.

■ **CROWNE PLAZA OTTAWA HOTEL**
101 Lyon Street
✆ +1 613 237 3600, +1 800 227 6963
www.cpottawa.com
sales.crowneplazaottawa@silverbirchhotels.com
Occupation double : à partir de 150 CAN $. Forfaits disponibles. Salle d'entraînement, piscine intérieure, sauna et solarium. Un hôtel tout confort, à quelques pas de toutes les attractions, proposant quelque 400 chambres douillettes à souhait. Son restaurant Café 101 prépare une fine cuisine d'inspiration internationale dans une ambiance intimiste et détendue. Question de bien terminer la soirée, le Lounge 101 vous réserve de belles découvertes parmi son grand choix d'alcools fins, de vins et d'apéritifs, sans négliger une belle sélection de bières locales et importées.

■ **LORD ELGIN HOTEL**
100 Elgin Street
✆ +1 613 235 3333
✆ +1 800 267 4298
www.lordelginhotel.ca
reservations@lordelgin.ca
Occupation double : à partir de 139 CAN $. Forfaits disponibles. Restaurant, bar et centre de conditionnement physique.
Sa rénovation a coûté 11 millions de dollars, et son imposante façade fait de l'ombre à son vis-à-vis, le Centre national des arts. A quelques pas du Parlement et face au canal Rideau, il fait partie des meilleurs établissements de la ville d'Ottawa.

Luxe

■ **ARC THE.HOTEL**
140 Slater Avenue
✆ +1 613 238 2888, +1 800 699 2516
www.arcthehotel.com
reservations@arcthehotel.com
Occupation double : à partir de 169 CAN $. Forfaits disponibles. Restaurant-lounge, centre de conditionnement physique et centre de santé, Spa sur place.
Un hôtel boutique haut de gamme en plein centre d'Ottawa, ça ne se refuse pas ! Véritable oasis de luxe au design résolument urbain, une expérience unique et des plus sophistiquées vous y attend. Vous trouverez certainement votre bonheur parmi l'une des 112 chambres et suites entièrement équipées selon les dernières tendances.

■ **FAIRMONT CHÂTEAU LAURIER**
1 Rideau Street
✆ +1 613 241 1414, +1 800 441 1414
www.fairmont.com/fr/laurier
chateaulaurier@fairmont.com
Forfait nuit et petit déjeuner à partir de 214 CAN $ en occupation double.
Dès l'entrée, vous serez ébloui par la décoration somptueuse du lobby avant de succomber au charme irrésistible de votre chambre. Un hôtel qui a su concilier harmonieusement l'élégance victorienne et le confort du XXIe siècle. Cet établissement incarne tout simplement la beauté de la capitale nationale, en plus d'être idéalement situé : en bordure du canal Rideau et à deux pas de la colline du Parlement. Les nombreux services sont également à la hauteur de la réputation du Fairmont : piscine intérieure, salle de conditionnement physique, centre de santé Spa, boutiques haut de gamme, restaurant coté « 4 diamants », bar-salon, etc.

Centretown

■ **UNIVERSITÉ D'OTTAWA**
90 Université Street
✆ +1 613 564 5400, +1 888 564 4545
www.reservations.uottawa.ca/fr/ete.html
reserve@uottawa.ca
Réception dans l'immeuble Stanton. A partir de 30 CAN $ par personne (étudiant temps plein) ou 42 CAN $ (régulier). Tarifs à la semaine et au mois aussi disponibles.
De mai à août, les étudiants font place aux visiteurs et familles en quête d'un hébergement de qualité à prix plus que raisonnable. Vous avez le choix entre des chambres simples, doubles ou encore un petit appartement pour une personne.

Se restaurer

Ottawa déclare avoir le plus grand nombre de restaurants par habitant au Canada. Le fait est que le Marché By et ses façades colorées accueillent un grand nombre d'entre eux, tandis que deux quartiers ethniques, Little Italy (Preston Street, entre Scott et Carling) et Chinatown (Somerset Street, entre Bay et Preston), se distinguent par leurs cuisines spécifiques. Pour trouver un restaurant selon le type de cuisine désiré, visitez le site : www.ottawafood.com (en anglais seulement).La région de la capitale est également une destination de choix pour le tourisme culinaire. L'organisme « Savourez Ottawa » concentre les efforts des membres de l'industrie, de la ferme à la fourchette, et se charge de faire la promotion de produits, d'événements et de sites uniques qui en rehausseront l'expérience. Pour en savoir plus ou pour connaître la liste des établissements qui proposent des produits locaux, visitez le site : www.savourezottawa.com

Parlement et Marché By

Bien et pas cher

■ **D'ARCY MCGEES**
44 Sparks Street
✆ +1 613 230 4433
www.ottawa.darcymcgees.com
joreilly@primepubs.com
Dimanche-mardi de 11h à 1h, mercredi-samedi de 11h à 2h. Petit déjeuner : de 9 à 13 CAN $. Menu à la carte : de 8 à 23 CAN $.
Ce pub typiquement irlandais est une adresse incontournable à Ottawa. Que ce soit pour déguster une bière ou prendre un bon repas,

l'expérience McGees vaut bien un petit arrêt. Choisissez une bière irlandaise ou encore un bon whisky, dînez sur le mode irlandais et appréciez votre soirée. Les lieux sont souvent bondés, surtout en fin de journée, et quelque peu bruyants. Mais après tout, c'est une ambiance digne des pubs et on s'y plaît franchement !

Autre adresse : Voir site Internet pour la liste complète des succursales (www.primepubs.com).

MEMORIES

7 Clarence Street ✆ +1 613 232 1882

Ouvert du lundi au jeudi dès 11h et du vendredi au dimanche dès 9h30. Menu à la carte : 5 à 15 CAN $.

Une adresse reconnue pour ses desserts. Un choix gigantesque de gâteaux et de tartes est offert au client qui a toujours du mal à se décider. Pour ceux qui n'ont pas la dent sucrée, des sandwichs et des salades figurent également à la carte.

Bonnes tables

DOMUS CAFÉ

87 Murray Street ✆ +1 613 241 6007

www.domuscafe.ca – info@domuscafe.ca

Lundi-samedi de 11h30 à 14h et 17h30 à 22h, dimanche de 11h à 14h30. Menu midi : de 10 à 20 CAN $. Menu soir : de 20 à 35 CAN $.

John Taylor est l'un des meilleurs chefs dont se targue la capitale nationale. Fidèle à sa philosophie, le Domus offre un menu qui varie d'une semaine à l'autre et vise à faire goûter aux clients les meilleurs ingrédients régionaux du moment. La sélection et les prix peuvent ainsi varier. Le Domus Café est sans aucun doute l'endroit idéal pour ceux et celles qui sont à la recherche d'une expérience culinaire hautement raffinée. Enfin, nous vous encourageons à essayer le brunch du dimanche, l'un des meilleurs de la ville.

THE FISH MARKET

54 York Street ✆ +1 613 241 3474

www.fishmarket.ca

info@fishmarket.ca

Ouvert tous les midis dès 11h30 et tous les soirs. Menu midi : de 10 à 25 CAN $. Menu soir : de 15 à 50 CAN $.

Véritable institution à Ottawa, ce restaurant ne passe pas inaperçu. En plein cœur du Marché By, il offre aux amoureux de la mer une panoplie incroyable de fruits de mers. Du homard aux moules en passant par le crabe, vous ne serez pas déçu. Deux autres restaurants sont situés dans le même édifice : Coasters (grillades) et Vineyards (sélection de vins acclamée par Wine Spectator).

MURRAY STREET

110 Murray Street

✆ +1 613 562 7244

www.murraystreet.ca

info@murraystreet.ca

Lundi-samedi de 11h30 à 14h30 et 17h30 à 22h, dimanche de 11h à 14h30 et 17h30 à 22h. Menu midi : 15 CAN $. Menu soir : de 10 à 30 CAN $. Brunch : 12 CAN $.

Ouvert en 2008, Murray Street a connu dès son ouverture un succès immédiat. En effet, il a été reconnu comme un des dix meilleurs nouveaux restaurants en 2009 par le magazine *enRoute*, rien de moins. Le chef, Steve Mitton, prépare une cuisine réconfortante, inspirée de l'héritage culturel et agricole du Canada. En plus du menu savoureux concocté à base de produits locaux, la carte des vins vous réserve de belles surprises !

STELLA OSTERIA

81 Clarence Street

✆ +1 613 241 2200

www.stellaosteria.com

Italien. Ouvert tous les jours dès 11h30. Menu midi : de 10 à 25 CAN $. Menu soir : de 15 à 55 CAN $.

Stella Osteria se veut l'expression ultime de ce que devrait être un restaurant italien moderne. Son chef, Evan Pritchard, concocte des plats sublimes qui vous donneront envie de partir immédiatement pour l'Italie. Et pour accompagner le tout, la carte des vins, spécialement choisie par le sommelier Neil Gowe, vous promet une expérience gustative à la hauteur de vos attentes.

Luxe

HY'S STEAKHOUSE & COCKTAIL BAR

170 Queen Street

✆ +1 613 234 4545

www.hyssteakhouse.com

Ouvert le midi en semaine et tous les soirs du lundi au dimanche. Menu midi : de 15 à 25 CAN $. Menu soir : de 30 à 50 CAN $.

Fondée dans les années 1960 à Calgary en Alberta, cette chaîne de restaurants offre ses délicieuses portions de viande dans plusieurs villes canadiennes. Le menu est alléchant et les portions sont généreuses. Dans une ambiance feutrée, vous passerez une agréable soirée. Un restaurant devenu aujourd'hui une réelle institution !

■ **WILFRID'S**
1 Rideau Street
✆ +1 613 241 1414
✆ +1 800 441 1414
www.fairmont.com/fr/laurier
chateaulaurier@fairmont.com
Ouvert tous les matins dès 6h30 (7h le week-end), le midi du lundi au samedi dès 11h30, tous les soirs dès 17h30. Comptez environ 25 CAN $ le matin et le midi, 50 CAN $ la table d'hôte le soir, 40 CAN $ le brunch du dimanche.
Logé au cœur du Fairmont Château Laurier et gagnant de plusieurs prix, ce restaurant est reconnu pour ses fascinantes créations culinaires. Le chef et son équipe sont célèbres pour l'excellence des produits régionaux utilisés. La salle à manger, de toute beauté, offre une vue merveilleuse sur le Parlement et le canal Rideau. Une expérience qui vaut certainement le détour.

Chinatown et Little Italy

■ **YANGTZE DINING LOUNGE**
700 Somerset Street West
✆ +1 613 236 0555
www.yangtze.ca
contact@yangtze.ca
Chinois. Ouvert tous les jours. Menu à la carte : 5 à 35 CAN $.
Une excellente adresse pour les amoureux de la cuisine chinoise et des dim sum. Son menu très varié permet de combiner un ou plusieurs plats. Si vous êtes plusieurs, des menus pour 2, 3, 4 ou 6 personnes vous permettront d'économiser.

■ **ZENKITCHEN**
634 Somerset Street West
✆ +1 613 233 6404
www.zenkitchen.ca
info@zenkitchen.ca
Le dimanche et du mardi au jeudi de 17h à 22h, les vendredi et samedi de 17h à 23h. Fermé le lundi. Menu à la carte : de 10 à 20 CAN $.
La philosophie de ce restaurant est d'offrir des plats gourmets créés avec des aliments sains et naturels. Ici, pas de chichis ! La décoration est simple, à l'image des petits cafés, et les plats présentés avec finesse. La chef Caroline Ishii est passionné de cuisine depuis son enfance et, afin de partager ses connaissances (et bons petits trucs), elle propose des cours de cuisine sur la saine alimentation. Un petit bijou au cœur de Chinatown !

Sortir

Les habitants d'Ottawa sortent souvent à Gatineau, car la législation du Québec est plus souple en matière d'horaires. En ce qui concerne la faune locale, la grande majorité des boîtes de nuit entourent le Marché By et ferment leurs portes au plus tard à 2h du matin. Néanmoins, une panoplie de pubs et de lounges animent les soirées de la capitale nationale, et une programmation culturelle intéressante est offerte aux citadins tout au long de l'année. Pour vous tenir au courant de la vie nocturne et culturelle d'Ottawa : www.ottawaentertainment.ca

Cafés / Bars

Parlement et Marché By

■ **HEART & CROWN BYWARD MARKET**
67 Clarence Street ✆ +1 613 562 0674
www.irishvillage.ca
alexs@heartandcrown.ca
Ouvert tous les jours. Spectacles tous les soirs. Menu à la carte : de 10 à 22 CAN $.
Cet immense complexe, réunissant quatre pubs et cinq terrasses, est l'endroit tout indiqué pour une bonne pinte de bière en fin de journée ou pour un concert de musique folk ou celtique. Bon rapport qualité-prix tant pour les boissons que les repas. Un incontournable du Marché By !
▸ **Autre adresse :** 353B Preston Street ✆ +1 613 564 0000

■ **MERCURY LOUNGE**
56 Byward Market Square
✆ +1 613 789 5324
www.mercurylounge.com
info@mercurylounge.com
Ouvert tous les soirs, à l'exception du mardi. Spectacles au niveau 0 (alias Bar 56) et discothèque aux niveaux 2 et 3.
Pour les inconditionnels du jazz et du blues sous toutes ses formes, c'est l'endroit rêvé. Une programmation variée qui met en avant des styles émergents. Du mercredi au samedi, les étages supérieurs accueillent des DJ proposant différents styles, allant de l'électro au rocksteady (droits d'entrée inférieurs à 10 CAN $). Une excellente adresse !

■ **ZAPHOD BEEBLEBROX**
7 York Street ✆ +1 613 562 1010
www.zaphodbeeblebrox.com
Ouvert tous les soirs. Entrée gratuite ou à moins de 10 CAN $ selon les soirs.

© CALI - ICONOTEC

Relève de la garde.

La boîte de nuit du bout de l'univers ! Voilà comment se définit ce lieu où se produisent, chaque soir, des artistes émergents et d'autres déjà bien connus. Tous les styles musicaux sont représentés, y compris des soirées avec DJ. Une adresse où faire des découvertes avant tout le monde !

■ ZOE'S LOUNGE

1 Rideau Street
✆ +1 613 241 1414, +1 800 441 1414
www.fairmont.com/fr/laurier
chateaulaurier@fairmont.com
Ouvert tous les jours.
Pour ceux qui n'ont pas les moyens de passer la nuit au Château Laurier, mais qui aiment bien choisir les lieux où ils sortent la nuit, ce bar chic de l'hôtel saura vous séduire. Ses soirées cocktails animées sont célèbres en ville, et les amuse-gueules un véritable délice. Ne ratez pas non plus ses présentations de thé l'après-midi.

Centretown

■ MAXWELL'S BISTRO & CLUB

340 Elgin Street
✆ +1 613 232 5771
www.maxwellsbistro.com
info@maxwellsbistro.com
Bar et restaurant ouverts tous les jours dès 11h. Discothèque ouverte du mercredi au samedi dès 20h.
Une clientèle BCBG vient manger ou siroter son verre dans un décor très branché. Le balcon-terrasse est très convoité l'été. Une adresse intéressante. N'oubliez pas d'accompagner votre boisson alcoolisée favorite d'un plat de calamars ou encore de la pizza aux quatre fromages.

Spectacles

■ CENTRE NATIONAL DES ARTS

53 Elgin Street
✆ +1 613 947 7000, +1 866 850 2787
www.nac-cna.ca – info@nac-cna.ca
Consulter le site Internet pour connaître la programmation.
Ce grand complexe est divisé en deux sections : l'une consacrée au théâtre anglophone, l'autre au répertoire en français, auxquelles s'ajoute l'orchestre du CNA, des spectacles de danse et une salle de type cabaret (quatrième salle). Des prestations de grande qualité sont au programme chaque année. Avant ou après votre spectacle, rendez-vous au café du CNA pour une expérience culinaire d'exception. Son chef exécutif est nul autre que Michael Blackie, maintes fois primé. Cependant, les prix sont à la hauteur de sa réputation !

■ LA NOUVELLE SCÈNE

333 King Edward Avenue
✆ +1 613 241 2727, +1 613 241 4010
www.nouvellescene.com
Consulter le site Internet pour connaître la programmation. Ce centre de théâtre francophone est la résidence de quatre compagnies qui y présentent différentes pièces au cours de la saison. Des spectacles de musique, des expositions ainsi que d'autres événements (soirée bénéfice, grande fête de quartier) figurent à la programmation annuelle.

À voir / À faire

La capitale canadienne regroupe la plus grande concentration de musées au pays. Les plus connus sont sans l'ombre d'un doute le musée des Beaux-Arts du Canada, le musée de l'Aviation du Canada et le musée canadien des Civilisations (Gatineau, Québec). Munissez-vous du passeport des musées. Pour 35 $ par personne (85 $ par famille), ce passeport vous permet d'entrer dans neuf musées participant pendant 7 jours, mais aussi d'obtenir 20 % de réduction sur les spectacles au Centre national des arts. Il est en vente dans chacun des musées participant ainsi qu'à l'Infocentre de la capitale. Pour plus d'informations : www.passeportmusees.ca

Visites guidées

■ AMPHIBUS

Départ à l'angle des rues Sparks et Elgin.
✆ +1 613 223 6211
www.ladydive.com
info@ladydive.com

Adulte : 30 CAN $, aîné et étudiant : 27 CAN $, 6-12 ans : 20 CAN $, 1-5 ans : 10 CAN $, famille (2 adultes et 2 enfants) : 85 CAN $. Nombreux forfaits disponibles combinant d'autres activités. Tours de ville en double decker ou trolley également offerts.

Cette compagnie propose, de mai à novembre, des excursions en véhicule amphibie pour découvrir les principaux attraits de la ville, par la route et sur la rivière. Quatre départs par jour, 7j/7.

■ MARCHES HANTÉES D'OTTAWA

Guichet à l'angle des rues Sparks et Elgin.
✆ +1 613 232 0344
www.hauntedwalk.com

Visites guidées à l'année (horaires variables). Visites en français disponibles. Adulte : de 13 à 15 CAN $. Les gens du coin et les touristes sont fascinés par l'histoire plus sombre et lugubre de la capitale nationale. Toutes les histoires racontées lors des visites à pied ont fait l'objet d'une recherche intensive et même les plus sceptiques seront séduits. Les visites sont offertes en journée (visites privées) et en soirée, pour le grand public, elles se font à la lueur d'une lanterne. Frissons garantis !

Parlement et Marché By

■ ABORIGINAL EXPERIENCES

406 Richardson Ave
✆ +1 613 564 9494, +1 877 811 3233
www.aboriginalexperiences.com
titc@aboriginalexperiences.com

De la mi-mai à la mi-octobre, faites un arrêt à l'île Victoria, située un peu à l'ouest de la colline parlementaire, afin de vivre d'authentiques expériences autochtones. Pendant des millénaires, cette île constituait un lieu de rassemblement et de commerce. L'île revêt donc un caractère ancestral. Au choix des activités d'une heure ou deux, voire une journée complète, visitez le village, participez à un pow-wow, goûtez des mets amérindiens, écoutez des contes et légendes ! Les forfaits sont offerts sur une base quotidienne, et le groupe danse deux fois chaque après-midi.

L'un des bâtiments du Parlement.

■ **LIEU HISTORIQUE NATIONAL DU CANADA DE LA MAISON-LAURIER**
355 Laurier Avenue East
✆ +1 613 992 8142
www.pc.gc.ca/maisonlaurier
laurier.house@pc.gc.ca
D'avril à fin mai : lundi-vendredi de 9h à 17h. De fin mai à mi-octobre : tous les jours de 9h à 17h. Le reste de l'année : sur réservation seulement. Adulte : 3,90 CAN $.
Grande maison de style victorien où ont vécu les deux Premiers ministres canadiens, Sir Wilfrid Laurier (de 1897 à 1919) et son successeur, William Lyon MacKenzie King (de 1923 à 1950).

■ **MUSÉE CANADIEN DE LA PHOTOGRAPHIE CONTEMPORAINE**
380 Sussex Drive
✆ +1 613 990 1985, +1 800 319 2787
www.cmcp.gallery.ca
mcpc@beaux-arts.ca
De mai à septembre : tous les jours de 10h à 17h (jusqu'à 20h le jeudi). Le reste de l'année : même horaire mais fermé le lundi. Adulte : 9 CAN $ (entrée libre le jeudi après 17h).
Ce musée, dorénavant situé dans le musée des Beaux-Arts du Canada, présente des expositions dynamiques des œuvres des meilleurs photographes d'art et documentaires du Canada.

■ **MUSÉE DES BEAUX-ARTS DU CANADA**
380 Sussex Drive
✆ +1 613 990 1985, +1 800 319 2787
www.national.gallery.ca
vieprivee@beaux-arts.ca
De mai à septembre : tous les jours de 10h à 17h (jusqu'à 20h le jeudi). Le reste de l'année : même horaire mais fermé le lundi. Visite guidée tous les jours à 14h. Adulte : de 9 à 15 CAN $ (entrée libre le jeudi après 17h).
L'architecture et la richesse des collections laissent rêveur. Moshe Safdie a conçu un musée qui laisse filtrer la lumière du jour et ménage des zones de repos. Ainsi, le visiteur apprécie la paix du cloître, celle du jardin intérieur ou encore le silence de la chapelle reconstituée qui offre un bel exemple de l'art décoratif religieux canadien. Le musée des Beaux-Arts fait une incursion dans l'histoire artistique canadienne, en commémorant les travaux du Groupe des Sept, d'Alfred Pellan, de Jean-Paul Lemieux et de Paul-Emile Borduas. La salle réunissant les œuvres du Groupe des Sept et celle dédiée à Emily Carr sont toutes deux captivantes. La galerie d'art inuit et les collections d'œuvres américaines et européennes sont tout aussi remarquables. De Rembrandt à Monet jusqu'à Emily Carr et Riopelle. Soulignons la formidable tenue de la librairie.

■ **RIDEAU HALL**
1 Sussex Drive
✆ +1 613 991 4422
✆ +1 866 842 4422
www.gg.ca
guide@gg.ca
Le domaine est ouvert tous les jours de 8h à une heure avant le coucher du soleil. Horaire variable pour la visite de la résidence. Entrée libre. Patinoire extérieure en hiver.
C'est la résidence officielle du gouverneur général du Canada. Le domaine et la résidence se visitent.

Centretown

■ **MUSÉE CANADIEN DE LA NATURE**
240 McLeod
✆ +1 613 566 4700, +1 800 263 4433
www.nature.ca
questions@mus-nature.ca
De fin mai à début septembre : tous les jours de 9h à 18h (jusqu'à 20h jeudi-vendredi). Le reste de l'année : mardi-dimanche de 9h à 17h (jusqu'à 20h le jeudi). Entrée 5 CAN $ (entrée libre le samedi de 9h à midi).
Le plus grand musée d'histoire naturelle au pays présente des expositions sur la nature. Dans ses nouvelles galeries des oiseaux, des fossiles et des mammifères, venez découvrir des centaines de spécimens, des éléments interactifs, des panoramas à 360 degrés et un cinéma haute définition.

Shopping

Parks Street est une rue piétonne qui se prête volontiers au lèche-vitrines (livres, cadeaux, vêtements) tandis que le Marché By est sans rival pour les produits frais. Vous y trouverez également des galeries d'art et des boutiques d'artisanat. Son voisin, le Centre Rideau avec ses 180 boutiques, couvre l'ensemble des besoins et des envies. A quelques minutes du centre-ville, le centre commercial St. Laurent propose 185 magasins. Plus à l'ouest, après les quartiers ethniques et aux alentours de Richmond Road, se trouve Westboro Village. Vous y trouverez de tout, des chocolateries aux boutiques de plein air, en passant par les boutiques équitables et des grands designers de mode.

EST DE L'ONTARIO

Portion historique de la province de l'Ontario, la région de l'Est abrite de belles villes comme Kingston et Ottawa, mais également de charmants villages et paysages le long du canal Rideau et du majestueux fleuve Saint-Laurent. Dans cette contrée au riche passé, vous découvrirez les plus vieux villages de la province, datant de l'époque de la traite des fourrures et des loyalistes de l'Empire-Uni. Mais l'est de la province n'est pas uniquement un lieu d'histoire et de culture, il est également un lieu de découverte de la nature. Les routes intérieures de cette région conjuguent les campagnes tranquilles aux contrées sauvages du bouclier canadien et offrent différentes activités de plein air tout au long de l'année. Enfin, les zones agricoles comme le comté de Prince Edward ou encore celui de Prescott-Russell sauront exciter vos sens.

COMTÉS UNIS DE PRESCOTT ET RUSSEL

L'histoire des comtés de Prescott et Russell remonte au milieu du XVIIIe siècle, toutefois l'union de ces deux comtés date de 1820. Aujourd'hui, ces comtés sont un regroupement de huit municipalités, chacune se distinguant par ses attraits et sa population. S'étirant le long de la rive sud de la rivière des Outaouais, le comté de Prescott-Russell forme un royaume résolument francophone. En effet, 70 % de la population sont des Franco-Ontariens. Cette mosaïque ethnique s'enrichit d'un heureux et fier mélange de cultures écossaise et anglaise. C'est pourquoi un cipâte, un scotch et un scone y font si bon ménage. Cette région essentiellement dédiée à l'agriculture vous permettra de vivre une expérience champêtre des plus mémorables, et ce, à moins d'une heure d'Ottawa. Vous serez agréablement surpris par l'hospitalité, la générosité et la joie de vivre communicative des gens de Prescott-Russell.

■ AGRI-TOUR

✆ +1 613 488 2929, +1 613 448 3633
✆ +1 877 425 8366
www.agritour.ca
info@agritour.ca
Chaque ferme demande des frais d'entrée minimes. Activités spéciales payantes.
En septembre, pendant deux week-ends, une vingtaine de fermes ouvrent leurs portes aux citadins pour un réjouissant Agri-Tour dans l'Est ontarien (vallée du Bas de l'Outaouais). Vous pourrez entre autres cueillir des fruits et goûter à la table de plusieurs fermes, offrant fruits, viandes et produits de l'érable. La route des récoltes permet aussi de découvrir des secteurs en émergence, à savoir la culture biologique de légumes et de fines herbes, l'élevage de gibier et de canards, la production de fromages fins...

■ PARC PROVINCIAL VOYAGEUR

Chute-à-Blondeau
✆ +1 613 674 2825
✆ +1 888 668 7275
www.parcsontario.com
Ouvert à l'année. Possibilité de camping sur place.
Un autre arrêt peut intéresser les randonneurs et amateurs de plein air. Le parc Voyageur, géré par Parcs Ontario, longe la rivière des Outaouais et les marais et ruisseaux qu'a engendrés la construction du barrage Carillon. Un autre bel endroit pour observer les oiseaux. Autres activités : navigation de plaisance, pêche, baignade, canotage, vélo, ski de fond et raquettes.

BEACHBURG

Le village de Beachburg porte le nom de son fondateur, David Beach. Aujourd'hui, Beachburg est un village rural dont les alentours offrent de nombreuses activités. Les rivières agitées permettent aux adeptes du rafting de satisfaire leur envie d'émotions fortes.

■ OWL RAFTING

40 Owl Lane
Foresters Falls
✆ +1 613 646 2263
✆ +1 800 461 7238
www.owl-mkc.ca
raft@owl-mkc.ca
Excursion d'un jour : à partir de 110 CAN $. Forfaits disponibles.

■ RIVER RUN RAFTING & PADDLING CENTRE

1260 Grant Settlement Road
Foresters Falls
✆ +1 613 646 2501
✆ +1 800 267 8504
www.riverrunners.com
Excursion d'un jour : à partir de 112 CAN $. Forfaits disponibles.

Est de l'Ontario
QUEBEC
ETAT DE NEW-YORK
(ETATS-UNIS D'AMERIQUE)
Réserve faunique de
Papineau-Labelle
0
40 km
N
ALGONQUIN
PROVINCIAL PARK
Lac Big Trout
Lac Opeongo
Lac Halls
Bon Echo
Provincial Park
Frontenac
Provincial Park
COMTÉ DE
PRESCOTT-RUSSEL
COMTÉ DE
PRINCE EDWARD
Rivière des Outaouais
Rivière des Outaouais
Rivière St Laurent
ST LAURENT
LAC ONTARIO
Lac Simcoe
Lac Stony
Lac Balsam
Lac Scugog
Lac Rice
Mattawa
Deep River
Chalk River
Petawawa
Pembroke
Beachburg
Algonquin Park
Whitney
Barry's Bay
Egan Ville
Renfrew
Arnprior
Gatineau
(Hull)
Vanier
OTTAWA
Nepean
Hawkesbury
Alexandria
Lancaster
Laval
Montreal
St Lambert
Carleton Place
Osgoode
Cornwall
Bracebridge
Paudash
Perth
Smiths Falls
Norland
Orillia
Kaladar
Brockville
Marmora
Beaverton
Kawartha Lakes
Gananoque
Kingston
Peterborough
Belleville
Trenton
Bloomfield
Picton
Port Hope
Oshawa
17
11
60
62
7
15
417
40
401
Autoroute et voie rapide
Route à voies multiples
Route principale
Parc national et provincial
Ville
Village
Aéroport international

PEMBROKE

Situé sur le bord de la majestueuse rivière des Outaouais, cette petite ville qui n'a rien d'exceptionnel attire néanmoins plusieurs touristes qui viennent profiter des nombreuses activités offertes. Si vous n'êtes pas un grand fan du rafting et des sports extrêmes, vous pourrez admirer les belles fresques murales de Pembroke en attendant le retour de vos amis.

■ CHAMPLAIN TRAIL MUSEUM AND PIONEER VILLAGE

1032 Pembroke Street East
✆ +1 613 735 0517
www.champlaintrailmuseum.com
pembrokemuseum@nrtco.net
Mai-juin et septembre : mardi-dimanche de 10h à 16h. Juillet et août : tous les jours de 10h à 16h. Adulte : 5 CAN $. Le musée et le village pionnier Champlain Trail vous présentent l'histoire de la vallée de l'Outaouais, de l'époque autochtone à l'ère moderne. Les expositions, la cabane en rondins authentique du XIXe siècle, l'école, l'église, la forge, l'équipement agricole et la gare vous assurent une expérience patrimoniale exceptionnelle !

■ PEMBROKE HERITAGE MURALS

Situées au centre-ville de Pembroke, ces fresques murales célèbrent l'héritage riche et varié de cette région à travers le temps par des peintures à grande échelle et des poèmes muraux écrit par Gary Howard, portrait d'une ère passée pour le plus grand plaisir de la génération d'aujourd'hui.

PETAWAWA

Située entre la rive occidentale de la rivière des Outaouais et la rivière Petawawa se trouve la paisible ville de Petawawa. Au-delà de son histoire militaire, elle représente un endroit idéal pour les adeptes du plein air, du camping et des plages dorées. Les monts Laurentiens offrent aux visiteurs des vues spectaculaires sur la rivière des Outaouais.

■ PETAWAWA MILLENNIUM TRAIL

1111 Victoria – www.petawawa.ca
email@petawawa.ca
Membre du système de sentiers Emerald Necklace, le Sentier millénaire de Petawawa est un long chemin pavé comprenant le musée extérieur Outdoor Heritage. Le Sentier millénaire compte également une estrade d'exposition et de concerts en plein air durant l'été, une piscine et une chapelle. Un endroit paisible où l'on aime passer la journée.

■ PETAWAWA POINT

www.petawawa.ca
email@petawawa.ca
Avec une vue sur la rivière des Outaouais et les monts Laurentiens, la plage de Petawawa Point est l'une des meilleures plages publiques de la vallée de l'Outaouais. Plusieurs services sont offerts (cantine, jeux pour enfants, terrain de beach-volley) et le stationnement est gratuit. Profitez de votre escale pour visiter le kiosque Legacy Landmark : la vue panoramique est à couper le souffle !

KINGSTON

Cette ville fortifiée, qui ne manque pas de chic, aurait pu rester la capitale du Canada si la reine Victoria ne lui avait préféré Ottawa. Située stratégiquement à la jonction du fleuve Saint-Laurent et du lac Ontario, Kingston offre aux visiteurs son port, ses vieux édifices et ses jolies maisons. Elle brille à la fois par son passé étoffé et son présent dynamique. On ne peut qu'être séduit par son centre-ville avec ses magnifiques bâtiments victoriens. Les touristes, nombreux, viennent goûter aux charmes d'une croisière aux Mille-Iles ou assister à la cérémonie militaire du crépuscule à Fort Henry. Kingston est le pied-à-terre idéal pour quiconque veut visiter la région dans son ensemble.
La ravissante ville, ancienne capitale, se trouve au cœur des Mille-Iles et de la contrée des lacs, près du comté de Prince Edward et du canal Rideau. Sise sur les rives d'une mer douce et azurée, elle a des airs du Vieux Continent.

Transports

Comment y accéder et en partir

En voiture, Kingston est située à 290 km de Montréal (3 heures 15 en voiture), 265 km de Toronto (3 heures) et 195 km d'Ottawa (2 heures 15). Plusieurs routes desservent la région de Kingston. Voici les principaux accès routiers en fonction des régions de départ :

- **Région de la Montérégie au Québec** : prenez l'autoroute 20 qui devient la 401 en Ontario.
- **Région du Grand Toronto** : prenez l'autoroute 401.
- **Région d'Ottawa** : prenez l'autoroute 416 puis la 401.

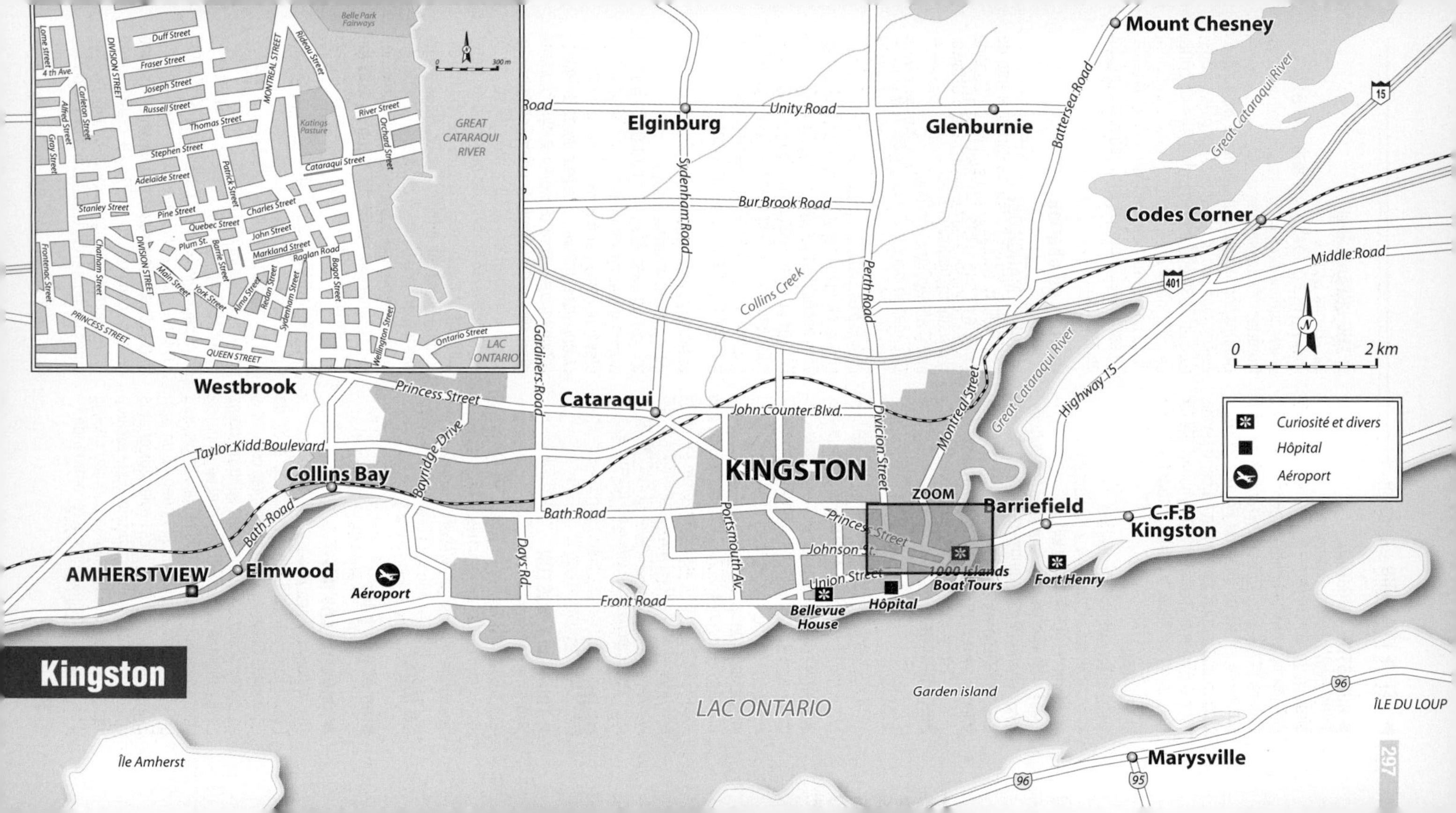
Kingston
KINGSTON
Mount Chesney
Codes Corner
Elginburg
Glenburnie
Westbrook
Cataraqui
Collins Bay
AMHERSTVIEW
Elmwood
Barriefield
C.F.B Kingston
Marysville
Unity Road
Bur Brook Road
Sydenham Road
Perth Road
Battersea Road
Middle Road
Collins Creek
Great Cataraqui River
Highway 15
Montreal Street
Divicion Street
John Counter Blvd.
Princess Street
Gardiners Road
Taylor Kidd Boulevard
Bayridge Drive
Bath Road
Days Rd.
Portsmouth Av.
Johnson St.
Union Street
Front Road
ZOOM
1000 Islands Boat Tours
Fort Henry
Bellevue House
Hôpital
Aéroport
Curiosité et divers
Hôpital
Aéroport
0
2 km
LAC ONTARIO
Garden island
ÎLE DU LOUP
Île Amherst
401
15
96
95
Belle Park Fairways
Katings Pasture
GREAT CATARAQUI RIVER
LAC ONTARIO
300 m
Duff Street
Fraser Street
Joseph Street
Russell Street
Thomas Street
Stephen Street
Adelaide Street
Stanley Street
Pine Street
Quebec Street
Plum St.
Charles Street
John Street
Markland Street
Raglan Road
Patrick Street
Barrie Street
Main Street
York Street
Alma Street
Redan Street
Sydenham Street
Bagot Street
Wellington Street
Ontario Street
River Street
Orchard Street
Cataraqui Street
Rideau Street
MONTREAL STREET
DIVISION STREET
PRINCESS STREET
QUEEN STREET
Lorne street
4 th Ave.
Carleton Street
Alfred Street
Gray Street
Frontenac Street
Chatham Street

■ **KINGSTON TERMINAL**
1175 John Counter Boulevard
✆ +1 613 547 4916
canada-info@coachcanada.com
Heures d'ouverture de la gare routière et de la billetterie : tous les jours de 6h30 à 21h15. Ce terminal de bus, assez loin du centre-ville, est desservi entre autres par Greyhound, Coach Canada et sa filiale à rabais, Mégabus.

■ **VIA RAIL**
1800 John Counter Boulevard
✆ +1 888 842 7245 – www.viarail.ca
relations_clientele@viarail.ca
Heures d'ouverture de la gare et de la billetterie : lundi-vendredi de 5h à 21h15 (21h30 pour la billetterie), samedi de 6h à 21h15, dimanche de 9h30 à 21h15 (21h30 pour la billetterie).

Se déplacer

■ **AVIS**
1412 Princess Street ✆ +1 613 531 3311
✆ +1 800 879 2847 – www.avis.ca

■ **KINGSTON TRANSIT**
✆ +1 613 546 0000
www.cityofkingston.ca
info@kingstoncanada.com
Un billet de bus coûte 2,25 CAN $ par adulte. Des lisières de 10 tickets sont également en vente (20 CAN $) ainsi qu'un pass touristique d'une journée (5 CAN $ pour un adulte et 2 enfants). Le pass est disponible à l'office du tourisme.

Pratique

■ **TOURISM KINGSTON**
209 Ontario Street
✆ +1 613 548 4415, +1 888 855 4555
http://tourism.kingstoncanada.com/en/
tourism@kingstoncanada.com

Se loger

Bien et pas cher

■ **PAINTED LADY INN**
181 William Street ✆ +1 613 545 0422
L'Auberge Painted Lady est située près de l'Université Queen's. Sept charmantes chambres au décor antique comprenant salle de bains privée, Internet sans fil, lit queen et air climatisé vous attendent. Les suites de luxe comprenant un foyer opérationnel, un lit queen et un bain tourbillon double n'ont rien à envier aux grands hôtels. Le petit déjeuner gastronomique excitera vos sens dès votre réveil dans un lieu chargé d'histoire. Un gîte hautement recommandé !

■ **THE QUEEN'S INN**
125 Brock Street
✆ +1 613 546 0429, +1 866 689 9177
www.queensinn.ca
frontdesk@queensinn.ca
Occupation double : à partir de 89 CAN $. Restaurant/pub et bar sportif sur place. Construit en 1839 et entièrement rénové en 2008, ce petit hôtel de Kingston vous accueillera dans une ambiance modeste et confortable. Le service est courtois et l'établissement est bien situé.

Confort ou charme

■ **ABBEY MANOR INN**
181 William Street
✆ +1 613 545 0422, +1 866 723 1872
www.abbeymanorinn.com
info@abbeymanorinn.com
Occupation double : à partir de 129 CAN $. 7 chambres. Petit déjeuner inclus. Forfaits disponibles. Cette élégante maison victorienne, située en plein cœur du quartier historique, vous accueille dans des chambres décorées à l'image de cette époque. Certaines sont même équipées d'un foyer et d'un bain à remous deux places. Une très belle adresse à proximité de toutes les attractions et services.

■ **HOCHELAGA INN**
24 Sydenham Street South
✆ +1 613 549 5534, +1 877 933 9433
www.hochelagainn.com
stay@hochelagainn.com
Occupation double : à partir de 130 CAN $. 23 chambres. Petit déjeuner inclus. Forfaits disponibles. Ce splendide bâtiment de brique rouge construit en 1880 a été classé parmi les monuments historiques de Kingston. Cette auberge compte une vingtaine de chambres, chacune décorée différemment. Nous avons une préférence pour les chambres Deluxe. Le petit déjeuner est copieux et servi dans une salle à manger ornée de meubles anciens très raffinés.

■ **ROSEMOUNT INN & SPA**
46 Sydenham Street South
✆ +1 613 531 8844, +1 888 871 8844
www.rosemountinn.com
rosemt@kingston.net
Occupation double : à partir de 149 CAN $. 11 chambres. Petit déjeuner inclus. Forfaits disponibles. Ce splendide bâtiment en roche calcaire construit en 1850 a été classé parmi les monuments historiques de Kingston. Vous aurez le choix entre une dizaine de chambres

charmantes, chacune dégageant une ambiance particulière. Chaque matin, un délicieux petit déjeuner est servi. Vous apprécierez les fruits frais et les différents plats chauds proposés. Si vous êtes à l'auberge en fin d'après-midi, ne manquez pas la pause thé et les délicieux cookies. Pour les amateurs de moments de détente et de bien-être, un rendez-vous avec les massothérapeutes du centre de Spa s'impose.

Se restaurer

Bien et pas cher

■ STOOLEY'S CAFE
118 Division Street
✆ +1 613 547 4044
Le café est délicieux, les burgers et les salades sont originaux. Nous vous conseillons le hamburger à la sauce aux piments *jalapeños* et la délicieuse salade grecque. La sélection de bières est intéressante. Au Stooley's on apprécie le menu diversifié et les petits prix.

■ TIR NAN OG IRISH PUB
200 Ontario Street
✆ +1 613 544 7474
www.kingston.tirnanogpubs.com
kingston@primepubs.com
Dimanche-mardi de 11h à 1h, mercredi-samedi de 11h à 2h. Menu à la carte : de 5 à 20 CAN $.
Cet excellent restaurant est réputé pour son délicieux menu de type pub et son atmosphère festive en soirée avec groupes de musique, karaoké et autres événements. Deux autres salles viennent compléter les lieux : The Old Speckled Hen (pub) et Monte's Lounge (salon de jazz). Un incontournable en plein cœur de Kingston !

Bonnes tables

■ AQUATERRA RESTAUBISTRO BY CLARK
1 Johnson Street
✆ +1 613 549 6243
www.aquaterrabyclark.com
Ouvert tous les jours du matin au soir. Menu midi : de 10 à 20 CAN $. Menu du soir : de 25 à 35 CAN $.
L'expérience est mémorable. Appréciez l'une des plus belles vues en ville et laissez-vous choyer par un personnel professionnel. Le menu est riche et dynamique, les plats délectables. Les dimanches, profitez du brunch spectaculaire d'Aquaterra. Les réservations sont recommandées.

■ CHEZ PIGGY RESTAURANT & BAR
68 R Princess Street ✆ +1 613 549 7673
www.chezpiggy.com – pigpan@kingston.net
Ouvert tous les jours de 11h30 à minuit (dès 11h le dimanche). Menu à la carte : de 10 à 37 CAN $. Menu du jour (midi) et table d'hôte (soir) disponibles. Situé dans un bâtiment restauré du début du XIXe siècle, ce restaurant est très fréquenté (réservation fortement conseillée). La cuisine du chef est excellente (savoureux plats d'inspirations méditerranéenne et asiatique), les desserts remarquables et le tout à des prix raisonnables. Chez Piggy, vous ne pouvez être que satisfait !

■ THE DOX
2 Princess Street ✆ +1 613 549 8400
www.hikingstonwaterfront.com
info@hikingstonwaterfront.com
Ouvert midi et soir (brunch le dimanche). Menu à la carte : de 10 à 32 CAN $. Brunch : 18,95 CAN $. Le restaurant de l'hôtel Holiday Inn Waterfront, désormais sous la gouverne du chef Jamie Hussey, propose une cuisine authentique au service impeccable. Le but avoué est d'offrir des plats exquis faits à partir de produits locaux, le tout servi dans une salle à manger s'ouvrant sur le lac Ontario.

Sortir

La partie la plus intéressante de la ville est bien évidemment située au bord du lac Ontario. Tout près de là, Ontario Street n'est qu'une succession de restaurants, souvent avec terrasse. Princess Street, perpendiculaire à Ontario Street, regroupe également plusieurs bars, pubs et clubs.

■ KBC
34 Clarence Street ✆ +1 613 542 4978
www.kingstonbrewing.ca
Ouvert tous les jours de 11h à 2h.
Le Kingston Brewering Company est définitivement une adresse immanquable pour vos sorties. En plus des bières et vins préparés maison, la longue liste de scotchs single malt et whiskies vous étonnera. Superbe ambiance de pub ponctuée par plusieurs événements en cours d'année.

■ THE TOUCAN & KIRKPATRICK'S
76 Princess Street ✆ +1 613 544 1966
www.thetoucan.ca – pub@thetoucan.ca
Ouvert tous les jours de 11h à 2h.
Premier pub irlandais de Kingston, c'est une excellente adresse pour boire une Guinness tout en assistant à un spectacle de musique folk. Le Toucan se trouve au rez-de-chaussée, et le Kirkpatrick's à l'étage. A la belle saison, profitez de la cour intérieure : un des secrets les mieux gardés en ville !

À voir / À faire

■ AGNES ETHERINGTON ART CENTER
Queen's University
University Avenue / Bader Lane
✆ +1 613 533 2190
www.aeac.ca – aeac@queensu.ca
Mardi-vendredi de 10h à 16h30, samedi-dimanche de 13h à 17h. Ouvert les lundis de mai à septembre de 13h à 17h. Adulte : 4 CAN $ (entrée libre le jeudi). Boutique sur place.
La collection du centre d'art se chiffre à quelque 14 000 œuvres, avec une très belle représentation de l'art traditionnel et contemporain canadien. Vous y verrez également de l'art inuit, des courtepointes canadiennes, de l'art de l'Afrique de l'Ouest et de l'argenterie européenne. Concluez la visite par une balade sur la jolie University Avenue.

■ FORT HENRY
A la sortie est de la ville, sur la route 2
✆ +1 613 542 7388
www.forthenry.com/francais/
getaway@parks.on.ca
Ouvert toute l'année. Adulte : de 10 à 13,25 CAN $ selon la période. Cérémonie du crépuscule (juillet et août) : de 18 à 25 CAN $. Stationnement : 5 CAN $.
Le Fort Henry, construit entre 1832 et 1837, constituait à lui seul la plus grande unité défensive britannique à l'ouest de Québec. Il devait protéger le Haut-Canada de toute invasion des Etats-Unis, alors un voisin bien ennuyeux. Aujourd'hui, ce lieu est l'une des meilleures attractions historiques au Canada. Aussitôt les portes de bois des fortifications traversées, des guides en costume d'époque vous accueillent, puis vous racontent la vie au fort au XIXe siècle. Les exercices de tir sont particulièrement colorés. La place forte participe également à plusieurs événements spéciaux très intéressants. Alors pour profiter d'autres activités pendant votre visite, informez-vous à l'avance pour que votre passage coïncide avec celles-ci.

■ INTERNATIONAL HOCKEY HALL OF FAME
277 York Street
✆ +1 613 544 2355
www.ihhof.com – info@ihhof.com
Ouvert de juin à septembre tous les jours de 10h à 16h, dimanche de 12h à 16h. Adulte : 5 CAN $.
Ce musée, fort intéressant pour les amateurs, met l'accent sur la dimension historique et internationale du sport préféré des Canadiens. La collection est impressionnante et relate l'évolution du hockey sur glace et de ses règles de jeu et présente les personnages qui ont marqué la discipline comme le capitaine James Thomas Sutherland.

■ KINGSTON'S HAUNTED WALK
200 Ontario Street
✆ +1 613 549 6366
www.hauntedwalk.com
De février à décembre. Adulte : 12,50 CAN $-15 CAN $ selon le circuit choisi. Le guichet, situé au 200, rue Ontario, juste devant l'Hôtel Prince-George, est ouvert tous les vendredis et samedis soir, 15 minutes avant le départ des visites.
La facette mystérieuse de Kingston cherche aussi à se faire connaître : un circuit débride l'imagination. Allez-y d'une Marche hantée, dans les cimetières et l'ancienne cour.

■ LIEU HISTORIQUE NATIONAL DU CANADA DE LA VILLA-BELLEVUE
35 Centre Street
✆ +1 613 545 8666
www.pc.gc.ca/bellevue
bellevue.house@pc.gc.ca
Ouvert d'avril à novembre de 10h à 17h, de 9h à 18h en été. Ouvert pour les groupes sur réservation le reste de l'année. Adulte : 3,90 CAN $.
La maison de John A. MacDonald (1815-1891), avocat promis à une brillante carrière puisqu'elle mena ce natif écossais jusqu'aux fonctions de Premier ministre du Canada.

■ MACLACHLAN WOODWORKING MUSEUM
2993 Highway 2
Gass Creek Park
✆ +1 613 542 0543
mwmuseum@city.kingston.on.ca
D'avril à la mi-mai & de septembre à décembre : mercredi-dimanche de 12h à 16h. De mi-mai à septembre : tous les jours de 10h à 17h. Le reste de l'année : sur réservation pour les groupes. Adulte : 4 CAN $.

A 16 km à l'est de Kingston, un musée entièrement consacré à l'ébénisterie. La bâtisse elle-même illustre une des méthodes d'assemblage pratiquées au siècle dernier. Nombreuses activités et événements organisés au fil des saisons (ateliers de démonstration et fabrication, jeux, contes, etc.).

■ MARINE MUSEUM OF THE GREAT LAKES

55 Ontario Street
✆ +1 613 542 2261
www.marmuseum.ca
marmus@marmuseum.ca

De mars à décembre : ouvert tous les jours de 10h à 16h. Sur rendez-vous le reste de l'année. Visites guidées en français disponibles sur demande. Adulte : 8,50 CAN $.

Créé en 1975, ce musée situé dans l'ancienne station de pompage abrite une collection d'artefacts et d'archives maritimes. Les expositions présentent l'évolution de la construction et des technologies navales. Il est également possible de visiter le brise-glace *Alexander Henry*, amarré juste à côté, et vous pouvez même y passer la nuit !

■ MILLE-ÎLES

www.mille-iles.cepeo.on.ca
mille-iles@cepeo.on.ca

Avant l'arrivée des colons, les Amérindiens nommaient cette région « le jardin du Grand Esprit ». Vous comprendrez pourquoi d'un seul regard depuis le Skydeck, une tour d'observation haute de 120 m sur l'île Hill offrant une vue stupéfiante des îles et du fleuve. Les îles font partie d'un parc national, offrant sentiers, plages et camping. Des croisières fort plaisantes vous permettent d'admirer ce véritable dédale. Des quais d'embarquement se situent à Rockport, charmant petit village au rythme paisible, à Gananoque et à Kingston. Vous pouvez aussi découvrir les îles Howe, Wolfe et Amherst au cours de sympathiques balades en voiture.

■ PARC PROVINCIAL CHARLESTON LAKE

Lansdowne, 148 Woodvale Road,
✆ +1 613 659 2065

Le parc Charleston Lake propose de splendides crêtes d'environ 4 m surplombant le lac, et de sinueux sentiers de randonnée pédestre longent la nappe d'eau révélant des abris rocheux utilisés par les autochtones et une flore luxuriante. La baignade et le canotage constituent aussi des activités prisées dans ce parc tout confort pour les adeptes du camping.

■ PRISON DE CORNWALL

11 Water Street West
Cornwall
www.cornwalljail.com

Cette prison historique a fermé ses portes en 2002, après 160 ans d'histoire. On y revit l'histoire des lieux et des prisonniers, mais aussi de quelques fantômes, nous confesse-t-on. A proximité, on peut visiter les villages engloutis que sont Mille Roches, Moulinette et l'île Sheik, pour n'en nommer que trois, via le musée situé près de Long Sault.

■ UPPER CANADA VILLAGE

Morrisburg
✆ +1 613 543 3704
www.uppercanadavillage.com

La visite d'Upper Canada Village à Morrisburg constitue une expérience magique qui vous transporte dans les années 1860. Une quarantaine de bâtiments authentiques forment un hameau dans lequel des activités se déroulent avec un souci du détail incroyable : ferblanterie, lainerie, échoppe d'imprimeur, meunerie à vapeur, atelier du fabricant de balais, tavernes et écuries... Vous serez frappé par le réalisme de l'endroit et par l'extraordinaire attention portée à l'exactitude historique de la reconstitution. Dans ces lieux fascinants, la journée passe en un clin d'œil ! De plus, pendant toute la saison, des programmes offerts sur place donnent aux enfants et aux ados l'occasion de découvrir le passé en participant à une foule d'activités, menées à la façon 1860.

Sports / Détente / Loisirs

■ KINGSTON 1000 ISLANDS CRUISES

1 Brock Street
✆ +1 613 549 5544
www.ktic.ca

Plusieurs départs par jour de début mai à mi-octobre. Tarifs selon la croisière choisie.

Magnifiques, de toutes les tailles, îles et îlots offrent un spectacle étonnant. Certains abritent quelques arbres, d'autres une véritable forêt, une cabane modeste, une villa de sénateur, voire le délirant Boldt Castle. Certaines villas sont de véritables prodiges architecturaux. Les routes panoramiques des Thousand Islands longent le fleuve, et le point d'observation d'Ivy Lea ravira les conducteurs-photographes.

BAIE DE QUINTE OU COMTÉ DU PRINCE-ÉDOUARD

A moins d'une heure à l'ouest de Kingston, nous vous recommandons fortement de visiter la baie de Quinte et sa route agrotouristique. Vous croiserez des fraiseraies, des cultures de champignons, des vergers, des troupeaux de vaches, une dizaine de vignobles ainsi que d'innombrables cafés et restos. Pour connaître la liste des producteurs locaux du comté, procurez-vous la brochure *Harvestin'* à l'office du tourisme ou visitez le site www.harvestin.ca – Les mordus de culture seront heureux d'apprendre qu'une route des Arts sillonne le comté. Vous pourrez ainsi partir à la rencontre d'une vingtaine de galeries d'art et de studios à la découverte de poteries, de joailleries, de peintures, de sculptures et plus encore. Plus d'info sur le site www.artstrail.ca – Le comté de Prince Edward se révèle donc idéal pour faire une promenade en voiture ou de la randonnée pédestre, pour passer une journée à la plage, bref, pour décompresser et changer de rythme. C'est à croire que la péninsule présente la plus forte concentration de chefs et de fins gourmets. Un véritable paradis terrestre pour les épicuriens ! Pour vous y rendre depuis Kingston, preférez la route panoramique 33 qui vous mènera jusqu'au traversier gratuit de Glenora. Une fois à Glenora, vous pouvez choisir de faire un arrêt au parc provincial Lake on the Mountain ou continuer votre route vers Picton et Sandbanks.

▶ **www.bonjourpec.ca**

PICTON

Fondée en 1837, Picton est le siège du gouvernement du comté de Prince Edward. Portant le nom du général Sir Thomas Picton, cette petite ville a une histoire riche et passionnante. Elle compte de belles boutiques, des restaurants gourmets, des auberges de luxe, une belle marina et plusieurs parcs municipaux.

Se loger

■ **MERRILL INN**
343 Main Street East
✆ +1 613 476 7451
✆ +1 866 567 5969
www.merrillinn.com
merrillinn@bellnet.ca
Occupation double : à partir de 139 CAN $. 13 chambres. Petit déjeuner inclus. Un minimum de deux nuits est exigé les week-ends en haute saison. Forfaits disponibles.
Cette magnifique auberge est reconnue comme étant le joyau du comté de Prince Edward. Elle fait d'ailleurs partie de l'association Ontario's Finest Inns» (auberge haut de gamme). Ses chambres sont élégantes, décorées avec grand soin, et que dire de la table : simplement superbe ! Sa fine cuisine régionale et sa carte des vins ont remporté plus d'un prix. Une adresse toute indiquée pour se faire plaisir !

■ **THE WARING HOUSE**
A la jonction des routes 1 et 33
✆ +1 613 476 7492
✆ +1 800 621 4956
www.waringhouse.com
reception@waringhouse.com
Occupation double : à partir de 170,58 CAN $ par personne (incluant repas du soir 3 services, hébergement et petit déjeuner). Plusieurs autres forfaits disponibles.
Le comté de Prince Edward regorge d'auberges plus magnifiques les unes que les autres. Le Waring House ne fait pas exception avec ses 32 nouvelles chambres et suites ou encore ses 17 chambres antiques. Le restaurant de l'auberge, Amelia's Garden, propose une fine cuisine régionale accompagnée d'une très belle sélection de vins. Pour l'apéro ou le digestif, le Barley Room comblera tous vos désirs. Avis aux gourmands : des cours de cuisine sont offerts sur place !

Se restaurer

■ **CLARA'S**
97 Bridge Street
✆ +1 613 476 2709
✆ +1 800 679 7756
www.claramountinn.com
innreception@claramountinn.com
Heures d'ouverture variables selon la saison (les contacter hors saison). Menu à la carte : de 20 à 40 CAN $.
Situé dans le magnifique hôtel Claramount Inn & Spa, le restaurant Clara's offre une cuisine régionale délectable. Les plats « santé », sains et nutritifs, sont soigneusement préparés par deux chefs qui allient leurs forces pour servir une cuisine exceptionnelle. L'été, les invités peuvent manger sur la magnifique véranda du Claramount et profiter du confort de cette splendide maison au style colonial.

■ **REGENT CAFE**
222 Main Street
✆ +1 613 476 9833
www.pec.on.ca/regentcafe/
Ouvert tous les jours de 10h à 17h (ouvert plus tard les soirs de spectacles).
Situé dans l'historique Regent Theatre, les comptoirs de ce café-boulangerie vous mettront définitivement l'eau à la bouche. Sandwichs frais, pâtisseries, viennoiseries, pains et autres petits délices sont préparés avec amour sur place tous les jours.

■ **THE RESTAURANT ON THE KNOLL**
1642 County Road 12
✆ +1 613 393 2063
✆ +1 800 724 2393
www.isaiahtubbs.com
knoll@isaiahtubbs.com
Ouvert le soir. Menu à la carte : de 20 à 35 CAN $.
Situé au centre de villégiature Isaiah Tubbs, ce restaurant est l'endroit idéal pour dîner dans une ambiance à la fois élégante et décontractée, tout en admirant une vue imprenable sur l'eau claire du lac West. Les délicieux plats concoctés par le chef sont préparés à base de produits agricoles des fermes de Picton et des spécialités de la région. On aime particulièrement sa manière de cuisiner l'agneau.

TORONTO

Avec ses gratte-ciel qui regardent de haut le reste du monde, Toronto a un goût de l'Amérique. Élégante et affairée, la ville ne se soumet pas facilement aux règles de la villégiature. Industrielle et financière, vite montée en graine, forte de ses 5,1 millions d'habitants intra-muros et dans les environs, la plus grande ville du Canada héberge 14 % de la population. Le soir, Toronto se décontracte et, comme sa rivale Montréal, multiplie les occasions de sortie. Au sein d'une myriade de villages aux accents venus du monde entier, s'offrent les façades polies des gratte-ciel, les insolites murs peints, spécialité de la ville, et les nombreux parcs à la végétation luxuriante. Bien que les Français y aient montré le bout de leur nez en 1650 pour faire le commerce de la fourrure, leur communauté aujourd'hui est une parmi cent autres. Toronto signifie « point de rencontre » : la diversité de sa population le prouve. La moitié des habitants ne sont pas nés au Canada ! Parmi les bonnes raisons de se plaire à Toronto, on retiendra la propreté de la ville, la sécurité qui y règne, la diversité de sa cuisine et la variété de ses magasins, dont le centre Eaton est le fleuron.

Toronto vu depuis les îles de Toronto.

Toronto
WEST ET NORTH TORONTO
UNIVERSITY OF TORONTO, YORKVILLE ET THE ANNEX
CHINATOWN, KENSINGTON MARKET ET DOWNTOWN OUEST
St Clair West
Dupont
St George
Spadina
Bathurst
Christie
Ossington
Gardine Museu
Royal Ontario Museum
Bata Shoe Museum
Kensington Market
Fort York National Historic Site
Humewood Park
Sir Winston Churchill Park
Roycroft Park
Hillcrest Park
Vermont Square
Christie Pits Park
Bickford Park
Dufferin Grove Park
Fred Hamilton Park
Alexandra Park
Trinity Bellwoods Park
Victoria Memorial Park
Stanley Park
Arlington Av
Maplewood Av
Pinewood Av
Wychwood Av
Kenwood Av
Vaughan Rd
Heath St W
Walmer Rd
Lynwood Av
Balmoral Av
Farnham Av
Woodlawn Av W
Clarendon Av
Russel Hill Rd
Alcorn Av
Birch Av
Cottingham St
Ellsworth Av
Hocken Av
Helena Av
Alcina Av
St Clair Av W
Greensides Av
Christie St
Wychwood Ave
Benson Av
Winona Dr
Alberta Av
Tyrell Av
Turner Rd
Avenue Rd
Macpherson Av
Roxborough St
Davenport Rd
Hazelton Av
Somerset Av
Dupont St
Kendal Av
Walmer Rd
Howland Av
Albany Rd
Spadina Rd
Huron St
St George St
Admiral Rd
Elgin Av
Lowther Av
Geary Av
Vermont Av
Melville Av
Yarmouth Rd
Garnet Av
Essex St
Pendrith St
Barton Av
Christie St
Olive Av
Follis Av
Bathurst St
Madison Av
Bloor St
Ossington Avenue
Manning Av
Euclid Av
London St
Markham St
Clinton St
Shaw St
Crawford St
Palmerston Blvd
Spadina Ave
Hoskin St
Roxton Rd
Harbord St
Havelock St
Rusholme Rd
Dovercourt Rd
Delaware Av
Concord Av
Clinton St
Manning Av
Euclid Av
Markham St
Lippincott St
Croft St
Borden St
Brunswick Av
Major St
Robert St
Oxford St
Nassau St
Augusta Av
College St
Montrose Street
Grace Street
St Annes Rd
Harrison St
Palmerton Av
Dundas St W
Crawford Street
Spadina Av
Dufferin St
Northcote Ave
Argyle St
Lisgar St
Fennings St
Givins St
Crawford St
MAssey St
Queen St W
Noble St
Sudbury St
Shank St
Niagara St
Wellington St W
Douro St
Fort York Blvd

TORONTO EAST ET THE BEACHES
DOWNTOWN YONGE, OLD TOWN ET DOWNTOWN EST
HARBOURFRONT, FINANCIAL ET ENTERTAINMENT DISTRICT
LAC ONTARIO
David A Balfour Park
Chorley Park
Don Valley Brick Works Park
Todmorden Mills Park
Rosedale Park
Craigleigh Gardens
Don River Park
Riverdale Park
Wellesley Park
Riverdale Farm
Moss Park
Saint James Park
Grange Park
City Hall-Nathan Phillips Square
Roundhouse Park
Queen's Park
Summerhill
Rosedale
Broadview
Castle Frank
Sherbourne
Bloor
Bay
Wellesley
College
Queen's Park
Dundas
St Patrick
Queen
Osgoode
King
St Andrew
Union Station
The Panasonic Theatre
Allan Gardens Conservatory
Canon Theatre
Mackenzie House
Toronto Coach Terminal
Massey Hall
Art Gallery of Ontario
Toronto City Hall
Elgin & Winter Garden Theatre
Eaton Centre
Four Seasons Centre for the Performing Arts
St Lawrence Market
Distillery Historic District
Royal Alexandra Theatre
Design Exchange
St Lawrence Centre
The Princess of Wales Theatre
Hockey Hall of Fame and Museum
Roy Thomson Hall
Sony Centre for the Performing Arts
CBC Broadcoast Centre
CN Tower
Roger Centre
Toronto Island Ferry Terminal
Harbourfront Centre / Queen Quay Terminal
Information touristique
Gare routière
Curiosité touristique
Musée
Marché
Embarcadère
Station de métro
0
400 m
N

Quartiers

Harbourfront, Financial et Entertainment Districts

Le cœur économique de la ville et ses gratte-ciel typiques des villes nord-américaine, regroupe près des rives du lac Ontario le centre économique et financier, mais aussi le quartier des spectacles.

▶ **Harbourfront** (www.waterfrontbia.com). L'extrémité sud du centre-ville, le long de la rive du lac Ontario, est propice à une promenade entre parcs, galeries d'art et magasins à la mode. Des espaces verts aménagés avec goût comme Ireland Park et Music Garden côtoient HTO Park, une bande de sable aux chaises longues et parasols. Queen's Quay Terminal, monument historique, est le lieu de rendez-vous idéal, avec ses magasins, restaurants et galeries. Des festivals en tout genre animent les bords du lac la plupart des week-ends de l'été.

▶ **Financial District.** Comme la plupart des villes nord-américaines, Toronto possède son centre-ville aux gratte-ciel de verre. Immédiatement au nord de Harbourfront, ce quartier fourmillant aux heures de sortie des bureaux retrouve une atmosphère assez froide le reste du temps... à part en sous-sol, où est installée une véritable ville dans la ville, un réseau souterrain de rues bordées de magasins, pour faire son shopping l'hiver.

▶ **Entertainment District** (www.torontoed.com). Le long de King Street West, c'est le quartier des théâtres et salles de spectacles en tout genre. Bien évidemment, de nombreux restaurants ont élu domicile ici pour les sorties de théâtre, ainsi que moult discothèques. C'est ici que se trouve le Rogers Center, complexe sportif et terrain de jeu des Blue Jays, l'équipe de baseball, et les Argonauts, l'équipe de football américain. Vous y trouverez également la Tour CN, principale attraction touristique de la ville, ainsi que la flambant neuve Bell Lightbox qui accueillera désormais le Festival international du film de Toronto.

Chinatown, Kensington Market et le Downtown Ouest

Au nord-ouest, mais toujours dans ce qui est considéré comme le centre-ville, se trouve la plus grande communauté asiatique du pays. A ses frontières, de petits quartiers à l'identité forte et à l'ambiance vintage.

▶ **Chinatown** (www.chinatownbia.com). Toronto n'est pas la seule ville au monde à posséder un quartier chinois. Mais peu sont aussi étendus et aussi résolument asiatiques. Lorsque vous êtes à Chinatown à Toronto, vous êtes en Chine. Point final. Dépaysement culturel garanti. Outre les differents commerces, la diversité culinaire est spectaculaire et vous pourrez choisir des mets de toutes les régions de Chine, mais aussi thaï, vietnamien, etc.

▶ **Kensington Market** (www.kensington-market.ca). Friperies, magasins vintage, vendeurs de piercings et autres tatoueurs, le tout dans un labyrinthe de petites rues dont certaines bordées de maisons victoriennes. Kensington Market est un bouillon multiculturel classé parmi les meilleurs marchés de rue d'Amérique du Nord. Et il s'y passe toujours quelque chose, que ce soit un concert improvisé, un défilé ou simplement un artiste déclamant des poèmes. Côté culinaire, la tendance est au petit café de quartier ou au restaurant qui ne pale pas de mine mais à la cuisine inventive.

▶ **Little Italy** (www.littleitaly.sites.toronto.com). Si le quartier ouvre ses portes depuis quelques années à de nombreuses communautés et est par le fait moins 100 % italien, il n'en reste pas moins qu'il s'y dégage une atmosphère de Dolce Vita évidente. Bien entendu le lieu idéal pour une véritable pizza sicilienne ou un plat de pâtes « comme là-bas ». Sans parler de l'expresso et du capuccino !

▶ **Queen West** (www.westqueenwest.ca et www.queenstwestbia.ca). Haut lieu du shopping des Torontois, Queen West a subi une transformation impressionnante au cours de la dernière décennie. Autrefois plutôt décati, le quartier est aujourd'hui hype et branché. Boutiques de vêtements vintage mais aux prix bien actuels, antiquaires, galeries, restaurants à la mode... Il est devenu très chic d'habiter le quartier, qui a vu les prix de l'immobilier s'enflammer. On différencie généralement Queen West, chic et cher, et West Queen West, qui a su garder son esprit rebelle et artiste. Mais la limite entre les deux est assez floue.

Downtown Yonge, Old Town et le Downtown Est

Le berceau de l'histoire de la ville et ses anciennes industries reconverties en concentration de boutiques à la mode, est également voisin de la rue la plus commerçante de la cité.

© S.NICOLAS - ICONOTEC

▸ **Downtown Yonge** (www.downtownyonge.com). Yonge Street, la rue la plus longue de Toronto, est dans sa partie qui coupe en deux le centre-ville un autre centre de shopping inévitable, notamment car son cœur en est le Eaton Center, plus grand centre commercial de la ville avec ses 230 magasins. Les grandes marques d'habillement internationales se sont regroupées ici, autour de Yonge-Dundas square, dont les panneaux lumineux diffusant des publicités non-stop rappellent Picadilly Circus à Londres.

▸ **Old Town** (www.oldtowntoronto.biz). Le quartier historique de la ville regroupe le St Lawrence Market, sans conteste le marché le plus charmant et authentique de la ville, mais aussi Corktown et Distillery District, deux anciens quartiers industriels reconvertis en zones commerciales et touristiques tout en conservant leur architecture particulière. De nombreuses boutiques, cafés et restaurants ont élu domicile dans cet environnement ou se mêlent architecture industrielle et maisons victoriennes.

▸ **Church-Wellesley/Gay Village** (www.churchwellesleyvillage.ca). La plus importante communauté gay du Canada a élu domicile à quelques pas du district historique. Vibrant, charmant et parfois extravagant, Church Wellesley est un quartier à découvrir au rythme de ses bars et discothèques branchés, de ses restaurants gourmets et de ses boutiques tendance.

▸ **Cabbagetown** (www.oldcabbagetown.com). L'un des plus anciens quartiers de Toronto, qui abritait autrefois la classe laborieuse, est aujourd'hui une destination de promenade privilégiée. Les rues bordées de maisons victoriennes et de jardins plus ou moins cachés lui confèrent une atmosphère à part, éclectique et tranquille.

University of Toronto, Yorkville et The Annex

Autour de l'immense parc abritant l'une des plus grandes concentrations d'universités d'Amérique du Nord, s'étendent deux quartiers aux ambiances totalement opposées.

▸ **Bloor-Yorkville** (www.bloor-yorkville.com). Pour tenter de faire couleur locale, mettez vos plus beaux habits et n'hésitez pas à mettre la main au portefeuille. Entre les grandes marques de luxe, les petites boutiques de design chic et les hôtels quatre étoiles, Yorkville est sans aucun doute le quartier le plus chic de la ville. Ici, on est riche et on le montre. De très bonnes adresses dans le quartier, pour peu qu'on ait les finances qui vont avec. Les années 1960, pendant lesquelles l'ambiance y était plutôt baba-cool, sont bel et bien révolues.

▸ **The Annex** (www.bloorannexbia.com). A la rencontre de la communauté étudiante de la toute proche University of Toronto et des bobos en tout genre, l'Annexe est un quartier éclectique par essence. En son cœur, le fameux magasin Honest Ed's, temple du bon plan et du tout pour pas cher. Tout autour, de petites boutiques tendance et kitsh, des librairies de quartier, et des restaurants et bars pour tous les goûts et tous les portefeuilles. Koreatown, toute proche, est également une curiosité communautaire comme on n'en voit qu'à Toronto.

Toronto East et The Beaches

A l'est du centre-ville, de nombreux sous-quartiers, pour la plupart résidentiels, s'étendent jusqu'aux limites de la ville. Certaines zones sont prétexte à des balades sympathiques.

▶ **Greektown et Little India** (www.greektowntoronto.com et www.gerrardindiabazaar.com). Comme leurs noms l'indiquent, ces deux quartiers situés dans la partie est de la ville sont deux enclaves communautaires à l'identité forte. Greektown est une véritable Grèce miniature avec ses restaurants typiques et ses rues toujours animées, en particulier le week-end. Little India abrite le plus grand marché sud-asiatique d'Amérique du Nord. Bracelets multicolores, saris, écharpes et tuniques se chevauchent dans ses dizaines de boutiques, le tout agrémenté d'une bonne odeur de curry aux heures des repas.

▶ **The Beaches** (www.beachesbia.com). Littéralement, « les plages ». On ne saurait faire plus clair. Excentrées à l'est de la ville, sa promenade, ses plages et ses petites maisons au bord de l'eau donnent à l'endroit un petit air de ville du bord de l'Atlantique. Il faut dire que le lac Ontario a parfois des allures de mer. Le quartier est particulièrement animé l'été, bien entendu, et ne manque pas de commerces et de bonnes adresses culinaires.

West et North Toronto

Moins de choses à voir dans cette immense zone. Ce qui ne l'empêche de receler quelques joyaux...

▶ **Roncesvalles Village/Little Poland** (www.roncesvallesvillage.ca). Une communauté est-européenne et russe s'est installée au cœur de Roncevalles Village, offrant une ambiance résidentielle assez calme, et pléthore de petits commerces familiaux.

▶ **Bloor West Village et High Park** (www.bloorwestvillage.ca). Bloor West Village, à l'extrémité nord de High Park, est l'une des zones les plus vertes de la ville. Entre les maisons cossues et les pâtisseries et cafés, se succèdent parcs, terrains de sport, une piscine, un zoo...

Se déplacer

L'arrivée

Avion

■ **AEROFLEET SERVICES**
✆ +1 416 449 4999, +1 800 268 0905
www.aerofleet.ca – info@aerofleet.ca
Environ 50 $ de l'aéroport à Toronto.
Transferts en voiture de luxe depuis et vers l'aéroport. Pas forcément plus cher qu'un taxi.

■ **AIRPORT EXPRESS**
6999 Ordan Drive, Mississauga,
✆ +1 905 564 6333, +1 800 387 6787
www.torontoairportexpress.com
21,95 $ l'aller simple.
Navette express reliant l'aéroport et le centre-ville. Intéressant rapport qualité-prix, surtout si vous êtes seul.

■ **TORONTO CITY CENTRE AIRPORT**
✆ +1 416 619 8622, +1 888 619 8622
www.torontoport.com/airport.asp
gwilson@torontoport.com
Ce petit aéroport est situé à quelques minutes du centre-ville de l'autre côté du Western Channel. La ligne de traversier est située sur la rue Bathurst. Porter Airlines exploite ses liaisons à partir et vers cet aéroport pour d'autres villes canadiennes dans l'est et quelques villes américaines.

▶ **Autre adresse :** www.flyporter.com

■ **TORONTO PEARSON INTERNATIONAL AIRPORT**
✆ +1 416 247 7678, +1 866 207 1690
www.gtaa.com
lostandfound@gtaa.com
A 30 km à l'ouest de la ville. Service de navette (21,95 $ l'aller simple ✆ +1 905 564 6333 – www.torontoairportexpress.com), taxi (50 à 60 $ depuis le centre-ville), limousines. Transport en commun : ligne 192 depuis la station de métro Kipling. Service de navette gratuite avec plusieurs hôtels. Comptoirs de location de voitures dans le stationnement au niveau 1 de chaque aérogare.

L'aéroport international accueille de nombreux vols directs provenant, entre autres, de l'Europe. Air Transat et Air Canada desservent de nombreuses villes françaises à destination de Toronto. Air Canada et Westjet assurent les liaisons intérieures.

Train

■ VIA RAIL UNION STATION

65 Front Street
✆ +1 888 842 7245
www.viarail.ca
relations_clientele@viarail.ca
Heures d'ouverture de la gare : lundi-samedi de 5h30 à 00h45, dimanche de 6h30 à 00h45. Heures d'ouverture de la billetterie : lundi-vendredi de 6h à 22h30, samedi de 6h15 à 22h, dimanche de 7h à 22h. Pour un billet vers les Etats-Unis : www.amtrak.com

Bus

■ TORONTO COACH TERMINAL

610 Bay Street ✆ +1 416 393 7911
www.torontocoachterminal.com
Heures d'ouverture de la gare routière et de la billetterie : tous les jours de 5h à 1h.
Située en plein centre-ville, à mi-chemin entre les stations de métro St. Patrick et Dundas. Les compagnies Greyhound (www.greyhound.ca), Coach Canada/Megabus (www.coachcanada.com) et Ontario Northland (www.ontarionorthland.ca) desservent la gare routière.

Bateau

■ TORONTO ISLAND FERRY

Embarquement à l'angle de Bay Street et Queens Quay ✆ +1 416 392 8193
www.toronto.ca/parks/island/
311@toronto.ca
Service à l'année. Adulte : 6,50 $ l'aller/retour. Service réduit en hiver.
Service de traversier vers les îles de Toronto. Trois lignes : Hanlan's Point, Centre Island et Ward's Island.

Voiture

■ AVIS

161 Bay Street
✆ +1 416 777 2847, +1 800 879 2847
www.avis.ca

■ BUDGET

161 Bay Street
✆ +1 416 364 7104, +1 800 268 8970
www.budget.ca

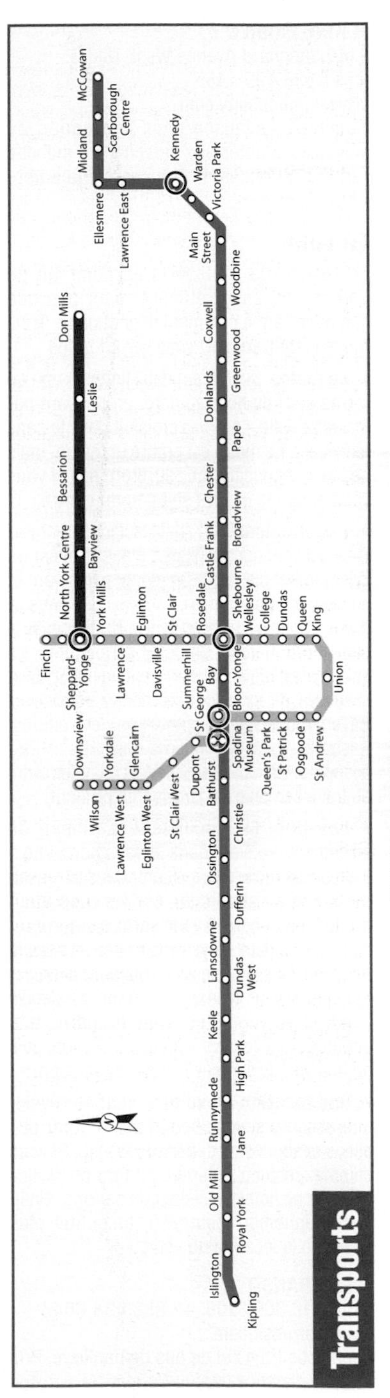

■ **KINO MOBILITY**
1140 Sheppard Avenue West, Unit 3
✆ +1 888 495 4455
www.kinomobility.com
Société spécialisée dans la location de véhicules adaptés aux personnes à mobilité réduite. Services de transport également disponibles.

En ville

Le réseau de transports en commun de Toronto est assez efficace, pour peu que l'on comprenne comment il fonctionne. Trois moyens de transport vous seront utiles :

- **Le metro**. Seulement deux lignes, l'une en forme de U du nord au nord, en passant par le centre-ville, l'autre la croisant dans le sens est-ouest. Le metro est propre et rapide, mais ces deux lignes ne vous suffiront pas si vous vous éloignez un tant soit peu du centre.

- **Les streetcars.** Ce sont les lignes de tramway, qui vont pour la plupart d'ouest en est (et inversement bien sûr). On monte par l'avant et on descend par l'arrière, comme chez nous. A savoir : pour ouvrir la porte il suffit de poser le pied sur la marche. Un détail surprenant : les streetcars circulent et s'arrêtent au milieu de la chaussée, de sorte que pour monter, vous devez traverser une voie empruntée par les voitures. Rassurez-vous, les voitures doivent s'arrêter quand une streetcar s'arrête. Mais regardez avant de traverser, on n'est jamais trop prudent.

- **Les bus.** Ils complètent le réseau de streetcars, souvent dans le sens nord-sud.

Il est assez facile de se repérer dans le réseau de bus et de streetcars, car les rues étant droites, en général il vous suffit d'emprunter l'un des ces deux moyens de transport dans la direction dans laquelle vous souhaitez aller. Par exemple, si vous vous rendez au sud-est depuis l'endroit où vous êtes, vous prendrez une streetcar vers l'est sur X pâtés de maison, puis un bus vers le sud sur Y pâtés de maison.

- **Une location de voiture** peut se révéler intéressante si vous comptez effectuer des allées et venues en dehors de la ville. Si vous comptez rester à l'intérieur de Toronto, veillez à choisir un hôtel possédant un parking, sinon le stationnement pourrait vous coûter plus cher que la location du véhicule.

■ **GO TRANSIT**
✆ +1 416 869 3200, +1 888 438 6646
www.gotransit.com
Service de trains et de bus de banlieue. Prix selon la distance parcourue.

■ **TORONTO TRANSIT COMMISSION**
1138 Bathurst Street
✆ +1 416 393 4636
www.ttc.ca
sellingtottc@ttc.ca
Billet adulte : 3 $ (5 billets pour 12,50 $, 10 pour 25 $). Pass 1 jour : 10 $ (valide pour une personne en semaine et deux adultes ou famille les week-ends et jours fériés). Pass 1 semaine : 36 $, et 1 mois 121 $. Attention, en général les guichets du métro n'acceptent que le liquide.
La TTC gère les lignes de métro, les streetcars et les bus. Vous trouverez dans toutes les stations de métro des plans des lignes (en général également à disposition dans les hôtels) et des horaires.

Taxi

■ **BECK TAXI**
1 Credit Union Drive
✆ +1 416 751 5555
www.becktaxi.com
accounts@becktaxi.com
Taxi Service

■ **CO-OP CABS**
130 Rivalda Road,
✆ +1 416 504 2667
www.co-opcabs.com

■ **CROWN TAXI**
789 Warden Ave #6
✆ +1 416 240 0000
www.crowntaxi.com
contactus@crowntaxi.com

Vélo

La ville jouit d'un très bon réseau de pistes cyclables, et vous trouverez des vélos à louer dans de nombreux endroits de la ville. Des plans des pistes cyclables sont disponibles à l'office du tourisme, et sur le site www.toronto.ca

■ **WHEEL EXCITEMENT**
249 Queen's Quay West, Unit 110
✆ +1 416 260 9000
www.wheelexcitement.ca
info@wheelexcitement.ca
M° Union Station
15 $ pour 1 heure, 3 $ l'heure supplémentaire, et 30 $ pour la journée complète.
Agence de location de vélos très bien située, puisque sur Harbourfront, au départ des pistes cyclables. Location de rollers également.

À pied

Toronto est une ville de quartier de taille plutôt réduite, de sorte que vous pouvez sans aucun problème explorer tout un quartier à pied. Les parcs et espaces verts sont jalonnés de pistes de randonnée. En revanche, s'il s'agit d'aller d'un bout à l'autre de la ville, les transports motorisés deviennent indispensables. L'hiver, vous pourrez vous déplacer à pied dans le centre-ville sans mettre le nez dehors, grâce au réseau de galeries souterraines prévues à cet effet, et bordées de magasins, cafés et restaurants.

Pratique

Tourisme

■ **KIOSQUES D'INFORMATION**
Nombreux kiosques au centre-ville : à l'angle des rues Queen et Bay, au centre de congrès Metro Toronto Convention Centre et à Queen's Quay Terminal. Un centre d'information sur l'Ontario se trouve à l'Atrium on Bay (20 Dundas Street West, face au Eaton Centre). Vous trouverez aussi des bornes d'informations INFOTOGO un peu partout en ville.

■ **TRAVELLERS AID SOCIETY (TAS)**
65 Front Street West
✆ +1 416 366 7788
www.travellersaid.ca
exec.director@travellersaid.ca
M° Union
Des informations sur les hébergements, et un conseil pour gérer les situations de dernière minute. Également présent à l'aéroport.

Représentations / Présence française

■ **CONSULAT DE BELGIQUE**
2 Bloor Street West, Suite 2006
✆ +1 416 944 1422
www.diplomatie.be/torontofr/
toronto@diplobel.fed.be

■ **CONSULAT DE FRANCE À TORONTO**
2 Bloor Street East – Suite 2200
✆ +1 416 847 1900
Fax : +1 416 847 1901
www.consulfrance-toronto.org
info@consulfrance-toronto.org

■ **CONSULAT GÉNÉRAL DE SUISSE**
154 University Avenue, Suite 601
✆ +1 416 593 5371 – www.eda.admin.ch
tor.vertretung@eda.admin.ch

Internet

■ **WEB FUSION**
545 Sherbourne Street – 614 Yonge Street
✆ +1 416 925 5104, +1 416 922 0852
Café Internet pratique car dans le quartier le plus commercial de la ville.

Urgences

■ **POLICE**
40 College Street ✆ +1 416 808 2222, 911
www.torontopolice.on.ca

■ **POMPIERS**
4330 Dufferin Street
✆ +1 416 338 9050, 911

■ **URGENCES MÉDICALES**
4330 Dufferin Street
✆ +1 416 392 2000, 911

Se loger

L'offre de logement est très large à Toronto, de l'auberge de jeunesse à l'hotellerie de luxe. Grand centre d'affaires, la ville a été investie par la plupart des grandes chaînes d'hôtels internationales.

▸ **Les hôtels luxueux** se trouvent pour la majorité dans le Financial District ou ses environs immédiats, les hommes d'affaires se trouvant ainsi proches de leurs lieux de rendez-vous. Si vous en avez le budget, c'est peut-être l'occasion de vous faire plaisir en vous offrant quelques nuits dans un palace.

▸ **Les chaînes d'hôtels** plus modestes sont soit proches de l'aéroport, soit disseminées dans le reste de la ville. Pour les petits budgets, les hostels ou auberges de jeunesse sont une option intéressante. Vous y trouverez en général soit des chambres à prix raisonnable avec salle de bains privée ou commune, soit pour les plus fauchés des lits en dortoirs.

▸ **Le Bed and Breakfast** est un type d'hébergement à part, dans lequel vous dormez chez l'habitant, un peu à l'image de ce qui se fait en Grande Bretagne. La profession est très réglementée, et les Bed & Breakfast sont en général confortables et équipés pour recevoir des visiteurs. Selon le budget, ils proposent une large gamme allant d'une petite chambre avec salle de bains partagée, à une grande suite avec tout le confort, Jacuzzi, écran plat, etc. La dénomination Bed & Breakfast n'est en théorie accordée qu'aux structures d'hébergement de 3 chambres au maximum. Au-delà, c'est un Inn, mais l'esprit est à peu près le même.

Harbourfront, Financial et Entertainment Districts

Bien et pas cher

■ CANADIANA BACKPACKERS INN
42 Widmer Street (Entertainment District)
✆ +1 416 598 9090, +1 877 215 1225
www.canadianalodging.com
info@canadianalodging.com
Dortoir : à partir de 27 $. Chambre simple : 70 $. Double : 80 $. Petit déjeuner inclus (Pancake à volonté !). Tarifs à la semaine disponibles hors saison. Forfaits disponibles.
Une auberge de jeunesse située en plein cœur du Entertainment District. Nombreux services sur place : cuisine tout équipée, aires communes, terrasse, petite salle de cinéma équipée de... sièges d'avion ! (18 places), programme d'activités, etc. Très propre et bonne ambiance !

■ GLOBAL VILLAGE BACKPACKERS
460 King Street West
(Entertainment District)
✆ +1 416 703 8540, +1 888 844 7875
www.globalbackpackers.com
info@globalbackpackers.com
M° St Andrew
27 $ le lit en dortoir, 78 $ la chambre double. Prix réduits si vous réservez sur Internet.
Très central, en plein cœur de l'Entertainment District, et pas trop loin du métro. Un hostel à l'ambiance détendue, des dortoirs à la propreté irréprochable, et un je-ne-sais-quoi de chaleureux dans la déco. Pancakes à volonté au petit déjeuner, et de nombreuses offres d'excursions, notamment aux chutes du Niagara.

Confort ou charme

■ HÔTEL VICTORIA
56 Yonge Street (Financial District)
✆ +1 416 363 1666, +1 800 363 8228
Fax : +1 416 363 7327
www.hotelvictoria-toronto.com
reception@hotelvictoria.on.ca
Chambre double à partir de 134 $.
Un des hôtels les moins chers du centre-ville, pour des prestations tout à fait correctes. Ambiance plus tournée vers le voyage d'affaires que vers le tourisme, mais service attentionné.

■ MAKING WAVES BOATEL
375 Queens Quay West (Harbourfront)
✆ +1 647 403 2764
www.boatel.ca – crew@boatel.ca
170 $ la cabine double, 210 $ la chambre principale. Possibilité de louer le bateau entier pour 500 $. Réservation de 2 nuits minimum.
Un hébergement original que ce bateau ancré sur les quais du lac Ontario, qui offre bien entendu des vues spectaculaires pour peu que l'on n'ait pas le mal de mer (ou le mal du lac). Diane et Ted sont vos hôtes de début juin à fin septembre. Vous pouvez également loger sur leur bateau pendant l'hiver, mais il vous faudra pousser un peu plus loin. En effet, à cette période le Making Waves vogue vers le sud pour s'installer aux Bahamas.

STRATHCONA HÔTEL
60 York Street (Financial District)
✆ +1 416 363 3321, +1 800 268 8304
www.thestrathconahotel.com
reservations@thestrathconahotel.com
Chambre double à partir de 150 $.
En plein cœur du Financial District, cet hôtel coincé entre les grands 5-étoiles de la ville a décidé de jouer la carte des voyageurs moins fortunés. Résultat : un hôtel qui a tout d'un grand... sauf le prix ! Un des meilleurs rapports qualité-prix de la ville.

Luxe

■ COMOSPOLITAN TORONTO CENTRE HOTEL & SPA
8 Colborne Street (Financial District)
✆ +1 416 945 5455, +1 800 958 3488
www.cosmotoronto.com
info@cosmotoronto.com
M° King. Chambre double à partir de 249 $. Forfaits disponibles. Restaurant sur place.
Le Cosmopolitan est l'un des charmants hôtels boutiques de Toronto offrant des chambres à l'image des revues de décoration. Cet établissement est une véritable invitation à la détente. Pour les adeptes des soins de bien-être, un passage par le Shizen Spa s'impose. On apprécie les conseils des concierges du Cosmopolitan.

■ HÔTEL LE GERMAIN TORONTO
30 Mercer Street (Entertainment District)
✆ +1 416 345 9500, +1 866 345 9501
www.germaintoronto.com
reservations@germaintoronto.com
Chambre double à partir de 295 $. Forfaits disponibles. Restaurant, terrasse et golf sur le toit, Spa sur place.
Réplique du Germain de Montréal, Le Germain de Toronto est l'un des premiers hôtels boutiques de la ville. Les chambres sont sophistiquées et d'une beauté inouïe. C'est définitivement l'un des plus beaux hôtels de Toronto.

■ MARRIOTT RENAISSANCE
1 Blue Jays Way
(Entertainment District)
✆ +1 416 341 7100
✆ +1 800 237 1512
www.renaissancetorontodowntown.com
Chambre double à partir de 309 $. Forfaits disponibles.
Cet hôtel magnifique vous permettra de dormir en ayant une vue sur le stade de Toronto, pour le plus grand bonheur des mordus de baseball et de football américain. Les chambres sont spacieuses et confortables. Les suites sont particulièrement charmantes avec leur design en deux niveaux et leurs belles salles de bains. Le prix est certes élevé, mais ce n'est pas tous les jours que vous pourrez dormir dans le temple du baseball qu'est le Rogers Centre.

■ SOHO METROPOLITAN HÔTEL
318 Wellington Street West
(Entertainment District)
✆ +1 416 599 8800
✆ +1 866 764 6638
www.soho.metropolitan.com
reservations@soho.metropolitan.com
Chambre double à partir de 475 $. Forfaits disponibles. Restaurant, bar piscine intérieure, bains à vapeur, et fitness sur place.
Situé au cœur des activités culturelles de la ville, le Soho Metropolitan fait partie de ces beaux hôtels que l'on retrouve dans les grandes villes du monde. Le décor minimaliste des chambres n'enlève rien à leur beauté presque parfaite. Les lits sont douillets et la salle de bains tout simplement somptueuse. L'hôtel sert des plats raffinés et des desserts succulents.

Chinatown, Kensington Market et le Downtown Ouest

■ ALEXANDRA HÔTEL
77 Ryerson Avenue
(Kensington Market)
✆ +1 416 504 2121
✆ +1 800 567 1893
www.alexandrahotel.com
reservations@alexandrahotel.com
A partir de 85 $ la chambre double.
Deux avantages principaux : le prix, et la situation à deux pas de Kensington Market. Bien entendu, ce n'est pas du grand luxe, mais le rapport qualité-prix est tout à fait correct. Et l'accueil sympathique fait oublier la décoration surannée.

BALDWIN VILLAGE INN
9 Baldwin Street (Kensington Market)
✆ +1 416 591 5359
www.baldwininn.com
information@baldwininn.com
M° St Patrick ou Queen's Park
De 85 à 105 $ la chambre double.
Si le Balwin Inn n'a pas la dénomination de Bed & Breakfast (car il possède plus de trois chambres), l'atmosphère qui y règne en est pourtant tout à fait proche. Les chambres (salles de bains communes) sont claires et confortables. Tess et Roger mettent un point d'honneur à faire en sorte que vous vous sentiez chez vous. Le tout dans une rue du quartier de Kensington Market qui réussit la prouesse d'être à la fois calme et bordée de petits restaurants à tester impérativement pendant votre séjour. Pour un séjour un peu plus long, ou si vous souhaitez une salle de bains privée, demandez à Roger ou Tess des informations sur le Sullivan by the Grange, une maison dont ils louent les chambres à deux pas.

■ LAKEVIEW VICTORIAN B&B
42 Lakeview Avenue (Little Italy)
✆ +1 416 821 6316, +1 416 535 6229
www.lakeviewvictorianbb.com
lakeviewbb@sympatico.ca
A partir de 125 $ la chambre double, avec petit déjeuner. 3 nuits minimum en haute saison.
Little Italy est certes un quartier agréable pour séjourner, car il y règne une ambiance tout à fait détendue. Le Lakeview est aussi accueillant que son quartier, et l'unique chambre (plutôt un petit appartement) est parfaitement charmante. Attention, le nom du lieu vient du nom de la rue, vous ne trouverez pas de vues sur le lac de cet endroit de la ville ! Plutôt pour un séjour de longue durée, l'endroit est équipé d'une cuisine et de tout l'équipement pour garantir votre indépendance.

■ SUITE DREAMS
390 Clinton Street (Koreatown)
✆ +1 416 538 0417
www.suitedreamstoronto.com
suitedreams@rogers.com
M° Christie
Chambre double de 149 à 249 $.
En plein cœur de Koreatown, facilement accessible en métro. Albert vous accueille dans cette charmante maison dans une rue calme. Les chambres sont parfaitement bien tenues (la suite cathédrale est immense !). Attention, Albert est intraitable sur la sécurité : il est impératif de réserver avant de frapper à sa porte.

Downtown Yonge, Old Town et le Downtown Est

Bien et pas cher

■ AMSTERDAM GUESTHOUSE
209 Carlton Street (Cabbagetown)
✆ +1 416 921 9797
www.amsterdamguesthouse.com
lisa_amsterdamhouse@yahoo.ca
A partir de 55 $ la chambre double.
A mi-chemin entre l'hostel et le Bed & Breakfast, cette maison à l'ambiance détendue et au charme tout victorien s'adresse aux voyageurs à budget plutôt serré mais qui ne souhaitent pas abandonner une certaine idée du confort. Au cœur de Cabbagetown, qui bien que légèrement à l'extérieur du centre-ville est un des quartiers les plus agréables de Toronto.

■ HOSTELLING INTERNATIONAL TORONTO
76 Church Street (Old Town)
✆ +1 416 971 4440
✆ +1 877 848 8737
www.hostellingtoronto.com
info@hostellingtoronto.com
M° King.
A partir de 24 $ en dortoir, 89 $ en chambre privée. Réduction pour les membres. Programme d'activités et forfaits. Petit déjeuner inclus pour les dortoirs de 4 personnes et moins, 2 bons d'échanges pour le café inclus pour les chambres privées.
Une super auberge de jeunesse qui propose de nombreux services pour agrémenter votre séjour : cuisine tout équipée, buanderie, aire commune avec table de billard, terrasse sur le toit, sorties et suggestions d'activités, etc. Une excellente adresse pour rencontrer d'autres voyageurs !

Confort ou charme

■ 312 SEATON
312 Seaton Street (Cabbagetown)
✆ +1 416 968 0775
www.312seaton.com
info@312seaton.com
A partir de 105 $ la chambre double.
Une belle maison victorienne dans une rue arborée, dans le non moins victorien (et arboré) quartier de Cabbagetown. Les quatre chambres sont décorées avec goût, et bien qu'assez petites, offrent tout le confort nécessaire. Le 312 Seaton propose aussi un appartement pour les plus longs séjours, avec tout ce qu'il vous faut pour faire votre vie de votre côté, dont une entrée séparée. Le petit déjeuner n'est pas fourni dans cette formule, mais vous pouvez vous arranger avec vos hôtes si vous le souhaitez.

■ LES AMIS BED & BREAKFAST
(Downtown Yonge)
31 Granby Street
✆ +1 416 591 0635
www.bbtoronto.com
les-amis@bbtoronto.com
M° College.
Chambre double à partir de 120 $. Les euros sont acceptés. Réductions possibles si vous ne voulez pas le petit déjeuner.
C'est dans une maison victorienne que Paul-Antoine et Michelle, un couple de Français, vous accueillent. N'hésitez pas à leur demander conseil, ils se feront un plaisir de vous aider à découvrir cette ville dynamique et cosmopolite. Les chambres sont grandes et délicieusement décorées. Thé et café à votre disposition.

■ THE SUTTON PLACE HOTEL TORONTO
(Downtown Yonge)
955 Bay Street
✆ +1 416 924 9221
✆ +1 866 378 8866
www.toronto.suttonplace.com
info_toronto@suttonplace.com
M° Wellesley.
Chambre double à partir de 160 $. Forfaits disponibles. Restaurant-bar, piscine intérieure, sauna, Spa, etc.
Le Sutton reçoit tous les ans des célébrités du monde entier à l'occasion du Festival international du film de Toronto. Les chambres sont très élégantes et font partie des plus belles en ville. Une adresse classique dont on n'est jamais déçu.

■ VICTORIA'S MANSION GUEST HOUSE
68 Gloucester Street (Church Wellesley)
✆ +1 416 921 4625
www.victoriasmansion.com
info@victoriasmansion.com
M° Wellesley.
Occupation double : à partir de 99 $. Stationnement privé : 10 $ par jour.
C'est dans une belle maison victorienne que se loge cette charmante auberge. Les chambres sont spacieuses et très bien équipées. Certaines disposent d'un petit coin cuisine rendant les longs séjours plus agréables.

Luxe

■ PANTAGES HOTEL & SPA
(Downtown Yonge)
200 Victoria Street
✆ +1 416 362 1777, +1 866 852 1777
www.pantageshotel.com
info@pantageshotel.com
M° Dundas.
Chambre double à partir de 219 $. Petit déjeuner inclus. Forfaits disponibles.
Un hôtel boutique en plein cœur du quartier Yonge-Dundas, à quelques pas du Eaton Centre. Les chambres sont spacieuses et très bien équipées. Martini bar, centre de santé spa.

University of Toronto, Yorkville et The Annex

Bien et pas cher

■ VICTORIA UNIVERSITY
140 Charles Street West
(University of Toronto)
✆ +1 416 585 4524
www.vicu.utoronto.ca
accom.victoria@utoronto.ca
M° Museum.
Ouvert de début mai à fin août. Occupation simple : 59,50 $, double : 80,50 $, petit déjeuner inclus.
Situées au centre de la ville de Toronto, les résidences universitaires sont ouvertes durant l'été aux touristes. Les chambres petites sont néanmoins bien entretenues. Salles de bains partagées.

Confort ou charme

■ ANNEX QUEST HOUSE
83 Spadina Avenue (The Annex)
✆ +1 416 922 1934
www.annexquesthouse.com
reservations@annexquesthouse.com
M° Spadina
A partir de 120 $ la chambre double.
Voici une expérience intéressante que la transformation de cette maison victorienne en une oasis sud-asiatique. Les 18 chambres sont décorées selon une école de design nommée Vastu, censée célébrer la nature et élever l'esprit. Il faut bien dire que le résultat est assez probant, et on se sent tout de suite à l'aise dans cette maison dont toutes les chambres possèdent leur propre salle de bains. La proximité des restaurants et bars du quartier de l'Annex est un atout supplémentaire.

■ MADISON MANOR
20 Madison Avenue (The Annex)
✆ +1 416 922 5579
www.madisonavenuepub.com
info@madisonavenuepub.com
M° Spadina
A partir de 129 $ la chambre double.
La Madison Manor est l'hôtel attenant au pub du même nom, et l'esprit véhiculé par sa décoration est justement celui d'un pub, avec un bois brut prédominant, dans un style très Bed & Breakfast anglais. Le tout dans un manoir victorien de 4 étages et un total de 23 chambres. Un copieux petit déjeuner est inclus dans le prix de la chambre.

Luxe

■ THE HAZELTON HOTEL
118 Yorkville Avenue (Yorkville)
✆ +1 416 963 6300, +1 866 473 6301
www.thehazeltonhotel.com
reservations@thehazeltonhotel.com
M° Bay.
Chambre double à partir de 450 $. Forfaits disponibles.
Ce magnifique hôtel 5 étoiles, situé en plein cœur de Yorkville, redéfinit les normes en termes de style, de souci du détail et de services. Un établissement sophistiqué dont la décoration intérieure est signée Yabu Pushelberg. Ses chambres haut de gamme, son restaurant de fine cuisine internationale et son centre de santé spa en font une destination de choix pour qui peut se le permettre.

■ WINDSOR ARMS HÔTEL
18 St. Thomas Street (Yorkville)
✆ +1 416 971 9666
www.windsorarmshotel.com
reserve@windsorarmshotel.com
M° Museum ou Bay
A partir de 295 $ la chambre double.
Bâti en 1927, le bâtiment hébergeant aujourd'hui le Windsor Arms, dans les environs immédiats de l'Université, fut créé dans le même style que cette dernière, dans la plus pure tradition victorienne. Aujourd'hui, cet hôtel de luxe marie à la perfection modernisme et histoire. Un palace d'une grande distinction, régulièrement récompensé dans les classements des meilleurs hôtels. C'est également l'endroit idéal pour observer le gratin de la société torontoise, et parfois quelques membres de la jet-set mondiale. Envie d'une folie ? La magnifique suite Windsor vous est proposée pour la modique somme de 2 000 $ la nuit.

Toronto East et The Beaches

■ **BALSAM BEACH INN**
14 Balsam Avenue (The Beaches)
✆ +1 416 691 4958
www.bbcanada.com/balsambeach
A partir de 90 $ la chambre double.
A deux pâtés de maison de la promenade du bord du lac Ontario de The Beaches, cette jolie petite maison abrite des chambres très confortables. A quelques minutes de marche des restaurants et cafés qui font la renommée du quartier. Places de parking disponibles.

West et North Toronto

■ **BY THE PARK B&B**
92 Indian Grove (West Toronto)
✆ +1 416 520 6102
www.bythepark.ca
bytheparkbb@rogers.com
A partir de 83 $ la chambre double.
Besoin de verdure ? La proximité de High Park devrait vous séduire. Mais nous sommes tout de même à Toronto, le By The Park est donc également proche de tous les commerces. Cette charmante maison permet une gamme d'hébergements hétéroclites, de la simple chambre avec petit déjeuner à la suite toute équipée pour plus de liberté. Des prix intéressants sont pratiqués en cas de séjour prolongé.

■ **DRAKE HÔTEL**
1150 Queen Street West (West Toronto)
✆ +1 416 531 5042, +1 866 372 5386
www.thedrakehotel.ca
info@thedrakehotel.ca
Chambre double à partir de 189 $. Forfaits disponibles.
Un hôtel nouveau genre très prisé par les jeunes cadres dynamiques de Toronto. Non seulement pour ses magnifiques chambres à la décoration moderne époustouflante, mais également pour son restaurant, son bar et sa discothèque. Des endroits branchés et très appréciés de la clientèle locale. Pour ceux qui n'ont pas les moyens de passer la nuit au Drake, nous vous conseillons vivement d'y prendre un verre et d'en profiter pour découvrir ce coin de la ville qui ne cesse de nous étonner.

■ **GLADSTONE HÔTEL**
1214 Queen Street West (West Toronto)
✆ +1 416 531 4635
www.gladstonehotel.com
reservations@gladstonehotel.com
Chambre double à partir de 165 $. Forfaits disponibles. Restaurant et bar sur place.
A proximité du Drake, cet hôtel entièrement rénové en 2005 fait partie des adresses branchées de l'ouest de la ville. Chacune des 37 chambres offre un design différent créé par un artiste local. Quoique petites, elles sont toutes d'un grand confort. Pour ceux dont les moyens le permettent, les suites de l'hôtel valent franchement le détour.

Se restaurer

Si vous cherchez un restaurant proposant la spécialité locale, la première chose à laquelle vous devrez réfléchir est : la spécialité d'où ? Car la cuisine est le domaine dans lequel le pluriculturalisme de la cité s'exprime avec le plus de force. Toronto ne possède pas d'identité culinaire, mais est le lieu de rencontre de toutes les cuisines. Des cuisines de tous pays, de tous styles, de tous budgets… Les Torontois aiment bien manger, aiment manger sain, aiment manger original. Le type de restaurant que vous aurez peut-être le plus de mal à trouver dans la ville est le fast-food ! Si vous avez des envies de cuisine d'un pays particulier, le mieux est de vous rendre dans le quartier correspondant à cette communauté.

Harbourfront, Financial et Entertainment Districts

Sur le pouce

■ **CAFÉ SUPRÊME**
40 University Avenue (Financial District)
✆ +1 416 585 2448
www.cafesupreme.ca
info@cafesupreme.ca
Formule sandwich + salade environ 10 $.
On choisit sa formule, on passe à la caisse, puis on prend son plateau. Sur le pouce, donc, mais la salle est agréable et les sandwichs, salades et soupes sont appétissantes. Une sorte de fast-food gourmet !

Bien et pas cher

■ **QUEEN MOTHER CAFE**
208 Queen Street West (Entertainment District) ✆ +1 416 598 4719
www.queenmothercafe.ca
mail@queenmothercafe.ca
M° Osgoode.
Lundi-samedi de 11h30 à 1h, dimanche de 11h30 à minuit. Menu midi et brunch : moins de 15 $. Menu soir : de 15 à 25 $.

Au retour de votre escapade shopping sur Queen West, un arrêt s'impose à Queen Mum, une adresse hautement fréquentée depuis plus de trente ans. Les plats sont d'inspiration internationale avec plusieurs spécialités du Sud-Est asiatique, lieu d'origine du chef. Très belle déco et petite terrasse en été.

■ **RIVOLI**
334 Queen Street West
(Entertainment District)
✆ +1 416 596 1908
www.rivoli.ca
mail@rivoli.ca
M° Osgoode.
Ouvert tous les jours de 11h30 à 2h. Menu midi : moins de 15 $. Menu soir : de 15 à 25 $.
Situé au coin de la rue Spadina, cet ancien restaurant de Toronto continue d'attirer les nouvelles générations torontoises. La cuisine façon bistro sert des plats cosmopolites à l'image de la ville. L'ambiance est décontractée, et le choix de musique avisé. A l'étage, vous pourrez même jouer au billard.

Bonnes tables

■ **GREAT COOKS ON EIGHT**
401 Bay Street (Financial District)
✆ +1 416 861 4333
www.greatcooks.ca
cook@greatcooks.ca
M° Queen
Ouvert uniquement pour le déjeuner en semaine. Entre 15 et 25 $ le plat principal.
Impossible à trouver avec l'adresse pour seule indication, donc on vous aide : ce restaurant ouvert uniquement pour le déjeuner a élu domicile au huitième étage de la tour du magasin Hudson Bay, au croisement des rues Bay et Queen. Great Cooks est un restaurant, mais aussi une école de cuisine. Le chef ose avec succès le mélange de cuisine canadienne et de saveurs des quatre coins du monde. Si cela vous plaît, peut-être aurez-vous envie d'apprendre à le faire par vous-même ? Les stages proposés sont tenus par des chefs dont la réputation n'est plus à faire.

■ **MADELINE'S**
601 King Street West (King West Village)
✆ +1 416 603 2205
www.susur.com/madelines/
postmaster@susur.com
Lundi-samedi de 18h à 23h. Repas à la carte : de 25 à 35 $.

© YUKIKO YAMANOTE - ICONOTEC

Toronto vu depuis l'Airport Island.

Ancien Susur, le Madeline's est le nouveau restaurant du chef Susur Lee. Nommé en l'honneur de sa mère, le restaurant propose une cuisine d'influence européenne dans un concept familial. Le design intérieur a été confié à Karen Gable et Brenda Bent qui ont donné au lieu une allure nord-africaine ou même byzantine.

■ **WAYNE GRETZKY'S RESTAURANT**
99 Blue Jays Way
(Entertainment District)
✆ +1 416 979 7825
www.gretzkys.com
Lundi-jeudi de 11h30 à 1h, vendredi-samedi de 11h30 à 2h, dimanche de 11h30 à 23h. Menu déjeuner : de 10 à 15 $. Menu soir : de 20 à 30 $.
Comme son nom l'indique, le restaurant rend hommage à l'impressionnante carrière du grand joueur de hockey canadien qu'était Wayne Gretzky's. Les fanatiques de ce sport viennent admirer la collection de ce célèbre joueur. Vous y dégusterez les classiques de la cuisine canadienne, mais le restaurant est reconnu pour ses succulentes pièces de viande au barbecue. Ça prendra du temps, mais vous ne le regretterez pas, la viande est tendre à souhait et les sauces sont un pur délice.

Luxe

■ **CANOE RESTAURANT & BAR**
66 Wellington Street West (Financial District, Tour de la banque Dominion de Toronto) ✆ +1 416 364 0054
www.oliverbonacini.com
canoe@oliverbonacini.com
M° St. Andrew, Union ou King.
Ouvert le midi et le soir en semaine seulement. Déjeuner : de 25 à 40 $. Dîner : comptez entre 50 et 70 $ sans le vin.
Le chef du Canoe n'utilise que des produits canadiens, le bœuf de l'Alberta, le crabe de Nouvelle-Ecosse, le saumon de Terre-Neuve et le fromage du Québec. Cette carte est un véritable hymne aux saveurs et produits locaux. Si certains s'y déplacent pour prendre un verre et admirer la vue, nous vous recommandons toutefois de vous laisser tenter et de déguster le menu 6-services du Canoe (100 $, 150 $ avec le vin).

■ **NOTA BENE**
180 Queen Street West (Entertainment District) ✆ +1 416 977 6400
www.notabenerestaurant.com
info@notabenerestaurant.com
M° Osgoode.
Ouvert le midi en semaine et le soir dès 17h du lundi au samedi. Comptez 25 à 30 $ pour un déjeuner, 35 à 50 $ pour un dîner.
Considéré déjà comme l'une des 10 meilleures tables au pays, le Nota Bene propose une fine cuisine plus que savoureuse dans un décor très tendance. Une excellente adresse pour un repas avant d'aller au théâtre.

Chinatown, Kensington Market et le Downtown Ouest

Bien et pas cher

■ **ACKEE TREE**
170 Spadina Avenue (Queen West)
✆ +1 416 866 8730
www.ackeetree.com – info@ackeetree.com
Moins de 10 $ pour un déjeuner, entre 13 et 20 $ le soir. Lorsque l'hiver bat son plein, les Torontois aiment se réfugier dans l'exotisme d'une cuisine pleine de soleil. Les Caraïbes leur vont droit au cœur, et ce restaurant jamaïcain sert de bonnes portions d'une cuisine qui mélange avec goût le sucré et les épices.

■ **CAFÉ DIPLOMATICO**
594 College Street (Little Italy)
✆ +1 416 534 4637
www.cafediplomatico.ca
info@cafediplomatico.ca
Ouvert tous les jours de 8h à 2h (3h les samedi et dimanche). Pizzas et pâtes entre 7 et 15 $.
Outre ses heures d'ouverture inédites même à Toronto, le Café Diplomatico offre ce que Little Italy a de meilleur : une ambiance familiale, des pizzas succulentes et un espresso dans lequel la petit cuiller tient toute seule.

■ **URBAN HERBIVORE**
64 Oxford Street (Kensington Market)
✆ +1 416 927 1231
www.fressenrestaurant.com
Ouvert pour déjeuner. Moins de 15 $ le repas.
La cuisine végérarienne et organique a la cote dans les environs de Kensington Market, et

Chinatown.

Urban Herbivore en est un parfait représentant. Les sandwichs sont faits à la commande, et les produits sont tous d'une fraîcheur indiscutable. Une sandwicherie parfaite pour un déjeuner, rapide ou non !

■ **UTOPIA CAFE**
586 College Street
(Little Italy)
✆ +1 416 534 7751
www.utopiacafe.ca
customercomments@utopiacafe.ca
Ouvert tous les jours. Moins de 10 $ le plat.
Au milieu des pizzerias et autres *trattorias* italiennes, ce café qui sert à peu près tout ce qui ressemble de près ou de loin à un sandwich est parfait pour un déjeuner, mais l'ambiance est également plutôt enjouée le soir.

Bonnes tables

■ **CAFÉ LA GAFFE**
24 Baldwin Street
(Kensington Market)
✆ +1 416 596 2397
Plats entre 20 et 30 $.
En partant de Kensington Market, tout au bout de la rue Baldwin, ce petit restaurant de spécialités françaises est une des bonnes adresses sans prétention de la ville. Exotisme pour les Canadiens, les escargots sont au menu. Un peu cliché, mais fort bien executé. Le pavé de boeuf est un délice, et quand on le demande bleu, on nous le sert bleu.

■ **GRACE RESTAURANT**
503 College Street
(Kensington Market)
✆ +1 416 944 8884
www.gracerestaurant.ca
info@gracerestaurant.ca
Lundi-samedi dès 18h. Plats principaux entre 13 et 37 $.
Une cuisine champêtre contemporaine préparée par une équipe jeune et talentueuse. Les plats sont présentés avec finesse dans un décor franchement épuré. Une belle découverte !

■ **JULES BISTRO & CAFE**
147 Spadina Avenue
(Queen West)
✆ +1 416 348 8886
www.julesbistrocafe.com
salut@julesbistrocafe.com
Plat principal entre 12 et 17 $. Menu prix fixe à 24,95 $ (entrée/plat/dessert).
Un bistro à la française en plein cœur du quartier de Queen West. Salade niçoise, pan bagnat, salade chèvre chaud, soupe à l'oignon, steak frites, j'en passe et des meilleurs. La plupart des restaurants français de Toronto optent pour une cuisine fine et recherchée, ici c'est la simplicité de la cuisine de bistro qui prime. D'abord ouvert en 1989 à Grenoble, le Jules a tout simplement emporté ses plats et son savoir-faire à Toronto.

■ **POMEGRANATE RESTAURANT**
420 College Street
(Kensington Market)
✆ +1 416 921 7557
www.pomegranaterestaurant.ca
Ouvert uniquement le soir, 17h-21h (22h les vendredi et samedi). Fermé le lundi. Environ 30 $ pour un repas à la carte. Cuisine persane.
Largement cité par les critiques de la presse locale, et à raison. Une des meilleures cuisines des pays des mille et une nuits, dans un décor feutré. A l'occasion, le Pomegranate organise des lectures ou des récitations. Renseignez-vous sur leur site Internet.

■ **TERRONI**
720 Queen Street West
(Queen West)
✆ +1 416 504 0320
www.terroni.ca
Ouvert tous les jours de 9h à 23h. Plats entre 15 et 30 $.
La décoration soignée d'un *trattoria* haut de gamme, une cuisine italienne sans faille, et un emplacement au cœur de la vie du quartier de Queen West (ou West Queen West, selon où l'on place la limite).

■ **TORITO**
276 Augusta Avenue
(Kensington Market)
✆ +1 416 961 7373
www.toritorestaurant.com
info@toritotapasbar.com
Ouvert tous les soirs de 17 à 23h. Dîner (3 tapas) aux alentours de 30 $.
Le Torito est un bar à tapas situé au beau milieu de Kensington Market. Mais attention, pas n'importe quels tapas ! Testez par exemple le consommé de noisettes et chorizo, ou les croquettes de crabe, c'est un délice. Deux tapas suffisent pour un dîner léger, trois pour les plus gros mangeurs. Avec un petit vin d'Espagne, bien entendu. C'est le moment de pratiquer votre espagnol, qui est la langue de travail de ce petit restaurant à la terrasse très agréable.

Downtown Yonge, Old Town et le Downtown Est

Sur le pouce

■ ST. LAWRENCE MARKET
À l'angle des rues Front et Jarvis
© +1 416 392 7219
www.stlawrencemarket.com
market@stlawrencemarket.com
M° King.
Mardi-jeudi de 8h à 18h, vendredi de 8h à 19h, samedi de 5h à 17h.
Site d'un marché depuis plus de 200 ans, le marché St. Lawrence est un véritable voyage au cœur des saveurs internationales. Vous y trouverez des produits frais et en vrac à perte de vue sur deux étages. De quoi faire le plein pour un pique-nique ! Vous trouverez également quelques sandwicheries et des espaces pour vous attabler si vous souhaitez manger sur place.

Bien et pas cher

■ CAFÉ UNO
55 Mill Street
(Distillery District)
© +1 416 980 2828
www.cafeuno.ca
Entre 10 et 15 $ la formule midi.
Une halte parfaite pour déjeuner au cours de votre visite du quartier historique des distilleries. Le décor est en harmonie avec l'esprit de cet ancien quartier industriel rénové, fait de briques et de poutres métalliques. Sandwichs, salades, macaroni & cheese, sans oublier un excellent café, vous permettront de vous remonter avant d'attaquer l'après-midi.

■ GILEAD CAFÉ & BISTRO
4 Gilead Place
(Old Toronto)
© +1 647 288 0680
www.jamiekennedy.ca
alaind@jamiekennedy.ca
Comptoir Déli : lundi-samedi de 8h à 17h30. Repas servi du matin au soir (horaires variables selon la saison).
En route vers le quartier de la Distillerie, faites un arrêt au comptoir Déli du Gilead. Terrines, salades, saumon fumé, charcuterie, plats préparés... et tout cela fait maison ! Un menu à la carte abordable est aussi offert le midi et pour un brunch le week-end. Depuis peu, les lieux sont ouverts le soir.

■ JUST THAI
534 Church Street (Church-Wellesley)
© +1 416 928 9100 – M° Wellesley
Environ 15 $ pour un repas. Ce restaurant, considéré comme le meilleur thaï de Church-Wellesley Village, offre les classiques de cette cuisine à des prix tout à fait raisonnables. La petite terrasse installée sur Church Street est le pont d'observation parfait pour tout savoir sur les gens du quartier.

Bonnes tables

■ ARCHEO TRATTORIA
55 Mill Street (Distillery District)
© +1 416 815 9898 – www.archeo.ca
Ouvert tous les jours à partir de midi.
Archeo est probablement le restaurant de Distillery District qui a su le mieux tirer parti de ce décor industriel, en mêlant le bois brut à la brique et au métal déjà présents. Le résultat est une salle à la fois chaleureuse et design, dans laquelle on déguste une cuisine simple mais bien exécutée, au rythme d'un service comme on les aime : simple, souriant et efficace.

■ FUZION
580 Church Street (Church-Wellesley)
© +1 416 944 9888
www.fuzionexperience.com
info@fuzionexperience.com
M° Wellesley
Ouvert tous les jours de 16h à 2h. La réputation du Fuzion s'est bâtie sur la renommée de son premier chef, connu pour avoir été le cuisiner personnel d'Oprah Winfrey, présentatrice star de la télévision américaine. Mais loin de se reposer sur leurs lauriers, les propriétaires du lieu ont su faire évoluer leur concept vers une tendance du moment, les tapas. La carte propose également des plats plus complets, dans un mélange d'influences du monde entier, mais le plus agréable reste de venir déguster des tapas sur la très agréable terrasse en sirotant un cocktail.

■ ORIGIN
107 King Street East (Old Town)
© (416) 63 8009
www.origintoronto.com
info@origintoronto.com
Environ 45 $ pour un déjeuner, 70 $ pour un dîner. On peut facilement se tromper en regardant la carte : ce ne sont pas des plats, mais plutôt des tapas. 2 plats forment un repas léger, 3 sont nécessaire pour les plus gros appétits. L'avantage est que l'on peut tester différentes saveurs, et c'est tant mieux !

Luxe

■ **GEORGE**
111C Queen Street East (Old Town)
✆ +1 416 863 6006
www.georgeonqueen.com
M° Queen.
Ouvert le midi en semaine et le soir du mardi au samedi. Menu midi : de 20 à 55 $. Menu soir : de 40 à 100 $.
Le célèbre chef torontois Lorenzo Loseto sert une cuisine d'une richesse inouïe. Les plats sont délicats et les mets fondent dans la bouche. L'explosion des saveurs atteint son apogée avec le menu gastronomique en cinq services. Nous n'hésitons pas un instant à vous recommander cette adresse pour une expérience culinaire mémorable.

■ **LA MAQUETTE**
111 King Street East (Old Town)
✆ +1 416 366 8191
www.lamaquette.com
lamaquette@lamaquette.com
M° King.
Ouvert le midi en semaine et dès 17h du lundi au samedi. Comptez entre 25 et 35 $ pour un déjeuner et 40 à 60 $ pour un dîner.
Une adresse gourmande où il est préférable de venir le midi pour profiter de la terrasse ombragée très sympa donnant sur un jardin public agrémenté de sculptures et d'une fontaine murale, et qui forme un cadre très romantique parfait pour se relaxer un instant.

University of Toronto, Yorkville et The Annex

Bien et pas cher

■ **FRESH**
326 Bloor Street West (The Annex)
✆ +1 416 531 2635
www.freshrestaurants.ca
info@freshrestaurants.ca
M° Bathurst
Ouvert du lundi au vendredi de 11h30 à 22h, samedi et dimanche de 10h30 à 22h. Brunch le week-end jusqu'à 15h. 10 à 15 $ le plat.
Le Fresh est un des ambassadeurs du mouvement « healthy food » (nourriture saine) de la ville. Son credo, proposer des ingrédients originaux, sains, bio, pour un prix raisonnable. Les jus de fruits frais sont délicieux, et les plats parfaits pour un déjeuner végétarien. La spécialité du lieu est la grande variété de bols aux saveurs du jardin de chez grand-mère.

■ **MOROCO CHOCOLAT**
99 Yorkville Avenue (Yorkville)
✆ +1 416 961 2202
www.morocochocolat.com
info@morocochocolat.com
M° Bay
Ouvert tous les jours à partir de 11h. Fermé le lundi. Les gourmands ne s'en remettront pas. Ce chocolatier salon de thé est une ode au cacao, et ses confortables fauteuils invitent à prolonger la pause et à s'adonner sans retenue au péché de gourmandise. Parmi nos favoris, la fondue au chocolat et les macarons.

■ **THE COFFEE MILL**
99 Yorkville Avenue (Yorkville)
✆ +1 416 920 2108
www.coffeemillrestaurant.com
M° Bay
Ouvert du lundi au jeudi de 10h à 23h, vendredi et samedi de 10h à minuit, et le dimanche de midi à 23h. Plats entre 10 et 15 $. Véritable institution dans le quartier de Yorkville depuis 1963, le Coffee Mill sert une cuisine dite d'Europe continentale. La carte est fournie, de plats allant de la salade niçoise au goulasch, et c'est d'ailleurs ce dernier que les habitués plébiscitent. La terrasse arborée est un plaisir, ne serait-ce que pour boire un verre.

Bonnes tables

■ **5TH ELEMENT**
1033 Bay Street (Yorkville)
✆ +1 416 923 8159
www.5thelementt.com
info@5thelementt.com
M° Wellesley.
Cuisine indienne. Ouvert le midi en semaine et tous les soirs dès 17h. Menu midi : de 13 à 25 $. Menu soir : de 20 à 40 $. Une cuisine fine, fusion entre l'art culinaire méditerranéen et indien très bien réussie. Le décor chaleureux du restaurant et du lounge en font un lieu privilégié pour passer une soirée entre amis.

■ **CIAO WINE BAR**
133 Yorkville Avenue (Yorkville)
✆ +1 416 925 2143
www.ciaowinebar.com
info@ciaowinebar.ca
M° Bay
De 18 à 30 $ le plat principal. Dans le quartier huppé de Yorkville, le Ciao Wine Bar mélange les atmosphères de bar à vins et de restaurant traditionnel italien. Les trois niveaux mêlent design moderne et chaleur de l'accueil.

Le sous-sol est une cave à la décoration résolument tournée vers le vin, tandis que la mezzanine offre une atmosphère plus rustique. Antipasti et pâtes côtoient salades et risottos.

Luxe

■ ONE RESTAURANT

116 Yorkville Avenue (Yorkville)
✆ +1 416 961 9600
www.onehazelton.com
info@onehazelton.com
M° Bay
Entre 25 et 40 $ le plat principal.
Restaurant de l'hôtel Hazelton, le One s'appuie sur la réputation méritée de son chef et propose une cuisine dont la qualité et le raffinement sont en rapport avec son prix : élevé. L'atmosphère suit la tendance du moment dans ce quartier huppé, avec une décoration à la fois design et chaleureuse. Toutes les tendances de la cuisine sont représentées, version haut de gamme.

Toronto East et The Beaches

■ BEACHER CAFE

2162 Queen Street East
(The Beaches)
✆ +1 416 699 3874
www.thebeachercafe.com
info@thebeachercafe.com
Ouvert pour déjeuner et pour dîner. Entre 10 et 15 $ le plat.
Une des adresses les plus populaires du quartier des plages, ouvert depuis plus de vingt ans. Une cuisine simple mais délicieuse : burgers, salades, sandwichs, et un excellent brunch le week-end. De quoi entamer une journée de promenade avec le ventre plein, tout en profitant du soleil de la terrasse.

■ EAST ON QUEEN

2066 Queen Street East
(The Beaches)
✆ +1 416 699 3278
www.eastonqueen.com
info@eastonqueen.com
Ouvert les mercredi et jeudi de 17h à 23h, et les vendredi et samedi de 17h à 2h. Entre 15 et 20 $ le plat.
Un bistro lounge installé sur la promenade de The Beaches, qui peut tout à la fois être un bon lieu de rendez-vous pour un cocktail, ou une destination pour un dîner de cuisine méditerranéenne, moules, calamars ou côtelettes d'agneau.

■ THE REAL JERK

709 Queen Street East (East Toronto)
✆ +1 416 463 6055
www.therealjerk.com
Lundi-mardi de 11h30 à 22h, mercredi-jeudi de 11h30-23h, vendredi de 11h30 à minuit, samedi de 13h à minuit, dimanche de 14h à 22h. Repas à la carte : environ 15 $.
Si le son du reggae et de la Jamaïque vous font envie, le Real Jerk vous plongera au cœur des Caraïbes. Vive les vacances et bienvenue dans une atmosphère flamboyante aux couleurs de Bob Marley. Les plats sont à base de poulet, de porc, de bœuf, rôtis ou cuits au barbecue, à déguster accompagnés d'un jus tropical frais ou de la fameuse bière jamaïcaine Red Stripe.

▸ **Autre adresse :** Woodbridge : 93 Woodstream Blvd, Unit 1 ✆ (905) 856 5375

■ UDUPI PALACE

1460 Gerrard Street East (East Toronto)
✆ +1 416 405 8189
www.udupipalace.ca
info@udupipalaca.ca
Cuisine indienne. Ouvert tous les jours dès midi. Plats à moins de 10 $.
Tous les plats inscrits au menu sont cuisinés selon la tradition du sud de l'Inde. La particularité est qu'ils sont végétariens et extraordinairement bon marché. Vaste choix de *dosa*, *uthapam* et currys accompagnés de riz et de pain *chana*.

West et North Toronto

■ MILDRED'S TEMPLE KITCHEN

85 Hanna Avenue, Suite 104
(West Toronto)
✆ +1 416 588 5695
www.templekitchen.com
mildred@templekitchen.com
Ouvert tous les jours sauf lundi le midi, et tous les soirs dès 17h30. Brunch le week-end de 10h à 15h. Menu midi : de 15 à 25 $. Menu soir : de 20 à 35 $. Brunch : de 15 à 25 $.
Situé dans Liberty Village, ce nouveau bistro est une création du groupe Mildred Pierce. Les lieux ressemblent à une cafétéria tendance avec une cuisine ouverte. Les plats reflètent parfaitement les saisons avec une nette préférence pour les produits locaux. Bon chic, bon genre, le tout à prix très abordable !

■ **NORTH 44**
2537 Yonge Street
(North Toronto)
✆ +1 416 487 4897
www.north44restaurant.com
north44restaurant@rogers.com
Lundi-samedi de 17h à 23h. Repas à la carte : comptez entre 70 et 90 $ sans le vin.
Portant le nom de la latitude à laquelle se situe la ville de Toronto, ce restaurant est l'un des meilleurs en ville. La carte se décompose en une série de mets d'inspiration méditerranéenne, asiatique et sud-américaine. Les mélanges originaux sont harmonieux. L'ambiance est chaleureuse, et les serveurs aux petits soins.

■ **NYOOD**
1096 Queen Street West
(West Toronto)
✆ +1 416 466 1888
www.nyood.ca
info@nyood.ca
Mardi-samedi dès 18h. Repas à la carte : de 18 à 40 $.
Avec à la barre un chef aussi talentueux que Roger Mooking, ce restaurant est vite devenu un incontournable de la scène épicurienne à Toronto. Un menu aux accents méditerranéens servi dans un décor dernier cri, rien ne pourrait mieux définir les lieux.

Sortir

Qu'on se le dise, Toronto est une ville qui bouge. La cité est grande, et chaque quartier a sa spécificité, mais les options sont nombreuses, propres à satisfaire tous les goûts comme tous les budgets. Pour la vie nocturne, les bars et clubs poussent comme des champignons, du pub au bar lounge branché, du bistrot au caveau de jazz. Les bars proposant des concerts live sont également une espèce répandue. La communauté gay et lesbienne de Toronto, une des plus importantes d'Amérique du Nord, est très active et les établisements gay friendly ou réservés aux gays ne se résument plus aux seuls bars de Church-Wellesley Village. Le monde du spectacle est lui aussi en pleine effervescence, les scènes sont nombreuses, et l'on n'aura pas de mal à dégoter une pièce de théâtre, une comédie musicale, un concert qu'il soit classique, éléctro ou rock. Pour compléter le tout, chaque week-end de l'été (et certains l'hiver) voit son lot de festivals en tous genres.

Cafés / Bars

Harbourfront, Financial et Entertainment Districts

■ **HORSESHOE TAVERN**
370 Queen Street West (Entertainment District) ✆ +1 416 598 4753
www.horseshoetavern.com
info@horseshoetavern.com
Bar : ouvert tous les jours de 12h à 2h. Salle de spectacles : ouvert tous les jours dès 21h (billets 10 $ max).
Un bar à spectacles légendaire depuis 1947... Musique rock & folk.

■ **RIVOLI**
334 Queen Street West
(Entertainment District)
✆ +1 416 596 1908
www.rivoli.ca – mail@rivoli.ca
M° Osgoode.
Ouvert tous les jours de 11h30 à 2h.
Tous les Torontois connaissent le Rivoli, un des premiers restaurants-bars à avoir vu le jour dans cette charmante ville. On aime sa terrasse l'été et son bar à martini. Vous pouvez y jouer une partie de billard au premier étage ou écouter de la bonne musique dans la salle du fond. Les musiciens y cèdent de temps en temps la parole à des poètes.

Chinatown, Kensington Market et le Downtown Ouest

■ **BOVINE SEX CLUB**
542 Queen Street West (Queen West)
✆ +1 416 504 4239
www.bovinesexclub.com
Ouvert tous les soirs.
Dès sa création au début des années 1990, ce bar à la décoration plus qu'originale a séduit les amoureux de rock au sens large. La devanture est assez, disons, intéressante, puisque entourée de carcasses de vélos et autres bouts de feraille d'origine inconnue. L'intérieur est dans le même ton, ambiance garage. Signe de bonne santé, le bar est bondé, et on joue des coudes pour commander sa bière.

■ **CRUSH WINE BAR**
455 King Street West (King West Village)
✆ +1 416 977 1234
www.crushwinebar.com
m.moffatt@crushwinebar.com
Lundi-vendredi de 11h30 à 22h30, samedi de 17h à 22h30, fermé dimanche.

Situé dans un beau bâtiment rénové à l'ouest de Entertainment District, Crush Wine Bar est parfait pour profiter de l'instant, surtout si vous avez du temps devant vous. Du temps pour boire un verre de vin accoudé au comptoir en bois, avant de vous rendre au théâtre ou manger en salle dans une ambiance détendue et propice aux bonnes soirées entre amis ou en couple.

■ **SNEAKY DEE'S**
431 College Street (Kensington Market)
✆ +1 416 603 3090
www.sneaky-dees.ca
sneakydees@sympatico.ca
Ouvert tous les jours jusqu'au bout de la nuit.
L'enseigne tout en graffitis est à la fois intrigante et vaguement effrayante. L'ambiance est électrique et sympathique, et les concerts live énergiques. Le Sneaky Dee's sert aussi des petits déjeuners aussi copieux que bon marché.

■ **TATTOO ROCK PARLOUR**
567 Queen Street West (Queen West)
✆ +1 416 703 5488
www.tattoorockparlour.com
info@tattoorockparlour.com
Ouvert tous les soirs.
Le nom annonce la couleur : le Tattoo Rock est à la fois un tatoueur et un bar rock. Le tout dans l'esprit gentiment rebelle qui caractérise Queen West. Deux salles et trois bars pour varier les ambiances, et un DJ dans chacune d'elles. Certains soirs des concerts live réunissent jusqu'à 300 personnes.

Downtown Yonge, Old Town et le Downtown Est

■ **BOUTIQUE BAR**
506 Church Street (Gay Village)
✆ +1 647 705 0006
www.boutiquebar.ca – info@boutiquebar.ca
M° Wellesley
Ouvert tous les soirs à partir de 17h.
Le Boutique Bar pourrait n'être qu'un autre de ces nombreux bars à cocktails de la ville, surtout dans Church-Wellesley. Les cocktails sont parfaits, mais c'est surtout le service au bar qui fait la différence. Haut de gamme mais pas prétentieux. Le tout dans une salle intime aux miroirs et chandelles.

■ **SAMOVAR ROOM**
51A Winchester Street (Cabbagetown)
✆ +1 416 925 4555
www.samovarroom.com
drink@samovarroom.com
Mardi-jeudi de 17h à 22h, vendredi-samedi 17h-2h. Autrefois interdit aux femmes (eh oui, jusqu'en 1972 en Ontario, il était interdit à une femme seule de consommer de l'alcool dans un lieu public !), ce bar était le lieu de rendez-vous de nombreux mafieux nord-américains. Entièrement rénové, ce bar attire aujourd'hui une clientèle de jeunes cadres branchés attirés par la tendance Art déco de ce lounge aux couleurs feutrées. On adore le goût du mojito qui vous transportera l'espace de quelques secondes au cœur de la chaleur des Caraïbes.

University of Toronto, Yorkville et The Annex

■ **BRUNSWICK HOUSE**
481 Bloor Street West (The Annex)
✆ +1 416 964 2242
www.thebrunswickhouse.com
braden@thebrunswickhouse.com
M° Spadina
Ouvert le soir.
L'une des plus anciennes brasseries de Toronto, ouverte en 1876, a été rénovée en 2005, mais conserve le caractère propre à ce genre d'établissements : une salle assez sombre au décor de pub, et où la bière coule à flots : choix de 10 bières à la pression, sans compter les bouteilles.

■ **HEMINGWAYS**
142 Cumberland Street (Yorkville)
✆ +1 416 968 2828
M° Bay.
Ouvert tous les jours de 11h à 2h.
Situé au cœur du quartier branché de Yorkville, le bar néo-zélandais Hemingways est l'endroit idéal pour passer une bonne soirée. Les terrasses l'été sont très appréciées par une clientèle d'habitués qui viennent s'y prélasser en groupe ou en famille. Ouvert depuis plus de vingt-cinq ans, c'est une véritable institution à Toronto.

Toronto East et The Beaches

■ **RASPUTIN VODKA BAR**
780 Queen Street East (East Toronto)
✆ +1 416 469 3737
www.rasputinvodkabar.com
party@rasputinvodkabar.com
Ouvert tous les soirs à partir de 17h (19h le samedi). Fermé les dimanche et lundi.
La spécialité de ce bar n'est pas un secret, et chaque élément de déco cherche à rappeler la Russie de Raspoutine. L'extérieur est discret,

ne ratez pas l'entrée. L'intérieur est raffiné et beaucoup plus grand qu'il n'y paraît. Une adresse encore confidentielle, qui ne devrait pas le rester très longtemps.

■ **WHAT ARE YOU LOOKING AT ?**
996 Queen Street East (East Toronto)
✆ +1 416 901 5570
www.whatareyoulookingatbar.com
waylabar@gmail.com
Ouvert du mardi au dimanche à partir de 17h (16h les vendredi et samedi).
Plusieurs ambiances pour ce bar au mobilier urbain trendy qui attire majoritairement les jeunes cadres de 25 à 40 ans. La première salle et ses fauteuils confortables invite à la conversation. Le long bar est un espace plus animé, avant d'arriver à une arrière-salle dans laquelle la musique électronique invite à un léger déhanchement.

Clubs et discothèques

■ **C LOUNGE**
456 Wellington Street West
(King West Village)
✆ +1 416 260 9393
www.libertygroup.com
clounge@libertygroup.com
Soirée discothèque les vendredi, samedi et lundi dès 22h. Entrée : 10 $.
Un décor et un style tout simplement renversants, le thème de l'eau est au cœur du concept retenu par les propriétaires du C Lounge. Des portes transparentes ou l'eau coule généreusement au bassin illuminé au milieu de la terrasse, la sérénité est au rendez-vous. Le C Lounge représente le style urbain et avant-gardiste de Toronto. C'est le spot idéal pour se relaxer sur une terrasse au bord de l'eau en sirotant un bon verre ou tout simplement pour danser toute la nuit sur les sons de la musique déchaînée de ses DJ.

■ **MANSION & LOFT**
102 Peter Street (Entertainment District)
✆ +1 416 599 2224
Fax : +1 416 599 7843
www.mansion-loft.com
info@mansion-loft.com
Ouvert les vendredi et samedi. Droits d'entrée. Tenue de ville exigée.
Mansion & Loft est le tout nouveau club branché de la métropole. Le 1er étage, le Mansion, peut accueillir jusqu'à 700 personnes dans un décor digne des grands clubs d'Europe. Le 2e, le Loft, est d'un sytle lounge avec plafond de verre. Sachez qu'ici les toilettes sont unisexes...

Spectacles

Harbourfront, Financial et Entertainment Districts

■ **THE AIR CANADA CENTRE**
40 Bay Street (Financial District)
✆ +1 416 815 5400
www.theaircanadacentre.com
M° Union
Voir site Internet pour connaître toute la programmation.
Ce grand complexe, d'une capacité maximale de 19 800 places, accueille de nombreux spectacles d'envergure en plus d'être le domicile des Maple Leaf (ligue nationale de hockey) et des Raptors (NBA, basketball).

■ **PRINCESS OF WALES THEATRE**
300 King Street West (Entertainment District) ✆ +1 416 872 1212
www.princess-of-wales-theatre.com
M° St Andrew
De nombreuses comédies musicales se déroulent dans ce théâtre parmi les plus populaires de Toronto.

■ **ROYAL ALEXANDRA THEATRE**
260 King Street West (Entertainment District) ✆ +1 416 872 1212
www.toronto-theatre.com
M° St Andrew
Théâtre historique repris par le célèbre Ed Mirvish, programmant surtout des comédies musicales.

ONTARIO

Toronto et le lac Ontario de

■ **ROY THOMSON HALL**
60 Simcoe Street (Entertainment District)
✆ +1 416 872 4255
www.roythomson.com
reachus@rth-mh.com
M° St. Andrew.
Salle de concerts symphoniques inaugurée en 1982. Depuis sa rénovation en 2002, elle accueille en résidence l'orchestre symphonique de Toronto et le chœur Mendelssohn de Toronto.

Downtown Yonge, Old Town et le Downtown Est

■ **C'EST WHAT ?**
67 Front Street (Old Town)
✆ +1 416 867 9499
www.cestwhat.com
info@cestwhat.com
M° King.
Ouvert tous les jours de 11h30 à 2h.
Tout le monde connaît l'établissement à Toronto. Endroit relax, situé dans une cave à proximité du St. Lawrence Market, il offre à ses clients des ambiances différentes selon leurs goûts. Si vous êtes amateur de jazz, de rock & folk ou de blues, des groupes viennent régulièrement s'y produire. Si vous aimez la bière, le bar en compte une trentaine de variétés à la carte dont plusieurs produites sur place. Une adresse chouchou !

■ **THÉÂTRE FRANÇAIS DE TORONTO**
26 Berkeley Street (Old Town)
Berkeley Street Theatre
✆ +1 416 534 6604, +1 800 819 4981
www.theatrefrancais.com
info@theatrefrancais.com

West et North Toronto

■ **EXHIBITION PLACE**
200 Princes Blvd (West Toronto)
✆ +1 416 263 3600, +1 416 263 3001
www.explace.on.ca
info@explace.on.ca
Immense complexe situé sur un terrain de 192 acres en bordure du lac Ontario. Spectacles, événements sportifs (dont le Toronto FC au soccer), congrès, foires et salons y sont organisés.

■ **MEDIEVAL TIMES**
10 Dufferin Street (West Toronto)
Exhibition Place ✆ +1 888 935 6878
www.medievaltimes.com
Plusieurs représentations par semaine. Adulte [illegible]2,95 $, enfant (12 ans et moins) 39,95 $. [illegible]faits disponibles.

À voir / À faire

Toronto est une ville à vivre plus qu'à visiter. Comme la plupart des villes nord-américaines, son histoire est assez récente, et elle n'a pas la beauté des capitales européennes. Cela ne veut pas dire qu'il n'y a rien à voir à Toronto bien au contraire !

Visites guidées

■ **SHOP-DINE-TOUR TORONTO**
Embarquement et billetterie au Square Yonge-Dundas
✆ +1 416 463 7467
www.sightseeingtoronto.com
info@shopdinetour.com
Adulte : 35,50 $. Croisières et voyages d'un jour à Niagara Falls également disponibles.
Tours guidés en bus à deux étages. Le tour complet dure 2 heures, mais il est possible de monter et descendre à l'un des 20 arrêts du circuit. Le billet est valide pour un maximum de 7 jours.

▶ **Autre adresse :** Billetteries estivales : Front & John Street (Tour CN), et Union Station

Harbourfront, Financial et Entertainment Districts

■ **CAMPBELL HOUSE MUSEUM**
(Entertainment District)
160 Queen Street West
✆ +1 416 597 0227
www.campbellhousemuseum.ca
info@campbellhousemuseum.ca
M° Osgoode.
Mardi-vendredi de 9h30 à 16h30, samedi-dimanche de 12h à 16h30 (dimanche, seulement de mai à fin septembre). Fermé en janvier. Adulte : 6 $.
Maison appartenant autrefois à Sir William Mackenzie, célèbre avocat et homme politique de Toronto au XIXe siècle, elle est aujourd'hui ouverte au public. On y passe une heure en compagnie d'un guide qui nous présente les us et coutumes de la société bourgeoise canadienne des siècles passés.

■ **FORT YORK**
250 Fort York Boulevard (Harbourfront)
✆ +1 416 392 6907
www.toronto.ca/fortyork
fortyork@toronto.ca
Ouvert tous les jours de 10h à 17h (16h en semaine l'hiver). Entrée 7,62 $.
Construit en 1793, Fort York est le lieu de naissance de la ville de Toronto. Ce fort a

été établi pour servir de ligne de défense contre les Etats-Unis dont on redoutait alors l'invasion. Lors de la guerre de 1812, il fut le théâtre d'une violente bataille célèbre dans l'histoire du pays. Garnison active jusque dans les années 1930, il est aujourd'hui visité chaque année par des milliers de personnes venues voir ces vestiges de guerre.

■ HOCKEY HALL OF FAME

30 Yonge Street, Brookfield Place (Financial District)
✆ +1 416 360 7765
www.hhof.com
info@hhof.com
M° King ou Union.
Ouvert tous les jours (horaires variables selon la saison). Adulte : 15 $.
Le Temple de la renommée du hockey est un must pour quiconque s'intéresse de loin ou de près au sport national canadien. Des jeux interactifs et une énorme boutique de souvenirs complètent l'expérience.

■ NEW CITY HALL

100 Queen Street West (Financial District)
M° Queen ou Osgoode.
L'architecture en miroir du bâtiment lui vaut sa notoriété. En hiver, les habitants se plaisent à patiner sur les bassins gelés, enjambés par les Arches de la Liberté.

■ OLD CITY HALL

60 Queen Street West (Financial District)
M° Queen.
L'architecture de style néoroman lui vaut sa notoriété. Cet édifice aux couleurs chaudes a été dessiné par le célèbre architecte E. J. Lennox en 1889. Ce bâtiment abritait autrefois l'hôtel de ville de Toronto, aujourd'hui il se consacre à sa fonction de palais de justice. La visite du bâtiment est gratuite et mérite le détour. On aime le vitrail situé au cœur de l'édifice.

■ ROGERS CENTRE

1 Blue Jays Ways (Entertainment District)
✆ +1 416 341 3000
www.rogerscentre.com
M° Union + Skywalk.
Horaires des visites variables selon la saison. Adulte : 16 $.
Toute l'originalité de ce complexe sportif réside dans son toit entièrement rétractable (l'opération prend 20 minutes et coûte 500 $) sous lequel évolue l'équipe de baseball locale, les Blue Jays, et celle de la ligue canadienne de football, les Argonauts.

■ ROY THOMSON HALL

60 Simcoe Street (Entertainment District)
✆ +1 416 872 4255
www.roythomson.com
reachus@rth-mh.com
M° St. Andrew.
Visite : 7 $. Possibilité d'effectuer une visite guidée, uniquement pour des groupes de 10 personnes ou plus. Appeler au moins 10 jours à l'avance.
Ce complexe, qui ressemble à une tour aplatie, est dédié à la musique et à la danse ; il a été dessiné par l'architecte canadien Arthur Erickson.

■ STEAM WHISTLE BREWING

255 Bremner Blvd (Entertainment District)
✆ +1 416 362 2337, +1 866 240 2337
www.steamwhistle.ca
info@steamwhistle.ca
M° Union.
Ouvert du lundi au jeudi de midi à 18h, les vendredi et samedi de 11h à 18h, et le dimanche de 11h à 17h. Visite guidée : de 10 à 26 $ (le tour est le même, mais le cadeau souvenir change : du décapsuleur au pack de 12 !). Boutique sur place.
Lors de votre séjour en Ontario, vous remarquerez que la bière Steam Whistle (pilsner) figure sur TOUS les menus de restaurants et bars. Profitez donc de votre passage dans la ville reine pour visiter les installations de la brasserie.

■ TORONTO ISLANDS PARK

9 Queens Quay W
www.torontoisland.org
Ferry en direction des 3 îles, départ derrière l'hôtel Westin, au croisement entre Bay Street et Queens Quay. 6,50 $ l'aller/retour. Environ toutes les demi-heures. L'hiver, seule Ward Island est desservie.
Le ferry mène, en quelques minutes, à l'un des trois débarcadères de cette petite île. Lieu de balade, de jeux pour les enfants et de résidence pour quelques chanceux, l'île repose de l'agitation de la ville tout en montrant sous son meilleur profil. Son a versant embrasse le lac Ontario dans son immensité. Central Island est fréquentée, car elle concentre la p activités : parc pour enfants, spo boutiques, cafés, etc. Les de plus tranquilles, résidentiel de belles balades à pied c pouvez aisément partir p et parcourir l'intégrali 3 îles sont reliées p

ONTARIO

Tour CN et drapeau canadien.

■ **TOUR CN**
301 Front Street West
(Financial District)
✆ +1 416 868 6937
Fax : +1 416 601 4722
www.cntower.ca
web_cntower@cntower.ca
M° Union + Skywalk.
Galeries d'observation ouvertes tous les jours, de 9h à 22h (22h30 les vendredi et samedi). Magasin ouvert dès 8h30. Tarifs variables selon le forfait choisi, à partir de 22,99 $.
Bien plus haute que la tour Eiffel (553 m contre 321 m), la Tour CN est la figure emblématique de la ville. Elle offre un vaste panorama sur Toronto et le lac Ontario, et marcher sur un plancher de verre à plus de 500 m d'altitude est une expérience saisissante. De nombreuses attractions viennent compléter les galeries d'observation, et peuvent être groupées dans [illegible] forfait, ou achetées à la carte :

[illegible]**lvédère** : d'une hauteur de 346 m, [illegible]ble par l'ascenseur en 58 secondes ! [illegible]observation et restaurant Horizons.

[illegible] **de verre** : juste en dessous, [illegible]alerie d'observation extérieure [illegible] effets du vent. Déconseillé

[illegible]m, accessible par un [illegible]bilité de 160 km par

◗ **Ultimate Wave Tahiti 3D** : film de 45 minutes en 3D, spectacle toutes les heures à partir de 9h.

◗ **Himalamazon** : manège simulateur, frissons garantis.

Chinatown, Kensington Market et le Downtown Ouest

■ **ART GALLERY OF ONTARIO (AGO)**
317 Dundas Street (Chinatown)
✆ +1 416 979 6848, +1 877 225 4246
www.ago.net
M° St. Patrick.
Mardi-dimanche de 10h à 17h30 (jusqu'à 20h30 le mercredi). Adulte : 18 $ (gratuit le mercredi de 18h à 20h30).
Sa galerie vitrée très réussie réunit la partie ancienne du bâtiment, The Grange, à des ajouts récents (30 nouvelles galeries). On y retrouve de nombreuses œuvres canadiennes dont celles de Cornélius Krieghoff et James Wilson Morrice, des sculptures, de l'art africain, des maquettes de bateaux, etc. Rajoutez quelques dollars pour les expositions temporaires, en général de bonne qualité.

Downtown Yonge, Old Town et le Downtown Est

■ **DISTILLERY DISTRICT**
55 Mill Street ✆ +1 416 866 1177
www.thedistillerydistrict.com
Entrée libre. Ouvert de 10h à 18h en basse saison, plus tard l'été.
Créée en 1832, la distillerie Gooderham & Worts devait devenir la plus importante distillerie de l'Empire britannique. Aujourd'hui, les entrepôts rénovés abritent de nombreuses galeries d'art, magasins et restaurants.

■ **ST. LAWRENCE MARKET**
À l'angle des rues Front et Jarvis
✆ +1 416 392 7219
www.stlawrencemarket.com
market@stlawrencemarket.com
M° King.
Cette magnifique halle construite en 1845 et rénovée en 1967 abrite plus de 50 étalages de divers métiers alimentaires : fromagers, poissonniers, bouchers, boulangers, etc. L'ambiance est dynamique, à la limite de l'assourdissant. Au 1er étage, une galerie expose des peintures, photos et antiquités. De l'autre côté de la rue se tient un marché fermier le samedi, et un marché d'antiquités le dimanche.

University of Toronto, Yorkville et The Annex

■ GARDINER MUSEUM

111 Queen's Park (Bloor-Yorkville)
✆ +1 416 586 8080
Fax : +1 416 586 8085
www.gardinermuseum.com
mail@gardinermuseum.com
M° Museum.
Lundi-jeudi de 10h à 18h, vendredi de 10h à 21h, samedi-dimanche de 10h à 17h. Adulte : 12 $, moitié prix le vendredi à partir de 16h.
Le musée présente une étonnante collection de plus de 2 000 céramiques datant du XVe au XIXe siècle. On peut y contempler les très précieuses majoliques italiennes (poteries en étain) ou les faïences de Delft.

■ ONTARIO LEGISLATIVE BUILDING

Queen's Park (University)
✆ +1 416 325 7500
Fax : +1 416 325 7489
www.ontla.on.ca
visitorservices@ontla.ola.org
M° Queen's Park.
Ouvert tous les jours de 9h à 17h. Entrée et visite guidée gratuite.
Achevé en 1892, il abrite une galerie de portraits qui conduit à la Chambre où siègent 130 députés. Il est possible d'assister aux séances.

■ QUEEN'S PARK

(University)
M° Queen's Park.
Au cœur de la ville, Queen's Park est surtout apprécié par les écureuils... et les amateurs de sieste, à l'ombre d'une statue équestre du roi Edouard VII.

■ ROYAL ONTARIO MUSEUM (ROM)

100 Queen's Park (University/Bloor-Yorkville)
✆ +1 416 586 8000
www.rom.on.ca
M° Museum.
Ouvert tous les jours de 10h à 17h30 (jusqu'à 21h30 le vendredi). Adulte : 22 CAN $ (gratuit le mercredi de 16h30 à 17h30 et demi-tarif le vendredi dès 16h30).
Le ROM est le plus grand musée du Canada. Multidisciplinaire, il attire un large public séduit par l'éclectisme et le raffinement des expositions. Célèbre par ses collections d'antiquités chinoises et son tombeau des Ming, ce musée propose un tour du monde de l'art et des civilisations, dans un cadre agréable.

■ THE BATA SHOE MUSEUM

327 Bloor Street West (The Annex)
✆ +1 416 979 7799
www.batashoemuseum.ca
M° Spadina ou St. George.
Ouvert tous les jours de 10h à 17h (jusqu'à 20h le jeudi et ouverture à midi le dimanche). Adulte : 14 $ (le jeudi dès 17h, gratuit avec une donation au choix, 5 $ conseillés).
Avant d'entrer dans un tel musée, on n'imagine pas à quel point l'histoire de la chaussure peut être passionnante. Vous y verrez des exemples incroyables de chaussures en cheveux humains, en bois, en patte d'ours. Et si le musée porte le nom de cette marque mondialement connue, c'est tout simplement parce que la famille Bata, qui habite la ville depuis de nombreuses années, en est la fondatrice et la propriétaire.

Toronto East et The Beaches

■ TORONTO ZOO

361A Old Finch Avenue (East Toronto)
✆ +1 416 392 5929
www.torontozoo.com
Au nord de la Highway 401.
Ouvert tous les jours sauf le 25 décembre. Horaires variables selon la saison. Adultes 23 $, enfants 13 $ (taxes incluses).
Une sortie agréable en famille. Un zoo assez classique dans son organisation, mais pour voir des animaux de près en visitant une ville, on n'a pas trouvé mieux...

West et North Toronto

■ BLACK CREEK PIONEER VILLAGE

1000 Murray Ross Parkway (North Toronto)
✆ +1 416 736 1733
www.blackcreek.ca
bcpvinfo@trca.on.ca
Ouvert tous les jours de mai à Noël. Horaires variables selon la saison, mais environ de 10h à 16h. Adulte : 15 $.
Venez vivre un véritable retour dans le temps, à l'époque des communautés vivant dans les environs de Toronto au XIXe siècle. Reconstitution d'un village de l'époque, Black Creek vous permet non seulement d'observer la vie des habitants, mais vous immerge dans leur quotidien. Les habitants effectuent des démonstrations diverses, vous font participer, répondent aux questions... Préparez-vous à mettre la main à la pâte ! Une attraction idéale à faire en famille.

■ **CASA LOMA**
1 Austin Terrace (North Toronto)
✆ +1 416 923 1171
www.casaloma.org
info@casaloma.org
Ouvert tous les jours de 9h30 à 17h (dernière entrée à 16h). Adulte : 18,19 $.
C'est la maison de la démesure, rêvée par Sir Henry, un richissime entrepreneur fasciné par l'architecture médiévale. 300 ouvriers travaillèrent pendant trois ans à la construction de cette demeure de 98 pièces (dont 15 salles de bains). Ses propriétaires y ont même vécu dix ans, avant d'être ruinés ! Cette incroyable demeure ébahira les amateurs d'architecture. Un tunnel long de 244 m mène à une écurie qui, avec ses hautes tours de pierre et les stalles de chevaux construites en acajou, en a certainement fait pâlir d'envie plus d'un. Fascinant, pour les enfants de tous les âges...

■ **ONTARIO PLACE**
955 Lake Shore Blvd West (West Toronto)
✆ +1 416 314 9900, +1 866 663 4386
www.ontarioplace.com
info@ontarioplace.com
Ouvert les week-ends de mi à fin mai et de mi à fin septembre. Ouvert tous les jours de juin à début septembre. De nombreuses formules selon si vous souhaitez uniquement l'entrée du parc, ou inclure certaines attractions. A partir de 16,90 $.
Edifié sur trois îles artificielles au moyen de pilotis d'acier, un immense complexe de loisirs, culture et divertissements qui plaira à chaque membre de la famille. Il faudrait plusieurs pages de ce guide pour décrire toutes les activités d'une manière exhaustive, de la salle de cinéma Imax au complexe aquatique en passant par les jeux pour les plus petits ! Prévoyez une journée entière.

■ **ONTARIO SCIENCE CENTER**
770 Don Mills Road (North Toronto)
✆ +1 416 696 1000, +1 888 696 1110
www.ontariosciencecenter.ca
call_centre@osc.on.ca
Ouvert tous les jours de 10h à 17h sauf le 25 décembre. Certaines expositions ont des nocturnes. Entrée : adulte 20 $, 28 $ avec IMAX. IMAX seul : 13 $. (13-19-9 $ pour les enfants).
La formule du musée interactif où l'on apprend en s'amusant trouve ici une illustration de qualité. On peut manipuler, expérimenter, etc. Avec des centaines d'activités interactives, des démonstrations in vivo assistées d'experts, des ateliers étonnants et de saisissantes présentations vidéo, des labyrinthes aquatiques extérieurs, il n'y a pas de meilleure façon de piquer la curiosité et de susciter l'épanouissement culturel et scientifique des visiteurs.

Shopping

Aucune ville au Canada ne rivalise avec Toronto en termes de shopping. Vous y trouverez les plus importants centres commerciaux du pays, dont le Eaton Center qui est un des plus étendus d'Amérique du Nord, et qui couvre plusieurs pâtés de maison le long de la rue Yonge. Les grandes marques internationales de prêt-à-porter et de luxe sont toutes représentées. Bien que chaque quartier ait ses spécificités, vous trouverez pléthore de petites boutiques de tous styles quel que soit l'endroit où vous vous trouvez.

Harbourfront, Financial et Entertainment Districts

■ **QUEEN'S QUAY TERMINAL**
207 Queen's Quay West (Harbourfront)
✆ +1 416 203 0510
Ouvert tous les jours dès 10h.
Situé sur les rives du lac Ontario, cet ancien entrepôt réaménagé en petit centre commercial regroupe une vingtaine de magasins et restaurants.

Chinatown, Kensington Market et le Downtown Ouest

Cadeaux

■ **GOOD EGG**
267 Augusta Avenue (Kensington Market)
✆ +1 416 593 4663
www.goodegg.ca
Cadeaux originaux pour la cuisine et pour le bain.

■ **KID ICARUS**
75 Nassau Street (Kensington Market)
✆ +1 416 977 7236
www.kidicarus.ca – info@kidicarus.ca
Ouvert du mardi au samedi de midi à 18h, le dimanche de midi à 17h.
Une petite boutique tout à fait dans l'esprit de Kensington Market, pour acheter cartes postales, posters, calendriers, T-shirts... le tout pour la plupart créé par des artistes locaux. Atelier dans l'arrière-boutique.

Mode / Sport

■ BLUE BANANA MARKET
250 Augusta Avenue (Kensington Market)
✆ +1 416 594 6600
www.bluebananamarket.com
info@bluebananamarket.com
Fermé le dimanche.
Deux étages de cadeaux en tous genres, de l'objet design au bijou, en passant par le gadget... créés par 200 des artistes les plus dynamiques de la ville.

■ SHOW ROOM
2788 Queen Street West (Queen West)
✆ +1 416 977 3888
www.theshow-room.com
mail@theshow-room.com
Ouvert tous les jours.
Un entrepôt de plus de 1 000 m² dans lequel vous trouverez les jeans et les T-shirts portés par les célébrités les plus en vue d'Hollywood.

Antiquités / Déco / Design

■ CUBESHOP
11 Baldwin Street (Baldwin Village)
✆ +1 416 260 0710
www.cubeshops.com
Cadeaux design pour la maison en provenance du Japon.

■ DESIGN REPUBLIC
639 Queen Street West (Queen West)
✆ +1 416 603 0007
www.mydesignrepublic.com
info@mydesignrepublic.com
Ouvert du lundi au vendredi de 11h à 19h, le samedi de 11h à 18h et le dimanche de midi à 17h.
Design contemporain. Particulièrement canapés, fauteuils et chaises.

Downtown Yonge, Old Town et le Downtown Est

■ EATON CENTER
220 Yonge Street (Dowtown Yonge)
✆ +1 416 598 8560
www.torontoeatoncentre.com
tecguestservices@cadillacfairview.com
M° Queen ou Dundas.
Lundi-vendredi de 10h à 21h, samedi de 9h30 à 19h, dimanche de 11h à 18h.
Avec ses 230 magasins, restaurants et services, Eaton Centre est le plus important centre commercial de Toronto. Véritable ville souterraine, vous y dénicherez certainement les articles que vous recherchez. Evitez d'y faire un tour les jeudis et vendredis soir, ou même le week-end. Choisissez plutôt de faire votre shopping la semaine en matinée afin d'éviter les bains de foule.

■ THE BAY
176 Yonge Street
(Downtown Yonge)
✆ +1 416 861 9111
www.hbc.com
homeoutfitters.CustomerService@hbc.com
M° Queen.
Lundi-vendredi de 10h à 21h, samedi de 9h30 à 19h, dimanche de 11h à 18h.
Première compagnie à avoir été créée, la Compagnie de la baie d'Hudson, initialement spécialisée dans le commerce de la fourrure, est aujourd'hui l'un des grands magasins de l'Est canadien. Neufs étages de marchandises de grande qualité, du prêt-à-porter pour hommes, femmes et enfants aux rayons de parfums et de bijoux, les produits sont choisis avec goût et les grandes marques sont également au rendez-vous. Faites-y un tour, les promotions sont parfois étonnantes, vous ne le regretterez pas.

University of Toronto, Yorkville et The Annex

Cadeaux

■ HONEST ED'S
581 Bloor Street West (The Annex)
✆ +1 416 537 1574
Fax : +1 416 537 3041
honesteds.sites.toronto.com
Ouvert tous les jours de 10h à 22h (dimanche, fermeture à 19h).
Le temple de la bonne affaire. Tout est à bas prix, tout est en vrac, tout est sens dessus -dessous... Mais Honest Ed's est surtout une institution, qu'il vous faut absolument visiter pour connaître une part importante de la culture de Toronto, même si vous n'avez pas forcément besoin de profiter de la promotion de cinq éponges au prix de deux.

■ RED PEGASUS
628 College Street (The Annex)
✆ +1 416 536 3872
www.redpegasus.ca
Ouvert tous les jours en été, uniquement la semaine en hiver.
Cadeaux, bijoux et carterie.

■ **TWICE FOUND**
608 Markham Street (The Annex)
✆ +1 416 534 3904
www.twicefound.com
info@twicefound.com
Fermé le lundi.
Bijoux, arts de la table, meubles et luminaires.

Mode / Sport

■ **CAPSULE**
69 Yorkville Avenue (Yorkville)
✆ +1 416 926 1845
www.c-apsule.com
info@c-apsule.com
Ouvert du lundi au samedi, et le dimanche après-midi.
Mode urbaine en provenance des États-Unis, du Japon, de Grande-Bretagne, de Hong-Kong et Singapour.

■ **ELEVEN BOUTIQUE**
116 Cumberland Street (Yorkville)
✆ +1 416 966 3935
www.shop-eleven.ca
Ouvert du lundi au samedi et le dimanche après-midi.
Boutique de créateur, mode femme. Quelques articles à prix abordable, et le tout 100 % fabriqué au Canada.

Toronto East et The Beaches

■ **GERRARD INDIA BAZAAR**
1426 Gerrard Street East (Little India)
✆ +1 416 465 8513
www.gerrardindiabazaar.com
gibbia@gerrardindiabazaar.com
Le plus grand marché sud-asiatique d'Amérique du Nord. Plus de 100 boutiques et restaurants au cœur de Little India. Toutes les tendances régionales du sous-continent indien sont représentées à travers les magasins de vêtements, bijouteries, cadeaux, épiceries, restaurants. Un voyage en Inde à l'intérieur de Toronto.

Gay et lesbien

La communauté gay de Toronto étant la plus importante du Canada, les lieux de sortie sont nombreux dans la ville. La plupart sont concentrés dans Church-Wellesley, également appelé Gay Village. Si les endroits réservés aux hommes sont plus nombreux que les établissements lesbiens, cette dernière catégorie se développe cependant. Le choix est large, et tous les styles se côtoient.

■ **BEARFOOT INN**
30A Dundonald Street (Gay Village)
✆ +1 416 922 1658
✆ +1 888 871 2327
www.bearfootinn.com
info@bearfootinn.com
M° Wellesley
A partir de 115 $ la chambre double.
Un Bed & Breakfast gay dans une des rues de Church-Wellesley, aux cinq chambres fort bien tenues. Toutes les chambres sont équipées d'une salle de bains privée, TV, réfrigérateur et coffre-fort. Salle de gym et sauna pour deux. Les parties communes sont particulièrement agréables, avec une cheminée pour l'hiver, et l'air conditionné pour l'été.

■ **BLACK EAGLE**
457 Church Street (Gay Village)
✆ +1 416 413 1219
www.blackeagletoronto.com
torontoeagle@rogers.com
M° Wellesley
Ouvert tous les soirs.
Bar emblématique de la communauté bear. Cuir et fétichisme sont à l'ordre du jour (ou plutôt de la nuit). Renseignez-vous sur le thème du moment pour choisir la tenue adéquate.

■ **FLY**
8 Gloucester Street (Gay Village)
✆ +1 416 410 5426
www.flynightclub.com
info@flynightclub.com
M° Wellesley
Ouvert tous les soirs à partir de 22h.
Le club gay le plus populaire de Toronto. Une liste de DJ de premier choix propulse régulièrement le Fly en tête des meilleurs clubs de la ville. Plutôt masculin, mais ouvert aux femmes.

■ **WOODY'S**
465 Church Street (Gay Village)
✆ +1 416 972 0887
www.woodystoronto.com
M° Wellesley
Ouvert tous les soirs.
Le plus grand complexe gay de la ville, et assurément le plus chaud. Cinq ambiances différentes, toutes réservées aux hommes. Nombreuses soirées à thèmes et concours en tous genres.

LES ENVIRONS DE TORONTO

Tout comme la ville de Toronto est formée de quartiers possédant chacun sa personnalité, sa banlieue est une mosaïque de petites localités aux ambiances particulières. Si vous poussez un peu plus loin, vous découvrirez surtout la Péninsule de Niagara, région agricole et surtout vinicole, qui offre de belles excursions à la journée, ou peut même être prétexte à une escapade de plusieurs jours. Au bout de la péninsule, les célèbres chutes, qui bien qu'entourées de structures touristiques d'un goût plus que douteux, sont une merveille de la nature à ne pas manquer.

KITCHENER-WATERLOO

Villes voisines et jumelées, Kitchener et Waterloo ont deux gouvernements municipaux distincts. Avec un peu plus de 200 000 habitants, quand Waterloo ne compte que 90 000 âmes, Kitchener est la plus grande des deux villes. Kitchener-Waterloo se trouve à 100 km à l'ouest de Toronto. Pour vous y rendre, prenez l'autoroute 401 jusqu'à la sortie 278, ensuite prenez la route 8 vers Kitchener-Waterloo.

■ KITCHENER-WATERLOO OKTOBERFEST

17 Benton Street
✆ +1 519 570 4267, +1 888 294 4267
www.oktoberfest.ca
En octobre. Certains événements gratuits, d'autres payants.
En l'espace de quelques secondes, vous serez plongé au cœur de l'Allemagne dans ce festival bavarois parmi les plus importants du pays. Bières, saucisses, costumes et musiques traditionnels sont au rendez-vous. Un pur moment de joie et de bonheur !

OAKVILLE

Commune de la communauté urbaine de Toronto, Oakville jouit d'une situation privilégiée au bord du lac Ontario, qui en fait un lieu de villégiature très prisé.

■ GLEN ABBEY GOLF CLUB

1333 Dorval Drive
✆ +1 905 844 1800
Fax : +1 905 844 2035
www.en.clublink.ca
memberservices@clublink.ca
Un des plus beaux parcours de golf 18-trous de la région, à quelques kilomètres à l'ouest de Toronto, riche d'une histoire de plus de trente ans. Le club a accueilli de nombreuses compétitions, et son green a été foulé par des célébrités comme Tiger Woods ou Jack Nicklaus.

BURLINGTON

Au sein d'une population de plus de 164 000 âmes, Burlington possède une forte communauté de Canadiens francophones. Essentiellement résidentielle, la ville fait partie intégrante du Grand Toronto. Elle se situe à 55 km au sud-ouest de Toronto (juste avant Hamilton). Pour vous y rendre, prenez l'autoroute Queen Elizabeth Way (QEW) en direction de la péninsule de Niagara.

■ DISCOVERY LANDING

1340 Lakeshore Road
✆ +1 905 633 7494
www.cms.burlington.ca/Page2363.aspx
cob@burlington.ca
Ouvert tous les jours (horaires variables selon la saison). Visite guidée sur demande. Restaurant sur place.
Inauguré en 2006, le Discovery Landing de Burlington est un musée où vous en apprendrez beaucoup sur les liens étroits entre la région et le lac, l'écosystème et dame Nature. Par mauvais temps, l'endroit est idéal pour observer les tempêtes. Le Landing fait partie du plan de réaménagement de la promenade riveraine (*waterfront*), au coût de 17,4 millions de dollars, récemment achevée.

■ PARC PROVINCIAL BRONTE CREEK

1219 Burloak Drive
✆ +1 905 827 6911
www.parcsontario.com
Situé entre Burlington et Oakville, ce parc vous permettra de vous détendre et de remonter dans le temps. Assistez aux démonstrations présentées dans une ferme reconstituée des années 1890. Amenez vos enfants jouer dans le fenil d'une ferme miniature et flatter les animaux. Faites du camping, nagez dans une grande piscine extérieure, promenez-vous dans les sentiers naturels et faites du vélo. En hiver, vous pouvez patiner à l'extérieur, glisser sur les pentes et faire du ski de fond.

■ ROYAL BOTANICAL GARDENS

680 Plains Road West
✆ +1 905 527 1158
www.rbg.ca
info@rbg.ca

Environs de Toronto
Barrie
Angus
Thornton
Gilford
Bradford
New Tecumseth
Schomberg
Bolton
Brampton
Acton
vers Kitchener et Waterloo
Mississauga
Oakville
Milton
Burlington
Hamilton
Île Thorah
Lac Simcoe
Île Georgina
Île Grove
Virginia
Georgina
Keswick
Udora
Sharon
Newmarket
Aurora
Markham
Richmond Hill
Vaughan
Toronto
Toronto Islands
Holland
Humber
Rouge
Peferlaw Br.
Rivière Castor
Woodville
Lac Sturgeon
Kawartha Lakes
Manilla
Lac Scugog
Nestleton
Utica
Mitchell's Corner
Bowmanville Z
Brougham
Whitby
Bowmanville
Ajax
Oshawa
Pickering
Autoroute à péage
Route à voie multiple
Route principale
Aéroport international
Ville
Village
Curiosité
Lac Ontario
0
15 km
N
Fort George
Niagara-on-the-Lake
Youngstown
Port Dalhousie
St. Catharines
Virgil
Grimsby
Beamsville
Vineland
Lincoln
Jordan
Etats-Unis (Etat de New York)
Efrida
Niagara Falls
Niagara Falls
Niagara Falls
Fonthill
Chippawa
Grand Island
Bismarck
Rivière Welland
Fenwick
Welland
Rivière Niagara
Cayuga
Chambers Corners
Fort Erie
Buffalo
Historic Fort Erie
Port Colborne
Lac Erie
400
404
407
401
QEW
405
190

Ouvert tous les jours de 10h à la tombée de la nuit (certains jardins sont accessibles uniquement de mai à octobre). Adulte 12,50 $.
Parmi les espaces verts de la région, les Royal Botanical Gardens retiennent l'attention. De superbes jardins thématiques intégrés à des paysages sauvages recouvrent le site. Hautes falaises, splendides ravins, plates-bandes colorées et resplendissants marais servent de décor. Plus de 100 000 bulbes printaniers, 175 000 iris, 3 000 rosiers et la plus vaste collection de lilas du monde poussent sur près de 1 100 ha. 30 km de sentiers attendent les amateurs de randonnée pédestre. Créés en 1929 et parmi les plus admirés d'Amérique du Nord, ces jardins procurent un véritable plaisir tant pour les yeux que pour les nez les plus fins !

HAMILTON

Avec plus de 500 000 habitants, Hamilton est actuellement la 8e ville en importance au Canada. La ville est connue pour être la capitale canadienne de l'industrie lourde. Secteur en déclin, Hamilton s'est reconverti dans le secteur de la santé depuis quelques années. Hamilton se situe à 65 km au sud-ouest de Toronto. Pour vous y rendre, prenez l'autoroute Queen Elizabeth Way (QEW) en direction de la péninsule de Niagara.

■ CENTRE DE DÉCOUVERTES MARINES DU CANADA – DISCOVERY CENTER

57 Promenade Discovery
✆ +1 905 526 0911
www.pc.gc.ca/decouvertes-discovery
Ouvert à l'année (horaires variables selon la saison). Adulte : 7,80 $.
Il s'agit d'un centre de découvertes concernant les terres inondées et leur flore. Ces écosystèmes sont si luxuriants qu'on les compare aux forêts équatoriales ! Trois galeries d'exposition vous permettent de participer à des ateliers et de voir, en un seul lieu, la richesse naturelle du deuxième plus grand pays de la planète.

■ HAMILTON CONSERVATION AUTHORITY

Ancaster
838 Mineral Springs Rd
✆ +1 905 525 2181
+1 905 648 4427
www.conservationhamilton.ca
nature@conservationhamilton.ca
Droits d'entrée variables selon l'activité choisie. Compter environ 30 $ pour une nuit en camping.
Cette immense aire de conservation est un lieu propice pour les activités de plein air en toute saison. De la baignade à l'escalade sur glace, en passant par la randonnée ou la visite d'un village historique, vous trouverez amplement de quoi occuper toute une journée.

■ HAMILTON TO BRANTFORD RAIL TRAIL

✆ +1 905 525 2181
✆ +1 905 648 4427
La voie ferrée Hamilton-Brantford a été transformée en piste cyclable et traverse l'aire de conservation Dundas Valley. Alors à vos vélos et explorez cette piste cyclable qui s'étend sur 32 km et relie Hamilton à Brantford !

PÉNINSULE DE NIAGARA

Au sud du lac Ontario et de Toronto s'étire un bras de terre reliant la province aux Etats-Unis. Cette magnifique région est reconnue mondialement pour ses chutes, mais également pour son terroir que l'on découvre dans chacun de ses pittoresques villages.

NIAGARA FALLS

Que dire qui n'ait déjà été dit ? Que les chutes demeurent la destination favorite des jeunes mariés du monde entier (si l'on en croit la légende, cette mode aurait été lancée par le frère de Napoléon, qui vint ici pour sa lune de miel), qu'elles sont le site le plus photographié au monde et qu'elles pourraient remplir un million de baignoires par seconde... Une chose est sûre, elles impressionnent même les plus blasés, et ce n'est pas un hasard si Hitchcock est passé par là... Tous les touristes, et ils sont plus de 12 millions chaque année, se laissent piéger et participent joyeusement à la fascination générale. En dehors de ces merveilles naturelles, qui gagnent à être vues du côté canadien, le reste de la ville ressemble à un Luna Park. Fort heureusement, tout ce déploiement de lumières et d'agitation se tient légèrement – mais suffisamment – en retrait des chutes. A noter : la frontière américaine, tout près du centre, vous donnera accès à une vue différente (moins impressionnante, mais tout de même...) des chutes.

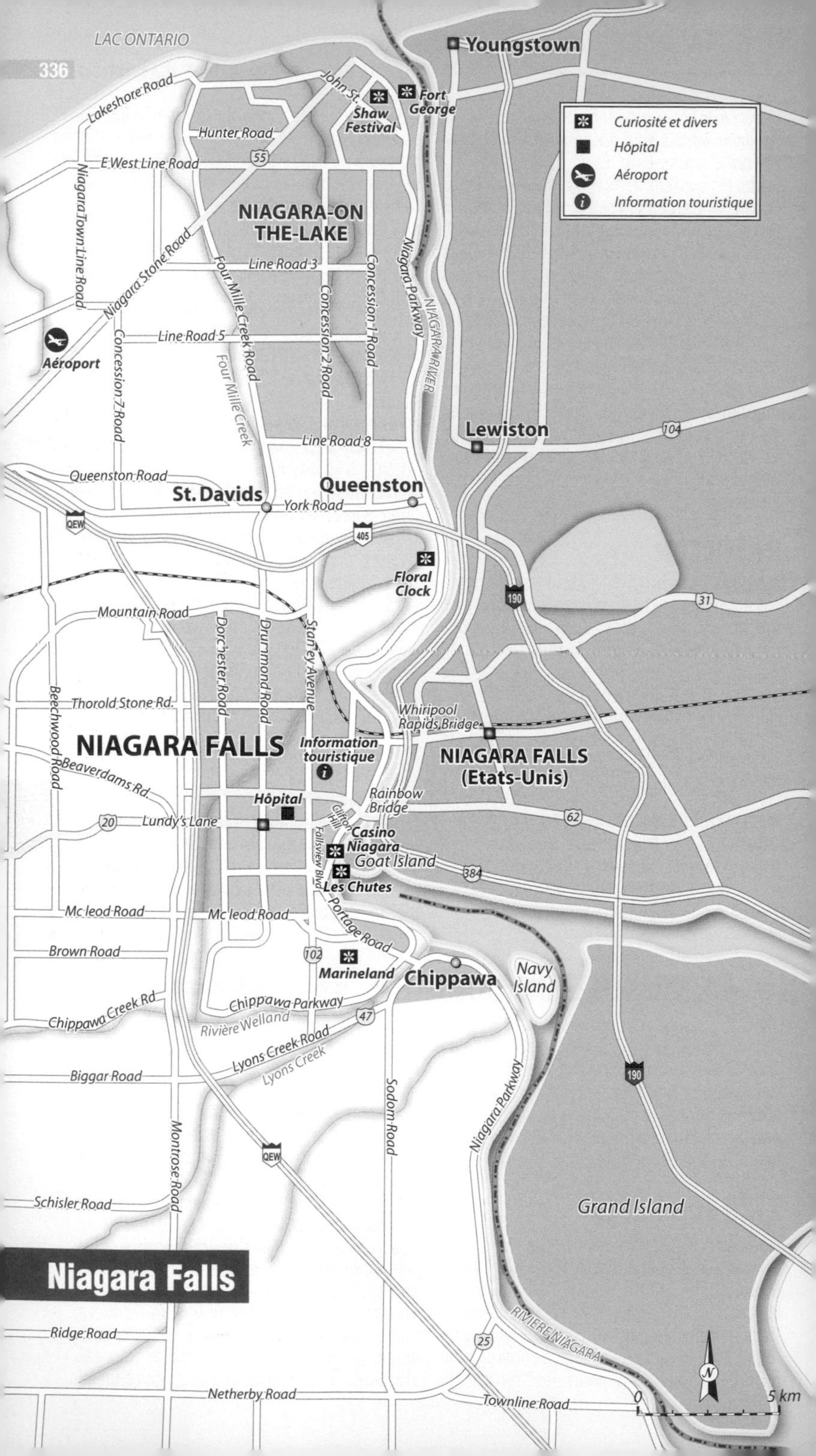

LAC ONTARIO
Youngstown
Lakeshore Road
John St.
Shaw Festival
Fort George
Hunter Road
E West Line Road
55
Curiosité et divers
Hôpital
Aéroport
Information touristique
NIAGARA-ON THE-LAKE
Niagara Town Line Road
Niagara Stone Road
Line Road 3
Four Mille Creek Road
Concession 2 Road
Concession 1 Road
Niagara Parkway
NIAGARA RIVER
Line Road 5
Aéroport
Concession 7 Road
Four Mille Creek
Lewiston
104
Line Road 8
Queenston Road
Queenston
St. Davids
York Road
QEW
405
Floral Clock
190
31
Mountain Road
Dorchester Road
Drummond Road
Stanley Avenue
Thorold Stone Rd.
Beechwood Road
Whirlpool Rapids Bridge
NIAGARA FALLS
Information touristique
NIAGARA FALLS (Etats-Unis)
Beaverdams Rd.
Rainbow Bridge
Hôpital
Clifton Hill
20
Lundy's Lane
62
Casino Niagara
Fallsview Blvd
Goat Island
384
Les Chutes
Mc leod Road
Mc leod Road
Portage Road
Brown Road
102
Marineland
Chippawa
Navy Island
Chippawa Creek Rd
Chippawa Parkway
Chippawa Creek Rd
Rivière Welland
47
Lyons Creek Road
Lyons Creek
Biggar Road
Sodom Road
Niagara Parkway
190
Montrose Road
QEW
Schisler Road
Grand Island
Niagara Falls
Ridge Road
25
RIVIERE NIAGARA
N
Netherby Road
Townline Road
0
5 km

Malgré ses chutes, la rivière Niagara constituait un lieu stratégique, marquant la frontière entre le Canada et les Etats-Unis. Pendant la guerre de 1812 opposant les Etats-Unis à l'Empire britannique, plusieurs batailles s'y sont déroulées. Deux forts rappellent ces événements : Fort George et Fort Mississauga, deux endroits clés dans l'indépendance canadienne. En effet, la résistance offerte au Fort George par les militaires canadiens, les soldats britanniques et les peuples autochtones a empêché l'annexion de l'Ontario par les Etats-Unis. La mission étant accomplie, l'ennemi a épargné le Fort Mississauga. La nature reprend aujourd'hui ses droits sur ce dernier, lui conférant un air mystérieux qui vaut certes la randonnée.

Transports

■ **BUDGET**
4960 Victoria Avenue
✆ +1 905 356 1431
✆ +1 800 268 8970
www.budget.ca

■ **NIAGARA FALLS BUS TERMINAL**
4555 Erie Avenue
✆ +1 905 357 2133
www.niagarafalls.ca
Heures d'ouverture de la gare routière et de la billetterie : tous les jours de 7h à 22h30.
Terminal d'autocars. Horaires et réservations : www.greyhound.ca – www.coachcanada.com

■ **NIAGARA TRANSIT / FALLS SHUTTLE**
4320 Bridge Street
✆ +1 905 356 1179
www.niagarafalls.ca
mwrequests@niagarafalls.ca
10 circuits sont disponibles. Adulte : 2,35 $ (10 billets pour 22 $). Bus pour Fort Erie : 3,75 $ l'aller simple.
Trois navettes (lignes verte, rouge et bleu) sillonnent le centre de Niagara Falls en reliant hôtels et attractions. Pass 1 jour adulte (transport illimité) : 6 $.

■ **VIA RAIL**
4267 Bridge Street
✆ +1 905 357 1644
✆ 1 888 842 7245
www.viarail.ca
relations_clientele@viarail.ca
Heures d'ouverture de la gare et de la billetterie : lundi-vendredi de 6h à 20h (20h15 pour la gare), samedi-dimanche de 8h à 20h.

Pratique

■ **NIAGARA FALLS TOURISM**
5400 Robinson Street
✆ +1 905 356 6061
✆ +1 800 563 2557
www.niagarafallstourism.com

◗ **Autre adresse :** 5440 & 5535 Stanley Avenue, Rainbow Bridge

Se loger

Comme il n'y a presque que des hôtels dans cette ville, pour ne pas trouver à se loger, il faudrait vraiment y mettre de la mauvaise volonté. Les prix sont somme toute assez raisonnables, surtout hors saison (et en hiver, les chutes offrent un spectacle à ne pas dédaigner). La pleine saison s'étend d'avril à septembre, avec un pic en juillet-août, durant lequel il est recommandé de réserver.

Bien et pas cher

■ **BLYTHEWOOD MANOR B&B**
4761 Zimmerman Avenue
✆ +1 905 356 7771
✆ +1 877 356 7771
www.blythewoodmanor.com
contact@blythewoodmanor.com
Chambre double à partir de 60 $ en basse saison. 3 chambres. Petit déjeuner inclus. Forfaits disponibles.
Anciennement connu sous le nom de Bampfield Hall B&B, cette belle maison victorienne est depuis août 2009 sous la gouverne de Wayne et Stefanie, deux voyageurs passionnés. Ce nouveau nom s'inspire de l'élégance et du style anglais de la maison qui se reflètent dans chacune des pièces. Un peu à l'écart des attractions, vous êtes cependant à quelques pas de la rivière Niagara et des stations de bus et de train.

■ **NIAGARA FALLS KOA (CAMPING)**
8625 Lundy's Lane
✆ +1 905 356 2267
✆ +1 800 562 6478
www.niagarakoa.net
niagara@koa.net
Ouvert d'avril à novembre. Compter environ 50 $ pour deux personne en tente. Autres tarifs pour les roulottes et camping-car.
Site réputé pour son accueil et son ambiance familiale. Plusieurs services, activités et événements sur place.

Confort ou charme

■ BEDHAM HALL B & B
4835 River Road ✆ +1 905 374 8515
www.bedhamhall.com
reservations@bedhamhall.com
Occupation double : à partir de 99 $. 4 suites. Petit déjeuner inclus. Forfaits disponibles.
Cette belle maison de style colonial de couleur jaune nous séduit dès le premier regard. Pourtant si ses chambres sont spacieuses et dotées d'un grand confort (Jacuzzi, foyer...), le style et la décoration ne plairont pas à tout le monde. Si vous aimez les papiers peints à motifs de fleurs et les meubles anciens, vous serez séduit, autrement vous risquez d'être très déçu.

■ BED OF ROSES BED & BREAKFAST
4877 River Road ✆ +1 905 356 0529
www.v-ip.com/roses
bedofroses@sprint.ca
A partir de 115 $ la chambre double.
Joli petit bed & breakfast situé à proximité des chutes. Les chambres sont correctes sans plus, et le petit déjeuner est copieux.

■ NIAGARA FALLS FALLSVIEW HILTON
6361 Fallsview Blvd
✆ +1 905 354 7887, +1 888 370 0325
www.niagarafallshilton.com
inform@hospitalitymotels.ca
Chambre double à partir de 149 $. Forfaits disponibles. Trois restaurants et une salle à manger (petit déjeuner) sur place.
Avec sa nouvelle tour abritant 500 suites, la plus haute à Niagara et dépassant la tour Skylon de 12 m, le Hilton offre une vue des plus sublimes sur les chutes. Pour les moments de loisirs et de détente, un parc aquatique avec glissade d'eau, piscine, Jacuzzi et sauna feront le bonheur de toute la famille. En soirée, suivez la passerelle de verre qui vous mènera directement au réputé Fallsview Casino.

■ OLD STONE INN
5425 Robinson Street
✆ +1 905 357 1234, +1 800 263 6208
www.oldstoneinn.on.ca
info@oldstoneinn.on.ca
Chambre double à partir de 149 $. Forfaits disponibles.
Ancien moulin de 1904, cet hôtel est une invitation à l'évasion dans le temps. Les chambres allient parfaitement le cachet traditionnel du manoir au confort moderne. Les décorateurs de cet établissement ont porté une attention particulière aux petits détails qui font la différence. Une aubaine car les hôtels des alentours manquent de cachet. Le lobby avec ses poutres de vieilles pierres et ses cheminées est magnifique. Le restaurant de l'hôtel sert une cuisine de grande qualité.

Se restaurer

Bonnes tables

■ CANYON CREEK
Fallsview Casino Resort
6380 Fallsview Blvd
✆ +1 905 354 0030
www.canyoncreekchophouse.com
canyoncreekniagarafalls@sircorp.com
Lundi-jeudi de 16h30 à minuit, vendredi-samedi de 12h à 2h, dimanche de 12h à minuit. Menu midi : de 10 à 25 $. Menu soir : de 10 à 40 $.
Situé à même le complexe du Fallsview Casino, le Canyon Creek se spécialise dans les grillades. Ses portions sont généreuses, cuites à votre goût et présentées avec finesse. Beau décor, ambiance décontractée et prix abordables.

■ MONTANA PRIME RIB AND SEAFOOD
5657 Victoria Avenue ✆ +1 905 356 4410
www.fallscasino.com/montanas/rest.html
Compter environ 20 à 25 $.
Comme son nom l'indique, on y sert des grillades de viande et des plats de fruits de mer. La viande est tendre et préparée à l'américaine. Le plat « terre et mer », un combo de filet mignon et de queues de homard, est un choix hautement futé. On aime le restaurant pour ses plats copieux et son excellent rapport qualité-prix.

■ TABLE ROCK RESTAURANT
Queen Victoria Park ✆ +1 905 354 3631
Ce restaurant sert de copieux plats à des prix raisonnables. Mais la file d'attente est parfois longue, et une réservation ne vous garantit pas une table avec vue sur les Chutes. Mais pour profiter de la vue tout en dégustant son repas, c'est le seul restaurant à proximité des Chutes.

■ VICTORIA PARK RESTAURANT
Niagara Parkway ✆ +1 905 356 2217
Ouvert en saison uniquement.
Un emplacement de choix pour une vue imprenable sur les Chutes et le parc. Le menu est simple, les plats copieux et les prix très raisonnables. La liste des vins vous donnera un premier goût des petits trésors de la région. Le week-end, une formule buffet est offerte à midi.

Chutes du Niagara.

Luxe

■ **SKYLON TOWER REVOLVING DINING ROOM**
5200 Robinson Street
✆ +1 905 356 2651
www.skylon.com/revolvingdining.html
info@skylon.com
Ouvert tous les jours dès 11h30. Menu midi : de 25 à 40 $. Menu du soir : de 40 à 75 $.
Restaurant panoramique de la tour, il sert des plats très raffinés, le service est courtois et la vue tout simplement divine. La facture est salée, mais le bonheur n'a pas de prix. Si vous êtes sujet au vertige, évitez le Skylon, car la plate-forme, comme vous l'aurez compris, est tournante !

À voir / À faire

Ce ne sont pas les attractions qui manquent à Niagara Falls, mais plutôt le temps pour tout voir et tout faire. Question d'économiser et de maximiser vos visites, renseignez-vous sur les forfaits offerts par votre établissement hôtelier. Ils en valent très souvent le coup ! Vous trouverez également des livrets de coupons de réduction pour les attractions dans les hôtels et centres d'information aux visiteurs. De plus, Niagara Parks offre l'Adventure Pass, valable pour deux jours, combinant quatre grandes attractions (à savoir : Maid of the Mist, Journey behind the Falls, White Water Walk et Niagara's Fury) et le transport.

■ **IMAX THEATRE NIAGARA FALLS**
6170 Fallsview Blvd
✆ +1 905 358 3611, +1 866 405 4629
www.imaxniagara.com
info@imaxniagara.com
Ouvert tous les jours de l'année. Adulte : 14,50 $. En collaboration avec le célébrissime National Geographic, IMAX Niagara vous colle le nez aux chutes ! Le film de 47 minutes présente l'histoire rattachée aux chutes, des Amérindiens aux casse-cou du début du XXe siècle, en passant par les explorateurs qui restèrent bouche bée devant cette merveille de la nature et les malchanceux. Le hall du cinéma héberge nombre de ces fameux barils dans lesquels plusieurs trompe-la-mort ont affronté les chutes. Aujourd'hui la police veille, et de tels exploits sont interdits. Tous les matins à 9h, la projection a lieu en français. Les autres présentations de la journée sont en anglais, mais des audioguides fournissent une version française.

■ **JOURNEY BEHIND THE FALLS**
6650 Niagara Parkway ✆ +1 905 354 1551
www.niagaraparks.com/nfgg/behindthe-falls.php
Ouvert toute l'année de 9h à 17h en hiver et jusqu'à 22h en été. Adulte : 13,25 $ en été, 10,25 $ en hiver.
L'ascenseur conduit à des couloirs humides où résonnent les eaux rugissantes des chutes. Tout près d'elles s'ébroue une ribambelle de petits ponchos jaunes. Douche assurée !

■ **MAID OF THE MIST**
Quai et billetterie à l'angle de Clifton Hill et River Road ✆ +1 905 358 5781
www.maidofthemist.com
Ouvert d'avril à fin octobre, départ toutes les 15 min. Adulte : 14,50 $.
Ces bateaux, presque aussi célèbres que les chutes, vous permettent de vous en approcher, protégés cette fois par des ponchos bleus. Certains retirent leurs chaussures, on les comprend. L'excursion dure environ 30 min. Le bateau vous amène devant les chutes américaines et dans le bassin des chutes canadiennes. Ne quittez pas la région avant d'en avoir fait l'expérience !

■ **NIAGARA HELICOPTERS**
3731 Victoria Avenue
✆ +1 905 357 5672
www.niagarahelicopters.com
En opération à l'année. Adulte : 132 $ pour 12 min. Tours personnalisés et forfaits disponibles. Pour ceux qui en ont les moyens, une balade en hélicoptère au-dessus des chutes s'avère une expérience des plus mémorables. Possibilité de jumeler le vol avec une visite des vignobles, une partie de golf ou de pêche.

■ **NIAGARA PARKS BOTANICAL GARDENS**
2565 Niagara Parkway
✆ +1 905 371 0254, +1 877 642 7275
www.niagaraparks.com
npinfo@niagaraparks.com
Ouvert à l'année, du lever au coucher du soleil. Entrée libre. 40 hectares de verdure s'étendent à perte de vue. Le parc se compose de plusieurs jardins. Pour notre part nous adorons le jardin de roses, et nous vous invitons à venir passer un moment de détente au cœur de cette nature flamboyante.

■ **NIAGARA PARKS BUTTERFLY CONSERVATORY**
2405 Niagara Parkway
✆ +1 905 356 8119, +1 877 642 7275
www.niagaraparks.com
npinfo@niagaraparks.com
Horaire variable selon la saison. Adulte : 11,75 $. Le conservatoire propose une activité éducative sans pareil. Ces insectes aux ailes joliment colorées impressionnent par leur nombre et leur variété. Dans 180 m de corridor, des douzaines d'espèces voltigeront autour de vous. L'expérience d'une véritable forêt tropicale humide où plus de 2 000 papillons exotiques voltigent en toute liberté vous marquera à vie.

■ **NIAGARA RIVER RECREATION TRAIL**
Fort George – Niagara Parkway
www.niagaraparks.com
npinfo@niagaraparks.com
Un chemin pavé qui s'étend sur plus de 50 km et longe la rivière Niagara. De Niagara-on-the-Lake à Fort Erie, vous traverserez de splendides paysages. Entre eau et verdure, le parcours est saisissant. Si vous êtes un fan de vélo, ne manquez pas cette excursion.

■ **OLD FORT ERIE**
350 Lakeshore Road ✆ +1 905 871 0540
www.niagaraparks.com/heritage/forterie.php
De mai à début septembre : ouvert tous les jours de 10h à 17h. De septembre à mi-octobre : de 10h à 16h. Adulte : 9,75 $. Construit à la fin du XVIIIe siècle, ce fort n'était pas terminé lorsque les Etats-Unis ont déclaré la guerre au Canada le 18 juin 1812. Partiellement détruit avec le temps, il a été entièrement restauré. Aujourd'hui il offre, sous les yeux ébahis des amateurs d'histoire, la plus importante reconstitution des événements de 1812 au Canada. Les combats sont saisissants et rappellent les épisodes de 1814, qui ont fait du vieux fort Erié le champ de bataille le plus sanglant au Canada.

■ **PORT COLBORNE**
www.portcolborne.com
Situé au bord du lac Erié, Port Colborne représente la huitième et dernière écluse du canal Welland. Le canal Welland, qui traverse la péninsule du Niagara de Port Colborne à St. Catharines, propose aussi un magnifique trajet, du lac Erié au lac Ontario.

■ **SKYLON TOWER**
5200 Robinson Street
✆ +1 905 356 2651
✆ +1 877 475 9566
www.skylon.com – info@skylon.com
Ouvert en été de 8h à minuit et l'hiver de 9h à 23h. Adulte : 13,55 $. Grimpez au sommet de la tour Skylon et admirez la vue des chutes qui s'offre à vous tel un tableau insaisissable. Si vous êtes prêt à payer un peu plus, profitez de la vue en dégustant la fine cuisine du restaurant Revolving Dining Room. Egalement sur place : restaurant buffet (ouvert en saison uniquement), cinéma 3D/4D, centre d'amusement familial.

■ **SKYWHEEL**
4946 Clifton Hill ✆ +1 905 358 4793
www.skywheel.ca – info@cliftonhill.com
Horaire variable selon la saison. Adulte : 10 $.
Impossible de rater cette grande roue en plein

milieu de la non moins connue rue touristique Clifton Hill ! La vue y est imprenable et le soir venu, les amoureux affluent en quête d'un beau moment romantique.

Sports / Détente / Loisirs

■ **FALLSVIEW INDOOR WATERPARK**
5685 Falls Avenue
✆ +1 905 374 4444
✆ +1 888 234 8408
www.fallsviewwaterpark.com
reserve@niagarafallshotels.com
Horaire variable selon la saison. Pass pour la journée : 45 $ par personne. Forfaits avec hébergement disponibles.
Immense complexe aquatique avec, entre autres, une quinzaine de glissades, une piscine à vagues et une multitude de jeux d'eau. La destination familiale par excellence lors des chaudes journées d'été !

■ **WHIRLPOOL JET BOAT TOURS**
3050 Niagara Parkway
✆ +1 905 468 4800
+1 888 438 4444
www.whirlpooljet.com
Wet Jet & Jet Dome : adulte 59 $. Vérifier les conditions s'appliquant aux enfants (âge et taille). Les gorges de Niagara et ses rapides vous promettent une expédition forte en adrénaline ! De puissants bateaux vous feront faire des virages à 360° à toute vitesse en eaux vives. Il ne reste qu'à choisir le type de bateau selon que vous désirez être trempé de la tête au pied ou non.

▸ **Autre adresse :** 61 Melville Street, Niagara-on-the-Lake

NIAGARA-ON-THE-LAKE

Première capitale de l'Ontario (1791-1796), cette petite ville garde son cachet d'antan. On peut très aisément découvrir à pied ou à vélo cette illustre petite ville remplie d'histoire et d'attraits modernes. On ne la surnomme pas la « plus jolie ville du Canada » pour rien ! Comptant plus de 400 gîtes, près de 50 vignobles et autant de fermes où vous pouvez cueillir une surabondance de fruits, cette région au nord des Chutes est pour le moins grisante.

Pratique

■ **CHAMBER OF COMMERCE AND VISITOR & CONVENTION BUREAU**
26 Queen Street ✆ +1 905 468 1950
www.niagaraonthelake.com
tourism@niagaraonthelake.com

Se loger

Ceux qui recherchent un hébergement bon marché dans la région de Niagara-on-the-Lake seront peut-être surpris en découvrant les grilles tarifaires. Les parcs provinciaux sont rares dans la région. Il faut se rendre à quelque 70 km au nord, à Burlington, au parc Bronte Creek, ou à 60 km au sud, à Rock Point, pour trouver un terrain de camping public. Dans un rayon de 40 km, dans un carré circonscrit entre Grimsby, Port Mainland et la rivière Niagara, une douzaine de campings privés attendent les nombreux touristes. Il faut toutefois être prêt à faire la navette jusqu'aux chutes. Si votre budget vous le permet, les gîtes offrent un agréable choix. En grande quantité, ils donnent une saveur locale à cette région hautement touristique.

ONTARIO

Chutes du Niagara.

Confort ou charme

■ ASHGROVE COTTAGE B&B

487 Missisauga Street
✆ +1 905 468 1361
www.ashgrovecottage.ca
ashgrovecottage@cogeco.ca
Chambre double 110 $. 3 chambres. Petit déjeuner inclus. Forfaits disponibles.
Situé dans le vieux quartier de Niagara-on-the-Lake, ce charmant cottage de style canadien bénéficie d'un emplacement de choix : à quelques pas de Queen Street et pourtant on se croirait au cœur de la campagne. Les trois chambres mises à la disposition des clients sont très confortables. Le petit déjeuner fait maison est délicieux et copieux. Le jardin est un lieu privilégié de détente et idéal pour la lecture.

■ BEST WESTERN COLONEL BUTLER INN

278 Mary Street
✆ +1 905 468 3251
✆ +1 866 556 8882
www.colonelbutlerinn.com
rooms@colonelbutlerinn.com
Occupation double : à partir de 99 $. Petit déjeuner inclus. Forfaits disponibles. Salle de conditionnement physique et restaurant sur place.
Situé dans le quartier historique de la ville, le Colonel Butler Inn jouit d'un emplacement de choix dans cette belle ville. Cette maison de brique rouge offre tout le confort nécessaire pour passer un agréable séjour dans la région. Les chambres sont spacieuses et bien équipées. De novembre à avril, le Best Western constitue un excellent rapport qualité-prix pour ceux qui souhaitent profiter de l'ambiance festive des chutes et dormir dans un endroit paisible et charmant comme Niagara-on-the-Lake.

■ THE OLDE ANGEL INN

224 Regent Street
✆ +1 905 468 3411
www.angel-inn.com
angelinn@bellnet.ca
Chambre double à partir de 139 $.
Premier hôtel à avoir vu le jour dans la ville de Niagara-on-the-Lake, il offre des chambres authentiques décorées avec des meubles anciens d'une grande beauté. Les chambres sont petites mais confortables, et les suites spacieuses sont jolies. On aime la chambre du capitaine et la suite du colonel. Le restaurant et le pub de l'hôtel valent également le détour.

Luxe

■ THE CHARLES INN

209 Queen Street
✆ +1 905 468 4588, +1 866 556 8883
www.charlesinn.ca
inquire@charlesinn.ca
Occupation double : à partir de 210 $. Petit déjeuner inclus. Forfaits disponibles.
Dès que vous pénétrez dans cette demeure, vous savez que vous allez vivre une expérience unique. Datant de 1832, ce luxueux manoir a été entretenu avec soin et rénové avec beaucoup de goût. Les douze chambres sont parfaites et nous donnent l'agréable sensation d'être choyé. La table de l'auberge possède une solide réputation dans la région.

■ HARBOUR HOUSE

85 Melville Street
✆ +1 905 468 4683, +1 866 277 6677
www.harbourhousehotel.ca
inquire@harbourhousehotel.ca
Chambre double à partir de 365 $. Réductions importantes en basse saison. Petit déjeuner inclus. Forfaits disponibles.
Le Harbour House est sans nul doute l'un des plus beaux hôtels de la ville. Les chambres dépassent toutes nos attentes. La décoration très soignée nous rappelle celle des magasins de décoration. Les matériaux retenus sont de très grande qualité, et la beauté des chambres est renversante. Les matelas sont si confortables que vous passerez l'une des plus belles nuits de votre vie.

Se restaurer

■ DE LUCA'S RESTAURANT

160 Front Street
✆ +1 905 468 2165
www.deluca.ca
deluca@deluca.ca
Formule en 4 services à 55 $, menu gastronomique 85 $.
Dans le décor reposant de l'hôtel Oban, le chef Tony Deluca continue à nous impressionner par sa cuisine créative exceptionnelle. Son génie dépasse les frontières de la péninsule et attire des foules de tout le pays et d'ailleurs. N'utilisant que les ingrédients de la région, les recettes témoignent de la richesse et de la finesse des aliments de Niagara. Le midi, les prix sont très raisonnables. Nous adorons le saumon fumé, le plateau de charcuterie et de fromage, servis le midi. Le menu gastronomique me donne encore aujourd'hui l'eau à la bouche.

■ **THE EPICUREAN**
84 Queen Street
✆ +1 905 468 3408
www.epicurean.ca
epicurean.notl@sympatico.ca
Ouvert tous les jours dès 9h. Hors saison : les contacter avant de vous y présenter. Menu café (en journée) : environ 10 $. Menu bistro (en soirée) : de 20 à 35 $.
On aime les sandwichs et les délicieuses salades, mais il serait dommage de s'arrêter là. Leur menu du soir est très intéressant et offre des plats succulents. Les serveurs sont courtois et la terrasse est belle à souhait.

■ **SHAW CAFÉ & WINE BAR**
92 Queen Street
✆ +1 905 468 4772
www.shawcafe.ca
jharper@obaninn.ca
Ouvert à l'année. Menu à la carte : à partir de 15 $.
On aime le Shaw Café pour son ambiance et sa cuisine abordable. Le menu propose une grande variété de potages, sandwichs, salades, de savoureux plats faits maison, et un assortiment délicieux de pâtisseries et de gâteaux. L'été, profitez d'un repas à l'extérieur et détendez-vous sur l'une des plus belles terrasses en ville.

■ **VICTORIA'S CAFE**
108 Queen Street
✆ +1 905 468 8141
Compter environ 15 $.
Les restaurants gastronomiques foisonnent dans cette région épicurienne par essence. Toutefois si vous ne désirez manger qu'un repas simple, le Victoria Café répondra à vos attentes. Ses salades colorées sont délicieuses et ses sandwichs copieux. Les serveurs sont agréables et le cadre sympathique.

À voir / À faire

■ **CHÂTEAU DES CHARMES**
1025 York Road
✆ +1 905 262 4219
www.chateaudescharmes.com
tourcentre@chateaudescharmes.com
Visites guidées : 5 $ par personne, 15 $ avec dégustation. Visite en français à midi (les contacter hors saison).
La famille Bosc vous accueille avec beaucoup d'hospitalité dans sa célèbre demeure. Depuis 1978, Paul Bosc développe l'un des meilleurs sites pour la culture de la vigne en Ontario. On y produit des vins fins et, en particulier, de superbes vins de domaine. Château des Charmes est l'un des producteurs de vins les plus réputés au Canada. Son succès, dans des compétitions nationales et internationales, témoigne la grande qualité de ses crus. Ce magnifique château est un véritable joyau de Niagara-on-the-Lake.

Niagara-on-the-Lake en automne.

■ **INNISKILLIN**
1499 Line 3, Niagara Parkway
✆ +1 905 468 2187
✆ +1 888 466 4754
www.inniskillin.com
inniskil@inniskillin.com
Visites guidées : de 5 à 35 $ par personne.
C'est grâce à cette demeure que la production du vin en Ontario a connu un essor important au pays et au niveau international. La salle d'accueil est logée dans une vieille étable datant de 1920 et abrite une boutique et un bar à dégustation où l'on peut déguster les célèbres vins Inniskillin dont le pinot noir, le chardonnay et leur célèbre vin de glace et autres excellents produits du terroir. Pour les amateurs de la viticulture, une visite autoguidée très instructive et bien présentée, vous permettra de découvrir tous les secrets de cette cave et de ce grand art qu'est la viticulture.

■ JACKSON TRIGGS

2145 Regional Road 55

✆ +1 905 468 4637, +1 866 589 4637

www.jacksontriggswinery.com

wines@jacksontriggswinery.com

Visites guidées : de 5 à 50 $ par personne.

Vignoble à la fine pointe de la technologie, il a ouvert ses portes à l'été 2004 et est dirigé par Marco Piccoli. L'architecture du bâtiment est une véritable réussite : son hall en pierre à la manière d'un loft qui sépare la zone de production de la salle d'accueil vaut à lui seul le détour. Mais, bien sûr, on y va surtout pour exciter nos papilles grâce aux bons vins et aux plats fins servis à la Tasting Gallery. De nombreuses activités se déroulent au vignoble tout au long de l'année : vous pourrez assister à un concert ou encore à une pièce de théâtre.

■ LIEU HISTORIQUE NATIONAL DU CANADA DU FORT-GEORGE

✆ +1 905 468 4257

www.pc.gc.ca/george

ont-niagara@pc.gc.ca

De mai à novembre : lundi-dimanche de 10h à 17h. Avril et novembre : samedi-dimanche de 10h à 17h. Adulte : 11,70 $.

Reconstruit fidèlement, il est tel qu'on pouvait le voir en 1812, juste avant la guerre. On lui a ajouté le Brock, un monument élevé en l'honneur du héros de la bataille de Queenston.

■ MCFARLAND HOUSE

15927 Niagara Parkway

✆ +1 905 468 3322

www.niagaraparks.com/heritage/mcfarland.php

npinfo@niagaraparks.com

De début mai à début septembre : ouvert tous les jours de 12h à 17h. Adulte : 5 $.

Cette demeure historique a été la maison de John McFarland et de sa famille pour une période de 150 ans. Pendant plus de deux siècles, la maison de McFarland a été l'emblème du savoir-vivre et du bon goût qui définit la belle petite ville de Niagara-on-the-Lake. Venez explorer cette demeure au style géorgien et transportez-vous un instant en 1840. Dégustez un verre de vin au jardin de thé de McFarland, détendez-vous et appréciez le panorama.

■ NIAGARA APOTHECARY MUSEUM

5 Queen Street

✆ +1 905 468 3845

www.niagaraapothecary.ca

niagaraapothecary@ocpinfo.com

Ouvert de fin mai à début septembre de 12h à 18h, dès 11h en juillet-août ; seulement le week-end de septembre à mi-octobre. Entrée libre.

Une charmante petite pharmacie datant de la fin du XIXe siècle. Tout a été préservé à l'état original par le collège des pharmaciens de l'Ontario. Une petite visite s'impose dans ce lieu pour le moins étonnant.

■ NIAGARA HISTORICAL SOCIETY MUSEUM

43 Castlereagh Street

✆ +1 905 468 3912

Ouvert de mai à octobre tous les jours de 10h à 17h. Le reste de l'année : de 13h à 17h. Adulte : 5 $.

Fondé en 1895 dans le but d'encourager l'étude de l'histoire canadienne et de favoriser la collection et la préservation des registres et reliques, il abrite aujourd'hui la plus importante collection de l'histoire de la péninsule. La collection des costumes et armes militaires de l'époque est impressionnante.

■ PELLER ESTATES

290 John Street East, R.R. #1

✆ +1 905 468 4678, +1 888 673 5537

www.peller.com

info@peller.com

Visites guidées et forfaits disponibles.

Cette grande propriété à la boutique bien garnie possède également l'un des meilleurs restaurants de la région. Le chef propose un menu dégustation qui se décline en six services, un vin différent accompagnant chaque plat.

■ SHAW FESTIVAL

✆ +1 905 468 2172

✆ +1 800 511 7429

www.shawfest.com

boxoffice@shawfest.com

Représentations et événements à l'année. Prix des billets : de 24 à 106 $.

Evénement théâtral parmi les plus renommés du Canada, le festival Shaw attire annuellement plus de 350 000 spectateurs à Niagara-on-the-Lake. Présentées par l'une des troupes de répertoire les plus prestigieuses des Amériques, les pièces de George Bernard Shaw et de ses contemporains (Brecht, Tchekhov, Coward, Ibsen, Wilde, pour n'en nommer que quelques-uns) sont à l'affiche pendant le festival. On y constate à quel point l'humour, la satire, le paradoxe et la fantaisie d'alors demeurent d'actualité. Un événement incontournable de très, très haut calibre...

ST. CATHARINES

Fondée par les loyalistes vers 1780, St. Catharines est aujourd'hui la plus grande ville de la péninsule de Niagara en termes de superficie et en constitue le centre industriel. Malgré tout, elle a su garder son cachet d'antan comme en témoigne les écluses du canal Welland. Ce dernier traverse la péninsule de Niagara de Port Colborne à St. Catharines. Les 28 km de pistes cyclables entre St. Catharines et Welland permettent d'observer l'impressionnant mouvement des huit écluses du canal. L'architecture du canal, digne des canaux maritimes et de lourds navires, est impressionnante. L'écluse n° 3 du canal Welland, à St. Catharines, propose un centre d'interprétation à ne pas manquer. Sa passerelle d'observation est l'endroit idéal pour voir de très près des navires de tous les pays. Cette charmante petite ville est également un centre culturel intéressant : des galeries d'art, des musées et festivals attendent les visiteurs.

Se loger

■ FOUR POINTS SHERATON
3530 Schmon Parkway
✆ +1 905 984 8484
www.fourpointsstcatharines.com
info@fourpointsstcatharines.com
Chambre double à partir de 124 $.
Situé au dans le quartier commercial de St-Catherines, le Four Points Sheraton met à la disposition de sa clientèle 162 chambres modernes, spacieuses et offrant un confort digne d'un établissement 4-étoiles. L'hôtel est idéal pour les familles qui n'ont pas les moyens de se payer le luxe des auberges de la région et qui recherchent toutefois des chambres tout confort. Les hommes d'affaires sont également séduits par cet hôtel qui ne déçoit jamais. Après une longue journée de marche, faites un tour au centre sauna et Spa de l'hôtel pendant que les enfants profitent des joies de la piscine intérieure.

■ THE KEEFER MANSION INN
14 St. David's Street West
✆ +1 905 680 9581
✆ +1 866 680 9581
www.keefermansion.com
guestservices@keefermansion.com
Chambre double à partir de 149 $. 10 suites. Forfaits disponibles.
Bâti il y a 122 ans comme résidence familiale, le Keefer Mansion est un emblème dans la région. Après trois ans de rénovation, le manoir reflète la prospérité de ses premiers propriétaires. Les chambres sont plus que magnifiques, et que dire de la table ! Elle s'inspire des racines françaises de la famille Keefer, sous la supervision du chef Pascal Badaoui et de sa brigade. Pour le corps et l'esprit, complétez l'expérience par un des soins Spa proposés sur place.

À voir / À faire

■ HENRY OF PELHAM FAMILY ESTATE WINERY
1469 Pelham Road, R.R. #1
✆ +1 905 684 8423
www.henryofpelham.com
winery@henryofpelham.com
Visite guidée : 5 $ par personne.
Producteur d'excellents vins et occupant un emplacement de choix, ce vignoble familial accueille ses invités dans une belle auberge datant de 1842 qui constituait jadis un point d'accès à l'escarpement de Niagara. Situé face au parc provincial Short Hills, le vignoble dispose d'installations de pique-nique et d'une très belle terrasse. De nombreuses activités originales sont offertes au cours de l'été comme « Shakespeare in the Vineyard » et des randonnées sur le Bruce Trail. Le Couch House Café sert des repas légers et se distingue par ses plateaux de fromages artisanaux du Québec et de l'Ontario, à déguster sur place ou à emporter pour le pique-nique.

■ HERNDER ESTATE WINES
1607 8th Avenue
✆ +1 905 684 3300
www.hernder.com
wine@hernder.com
Visite guidée gratuite, de 1 à 2,50 $ par dégustation.
En traversant le pont, vous arrivez dans cette grange victorienne datant de la fin du XIXe siècle et rénovée par la famille Cornell. Le site est magnifique et les vins de glace succulents. Moins connu que les autres vignobles de la région, le Hernder Estate vaut tout de même le détour, ne serait-ce que pour la beauté de ce site enchanteur.

■ NIAGARA ICEWINE FESTIVAL
8 Church Street
✆ +1 905 688 0212
www.niagaraicewinefestival.com
kimberlyh@niagarawinefestival.com
En janvier.

Si vous êtes de passage dans la péninsule durant le mois de janvier, ne manquez pas cette manifestation : l'une des plus prestigieuses de la scène viticole au Canada, mettant en vedette des vins de renommée internationale.
Le passeport pour la journée vous coûtera 30 $ et vous permettra de profiter des nombreuses installations et de déguster quelques crus. Pour ceux qui souhaitent tenter l'expérience gastronomique du festival, le gala des vins de glace vous coûtera 175 $. Vous ne le regretterez pas !

■ NIAGARA NEW VINTAGE FESTIVAL
© +1 905 688 0212
www.newvintagefestival.com
En juin.
Question de célébrer le début de l'été et les nouveaux grands crus, la région est l'hôtesse de cet événement regroupant d'excellents vins et des expériences culinaires mettant en valeur le terroir de Niagara.

■ NIAGARA WINE FESTIVAL
8 Church Street
© +1 905 688 0212
www.niagarawinefestival.com
En septembre.
Ce festival de St. Catharines est une véritable invitation à la gourmandise. Vous y dégusterez des vins exceptionnels et découvrirez la finesse de la cuisine locale. Le mois de septembre est idéal pour cette expérience gustative, le tout jumelé à une programmation musicale hors pair.

■ ST. CATHARINES MUSEUM
1932 Welland Canals Parkway
© +1 905 984 8880
© +1 800 305 5134
www.stcatharineslock3museum.ca
museuminfo@stcatharines.ca
Ouvert tous les jours de 9h à 17h (de 11h à 16h les week-ends en hiver). Adulte : 5 $.
Les expositions du musée relatent l'histoire de St. Catharines, des premiers jours à aujourd'hui. On retrouve également sur place le Temple de la renommée des sciences et de l'ingénierie canadienne. Sur le même site, l'écluse n° 3 du canal Welland propose un centre d'interprétation à ne pas manquer. Sa passerelle d'observation est l'endroit idéal pour voir des navires de tous les pays de très, très près...

PORT DHALOUSIE

Ce petit village côtier, faisant partie intégrante de St. Catharines, est un secret bien gardé de la région. La rue piétonne (Hagan's Alley), avec ses petits bars en plein air, ses terrasses et bons restos, est un haut lieu de la vie nocturne à la belle saison. Pour l'apéro, nous vous recommandons le Red Hots Patio et pour un excellent repas composé de produits frais de la mer, le Murphy's Restaurant Harbourfront Inn. Un véritable petit paradis qui malheureusement pourrait laisser place à la construction de condos... En effet, lors de notre passage, nous avons été informés de la possible disparition de la rue piétonne afin de convertir le tout en résidences luxueuses. Dépêchez-vous donc d'aller découvrir cet endroit avant qu'il ne soit trop tard !

JORDAN

Petit village de la péninsule de Niagara, au milieu des vignes et à deux pas du lac Ontario, dans lequel le temps semble s'être arrêté.

■ CAVE SPRING CELLARS
3836 Main Street
© +1 905 562 3581, +1 888 806 9910
www.cavespringcellars.com
info@cavespring.ca
Visite guidée disponible. Spécialiste de la production du riesling, du chardonnay et du cabernet, ce vignoble réputé est l'un des plus anciens cépages de la péninsule de Niagara. Le vignoble gère également la distinguée auberge Inn on the Twenty qui abrite le restaurant du même nom. Ce dernier offre à ses convives tout au long de l'année une cuisine à base de produits régionaux, préparée avec soin par le chef et son équipe. Une référence dans la région !

■ FROMAGERIE COOPÉRATIVE UPPER CANADA CHEESE COMPANY
4159 Jordan Road © +1 905 562 9730
www.uppercanadacheese.com
info@uppercanadacheese.com
Ouvert lundi-samedi de 10h à 17h, dimanche de 11h à 17h. Cette coopérative produit des fromages artisanaux mi-fermes. Après plusieurs années de préparation, le maître fromager a lancé les fromages du Niagara, produits avec le lait riche et crémeux de vaches Guernesey. Le Comfort Cream s'apparente au camembert, et le Niagara Gold est riche et savoureux. Une belle adresse où faire quelques emplettes gourmandes !

BEAMSVILLE

La communauté de Beamsville, partie de la plus grande communauté urbaine de Lincoln, repose sagement sur la rive sud du lac Ontario, au milieu des vignes et de la région fruitière. Ses petites maisons de briques lui confèrent une atmosphère intimiste.

■ **PENINSULA RIDGE ESTATES WINERY**
5600 King Street West
✆ +1 905 563 0900
www.peninsularidge.com
info@peninsularidge.com
Visite guidée : 5 $ par personne. Forfaits disponibles.

Le Peninsula Ridge Estates Winery est selon nous l'un des meilleurs vignobles en Ontario. La présence du vigneron français, Jean-Pierre Colas, fait toute la différence. Son Chardonnay Reserve, son sauvignon blanc et son rouge composé d'un mélange de bordeaux font partie des meilleurs vins de la région. Au cœur du manoir victorien se dresse le restaurant : le Kitchen House at Peninsula Ridge. On y sert des douceurs canadiennes très raffinées, comme le foie gras du Québec poêlé, l'omble chevalier grillé ou encore l'agneau de l'île Verte. Pour ceux dont le budget est limité, les brunchs du dimanche sont délicieux et très originaux, le tout à un prix raisonnable.

SUD-OUEST

Encerclée par les lacs Erié et Huron, cette contrée du Sud-Ouest nous enivre. Et comment ! Avec le grand air de son parc national de la Pointe-Pelée, royaume migratoire incontesté de la gente ailée et des papillons monarques, avec ses parcs Wheatley et Rondeau, écosystème richissime, avec Hawk's Cliff, rendez-vous de milliers de rapaces fuyant l'hiver, et avec Pelée, petite île au climat californien à la vie arrêtée dans le temps. Un véritable hymne à la nature ! London, à la touche british, et Stratford, berceau d'art et de théâtre, sauront vous séduire ainsi que Oil Springs, premier puits d'or noir d'Amérique du Nord. Gorgée de vins, de fromages et de miels, cette oasis verte est un véritable havre de paix pour les âmes à la recherche de détente dans un cadre naturel enchanteur.

LONDON

Centre important de la culture iroquoise canadienne, la petite ville de London vous permettra de vous familiariser avec cette culture amérindienne qui fascine tant les Français. Les coutumes et traditions de ses habitants témoignent de la richesse culturelle de cette nation. Avec son air définitivement british et l'empreinte de la culture iroquoise, London est un bel exemple d'harmonie entre autochtones et Canadiens blancs. Elle porte encore aujourd'hui les marques du passé glorieux du peuple iroquois et de la culture britannique léguée par le lieutenant gouverneur John Graves Simcoe. Située au cœur d'une région agricole, London est aujourd'hui un centre industriel important en Ontario, mais également un centre de recherche médicale reconnu mondialement. Elle arbore aussi un côté jeune et dynamique avec ses nombreux collèges et universités, dont la réputée University of Western Ontario. Bref, une ville vivante, pleine d'histoire et qui saura assurément vous charmer !

Transports

Comment y accéder et en partir

London est située à 190 km de Toronto et de Windsor qu'on peut rejoindre en voiture en 2 heures 15, 630 km d'Ottawa (7 heures), 540 km de Sudbury (6 heures 30) et 725 km de Montréal (8 heures). Plusieurs routes desservent la région de London. Voici les principaux accès routiers en fonction des régions de départ :

- **Région du Grand Toronto** : prenez l'autoroute Queen Elizabeth Way (QEW), puis les autoroutes 403 et 401.
- **Région de la péninsule de Niagara** : prenez l'autoroute QEW, puis 403 et 401. Vous pouvez également prendre la route 3 qui traverse toute la région de Fort Erie à Windsor.
- **Région du lac Huron et de la péninsule Bruce** : prenez la route côtière 21, puis la 8 et la 4.

■ **ABOUTOWN AIRBUS EXPRESS**
✆ +1 519 663 2244, 1 877 663 2244
www.aboutownairbus.ca
Navettes avec l'aéroport de Toronto et de Detroit.

Autoroute et voie rapide
Route à voie multiple
Route principale
Parc national et provincial
Ville
Village
Aéroport international
Sud-Ouest
LAC HURON
BAIE GEORGIENNE
Tobermory
Ferndale
Wiarton
Sauble Beach
Southhampton
Port Elgin
Owen Sound
Thornbury
Collingwood
Kincardine
Flesherton
Hanover
Kingsbridge
Goderich
Listowel
Seaforth
Waterloo
Kitchener
Stratford
ETAT DU MICHIGAN (U.S.A.)
Grand Bend
Woodstock
Brantfor
Sarnia
London
Strathroy
Tillsonburg
Simcoe
Port Dover
Port Lambton
Wallaceburg
Port Stanley
Port Bruce
Long Point
DETROIT
Lac Sainte-Clair
Windsor
Chatham-Kent
LAC ERIE
Rondeau Park
Rondeau Prov. Park
Leamington
Point Pelee National Park
ETAT DE L'OHIO (U.S.A.)
CLEVELAND
N
0
40 k

■ **LONDON BUS TERMINAL**
101 York Street ✆ +1 519 434 3250
Heures d'ouverture de la gare routière et de la billetterie : tous les jours de 6h30 à 21h15.
Terminal d'autocars.

■ **LONDON INTERNATIONAL AIRPORT**
1750 Crumlin Road
✆ +1 519 452 4015
www.londonairport.ca
info@londonairport.on.ca
Vols en provenance et à destination de l'Amérique du Nord (Montréal, Toronto, Calgary, Detroit, Chicago...). Westjet et Air Canada desservent cet aéroport. Pour se rendre de ou vers l'aéroport en transport en commun, prendre la ligne 36. Service de navette disponible avec Robert Q Airbus.

■ **VIA RAIL**
205 York Street
✆ +1 888 842 7245
www.viarail.ca
relations_clientele@viarail.ca
Heures d'ouverture de la gare : lundi-vendredi de 00h45 à 1h30 et de 5h à 22h, samedi de 7h à 21h15, dimanche de 00h45 à 1h30 et de 7h à 21h15. Heures d'ouverture de la billetterie : lundi-vendredi de 5h à 21h15, samedi-dimanche de 7h à 21h15.

Se déplacer

■ **AVIS**
Gare ferroviaire Via Rail
205 York Street
✆ +1 519 672 2847
✆ +1 800 879 2847
www.avis.ca

■ **BUDGET**
519 York Street
✆ +1 519 433 1701, +1 800 268 8970
www.budget.ca

■ **LONDON TRANSIT COMMISSION**
✆ +1 519 451 1347
www.londontransit.ca
Billet adulte : 2,75 CAN $ (5 billets pour 9,50 CAN $).

Pratique

■ **LONDON TOURISM**
696 Wellington Road South
✆ +1 519 661 5000, +1 800 265 2602
www.londontourism.ca

▸ **Autre adresse :** Dundas Street Downtown Information Centre : 267 Dundas Street

Se loger

■ **DELTA LONDON ARMOURIES**
325 Dundas Street
✆ +1 519 640 5004, +1 800 668 9999
www.deltahotels.com
rmacdonald@deltalondon.ca
Occupation double : à partir de 125 CAN $. Forfaits disponibles. Piscine intérieure, Jacuzzi, sauna, centre de conditionnement physique, et deux restaurants sur place.
Situé dans l'ancienne caserne d'entraînement des soldats canadiens, ce grand établissement de 250 chambres est fidèle à la réputation de la chaîne Delta : grand confort, nombreux services et localisation de choix.

■ **IDLEWYLD INN**
36 Grand Avenue
✆ +1 519 433 2891, +1 877 435 3466
www.idlewyldinn.com
info@idlewyldinn.com
Occupation double : à partir de 129 CAN $. 23 chambres. Forfaits disponibles. Centre de santé sur place.
Ancienne résidence privée reflétant la richesse et le bon goût de l'ère victorienne, ce manoir accueille dorénavant les visiteurs en quête d'un séjour haut de gamme. Tout nous plaît, de la décoration élégante au charme historique des lieux, particulièrement bien conservé. La table du chef Tim D'Souza vous réserve un voyage au cœur des saveurs régionales. Une adresse hautement recommandée.

■ **ROSNEATH BED & BREAKFAST**
779 Waterloo Street ✆ +1 519 438 7822
www.rosneathbedbreakfast.on.ca
enquiries@roseneathbedandbreakfast.ca
Occupation double : de 85 à 95 CAN $. Petit déjeuner inclus.
Ce charmant cottage datant de 1894 a été construit par Henry Kerr. Récemment rénové, il allie parfaitement la beauté intérieure des vestiges passés de cette belle demeure au confort des installations modernes dont se targue cette auberge. Les chambres sont belles et décorées avec goût. L'accueil des propriétaires est chaleureux. L'expérience du Rosneath est mémorable.

■ **SURREY HOUSE BED & BREAKFAST**
58 Monte Vista Crescent
✆ +1 519 657 4095
www.surreyhouse.ca
genny@surreyhouse.ca
Occupation double : de 70 à 100 CAN $. 4 chambres. Petit déjeuner inclus.

Idéale pour les voyageurs en voiture, cette charmante maison, située dans un quartier résidentiel chic de London, met à la disposition des visiteurs des chambres spacieuses et très confortables. La demeure est reposante, et les propriétaires très aimables. On y passe un agréable séjour.

Se restaurer

Bien et pas cher

■ THAIFOON
120 Dundas Street
✆ +1 519 850 1222
www.thaifoonrestaurant.com
Ouvert le midi en semaine de 11h30 à 14h30 et tous les soirs dès 17h. Menu à la carte : de 5 à 20 CAN $.
Si une envie vous prend de déguster des plats asiatiques, alors une escapade à Thaifoon s'impose. Dans un décor qui présente les quatre éléments de la vie – l'eau, la terre, le feu et l'air –, le chef nous sert une cuisine asiatique raffinée et à petits prix. Les adeptes de la nourriture épicée adoreront la section feu du menu, les autres lui préféreront la section eau.

Bonnes tables

■ AUBERGE DU PETIT PRINCE
458-460 King Street
✆ +1 519 434 7124
www.aubergerestaurant.ca
nicole@aubergerestaurant.ca
Ouvert tous les jours, midi et soir. Menu midi : de 10 à 15 CAN $. Menu soir : de 25 à 35 CAN $. Menu dégustation 4 services : 50 CAN $ (65 CAN $ avec le vin).
La propriétaire de ce charmant restaurant, Nicole Arroyas, vous propose une expérience culinaire aux saveurs du Vieux Continent. *Osso bucco*, confit de canard ou l'incontournable steak-frites, un menu court mais qui se laisse désirer. Les prix justifient amplement la fraîcheur et la qualité des ingrédients, préparés avec finesse par la chef. Pourrait-on s'attendre à autre chose d'une diplômée du réputé Institut Paul Bocuse de Lyon ?

■ CELLO SUPPER CLUB
99 King Street
✆ +1 519 850 8000
www.cellosupperclub.com
info@cellosupperclub.com
Ouvert tous les jours, midi et soir. Menu midi : de 10 à 15 CAN $. Menu soir 3 services : 25 CAN $. Le concept de resto-lounge-club est en pleine effervescence au pays, et London a dorénavant sa nouvelle adresse tendance en plein centre-ville. Le but avoué est d'offrir une expérience culinaire dans une atmosphère qui fait appel à tous vos sens. Evénements spéciaux et soirées clubbing.

■ VOLKER'S ON HYDE PARK
1269 Hyde Park Road
✆ +1 519 472 6801
Compter environ 50 $.
Un des chefs les plus connus et respectés du Canada, Volker Jendhoff est le chef propriétaire du restaurant Volker sur Hyde Park. Renommée pour sa cuisine de qualité depuis presque trois décennies, les plats de Volker sont de véritables œuvres artistiques. La carte complète est une invitation à la gourmandise pour notre part nous aimons l'entrée au saumon fumé et les plats de poissons (bar, thon et saumon). Pour terminer votre soirée, laissez-vous tenter par l'un des desserts maison, de véritables petits péchés mignons.

■ WALDO'S ON KING BISTRO & WINE BAR
130 King Street
✆ +1 519 433 6161
www.waldos.on.ca
mark@waldos.on.ca
Cuisine : lundi-samedi de 11h à 22h, dimanche de 11h à 14h. Bar : lundi-jeudi de 11h à 22h, vendredi-samedi de 11h à minuit, dimanche de 12h à 14h. Menu midi : de 9 à 16 CAN $. Menu soir : de 12 à 40 CAN $.
Un bistro de style français qui sert de la très bonne cuisine. Les plats sont délicieux, copieux et à des prix très raisonnables. On aime le steak-frites et les moules du Waldo's. Que ce soit pour manger ou tout simplement prendre un verre, ce bistro vous permettra de passer une bonne soirée.

Sortir

■ THE CEEPS
671 Richmond Street
✆ +1 519 432 1425
www.ceeps.com
info@ceeps.com
Ouvert tous les jours.
Ouvert en 1890, il est l'un des plus vieux bars de la ville. Véritable emblème des soirées universitaires de London, et reconnu à travers le pays, il est franchement impossible de ne pas y passer une bonne soirée.

■ **UP ON CARLING**
153 Carling Street
✆ +1 519 434 6600
www.uponcarling.ca
contact@uponcarling.ca
Mercredi-samedi de 21h à 2h. Droits d'entrée. Tenue de ville exigée.
Halte obligée pour les adeptes du clubbing, le Up se divise en quatre sections : le Main Bar (lounge principal), le Wine Room (bar à vins), le Patio (terrasse sur le toit) et le VIP/Lounge Area. Possibilité de s'inscrire à la guest list le samedi.

À voir / À faire

■ **THE BANTING HOUSE NATIONAL HISTORIC SITE**
442 Adelaide Street North
✆ +1 519 673 1752
www.diabetes.ca/about-us/who/banting-house/
banting@diabetes.ca
Mardi-samedi de 12h à 16h. Adulte : 5 CAN $.
Ce site historique décrit la vie et les réalisations de Frederick Banting, célèbre médecin, qui formula le processus de l'isolation de l'insuline qui lui valut le prix Nobel de médecine en 1923.

■ **DOUBLE DECKER SIGHTSEEING TOURS**
Départ du 391 Wellington Street
✆ +1 519 661 5000, +1 800 265 2602
De fin juin à début septembre. Adulte : 13 CAN $.
Montez dans ce bus rouge et sillonnez la ville. Vous aurez l'occasion de faire le tour des attraits de cette charmante petite ville dans une ambiance agréable.

■ **ELDON HOUSE**
481 Ridout Street
✆ +1 519 661 5169
www.eldonhouse.ca
info@eldonhouse.ca
De juin à octobre : mardi-dimanche de 12h à 17h. Mai et d'octobre à janvier : mercredi-samedi de 12h à 17h. Le reste de l'année : les week-ends seulement. Adulte : 6 CAN $.
La famille Harris s'est fait construire cette demeure en 1834. Elle est considérée comme la première maison privée de London. Elle est aujourd'hui ouverte au public qui peut venir visiter cette demeure dans son décor original du XIXe siècle. Les meubles et autres éléments de décoration sont parfaitement conservés pour le plus grand bonheur des amateurs d'antiquités.

■ **FANSHAWE PIONEER VILLAGE**
2609 Fanshawe Park Road East
✆ +1 519 457 1296
www.fanshawepioneervillage.ca
info@fanshawepioneervillage.ca
De fin mai à mi-octobre : mardi-dimanche de 10h à 16h30. Adulte : 5 CAN $.
Ce village vous fera voyager dans le temps, entre 1820 et 1920, au sein du quotidien des communautés rurales des cantons de Westminster, London, North Dorchester, Delaware, West Nissouri et Lobo. Plusieurs démonstrations à l'appui. Instructif et divertissant.

■ **MIDDLESEX COUNTY BUILDING**
399 Ridout Street North
www.county.middlesex.on.ca
kbunting@county.middlesex.on.ca
Construit en 1828, cet édifice gouvernemental a été pendant de nombreuses années le palais de justice de la ville de London. Son architecture imposante est un mélange de styles néogothique et médiéval. Il a des airs de la basilique Notre-Dame de Montréal et constitue à notre sens le plus beau bâtiment de la ville. Pour les passionnés d'architecture, la rue Ridout regroupe les plus belles maisons de London datant presque toutes du milieu du XIXe siècle.

■ **MUSEUM OF ONTARIO ARCHEOLOGY**
1600 Attawandaron Road
✆ +1 519 473 1360
www.uwo.ca/museum
Ouvert tous les jours de 10h à 16h30 (fermé lundi-mardi de janvier à avril). Site extérieur ouvert à l'année. Adulte : 4 CAN $.
Ce musée renferme de l'information intéressante sur les fouilles archéologiques qui ont permis d'attester la présence du peuple amérindien sur le sol canadien depuis plus de 10 000 ans. On y raconte en détail l'histoire de cette nation. Une attention particulière est portée à la description du mode de vie et aux traditions des premières nations canadiennes. A l'extérieur du musée, un village iroquois est reconstitué pour le plus grand plaisir des visiteurs européens friands de ce genre d'expérience culturelle.

■ **SKA-NAH-DOHT VILLAGE & MUSEUM**
8348 Longwoods Road, Mount Brydges
✆ +1 519 264 2420
www.lowerthames-conservation.on.ca
lowerthames@odyssey.on.ca
De fin mai à début septembre : tous les jours de 9h à 16h30. Le reste de l'année : lundi-vendredi de 9h à 16h30 (sur rendez-vous les week-ends).

Pour tous ceux qui s'intéressent à l'art et à la culture amérindienne, ce village vaut le détour. Vous aurez l'occasion d'enrichir vos connaissances sur le style de vie du peuple iroquois durant les mille dernières années. Le musée expose des objets millénaires selon la société d'archéologie de l'Ontario.

STRATFORD

Cette accueillante ville campagnarde de 30 000 habitants, à l'allure on ne peut plus britannique, s'impose comme centre de théâtre de répertoire classique le plus reconnu en Amérique du Nord. En 1953, craignant le déclin de sa ville ferroviaire, Tom Patterson propose la création d'un festival consacré à Shakespeare. Aujourd'hui, plus d'un demi-million de spectateurs assistent au festival de Stratford tous les ans. Au fil de plus de 50 ans de festivals, plusieurs millions de fanatiques de théâtre des quatre coins du globe sont venus applaudir des artistes de renommée internationale. On peut assister à des pièces de tous les genres, pour les petits et les grands, qu'ils soient mordus de Shakespeare ou amateurs d'œuvres contemporaines. Le festival présente des pièces en français régulièrement. Outre le théâtre, les résidents de Stratford ont fait de l'art un mode de vie. De la courtepointe au récital, entre une salle de spectacle et un parc, la création s'exprime en permanence.

Transports

Comment y accéder et en partir

La ville de Stratford est située à 60 km au nord-est de London. Comptez environ une heure de route en voiture.

■ STRATFORD BUS TERMINAL
240 Norfolk Street
✆ +1 519 508 2222
www.greyhound.ca
webmaster@greyhound.ca
Heures d'ouverture de la gare routière et de la billetterie : lundi-vendredi de 8h à 17h.

■ VIA RAIL
101 Shakespear Street
✆ +1 888 842 7245 – www.viarail.ca
relations_clientele@viarail.ca
Heures d'ouverture de la gare : lundi-vendredi de 5h30 à 10h, de 11h à 13h et de 17h à 1h. Samedi de 0h à 14h, de 15h30 à 23h30. Dimanche de 8h à 14h et de 17h à 1h. La billetterie ferme de 30 min à 1 heure plus tôt.

Se loger

Bien et pas cher

■ WILDWOOD CONSERVATION AREA (CAMPING)
A 11 km sud-ouest de Stratford
Highway 7
✆ +1 519 284 2931, +1 866 668 2267
www.thamesriver.on.ca
Ouvert de fin avril à mi-octobre. Emplacement de 29,75 à 41 CAN $. Tarifs à la semaine et au mois disponibles. Un endroit de choix pour les campeurs friands d'activités de plein air. Le site est très beau et bien aménagé.

■ WOODLAND LAKE RV RESORT
6710 Line 46, R.R. #1
Bornholm ✆ +1 519 347 2315
www.woodlandlake.com
info@woodlandlake.com
De fin mai à début septembre. A partir de 25 CAN $ la nuit. Idéal pour les familles. Les places sont ouvertes aux caravanes. Le camping est très bien équipé et donne accès à une piscine très propre et un lac. Plusieurs activités et événements spéciaux sur le site pendant la saison.

Confort ou charme

■ AGINCOURT MANOR B&B SUITES
78 John Street North
✆ +1 519 272 1144, +1 877 472 1144
www.agincourtmanor.com
agincourt@wightman.ca
Occupation double : à partir de 149 CAN $. 4 suites. Petit déjeuner inclus.
Si l'envie vous prend de dormir dans un manoir, l'Agincourt devient alors un endroit de choix. Avec ses quatre grandes suites, qui peuvent accueillir jusqu'à quatre personnes, vous dormirez dans une maison chargée d'histoire. Les propriétaires sont très accueillants et aiment leur région. Pour des conseils futés, n'hésitez pas à leur parler.

■ ALBERT SQUARE
216 Albert Street ✆ +1 519 273 4452
www.sabba.ca – albertsq@cyg.net
Occupation double : de 100 à 135 CAN $. 3 chambres. Petit déjeuner inclus.
Logé dans une maison datant de 1904, ce Bed & Breakfast saura vous séduire. La maison très lumineuse est parfaitement équipée. Les trois chambres sont spacieuses et joliment décorées. Le couple Jeffrey est sympathique et sait prendre soin de ses convives.

■ **A FOOL'S PARADISE**
177 Elizabeth Street
✆ +1 519 271 7334
www.afoolsparadise.ca
sagepat@rogers.com
Chambre double à 130 $. Cette charmante maison en brique rouge, située dans un quartier résidentiel, met à la disposition des visiteurs trois charmantes chambres spacieuses très confortables. Chacune a une décoration propre, mais la « Festival Room » est définitivement la plus belle. L'accueil des hôtes est chaleureux, et le petit déjeuner délicieux.

■ **SWAN MOTEL**
960 Downie Street
✆ +1 519 271 6376
www.swanmotel.on.ca
info@swanmotel.ca
Chambre de 98 CAN $ à 122 CAN $.
Un charmant motel offrant trois catégories de chambres (standards, supérieures et de luxe). Les chambres sont équipées de deux lits doubles. Idéal pour les familles et les groupes d'amis. Le jardin du Swan est magnifique, un véritable lieu de détente et de relaxation. Piscine extérieure.

Luxe

■ **AUBERGINE B&B**
67 Brunswick Street ✆ +1 519 275 2170
www.aubergine.ca – abergine@cyg.net
Occupation double à quadruple : à partir de 250 CAN $. Petit déjeuner inclus.
Ici, on ne loue pas de chambre mais bien toute la maison ! Spacieuse et à aires ouvertes, elle dispose de deux chambres, d'un salon-salle à manger et d'une cuisine tout équipée. Récipiendaire de nombreux prix pour sa décoration élégante et contemporaine, cette maison historique n'a rien perdu de son cachet. Un vrai petit bijou !

■ **THE OLD RECTORY B&B**
218 Ontario Street
✆ +1 519 271 7498
info@oldrectorystratford.com
Occupation double : 185 CAN $. 5 chambres. Petit déjeuner inclus. Chalet indépendant : 285 CAN $ (un minimum de deux nuits est exigé). Kim et Kevin, tous deux passionnés du voyage et de l'hôtellerie, tiennent cette merveilleuse auberge nichée dans une maison historique. Les chambres sont décorées avec goût, arborant un air des plus champêtres, et deux disposent de balcon privé. Une superbe adresse détente !

Se restaurer

Bien et pas cher

■ **PAZZO PIZZERIA**
70 Ontario Street
✆ +1 519 273 6666
✆ +1 877 440 9666
www.pazzo.ca
info@pazzo.ca
Ouvert tous les jours, midi et soir. Menu midi : de 8 à 12 CAN $. Menu soir : de 8 à 17 CAN $. Pizza : de 12 à 17 CAN $.
Ce restaurant italien sert l'une des meilleures pizzas en Ontario. La pâte fine est croquante à souhait et le choix des ingrédients est raffiné. Jamais l'expérience d'une pizza au restaurant n'a été si agréable. Le restaurant sert également des pâtes et autres mets typiques de la gastronomie italienne. Le service est courtois et l'ambiance festive. Que ce soit pour manger ou simplement grignoter en sirotant un verre, le Pazzo est une adresse de choix. Notez qu'en saison estivale, le Ristorante du rez-de-chaussée offre une fine cuisine italienne.

Bonnes tables

■ **DOWN THE STREET**
30 Ontario Street
✆ +1 519 273 5886
www.downthestreet.ca
Ouvert tous les jours, midi et soir (fermeture annuelle en janvier). Menu midi : de 10 à 15 CAN $. Menu soir : de 20 à 30 CAN $.
Charmant restaurant avec un menu de type bistro et une carte des alcools élaborée. Une adresse hautement futée depuis plus de 15 ans et un arrêt obligé avant ou après une pièce de théâtre !

Luxe

■ **BIJOU RESTAURANT**
105 Erie Street
✆ +1 519 273 5000
www.bijourestaurant.com
De mai à novembre : vendredi-dimanche de 11h30 à 13h30, mardi-dimanche de 17h à 21h. Le reste de l'année : jeudi-samedi de 17h à 21h. Compter environ 40 à 50 CAN $.
Bijou de la cuisine française moderne, ce restaurant porte bien son nom. Les plats à la carte invitent à la gourmandise. La décoration des plats est soignée et les portions généreuses. Le Bijou est définitivement l'un des meilleurs restaurants en ville.

■ **THE CHURCH RESTAURANT**
70 Brunswick Street ✆ +1 519 273 3424
www.churchrestaurant.com
mark.craft@churchrestaurant.com
Ouvert en saison mardi-dimanche de 17h à 20h30 (20h le dimanche). Brunch le dimanche de 11h30 à 13h30. Menu à la carte : de 33 à 45 CAN $. Menu gourmand : 59 CAN $. Brunch : de 15 à 30 CAN $.
Si vous ne deviez choisir qu'un endroit où manger à Stratford, celui-ci se trouverait en haut de liste. Ancienne église reconvertie en restaurant en 1975, The Church fait partie des grandes tables de la région avec au menu une savoureuse cuisine française aux accents du terroir. The Belfry (beffroi), situé à l'étage supérieur, propose une cuisine de type bistro français avec quelques influences asiatiques. L'atmosphère y est plus décontractée et les prix un peu moins élevés. The Belfry est ouvert en saison également, midi et soir du mardi au samedi.

■ **SAPORI RISTORANTE**
116 Downie Street ✆ +1 519 273 7660
Mai à octobre : jeu-sam, dès 16h30. Avril, novembre et décembre : jeu-sam, dès 17h. Janvier à mars : sur réservation pour les groupes. Comptez environ 30 CAN $.
Un restaurant qui sert de la fine cuisine italienne. Nouvellement situé face au Théâtre Avon, ce restaurant, ouvert en 2002 a très vite séduit les habitants de cette charmante ville. Sa clientèle d'habitués apprécie les mets frais et raffinés que prépare le chef de cette cuisine familiale. Les plats de fruits de mers sont délicieux et les pâtes, toujours excellentes.

À voir / À faire

■ **THE DISCOVERY CENTER**
270 Water Street
✆ +1 519 271 4454
www.thediscoverycentre.ca
handsonfun@discoverycentre.ns.ca
En choisissant de vous rendre directement au Discovery Center, vous aurez la possibilité de visiter les quatre principales attractions de la ville à savoir le musée de Stratford, le Tula Center, la galerie 96 et le festival de Stratford. Le site est très plaisant et mérite le déplacement.

■ **STRATFORD PERTH MUSEUM**
RR #5, Highway 8 West
4275 Huron Road,
✆ +1 519 393 5311
www.stratfordperthmuseum.ca
lcarter@stratfordperthmuseum.ca
De septembre à mai : mardi-samedi de 10h à 16h. De mai à septembre : dimanche-lundi de 12h à 17h, mardi-samedi de 10h à 17h. Entrée libre (dons encouragés).
Un musée attractif qui combine histoire et éducation. Des programmes d'histoire sont offerts au musée à la journée ou à la demi-journée pour des prix ridicules (environ 5 CAN $). Ceux qui ont soif de savoir se régaleront. Le jour de la Saint-Patrick, le musée s'anime sur les sons de la musique irlandaise.

ST. JACOBS

A l'ouest de Toronto, dans la belle région de Kitchener-Waterloo, ce village mennonite perpétue le passé. Les mennonites s'y déplacent encore en carriole et restent fidèles à leur sévère tenue sombre. Ils ont sciemment décidé de vivre selon les traditions et les valeurs du début du XIXe siècle.

Se restaurer

■ **STONE CROCK BAKERY**
1402 King Street North
✆ +1 519 664 3612
Boulangerie artisanale qui vaut vraiment le détour !

À voir / À faire

■ **BASS PRO SHOP**
Pendant que les ados s'amusent, les parents peuvent partir à la découverte du Bass Pro Shop. Cette boutique de plein air exceptionnelle se trouve à Vaughan, au nord de Toronto, dans un centre commercial qui plaira tout autant aux autres membres de la famille. Tout près, les amateurs d'art trouveront la Collection McMicheal d'art canadien, avec un grand nombre d'œuvres du Groupe des Sept et d'art inuit et autochtone, établie à Kleinburg.

■ **CANADA'S WONDERLAND**
Sans oublier Canada's Wonderland, un parc d'amusement où les manèges éprouvent les lois de la physique, notamment celle de la gravité…

■ **THE MAPLE SYRUP MUSEUM**
1441 King Street North
✆ +1 519 664 1232
www.stjacobsmaplesyrup.com
sshantz@stjacobs.com
Situé au troisième étage du Country Mill, le musée décrit l'histoire de la production du sirop d'érable. On y retrouve une exposition de photos et d'outils qui illustrent cette industrie.

■ **THE MEMONNITE STORY VISITOR CENTER**
1406 King Street North
✆ +1 519 664 3518
Admission : 4 CAN $ par personne.
Le centre raconte l'histoire des mennonites du village de St. Jacobs. Une communauté religieuse fervente dont les membres vivent encore aujourd'hui à la manière de leurs ancêtres, refusant le style de vie du monde moderne. Habillés tout en noir, ils mènent une vie simple dans des régions rurales. Films, exposition de photos attendent les visiteurs. Fascinés par ses communautés qui refusent de se laisser embarquer par le flux de la modernisation, les visiteurs auront l'occasion de voir cette culture de près et de mieux comprendre la foi mennonite.

■ **OBSERVATOIRE DAVID DUNLAP**
La région d'York vous promet le ciel, grâce à l'observatoire David Dunlap. A travers le plus gros télescope du Canada, vous explorerez la voûte céleste nocturne. Les vendredis et samedis de juillet et d'août, les chercheurs font une présentation de 50 min avant d'ouvrir les portes de l'observatoire pour contempler la Lune, Mars, Jupiter, Saturne, les étoiles et les galaxies. Légendes entourant certaines constellations fournies !

■ **REPTILIA**
Parmi les différents centres de divertissement, Reptilia surprend avec ses crocodiles, cobras, tortues et autres amphibiens et reptiles qui attendent les petits. Ce zoo intérieur s'est donné comme mandat de faire mieux connaître cette importante composante de nos écosystèmes. La programmation éducative, qui peut aussi être offerte en français, s'impose dans le plus grand zoo d'animaux à sang froid du pays. Saurez-vous garder le vôtre ?

Shopping

■ **ST. JACOB'S FARMER'S MARKET & FLEA MARKET**
878 Weber Street North, Waterloo
✆ +1 519 747 1830 – www.stjacobs.com
markets@stjacobs.com
Ouvert le jeudi et samedi toute l'année et le mardi durant l'été. Un des grands marchés de producteurs du pays. Six cents kiosques de produits locaux, viandes, fromages et artisanat. Mets régionaux ou internationaux.

■ **STONE CROCK MEATS & CHEESE**
1386 King Street North ✆ +1 519 664 3610
Mention spéciale pour cette boutique de fromages et de charcuteries, située au cœur du village, à deux pas de la boulangerie artisanale.

RIVE DU LAC ÉRIÉ

Parcourir la route 3, entre les champs pastoraux et le lac Erié, peu profond, chaud, aux rives sablonneuses, réchauffe la peau. La richesse de la faune et les décors agricoles et portuaires émerveillent les visiteurs à la recherche d'un séjour de détente et de découverte.

WINDSOR

Windsor est la ville la plus méridionale du Canada. Située en bordure de la rivière Detroit à l'extrême sud-ouest de la province de l'Ontario, elle compte plus de 200 000 habitants. Nichée dans la riche péninsule agricole située entre les lacs Erié et Sainte-Claire, elle est la porte d'entrée de millions de visiteurs au pays. Après la fusion de plusieurs municipalités le long de la rivière Detroit et du lac Sainte-Claire, le grand Windsor comprend aujourd'hui les villes de Tecumseh, d'Essex et de Lakeshore, le village de St. Clair Beach, et les cantons de Sandwich West, de South Maidstone, de Rochester et de Colchester North.

Transports

Comment y accéder et en partir

Windsor est située à 190 km de London, qu'on peut rejoindre en 2 heures 15 en voiture, 370 km de Toronto (4 heures), 715 km de Sudbury (8 heures 15), 805 km d'Ottawa (8 heures 40) et 900 km de Montréal (9 heures 40). Plusieurs routes desservent la région du Grand Windsor. Voici les principaux accès routiers en fonction des régions de départ :

- **Région du Grand Toronto** : prenez l'autoroute Queen Elizabeth Way (QEW), puis les autoroutes 403 et 401.
- **Région de la péninsule de Niagara et de la rive nord du lac Erié** : prenez l'autoroute QEW, puis 403 et 401. Vous pouvez également prendre la route 3 qui traverse toute la région de Fort Erie à Windsor.
- **Région du lac Huron et de la péninsule Bruce** : prenez la route côtière 21, puis la 8 et la 4. Prenez l'autoroute 401 au sud de London.

■ **VIA RAIL**
298 Walker Road
✆ +1 888 842 7245
www.viarail.ca
relations_clientele@viarail.ca
Heures d'ouverture de la gare : lundi-dimanche de 5h15 à 23h30. Heures d'ouverture de la billetterie : lundi-dimanche de 5h15 à 19h30.

■ **WINDSOR BUS TERMINAL**
300 Chatham Street West
✆ +1 519 254 7575
www.greyhound.ca
Heures d'ouverture de la gare routière et de la billetterie : lundi-dimanche de 7h à 21h.

■ **WINDSOR INTERNATIONAL AIRPORT**
3200 County Road 42
✆ +1 519 969 2430
www.yqg.ca
info@yqg.ca
Vols desservant Toronto (Air Canada) et Pelee Island (CameronAir). Pour se rendre de ou vers l'aéroport en transport en commun, prendre la ligne 8 (route Walkerville).

Se déplacer

■ **NATIONAL CAR RENTAL**
160 Eugenie Street West
✆ +1 519 966 7070
✆ +1 877 222 9058

■ **TRANSIT WINDSOR**
3700 North Service Road East
✆ 311
✆ +1 519 944 4111
www.citywindsor.ca/transitwindsor
tw@city.windsor.on.ca
Billet adulte : 2,45 CAN $ (10 billets pour 21,30 CAN $).

Pratique

■ **CENTRE D'INFORMATION TOURISTIQUE WINDSOR PARK**
✆ +1 519 973 138

■ **CONVENTION & VISITORS BUREAU OF WINDSOR, ESSEX COUNTY & PELEE ISLAND**
333 Riverside Drive West, Suite 103
✆ +1 519 255 6530
✆ +1 800 265 3633
www.visitwindsor.com
info@tourismwindsoressex.com

▸ **Autre adresse :** Centre d'information aux visiteurs : Caesars Windsor ✆ +1 519 258 7878

Se loger

Bien et pas cher

■ **TRAVELODGE WINDSOR AMBASSADOR BRIDGE**
2330 Huron Church Road, Windsor South
✆ +1 519 972 1100, +1 800 578 7878
www.travelodge.com – whg7117@whg.com
Occupation double : à partir de 89 CAN $.
Rénové, cet hôtel offre des chambres spacieuses, confortables et très bien équipées. Le petit déjeuner continental, inclus dans le prix de la chambre, est très copieux. La grande piscine intérieure chauffée, le Jacuzzi, le centre de conditionnement physique, l'aire de jeux pour les enfants, le stationnement gratuit et l'accès à Internet sans fil sont autant de services offerts par le Travelodge pour rendre le séjour encore plus agréable. C'est un excellent rapport qualité-prix.

■ **UNIVERSITY OF WINDSOR CONFERENCE AND ACCOMMODATION CENTRE**
401 Sunset Avenue ✆ +1 519 253 3000
www.conferences.uwindsor.ca/
confserv@uwindsor.ca
Types d'hébergement : chambre individuelle, chambre partagée avec deux lits simples, suite avec deux chambres et une cuisinette, maison à cinq chambres. Le coût du séjour est plus que raisonnable et inclut des services très appréciés des visiteurs comme les petits déjeuners continentaux, le ménage quotidien, la blanchisserie sur place, les téléphones, le centre d'affaires et le stationnement adjacent. Service de restauration sur place. Une adresse à retenir pour les petits budgets, que l'on voyage seul, en couple ou en famille.

■ **THE WINDSOR CAMPGROUND**
Windsor South, 4855 Ninth Concession
✆ +1 519 735 3660, +1 866 258 5554
www.windsorcampground.ca
info@windsorcampground.ca
Ouvert de mi-avril à mi-octobre. De 31 à 42 CAN $ l'emplacement. Tarifs à la semaine et au mois disponibles. Chalet rustique : 55 CAN $.
Situé dans une zone rurale à quelques minutes de Winsdor, ce camping offre une gamme complète de services pour camper dans un environnement propre et bien entretenu. Le parc est idéal pour les familles. De nombreuses activités sur le site occupent petits et grands (minigolf, fers à cheval, aires de jeu, piscine, pêche sur le lac, volley-ball, basket-ball, locations de vélo, calendrier d'activités quotidiennes, sentiers pédestres).

Confort ou charme

■ AMBER SUNSET BED & BREAKFAST

1575 Riverside Drive West
✆ +1 519 256 3031
www.wincom.net
ambersunset@wincom.net
Occupation double : 75 CAN $-125 CAN $.
Situé au bord de l'eau, l'hôtel jouit d'une localisation superbe. Les chambres sont spacieuses et joliment décorées. En empruntant la route du parc, le long des rives de la rivière, le visiteur se retrouve au centre-ville en une dizaine de minutes. À cet effet, les propriétaires mettent à la disposition des clients des vélos pour faciliter la découverte de la ville. Le petit déjeuner préparé par la propriétaire est délicieux.

■ ARGYLE MANOR BED & BREAKFAST

1138 Argyle Road ✆ +1 519 255 7558
www.argylemanorbb.com
argylemanor@argylemanorbb.com
Occupation double : de 89 à 189 CAN $. 6 chambres. Petit déjeuner inclus.
Situé au cœur du quartier historique Olde Walkerville, ce beau manoir en brique rouge accueille sa clientèle dans un décor marqué par l'hospitalité et la courtoisie anglo-saxonnes. Les chambres et suites sont confortables et agréables. Le matin, les bonnes odeurs qui se dégagent de la cuisine réveillent nos sens ! Un délice.

■ BRANTEANEY'S BED & BREAKFAST INN

Windsor South, 1649 Chappus Street
✆ +1 519 966 2334, +1 866 966 1405
Occupation double : de 90 à 195 CAN $. 3 chambres. Petit déjeuner inclus.
Logement luxueux situé sur un domaine de trois hectares. Un lieu de repos et de détente, idéal pour les personnes à la recherche de sérénité. Les chambres sont élégantes, confortables et très bien équipées. Les espaces communs comme le coin cheminée est l'endroit rêvé pour bouquiner en toute tranquillité. Le jardin interminable est une invitation à la relaxation et à la méditation. Et le centre-ville est à moins de 10 min du domaine… Que demander de plus ?

■ CAESARS WINDSOR HOTEL

377 Riverside Drive East
✆ +1 519 258 7878, +1 800 991 8888
www.casinowindsor.com
Occupation double : à partir de 129 CAN $. Forfaits disponibles.
Ce grand hôtel de Windsor offre 758 chambres et suites à ses invités. Une piscine intérieure, un Jacuzzi, un sauna, et un centre de conditionnement physique sont également disponibles pour aider les clients à se détendre après une nuit au casino. Les chambres spacieuses et aux tons chaleureux donnent soit sur l'eau, soit sur la ville, mais dans les deux cas la vue est superbe.

■ THIS OLD HOUSE BED & BREAKFAST

7005 Essex County,
Road 46, Hwy 77
✆ +1 519 687 3850
www.thisoldhouse.com
Chambre double entre 75 $ et 85 $.
Datant de 1876, cette maison victorienne offre aux invités la possibilité de séjourner dans l'une de ses quatre belles chambres. Les matériaux utilisés pour décorer les chambres et la demeure sont d'une très grande qualité. Dans un environnement non fumeur, le visiteur profite de son séjour dans cette maison empreinte d'histoire, le salon est agréable et la piscine extérieure très appréciée l'été.

■ THE WINDSOR INN ON THE RIVER B&B

3857 Riverside Drive East
✆ +1 519 945 2110, +1 866 635 0055
www.windsorinnontheriver.com
info@windsorinnontheriver.com
Occupation double : à partir de 99 CAN $. Tarifs hors saison disponibles. 5 chambres. Petit déjeuner inclus.
Sur les rives de la rivière Detroit, en face du parc Alexander, cette immense maison d'époque toute blanche vous séduira dès le premier abord. Ses magnifiques suites, nommées en l'honneur des nombreux parcs riverains de la ville, sont une invitation à la détente et au calme. Une belle adresse pour un séjour des plus reposants, avec un accès rapide à toutes les attractions de Windsor.

■ YE OLDE WALKERVILLE B&B

1104 Monmouth Road
✆ +1 519 254 1507
www.wescanada.com/walkervillebb
walkervillebb@wescanada.com
Occupation double : à partir de 109 CAN $. 5 chambres. Petit déjeuner inclus.
La famille Strong est propriétaire de ce charmant Couette & Café. Chaque chambre, ainsi que le bureau et le salon de thé, porte le nom d'un des petits-enfants de Wayne Strong. La décoration est simple, avec un brin de nostalgie d'antan, et on s'y sent comme à la maison. Bon rapport qualité-prix.

Luxe

■ HILTON WINDSOR
277 Riverside Drive West
✆ +1 519 973 5555, +1 800 445 8667
www.hilton.com
Occupation double : à partir de 169 CAN $, petit déjeuner inclus. Forfaits disponibles.
Du haut de ses 22 étages, le Hilton Windsor met à la disposition des visiteurs 305 chambres très bien équipées et décorées, bénéficiant toutes d'une incroyable vue sur la rivière Detroit. Les tons beiges, marron et bleus des chambres sont doux et apaisants. La suite junior est magnifique et offre l'une des plus belles vues de la ville de Windsor. Un service de navette vers le casino est disponible pour les amateurs de jeux de hasard.

Se restaurer

Bien et pas cher

■ ELIAS DELI EATERY
100 Ouellette Avenue
✆ +1 519 256 8166
Ouvert toute l'année. Compter environ 10 CAN $. Situé au cœur du centre-ville de Windsor, ce restaurant, datant de 1976, sert les meilleurs sandwichs à base de viandes fumées en ville. Dans une atmosphère détendue, le client choisit entre les différents club-sandwichs offerts. Les plats sont accompagnés de salades et de frites. Les portions sont généreuses et la viande un pur délice.

■ FRANCO'S RESTAURANT
1545 Tecumseh Road East
✆ +1 519 258 3151
www.francospizza.ca
jobs@francosrestaurant.ca
Ouvert tous les jours (brunch le dimanche de 11h à 14h). Menu midi : de 5 à 10 CAN $. Menu soir : de 5 à 20 CAN $. Menu pizza : à partir de 11 CAN $.
Ce restaurant italien est une véritable institution à Windsor. Ouvert depuis 1958, il sert les meilleurs brunchs en ville. Les plats sont variés et copieux, et les prix plus que raisonnables. Mais attention, il est situé loin du centre-ville. Pour ceux qui voyagent sans voiture, optez pour une autre adresse.

■ MANDARIN HOUSE SZECHUAN & CANTONESE RESTAURANT
331 Ouellette Avenue
✆ +1 519 252 6188
www.mandarinhousewindsor.com
Cuisine asiatique. Lundi-jeudi de 11h à 21h, vendredi de 11h à 21h30, samedi de 17h à 23h, dimanche de 16h à 21h. Menu à la carte : de 5 à 12 CAN $.
Spécialisé dans la cuisine de Hong Kong, ce restaurant propose des plats sichuanais fabuleux. Le service est courtois et les prix sont très abordables. Une cuisine familiale authentique qui vaut le détour.

■ MILA'S GELATO
500 Ouellette Avenue
✆ +1 519 256 7007
milasgelato@yahoo.ca
Ouvert toute l'année. Compter environ 5 à 10 CAN $.
Situé au centre-ville, le Mila's prépare les meilleures crèmes glacées en ville. Le café est également la spécialité de la maison : les expressos sont divins et nous rappellent la légèreté du café canadien. Le midi, les paninis et les salades sont un bon choix. Le service est courtois et l'atmosphère détendue.

■ MIMI GARDENS RESTAURANT
440 Tecumseh Road East
✆ +1 519 258 1893
www.mimigardensrestaurant.com
Cuisine vietnamienne. Mardi-jeudi de 11h à 14h et de 16h à 22h, vendredi de 11h à 22h, samedi de 16h à 22h, dimanche de 16h à 21h. Fermé lundi. Menu à la carte à partir de 5 CAN $.
Ce restaurant vietnamien sert des plats frais et diététiques. La carte offre une longue liste de plats. Les nouilles, les plats à base de bœuf, de crevettes et de poulet sont disponibles. Les rouleaux printaniers aux crevettes sont délicieux. Les végétariens seront également ravis du choix des plats qui leur sont offerts. Une adresse hautement futée !

■ WAH COURT RESTAURANT
2037 Wyandotte Street West
✆ +1 519 254 1388
www.wahcourtrestaurant.com
eat@wahcourtrestaurant.com
Cuisine asiatique. Dimanche-jeudi de 11h à 22h30, vendredi de 11h à 23h30, samedi de 10h à 23h30. Menu à la carte : de 5 à 20 CAN $.
Wah Court se spécialise dans la cuisine cantonnaise de Hong Kong. Un menu effarant de plats et de combinaisons, le tout à petits prix. Le *dim sum* est servi tous les jours jusqu'à 17h.

Bonnes tables

■ BLUE DANUBE RESTAURANT

1235 Ottawa Street
✆ +1 519 252 0246, +1 800 963 1903
www.bluedanuberestaurant.com
info@bluedanuberestaurant.com
Dimanche et mardi-jeudi de 11h à 22h, vendredi-samedi de 11h à 23h. Fermé lundi. Menu midi : de 10 à 15 CAN $. Menu soir : de 15 à 20 CAN $.
Ce restaurant hongrois sert une cuisine maison authentique et délicieuse. Le chef est un perfectionniste, et cela se sent dans ses recettes. La fusion entre la cuisine hongroise et continentale est très bien réussie pour le plus grand plaisir des clients. Le Blue Danube est un secret bien gardé à Windsor.

■ COOK'S SHOP RESTAURANT

683 Ouellette Avenue ✆ +1 519 254 3377
Compter environ 20 $. Dans une ambiance intime, les couples dégustent les délicieux plats préparés par les chefs du Cook's Shop. Les plats de pâtes sont délectables et les sauces savoureuses. Les plats de viandes et de fruits de mer sont bons, mais relativement chers. Toutefois pour les pâtes, ils sont une référence à Windsor, et ce depuis 1980.

■ THE GOURMET EMPORIUM

1799 Wyandotte Street East
✆ +1 519 915 0813
www.gourmetemporium.ca
Mardi-samedi dès 16h. Fermé dimanche-lundi.

▸ **Autre adresse :** 1077 Ouellette Avenue ✆ +1 519 915 9793

■ HOUSE OF INDIA RESTAURANT

325 Ouellette Avenue ✆ +1 519 256 1122
Cuisine indienne. Compter environ 20 $.
L'un des meilleurs restaurants indiens en ville. La maison India offre des plats copieux et raffinés. Les entrées sont délicieuses, on aime les samosas et le caviar d'aubergine. Le poulet au beurre, le poulet tandoori, le massala aux légumes sont délicieux. L'endroit est idéal pour les personnes qui apprécient la cuisine colorée et épicée. Le service est courtois et l'ambiance décontractée.

■ THE KEG STEAKHOUSE & BAR

1 Riverside Drive West
✆ +1 519 254 1646
www.kegsteakhouse.com
Ouvert tous les jours dès 15h. Menu à la carte : de 15 à 40 CAN $.
Une adresse classique au Canada pour ceux et celles qui raffolent de steak, de filet mignon et de brochettes. Mais le Keg de Windsor ne se limite pas à la préparation de viandes. Il profite de sa situation géographique pour offrir à sa clientèle de délicieux plats de fruits de mer et de poissons. Que ce soit pour un souper en amoureux ou une sortie entre amis, le Keg est toujours une bonne adresse. Le service est très courtois et l'ambiance chaleureuse.

▸ **Autre adresse :** 490 Division Road ✆ +1 519 969 3146

■ MAY WAH INN CHINESE CUISINE

1689 University Avenue West
✆ +1 519 256 4755
Cuisine asiatique. Compter environ 25 $.
On n'y va pas pour l'ambiance et le décor, mais bien pour la nourriture exceptionnelle de ce restaurant. Une cuisine chinoise authentique attend les visiteurs. La clientèle d'habitués raffole avec raison des mets préparés par les chefs du May Wah. C'est le rendez-vous de la communauté asiatique qui vient y célébrer leurs fêtes. L'un des meilleurs restaurants chinois de la province.

■ OISHII

255 Ouellette Avenue
✆ +1 519 971 9916
www.255downtown.com/oishiilounge/
info@255downtown.com
Cuisine japonaise. Lundi-mercredi de 11h30 à 22h, jeudi-vendredi de 11h30 à minuit, samedi de 12h à minuit, dimanche de 12h à 21h. Menu à la carte : de 10 à 25 CAN $.
Si ce restaurant est parfois difficile à trouver, il vaut réellement le détour. Les sushis sont délicieux et le rapport qualité-prix incroyable. Nous vous invitons à essayer le menu Omakase, un véritable moment de bonheur pour les gourmands.

Luxe

■ HIKARI JAPANESE RESTAURANT

345 Victoria Ave ✆ +1 519 255 7711
www.hikariwindsor.com
Compter environ 30 $.
Servant une cuisine japonaise authentique, le Hikari se distingue par la qualité de ses *sashimis* et *makis*. Ceux qui ne raffolent pas des mets crus japonais, pourront déguster le savoureux poulet *terriyaki* préparé par le chef, un véritable délice. La soupe *miso* est également très bien réussie. Le Hikari est une belle découverte pour tous les amoureux de cette gastronomie.

Sortir

Cafés / Bars

■ KILDARE HOUSE
1880 Wyandotte Street East
© +1 519 252 4003
Situé dans le quartier historique de la ville, ce pub propose à ses clients des bières de microbrasseries (maison) en fût et un choix de 13 bières importées. Les clients dégustent leurs boissons sur la terrasse l'été ou en assistant aux spectacles de musique live.

■ MICK'S IRISH PUB
28 Chatham Street East
© +1 519 252 3111
www.micksirishpubwindsor.com
info@micksirishpubwindsor.com
Lundi-mardi de 11h à 22h, mercredi de 11h à minuit, jeudi-samedi de 11h à 2h. Fermé dimanche.
Une soirée dans un pub irlandais est pratiquement toujours synonyme de bon temps. Pour accompagner votre pinte de Guinness et votre burger, des groupes musicaux de musique folk et celte se produisent plusieurs soirs par semaine.

■ PATRICK O. RYAN'S
25 Pitt Street East
© +1 519 977 5722
Chaque ville canadienne a son pub irlandais, et Windsor n'échappe pas à la règle. Dans une ambiance musicale celtique les clients boivent de la bière et dégustent les mets anglo-saxons. Une belle expérience.

■ THE WHISKEY BAR AND GRILL
300 Ouellette Avenue
© +1 519 977 7875
www.thewhiskey.ca
info@thewhiskey.ca
Ouvert tous les jours. Menu à la carte : de 5 à 20 CAN $.
Pour ceux qui aiment les spectacles live de musique rock, le Whiskey Bar accueille des concerts les vendredis et samedis soir. Vous pouvez également y goûter de succulentes grillades.

Clubs et discothèques

■ DEAN MARTINI'S
Upper Windsor
63 Pitt Street East,
© +1 519 255 1169
www.deanmartinis.com
reservations@deanmartinis.com
Ouvert du vendredi au dimanche. Droits d'entrée. Drinks à 2,75 CAN $ et bières à 3,50 CAN $ (sauf le dimanche).
Soirées : vendredi Etudiant (entrée gratuite sur présentation d'une carte d'étudiant), samedi Rythmes (musique top hits et électro), dimanche Live band (concerts live).

■ THE ROOM
255 Ouellette Avenue
© +1 519 252 5991
www.255downtown.com/room/
theroom255@hotmail.com
Ouvert vendredi et samedi. Tenue de ville exigée. Drink à 3 CAN $ le vendredi.
Probablement la discothèque la plus courue à Windsor !

À voir / À faire

■ CANADIAN HISTORICAL AIRCRAFT ASSOCIATION
Airport Road
© +1 519 966 9742
www.ch2a.ca – museum@ch2a.ca
Venez découvrir l'histoire de l'aviation canadienne et voyez de plus près d'anciens modèles d'aéronefs. Quelques événements spéciaux y sont organisés pendant l'année.

■ MACKENZIE HALL
3277 Sandwich Street
© 311, +1 519 255 7600
www.citywindsor.ca/000219.asp
mackhall@city.windsor.on.ca
Mardi-samedi de 10h à 17h (jusqu'à 21h le vendredi). Entrée libre.
Le Mackenzie Hall a été construit en 1855 par Alexandre Mackenzie qui fut Premier ministre du Canada. L'ameublement original de cet ancien tribunal est préservé. Des pièces de théâtre y sont dorénavant présentées, et on y trouve également plusieurs galeries d'art. Les visites de groupe sont disponibles sur demande.

■ ROYAL WINDSOR CRUISES
9200 Riverside Drive East
Lakeview Park Marina
© +1 519 971 8843, +1 877 971 8843
www.senatorofwindsor.com
info@windsorcruise.com
Croisière guidée : départ tous les jours en été à 14h30. Adulte : 22,50 CAN $. Croisières avec repas également offertes (de 39,50 à 59 CAN $). Montez à bord du *M/V Senator* pour une croisière guidée sur la rivière Detroit. Service de restauration à bord.

■ WINDSOR'S COMMUNITY MUSEUM

254 Pitt Street West ✆ +1 519 253 1812
www.citywindsor.ca/002821.asp
wmuseum@city.windsor.on.ca
Mardi-samedi de 10h à 17h, dimanche de 14h à 17h de mai à septembre, du mardi au samedi le reste de l'année. Entrée libre (dons encouragés).
Logé dans la plus ancienne maison de Windsor, le musée raconte l'histoire de la région et de ses habitants, des premières nations aux premiers colons français et britanniques, en passant par les immigrés d'autres cultures. Boutique cadeaux sur place.

■ THE WINDSOR WOOD CARVING MUSEUM

850 Ouellette Avenue
✆ +1 519 977 0823
www.windsorwoodcarvingmuseum.ca
woodca[illegible]@windsorpubliclibrary.com
Ouvert du mardi au vendredi de 10h à 17h, samedi jusqu'à 16h. Entrée libre.
Seul musée dédié à l'histoire du découpage du bois en Ontario, une grande pièce présente de nombreux objets et outils. Une boutique cadeaux pour les visiteurs à la recherche d'idées… de cadeaux ! Des démonstrations sont offertes plusieurs fois par semaine en été.

■ XS FAMILY FUN CENTER

1930 Ambassador Drive
✆ +1 519 972 6748
www.xsfamilyfuncentre.com
Ouvert tous les jours (horaire variable selon la saison et le centre). Laser Tag : à partir de 8 CAN $. Go-karts : 6 CAN $ par course. Minigolf : 7 CAN $ par partie. Jetons pour arcades : 1 à 20 CAN $. Une foule d'activités attendent petits et grands. Du karting au laser tag, le centre assurera à sa clientèle une journée de divertissement absolu.

▸ **Autre adresse :** 1655 Lauzon Road ✆ +1 519 974 5768

Sports / Détente / Loisirs

■ GANATCHIO TRAIL

✆ 311, +1 519 253 2300
www.citywindsor.ca/000369.asp
parkrec@city.windsor.on.ca
La ville de Windsor possède un excellent réseau de pistes cyclables dont la Ganatchio Trail. S'étirant sur 8 km, de Windsor à Tecumseh, cette piste offre un superbe paysage traversant tantôt la ville, longeant ensuite la rivière Detroit.

AMHERSTBURG

L'histoire riche de ce petit village, son passé militaire, sa mosaïque ethnique et son développement économique le long de la rivière Detroit font de ce lieu une escapade culturelle des plus intéressantes.

À voir / À faire

■ COLIO ESTATE WINES

1, promenade Colio
✆ +1 800 265 1322
www.colio.com
Premier domaine viticole à s'être établi dans la région, le domaine Colio est l'un des maîtres incontestés de la viticulture canadienne. Avec une production annuelle de 1,7 million de litres de vin, il est plus grand producteur de la région.

■ LIEU HISTORIQUE NATIONAL DU CANADA DU FORT MALDEN

100 Laird Avenue
✆ +1 519 736 5416
www.pc.gc.ca/malden
ont.fort-malden@pc.gc.ca
Ouvert tous les jours de mai à novembre de 10h à 17h (13h à 17h en semaine en septembre et octobre), sur réservation le reste de l'année. Adulte : 3,90 CAN $.
Ce fort a été construit en 1796 pour protéger le pays lors de la guerre de 1812 et la rébellion de 1837 qui opposaient le Canada aux Etats-Unis. Ce site historique offre de nombreuses activités, notamment des démonstrations et des spectacles qui illustrent la vie des soldats canadiens de l'époque.

■ THE NORTH AMERICAN BLACK HISTORICAL MUSEUM

277 King Street
✆ +1 519 736 5433
✆ +1 800 713 6336
www.blackhistoricalmuseum.org
nabhm@mnsi.net
Ouvert du mardi au vendredi de 12h à 17h, samedi-dimanche de 13h à 17h. Adulte : 5,50 CAN $.
Ce musée d'histoire expose l'évolution des Noirs nord-américains, des origine africaines jusqu'à la société occident actuelle où ils occupent une place for mentale. Les expositions portent chemin de fer souterrain, le règ noir canadien et les accomplissem termes de droits et reconnaiss peuples.

■ **PARK HOUSE MUSEUM**
Kings Navy Yard, 214 Dalhousie Street
✆ +1 519 736 2511
www.parkhousemuseum.com
contact@parkhousemuseum.com
De juin à septembre : tous les jours de 11h à 16h. Le reste de l'année : fermé le week-end. Entrée libre (dons encouragés).
Construit vers 1790, ce parc immobilier est considéré comme l'un des premiers prototypes de la construction dite pièce sur pièce. Lorsque la ville de Détroit a été cédée aux Etats-Unis, les propriétaires de ces maisons ont décidé de démonter le tout et de se rendre à Amherstburg. Aujourd'hui, ce parc immobilier est un musée ouvert qui accueille les écoliers de la région, mais n'en reste pas moins un intéressant lieu à visiter pour les grands.

■ **VIGNOBLE D'ANGELO**
✆ +1 888 098 8317
www.wineroute.com/guide.html
info@winesofontario.org
Dégustation à 5 $.
C'est depuis 1983 que le maître Angelo produit ses excellents vins. Reconnu pour son cabernet, son pinot noir et son maréchal Foch qui remportent régulièrement des prix, le chef propose aux visiteurs des dégustations accompagnées de plateaux de fromages et de charcuteries du coin.

L'ÎLE PELÉE

Juste au sud de la pointe, cette île est le point le plus au sud du Canada. Elle n'est qu'à un degré de Napa Valley ! Le climat s'y avère tout aussi agréable qu'en Californie. Dès les années 1860, les vignobles y lançaient la production commerciale de vin, ce qui leur confère le statut de plus anciens du pays. Le charme de cette île, qui compte 275 résidents permanents, passe aussi par son rythme, qu'on peut illustrer par l'absence de banque et de guichet automatique. Le temps semble s'être figé, un jour de vacances. Les cyclistes apprécieront la tournée riveraine de 56 km, dans son atmosphère à la fois champêtre et romantique. Le tour de l'île mène des ruines du premier vignoble du Canada au port de ...che, puis dans les marais. Un passage ...Pelee Island Winery Pavilion terminera la ...ée en beauté.

■ **...ARIO FERRIES - MV JIIMAAN**
...9 724 2115, +1 800 661 2220
...rioferries.com
...rioferries.com
Départs de Leamington (au bout de Erie Street) ou Kingsville (quai municipal sur Park Street). En opération d'avril à mi-décembre. Adulte : 7,50 CAN $, voiture : 16,50 CAN $ (réservation obligatoire pour un véhicule).

■ **PELEE ISLAND WINERY PAVILION**
20 East West Road
✆ +1 519 733 6551, +1 800 597 3533
www.peleeisland.com
pavilion@peleeisland.com
Contrée vinicole commerciale la plus ancienne du pays, l'île Pelée compte les premiers vignobles du pays établis il y a plus d'un siècle. Lorsque vous serez sur l'île, une visite au Pelee Island Pavilion s'impose. Vous y dégusterez des crus célèbres en profitant de la beauté des lieux. De mai à octobre, des événements spéciaux s'y déroulent pour le plus grand plaisir des visiteurs.

■ **LA POINTE-PELEE**
Deux parcs nationaux fascineront les férus de plein air : le parc provincial Wheatley (✆ +1 519 825 4659) et le parc provincial Rondeau (route 15, Morpeth (✆ +1 519 674 1750), où les amoureux de la nature pourront observer un écosystème d'une richesse phénoménale et auront peut-être la chance d'apercevoir un opossum, seul marsupial canadien.

LEAMINGTON

Point d'entrée pour le parc national de la Pointe-Pelée et des excursions vers l'île Pelée, Leamington est une jolie petite ville qui sert souvent d'escale pour les nombreux visiteurs attirés par cette région unique au Canada.

Se loger

Bien et pas cher

■ **RONDEAU PROVINCIAL PARK**
RR # (Highway 15), Morpeth
✆ +1 519 674 1750
www.ontarioparks.com
Camping : 262 emplacements aménagés (152 avec électricité). Emplacement à partir de 25,75 CAN $.
Situé sur un impressionnant cordon sableux qui s'avance dans le lac Érié, le parc Rondeau abrite de délicates dunes et des marais où les hérons, les butors et les râles font leurs nids. Des herbes des prairies poussent dans les prés ensoleillés au pied de chênes et de pins gigantesques. En sillonnant les sentiers aménagés vous pourrez découvrir des espèces animales rares comme la paruline orangée et la tortue à carapace molle.

Confort ou charme

■ AN ISLAND VIEW BED & BREAKFAST AND GUESTHOUSE

470 Talbot Street West
✆ +1 519 326 0821, +1 877 600 2855
Occupation double : 115 CAN $-130 CAN $.
Ce charmant petit hôtel met à la disposition de sa clientèle quatre chambres en tout. Les chambres à la décoration contemporaine sont confortables et coquettes certaines ont une vue sur le lac Érié. Un copieux petit déjeuner est servi tous les matins dans la salle à manger l'hiver et sur la terrasse l'été. Vous vous régalez en contemplant la beauté à la fois sauvage et paisible des rives du lac Érié.

■ MALBOROUGH HOUSE B&B

49 Malborough Street West
✆ +1 519 322 3953, +1 866 530 4389
www.malboroughhouse.ca
info@malboroughhouse.ca
Occupation double : à partir de 114 CAN $.
3 chambres. Petit déjeuner inclus.
Magnifique maison de campagne transormée en Couette & Café avec un superbe terrain verdoyant et une piscine creusée pour les chaudes journées d'été.

■ RAMADA LEAMINGTON

201 Erié Street. N
✆ +1 519 325 0260, +1 800 340 9841
Chambre double et suite de 125 $ à 180 $.
Petit déjeuner continental inclus.
Considéré comme le plus bel hôtel de Leamington, le Ramada offre certainement des services appréciés dans cette région où les installations ne sont pas toujours confortables. Pour ceux qui aiment découvrir la richesse géographique et naturelle d'un territoire tout en passant la nuit dans un confort moderne, le Ramada est alors un choix intéressant. Si les chambres sont très confortables, la beauté des meubles est mitigée. Toutefois les salles de bains sont belles, et les suites familiales ainsi que les chambres représentent un très bon rapport qualité-prix. Le petit déjeuner continental est compris dans le prix de la chambre avec fruits, jus frais, thé, café, viennoiseries et muffins... La piscine intérieure chauffée est un vrai bonheur après les longues journées de randonnées au parc de la Pointe-Pelée.

■ THE SEACLIFFE INN

388 Erie Street South
✆ +1 519 324 9266
www.seacliffeinn.com
info@seacliffeinn.com
Occupation double : à partir de 150 CAN $.
23 chambres. Forfaits disponibles.
Au cœur d'une région riche en découvertes naturelles et culinaires, le Seacliffe Inn offre à ses clients des installations confortables à deux pas des rives du majestueux lac Erié. Les chambres personnalisées, aux tons bleu marine, sont très bien équipées et celles donnant sur le lac offrent une vue incroyable. Le restaurant sert des plats de fruits de mer délicieux et le lounge est ouvert tard pour ceux qui souhaitent prendre un verre et faire la fête. Nouveauté : centre de santé Spa sur place.

À voir / À faire

■ LE BLANC ESTATE WINERY

✆ +1 519 738 9228
www.leblancestatewinery.com
Dégustation à partir de 2 $.
Spécialisé dans la production de vins blancs et de vins de glace, la famille Leblanc vous accueillera avec humour et hospitalité. La visite du vignoble est agréable, et les dégustations délicieuses.

■ PARC NATIONAL DU CANADA DE LA POINTE-PELÉE

1118 Point Pelee Drive
✆ +1 519 322 2365
✆ +1 888 773 8888
www.pc.gc.ca/pelee
pelee.info@pc.gc.ca
Adulte : 7,80 CAN $.
Cette région, qui couvre à peine 0,25 % de la superficie du Canada, recèle la plus grande diversité d'arbres, d'insectes, d'amphibiens, de reptiles et d'oiseaux de tout le pays. Les terres de la Pointe-Pelée profitent du climat le plus chaud et de la plus longue période sans gel de tout le pays. Bien qu'il s'agisse d'un des plus petits parcs nationaux du Canada, c'est un géant de la faune et de la flore nord-américaines, reconnu dans le monde entier. Au printemps et à l'automne, le ciel se couvre de millions d'oiseaux migrateurs. Tout ornithologue sérieux doit y faire un pèlerinag Que dire des papillons monarques : on compte par millions ! Au moment de passage, à l'automne, des champs pa nants, littéralement orangés, vous at Le climat exceptionnel qui affecte ce explique sa luxuriante végétation l'unique forêt carolingienne du abrite une flore qui pousse h bien plus au sud.

■ **PELEE WINGS NATURE STORE**
636 Point Pelee Drive
✆ +1 519 326 5193, +1 877 326 5193
www.peleewings.ca
sales@peleewings.ca
Boutique ouverte d'avril à janvier.
L'endroit est idéal pour les amoureux de la nature. Un rendez-vous avec les oiseaux en tous genres les attend. Plusieurs activités sont possibles au cœur de cette nature enivrante : randonnées, canoë et kayak de mer ou rivière. Avant de partir, n'oubliez pas de faire un tour à la boutique, plusieurs articles amusants vous attendent.

PORT STANLEY

Ce charmant petit village de pêcheur est un secret bien gardé en Ontario. Sur votre route vers l'île Pelée, vous pourrez y faire une petite escale pour déguster les bons plats de la région ou tout simplement pour y faire un tour et vous y dégourdir les jambes avant de reprendre la route. Promenez-vous sur Main Street où se trouvent plusieurs boutiques d'artisanat et des galeries d'art. La majorité de ces commerces sont établis dans de jolies maisons historiques. Cette rue mène ultimement à Little Beach, une petite plage tranquille où profiter des plaisirs de la baignade. Au cœur de Port Stanley, sur Bridge Street, un arrêt à la crèmerie Brodericks s'impose. Plus de 30 saveurs, des yogourts glacés, des sorbets… de quoi vous faire plaisir ! Continuez sur Bridge et traversez le pont. En descendant William Street, vous arriverez à la grande plage (surveillée) de Port Stanley. Beaucoup plus bondée que Little Beach, elle bénéficie d'installations sportives et sanitaires, sans compter son fameux bar GT's qui s'étend sur la plage. Nombreux condos de villégiature en bordure de la plage.

Se loger

■ **KETTLE CREEK INN**
216 Joseph Street
✆ +1 519 782 3388, +1 866 414 0417
ww.kettlecreekinn.com
rmation@kettlecreekinn.com
pation double : à partir de 105 CAN $ en saison et 150 CAN $ en haute saison. euner inclus. Forfaits disponibles. Le de l'auberge est ouvert midi et soir l'exception de Noël.
la famille Vedova depuis plus iècle, cette auberge est véri- de mention. Membre de l'association Ontario's Finest Inns, l'auberge et ses pavillons occupent un magnifique terrain verdoyant et fleuri, à quelques pas des boutiques et de Little Beach. Les chambres et suites sont irréprochables et la table de l'auberge vaut à elle seule le déplacement. Des plats de type pub à la fine cuisine, tout est simplement délicieux et fond littéralement dans la bouche. Une adresse de choix pour le plaisir de tous vos sens !

Sortir

■ **GT'S**
Main Beach
✆ +1 519 782 4555
www.gtsportstanley.ca
webmaster@gtsportstanley.ca
Ouvert tous les jours de début mai à la fête du Travail. Menu à la carte : de 5 à 20 CAN $.
Avec ses 400 places assises sur la plage et ses sections intérieures, le GT's se revendique le meilleur bar de plage au nord des Caraïbes ! Il est vrai que les lieux ont un air franchement balnéaire et on se plaît vraiment à y venir, question de se désaltérer ou de casser la croûte. Des spectacles live y sont présentés en soirée du vendredi au dimanche.

À voir / À faire

■ **JACKSON'S FISH MARKET**
172 Main Street
✆ +1 519 782 3562
www.jacksonfish.com
En été : mercredi-dimanche de 10h à 17h. Fermeture annuelle en hiver.
Des poissons frais, de nos bateaux à votre table !
Voilà la mission que se donne la famille Jackson depuis plusieurs générations. L'établissement, situé à deux pas de Little Beach, est facilement reconnaissable par sa grande murale qui couvre entièrement le bâtiment. Un passage obligé à Port Stanley !

■ **PORT STANLEY TERMINAL RAIL**
309 Bridge Street
✆ +1 519 782 3730
✆ +1 877 244 4478
www.pstr.on.ca
Tours guidés en train de juillet à septembre (autres événements organisés à l'année). Adulte : 13,50 CAN $.
Sillonnez les magnifiques régions de Port Stanley et St. Thomas à bord d'un train antique. Des activités spéciales sont également organisées : soirée meurtre et mystère, brunch, train de Noël, etc.

Sports / Détente / Loisirs

■ KETTLE CREEK GOLF & COUNTRY CLUB

320 Carlow Road ✆ +1 519 782 7500
www.kettlecreekgolf.com
james.glover@kettlecreekgolf.com
9-trous : à partir de 15 CAN $, 18-trous : à partir de 25 CAN $. Service de location sur place. Situé dans la charmante petite ville de Port Stanley, entouré par une nature luxuriante, ce golf est une escale parfaite pour les amateurs de sport. La cuisine fine et délicieuse du restaurant vaut à elle seule le détour.

■ LATITUDE CHARTERS

Kettle Creek Marina ✆ +1 519 782 4729
www.latitudecharters.ca
latitude42@sympatico.ca
A partir de 115 CAN $ par personne (basé sur 2 pers.). Maximum de 4 personnes. Différentes croisières offertes et forfaits avec hébergement disponibles. Profitez de votre séjour dans cette région côtière pour partir à la découverte du lac Erié en voilier. Vous y apprendrez les manœuvres de base tout en profitant des plaisirs de la voile. N'oubliez pas la crème solaire, les lunettes de soleil et un anorak !

LONG POINT

Cette longue pointe de terre qui pénètre dans les eaux du lac est l'endroit rêvé pour la flore du Sud-Ouest qui y pousse en abondance. Elle est également le lieu de rendez-vous de nombreux oiseaux migrateurs. Un site naturel de toute beauté qui vaut le déplacement.

PORT DOVER

Capitale mondiale des pêcheries en eau douce, Port Dover était autrefois connue sous le nom de Dover Mills. Incendiée lors de la guerre de 1812, Port Dover naquit de ses cendres, plus près du lac, pour devenir un haut lieu de pêche. Quel meilleur endroit pour déguster du poisson frais, le soir, sur la plage ! Mais Port Dover est aussi une haute destination pour le farniente et les sports nautiques. La zone touristique, quoique petite, regorge de boutiques de surf, d'artisanat et de vêtements. La plage, souvent bondée lors des chaudes journées, est tout de même assez vaste et quelques palmiers (!) lui donnent un air des tropiques. Pour une belle promenade en fin de journée, longez le quai jusqu'au phare. Prêtez attention aux bancs qui portent tous les noms des pêcheurs décédés en mer…

■ THE BEACH HOUSE RESTAURANT

Port Dover Beachfront
2 Walker Street
✆ +1 519 583 0880
De mai à novembre : lundi-samedi de 11h à 23h, dimanche de 11h à 22h. Le reste de l'année : dimanche-jeudi de 11h à 21h, vendredi-samedi de 11h à 22h. Menu à la carte : de 10 à 25 CAN $. Aussi connu sous le nom de Callahan's Beach House, ce grand restaurant a littéralement les pieds dans le sable. Sa grande terrasse avec vue sur le lac Erié est un must en été. L'incontournable du menu : *fish and chips* ! Pour l'anecdote, nous étions à Niagara Falls lorsqu'on nous a recommandé ce restaurant. Quelques heures de voiture plus tard, nous y étions et avons adoré cette spécialité locale.

■ PORT DOVER HARBOUR MARINA

Passmore
✆ +1 519 583 1581
www.portdoverharbourmarina.com
portdover.marina@norfolkcounty.ca
Ouverte de la mi-avril à la mi-octobre, la marina offre de nombreuses possibilités d'escapade sur le lac. Si vous avez loué un bateau, la marina est idéale pour une petite halte.

■ PORT DOVER HARBOUR MUSEUM

44 Harbour Street
✆ +1 519 583 2660
www.portdovermuseum.ca
portdover.museum@norfolkcounty.ca
Juillet et août : lundi-dimanche de 10h à 17h. Le reste de l'année : lundi de 13h à 16h30, mardi-vendredi de 10h à 16h30, samedi-dimanche de 12h à 16h. Entrée libre (dons encouragés).
Un musée dédié à l'histoire et à l'industrie de la pêche à Port Dover.

RIVES DU LAC HURON

Les eaux du lac Huron, tout près de la baie Georgienne, ont beaucoup à offrir. Les hameaux se succèdent, telles des oasis le long de la route. Qui aurait cru qu'on pouvait aller à la mer en Ontario ? De berges en falaises, de dunes en terrasses, le littoral du lac Huron charme les vacanciers depuis des dizaines d'années.

SARNIA-LAMBTON

L'eau est au cœur des attractions offertes par ce charmant comté. Des parcs provinciaux aux activités nautiques, le séjour au bord de ses plages est mémorable. La ville de Sarnia propose également des festivals intéressants.

Transports

Comment y accéder et en partir

Pour s'y rendre, il est nettement plus rapide de passer par les Etats-Unis (ayez vos papiers en règle). Prenez le Detroit-Windsor Tunnel puis l'autoroute Interstate 94 Nord jusqu'au poste frontalier de Sarnia. S'il vous est impossible de passer par Detroit, il vous faudra alors vous rendre à l'est à Chatham par la 401 puis prendre une succession de petites routes. Depuis London, l'autoroute 402 mène directement à Sarnia.

Le pays de l'or noir

Avant 1850, personne ne voulait s'installer dans une région où la terre était noire et huileuse. Puis, le boom fit de la région de Petrolia le principal producteur de pétrole canadien du XIXe siècle. Une véritable ruée caricaturale s'ensuivit, avec ses bagarres loufoques entre prospecteurs badigeonnés d'huile, ses fabriques de nitroglycérine clandestines, qui ont toutes fini par exploser, et ses fortunes instantanées aussi vite perdues. Deux musées relatent cet impressionnant épisode : le Oil Museum of Canada à Oil Springs et le lieu historique Petrolia Discovery, à Petrolia, où le plus grand gisement d'or noir fut trouvé, quelques années après celui de Oil Springs.

Pratique

■ **TOURISM SARNIA-LAMBTON**
556 Christina Street North
✆ +1 519 336 3232, +1 800 265 0316
www.tourismsarnialambton.com
info@tourismsarnialambton.com

Se loger

■ **FORSYTH HOUSE B&B**
122 Forsyth Street North
✆ +1 519 336 4350
www.bbcanada.com/11027.html
info@bbcanada.com
Occupation double : 110 CAN $. 3 chambres. Petit déjeuner inclus.
Belle maison victorienne à quelques minutes du centre-ville et de la rivière Sainte-Claire. Salles de bains communes et privées, cour arrière avec BBQ.

■ **THE GABLES INN**
1625 London Line
✆ +1 519 542 5523
✆ +1 877 563 7993
www.thegablesinn.ca
info@thegablesinn.ca
Occupation double : à partir de 99 CAN $. Tarifs hors saison disponibles.
Retrouvez le confort et la propreté d'un hôtel qui offre des chambres avec kitchenettes. Entièrement rénovées, les chambres sont bien équipées (accès Internet, cuisinettes, accès au BBQ). L'hôtel bénéficie d'une piscine extérieure, et de plusieurs terrains de jeux. Idéal pour les familles et les groupes d'amis.

■ **HOLIDAY INN SARNIA**
1498 Venetian Boulevard
✆ +1 519 336 4130
✆ +1 877 660 8550
www.holiday-inn.com/sarniaon
Occupation double : à partir de 110 CAN $. Forfaits disponibles.
A quelques minutes de la marina de Sarnia, des plages, des parcs et des centres commerciaux, cet hôtel est un endroit idéal pour un séjour tout confort. Les piscines intérieure et extérieure chauffées répondent aux exigences des clients, en été comme en hiver. Le centre de conditionnement physique, le Jacuzzi, le sauna et le terrain de golf sont autant de services que cette chaîne d'hôtel met à la disposition de ses visiteurs.

Se restaurer

■ ASSAGGIOS NORTH

70671 Bluewater Highway, Grand Bend
✆ +1 519 238 2324
www.oakwoodinnresort.com
oakwood@oakwoodinnresort.com
Juin et septembre : ouvert tous les jours pour le petit déjeuner et du mardi au samedi pour le souper (tous les jours en juillet et août). Hors saison : les contacter avant de vous y présenter. Comptez 35 CAN $-50 CAN $.
Pour une expérience gastronomique fine, le restaurant de ce charmant centre de villégiature est tout indiqué. Les plats proposés par son chef sont de véritables petits chefs-d'œuvre. Idéal pour les soupers romantiques à deux. Magnifique terrasse avec vue sur le terrain de golf.

■ BRIDGES BISTRO

1498 Venetian Boulevard
✆ +1 519 336 4130
www.holiday-inn.com/sarniaon
Ouvert tous les jours, du matin au soir.
Ce restaurant d'hôtel offre une cuisine créative de plats copieux et raffinés. Les serveurs courtois sont très professionnels, et le décor de l'établissement est impeccable. L'été, la terrasse est très appréciée. Une bonne adresse en ville.

■ ON THE FRONT RESTAURANT & LOUNGE

201 Front Street North, 14e étage
✆ +1 519 332 4455
www.onthefront.com
Lundi-vendredi dès 11h30, samedi dès 16h. Fermé le dimanche. Menu midi : de 7 à 15 CAN $. Menu soir : de 25 à 40 CAN $. Un tout nouveau restaurant situé au dernier étage de l'édifice First Sarnia Place. Imaginez alors la vue qui s'ouvre à vous… La déco est résolument tendance, à l'image des bar lounges. Au menu, des grillades savoureuses mais également des plats d'inspiration européenne comme la bouillabaisse ou le risotto.

À voir / À faire

■ GALLERY LAMBTON

Bayside Centre
150 North Christina Street
✆ +1 519 336 8127 – www.lclmg.org
lisa.daniels@county-lambton.on.ca
Mardi-samedi de 10h à 17h30 (jusqu'à 20h le jeudi). 1er dimanche du mois : de 11h à 16h. 1er vendredi du mois : de 10h à 21h. Entrée libre (dons encouragés).
La collection de cette galerie d'art comprend des œuvres canadiennes, dont plusieurs du Groupe des Sept. Plusieurs activités au fil des mois : visites commentées, rencontres avec les artistes, lectures publiques, etc.

■ STONES'N BONES MUSEUM

223 North Christina Street
✆ +1 519 336 2100
www.stonesnbones.ca
stonesnbones@ebtech.net
Mercredi-dimanche de 10h à 17h (tous les jours en juillet et août). Adulte : 6 CAN $.
Le musée expose de nombreux os et fossiles retraçant l'histoire préhistorique des environs.

GODERICH

Connaître Goderich, c'est vouloir y emménager. Récipiendaire de nombreux prix de développement touristique, cette perle est un mini-centre de villégiature tout naturellement envoûtant. Son aménagement hors du commun, l'architecture de ses bâtiments, l'amabilité de ses résidents, ses innombrables plages (reliées entre elles par une promenade en bois), ses restaurants pour fins gourmets, ses nombreuses boutiques, les mille et une activités environnantes… Tout cela fait de cette municipalité de 8 000 âmes une destination incontournable.

Pratique

Cette charmante petite ville possède deux marinas, chacune offrant un certain nombre de services dont des aires de pique-nique, des plages privées et des activités nautiques.

Se loger

■ ASTORIA B&B

69 Britannia Road West
✆ +1 519 440 0861
✆ +1 877 943 6969
www.astoria-bed-n-breakfast.com
astoria_83@sympatico.ca
Occupation double : à partir de 120 CAN $. 3 chambres. Petit déjeuner inclus. Forfaits disponibles.
Garry et Kevin vous accueillent dans leur magnifique maison édouardienne. Les lieux, entièrement restaurés, ont gardé leur cachet et la décoration y met une touche de nostalgie. Lors des belles journées d'été, prenez le petit déjeuner sur la grande terrasse de la maison.

■ THE BENMILLER INN & SPA
81175 Benmiller Road
✆ +1 519 524 2191
✆ +1 800 265 1711
www.benmiller.on.ca
Occupation double : à partir de 149 CAN $, petit déjeuner inclus. Forfaits disponibles. Plusieurs activités sur place : piscine, sauna, Jacuzzi, randonnée pédestre, pêche, tennis, etc.
Logée au cœur d'une région fabuleuse, cette charmante demeure met à la disposition de sa clientèle les plus belles chambres de la région. Dans un décor personnalisé et un confort digne des grands hôtels, cet établissement est à l'écoute des moindres besoins des visiteurs. Le centre de Spa Aveda est tout simplement excellent, et le restaurant gastronomique offre la meilleure cuisine en ville. Une adresse à retenir pour ceux qui en ont les moyens. Pour les autres, une escale au restaurant ou au centre de détente s'impose.

Se restaurer

■ THE IVEY DINING ROOM
81175 Benmiller Road
✆ +1 519 524 2191, +1 800 265 1711
www.benmiller.on.ca
Menu midi : de 10 à 20 CAN $. Menu soir : de 23 à 40 CAN $. Brunch : 21 CAN $.
Pour une expérience culinaire riche et raffinée, une escale dans la salle à manger du Benmiller Inn est recommandée. Les menus du midi et du soir sont préparés avec soin par ce grand chef. Le midi, les prix sont raisonnables. Le week-end, le brunch du dimanche est un pur moment de joie pour les lève-tard.

■ PADDY O'NEIL'S
92 The Square
✆ +1 519 524 7337
www.hotelbedford.on.ca
frontdesk@cabletv.on.ca
Compter environ 15 à 20 CAN $.
Vous pouvez y manger des pâtes, des grillades de poulet et même du tex-mex. Les prix sont raisonnables, et l'ambiance y est toujours festive.

■ THYME ON 21 CASUAL DINING
80 Hamilton Street
✆ +1 519 524 4171
www.thymeon21.com
info@thymeon21.com
Ouvert le midi du mardi au vendredi et le dimanche, le soir du mardi au dimanche. Menu midi : de 9 à 17 CAN $. Menu soir : de 17 à 30 CAN $.
Peter et Catherine King vous invitent à une expérience gustative haute en couleur en plein cœur de Goderich. Le chef Terry Kennedy harmonise merveilleusement bien les produits régionaux aux saveurs métissées de l'Asie et de l'Europe. Pour couronner le tout, une belle carte des vins et un service courtois et attentionné. Une belle adresse gourmande !

À voir / À faire

■ HURON COUNTY MUSEUM
110 North Street
✆ +1 519 524 2686
www.huroncounty.ca/museum
De janvier à avril : lundi-vendredi de 10h à 16h30, samedi de 13h à 16h30 (fermé dimanche). De mai à décembre : lundi-samedi de 10h à 16h30, dimanche de 13h à 16h30. Adulte : 5 CAN $.
L'exposition permanente du musée traite du développement le long du lac Huron. L'édifice en brique rouge est élégant et vaut à lui seul le déplacement.

■ HURON HISTORICAL GAOL
181 Victoria Street North
✆ +1 519 524 6971
www.huroncounty.ca/museum
Ouvert de mai à fin octobre du lundi au samedi de 10h à 16h30, dimanche de 13h à 16h30 sauf septembre-octobre en semaine de 13h à 16h. Adulte : 5 CAN $.
Ce bâtiment de forme octogonale est imposant. Ancienne prison de la région de 1842 jusqu'en 1972. La maison du gouverneur a été construite en 1901 dans les cours de ce bâtiment. La visite permet aux touristes d'explorer le passé de cette région de la province.

■ HURON MARINE MUSEUM
Wheel House of the SS Shelter Bay
✆ +1 519 524 2686
www.huroncounty.ca/museum
Ouvert de juillet à fin août tous les jours de 13h à 16h30. Adulte : 1 CAN $.
Ce petit musée dresse le portrait de ces hommes et femmes qui ont fait leur vie sur les rives du lac Huron. Les visiteurs auront le plaisir de contempler les beaux bateaux qui viennent du monde entier remplir leurs cargos des grains de sel renommés de la région. Les trois plages publiques avoisinantes sont les lieux idéaux pour faire une petite pause. Des espaces de jeux et des tables de pique-nique sont disponibles sur les lieux.

Sports / Détente / Loisirs

■ **PARC PROVINCIAL POINT FARMS**

R.R. #3 ✆ +1 519 524 7124
www.parcsontario.com
Autrefois le lieu d'une auberge victorienne très fréquentée, ce parc au nord de Goderich est perché sur une falaise surplombant le lac Huron et offrant une vue spectaculaire des eaux bleues et des couchers de soleil. Profitez de la plage sablonneuse ou empruntez un des nombreux sentiers pour voir d'anciens vergers et des haies de cèdres ainsi que des signes d'autres activités qui ont eu lieu vers la fin des années 1800.

KINCARDINE

Cette charmante station balnéaire représente un endroit idéal pour se relaxer et profiter des belles journées ensoleillées de l'été. Les installations sont confortables, et la marina est très appréciée des touristes.

Se loger

■ **FISHERMAN'S COVE**

13 Southline Avenue, RR #4
✆ +1 519 395 2757
www.fishermanscove.com
A partir de 44 CAN $ pour l'emplacement de camping et 85 CAN $ pour un chalet.
Ce grand domaine met à la disposition des visiteurs de Kincardine un camping, des chalets, un hôtel et de nombreux services et activités. Le site est parfaitement bien tenu.

Se restaurer

■ **BRUCE BAR & GRILL**

750 Queen Street ✆ +1 519 396 5100
www.brucebar.com
bradkirk@brucebar.com
Ouvert tous les jours (fermé lundi hors saison). Menu à la carte : de 10 à 30 CAN $. Jeudi : Open Mic de 19h à 22h.
Cet immense pub-restaurant est un incontournable de Kincardine. Grillades, fruits de mer, burgers et autres plats de type pub sont proposés à des prix fort raisonnables. En saison, installez-vous confortablement sur leur grande terrasse surplombant la marina et le lac.

■ **HARBOUR STREET BRASSERIE**

217 Harbour Street
✆ +1 519 396 6000
www.harbourstreetbrasserie.com
brasserie@tnt21.com
Ouvert d'avril à janvier : mardi-samedi dès 17h. Menu à la carte de 25 à 30 CAN $.
Cuisine de type bistro dans un cadre enchanteur avec vue sur le lac Huron. Une adresse hautement recommandée pour se faire plaisir entre amis ou en amoureux !

À voir / À faire

■ **KINCARDINE LIGHTHOUSE & MUSEUM**

236 Harbour Street
✆ +1 519 396 4336
www.brucecoastlighthouses.com/kincardine.cfm
Ouvert tous les jours de 11h à 17h de juillet à début septembre. Droit d'entrée minime.
Construit en 1881 pour aider l'industrie de la pêche et du transport du sel, ce phare octogonal trône toujours en plein centre de Kincardine. Il est possible d'avoir une visite guidée du phare lors de la belle saison (du mercredi au samedi) et sur rendez-vous le reste de l'année.

■ **PARC PROVINCIAL INVERHURON**

RR #2 – 19 Jordan Road
✆ +1 519 368 1959
www.parcsontario.com
Sa plage sablonneuse, ses dunes et ses magnifiques couchers de soleil sont très prisés des visiteurs. Amoureux du camping, assurez-vous d'y passer au moins une nuit !

■ **WALKER HOUSE**

235 Harbour Street ✆ +1 519 396 1850
De fin mai à novembre : lundi-vendredi de 10h à 17h, samedi-dimanche de 13h à 17h.
Erigée en 1850 comme auberge et taverne par Francis Walker, cette grande demeure a été entièrement restaurée afin de devenir un centre d'histoire et du patrimoine local.

PORT ELGIN

Port Elgin est un autre village vacancier donnant sur le lac Huron et offrant des eaux calmes, idéales pour la famille. Nouvelle piste cyclable reliant Port Elgin à Southampton depuis l'été 2010.

■ **DUNBLANE HILLS BED &BREAKFAST**

4379 Bruce Road 3
✆ +1 519 389 2585
pom@bmts.com
Située à l'entrée de la ville, cette charmante petite maison offre aux visiteurs des chambres confortables dans une ambiance country. Le petit déjeuner est copieux et délicieux à la fois.

■ **FRANKLIN HOUSE BED & BREAKFAST**
273 Mill Street
✆ +1 519 389 5555, +1 877 389 5550
www.franklinhouse.ca
Occupation double : à partir de 105 CAN $. 11 chambres. Petit déjeuner inclus. Un minimum de deux nuits est exigé en juillet et août.
Située à quelques minutes de la plage, cette demeure propose des chambres bien équipées et correctes. Le petit déjeuner, servi sous forme de buffet, est riche et varié. Bon rapport qualité-prix.

■ **ROSINA**
698 Goderich Street
✆ +1 519 389 5977
De fin mai à début septembre : ouvert tous les jours dès 17h. Le reste de l'année : fermé le dimanche. Menu à la carte : de 10 à 25 CAN $.
Ouvert en 2008, ce restaurant est une nouvelle référence en matière de fine cuisine italienne. Il est chaudement recommandé par les résidents.

SOUTHAMPTON

Parmi les oasis que vous croiserez, Southampton offre une jolie promenade offrant un horizon aquatique, avec d'élégants bateaux et des couchers de soleil imprenables.

Se loger

■ **CHANTRY BREEZES B&B**
107 High Street
✆ +1 519 797 1818
✆ +1 866 242 6879
www.chantrybreezes.com
chantry@bmts.com
Occupation double : à partir de 110 CAN $. 5 chambres et une suite. Petit déjeuner inclus. Un minimum de deux nuits est exigé en juillet et août. Possibilité de louer un des deux petits chalets dans le jardin (été seulement). Repas du soir disponible sur réservation hors saison.
Cette magnifique maison de 1907 est maintenant un charmant Couette & Café tenu par un couple fort sympathique : Jenny et Don Amy. Les chambres, au charme historique, sont décorées avec goût et notre coup de cœur va à la chambre Kelley Forster. Le petit déjeuner gourmand est servi dans la véranda, et la tarte fantastique vous donnera toute l'énergie nécessaire pour bien débuter la journée. Près de la plage de sable du lac Huron, des magasins et des restos de Southampton, le Chantry Breezes est une adresse à retenir.

Se restaurer

■ **ELK & FINCH**
54 Albert Street South
✆ +1 519 797 2835
Horaire variable selon la saison. Compter environ 10 CAN $. Cet établissement est reconnu pour ses bons petits sandwichs, quiches, soupes et salades. L'ambiance est chaleureuse et le café savoureux.

■ **MID SUMMER'S CAFE**
171 High Street ✆ +1 519 797 1122
www.midsummercafe.com
Ouvert tous les jours de 8h à 22h (horaire restreint hors saison).
Un bon café avec au menu des viennoiseries, des pâtisseries, des sandwichs, des salades, des crèmes glacées et autres petits péchés. Les lieux servent également à l'exposition d'œuvres d'artistes locaux.

Sortir

■ **TOP FLYTE LOUNGE**
196 High Street
✆ +1 519 797 3300
www.topflytejazz.ca
info@topflytejazz.ca
Horaire variable selon les spectacles et la saison. Droits d'entrée.
Les amoureux du jazz seront ici comblés. Des spectacles live sont présentés plusieurs fois par mois et en raison de l'espace disponible (60 places !), nous vous recommandons de réserver à l'avance. Un petit menu d'entrées et de desserts est offert sur place.

À voir / À faire

■ **BRUCE COUNTY MUSEUM & CULTURAL CENTRE**
33 Victoria Street North
✆ +1 519 797 2080, +1 866 318 8889
www.brucemuseum.ca
Ouvert du lundi au samedi de 10h à 17h, dimanche de 13h à 17h. Fermé dimanche-lundi hors saison. Adulte : 8 CAN $.
Le musée du comté de Bruce et son centre culturel offrent une expérience inoubliable de l'histoire millénaire des différents peuples ayant habité la région. En plus des superbes expositions et activités interactives, le musée organise également de nombreux événements culturels et musicaux, des lectures publiques et des ateliers. Egalement sur place : artefacts et archives régionales, aire de pique-nique, café, boutique de cadeaux.

■ **LIGHTHOUSE PHOTO GALLERY**
À l'hôtel de ville, 201 High Street
✆ +1 519 797 1485
www.carolannnorris.com
carol@carolannnorris.com
Entrée libre. Ouverte depuis 1999, cette galerie présente le travail de la célèbre photographe ontarienne Carol Ann Norris. Les tableaux de l'artiste présentent les paysages de la région et sont un hommage à la beauté des mers d'eau douce de l'Ontario.

Sports / Détente / Loisirs

■ **THORNCREST OUTFITTERS**
193 High Street
✆ +1 519 797 1608, +1 888 345 2925
www.thorncrestoutfitters.com
info@thorncrestoutfitters.com
Ouvert tous les jours (hors saison : boutiques fermées à Paisley et Tobermory).
Un centre d'aventure plein air qui propose une foule d'activités en toute saison : vélo, kayak, canot, randonnée pédestre, ski de fond, raquettes, etc. Du simple service de location au forfait tout compris, vous trouverez ici un excellent complément à vos vacances. Vente d'équipements et de vêtements techniques en ligne et dans leurs boutiques.

▸ **Autre adresse :** 258 Queen Street, Paisley ✆ +1 519 353 9283 ; 7441 Highway 6, Tobermory ✆ +1 519 596 8908.

SAUBLE BEACH

En 1877, la chaleur de l'eau de cette portion du lac Huron attira un premier vacancier qui s'y construisit une résidence secondaire. Depuis, la deuxième plus longue plage d'eau douce au monde après la plage Wasaga est très courue. On dit de Sauble Beach qu'elle est l'une des 10 plus belles plages du Canada. Elle s'étend sur 11 km, à peine moins que l'achalandée Wasaga. Réputée pour ses lueurs crépusculaires, elle procure un sentiment d'éternité, si l'on se donne la peine de s'éloigner un peu de l'entrée. Vous aurez également, il faut bien l'avouer, un brin d'envie à l'égard de ceux qui y louent ou y possèdent de si coquets chalets.

Se loger

Si la région offre une vingtaine de terrains de camping, les gîtes sont aussi très nombreux. Ils permettent d'aller à l'aventure, pendant la journée, et de rentrer au bercail pour assister à un coucher de soleil épatant.

■ **BEACHSIDE COTTAGES**
114 2 Avenue North,
✆ +1 519 422 2059
www.beachsidecottages.com
tlaforme@beachsidecottages.com
Chalet : à partir de 80 CAN $ la nuit. Tarifs long week-end et à la semaine aussi disponibles.
Des chambres bien équipées qui rappellent les cabanons en bois au bord des plages marocaines. Le site est agréable et idéal pour les familles et groupe d'amis. Il est également possible de louer des petites maisons.

■ **BEL-AIR COTTAGES & MOTEL**
328 Main St S
✆ +1 519 422 1051
www.saublebeachrentals.ca
Occupation double : à partir de 115 CAN $ en basse saison et de 135 CAN $ en haute saison. Possibilité de louer des petites maisons à la semaine (à la nuit en basse saison).
Situé au cœur de Sauble Beach, ce charmant petit hôtel offre des chambres très propres et confortables. L'emplacement de choix de l'établissement en fait une bonne adresse.

■ **WOODLAN PARK**
Sauble Beach
✆ +1 519 422 1161
www.woodlandpark.on.ca
info@woodlandpark.on.ca
Woodland Park est coté 5-étoiles pour ses installations et ses activités. On y retrouve une piscine intérieure, le câble et l'accès Internet, une programmation pour les enfants, des salles de jeu, des cours, des pistes de patins à roues alignées, sans oublier les services traditionnels. Un endroit incontournable, selon les usagers.

Se restaurer

■ **MACBETHS INTERNET CAFE AND BAKERY**
656 Main Street ✆ +1 519 422 0518
www.westviewcottages.ca/macbeths.htm
macbeths@gbtel.ca
Ouvert tous les jours. Compter environ 10 CAN $.
Le restaurant sert des petits déjeuners copieux et de bonne qualité. Des sandwichs et salades santé sont proposés le midi, et la pause café est accompagnée de délicieux petits muffins ou pâtisseries confectionnés sur place. Ceux qui désirent surfer le Web tout en grignotant peuvent utiliser les postes mis à leur disposition ou se connecter en wi-fi sur leur propre ordinateur portable.

BAIE GEORGIENNE

Elle s'étire bien au-delà du regard... La baie georgienne, un joyau unique, une perle rare. Plus de 30 000 îles, des plages interminables et des villages coquets. La baie georgienne nage dans les superlatifs : Manitoulin, plus grande île en mer d'eau douce au monde ; Wasaga Beach, plus longue rive d'eau douce du monde ; Wikwemikong, plus ancien pow-wow de l'Est du Canada ; Parry Sound, avant-dernière zone canadienne à devenir réserve de la biosphère par l'Unesco ; et puis aussi, en prime, la toute première église de l'Amérique du Nord, des villages amish et des campings 5-étoiles... Pour tirer le maximum de votre séjour dans la région, nous vous recommandons de faire en entier ou en partie le circuit côtier (Coastal Route).

▶ **Afin de bien planifier votre itinéraire**, rendez-vous sur le site www.bonjourbaiegeorgienne.com

KILLARNEY

Officiellement établi en 1820 par des Français mais aujourd'hui bien anglais, le pittoresque village de Killarney est le plus vieux du nord de l'Ontario. Il est un lieu de rassemblement pour les mordus de la pêche, tout comme pour les propriétaires des plus beaux yachts des Grands Lacs. Baies divinement belles, eaux pures, fjords élancés, grèves enchantées, tout cela se conjugue parfaitement avec kayak de mer. Ce village et son parc provincial font rêver les passionnés de plein air.

■ **HERBERT FISHERIES**
21 Channel Street
✆ +1 705 287 2214
herbert.fisheries@sympatico.ca
Ouvert tous les jours de juin à fin août ; les week-ends seulement en mai, septembre et octobre.
Lors de votre visite à Killarney, ne manquez pas d'aller déguster des *fish and chips* à Herbert Fisheries. Il semblerait qu'on trouve les meilleurs *fish and chips* de la province dans ce bus scolaire reconverti. Incomparables, ils n'ont rien à envier aux produits des côtes maritimes !

■ **KILLARNEY MOUNTAIN LODGE**
3 Commissioner General Delivery
✆ +1 705 287 2242, +1 800 461 1117
www.killarney.com
escape@killarney.com
Ouvert de mi-mai à mi-octobre. A partir de 135 CAN $ par personne par nuit, incluant tous les repas. Tarifs régressifs selon le nombre de personnes. Forfaits disponibles.
Un centre de villégiature en pleine nature, au nord de la baie Georgienne, adjacent au parc sauvage Killarney. Décontracté, chambres avec douche ou bain privé, chauffage à l'électricité. Piscine chauffée, sauna, tennis, bateau à moteur. Pêche, voile, croisières, randonnées. Cuisine primée.

■ **PARC PROVINCIAL KILLARNEY**
✆ +1 705 287 2900
www.parcsontario.com
Cette étendue, à la fois sauvage et majestueuse, a tellement fasciné les artistes du Groupe des Sept (peintres canadiens du début du XXe siècle) qu'ils ont convaincu le gouvernement d'en faire un parc. Celui-ci est aujourd'hui considéré comme la perle des parcs provinciaux de l'Ontario. Autrefois plus hautes que les montagnes Rocheuses, les falaises de quartzite blanc de La Cloche brillent au loin comme des sommets enneigés. Les amateurs de canot et kayak, de randonnée pédestre, de ski et de raquette s'aventurent aujourd'hui dans ce paysage rocailleux et imposant, mais il existe des preuves que d'autres ont foulé ce sol des milliers d'années avant eux.

PARRY SOUND

Parry Sound jouit du littoral de la baie Georgienne et de la généreuse région de Muskoka, et constitue le centre de l'avant-dernière zone canadienne à avoir reçu la distinction de réserve de la biosphère par l'Unesco.

Se loger

Vous trouverez bon nombre de Bed & Breakfast dans la région de Parry Sound. Nous vous invitons à consulter le site Internet de l'association régionale afin de planifier votre séjour (www.parrysoundbb.com).

■ **40 BAY STREET B&B**
40 Bay Street ✆ +1 705 746 9247
www.40baystreet.com
stay@40baystreet.com
Occupation double : à partir de 150 CAN $. 3 chambres. Petit déjeuner inclus. Forfaits disponibles.

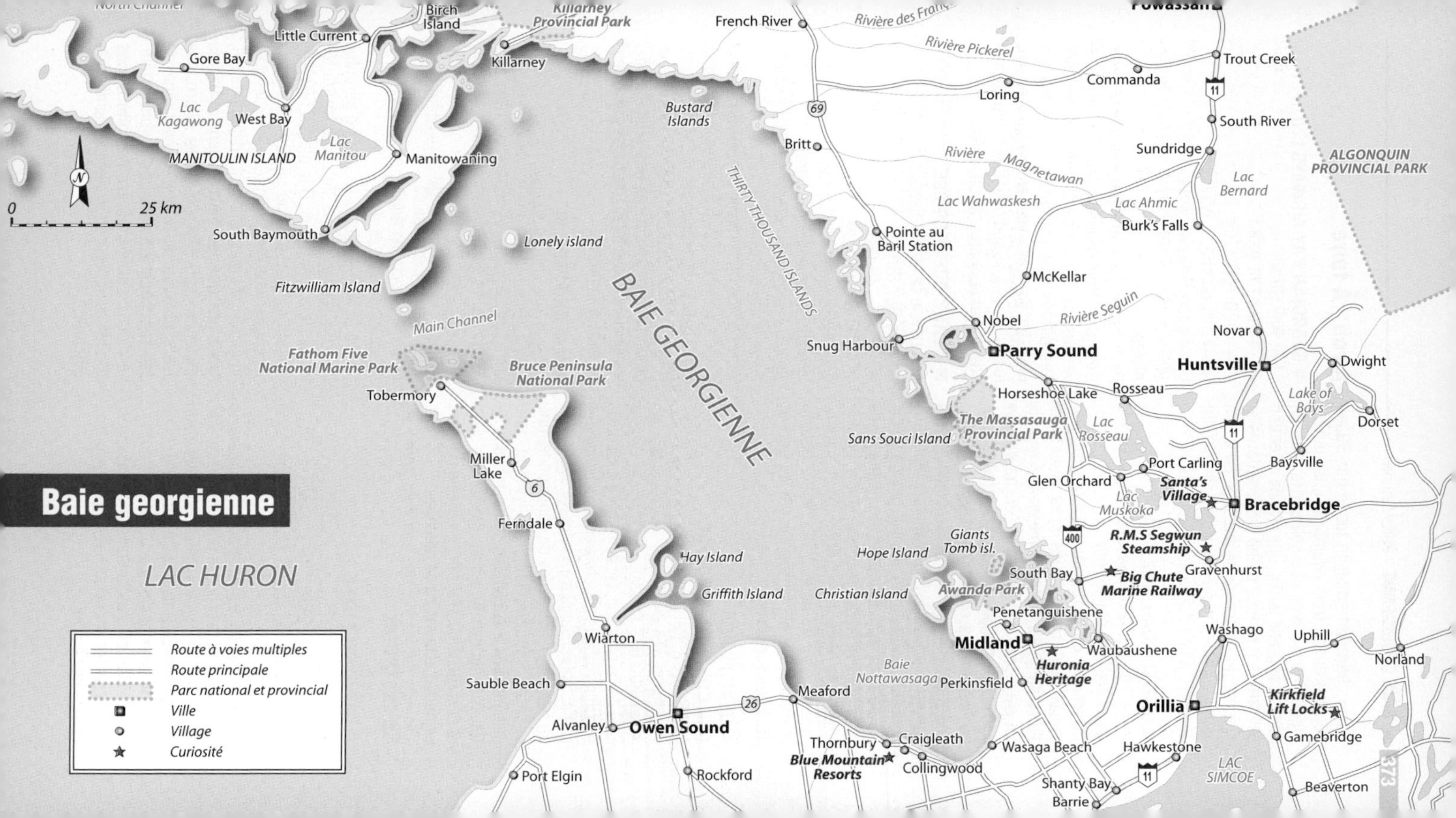

Baie georgienne
BAIE GEORGIENNE
LAC HURON
THIRTY THOUSAND ISLANDS
0
25 km
N
Birch Island
Killarney Provincial Park
Killarney
Little Current
Gore Bay
Lac Kagawong
West Bay
Lac Manitou
MANITOULIN ISLAND
Manitowaning
South Baymouth
Lonely island
Fitzwilliam Island
Main Channel
Fathom Five National Marine Park
Bruce Peninsula National Park
Tobermory
Miller Lake
6
Ferndale
Hay Island
Griffith Island
Wiarton
Sauble Beach
Alvanley
Owen Sound
Port Elgin
Rockford
26
Meaford
Thornbury
Blue Mountain Resorts
Craigleath
Collingwood
Baie Nottawasaga
Bustard Islands
French River
Rivière Pickerel
69
Britt
Loring
Commanda
Trout Creek
11
South River
Sundridge
Rivière Magnetawan
Lac Wahwaskesh
Lac Ahmic
Lac Bernard
ALGONQUIN PROVINCIAL PARK
Burk's Falls
Pointe au Baril Station
McKellar
Nobel
Rivière Seguin
Snug Harbour
Parry Sound
Novar
Huntsville
Dwight
Lake of Bays
Dorset
Horseshoe Lake
Rosseau
Lac Rosseau
The Massasauga Provincial Park
Sans Souci Island
Baysville
Port Carling
Glen Orchard
Santa's Village
Lac Muskoka
Bracebridge
400
R.M.S Segwun Steamship
Giants Tomb isl.
Hope Island
South Bay
Big Chute Marine Railway
Gravenhurst
Christian Island
Awanda Park
Penetanguishene
Midland
Waubaushene
Huronia Heritage
Washago
Uphill
Norland
Perkinsfield
Orillia
Kirkfield Lift Locks
Gamebridge
Wasaga Beach
Hawkestone
LAC SIMCOE
Shanty Bay
Barrie
Beaverton
Route à voies multiples
Route principale
Parc national et provincial
Ville
Village
Curiosité

Cette charmante maison tenue par Susan Poole propose trois chambres absolument magnifiques. Avec vue soit sur la marina, soit sur le grand jardin, une grande attention est portée à chaque détail des chambres et procure un sentiment de chez soi. Le matin venu, le chef Simon Poole concocte un petit déjeuner digne des tables champêtres.

■ **CENTER ROAD, MCKELLAR**
✆ +1 705 389 2171, +1 800 571 8818
www.manitou-online.com
Ouvert de mi-mai à mi-octobre. Prix par personne incluant tous les repas : à partir de 299 CAN $. Forfaits disponibles.
Un très beau complexe de 220 ha sur les bords des rivages du Lac Manitouwabing. La plupart des chambres et suites offrent une très belle vue et un coin cheminée très confortable. Sheila Wise, maîtresse des lieux, gère cet établissement affilié au groupe Relais & Châteaux avec efficacité. De nombreuses activités sont proposées : golf, tennis, piscine extérieure, Spa, bain à tourbillons, sauna, fitness, bain de boue, VTT, pêche, bateau et canoë, kayak, rafting, école de golf et 18-trous sur place.

■ **QUALITY INN AND CONFERENCE CENTRE**
1, J.R, RR 2, Parrysound
✆ +1 705 378 2461
✆ +1 800 638 5883
Près de Parry Sound, cet hôtel met à la disposition des visiteurs des chambres spacieuses et confortables. Sur place, on trouve également un bar-resto, des salles de conférence, une salle de conditionnement physique, une piscine, sauna et bain à remous, terrains de tennis et squash. Accès aux sentiers de quad et de motoneige. Une adresse idéale pour les séjours d'affaires ou de détente.

Se restaurer

■ **BAY STREET CAFE**
22 Bay Street
✆ +1 705 746 2882
Ouvert tous les jours. Compter de 15 à 25 CAN $.
Situé en face de la marina de Parry Sound, le Bay Street Cafe propose une grande variété de sandwichs, burgers, pâtes, grillades mais, surtout, des plats de poissons et de fruits de mer. La carte des desserts donne franchement envie de succomber. La terrasse est très agréable en saison quoiqu'un peu trop chargée de tables...

À voir / À faire

■ **GEORGIAN BAY AIRWAYS LTD**
11 A, Bay Street
✆ +1 705 774 9884
✆ +1 800 786 1704
www.georgianbayairways.com
gba@georgianbayairways.com
Vol à partir de 95 CAN $. Forfaits disponibles.
Pour ceux qui n'ont pas froid aux yeux, Georgian Bay Airways fait des allées et venues au-dessus de l'incroyable archipel. Les pilotes experts, aux commandes des meilleurs appareils, vous emmènent là où vous le voulez, que ce soit pour une heure ou pour une semaine, à prix raisonnables.

■ **ISLAND QUEEN CRUISE**
Au quai de la rivière Seguin, près de Bay Street
✆ +1 705 746 2311
✆ +1 800 508 2628
www.islandqueencruise.com
info@islandqueencruise.com
De juin à mi-octobre. Adulte : de 25 à 33 CAN $ selon la croisière choisie.
Venez découvrir la région des 30 000 îles lors d'une croisière de 2 ou 3 heures à bord de ce grand bateau d'une capacité de 550 passagers. D'une grande beauté naturelle, vous vous émerveillerez devant ces îles sculptées par les glaciers et ces forêts sauvages parsemées de luxueux chalets.

■ **M.V. CHIPPEWA III**
Au quai de la rivière Seguin, près de Bay Street
✆ +1 705 746 6064
✆ +1 888 283 5870
www.spiritofthesound.ca
info@spiritofthesound.ca
De fin juin à octobre. Adulte : de 24 à 60 CAN $ selon la croisière choisie.
Un joli bateau serpente ici entre d'abruptes falaises, contourne là des îlots de toutes formes et dimensions. Des plages resplendissantes, des pics où se réunissent les ours, une ville fantôme réduite en cendres ou encore d'impressionnants dépôts de sel, rappelant que les lieux étaient autrefois une mer... Le *M.V. Chippewa III* propose des croisières de 6 heures avec dîner et des tournées thématiques d'après-midi. Le clou, c'est la croisière de soirée, vous offrant ses mirifiques paysages à la lumière du couchant.

PARC NATIONAL DU CANADA DES ÎLES-DE-LA-BAIE-GEORGIENNE

✆ +1 705 526 9804
www.pc.gc.ca/baiegeorgienne
info.gbi@pc.gc.ca
Accessible uniquement par bateau. Service de navette « Day Tripper » de Honey Harbour à l'île Beausoleil (15,70 CAN $ par adulte, du jeudi au lundi en juillet et août). Adulte : 5,80 CAN $.
Le fantastique parc national des Îles-de-la-baie-Georgienne n'est accessible que par embarcation nautique ou par avion. L'île Beausoleil, de loin la plus grande des 59 îles formant le parc situé à la frontière de la Huronie, est la seule que l'on puisse vraiment explorer de long en large. Elle comble les randonneurs avec ses 13 sentiers, totalisant 30,6 km. Elle comprend deux régions naturelles distinctes : au sud, la vaste forêt de feuillus s'étalant sur un terrain plat ; au nord, le bouclier canadien avec ses rochers dénudés et ses pins blancs aux formes sculptées par le vent. L'accès par bateau y est facile, et l'île compte de nombreux terrains de camping.

Visites guidées

HISTORICAL & HAUNTED WALKING TOUR OF PARRY SOUND AND BALA

✆ +1 705 732 4960
En juillet et août. Adulte : 12 CAN $. Réservation obligatoire. En anglais seulement.
Terry Boyle, connu pour son émission *Creepy Canada* sur les ondes de CTV, vous propose une visite à pied que vous n'êtes pas prêt d'oublier... Froussards s'abstenir ! Les tours sont organisés le mercredi à Bala (rendez-vous face au Bala Bay Inn) et le jeudi à Parry Sound (rendez-vous sous le pont Trestle sur Bay Street). La visite se déroule de 19h30 à 21h.

MIDLAND

Midland est un village portuaire. A noter : les silos à céréales qui dominent la baie sont décorés de l'image d'un jésuite et d'un Wendat. Ce n'est qu'une murale parmi la trentaine que compte le centre-ville, relatant des bribes de l'histoire locale. Le pinceau de l'artiste allemand Fred Lenz a animé ces fresques qui font de la ville la capitale ontarienne des murales.

Se loger

1875 A CHARTERS INN

290 Second Street
✆ +1 705 527 1572, +1 800 724 2979
www.bbcanada.com/9358.html
info@bbcanada.com
Occupation double : à partir de 75 CAN $. 3 chambres. Petit déjeuner inclus.
Laissez-vous charmer par le luxe de ce gîte au style victorien datant de 1875. Passez la nuit dans une ambiance historique et reposante et régalez-vous avec un repas maison soigneusement préparé pour vous. Situé à quelques pas du centre-ville et du port de Midland.

BEL-AIR MOTEL & COTTAGES

328 Main Street ✆ +1 519 422 1051
www.saublebeachrentals.ca
Occupation double à partir de 115 CAN $ en basse saison, à partir de 135 CAN $ en haute saison. Possibilité de louer des petites maisons à la semaine.
Situé au cœur de Sauble Beach, ce charmant petit hôtel offre des chambres très propres et confortables. L'emplacement de choix de l'établissement en fait une bonne adresse.

WOODLAND PARK (CAMPING)

RR #1, Sauble Beach ✆ +1 519 422 1161
www.woodlandpark.on.ca
info@woodlandpark.on.ca
45 CAN $ l'emplacement avec eau et électricité.
Woodland Park est coté 5-étoiles pour ses installations et ses activités. Vous y trouvez une piscine intérieure, le câble et l'accès Internet, des salles de jeu, des courts, des pistes de patins à roues alignées, sans oublier les services traditionnels. Un endroit incontournable, selon les usagers.

Se restaurer

MACBETHS CAFE AND BAKERY

656 Main Street
✆ +1 519 422 0518
www.westviewcottages.ca/macbeths.htm
macbeths@gbtel.ca
Ouvert tous les jours à l'année. Comptez environ 10 CAN $-15 CAN $.
Le restaurant sert des petits déjeuners copieux et de bonne qualité. Les sandwichs et salades santé sont proposés le midi. La pause-café est accompagnée de délicieux petits muffins. L'accès à Internet est également disponible aux voyageurs munis de leur ordinateur portable.

■ RESTAURANT SAINTE-MARIE
Highway 12 East
✆ +1 705 527 4162
www.saintemarieamongthehurons.on.ca
hhp@hhp.on.ca
Ouvert de fin avril à fin octobre.
Le restaurant du site historique Sainte-Marie-au-pays-des-Hurons offre une cuisine canadienne traditionnelle ainsi que des repas fins et légers. Appréciez l'atmosphère détendue de la salle climatisée au cachet du XVIIe siècle ou profitez de la terrasse.

À voir / À faire

■ CASTLE VILLAGE & THE ENCHANTED KINGDOM PARK
701 Balm Beach Road
✆ +1 705 526 9683
www.castlevillage.ca
info@castlevillage.ca
De mai à janvier : jeudi-samedi de 10h à 17h. Admission générale : de 2 à 3 CAN $ selon l'activité choisie.
Ce château vous permet de visiter le cachot d'horreurs de Dracula, le musée d'armements médiévaux et le royaume enchanté qui comprend un terrain de jeu, un sentier de nature et un village qui représente les contes de fées les plus populaires.

■ HURONIA MUSEUM & OUENDAT VILLAGE
549 Little Lake Park Road
✆ +1 705 526 2844
www.huroniamuseum.com
info@huroniamuseum.com
De mai à fin octobre : tous les jours de 9h à 17h. Le reste de l'année : lundi-vendredi de 9h à 17h.
Vous pouvez découvrir l'histoire de la présence européenne et la flore locale. Cependant, vous ne pouvez visiter la Huronie sans consacrer du temps à la culture huronne. A Midland, Huronia Museum & Ouendat Village livre un témoignage fidèle de la réalité huronne à l'époque de Champlain. Dans ce village minutieusement recréé, un musée et une galerie exposent le fécond et diversifié héritage amérindien.

Croisière dans la baie Georgienne

La découverte de la région sur l'eau s'impose ! Deux bateaux proposent des croisières de tout genre à ceux qui désirent parcourir les prodigieuses 30 000 îles de la baie Georgienne. Le MS Georgian Queen, appareillé à Penetanguishene et piloté par le sympathique capitaine Robillard, offre en français des balades à saveur historique et des soirées dansantes sur la baie (www.georgianbaycruises.com). Le Miss Midland, lui, invite notamment à des excursions de 2 heures et demie à partir de Midland. L'entreprise organise aussi des tournées en autobus (www.midlandtours.com).

■ MURALES DE MIDLAND
Le bureau d'information touristique de Midland offre une carte avec l'emplacement de chacune des fresques murales et une courte explication de leur signification. Ceux qui sentent leur fibre artistique vibrer devant ces gigantesques tableaux voudront peut-être passer à l'action. L'école des arts visuels de la Huronie offre des ateliers, au fil de l'été, avec des peintres locaux à Midland. Sur la rue King, où sont peintes la majorité des œuvres, figurent des représentations de Sainte-Marie-au-pays-des-Hurons, du marais Wye, de publicités d'antan, de groupes communautaires et des scènes des premières décennies de Midland, avec ses moulins, son port, sa gare... D'une année à l'autre, les murales s'ajoutent, apportant de la couleur au centre-ville.

■ SAINTE-MARIE AU-PAYS-DES-HURONS
Highway 12 East
✆ +1 705 526 7838
www.saintemarieamongthehurons.on.ca
hhp@hhp.on.ca
Ouvert de fin avril à fin octobre de 10h à 17h, tous les jours de la mi-mai à la mi-octobre, en semaine le reste de l'année. Adulte : de 9,25 à 11,25 CAN $.
Cette forteresse du XVIIe siècle était jadis le siège de la mission jésuite française en Huronie. C'était la résidence de 66 Français, soit du cinquième de la population de la Nouvelle-France. Sainte-Marie a été recréée sur son site original.
Site d'importance nationale, Sainte-Marie-au-pays-des-Hurons à Midland consiste en 25 bâtiments historiques, un musée récipiendaire de prix d'excellence et une prestation théâtrale avec des personnages en habits d'époque. Des figurants présentent les coutumes et habiletés des pionniers.

■ SANCTUAIRE DES SAINTS-MARTYRS CANADIENS

16163, route 12 Ouest
www.martyrs-shrine.com
shrine@jesuits.ca
Ouvert de mai à octobre.
Tout juste à côté du site, deux autres attraits vous attendent : le sanctuaire des Saints-Martyrs-canadiens et le marais Wye, un refuge pour les cygnes trompettes. Ce centre faunique suggère des excursions en canot et des promenades permettant l'observation de nombreuses espèces, dont la tortue mouchetée. Des guides chercheurs commentent la tournée, en canot ou dans les 10 km de sentiers.

■ WYE MARSH WILDLIFE CENTRE

16160 Highway 12 East
✆ +1 705 526 7809
www.wyemarsh.com
info@wyemarsh.com
Evadez-vous et découvrez la nature toute l'année ! Marchez ou pédalez, skiez ou faites de la raquette dans les sentiers. Participez à des ateliers ou programmes d'interprétation. Nourrissez les mésanges et admirez des démonstrations d'oiseaux de proie.

PENETANGUISHENE

Poste de traite de fourrure d'abord, puis terre d'accueil des militaires anglais au début du XIXe siècle, cette petite ville est marquée par son passé militaire et naval. De nos jours, avec ses statues et l'église Sainte-Anne, on peut y faire une balade pour le moins agréable et profiter de la beauté du paysage naturel.

■ DISCOVERY HARBOUR / HAVRE DE LA DÉCOUVERTE

93 Jury Drive
✆ +1 705 549 8064
www.discoveryharbour.on.ca
bill.brodeur@ontario.ca
Ouvert de fin mai à début septembre de 10h à 17h (seulement en semaine de fin mai à fin juin). Adulte : 6 CAN $.
Remontez jusqu'au XIXe siècle sur les quais de ce qui fut la base navale et militaire britannique de Penetanguishene. Le Havre de la Découverte est le principal site marin culturel de l'Ontario. Le personnel costumé incarne ceux qui y ont vécu et travaillé il y a près de 200 ans.

■ PARC PROVINCIAL AWENDA

✆ +1 705 549 2231
www.parcsontario.com
Le parc Aweda renferme de nombreux témoins de la dernière ère glaciaire parmi lesquels figure la falaise Nipissing haute de 60 m. En face de celle-ci se trouve l'île Giant's Tomb où, dit-on, repose l'esprit de Kitchikewana. Vous trouverez également de nombreuses plages et un réseau de sentiers qui vous permettra de découvrir des espèces végétales rares et plus de 198 espèces d'oiseaux.

WASAGA BEACH

Avec ses 14 km, la rive d'eau douce de Wasaga Beach est la plus longue du monde. S'y succèdent en enfilade des concours de châteaux de sable, des compétitions de beach-volley, une exposition de voitures historiques, des soirées de feux d'artifice et plus encore. Rompez l'envoûtement de la plage un après-midi pour vous égarer dans le labyrinthe de maïs de Rounds Ranch Farm Adventures (1922 Country Road 92 – www.roundsranch.com), site qui offre à tous les âges d'autres aventures et activités divertissantes. En bref, Wasaga Beach est une station balnéaire très prisée et très bondée. Ce ne sont pas les activités qui manquent pour divertir les membres de votre famille. Au contraire, le temps manquera bien avant !

Se loger

Tout comme les activités, l'offre en hébergement ne manque pas. Du terrain de camping au chalet tout équipé, il y a amplement le choix et pour tous les budgets.

■ SAGA RESORT

88 Main Street South
✆ +1 705 429 2543
✆ +1 800 263 7053
www.sagaresort.com
info@sagaresort.com
Tarifs variables selon le type d'hébergement choisi et la durée du séjour. Location à la semaine disponible.
Pour les familles, le Saga Resort est une excellente référence. Ouvert à l'année, ce centre de villégiature propose l'hébergement en mini condo, en motel ou en chalet. Nombreuses activités sont offertes sur place telles qu'une piscine extérieure, un Jacuzzi, des terrains de sport, une aire de jeu, etc.

■ **SUNSHINE PARK CAMPGROUNDS**
604 River Road West
✆ +1 705 429 2334
www.wasagasunshinepark.com
sunshinepark@mac.com
A partir de 20 CAN $ par personne et par nuit. Stationnement gratuit en semaine, à partir de 5 CAN $ le week-end. Terrains de volley-ball et basket-ball sur place.
Pour les adeptes de la fête jusqu'aux petites heures, le camping Sunshine Park est votre destination ! Ouvert de fin mai à début septembre, il peut accueillir des centaines de campeurs grâce à ses 205 sites. Lors des longs congés, un camion musical vient mettre l'ambiance.

À voir / À faire

■ **PARC PROVINCIAL WASAGA BEACH**
✆ +1 705 429 2516
www.parcsontario.com
Cette longue plage sablonneuse de la baie Georgienne attire chaque été des milliers de visiteurs friands de soleil et de baignade. Profitez aussi des autres attraits du parc : des sentiers de randonnée et de ski de fond qui sillonnent les dunes de sable et les forêts de pins et de chênes, de même qu'un site qui présente l'histoire maritime pittoresque de Wasaga, des concerts de jazz et des reconstitutions militaires.

BARRIE

La grande région de Barrie, c'est la destination vacances par excellence. Elle est facilement accessible par l'autoroute 400 depuis Toronto ou Parry Sound, ou encore l'autoroute 11 depuis Muskoka.

Se loger

■ **DAYS INN – BARRIE**
60, Bryne
✆ +1 705 733 8989
www.daysinnontario.com
78 chambres, 3 étages Central, près de l'autoroute 400, sortie Essa Road. Centre de congrès, piscine intérieure, bain tourbillon et gym. Micro-ondes, minibar, cafetière, fer et planche à repasser, Internet dans chaque chambre. Suites familiales et avec bain à remous.

■ **HARBOUR VIEW INN**
1 Berczy Street ✆ +1 705 735 6832
www.harbourviewinn.ca
info@harbourviewinn.ca
Occupation double : à partir de 129 CAN $. Forfaits disponibles.
Vous profiterez d'un séjour des plus confortables dans cette grande demeure historique, construite en 1885 par John Forsyth. Si vous en avez les moyens, un luxueux penthouse entièrement équipé occupe le dernier étage de la maison (349 CAN $ la nuit). Question de faire revivre l'histoire de cette demeure, des photos de sa construction sont affichées dans l'auberge ainsi que bon nombre d'œuvres d'art de l'artiste peintre Joan LeBoeuf.

■ **HI BARRIE GEORGIAN GREEN SUMMER HOSTEL**
140 Bell Farm Road
✆ +1 705 735 0772
www.hihostels.ca
info@hihostels.ca
Ouvert de mai à mi-août. Chambre individuelle : de 20 à 24 CAN $. Forfaits disponibles.
Tout le confort sans la dépense. Gardez votre argent pour l'apéro et la fine cuisine ! Chambres privées (de 1 à 4 personnes) et lieu commun pour la détente. Un excellent rapport-qualité prix.

■ **TRAVELODGE BARRIE ON BAYFIELD**
300, Bayfield
✆ +1 705 722 4466
www.travelodgebarrieonbayfield.com
gm@travelodgebarrieonbayfield.com
Chambres rénovées en 2006. Accès Internet sans fil et déjeuner continental gratuit. Piscine intérieure et bain à remous. Frigos et micro-ondes disponibles.
A l'angle de la rue Bayfield et de la route 400 et à proximité des restaurants et boutiques, cet hôtel offre des chambres coquettes très confortables.

Se restaurer

■ **GROOVY TUESDAY'S BISTRO**
73 Collier Street
✆ +1 705 721 0302
www.groovytuesdaysbistro.com
info@groovytuesdaysbistro.com
Lundi-samedi de 11h à 15h et de 17h à la fermeture. Menu midi : de 10 à 15 CAN $. Menu soir : de 20 à 30 CAN $.
En plein cœur de la ville, ce petit bistro de 30 places offre une fine cuisine gourmande inspirée des produits locaux saisonniers. L'atmosphère est intime et décontractée et le service impeccable.

À voir / À faire

■ **HORSESHOE RESORT**
1101 Horseshoe Valley Road
✆ +1 705 835 2790, +1 800 461 5627
www.horseshoeresort.com
info@horseshoeresort.com
Ouvert toute l'année. Réservation requise. Adulte (16 ans et plus) : 62 CAN $.
Situé au centre du triangle formé par Barrie, Orillia et Midland, ce complexe en met plein la vue aux amateurs de sensations fortes, petits et grands. Haut perchée, la promenade avec ses 70 jeux et sa tyrolienne éprouvera l'équilibre, la concentration et la confiance... tout en réalisant le rêve enfantin de vivre dans les arbres. Tours de nuit également proposés.

▸ **Autre adresse :** www.treetoptrekking.com

■ **MACLAREN ART CENTRE**
37 Mulcaster Street ✆ +1 705 721 9696
www.maclarenart.com
Ouvert du lundi au vendredi de 10h à 17h, samedi de 10h à 16h, dimanche de 12h à 16h. Don suggéré de 5 CAN $.
Un des lieux d'art les plus en vue du pays, avec son titre de septième musée d'art en importance au Canada. Cette ancienne bibliothèque municipale, construite en 1917, a été inaugurée sous la bannière du McLaren Art Centre en 2001. Le musée avait alors une quinzaine d'années. La collection est évaluée aujourd'hui à 25 millions de dollars. Café et boutique sur place.

ORILLIA

Merveilleusement bien située entre les lacs Couchiching et Simcoe, et à quelques kilomètres de la baie Georgienne, la ville d'Orillia donne un éclat bien spécial à cette magnifique région lacustre. Elle est entourée de trois parcs provinciaux, Bass Lake, Mara et McRae Point, et vous aurez l'embarras du choix ! Visitez l'ancienne demeure de Stephen Leacock, romancier et humoriste canadien reconnu, ou assistez à un spectacle d'opéra dans un bâtiment éblouissant d'autrefois. Il y en a pour tous les goûts dans cette région sud-ontarienne !

Se loger

■ **ADLEIGH HOUSE**
149 Peter Street North
✆ +1 705 325 1124, +1 888 232 1550
info@adleighhousebandb.com
Occupation double : à partir de 125 CAN $. 3 chambres. Petit déjeuner inclus.
Cette charmante demeure centenaire typiquement victorienne met à la disposition de sa clientèle des chambres spacieuses à la décoration d'époque ; tous les éléments architecturaux ont été conservés. Les propriétaires sont très accueillants et le petit déjeuner maison est délicieux.

■ **HAMMOCK HARBOUR RV PARK**
4569 Concession 12, RR #6
✆ +1 705 326 7885
www.hammockharbour.com
info@hammockharbour.com
Ouvert d'avril à octobre. Tarif à la nuit en camping : 28,57 CAN $. Tarif à la semaine disponible.
Ce camping privé est bien entretenu et offre de nombreuses possibilités. Les activités sont intéressantes et les installations modernes.

■ **THE HIGHWAYMAN INN & CONFERENCE CENTRE**
Orillia. 201, Woodside
✆ +1 705 326 7343
✆ +1 800 461 0269
www.highwaymaninn.com
info@highwaymaninn.com
Chambre à partir de 99 $; suite à partir de 149 $.
L'auberge offre 86 chambres spacieuses, 6 suites, une piscine intérieure, un Spa et un sauna, une gamme de lieux de réunion et de banquet ainsi qu'un restaurant. Les chambres sont spacieuses et très bien équipées, les salles de bains très belles. Tous les forfaits sont affichés sur le site Internet, il est également possible de réserver les chambres en ligne.

■ **STONE GATE INN**
437 Laclie Street
✆ +1 705 329 2535
✆ +1 877 674 5542
www.stonegateinn.com
info@stonegateinn.com
Occupation double : à partir de 119 CAN $. Petit déjeuner inclus. Forfaits disponibles. Restaurant, piscine intérieure, Jacuzzi et centre de conditionnement physique sur place.
En plein cœur du Lake Country, à une heure au nord de Toronto, trouvez le summum du luxe et du confort au Stone Gate Inn. Conçu pour procurer la plus relaxante des expériences, il offre des installations haut de gamme et un décor somptueux.

Se restaurer

■ OSSAWIPPI EXPRESS FINE DINING CARS

210 Mississaga Street East
✆ +1 705 329 0001
✆ +1 800 232 9841
www.ossawippi.com
Ouvert toute l'année (fermé le lundi de novembre à mai). Menu midi : de 10 à 16 CAN $. Menu soir : de 20 à 50 CAN $.
Dégustez un savoureux repas à bord d'un wagon datant de plus de 100 ans. Un service exceptionnel, des mets exquis, un paysage imprenable, des prix abordables, un décor inspirant, une atmosphère chaleureuse, un art prestigieux.

À voir / À faire

■ LEACOCK MUSEUM

50 Museum Drive
✆ +1 705 329 1908
www.leacockmuseum.com/museum.htm
lmcurator@rogers.com
Ouvert de mi-mai à mi-octobre de 9h à 17h. Adulte : 5 CAN $. Forfaits disponibles.
Le musée Leacock met en avant une tranche de culture canadienne-anglaise. Stephen Leacock, professeur de sciences politiques à l'université McGill de Montréal au début du XXe siècle, passait ses étés dans une pointe définissant la baie Old Brewery (ancienne brasserie), où il écrivait biographies, essais politiques et économiques, et nouvelles teintées d'absurde. Partout à Orillia, on sent l'effet Leacock dont le plus grand succès littéraire *Un été à Mariposa*, en version originale *Sunshine Sketches of a Little Town*, est bien connu au Canada, aux Etats-Unis et en Angleterre.

■ ORILLIA MUSEUM OF ART AND HISTORY

30 Peter Street South
✆ +1 705 326 2159
www.orilliamuseum.org
info@orilliamuseum.org
Ouvert du mardi au samedi de 10h à 16h, le dimanche en juillet et août de 13h à 17h. Adulte : 4,50 CAN $.
Situé dans l'édifice historique Sir Sam Steele, au cœur du centre-ville d'Orillia, le OMAH présente des expositions d'art et d'histoire d'importance, à la fois régionales et nationales. Visites de l'édifice offertes, fascination assurée.

■ PARC PROVINCIAL MARA

✆ +1 705 326 4451
www.parcsontario.com
Les pêcheurs à la ligne viennent y chercher la truite et autres poissons d'eau douce. Ce parc dispose d'une longue plage de sable fin, l'une des plus belles du lac Simcoe.

■ PARC PROVINCIAL MCRAE POINT

✆ +1 705 325 7290
www.parcsontario.com
Que ce soit pour la baignade, la navigation de plaisance, la pêche ou la randonnée au milieu d'une forêt de feuillus, ce parc provincial enchante les visiteurs à la recherche d'activités de plein air simples et agréables.

■ PARC PROVINCIAL BASS LAKE

✆ +1 705 326 7054
www.parcsontario.com
Après avoir été une ferme pendant plus d'un siècle, le parc Bass Lake a été transformé en un incroyable parc de loisirs. Situé à l'ouest d'Orillia et à proximité de la région historique de la Huronie, cet endroit est idéal pour les activités nautiques et la randonnée. Durant l'hiver, on peut y pratiquer le ski de fond ou encore la raquette.

TOBERMORY

Situé sur la péninsule Bruce, ce paradis pour les fervents de la nature propose diverses activités qui sauront capter l'intérêt de tous. Escaladez l'escarpement du Niagara, explorez le sentier Bruce, faites un tour de kayak dans les anses de la baie Georgienne ou plongez dans ses eaux limpides pour découvrir les épaves. Tobermory est l'endroit rêvé pour tout photographe, kayakiste, randonneur ou personne cherchant à se relaxer dans un décor enchanteur. Ici, les activités sont innombrables, les charmes, inimaginables. Une destination incontournable.

Transports

■ ONTARIO FERRIES - MS CHI-CHEEMAUN

✆ +1 519 596 2510, +1 800 265 3163
www.ontarioferries.com
info@ontarioferries.com
De mai à mi-octobre. Adulte : 16 CAN $ l'aller simple, 27,50 CAN $ l'aller-retour.
Chi-Cheemaun signifie « grand canot » en ojibwé. Il s'agit du plus grand et du plus moderne des traversiers des Grands Lacs. Vous trouverez à bord des salons, une boutique cadeaux et une cafétéria, rendant le voyage agréable et confortable.

Se loger

Bien et pas cher

■ **BLUE BAY MOTEL**
Little Tub Harbour
32 Bay Street
✆ +1 519 596 2392
www.bluebay-motel.com
bluebay@bluebay-motel.com
Ouvert de mai à mi-octobre. Occupation double : à partir de 75 CAN $.
Situé au centre de Tobermory, le motel Blue Bay est un charmant petit établissement mettant à la disposition des clients des chambres spacieuses à la décoration rustique. Le jardin est très beau.

■ **GRANDVIEW MOTEL & DINING ROOM**
15 Earl Street
✆ +1 519 596 2220
Chambre à un lit queen : 65 $-120 $, chambre à deux lits queen : 75 $-130 $.
A quelques minutes des sentiers pédestres et de la rive de la baie Georgienne, ce motel offre des chambres spacieuses et bien équipées. Le restaurant de l'hôtel sert également un bon petit déjeuner.

■ **PARC NATIONAL DU CANADA DE LA PÉNINSULE-BRUCE**
À 15 km de Tobermory
✆ +1 519 596 2263, +1 877 737 3783
www.pc.gc.ca/bruce, www.pccamping.ca
bruce-fathomfive@pc.gc.ca
A partir de 23,50 CAN $ la nuit. Camping d'hiver (de mi-octobre à mi-avril) : 15,70 CAN $.
Ce magnifique parc national, l'un des plus beaux de l'Ontario, offre près de 250 emplacements de camping, accessibles en voiture et répartis sur trois terrains situés au lac Cyprus. Il n'y a pas d'emplacements avec services ni de douches, mais tous les sites ont une table de pique-nique et un foyer avec grille. Il est aussi possible de camper dans l'arrière-pays à Stormhaven et la Passe à Billes High. Ces deux sites sont accessibles par le sentier Bruce, et on ne peut que s'y rendre à pied sur un terrain accidenté.

■ **VISTA HERMOSA B&B**
119 Eagle Road East
✆ +1 519 596 8065
www.vistahermosabnb.ca
vistatob@amtelecom.net
Occupation double : de 90 à 100 CAN $. 2 chambres. Petit déjeuner inclus. Canot et vélo disponibles sur place.
Niché dans une forêt de cèdres et surplombant le lac Huron, ce Couette & Café est un havre de paix. Une grande terrasse pour admirer les plus beaux couchers de soleil de la région et y savourer le petit déjeuner gourmand le matin venu.

Confort ou charme

■ **COACH HOUSE INN**
7189 Highway 6 ✆ +1 519 596 2361
www.coachhouseinnresort.com
info@coachhouseinnresort.com
Tarifs sur demande.
Situé sur un terrain de 7 acres aux allures de parc, à 3 minutes de conduite du ferry Chi-Cheemaun. Cette maison propose 38 chambres simples mais confortables, la plupart ayant été récemment rénovées. Les plus jolies sont celles qui ont un lit king size. La piscine extérieure plaira aux enfants. Le petit déjeuner est également disponible sur place.

À voir / À faire

■ **PARC MARIN NATIONAL DU CANADA FATHOM FIVE**
✆ +1 519 596 2233
www.pc.gc.ca/fathomfive
bruce-fathomfive@pc.gc.ca
Adulte : 5,80 CAN $. Inscription des plongeurs : 4,90 CAN $ par personne par jour.
Le parc national Fathom Five est l'aire marine de conservation la plus prisée du Canada. Une vingtaine d'épaves gisent sous ses eaux cristallines et sur son relief sous-marin très varié. Cela en fait un endroit très apprécié par les plongeurs en eau douce de toute l'Amérique. Que vous préfériez l'apnée ou la plongée autonome, vous avez là de quoi passer des journées emballantes. Ceux qui préfèrent ne pas se mouiller choisiront une intéressante expédition à bord d'un bateau à fond vitré, levant l'ancre au village de Tobermory. A la surface, le parc s'avère tout aussi séduisant. L'île Flowerpot avec sa géographie et sa flore particulières fait la joie des photographes.

■ **PARC NATIONAL DU CANADA DE LA PÉNINSULE-BRUCE**
✆ +1 519 596 2233
www.pc.gc.ca/bruce
bruce-fathomfive@pc.gc.ca
Possibilité de camping au lac Cyprus : 23,50 CAN $ (été), 15,70 CAN $ (hiver). D'autres sites sont accessibles dans l'arrière-pays, mais il faut s'y rendre à pied sur un chemin accidenté (9,80 CAN $ la nuit).

Le parc national de la Péninsule-Bruce, aujourd'hui sur la terre ferme, présenterait, s'il était encore sous l'eau, un environnement aquatique semblable aux récifs de la Grande Barrière d'Australie… On y trouve plutôt une roche calcaire à forte concentration de magnésium. En somme, le paysage se révèle à la fois différent et spectaculaire. Falaises massives, pins séculaires, nombreuses orchidées et eaux cristallines font partie d'un patrimoine naturel sans pareil.

Un passage au centre d'interprétation s'impose. A la fois moderne et écolo, il permet d'en savoir plus sur les spectaculaires paysages qui l'entourent. Vous pourrez y visionner le film *A la limite de deux mondes* et vous y trouverez un musée sur l'histoire naturelle et culturelle de la région ainsi qu'une tour de 20 m, avec une vue imprenable sur les deux parcs nationaux !

Avec ses 872 espèces végétales, dont 34 orchidées, et de superbes essences d'arbres, le parc Péninsule-Bruce est fabuleux. Sept sentiers constituent le réseau de randonnée pédestre, pour un total de 50 km. Des excursions faciles commencent près de la plage Singing Sands (sables chantants), qui semble s'étirer à l'infini. Les plus sportifs opteront pour la boucle de 3 km (environ 3h) formée des sentiers Georgian Bay et Marr Lake.

Dans le secteur Bruce Caves, cinq grottes se révèlent au fil du sentier facile de 1 km. Les randonnées difficiles sont nombreuses, néanmoins courtes, et valent les points de vue spectaculaires. Jones Bluff forme une boucle de 7,5 km faisant le tour d'un immense promontoire, d'où pas moins de cinq belvédères vous feront apprécier davantage cette charmante région. Lion's Head divulgue d'étonnantes formations rocheuses.

Visites guidées

■ **THE BLUE HERON COMPANY**

Little Tub Harbour © +1 519 596 2999
www.blueheronco.com
blueheroncruises@hotmail.com
En opération de mi-mai à mi-octobre. Adulte : à partir de 30 CAN $. Blue Heron propose trois croisières en partance de Tobermory à bord de son fameux bateau avec plancher de verre. Que ce soit pour explorer le site marin Fathom Five, visiter l'île Pot de fleur, ou assister à un magnifique coucher de soleil, Blue Heron vous fera vivre une croisière inoubliable.

ÎLE MANITOULIN

L'île Manitoulin est un pays merveilleux, où s'exprime la sagesse d'une civilisation millénaire. Passionné de culture amérindienne, préparez-vous à vivre une expérience autochtone authentique. Située à la frontière du lac Huron, elle est considérée comme la plus grande île d'eau douce au monde, avec 180 km de longueur et 50 km de largeur. Le nom Manitoulin vient d'un mot amérindien qui signifie « île des esprits ». C'est un lieu sacré pour les peuples autochtones. Les recherches archéologiques ont permis d'établir que l'île a accueilli ses premiers habitants il y a environ 9 000 ans. Les premiers colons européens sont arrivés sur l'île vers 1600.

Transports

Comment y accéder et en partir

Accessible en voiture par la rive nord du lac Huron ou par la péninsule Bruce via le traversier MS Chi-Cheemaun, l'île Manitoulin nous transporte au cœur de la réalité amérindienne. Il est possible de faire le tour de l'île à vélo, fabuleux parcours le long de routes peu passantes et relativement plates, parsemé de lieux d'hébergement.

RÉGION DE MUSKOKA

Depuis plus d'un siècle, les prestigieux complexes hôteliers, les doux villages et les sympathiques ports de plaisance de la région de Muskoka font vivre aux vacanciers de véritables expériences touristiques. Une vaste gamme d'attraits, de services, de festivals et de restos vous y attend. Lacs scintillants, entre collines et forêt, Muskoka est tout nature, avec des commodités contemporaines. La dolce vita en Ontario ! Jardins estivaux des riches Torontois ainsi que de nombreux Européens et Américains, les villes de la région de Muskoka affichent la différence ontarienne avec goût et discernement. Ravissantes maisons de style victorien, chalets rustiques en bois rond, longues allées bordées d'érables et de chênes majestueux, boutiques sympas, cascades çà et là et restaurants exquis au bord de l'eau sont quelques-uns des multiples attraits que trouveront les visiteurs. Cette étonnante région déborde de lieux de séjour fabuleux, de petits hôtels de luxe, de gîtes fastueux et d'impressionnantes stations de villégiature avec toute la gamme de services : centres de conditionnement physique, centres de santé spa, équitation, sports nautiques, deltaplane, pêche, excursions de quad, cours de cuisine... La plupart sont chers, mais il est toujours possible de dénicher de bonnes affaires. Pour les budgets un peu plus serrés, le site de Muskoka Bed & Breakfast Association vous permettra de dénicher les bonnes offres dans les Couettes & Cafés de la région (www.bbmuskoka.com). Ceux qui sont en quête d'expériences culinaires seront ici choyés : les bonnes tables et les produits du terroir sont omniprésents dans la région. Pour découvrir les saveurs locales et les bonnes adresses, visitez le site de Savour Muskoka (www.savourmuskoka.com).Qui passe par la région de Muskoka se doit de faire une croisière à bord du plus ancien bateau à vapeur des Amériques. Le Royal M.S. Segwun est un superbe exemple des navires de la fin du XIXe siècle. Construit en 1887 pour desservir les villages et grands hôtels de ces lacs qui connaissaient déjà un succès fou, il navigue maintenant nonchalamment devant les chalets de vedettes. Ce magnifique bateau à vapeur, couronné maintes fois pour son excellence, appareille depuis Gravenhurst, un petit port qui lui fait tout honneur ! Admirez les bijoux nautiques de l'époque opulente des familles Eaton et Rockefeller (les richissimes personnalités d'alors se devaient de posséder ici de somptueux refuges) à la foire d'embarcations de bois, le Antique & Classic Boat Show de Gravenhurst en juillet. Vous y verrez beaucoup de flamboyants bateaux qui évoquent la course à la vitesse et au luxe, que se livraient les magnats des années folles. Une bonne façon d'en savoir plus sur l'importance des centres de villégiature, des bateaux de bois et des bateaux à vapeur qui sillonnaient les lacs au début du siècle passé. Un hangar nautique abrite une vingtaine de modèles restaurés, qui sont prêtés par des propriétaires privés. La visite est pour ainsi dire à chaque fois renouvelée !

GRAVENHURST

A Gravenhurst, vous pouvez admirer l'évolution du nautisme au Muskoka Boat & Heritage Centre. A bord d'un bateau à vapeur de trois étages, découvrez l'importance de la navigation pour la région, mais visitez aussi ces merveilles de chêne et d'acajou, parfois construites dans les années 1920, et qui demeurent propriété privée. Dans ce dédale d'eau et de routes campagnardes, les kayakistes et les cyclistes seront comblés. Les possibilités d'aventures en kayak et de tournées de cyclotourisme abondent. Renseignez-vous auprès de Muskoka Tourism, qui a élu domicile sur la route 11 un peu au sud de Gravenhurst à Kilworthy.

■ THE INN ON BAY

291 Bay STreet
✆ +1 705 681 0258, +1 800 493 0235
www.innonbay.com
info@innonbay.com
Occupation double : à partir de 109 CAN $. 4 suites. Petit déjeuner inclus.
Cette élégante maison de style géorgien, entièrement restaurée, offre une ambiance chaleureuse et haut de gamme, à quelques pas seulement de toutes les attractions. Une superbe adresse qui reflète parfaitement l'atmosphère de Muskoka !

■ PINEDALE MOTEL

200 Pinedale Lane
✆ +1 705 687 2822
Au bord du lac Gull, dans un beau site en retrait du centre de Gravenhurst, de longs bâtiments abritant des chambres simples mais tout de même agréables.

■ **STEAMSHIP SEGWUN**
Au quai de Gravenhurst
✆ +1 705 687 6667, +1 866 687 6667
www.realmuskoka.com/steamship.php
info@realmuskoka.com
En service du 1er juin au 15 octobre. Adulte : à partir de 17,95 CAN $ (sans repas). Croisières à thèmes ou avec repas offertes. Construit en 1887 et avec une capacité de 99 passagers et deux salles à manger, le Segwun est le plus vieux navire à vapeur encore en exploitation en Amérique du Nord, et le dernier d'une flotte de navires à vapeur qui ont porté des passagers et le courrier partout dans Muskoka avant l'ère de l'automobile. Vous aurez la chance de naviguer à bord d'un authentique bateau à vapeur datant du XIXe siècle, qui vous emmènera à la découverte de quelques superbes panoramas de la région des lacs Muskoka (réservation recommandée).

■ **TABOO RESORT GOLF AND SPA**
1209 Muskoka Beach Road
✆ +1 705 687 2233, +1800 461 0236
www.tabooresort.com
reservation@tabooresort.com
Fermeture saisonnière en hiver. Occupation double : à partir de 199 CAN $. Forfaits disponibles. Le complexe hôtelier Taboo Resort Golf and Spa bénéficie d'un environnement particulièrement tranquille au bord du lac Muskoka, en retrait de la ville. Il dispose d'un vaste terrain sur lequel sont répartis les chalets ou des bâtiments abritant les chambres. Outre le logement, vous trouverez de quoi vous divertir, le complexe offrant une plage, des piscines, des courts de tennis, un terrain de golf et un centre de santé spa. Il abrite également de bons restaurants. Un établissement d'exception, réservé aux plus nantis.

BRACEBRIDGE

Bracebridge a été incorporé comme ville en 1889. Bien que son emplacement dans la région de Muskoka ait été convoitée, l'accessibilité limitée a longtemps ralenti son expansion. Depuis, elle a bénéficié de l'installation d'un aéroport et de routes modernes, qui lui assurent une place de choix dans cette zone très touristique.

Se loger

■ **CEDARWOOD RESORT**
1515 Highway 118 West
✆ +1 705 645 8558, +1 866 252 0223
www.cedarwoodresort.ca
reservations@cedarwoodresort.ca
Occupation double en chalet par nuit : de 225 à 285 CAN $. Tarifs à la semaine également disponibles. Un des plus beaux complexes hôteliers de Muskoka, qui propose de luxueux chalets. Paisible, le Cedarwood est situé au cœur de la nature, au bord d'un lac. Les chalets sont spacieux et bien meublés, et disposent de tout le confort souhaité : bains à remous, Internet sans fil, terrasse aménagée, cuisine équipée...

■ **INN AT THE FALLS**
1 Dominion Street
✆ +1 705 645 2245, +1 877 645 9212
www.innatthefalls.net
frontdesk@innatthefalls.net
Occupation double : à partir de 69 CAN $, petit déjeuner inclus. Forfaits disponibles. Piscine extérieure chauffée.
Un hôtel historique de style victorien datant des années 1870, qui dégage une atmosphère agréable avec ses sept maisons meublées d'antiquités et organisées à la manière d'un village. Tout près des chutes Bracebridge et de la paisible rivière Muskoka.

■ **MUSKOKA RIVERSIDE INN**
300 Ecclestone Dr
✆ +1 705 645 8775, +1 800 461 4474
Un grand hôtel situé à l'entrée de la ville, sans attrait particulier, mais au confort moderne et disposant de pistes de bowling.

Se restaurer

■ **FOX AND HOUNDS PUB AT THE INN**
1 Dominion Street
✆ +1 705 645 2245, +1 877 645 9212
www.innatthefalls.net
frontdesk@innatthefalls.net
Ouvert du mercredi au dimanche de 11h30 à 14h et de 17h à 21h (fermé mercredi-jeudi hors saison). Menu à partir de 10 CAN $ (midi et soir). Sur un site magnifique donnant sur la rivière Muskoka, le Fox and Hounds propose un menu de type pub (grillades, sandwichs, burgers, etc.). Terrasse verdoyante en été.

■ **THE OLD STATION RESTAURANT**
88 Manitoba Street
✆ +1 705 645 9776
www.oldstation.ca
Ouvert tous les jours en été. Fermé de janvier à mi-février et les dimanches hors saison estivale. Des plats simples d'inspiration nord-américaine : steaks, hamburgers, fish and chips. Un restaurant sans prétention en plein cœur du centre-ville.

À voir / À faire

■ SANTA'S VILLAGE & SPORTSLAND

1624 Golden Beach Road
✆ +1 705 645 2512
www.santasvillage.ca
info@santasvillage.ca

En opération de mi-juin à début septembre. Santa's Village : tous les jours de 10h à 18h. Sportsland : lundi-samedi de 10h à 21h, le dimanche de 10h à 18h. Tarif : adulte 27 CAN $, gratuit pour les moins de 2 ans, 22 CAN $ pour les 2-4 ans et les plus de 64 ans. Admission à Santa's Village et 10 coupons pour Sportsland : 42 CAN $. Possibilité de louer un chalet ou de camper sur place.

En 1955, le père Noël a vu les goûts de sa clientèle se multiplier à un rythme effarant, à l'égal de l'essor technologique. Il a alors décidé d'ouvrir aux vacanciers sa demeure d'été, jusqu'alors tenue secrète, question de tâter le pouls de ses admirateurs et de savoir ce qu'il devait leur apporter en décembre. A Bracebridge, dans un décor évocateur de notre tendre enfance, le père Noël a édifié un merveilleux village débordant de jeux pour les jeunes fervents. De paisibles daims circulent sur les lieux et adorent être nourris par de petites mains. Sur le bord d'un charmant lac, le père Noël et ses aides enseignent aux enfants les bonnes manières d'assurer la santé écologique de notre belle planète. Entre les tournées de manèges et les limonades, le Santa's Village comblera de bonheur tous les mousses !

Sur le même site se trouve Sportsland : go-karts, minigolf, jeux de laser, arcades. Depuis peu, un parc aérien y a installé ses quartiers généraux. Pour toute information : ✆ +1 705 645 2512 – www.aerialparks.ca

Shopping

■ MUSKOKA COTTAGE BREWERY

13 Taylor Road
✆ +1 705 646 1266
✆ +1 800 881 4229
www.muskokabrewery.com

Boutique de la brasserie ouverte du lundi au samedi de 11h à 17h.

La brasserie Muskoka Cottage produit quatre bières, toutes disponibles à leur boutique ainsi que dans les Beer Stores et LCBO de la province : cream ale, dark ale, hefe weissen et premium lager.

HUNTSVILLE

L'endroit parfait pour un séjour romantique, en famille ou encore entre amis, Huntsville est une ville où l'on trouve de tout dans un milieu où la nature est maître. Bien connu par les gens du sud, Muskoka a beaucoup à offrir.

A proximité du magnifique parc Algonquin, du parc provincial Arrowhead et de lacs splendides, Huntsville est une destination inoubliable !

Pratique

■ WWW.HUNTSVILLE.CA

www.huntsville.ca
Office du tourisme de la ville.

Se loger

■ CEDAR GROVE LODGE

Grassmere Resort Road
✆ +1 705 789 4036
✆ +1 800 461 4269
www.cedargrove.on.ca
info@cedargrove.on.ca

A partir de 110 CAN $ par personne par nuit, incluant tous les repas. En juillet et août, un minimum de 3 jours est exigé. Nombreuses activités sur place en toute saison.

Au cœur de la forêt, le Cedar Grove est constitué d'une série de chalets au charme rustique, répartis le long du lac Peninsula.

■ POW-WOW POINT LODGE

207 Grassmere Resort Road
✆ +1 705 789 4951
✆ +1 800 461 4263
www.powwowpointlodge.com
info@powwowpointlodge.com

A partir de 215 CAN $ par personne pour 2 nuits, incluant tous les repas et l'accès aux activités. Forfaits disponibles.

Situé aux abords du lac Peninsula, ce lodge propose l'hébergement en petits chalets confortables. L'établissement offre de belles rives, un grand terrain aménagé et une foule d'activités en toute saison.

■ SUNSET INN MOTEL

69 Main St. W
✆ 789 4414
www.sunsetinnmotel.com
sunsetinn@hotmail.com

Des chambres offrant un confort moderne pour un prix raisonnable, à l'entrée de la ville.

Se restaurer

■ 3 GUYS AND A STOVE
143 Highway 60 East ✆ +1 705 789 1815
www.3guysandastove.com/3guys/
info@3guysandastove.com
Ouvert tous les jours midi et soir, et le matin le week-end. Menu midi : de 10 à 20 CAN $. Menu soir : de 10 à 35 CAN $.
Près du centre-ville, ce restaurant vous offre un cadre et un service de qualité. La cuisine y est savoureuse et les prix corrects. Des plats originaux y sont proposés toute l'année. En été, la terrasse à l'arrière est très agréable.

■ THE COTTAGE WATERFRONT GRILL
7 John Street ✆ +1 705 789 6842
www.huntsvillecottage.com
info@huntsvillecottage.com
Lundi-vendredi de 11h à 22h, samedi de 11h à 2h, dimanche de 10h à 22h (brunch de 10h à 14h). Menu midi : de 8 à 20 CAN $. Menu soir : de 8 à 25 CAN $.
Au centre du village coule la rivière, et ce restaurant y a installé sa terrasse. On y propose des plats simples et des grillades, servis dans une ambiance agréable.

■ SPENCER'S TALL TREES RESTAURANT
87 Main Street West ✆ +1 705 789 9769
www.spencerstalltrees.com
talltrees@on.aibn.com
Lundi-vendredi de 11h30 à 14h, lundi-samedi dès 17h (ouvert le dimanche en été). Menu midi : de 10 à 20 CAN $. Menu soir : de 20 à 50 CAN $.
Le Spencer's Tall Trees, propriété du chef Randy Spencer et de sa femme Karen, offre un cadre sans prétention et une carte honorant les produits de la région de Muskoka. Très belle carte des vins acclamée par Wine Spectator en 2009. Une belle adresse gourmande !

À voir / À faire

■ ALGONQUIN ART CENTRE
33 King William Street
✆ +1 705 789 3205, +1 800 863 0066
www.algonquinartcentre.com
info@algonquinartcentre.com
De mi-juin à mi-octobre : tous les jours de 10h à 17h30 (jusqu'à 17h de début septembre à mi-octobre). Entrée libre (don suggéré de 5 CAN $). Galerie d'art dévouée à la faune et la flore du Canada, avec une emphase sur le parc Algonquin. Boutique cadeaux sur place. Activités et événements sur place : classes artistiques, démonstrations, etc.

■ ALGONQUIN THEATRE
37 Main Street East
✆ +1 705 789 4975, +1 888 696 4255
www.algonquintheatre.ca
algonquintheatre@huntsville.ca
Tarifs variables selon l'événement. Dans le centre-ville, un théâtre de 408 sièges. L'hôte principal du Hunstville Festival for the Arts.

■ MUSKOKA HERITAGE PLACE
88 Brunel Road ✆ +1 705 789 7576
www.muskokaheritageplace.org
ron.gostlin@huntsville.ca
De mi-mai à mi-octobre : ouvert tous les jours de 10h à 16h. Adulte : 10 CAN $ pour le village et 2 CAN $ pour le musée. Les installations incluent un véritable village pionnier, un train à vapeur de 1902 en état de marche (*The Portage Flyer*), une exposition sur les premières nations, un musée, des animaux de ferme et des jardins, ainsi que des sentiers pédestres.

WINDERMERE

Le village de Windermere est situé sur la rive est du lac Rosseau. Profitez de votre passage pour louer une embarcation nautique à la marina (Woodland Marine ✆ 705 769 3661). Ce petit village est représentatif des collectivités situées au bord des lacs, qui se sont établies dans la région à l'ère victorienne et qui sont devenues des centres touristiques très tôt. Windermere est une des collectivités les plus appréciées de l'Ontario.

■ WINDERMERE HOUSE
2508 Windermere Road
✆ +1 705 769 3611, +1 888 946 3376
www.windermerehouse.com
Occupation double : à partir de 189 CAN $. Forfaits disponibles. La maison Windermere a été fondée en 1870 et demeure l'une des destinations prisées de Muskoka. Brûlée, puis reconstruite dans le respect de ses caractéristiques originales, Windermere House offre un raffinement classique qui ne se démode pas, combinant le charme du XIXe siècle et le confort moderne. Piscine extérieure chauffée, terrains de tennis, golf 18-trous à côté, plage de sable sécuritaire, zone de jeux pour enfants, terrain de basket-ball, sports nautiques, locations de bateaux et croisières sur le lac... Rien ne manque pour rendre le séjour enchanteur. Les services de restauration accueillent les clients de l'hôtel, mais aussi les visiteurs de passage : Rosseau Grill (spécialité de grillades), Windermere Pub'n Patio (pub avec terrasse offrant une vue sur le lac Rosseau), Wasabi Sushi Cafe, et PJ's Lobby Bar (bar seulement).

PORT CARLING

Tandis que vous vous trouvez à Port Carling, ne manquez pas la murale du port, une mosaïque inouïe, faite de milliers de cartes postales datant de 1860 à nos jours. Voici toute l'histoire de Muskoka, image par image, rassemblée pour vous.

■ PINELANDS RESORT

✆ +1 800 461 4260
www.pinelands.on.ca
pineridge@citytel.net
Collé au lac Joseph, le complexe hôtelier Pinelands accueille les familles depuis de nombreuses années. Il est ouvert de la mi-mai à la mi-octobre, et fournit un cadre parfait pour une escapade de vacances familiales.

■ SHAMROCK LODGE

Shamrock Road
✆ +1 705 765 3177
✆ +1 888 742 6742
www.shamrocklodge.com
shamrock@muskoka.com
A partir de 153 CAN $ par personne par nuit, incluant tous les repas. Nombreuses activités sur place : piscine intérieure, Jacuzzi, sauna, canot, pêche, tennis, ski de fond, raquettes, etc.
Le Shamrock Lodge est un complexe « quatre saisons », situé sur les rivages primitifs du lac Rosseau. Exploité par la famille Bryant depuis plus de 25 ans, vous y trouverez un service attentionné, des repas de qualité et un hébergement traditionnel de la région.

CENTRE

Région sauvage par endroits. Ingénieusement développée ailleurs, c'est le cœur de l'Ontario. Vous y découvrirez un vaste réseau invitant de 134 lacs et rivières, mais aussi un parc de 770 000 hectares de forêts denses et de lacs inaltérés, ainsi que la capitale des prospecteurs-géologues du Canada. Une contrée loyaliste aux airs de Nouvelle-Angleterre où les petits hôtels de luxe et les centres de villégiature de prestige sont prisés par les amateurs de golf. C'est le royaume des lacs, image authentique de l'Ontario passé et futur, qui a inspiré tant d'artistes.

SUDBURY

Bienvenue dans le Nouvel-Ontario ! Développé dès les années 1870, ce coin de pays est devenu le centre névralgique de la francophonie ontarienne dans les années 1970. Le drapeau franco-ontarien y a d'ailleurs vu le jour en 1975. Littérature, théâtre, musique et drapeau y ont rayonné… et ça continue ! Cette ville dynamique, au cœur du Nouvel-Ontario, s'impose comme troisième plus grand centre francophone hors Québec.

Transports

Comment y accéder et en partir

Sudbury est située à 380 km de Toronto (4 heures 45), 490 km d'Ottawao (6 heures 50), 690 km de Montréal (9 heures), 715 km de Windsor (8 heures 15) et 1 000 km de Thunder Bay (14 heures). Plusieurs routes desservent la grande région de Sudbury. Voici les principaux accès routiers en fonction des régions de départ :

- **Région d'Ottawa et du Haut de l'Outaouais** : prenez l'autoroute 417 qui deviendra la 17 un peu à l'ouest d'Ottawa.
- **Région du Grand Toronto et de la baie Georgienne** : prenez l'autoroute 400 puis la route 69.
- **Région du Nord et du lac Supérieur** : prenez la route 17.

NORTH BAY

Porte du Nord, North Bay s'est installée entre deux portages, à la fin du XIXe siècle. Elle demeure un centre de transport par voie maritime, ferroviaire ou automobile, un lieu de correspondance entre le Nord et le Sud. La ville s'est développée autour de cette animation. Elle regorge de petits trésors à découvrir…

Transports

Comment y accéder et en partir

North Bay est à 340 km de Toronto qu'on peut rejoindre en voiture en 4 heures 15, 360 km d'Ottawa (5 heures), 555 km de Montréal (7 heures) et 1 100 km de Thunder Bary (15 heures 45). Plusieurs routes desservent la région de North Bay. Voici les principaux accès routiers en fonction des régions de départ :

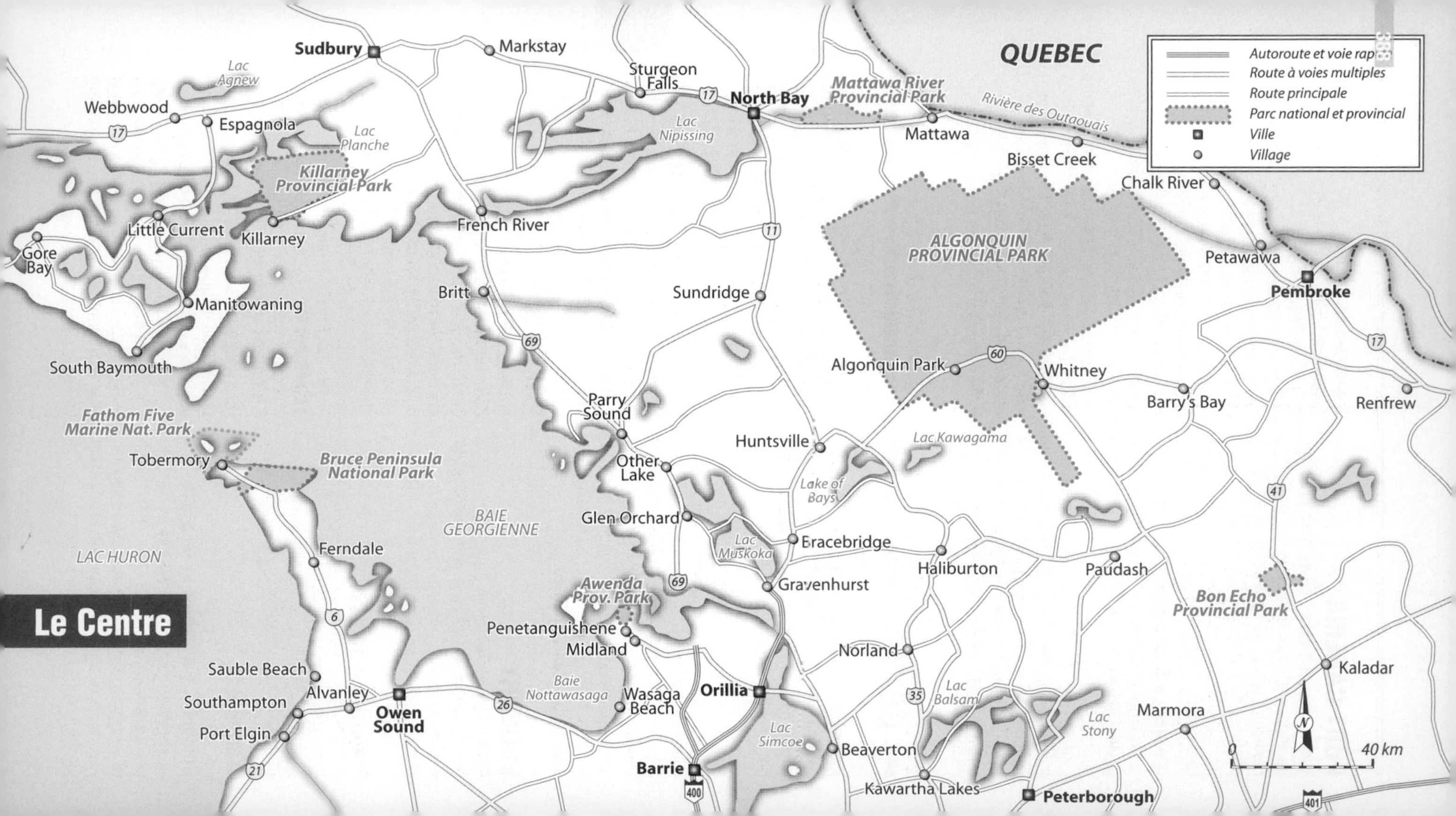
Le Centre
QUEBEC
Autoroute et voie rap
Route à voies multiples
Route principale
Parc national et provincial
Ville
Village
Sudbury
Markstay
Lac Agnew
Webbwood
Espagnola
Lac Planche
Killarney Provincial Park
Sturgeon Falls
North Bay
Lac Nipissing
Mattawa River Provincial Park
Rivière des Outaouais
Mattawa
Bisset Creek
Chalk River
Petawawa
Pembroke
Little Current
Killarney
French River
Gore Bay
Manitowaning
Britt
Sundridge
ALGONQUIN PROVINCIAL PARK
South Baymouth
Fathom Five Marine Nat. Park
Tobermory
Bruce Peninsula National Park
Parry Sound
Other Lake
Huntsville
Algonquin Park
Whitney
Barry's Bay
Renfrew
Lac Kawagama
Lake of Bays
Glen Orchard
BAIE GEORGIENNE
LAC HURON
Ferndale
Lac Muskoka
Bracebridge
Haliburton
Paudash
Gravenhurst
Awenda Prov. Park
Bon Echo Provincial Park
Penetanguishene
Midland
Norland
Kaladar
Sauble Beach
Alvanley
Southampton
Port Elgin
Owen Sound
Baie Nottawasaga
Wasaga Beach
Orillia
Lac Balsam
Lac Stony
Marmora
Lac Simcoe
Beaverton
Barrie
Kawartha Lakes
Peterborough
0
40 km
N
17
11
60
69
41
6
26
35
21
400
401

La rivière des Français

Une rivière des Français en Ontario, est-ce possible ? Diantre, si ! Dès 1615, Champlain s'engageait dans cette rivière sinueuse qui relie le lac Nipissing à la baie Georgienne. Si elle s'avère grouillante de poissons aujourd'hui, elle fourmillait d'activités commerciales jadis, au temps des explorations et de la traite des fourrures. Impossible d'emprunter la rivière des Français sans penser aux voyageurs, ni les plaindre un tant soit peu ! D'un caractère exubérant, elle se fait labyrinthe, astreint à de nombreux portages autrefois parcourus par Champlain, Brûlé, Radisson et Des Groseilliers. Ce cours d'eau constituait un tronçon important de la route des intrépides commerçants reliant Montréal à la baie Georgienne. Bien avant leur venue, l'immense lac Algonquin, formé par la fonte de glaciers hauts de 5 km, s'y écoulait en flots furieux vers la mer Champlain, puis vers l'Atlantique. Les berges sculptées et teintées d'histoire ravissent aujourd'hui les nouveaux aventuriers qui l'explorent. La rivière des Français fut le premier cours d'eau à recevoir la distinction de rivière du patrimoine canadien. Près de 105 km de beauté stupéfiante attendent canoteurs et kayakistes…

- **Région d'Ottawa et du Haut de l'Outaouais :** prenez l'autoroute 417 qui deviendra la 17 un peu à l'ouest d'Ottawa.
- **Région du Grand Toronto et de Muskoka :** prenez l'autoroute 400 puis la route 11 à Barrie.
- **Région du Nord et du lac Supérieur :** prenez la route 17.

■ **NORTH BAY BUS TERMINAL**
100 Station Road ✆ +1 705 495 4200
info@ontarionorthland.ca
Heures d'ouverture de la gare routière et de la billetterie : tous les jours de 7h à 21h.

Se déplacer

■ **NORTH BAY CITY TRANSIT**
✆ +1 705 474 0400
www.cityofnorthbay.ca
info@cityofNorthBay.ca
Billet adulte : 2 CAN $ (10 billets pour 22 CAN $).

Pratique

■ **NORTH BAY TOURISM**
✆ +1 705 472 8480, +1 888 249 8998
www.northbaytourism.com
www.city.north-bay.on.ca
Centre d'information aux visiteurs : 1375 Seymour, à l'angle de la route 11.

Se loger

■ **BEST WESTERN NORTH BAY**
700 Lakeshore Drive
✆ +1 705 474 5800, +1 800 461 6199
www.bestwesternnorthbay.com
66058@hotel.bestwestern.com
Occupation double : à partir de 109 CAN $. Forfaits disponibles.
Le plus grand centre de conférence et hôtel de North Bay, rénové, avec restaurants, piscine intérieure, services pour les séjours d'affaires ou séjours personnels. A quelques pas du lac Nipissing, à cinq minutes des attraits et des loisirs saisonniers de North Bay.

■ **COMFORT INN LAKESHORE**
676, promenade Lakeshore
✆ +1 705 494 9444, +1 877 449 4484
www.comfortnorthbay.com
Sur les rives du lac Nipissing, North Bay est une ville éclatante et grouillante. Les quatre saisons sont prétextes au plein air. Naviguez, pêchez et marchez ou faites de la motoneige, du ski et des randonnées en hiver.

■ **TERRACE SUITES**
2363 Highway 11B
✆ +1 705 752 5552, +1 866 525 5525
www.terracesuites.com
reservations@terracesuites.com
Tarifs et forfaits sur demande. A une dizaine de minutes du centre-ville de North Bay, surplombant Callander Bay du haut d'une colline, un bel hôtel tout en rondins de bois qui vous propose des chambres et suites abordables et très confortables. Golf 18-trous sur place.

Se restaurer

■ **BAY RESTAURANT**
3060 11 Hwy N ✆ +1 705 474 8411
Un endroit couru par les chauffeurs de camion… Ce qui ne l'empêche pas d'être une bonne adresse ! Parfait pour un club sandwich avec des frites, avec de la tarte aux bleuets pour le dessert. Service souriant.

■ **CHICAGO CAFÉ**
167 Main Street West
✆ +1 705 472 9510
www.chicagocafe.ca
info@chicagocafe.ca
Mardi-mercredi de 11h30 à 20h, jeudi-vendredi de 11h30 à 20h30, samedi de 16h à 20h30. Fermé dimanche-lundi. Menu midi : de 8 à 12 CAN $. Menu soir : de 14 à 30 CAN $.
Comme son nom ne l'indique pas, on y sert une excellente cuisine asiatique. Un bon rapport qualité-prix et un service courtois sont au rendez-vous.

■ **RESTO CAFE INN ON THE BAY**
340 Main Street West
✆ +1 705 495 6461, +1 877 937 8483
www.innonthebay.ca
reservations@innonthebay.ca
Lundi-vendredi de 7h à 22h, samedi-dimanche de 8h à 14h (brunch) et de 17h à 22h. Menu midi : de 10 à 15 CAN $. Menu du soir : de 20 à 35 CAN $. Brunch : de 6 à 12 CAN $.
Une très jolie vue, un bon repas et un service impeccable. Combinez ces ingrédients et vous obtiendrez une excellente adresse. Nous vous recommandons le brie fondant en entrée, le filet mignon en plat, et la crème brûlée en dessert. Vous ressortirez ravi !

■ **WHITE OWL BISTRO**
639 Lakeshore Drive
✆ +1 705 422 2662
www.thewhiteowlbistro.ca
laura_and_rene@thewhiteowlbistro.ca
Lundi-samedi de 11h à 21h, dimanche de 10h à 15h et de 17h à 21h. Menu midi : de 8 à 12 CAN $. Menu soir : de 20 à 35 CAN $.
Une référence à North Bay. Petit (40 places environ) restaurant au bord de l'eau, service attentionné, et des plats confectionnés avec soin. Un bar extérieur rend le tout plus agréable encore durant la belle saison.

À voir / À faire

■ **CHIEF COMMANDA II**
King's Landing, 200 Memorial Drive
✆ +1 705 494 8167, +1 866 660 6686
www.chiefcommanda.com
georgianbaycruises@bellnet.ca
En opération de mi-mai à début octobre. Adulte : de 20 à 35 CAN $. Possibilité de souper-croisière.
Avec ses trois étages, le *Chief Commanda II* peut accueillir jusqu'à 320 passagers. Quatre croisières, d'une durée de 1 heure 30 min à 4 heures, sont offertes : île Manitou, coucher de soleil sur la baie Callander (avec ou sans repas), lac Nipissing, et les couleurs d'automne. Bars et cantine à bord.

■ **DISCOVERY NORTH BAY**
100 Ferguson Street
✆ +1 705 476 2323
www.discoverynorthbay.com
Lundi-mardi de 9h30 à 16h30, mercredi-vendredi de 9h30 à 20h30, samedi de 10h à 16h30, dimanche de 12h à 16h30. Horaire restreint hors saison. Adulte : 6 CAN $.
Dans le centre-ville animé de North Bay, près du bord de l'eau, découvrez une gare habitée de la nouvelle énergie de Discovery North Bay. Deux étages de divertissement interactif et d'expositions bilingues permettant de goûter à la vie du Nord.

■ **DREAM CATCHER EXPRESS**
✆ +1 705 472 4500, +1 800 268 9281
www.ontarionorthland.ca
passengercare@ontc.on.ca
Quelques jours en octobre. Adulte : à partir de 80 CAN $. Forfaits disponibles.
Le *Dream Catcher Express*, un train automnal, présente une excursion aller-retour d'un jour vers le Nord, de North Bay à Temagami, sur une distance de 100 km. Procurez-vous seulement un billet ou choisissez parmi trois forfaits à Temagami.

ALGONQUIN PROVINCIAL PARK

Le parc Algonquin… C'est un fabuleux et envoûtant territoire où viennent se ressourcer les mordus de la nature, les artistes en mal d'inspiration et les professionnels affairés en quête de… raison ! Le parc Algonquin compte plus de 770 000 hectares de forêts denses inhabitées, de lacs inaltérés, de gorges profondes et de plateaux impressionnants. C'est le royaume des ours, des loups, des orignaux et des chevreuils et un havre pour d'innombrables huards, castors et ratons laveurs. Le parc chevauche les limites des étendues de conifères au nord et des arbres à feuilles caduques au sud. La flore y est donc incroyablement diversifiée. Une seule route traverse le parc provincial, en fait seulement un petit tronçon de route au sud. On ne peut explorer l'arrière-pays qu'en canot, kayak ou à pied. Une multitude de sentiers et de voies navigables sont à la disposition des intrépides. Des cabanes de gardes forestiers isolées ont été remises en état et attendent les plus téméraires pour la nuit. Certains terrains de camping ne proposent qu'un minimum de confort. D'autres emplacements offrent tous les services modernes pour plaire à la famille « motorisée ». Ce parc exceptionnellement beau et son camping sont très convoités. Aussi est-il recommandé de réserver votre place.

Pratique

■ ACCUEIL DES VISITEURS (WEST & EAST GATE INFORMATION CENTRES)
A 45 km à l'est de Huntsville
sur l'autoroute 60
✆ +1 705 633 5572
www.algonquinpark.on.ca
info@algonquinpark.on.ca
Ouvert tous les jours de mai à octobre, et les week-ends hors saison.
Centres d'accueil des visiteurs. Celui de l'entrée Ouest comporte une librairie, un restaurant saisonnier ainsi qu'une galerie d'art.

▸ **Autres adresses :** A 5 km à l'ouest de Whitney sur l'autoroute 60 • Pour les réservations de camping : ✆1 888 668 7275 – www.parcsontario.com

Se loger

■ KILLARNEY LODGE
Lake of Two Rivers
Highway 60
Km 33 de l'entrée ouest
✆ +1 705 633 5551, +1 866 473 5551
www.killarneylodge.com
info@killarneylodge.com
Ouvert de mai à mi-octobre. Occupation double : à partir de 159 CAN $ par personne, incluant tous les repas.
Vivez une expérience unique en plein cœur du parc Algonquin, aux abords du lac Two Rivers. Le confort des chalets, l'excellence des repas, la diversité des activités et le service amical feront de votre passage une aventure mémorable.

À voir / À faire

■ ALGONQUIN LOGGING MUSEUM
East Gate, au km 55
De mi-mai à mi-octobre : tous les jours de 9h à 17h. Entrée libre. Sentier et expositions extérieures accessibles à l'année.
Le musée de la foresterie révèle l'histoire de cette industrie, de l'équarrissage de troncs aux pratiques modernes. Librairie et sentier d'interprétation (1,3 km) sur place.

Sports / Détente / Loisirs

■ ALGONQUIN OUTFITTERS
Point d'accès #11 ou #27
✆ +1 800 469 4948
www.algonquinoutfitters.com
Algonquin Outfitters est le leader pour la location de canot et kayak et les excursions guidées au parc Algonquin. Il est également possible de louer de l'équipement de camping et de plein air d'hiver, des VTT. Une équipe hautement professionnelle et des tarifs très concurrentiels.

▸ **Autre adresse :** Consultez le site Internet pour connaître les coordonnées de tous les bureaux de location.

■ PORTAGE STORE
Au km 31 de l'autoroute 60
✆ +1 705 633 5622
✆ +1 705 705 789 3645
www.portagestore.com
info@portagestore.com
Une autre entreprise reconnue qui offre la location de canot, de VTT et d'équipement de camping, ainsi que des excursions guidées. Leur centre du km 31, ouvert tous les jours de mai à mi-octobre, comprend une épicerie, une boutique souvenirs, un restaurant et une boulangerie.

Visites guidées

■ CHOCPAW EXPEDITIONS
Dog sledding. A South River
✆ +1 705 386 0344
Fax : +1 705 386 0344
www.chocpaw.com
chocpaw@on.aibn.com
A 60 km au nord de Huntsville, du côté nord-ouest du parc Algonquin.
Découvrez le parc Algonquin avec des chiens de traîneaux. Chocpaw Expeditions organise des excursions à la journée ou sur plusieurs jours.

BARRY'S BAY

Petite ville du comté de Renfrew dans la vallée Madawaska, à 45 minutes du parc Algonquin. Deux points d'intérêt sont à signaler : la gare et le circuit linéaire Opeongo. La gare est emblématique du développement de Barry's Bay. De 1890 jusque dans les années 1930, le chemin de fer était le principal mode de transport entre Montréal et Toronto pour le transit des rondins de bois, du blé, des boissons, des soldats et passagers.

Mais en 1939, le transport maritime était devenu le principal convoyeur. La gare de Barry's Bay est l'une des quelques stations originales encore visibles en Ontario. Elle est située près de l'autoroute 60. La gare fut construite en 1894 par J.-R. Booth. Cette ligne s'étendait de la vallée d'Ottawa jusqu'au lac Huron. Reprise par le Canadien National en 1922, la gare desservait le village jusqu'à sa fermeture à la fin des années 1960. La municipalité de Barry's Bay racheta la gare en 1972. Elle a été restaurée et abrite le bureau d'information touristique.Barry's Bay est l'étape finale de l'Opeongo Line Tour, une route développée au XIXe siècle pour permettre la colonisation entre les villages de Castleford et de Barry's Bay. Vous pouvez commencer ou finir votre tour juste à la sortie de la baie de Barry.

Le départ du circuit se fait près du parc provincial du lac Carson (les panneaux indiquant le circuit linéaire Opeongo sont affichés). Allez vers l'est sur l'autoroute 60 en traversant la baie de Barry, tournez à droite sur la route de lac Yantha et suivez la petite route de campagne via Hopefield, Brudenell, Foymount, Cormac, Clontarf et Esmonde. Une fois arrivé à l'autoroute 41, prenez la direction sud sur la 132 et l'est vers Dacre, le Shamrock et jusqu'à Renfrew. Dans Renfrew, prenez la route de Comté 20 nord vers le lac des Chats près de Castleford. Selon l'Association touristique de la vallée d'Ottawa, le tour fait approximativement 150 km et prend environ 2 heures et demie à parcourir en voiture. Mais il y a beaucoup d'endroits à voir le long du chemin, aussi prévoyez plutôt une journée. Et n'oubliez pas de prendre votre appareil photo, certains paysages sont vraiment magnifiques.

■ BARRAGE DU LAC BARK

Dans la Baie de Barry, tournez vers le sud dans la Rue Dunn (qui devient Sibéria Road). Suivez cette route approximativement 5 km. Vous verrez à votre droite un panneau indiquant : Ontario Hydro « The Bark Lake Dam ». Tournez à droite – le barrage est à environ 1 km plus bas par une route de terre. Vous devriez garer votre véhicule près du sommet du barrage et descendre à pied jusqu'à l'eau si vous n'avez pas un 4X4. La visite en vaut la peine.

■ BARRYSBAY.COM

www.barrysbay.com
Site de l'office de tourisme.

■ SPECTACLE LAKE LODGE

South Algonquin Township
✆ +1 613 756 2324, +1 800 567 4044
www.spectaclelakelodge.com
info@spectaclelakelodge.com
Occupation double : à partir de 90 CAN $ en chambre au lodge et de 140 CAN $ en chalet. Possibilité d'inclure le repas du soir et le petit déjeuner pour 45 CAN $ de plus par personne. Deux nuits au minimum exigées le week-end.

L'endroit est tout indiqué pour une retraite en nature sans négliger un certain confort. Nous vous recommandons d'ailleurs les chalets en rondins pour une expérience des plus typiques. Vous trouverez sur place un restaurant, une plage, des sentiers de randonnée ainsi qu'une foule d'activités en toute saison.

HALIBURTON

Haliburton est une région enclavée entre le parc Algonquin et Muskoka, parsemée de centres de villégiature, de chalets et de parcours de golf.

■ DOCS ON THE ROCKS COTTAGE

1126 Blue Hawk Lake Trail
✆ +1 905 925 5335
www.docsontherocks.com
info@docsontherocks.com
De juillet à septembre : 1 700 CAN $ (location à la semaine uniquement). Le reste de l'année : 475 CAN $ le week-end et 1 400 CAN $ la semaine. Lors des longs congés : 850 CAN $ la semaine.

Pour ceux qui aimeraient avoir un pied-à-terre dans la région du parc Algonquin, cette maison est une option de choix. Pouvant accueillir jusqu'à 8 personnes (au maximum 6 adultes), elle est entièrement équipée de toutes les commodités nécessaires pour votre séjour.

■ HALIBURTON FOREST AND WILDLIFE RESERVE

RR #1, 1095 Redkenn Road
✆ +1 705 754 2198
www.haliburtonforest.com
haliburtonforest@sympatico.ca
Accès adulte 1 jour : 15 CAN $ (39 CAN $ en hiver). Camping : 15 CAN $ l'emplacement. Possibilité de louer un chalet. Service de location de VTT, canot et motoneige. Nombreuses excursions et activités offertes.

Haliburton Forest & Wildlife Reserve, œuvre d'un visionnaire, vaut vraiment le détour. Eté comme hiver, dans cette fantastique forêt, les amateurs de plein air sont servis : en canot ou en kayak, à pied, à vélo, sous l'eau (dans un véritable sous-marin)... 17 des 50 lacs disposent de terrains de camping. Vous pouvez souvent apercevoir une meute de loups dans un immense enclos protégé. Un centre d'interprétation en parle longuement. La nuit venue, un observatoire équipé de puissants télescopes permet de contempler, dans un ciel sans aucune interférence lumineuse, la scintillante Voie lactée, les nébuleuses, les lointaines galaxies, les constellations... Ceux qui souhaitent s'approcher des étoiles peuvent aussi le faire au cours d'une randonnée dans les airs, un guide vous accompagnera dans cette expédition de quatre heures entre rivière et cime, offerte deux fois par jour. L'excursion évidemment ne se fait pas toute la tête dans les nuages, puisqu'une fourgonnette vous ramènera les deux pieds sur terre, d'un site d'observation à l'autre. Mais peut-être voudrez-vous avoir des ailes, une fois que vous aurez connu les vertiges de la vie d'oiseau !

■ SILVER BEACH CAMPING PARK
1827 Wigamog Road
RR 2 Haliburton
✆ +1 705 457 1429

■ WIGAMOG INN
1701 Wigamog Road, RR#2
✆ +1 705 457 2000
✆ +1 800 661 2010
Tarifs sur demande selon le forfait vacances choisi.
Un complexe de style maison de campagne, niché parmi les pins imposants et les escarpements de la région montagneuse d'Haliburton. Le Wigamog offre une large variété d'hébergements, de l'hôtel traditionnel aux maisons de campagne individuelles, ainsi que de nombreuses activités et forfaits.

FENELON FALLS

Fenelon Falls est situé dans la région du lac Kawartha, à environ deux heures de Toronto, à l'intersection des routes 121 et 35 A. Riche en histoire d'indigènes et de pionniers, le tourisme occupe une large place dans la localité. Les deux lacs abritent beaucoup d'hôtels et de petites maisons d'été. L'hébergement se fait principalement en camping.

■ EGANRIDGE INN & SPA
Country Club Drive, RR #3
✆ +1 705 738 5111, +1 888 452 5111
www.eganridge.com
info@eganridge.com
Occupation double : à partir de 205 CAN $, petit déjeuner inclus. Nombreux forfaits disponibles.
Membre du réseau Ontario Finest Inns, ce centre de villégiature vous offre le summum du luxe dans un cadre naturel enchanteur. De merveilleuses et spacieuses chambres, des chalets en bois entièrement équipés, une table distincte et réputée, un centre de santé spa, deux terrains de golf... Que demander de plus ? Certes ce luxe se paye, mais il est si bon de se faire plaisir un peu de temps à autre !

■ LIEU HISTORIQUE NATIONAL DU CANADA DE LA VOIE-NAVIGABLE-TRENT-SEVERN - ÉCLUSE 34
Accès par Water Street
www.pc.gc.ca/trent
Près du centre-ville de Fenelon Falls se trouve la 34e écluse érigée sur une île de la voie navigable Trent-Severn. Les magnifiques chutes coulent en aval du poste d'éclusage. Les plaisanciers doivent être prudents en approchant de l'écluse et tenir compte du mouvement de l'eau attribuable à l'ouverture et à la fermeture des vannes.

■ MARYBORO LODGE – THE FENELON MUSEUM
50 Oak Street
✆ +1 705 887 1044
www.maryboro.ca
curator@maryboro.ca
De fin mai à fin juin et de mi-septembre à mi-octobre : samedi-dimanche de 13h à 17h. De fin juin à mi-septembre : tous les jours de 11h à 17h. Entrée libre (dons encouragés).
Construite par James Wallis en 1837, elle est la plus ancienne maison de Fenelon Falls. Nommée Maryboro Lodge par son bâtisseur, elle abrite dorénavant des expositions sur l'histoire et l'environnement de la région des lacs Kawartha, et une galerie d'art de l'artiste peintre Anne Langton. En juillet et août, quelques événements spéciaux sont organisés tels que le thé au jardin (mercredi) ou le festival de musique (dimanche).

BUCKHORN

Vous y découvrirez les grands espaces des lacs Kawartha. Cette zone est également riche de nombreuses galeries d'art, de magasins d'antiquités et de brocantes.

■ ANGELFIRE COTTAGES

Big Bald Lake
✆ +1 705 657 7674, +1 866 681 6636
www.angelfire1.com
relax@angelfire1.com
Tarifs variables selon le nombre de personnes et la durée de la location.
Situés en bordure d'une baie privée et entourés de 35 acres de nature, de magnifiques chalets entièrement équipés sont en location pour quelques jours ou pour la semaine. Réservé aux adultes.

■ BEACHWOOD RESORT

3043 Beachwood Drive, RR #1
✆ +1 705 657 3481
✆ +1 888 313 1118
www.beachwoodresort.com
info@beachwoodresort.com
Tarifs variables selon le nombre de personnes, la durée du séjour et le type d'hébergement choisi.
Un complexe accueillant au milieu de la nature, avec hébergement en chambres ou chalets, au bord d'un lac. Service de restauration sur place et nombreuses activités en toute saison.

■ BURLEIGH ISLAND LODGE

Highway 28
✆ +1 705 654 3441, +1 877 565 0479
www.burleighislandlodge.com
info@burleighislandlodge.com
Occupation double à partir de 115 CAN $ en basse saison et 175 CAN $ en haute saison.
Une adresse centenaire, récemment reprise et revampée, offrant un logement confortable pour des familles, couples et sportif recherchant l'amusement et la détente.

LAKEFIELD

Le village de Lakefield, situé sur les rivages du lac Katchewanooka (les eaux aux nombreux rapides), fut tout d'abord le terrain de campement saisonnier pour les Anishinabe (troisième plus grande tribu amérindienne). Une excursion à pied dans la zone historique vous conduira près des anciennes résidences du colonel Samuel Strickland (manoir Reydon), de Catherine Parr Traill et de Margaret Laurence, ainsi qu'au Musée communautaire de l'église du Christ.

■ BUCKHORN

www.buckhorncanada.org
info@buckhorn.ca
Vous y découvrirez les grands espaces du lac Kawartha. Cette zone est également riche de nombreuses galeries d'art, de magasins d'antiquités et de brocantes.

■ LAKEFIELD CAMPGROUNDS

59 Hague Boulevard
✆ +1 705 652 8610, +1 800 316 8841
www.lakefieldcampgrounds.ca
Ouvert de mai à novembre. De 27 à 35 CAN $ la nuit. Tarifs à la semaine et au mois aussi disponibles. Une très belle propriété à 13 km au nord de Peterborough. Idéal pour les pêcheurs, grâce à la possibilité de louer des bateaux à proximité. Activités sur place : baignade, tennis, baseball, randonnée pédestre, vélo, etc.

■ PINEAIRES RESORTS INC.

RR#1, 1111 Elbow Point Road
✆ +1 705 657 8094, +1 888 287 9637
www.pineairesresort.com
Un très joli parc proposant des sites de camping et des sentiers à parcourir à proximité d'un lac. Parfait pour les familles.

■ THE VILLAGE INN

39 Queen Street
✆ +1 705 652 1910, +1 800 827 5678
www.villageinn.ca – info@villageinn.ca
Occupation double : à partir de 119 CAN $. 26 chambres et 2 suites. Petit déjeuner inclus. Forfaits disponibles. Location d'équipement sur place (vélo, kayak, canot, ski de fond, raquettes). De construction moderne, cette charmante auberge de campagne offre une atmosphère à la fois historique et contemporaine. Les chambres sont d'un grand confort et comprennent toutes les commodités nécessaires. Le pub The Thirsty Loon propose une grande sélection de bières ontariennes et un menu simple qui plaira à tous.

PETERBOROUGH

Les parcs provinciaux et municipaux bordent Peterborough de sentiers. Déambulez dans la ville en longeant le canal Trent ou la rivière Otonabee. Vous y croiserez divers musées, dont le musée canadien du canot, qui vous plonge dans l'univers ancien et complexe de la fabrication de cette embarcation (www.canoemuseum.net). Vous pouvez aussi explorer la région à vélo, en faisant des boucles urbaines ou en suivant les cours d'eau jusqu'aux Kawarthas et leurs jolies chutes,

Fenelon Falls. L'été, le Festival de lumières de Peterborough (désormais le Musicfest) présente une foule de concerts aux styles variés dans le parc Del Crary.

PETROGLYPHS PROVINCIAL PARK

A 40 km au nord-est de Peterborough s'impose le parc provincial Petroglyphs. Empreint de mystère, il nous renvoie en des temps immémoriaux dignes de Lascaux... ou presque ! En 1953, deux géologues, cherchant à percer l'énigme d'une rivière souterraine, découvrirent 900 illustrations relatant tous les aspects de la vie, une des plus grandes fresques de pétroglyphes en Amérique du Nord. Un centre d'interprétation vous éclaire sur l'aspect spirituel de ces ciselures baptisées « pierres apprenantes ». Sur demande, vous pourrez visionner un documentaire de 20 minutes.

■ **PETROGLYPHS PROVINCIAL PARK**
2249 Northey's Bay Road
✆ +1 705 877 2552
www.parcsontario.com
Le parc est ouvert tous les jours de 10h à 17h de mi-mai à mi-octobre. En raison de la distance séparant l'entrée du parc des pétroglyphes, n'arrivez pas après 15h30.

LE NORD

Vastitude boréale où ont grandi à l'arraché des communautés en quête d'un ailleurs plus serein, entre arbres et eaux, dans l'écrin brut d'un bouclier canadien fort comme le roc. Souvenirs impétueux d'une compagnie prolifique du nom de la Baie d'Hudson qui emplissait jadis ses poches aux rythmes des courants des rivières et des sifflements des trains. Grenier d'or et d'argent, villes fières d'un riche passé. Le silence des forêts, le déferlement des cascades, le clapotis des lacs, mais surtout, et pour toujours, l'écho autochtone.

TEMAGAMI

Pays de Grey Owl et toit de l'Ontario, Temagami offre une nature sauvage, à la frontière des basses terres laurentiennes et du bouclier canadien. Au pied de l'Ishpatina, le Britannique Archibald Belaney, mieux connu sous le nom de Grey Owl, a adopté la culture autochtone et nourri sa passion de l'environnement, avant de devenir finalement un des fondateurs du mouvement écologique. C'était au début du XXe siècle. En langue ojibwée, Temagami signifie « eau profonde près de la rive ». En effet, le lac Temagami peut plonger de 30 m à quelques mètres des berges. En plus de ses 1 200 îles, le lac offre 20 circuits canotables à partir de la pointe Finlayson. L'arrière-pays fourmille de 2 600 km de voies canotables, toutes plus sauvages les unes que les autres. Portages et chutes propices à la baignade sont impressionnantes. Ce labyrinthe aquatique naturel apparaît comme un havre idéal. L'écotourisme y occupe une place importante. Les pourvoiries se comptent à la douzaine, proposant pour la plupart la location d'équipement et des excursions de pêche. Certains louent des pontons-chalets. De cette façon, le chapelet de lacs se découvre au fil de quelques jours de navigation.

Pratique

■ **TEMAGAMI CHAMBER OF COMMERCE INFORMATION CENTRE**
A l'ouest de la route 11
sur Lakeshore Drive
✆ +1 800 661 7609
www.temagamiinformation.com
cofc@temagami.ca

Se loger

Bien et pas cher

■ **PARC PROVINCIAL FINLAYSON POINT**
✆ +1 705 569 3205
✆ +1 888 668 7275
www.parcsontario.com
115 emplacements aménagés (33 avec électricité). Emplacement à partir de 27,75 CAN $.
Porte d'accès à la vaste région sauvage de Temagami, le parc Finlayson Point sert de camp de base pour les canoteurs, les plaisanciers, les randonneurs et les pêcheurs. Campez sous des pins majestueux, nagez près d'une plage sablonneuse, plongez dans l'eau profonde et limpide, ou rendez-vous à pied au point d'observation Caribou Mountain. Une plaque a été érigée en l'honneur de Grey Owl.

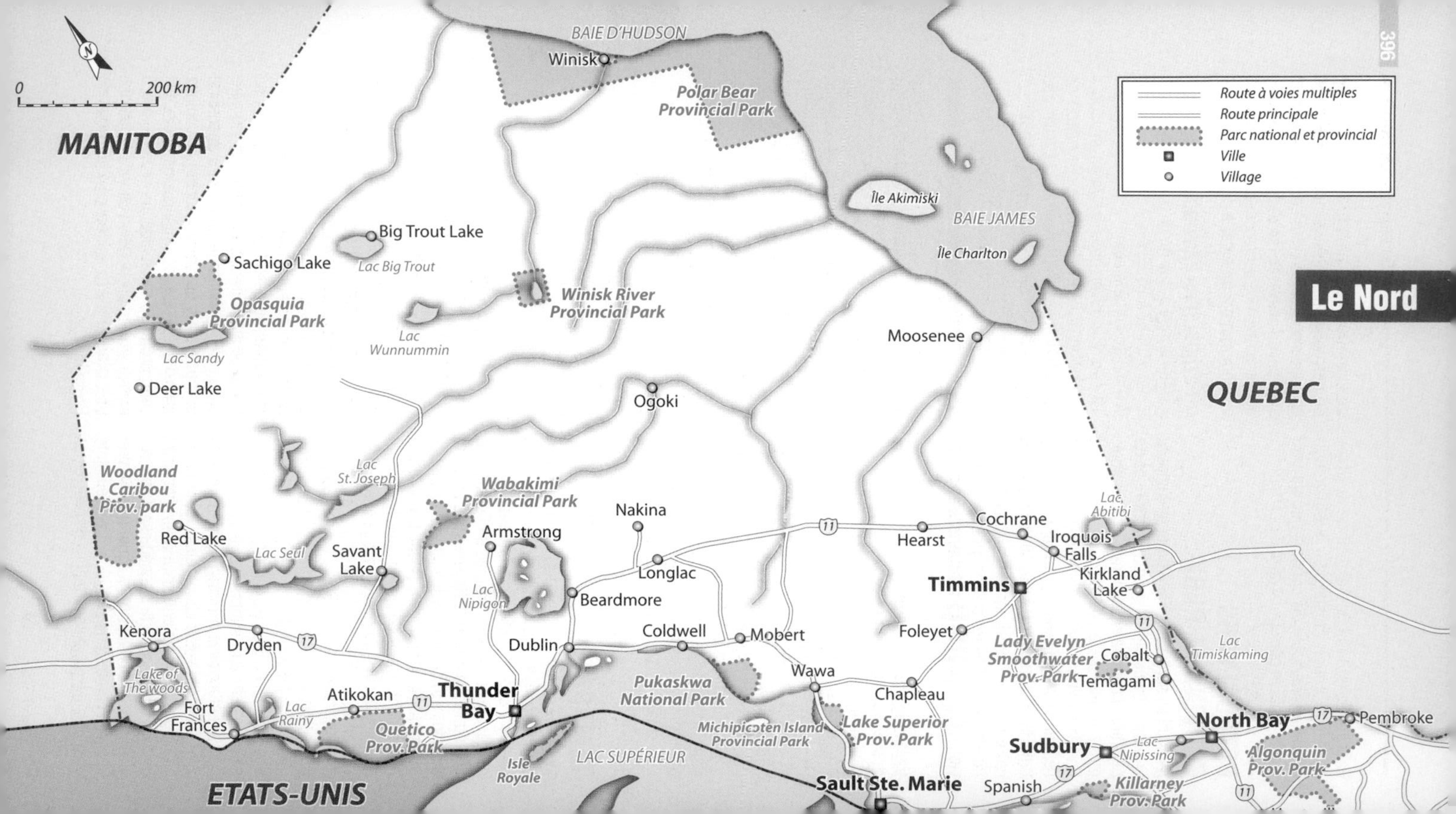
Le Nord
Route à voies multiples
Route principale
Parc national et provincial
Ville
Village
0
200 km
MANITOBA
QUEBEC
ETATS-UNIS
BAIE D'HUDSON
BAIE JAMES
LAC SUPÉRIEUR
Winisk
Polar Bear Provincial Park
Île Akimiski
Île Charlton
Big Trout Lake
Lac Big Trout
Sachigo Lake
Opasquia Provincial Park
Winisk River Provincial Park
Lac Wunnummin
Lac Sandy
Deer Lake
Moosenee
Ogoki
Woodland Caribou Prov. park
Lac St. Joseph
Wabakimi Provincial Park
Nakina
Armstrong
Red Lake
Lac Seul
Savant Lake
Longlac
Beardmore
Lac Nipigon
Kenora
Dryden
Dublin
Coldwell
Mobert
Lake of The woods
Fort Frances
Lac Rainy
Atikokan
Thunder Bay
Quetico Prov. Park
Isle Royale
Pukaskwa National Park
Michipicoten Island Provincial Park
Wawa
Chapleau
Lake Superior Prov. Park
Sault Ste. Marie
Hearst
Cochrane
Iroquois Falls
Lac Abitibi
Timmins
Kirkland Lake
Foleyet
Lady Evelyn Smoothwater Prov. Park
Cobalt
Temagami
Lac Timiskaming
North Bay
Pembroke
Sudbury
Lac Nipissing
Algonquin Prov. Park
Spanish
Killarney Prov. Park
11
17

Confort ou charme

■ BEAR ISLAND LAKE

✆ +1 705 237 8876, +1 866 623 0497
www.temagamitipi.com
Différents forfaits offerts comprenant les nuitées, les repas et les activités.
Imaginez vivre une expérience unique sur le territoire qui accueillait le peuple Anishnabai pendant plus de 6 000 ans. Découvrez la beauté et la richesse d'une région légendaire en expérimentant la vie dans un tipi et en apprivoisant la spiritualité, la culture et les traditions Anishnabai. Écoutez le son des huards raisonnables dans la pureté de la nature tout en profitant de l'ambiance d'un feu de camp. Des forfaits de groupes et individuels sont offerts aux aventuriers en quête de réelles expériences autochtones.

■ KET-CHUN-ENY LODGE

A 16 km à l'ouest de la route 11
✆ +1 705 237 8952
www.ketchunenylodge.com
info@ketchunenylodge.com
Occupation double : à partir de 150 CAN $ par personne, incluant tous les repas. Service de location de bateaux à moteur sur place. Pêche sur glace en hiver.
Entreprise familiale depuis 1964. Pour de merveilleuses vacances, séjournez sur une île en habitant une suite moderne à deux chambres à coucher ou dans un chalet meublé douillet sur le bord de l'eau. Plage de sable sécuritaire et barbecue pour le chef de plein air. Activités en salle et en plein air, et repas de poissons hebdomadaire. Savourez la cuisine familiale dans la salle à manger avec permis d'alcool en admirant la vue du lac Temagami. Pêchez la truite grise, le doré jaune, le grand brochet, l'achigan à petite bouche et la truite mouchetée. L'accueil chaleureux est une priorité chez Ket-Chun-Eny Lodge. Caravane flottante de 11 m également disponible.

■ LOWELL LAKE LODGE

95 Lowell Lake Rd
✆ +1 705 569 2680
www.lowelllakelodge.com
lowelllake@xplornet.ca
Les amateurs de motoneige et de ski de fond seront comblés par les chalets meublés équipés et situés à proximité des sentiers de motoneige provinciaux. Lowell Lake Lodge est accessible de la route 11, à seulement 50 min au nord de North Bay. Les amoureux de la nature pourront découvrir une nature exquise dans la région de Temagami. Location de bateaux, moteurs, canots et bateaux à pédales. A votre disponibilité : 4 chalets de 3 chambres à coucher, 1 chalet de 2 chambres à coucher, 2 cabanes en bois rond de 2 chambres à coucher, sans salle de bain intérieure, mais salles de bain et douches publiques. Tous les draps sont fournis... Tout comme votre confort est assuré !

■ TEMAGAMI ANISHNABAI TIPI CAMP

Bear Island
✆ +1 705 237 8876
✆ +1 866 623 0497
www.temagamitipi.com
tipi@onlink.net
Différents forfaits offerts comprenant les nuitées, les repas et les activités.
Imaginez vivre une expérience unique sur le territoire qui accueillait le peuple Anishnabai pendant plus de 6 000 ans. Découvrez la beauté et la richesse d'une région légendaire en expérimentant la vie dans un tipi et en apprivoisant la spiritualité, la culture et les traditions Anishnabai. Ecoutez le son des huards résonner dans la pureté de la nature tout en profitant de l'ambiance d'un feu de camp. Des forfaits de groupes et individuels sont offerts aux aventuriers en quête de réelles expériences autochtones.

Se restaurer

■ SMOOTHWATER OF TEMAGAMI

34 Smoothwater Road
✆ +1 705 569 3539
✆ +1 866 569 4539
www.smoothwater.com
temagami@ontera.net
Heures d'ouverture variables selon les saisons.
L'enchanteur écopavillon Smoothwater, sur le lac James, est reconnu pour sa cuisine biologique, composée de champignons, de fleurs, de plantes et de petits fruits. En plus de la tarte aux bleuets reconnue dans toute la province, Smoothwater apprête des produits régionaux, donnant droit à des menus tout aussi variés que délicieux. Humez un pain du trappeur à la mélasse et aux raisins, sirotez un punch à la rhubarbe, savourez une assiette de fromages du Témiscamingue, laissez fondre en bouche un poisson blanc du lac Témiscamingue, dégustez un gigot d'agneau arrosé d'une sauce de cerise et de genièvre accompagné de riz sauvage et mordez dans un pain bannock maison.

À voir / À faire

■ ISHPATINA

Ceux qui cherchent les hauteurs ontariennes dans l'escarpement du Niagara apprendront que c'est plutôt à la rencontre des basses terres et du bouclier que se sont formés les sommets de la province. L'Ishpatina, qui signifie « colline haute » en langage ojibwé, domine à 693 m. Il se dresse au cœur de la forêt boréale. Puisqu'il se situe sur un plateau de 320 m, il n'est pas particulièrement imposant. Pour s'y rendre, il faut effectuer une randonnée à partir de la rivière Sturgeon, à travers quelque 60 km de chemins forestiers, ou encore se lancer dans une expédition de canot de quatre jours, du parc provincial Lady Evelyn-Smoothwater. On doit alors franchir 70 km et effectuer 18 portages. Toute une aventure !

■ PARC PROVINCIAL LADY EVELYN-SMOOTHWATER

✆ +1 705 569 3205
www.parcsontario.com

Ce spectaculaire parc sauvage se caractérise par sa topographie accidentée, ses lacs clairs et ses rivières aux eaux agitées. La roche précambrienne s'élève ici pour former un dôme, dont le sommet Ishpatina Ridge représente le point le plus haut en Ontario. Le parc est également reconnu pour ses anciens écosystèmes forestiers de pins blancs et de pins rouges. Vous pourrez également y observer de nombreuses espèces sauvages telles que l'ours et l'orignal.

Le relief très accidenté du parc ne doit pas être pris à la légère. Les visiteurs doivent être des amateurs expérimentés des régions sauvages et du canotage en eau vive, en plus de posséder d'autres connaissances de la vie en région éloignée.

■ TEMAGAMI FIRE TOWER

✆ +1 705 569 3421
www.temagami.ca
visit@temagami.ca

Ouvert de mai à octobre. Admission générale : 3 CAN $ par personne.

Gravissez les trois paliers qui atteignent la Tour de Feu de Temagami, et admirez la vue panoramique de la forêt. Juché au sommet du mont Caribou, à une hauteur de 35 m, vous éprouverez des sensations extraordinaires : jambes tremblantes, cœur palpitant, mains moites, gorge nouée, bouche asséchée... quelles commotions ! Ayez un moment de bravoure et abandonnez-vous au vertige des splendeurs ! Paysage féerique assuré !

■ TEMAGAMI'S CARIBOU MOUNTAIN AND FIRE TOWER

✆ +1 705 569 3808
www.temagami.ca
visit@temagami.ca

Admission générale à la tour : 3 CAN $ par personne.

Ceux qui souhaitent prendre l'air peuvent arpenter le mont Caribou, qui s'élève à 439 m au-dessus du niveau de la mer. Un sentier mène jusqu'à la tour de guet, d'où l'on peut contempler la région à 40 km à la ronde. Vous y observerez une grande variété d'oiseaux et d'animaux, la céleste forêt et les lacs adjacents. Vous trouverez des cartes de randonnée au centre d'interprétation.

■ WHITE BEAR FOREST

www.ancientforest.org/whitebear.html

Gratuit.

Ce pays des baies est aussi celui des pins géants de 1 m de diamètre et qui font parfois 40 m de hauteur. Certains ont atteint l'âge vénérable de 350 ans. Ils ont donc été témoins des explorations, de la traite, de la construction navale et de la drave... Le plus vieux aurait pu voir passer l'explorateur Pierre de Troyes, en 1686 ! La forêt ancienne White Bear, accessible de la municipalité de Temagami, compte 28 km de sentiers. Ces pistes de tous les niveaux tracées par une tribu anishnabe auraient fait partie d'un système de portage utilisé il y a 3 000 ans. Le territoire a été maintes fois traversé, mais demeure pratiquement inchangé, si ce n'est pour un petit barrage et le site déserté d'une scierie. Les pins peuvent être admirés du haut des airs. Vous ferez ainsi d'une pierre deux coups : non seulement vous verrez les pins blancs du ciel, mais vous ferez l'expérience de l'hydravion ! Au moins deux compagnies aériennes suggèrent des envolées au-dessus des lacs et des forêts de la région, soit Lakeland Airways et NorAir.

COBALT

En 1903, alors que l'ouvrier Fred Larose aurait jeté son pic sur une mare d'argent, Cobalt était un territoire sauvage. Sept ans plus tard, 10 000 personnes résidaient dans une ville bricolée à la hâte. Vers 1930, 265 millions de dollars de ce métal avaient été extraits de 29 mines. Le développement de la région fut rapide, fébrile, désorganisé. En moins de 20 ans, la ville s'est éteinte.

Se loger

■ BASS LAKE CAMPING

✆ +1 705 679 8742
www.basslakeca.com
Le Bass Lake Camping est prêt à accueillir toutes les gammes de campeurs. Que ce soit ceux qui préfèrent la nature « au confortable » ou les aventuriers qui optent pour la tente, 80 emplacements sont mis à votre disposition. La location de chalets est aussi possible. Dès la mi-juin, que vous soyez en famille, entre amis ou seul, le Bass Lake Camping s'assure que vos exigences soient respectées. Plage sans surveillance.

À voir / À faire

■ THE BUNKER MILITARY MUSEUM

✆ +1 705 679 5220 – www.cobalt.ca
Vous êtes passionné d'histoire ? Vous serez comblé en visitant The Bunker, le plus grand musée du Temiskaming. Vous y trouverez des objets de la guerre des Boers et des deux guerres mondiales en passant par la guerre de Corée et l'opération Tempête du désert en Irak : motocyclette, médailles, photos, uniformes, mannequins en parachute et autres artefacts. Il vous faut aussi aller fureter quelque temps à la bibliothèque militaire qui renferme plus de 2 000 livres et coupures de journaux.

■ CLASSIC THEATER

30 Silver Street ✆ +1 705 679 8080
www.classictheatre.net
box.office@classictheatre.net
Tarifs variables selon l'événement.
Les amateurs de théâtre seront ravis de se rendre dans la petite municipalité de Cobalt pour assister à une représentation théâtrale professionnelle ou amateur. Depuis sa construction en 1926, le Classic Theater présente des productions européennes, américaines et canadiennes. Si vous êtes de passage à Cobalt et que vous planifiez une belle soirée culturelle, installez-vous confortablement dans l'un des 260 sièges et laissez-vous charmer par l'atmosphère unique que dégagent les planches. Nombreux spectacles musicaux également.

■ NORTHERN ONTARIO MINING MUSEUM

24 Silver Street ✆ +1 705 679 8301
www.cobalt.ca
cnomchin@ntl.sympatico.ca
Ouvert toute l'année de juin à fin septembre de 9h à 17h, le reste de l'année de 13h à 16h.
Visitez le musée d'Histoire minière de Cobalt qui préserve les belles années de cette ville au début du XXe siècle lorsqu'on disait que « ses rues étaient pavées d'argent ».

▸ **En partant du musée, le sentier Heritage Silver Trail** trace le chemin des mineurs du début du siècle.

■ SENTIER HERITAGE SILVER TRAIL

✆ +1 705 679 8301
En partant du musée Cobalt Mining Museum, découvrez un… sentier d'argent, le sentier Heritage Silver Trail. Les points d'intérêt sont bien indiqués, et vous pourrez faire le circuit en suivant la carte qui est disponible au musée ou encore en réservant les services d'un guide qui se fera un plaisir de vous accompagner pendant les mois d'été. Laissez vagabonder votre imagination et visualisez les mineurs, pics et marteaux en main, creusant la riche veine d'argent sur le versant d'une colline.

KIRKLAND LAKE

Si la présumée richesse agricole du sol a entraîné la construction du chemin de fer et le développement de la région, l'opulence minière lui a sans l'ombre d'un doute donné un essor. Les découvertes d'or ont succédé à celles d'argent, accélérant la croissance du Nord-Est ontarien. Aujourd'hui encore, cinq mines sont en exploitation dans la zone aurifère. C'est peu, comparativement aux dizaines, voire aux centaines, d'anciens gisements actifs.

Se loger

■ HOWARD JOHNSON INN

50, Gouvernement Est
✆ +1 705 567 3241, +1800 461 4971
www.hojokirklandlake.com
L'auberge Howard Johnson est le seul hôtel de la région à des services complets et de qualité. 61 chambres rénovées, suites, salles de réception et de réunion. Restaurant avec permis, Internet sans fil.

■ PARC PROVINCIAL ESKER LAKES

✆ +1 705 568 7677
Camping : 103 emplacements aménagés (64 avec électricité). Ce parc possède une particularité insolite : son territoire est divisé par la ligne continentale de partage des eaux de l'Arctique et de l'Atlantique. On y retrouve par ailleurs de nombreux témoins de la dernière ère glaciaire : des douzaines de lacs de kettle, une partie de l'esker Munroe, des dunes de sable et de nombreuses collines. Un réseau de sentiers de randonnée et de portage permet aux visiteurs de parcourir le territoire.

■ **PARC PROVINCIAL FINLAYSON POINT**

Camping : 115 emplacements aménagés (33 avec électricité).

Porte d'accès à la vaste région sauvage de Temagami, le parc Finlayson Point sert de camp de base pour les canoteurs, les plaisanciers, les randonneurs et les pêcheurs. Campez sous des pins majestueux, prélassez-vous sur une plage sablonneuse, plongez dans une eau profonde et limpide ou rendez-vous au point d'observation Caribou Mountain où une plaque commémorative a été érigée en l'honneur de Grey Owl, ce célèbre protecteur de l'environnement.

À voir / À faire

■ **HOCKEY HERITAGE NORTH**

400 Government Road West
✆ +1 705 568 4420
✆ +1 866 568 4420
www.hockeyheritagenorth.ca
info@hockeyheritagenorth.ca

Lundi-vendredi de 10h à 17h, samedi-dimanche de 10h à 16h. Centre d'information touristique sur place. Kirkland Lake vous invite à constater que le rêve de bien des jeunes hockeyeurs, au fil du temps, a pu devenir réalité. Construit en 2005, le Temple de la renommée nord-ontarien, appelé Hockey Heritage North, lève le voile sur l'origine de nombreuses vedettes du hockey de la Ligue nationale. En effet, les Toe Blake, Art Ross, Brian Savage, Claude Julien, Tim Horton, Dave Poulin et Claude Larose viennent tous du Nord-Est ontarien ! Le nouvel établissement vous apprendra que 330 sportifs de la région ont trempé dans la Ligue nationale de hockey (LNH). Leurs noms figurent à 161 reprises sur la coupe Stanley et 20 d'entre eux ont été intronisés au Temple de la renommée du hockey.

■ **MUSEUM OF NORTHERN HISTORY AT SIR HARRY OAKES CHATEAU**

2 Château Drive ✆ +1 705 568 8800
http://mileofgold.com/bn/community/museum/
museum@tkl.ca

Lundi-samedi de 10h à 16h, dimanche de 12h à 16h. Adulte : 6 CAN $.

Le château du prospecteur Oakes héberge le musée d'histoire minière et du Nord, qui aurait pu se trouver aujourd'hui sur les berges du lac Kirkland. Souvenirs familiaux, jouets et moulures qui témoignent de l'expérience internationale du découvreur. Boutique de cadeaux sur place.

COCHRANE

Le bassin des grandes rivières est la région ontarienne à la plus forte concentration de Franco-Ontariens. Entre Cochrane et Hearst, les villages comptent une population francophone de 65 à 95 %. Mais il ne s'agit pas de la seule caractéristique du territoire : sur 300 km, on croise 14 rivières. C'est le paradis du canotage, du kayak, du rafting, de la pêche, des visites en forêt... et de la fête !

Se loger

Bien et pas cher

■ **PARC PROVINCIAL GREENWATER**

✆ +1 705 272 6335, +1 705 272 4365

Camping : 90 emplacements aménagés (38 avec électricité).

On retrouve dans ce parc non moins de 26 lacs de kettle et d'esker (formations glaciaires) blottis au sein de la forêt boréale. Vous pouvez sillonner leurs eaux vertes en toute tranquillité, taquiner la truite, la perche ou le doré jaune dans les cours d'eau poissonneux, ou vous balader sur l'un des quatre sentiers proposés pour l'observation des oiseaux et de la faune. La baignade est également une activité populaire au parc Greenwater.

■ **THRIFTLODGE COCHRANE SOUTH (TRAVELODGE)**

Aut. 11 Sud ✆ +1 705 272 4281
www.thisoldhouse.com
contact@thisoldhouse.com

Chambres entre 50$ et 90$.

Situé à quelques minutes du centre-ville de Cochrane, l'hôtel offre des chambres confortables ainsi qu'une multitude de services. On trouve sur place un restaurant, une piscine et un centre de Spa.

Confort ou charme

■ **BEST WESTERN SWAN CASTLE INN**

189 Railway Street
✆ +1 705 272 5200, +1 800 265 3668
www.bestwesternontario.com

Occupation double : à partir de 119 CAN $, petit déjeuner inclus.

Ce Best Western offre des chambres très confortables, bien équipées et à la décoration soignée. Elles sont spacieuses et bien aménagées. Sur place, les visiteurs ont accès à un sauna, un jacuzzi et un centre de fitness. A deux pas des activités offertes dans la ville, cet hôtel est un très bon choix.

■ BETTY'S BED & BREAKFAST
Route 11 Sud ✆ +1 800 883 9655
www.bettysbedandbreakfast.com
Betty's met à la disposition de ses clients huit chambres simples mais confortables. Le petit déjeuner fait maison est copieux.

■ CHIMO MOTEL, BAR ET RESTAURANT
Route 11 Ouest ✆ +1 705 272 6555
http://chimomotel.com
Unités : 38, bain à remous, restaurant. Chambres à partir de 65 $. Les visiteurs ont le choix de réserver des chambres ou des appartements. Toutes les unités sont très bien équipées. Certaines disposent d'un foyer et d'un Jacuzzi. L'ambiance est chaleureuse et reposante à la fois. On apprécie le restaurant et le lounge dans cette région où les restaurants se font rares.

■ THE NORTH ADVENTURE INN
517 Highway 11 West ✆ +1 705 272 6683
www.northadventureinn.ca
Tarifs sur demande.
Hébergement en chambres régulières, suites, lofts et appartements. Toutes les unités sont très bien équipées. Certaines disposent d'un foyer et d'un Jacuzzi. Services : sauna intérieur, jacuzzi extérieur, centre de conditionnement physique, accès direct au sentier de motoneige Polar Bear. Possibilité de réserver un igloo en hiver. L'ameublement et le confort vous surprendront !

À voir / À faire

■ ABITIBI RIVER HOUSEBOAT EXPEDITIONS
✆ +1 705 272 5155
Ouvert de mai à octobre. Une aventure dans la nature… c'est ce que vous offre Abitibi River Houseboat Expéditions. A bord d'un « bateau maison », appréciez la tranquillité du milieu et bénéficiez d'un pur moment de détente en parcourant trois rivières.

■ COCHRANE RAILWAY AND PIONEER MUSEUM
210 Railway Street ✆ +1 705 272 4361
Ouvert de mi-juin à mi-septembre. Adulte : 2 CAN $. Montez à bord et retournez à l'époque des chemins de fer et des premiers colons. Ce musée est en fait une locomotive et ses 5 wagons qui contiennent différentes expositions soigneusement montées, soulignant plusieurs aspects de la vie d'autrefois. L'un des wagons comprend le musée Tim Horton qui rend un bel hommage au fameux hockeyeur de ce nom et natif de Cochrane. Le wagon-frein, préservé dans son état original, rappelle la vie des anciens cheminots.

■ POLAR BEAR EXPRESS
✆ +1 705 272 5338, +1 800 268 9281
www.ontarionorthland.ca
tours@ont.on.ca
Service à l'année mais excursions estivales offertes de fin juin à début septembre. Occupation double : forfait 3 nuits à 410 CAN $ par personne, 4 nuits à 530 CAN $ par personne.
La locomotive siffle ! « En voiture ! » pour une traversée historique à bord du *Polar Bear Express.* 297 km de forêt boréale vous conduisent jusqu'à la réserve amérindienne crie de Moosonnee, à l'embouchure de la rivière Moose et à vol d'oiseau de la baie James.

■ POLAR BEAR HABITAT & HERITAGE VILLAGE
1 Drury Park Road
✆ +1 705 272 2327, +1 800 354 9948
www.polarbearhabitat.ca
Ouvert tous les jours de 10h à 16h. Adulte : 20 CAN $. Cantine (juillet et août) et boutique sur place.
L'ours blanc dressé au carrefour de Cochrane fait allusion à l'*Express de l'ours polaire*, un train qui mène les visiteurs sur les côtes de la baie James. Il a toutefois trouvé, dans les dernières années, de nouveaux partenaires, Nikita, Bisitek, Aurora et Nanook. Ces quatre ours ont élu domicile à l'Habitat de l'ours polaire, un centre de réadaptation pour les orphelins. Tous les jours, on peut les observer dans leur piscine. On peut se baigner avec eux (5 CAN $) ! La recette : une baie vitrée entre un bassin, pour les petits (humains), et un autre, pour les grosses bêtes qui apprécient particulièrement la baignade. Voir Nanook croquer dans une énorme carotte à quelques centimètres de soi a un petit quelque chose d'impressionnant ! En plus d'offrir un gîte à trois ours, l'Habitat de l'ours polaire est aussi le site du village d'antan, entièrement mis en place grâce à la passion qu'entretient Jerry Miller pour les antiquités. En fait, la collection du couple Miller a permis de reproduire un village du début du XXe siècle ! Le village recréé propose une série de bâtiments où tout est fonctionnel : les motoneiges, les véhicules, l'équipement forestier et agricole… Le magasin général propose une série de conserves authentiques et le garage, une variété de produits issus des années 1920 et 1930.

LAC SUPÉRIEUR

D'une superficie de 82 000 km^2 et plus, le lac Supérieur s'inscrit comme le plus grand lac d'eau douce du monde. Il contient assez d'eau pour inonder les Amériques dans un pied d'eau. On qualifie sa beauté d'austère, avec ses eaux froides, ses falaises striées par les glaciers et ses rochers âgés de milliards d'années. Sur ses rives ontariennes, qui font 4 200 km, vous découvrirez des traces de météorites, de calottes glaciaires et d'activité volcanique ainsi que des fossiles de 1,8 milliard d'années. La Transcanadienne change subitement de nom, elle n'est plus « n° 1 » mais « n° 17 ». Le relief devient de plus en plus accidenté à mesure qu'on s'avance vers le bouclier canadien. Cette masse rocheuse couverte de forêts occupe les deux tiers de l'Ontario. Chaque kilomètre parcouru, entre eau et roches roses, rapproche du majestueux lac Supérieur. Celui-ci apparaît enfin, découvrant un horizon plat, sans limite. Thunder Bay reflète l'activité de cette mer intérieure plus grande que l'Irlande, mais n'en montre pas la beauté.

THUNDER BAY

Nichée dans une baie, à l'ombre d'un géant endormi, la ville de Thunder Bay est cintrée de parcs. Capitale culturelle du Canada en 2003, elle compte plusieurs galeries d'art et musées thématiques, de même qu'un monument en l'honneur du jeune coureur Terry Fox. Ce courageux jeune unijambiste a terminé à cet endroit une course de 5 342 kilomètres, avant de succomber à un cancer. Le port de Thunder Bay, situé sur le lac Supérieur, est exceptionnel. C'est un terminus pour les cargos qui remontent le Saint-Laurent. Autrefois lieu de rendez-vous des trappeurs, il est devenu aujourd'hui le troisième port mondial et le premier céréalier. Le lourd ballet des navires de 300 000 tonnes près des silos de Thunder Bay est assez impressionnant.

Transports

■ BUDGET
230 Waterloo Street South
✆ +1 807 622 3366, +1 800 268 8970
www.budget.ca

■ THUNDER BAY BUS TERMINAL
815 Fort William Road ✆ +1 807 345 2194
www.greyhound.ca
webmaster@greyhound.ca
Heures d'ouverture de la gare routière et de la billetterie : tous les jours de 7h30 à 23h30 (la billetterie ferme à 15h30 le samedi et ouvre à 8h le dimanche).

■ THUNDER BAY INTERNATIONAL AIRPORT
Accès par la route 61
✆ +1 807 473 2600
www.tbairport.on.ca
margaret@tbairport.on.ca
Vols en provenance et à destination de l'Amérique du Nord. Air Canada, Porter et Westjet desservent cet aéroport. La ligne de bus #3 (Airport) dessert l'aéroport.

■ THUNDER BAY TRANSIT
570 Fort William Road
✆ +1 807 684 3744
www.thunderbay.ca
webmaster@thunderbay.ca
Billet adulte : 2,50 CAN $ (20 billets pour 31 CAN $).

Pratique

■ TOURISM THUNDER BAY
500 Donald Street East
✆ +1 807 625 2230, +1 800 667 8386
www.visitthunderbay.com
visit@thunderbay.ca

► **Autre adresse :** Centre d'information touristique : 53 Southwater Street ✆ +1 807 625 3788

Se loger

Bien et pas cher

■ CHIPPEWA PARK
1735 City Road ✆ +1 807 623 3912
www.chippewapark.ca
chippewaparkcampgrounds@live.ca
Ouvert de fin mai à début septembre. A partir de 20 CAN $ l'emplacement. Location de petit chalet : à partir de 47 CAN $. Tarifs à la semaine disponibles. Tarifs pour les manèges et le parc faunique. Le parc Chippewa est situé sur un site exceptionnel, d'une superficie de 110 ha, en bordure du lac Supérieur. Sur place, vous trouverez amplement de quoi occuper votre temps libre : plage, pêche, sentiers de randonnée, petit parc faunique, manèges, etc. Nous vous suggérons de réserver à l'avance cette destination fort populaire en été.

Curiosité et divers
Hôpital
Centre commercial
Aéroport
Hilldale Road
Onion Lake Road
Belton Street
Balsam Street
Wardrope Avenue
Thunder Bay Expressway Highway 11/17
Arundel Street
Lac Boulevard
Huron Avenue
Tole do St.
Lyon Blvd
Mc Vicar Creek
Shuniah St.
County Fair Plaza
Valley St.
Junot Avenue
River Street
Algoma St.
John St. Road
Rivière Mc Intyre
Clarkson Street
Van Norman St.
John St.
Red River Road
Street
Algonquin
Mc Kibbin St.
Hight Street
Algoma Street
Cumberland
Office du tourisme
John Street
Casino Thunder Bay
Université
Oliver Road
Hôpital regional
Beverly St.
Golf Links Road
Memorial avenue
Fort William Road
Balmoral St.
Central Avenue
LAC SUPÉRIEUR
Harbour Expressway
Main St.
Intercity Shopping Center
Thunder Bay Expressway Highway 11/17
William Street
110th Ave.
Vickers Street
May Street
Redwood Avenue
Pacific Avenue
Churchill
Rivière Neebing
James Street
Simpson Street
Rivière Kaministiquia
Victoria Avenue
Victoriaville centre
Arthur Street
Waterloo Street
Carpenter Street
Hôtel de ville
Isabella Street
Kingsway
Rivière McKellar
Aéroport
Walsh Street
Walsh St.
106 th Street
Christina Street
Christina Street
Edward Street
Mary Street
Mary Street
Francis Street
Rivière Mission
108 th avenue
Frederica Street
Highway 61
Neebing avenue
Rivière Kaministiquia
City Road
0
2 km
Chippewa Road
Thunder Bay

Confort ou charme

■ **HOLIDAY INN MOTEL**
375 Kingsway Avenue
✆ +1 807 623 2514
www.holidayinnmotel.ne
A partir de 50 $.

■ **THE LITTLE PEARL B&B**
268 Pearl Street
✆ +1 807 346 8700
www.thelittlepearl.ca
Tarifs sur demande.
Charmante maison avec trois suites dont une équipée d'une kitchenette. Située dans une belle maison centenaire à proximité des attractions.

■ **VALHALLA INN**
1 Valhalla Inn Road
✆ +1 807 577 1121
✆ +1 800 964 1121
www.valhallainn.com
reservations@valhallainn.com
Occupation double à partir de 109 CAN $. Forfaits disponibles.
LE grand hôtel de la région avec tous les services imaginables ou pas ! Les rénovations (2009) ont permis la création de chambres aux lignes épurées et parfaites pour les séjours d'affaires. Deux restaurants, piscine, sauna, petit centre de santé Spa, etc.

Se restaurer

■ **BISTRO ONE**
555 Dunlop Street
✆ +1 807 622 2478
www.bistroone.ca
jean@bistroone.ca
Mardi-samedi dès 17h. Menu à la carte : de 25 à 45 CAN $.
Restaurant de fine cuisine, récipiendaire de nombreux prix. La carte des vins est impressionnante… les prix aussi !

■ **HOITO RESTAURANT**
314, rue Bay
✆ +1 807 345 6323
Compter environ 20 $.
Situé dans le Finnish Heritage Building, ce restaurant offre des plats variés. En y mangeant, vous aiderez l'organisme à préserver le patrimoine historique de la région de Thunder Bay.

■ **KANGAS SAUNA RESTAURANT**
379 Oliver Road
✆ +1 807 344 6761
www.kangassauna.ca
Lundi-vendredi de 7h30 à 21h, samedi-dimanche de 8h à 21h. Le sauna ouvre aux mêmes heures mais ferme à 23h tous les jours. Menu à la carte : moins de 15 CAN $.
Un bon restaurant pour manger le midi. Les plats sont copieux et le rapport qualité-prix est imbattable. Et si vous avez besoin d'un peu de détente, louez un des saunas du restaurant !

À voir / À faire

■ **AMETHYST MINE PANORAMA (MINE D'AMÉTHYSTE)**
À 56 km à l'est de Thunder Bay
sur East Loon Road
(via route 11/17)
✆ +1 807 622 6908
www.amethystmine.com
info@amethystmine.com
Les mines sont ouvertes au public tous les jours du 15 mai au 15 octobre de 10h à 17h (18h en juillet et août). Admission générale : 6 CAN $.
Vous pouvez y acheter des pierres de qualité ou les ramasser vous-même en payant un droit de 3 CAN $ la livre.

■ **FORT WILLIAM HISTORICAL PARK**
1350 King Road
✆ +1 807 577 8461
www.fwhp.ca
info@fwhp.ca
De mi-mai à mi-octobre : tous les jours de 10h à 17h. Le reste de l'année : départ des visites en semaine à 11h et 14h. Adulte : de 6,60 à 13,08 CAN $ selon la saison.
Au milieu du XIXe siècle, le fort était le siège de la Compagnie du Nord-Ouest et le centre de la fourrure en Amérique du Nord. Aventuriers, trafiquants et voyageurs venaient y faire halte. De nos jours, ce lieu de reconstitution historique explore l'évolution de cette compagnie et du commerce de la fourrure au Canada, au

moyen de 42 structures historiques reconstruites, d'un camp autochtone et d'une ferme. Le site compte plus de 8 000 répliques et objets européens et des premières nations qui datent surtout de 1803 à 1821. Interprètes et artisans en costume d'époque offrent des visites ainsi que des démonstrations quotidiennes. Des programmes sont présentés tous les week-ends. Egalement disponibles : programmes éducatifs, programmes nocturnes, ateliers sur l'artisan, et bon nombre d'activités en toute saison.

■ **PARC KAKABEKA FALLS**
Kakabeka Falls
✆ +1 807 473 9231
Camping : 169 emplacements aménagés (90 avec électricité).
Surnommées « les chutes Niagara du Nord », les chutes Kakabeka se jettent en bas d'une falaise de 40 m de hauteur et cachent des fossiles parmi les plus vieux au monde. Admirez le paysage en longeant à pied ou en ski de fond les plates-formes situées en bordure de la gorge. Suivez le parcours emprunté jadis par les voyageurs pour contourner les chutes de ce parc riche en histoire.

■ **PARC LAKE SUPERIOR**
Wawa
✆ +1 705 856 2284
Camping : 249 emplacements aménagés.
Du littoral accidenté du lac Supérieur, ce parc s'étend ensuite vers l'intérieur des terres et abrite des collines couvertes de brume et de profonds canyons dont la beauté exceptionnelle et les riches couleurs automnales ont inspiré les artistes du Groupe des Sept du Canada. Le sentier Coastal et une partie de la Highway 17 longent le littoral rocheux et accidenté du lac Supérieur à travers le parc, offrant des vues spectaculaires et directes de ces eaux bleues légendaires.

■ **PARC ONTARIO NEYS**
Terrace Bay
Camping : 144 emplacements aménagés (61 avec électricité).
Immortalisée en peinture par les artistes du Groupe des Sept, cette péninsule accidentée bordée d'îles rocheuses n'offre le gîte qu'aux formes de vie les plus tenaces ; parmi celles-ci on retrouve notamment des plantes subarctiques et un troupeau de caribous des bois. Profitez de l'une des plus belles plages de la rive nord du lac Supérieur ou visitez une reconstitution d'un camp de prisonniers de guerre au centre des visiteurs.

■ **PARC SLEEPING GIANT**
Pass Lake
✆ +1 807 977 2526
Camping : 200 emplacements aménagés (85 avec électricité).
L'extrémité sud de cette péninsule mythique située près de Thunder Bay possède une forme ressemblant étrangement à celle d'un géant allongé sur le dos. N'hésitez pas à chatouiller le géant en empruntant les sentiers qui vous mèneront vers des points de vue à couper le souffle. Profitez-en pour tenter de repérer les chevreuils, les orignaux et autres gros mammifères qui peuplent les vastes forêts du parc.

■ **PARCS ONTARIO**
✆ +1 519 826 5290
✆ +1 888 668 7275
www.ontarioparks.com

■ **PARC WAKAMI LAKE**
✆ +1 705 233 2853
✆ +1 705 899 2644
C'est le parc le plus retiré, à 62 km à l'est de Chapleau. Ce parc, qui accueille les caravanes sans offrir d'électricité, suggère l'immensité d'un lac limpide, rempli de dorés, la location de canot et divers sites de promenade. S'y retrouve aussi l'un des plus longs sentiers de la province, avec ses 76 km. Cette exigeante randonnée sur la Ligne de partage fait faire le tour du lac Wakami en quelques jours.

SAULT SAINTE-MARIE

Sault (prononcer Sou) Ste. Marie (on dit The Soo) est une petite ville charmante de 81 000 habitants et qui n'a guère plus de français qu'un nom et son histoire (des missionnaires français l'ont fondée en 1669). Le pont qui la relie à sa jumelle américaine sépare le lac Supérieur du lac Huron et voit passer les grands cargos de marchandises. Ce sont ses écluses qui ont fait la prospérité de la ville. Cette activité fluviale explique la relative aisance de Sault-Sainte-Marie, traversée par la plaisante Queen Street où s'alignent magasins et restaurants en brique rouge, et où domine la vieille maison Ermatinger (1814) en pierre grise.

Transports

■ **BUDGET**
573 Second Line Street
✆ +1 705 942 1144, +1 800 268 8970
www.budget.ca

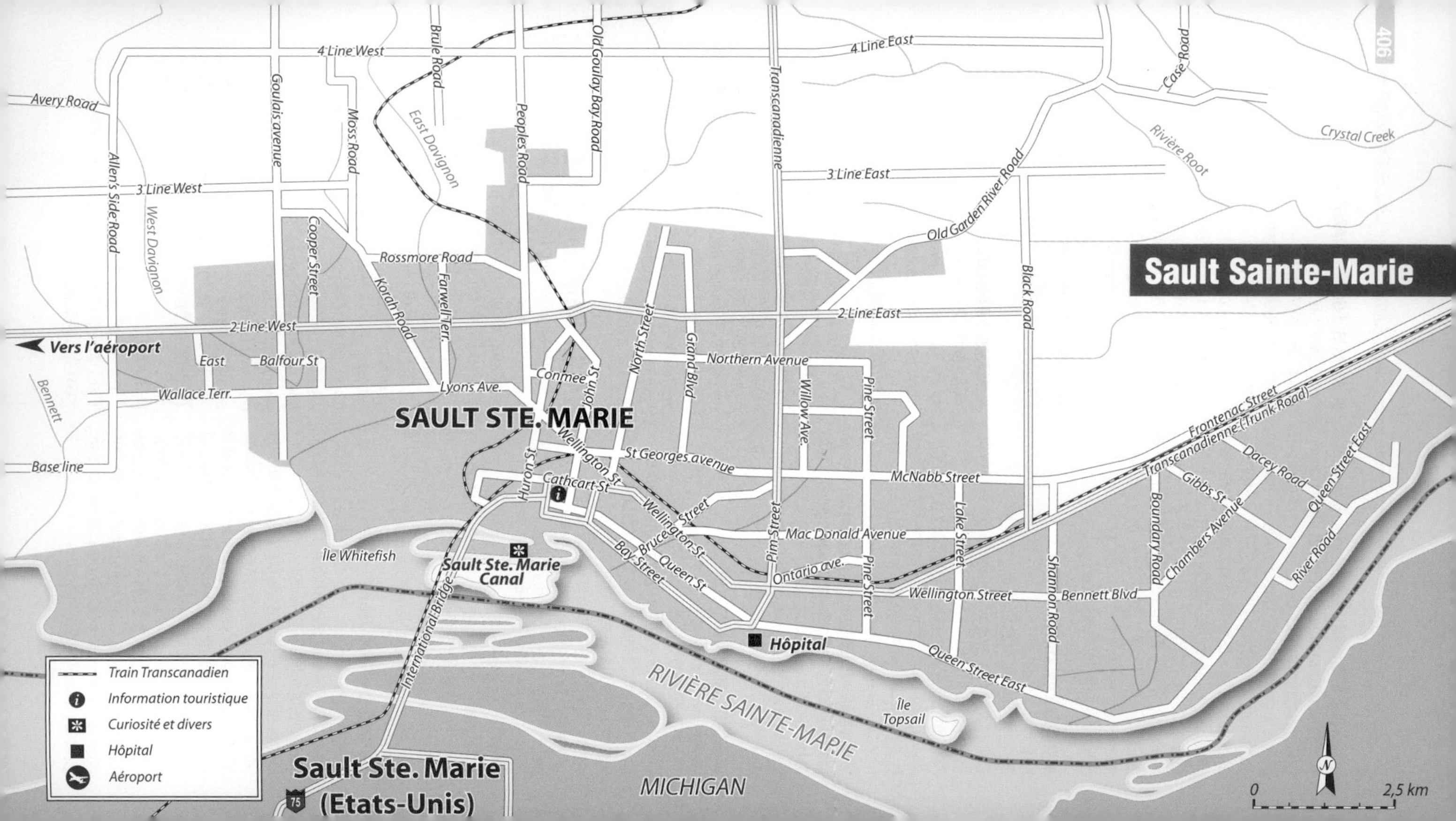
Sault Sainte-Marie
SAULT STE. MARIE
Sault Ste. Marie (Etats-Unis)
75
MICHIGAN
RIVIÈRE SAINTE-MARIE
Île Topsail
Île Whitefish
Sault Ste. Marie Canal
International Bridge
Hôpital
Vers l'aéroport
4 Line West
4 Line East
3 Line West
3 Line East
2 Line West
2 Line East
Avery Road
Allen's Side Road
West Davignon
East Davignon
Goulais avenue
Moss Road
Brule Road
Peoples Road
Old Goulay Bay Road
Transcanadienne
Case Road
Rivière Root
Crystal Creek
Old Garden River Road
Black Road
Rossmore Road
Cooper Street
Korah Road
Farwell Terr.
Balfour St
East
Bennett
Wallace Terr.
Lyons Ave.
Base line
Conmee
John St
North Street
Grand Blvd
Northern Avenue
Willow Ave.
Pine Street
Wellington St
St Georges avenue
McNabb Street
Huron St
Cathcart St
Wellington St
Bruce Street
Bay Street
Queen St
Mac Donald Avenue
Pim Street
Ontario ave.
Wellington Street
Lake Street
Shannon Road
Bennett Blvd
Boundary Road
Chambers Avenue
Gibbs St
Dacey Road
Queen Street East
River Road
Frontenac Street
Transcanadienne (Trunk Road)
Train Transcanadien
Information touristique
Curiosité et divers
Hôpital
Aéroport
0
2,5 km
N

■ SAULT STE. MARIE BUS TERMINAL
73 Brock Street ✆ +1 705 949 4711
www.greyhound.ca
webmaster@greyhound.ca
Heures d'ouverture de la gare routière et de la billetterie : lundi-vendredi de 6h30 à 22h, samedi-dimanche de 6h30 à 20h.

■ SAULT STE. MARIE TRANSIT SERVICES
✆ +1 705 759 5438
www.cityssm.on.ca
webmaster@cityssm.on.ca
Billet adulte : 2 CAN $ (20 billets pour 35 CAN $). 8 lignes d'autobus.

Pratique

■ TOURISM SAULT STE. MARIE
99 Foster Drive
✆ +1 705 759 5442, +1 800 461 6020
www.saulttourism.com/tourism/
visit@saulttourism.com

▸ **Autre adresse :** Centre d'information touristique : 261 Queen Street ✆ +1 705 945 6941

Se loger

■ BEST WESTERN
229 Great Northern Road
✆ +1 705 942 2500
A partir de 115 $ la chambre double.
Hôtel familial, avec jeux d'eau, bowling et golf intérieur.

■ ERRINGTON'S WILDERNESS ISLAND RESORT
44 Great Northern Road
Wabatongushi Lake
✆ +1 705 884 2215, +1 705 946 2010
www.wildernessisland.com
vacation@wildernessisland.com
Tarifs variables selon la durée du séjour et le type de forfait choisi.
Optez pour un séjour en milieu naturel, mais en tout confort au centre de villégiature Wilderness Island Resort sur le lac Wabatongushi, le deuxième plus grand lac de la réserve faunique de Chapleau qui, elle, est la plus grande réserve faunique au monde. Faites votre arrivée soit en empruntant la voie ferrée Algoma Central ou en hydravion. Excellent emplacement pour la pêche au doré et au grand brochet, ainsi que pour l'observation d'oiseaux et de la faune, notamment l'orignal, l'ours noir, le huard et l'aigle à tête blanche. Hébergement douillet avec ou sans service de repas.

■ QUALITY INN BAY FRONT
180 Bay Street
✆ +1 705 945 9264, +1 800 228 5151
www.qualityinnssm.com
info@qualityinnssm.com
Occupation double : à partir de 135 CAN $. Forfaits disponibles.
Récipiendaire d'une palme d'or chez Choice Hotels, cet hôtel est d'un grand confort et propose plusieurs services sur place : restaurant italien, piscine intérieure, jacuzzi, sauna et centre de conditionnement physique. Près des attraits et des bureaux gouvernementaux.

Se restaurer

■ MARY'S RESTAURANT
663 Queen Street East
✆ +1 705 759 4836
Lundi-samedi de 8h à 20h. Fermé dimanche. Menu à la carte : moins de 15 CAN $.
Prix défiant toute concurrence. Petits déjeuners copieux.

■ A THYMELY MANNER
531 Albert Street East
✆ +1 705 759 3262
www.thymelymanner.com
Horaires variables selon la saison. A partir de 30 CAN $.
Une table qui passe pour être parmi les meilleures du Canada. Décor élégant et calme.

À voir / À faire

■ AGAWA CANYON ALGOMA CENTRAL RAILWAY
129 Bay Street
✆ +1 705 946 7300, +1 800 242 9287
www.agawacanyontourtrain.com
Tous les jours à 8h, de juin à mi-octobre. Réservation conseillée. Adulte : de 70 à 90 CAN $. Train des neiges : quelques départs en février et mars à 8h. Adulte : 73 CAN $. Forfaits disponibles en toute saison.
Pour traverser cette région magnifique (surtout en automne), riche de forêts, ravins et cascades, le moyen de transport le plus approprié est le train. Alors... embarquez ! Le train de l'Agawa Canyon vous mènera vers une fascinante épopée ! Cette excursion est l'une des plus spectaculaires d'Amérique du Nord. Vous serez muet d'admiration devant le beau panorama exhibé. Des arrêts sont prévus pour les pêcheurs, les photographes, les alpinistes, et même les chercheurs de pierres précieuses.

Lac Superieur.

■ LIEU HISTORIQUE NATIONAL DU CANADA DU CANAL-DE-SAULT-SAINTE-MARIE

1 Canal Drive
✆ +1 705 941 6262
www.pc.gc.ca/sault
info-saultcanal@pc.gc.ca
Ouvert de mi-mai à mi-octobre de 11h30 à 19h30, 9h à 21h entre juin et septembre. Adulte : 5,80 CAN $.
Achevé en 1895, ce canal constituait le dernier chaînon d'un réseau de navigation entièrement canadien s'étendant du Saint-Laurent au lac Supérieur. Conçu et construit par des Canadiens, le canal intégrait plusieurs innovations techniques. C'était la plus longue écluse du monde et la première à fonctionner à l'électricité. En outre, un barrage tournant de secours y protégeait l'écluse en cas d'accident. La centrale produisait de l'électricité sur place. Fermé en 1987 à cause d'une défaillance du bajoyer, le canal a été équipé d'une écluse moderne et ouvert en 1998 à la navigation de plaisance.

■ LIEU HISTORIQUE NATIONAL DU CANADA DU FORT ST. JOSEPH

Richard's Landing
✆ +1 705 246 2664
www.pc.gc.ca/joseph
fortstjoseph-info@pc.gc.ca
Ouvert de juin à mi-octobre de 9h30 à 17h. Adulte : 3,90 CAN $.
Toujours aussi isolé et relativement intègre, le fort St. Joseph rappelle les liens commerciaux et militaires qui existaient entre les Britanniques et les premières nations de la région des Grands Lacs de l'ouest, de la fin de la guerre d'Indépendance jusqu'à la guerre de 1812. En plus du fort lui même, le lieu historique comprend un ensemble remarquable de vestiges archéologiques qui, dans leur état non exploité, racontent en partie la vie complexe des militaires, des familles et des commerçants – autochtones et européens – qui ont habité ce poste frontalier éloigné.

■ MAISON ERMATINGER

831 Queen Street East
Tous les jours de juin à septembre.
Construite en 1814 par un marchand de fourrures pour sa femme ojibway, cette maison de pierres d'Ermatinger, qui a fait fortune dans la traite, constitue le plus vieux bâtiment à l'ouest de Toronto.

■ SAULT SAINTE-MARIE MUSEUM

690 Queen Street East
✆ +1 705 759 7278
www.saultmuseum.com
heritage@saultmuseum.com
Ouvert tous les jours de 9h30 à 17h (fermé le lundi d'octobre à juin). Adulte : 5 CAN $.
Musée d'histoire régionale niché dans l'ancien bureau de poste, complétant le coup d'œil historique de la région… A condition, bien sûr, de s'arrêter aux écluses.

LE QUÉBEC

Maisons victoriennes colorées sur le Plateau à Montréal.

Le Québec
CANADA
Québec
DETROIT D'HUDSON
MER DU LABRADOR
Baie d'Ungava
Akpatok Island
Port Burwell
Salluit
Ivrujivik
Chukotat
Kangrisuk
Arnaud
Aupaluk
Akulivik
Povungnituk
George
Feuilles
Mélèze
Nunavik
Inujjuak
Lac Minto
Caniapiscau
LABRADOR
Eagle
Smallwood Réservoir
Churchill
Middle Bay
Nastapoca
Lacs des Loups Marins
Dyke Lake
Saint-Augustin
Caniapiscau
Réservoir Canjapiscau
Petit-Mécatina
Belcher Islands
Lac Bienville
Grande-Baleine
Labrador City
Joseph Lake
Kuujjuarapik
Laforge
Lac d'Auteuil
Duplessis

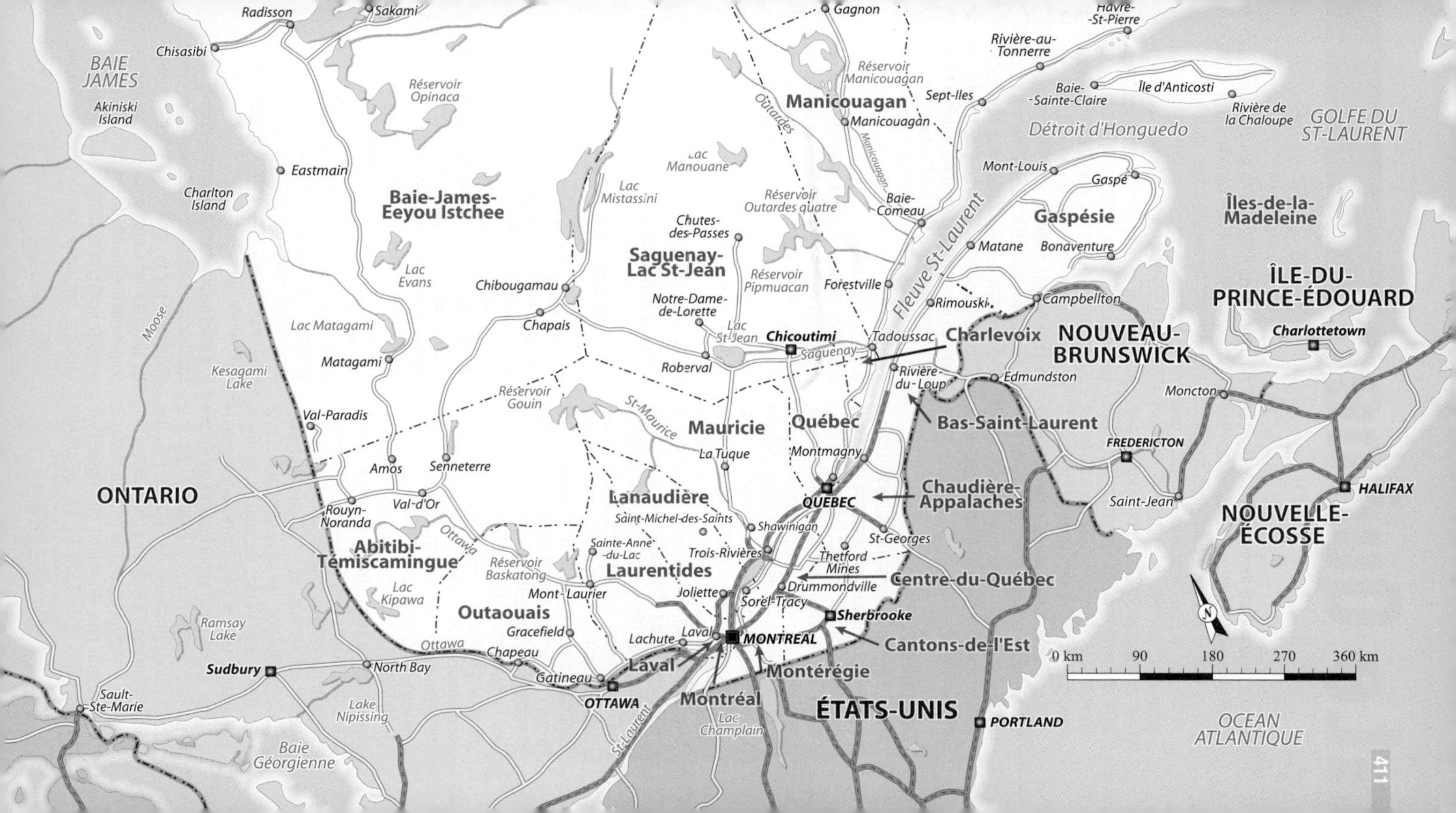
BAIE JAMES
Akiniski Island
Charlton Island
Radisson
Chisasibi
Sakami
Eastmain
Réservoir Opinaca
Baie-James-Eeyou Istchee
Lac Evans
Lac Matagami
Matagami
Kesagami Lake
Moose
Val-Paradis
Amos
Senneterre
Val-d'Or
Rouyn-Noranda
ONTARIO
Abitibi-Témiscamingue
Lac Kipawa
Ramsay Lake
Ottawa
Sudbury
North Bay
Sault-Ste-Marie
Lake Nipissing
Baie Géorgienne
Chapeau
Gatineau
OTTAWA
Outaouais
Gracefield
Réservoir Baskatong
Mont-Laurier
Sainte-Anne-du-Lac
Laurentides
Lachute
Laval
MONTREAL
Montréal
Montérégie
Lac Champlain
St-Laurent
ÉTATS-UNIS
PORTLAND
Réservoir Gouin
Chibougamau
Chapais
Lac Mistassini
Lac Manouane
Chutes-des-Passes
Saguenay-Lac St-Jean
Notre-Dame-de-Lorette
Lac St-Jean
Roberval
Chicoutimi
Saguenay
Réservoir Pipmuacan
Réservoir Outardes quatre
Outardes
Manicouagan
Réservoir Manicouagan
Gagnon
St-Maurice
Mauricie
La Tuque
Lanaudière
Saint-Michel-des-Saints
Shawinigan
Trois-Rivières
Joliette
Sorel-Tracy
Drummondville
Thetford Mines
Sherbrooke
Cantons-de-l'Est
Centre-du-Québec
St-Georges
QUEBEC
Québec
Montmagny
Chaudière-Appalaches
Bas-Saint-Laurent
Rivière-du-Loup
Tadoussac
Charlevoix
Forestville
Baie-Comeau
Fleuve St-Laurent
Rimouski
Matane
Mont-Louis
Gaspé
Gaspésie
Bonaventure
Campbellton
Edmundston
NOUVEAU-BRUNSWICK
FREDERICTON
Moncton
Saint-Jean
Sept-Iles
Rivière-au-Tonnerre
Havre-St-Pierre
Baie-Sainte-Claire
Île d'Anticosti
Rivière de la Chaloupe
Détroit d'Honguedo
GOLFE DU ST-LAURENT
Îles-de-la-Madeleine
ÎLE-DU-PRINCE-ÉDOUARD
Charlottetown
NOUVELLE-ÉCOSSE
HALIFAX
OCEAN ATLANTIQUE
0 km
90
180
270
360 km
N

Le Québec

Bastion de la culture francophone, le Québec est la plus vaste province du Canada, dont elle occupe 15 % du territoire. Trois fois plus grande que la France et aussi étendue que l'Alaska, la Belle Province atteint 1 500 km d'est en ouest et 2 000 km du nord au sud. Outre une gamme variée de paysages allant des vastes espaces du bouclier canadien aux montagnes appalachiennes, en passant par la grande plaine du Saint-Laurent où se concentre la majorité de la population, le Québec offre une déclinaison de climats, une mosaïque de populations ainsi qu'une flore et une faune particulières.

Le Québec moderne

Après une période de centralisation fédérale et de conservatisme auxquels s'oppose le Premier ministre du Québec, Maurice Duplessis (1944-1959), le gouvernement du Québec prend, dans les années 1960, d'importantes mesures économiques, sociales et culturelles (régime de retraite, système de santé, éducation). C'est ce qu'on a appelé la révolution tranquille : elle a lieu sous Jean Lesage, Premier ministre libéral de 1960 à 1966. Désormais, l'État prend la relève de l'Église et de la famille. Jusque-là, le Québec était régi par un clergé omniprésent (la religion était le pivot de la société) et par l'élite britannique qui contrôlait financièrement sa vie économique, « Maîtres chez nous » proclamaient les affiches. Cependant la montée du nationalisme se fait parallèlement au renforcement de l'État fédéral. Bientôt la souveraineté du Québec occupe le cœur des débats. Les partisans du fédéralisme représentés par Pierre Elliott Trudeau, Premier ministre du Canada de 1968 à 1979 et de 1980 à 1984, s'opposent aux partisans de la souveraineté conduits par René Lévesque, chef du Parti québécois (fondé en 1968) et Premier ministre du Québec de 1976 à 1985. Mais le référendum de 1980 sur l'indépendance du Québec est un échec, la majorité des Québécois s'étant prononcée contre la séparation. Les tensions entre la province du Québec et le gouvernement fédéral vont encore s'aggraver avec le refus du Québec de signer la Constitution canadienne de 1982. En 1987, les accords du Lac-Meech qui prévoient, pour le Québec, un statut spécial de société distincte n'aboutiront pas, en raison de l'opposition du Manitoba et de Terre-Neuve. Le second référendum de 1995 sur la souveraineté du Québec, se soldant par un non à très faible majorité, est un nouvel échec pour les indépendantistes. Au printemps 1998, le Premier ministre Lucien Bouchard a renouvelé son engagement de tenir un référendum gagnant. La déclaration de Calgary reconnaît « le caractère unique de la société québécoise au sein du Canada » mais pas le Québec en tant que société distincte. En 1998, la question autochtone a porté sur l'idée d'une autonomie gouvernementale accordée aux premières nations. C'est ainsi que, fin 1999, entre en fonction le gouvernement d'un nouveau territoire administré par ses habitants, les Inuits : le Nunavut (notre pays) qui rassemblera les territoires de l'Arctique du Centre et de l'Ouest autour de la baie d'Hudson, soit une zone de 2 millions de km². La question de la souveraineté du Québec ne semble plus au goût du jour depuis les élections législatives d'avril 2003. Jean Charest et son Parti libéral, à la tête de la Belle Province, se veulent favorables au fédéralisme canadien.

Parcs nationaux et provinciaux

- **Parcs nationaux du Canada.** Les quatre parcs nationaux de la Mauricie, du parc marin du Saguenay-Saint-Laurent (géré conjointement par Parcs Canada et Parcs Québec), de Forillon et de l'Archipel-de-Mingan sont gérés par Parcs Canada (gouvernement du Canada). Ils ont été créés pour préserver des sites naturels exceptionnels tout en les rendant accessibles au public. Randonnées, diaporamas, vidéos, expositions, conférences permettent de découvrir leur environnement naturel. Chaque parc possède un bureau d'information. Ils sont en général équipés de terrains de camping et proposent des activités selon la saison : baignade, canot, kayak, pêche, randonnée pédestre, vélo, équitation, exploration sous-marine, escalade, ski de fond, raquette, etc. Pour tous renseignements : www.pc.gc.ca

- **Parcs nationaux et réserves faunique du Québec.** Les 23 parcs nationaux du Québec sont gérés par la Société des établissements de plein air du Québec (Sépaq). Ils offrent également une multitude d'activités de découverte de la nature déclinées le long des quatre saisons : baignade, canot, chaloupe, kayak, pêche, randonnée pédestre, vélo, plongée sous-marine, ski de fond, randonnée pédestre sur neige, raquettes, etc. Depuis 2008, on peut louer dans de nombreux parcs des tentes Huttopia et des tentes roulottes entièrement équipées. Très pratiques pour ceux qui veulent camper sans se préoccuper de se déplacer avec tout leur équipement. Notez qu'à partir de 2011, l'accès à ces parcs est gratuit le 2e dimanche de juin, et ce chaque année. Une programmation spéciale sera également offerte. Les réserves fauniques du Québec forment un territoire de 67 000 km² de nature sauvage où la pêche et la chasse sont à l'honneur. Au nombre de 15, ces réserves gouvernementales sont également gérées par la Sépaq. Elles offrent, outre les nombreuses activités de plein air proposées, la possibilité de pêcher et de chasser, au petit gibier ou au gros gibier (ours, orignal). Pour tous renseignements : www.sepaq.com

Économie

C'est l'abondance de ses richesses naturelles qui fait la force de l'économie québécoise. Le Québec dispose de vastes forêts, de terres agricoles riches, d'industries extractives mais surtout, d'un énorme potentiel hydroélectrique. Aujourd'hui, l'essentiel de ses activités économiques repose sur le secteur secondaire (25 % du produit intérieur brut) et sur le secteur tertiaire, c'est-à-dire les services (70 %), le secteur primaire (agriculture) représentant seulement 2 %.

▶ **Le commerce des fourrures.** Jusqu'au XIXe siècle, il a joué un rôle majeur dans le développement des postes de traite, a permis la colonisation de régions éloignées et a fait de Montréal la capitale nord-américaine du commerce des peaux. Aujourd'hui, le piégeage des animaux à fourrure (3 millions par an), activité héritée des Amérindiens exercée par les trappeurs regroupés en coopératives, occupe une place négligeable dans l'économie du pays, bien que le Canada soit, avec la Russie, le principal fournisseur de fourrures au monde.

▶ **L'industrie du bois.** Elle a pris le relais des fourrures en jouant, à partir du XIXe siècle, un rôle économique vital dans certaines régions comme l'Abitibi, la Côte-Nord, la Mauricie et le Saguenay-Lac-Saint-Jean. L'exploitation des immenses forêts a été source de revenus importants. La consommation intérieure était en effet considérable : non seulement le bois servait à la construction des navires et à celle des maisons mais, il était également utilisé pour le chauffage des maisons, indispensable pour affronter les froids rigoureux de l'hiver. Ce bois était en partie exporté vers l'Angleterre. Au XXe siècle, il servait essentiellement à la fabrication de la pâte à papier dont la demande grandissait avec le développement de la presse à grand tirage. La pâte à papier était exportée brute pour être transformée ensuite en papier journal. Aujourd'hui, le tiers de la production canadienne de pâte à papier provient du Québec, qui en exporte la moitié aux États-Unis. Par contre, depuis quelques années, ce secteur connaît plusieurs difficultés et des usines, notamment AbitibiBowater, ont dû fermer leurs portes mettant ainsi à pied des milliers de travailleurs dans la province.

▶ **L'agriculture et l'élevage.** Jusqu'au début du XXe siècle, le Québec était une province essentiellement agricole, les produits laitiers représentant une part importante du marché. Aujourd'hui, l'agriculture représente peu (à peine 2 %). Les principales régions agricoles se situent à proximité du Saint-Laurent, sur les deux rives, et produisent lait, porcs, bovins, volailles, céréales (maïs, orge, blé, avoine), cultures maraîchère et fruitière (bleuets, pommes, fraises et framboises).

▶ **La pêche.** Elle se pratique essentiellement en Gaspésie, sur la Côte-Nord et aux îles de la Madeleine, mais contribue peu au produit intérieur brut (1 %). On pêche essentiellement la morue, le flétan, le hareng, le maquereau, le sébaste, le saumon et les crustacés (crabe, homard, crevette).

© YUKIKO YAMANOTE - ICONOTEC

Magasin de souvenirs indiens à Québec.

Les immanquables du Québec

Montréal

- **Une promenade** dans les rues du Vieux-Montréal.
- **Une photo** depuis le sommet du mont Royal, une forêt en plein cœur de la ville.
- **La découverte** du quartier du Plateau Mont-Royal, très coloré, ou du Quartier latin, lieu par excellence pour flâner en terrasse.

Laurentides

- **Oka,** renommée pour sa plage très populaire et pour son délicieux fromage.
- **Le parc national du Mont-Tremblant** et la station de montagne haut de gamme très bien équipée.
- **L'animation nocturne** et les restaurants de Saint-Sauveur.

Outaouais

- **Le musée canadien des Civilisations** à Gatineau.
- **La visite du parc Oméga** et du luxueux hôtel Fairmont à Montebello.
- **La tumultueuse rivière des Outaouais,** paradis des *aficionados* d'aventure en eaux vives.

Montérégie

- **Les routes gourmandes :** circuit du Paysan, route des Cidres et route des Vins.
- **La Vallée-du-Richelieu,** à découvrir pour son histoire et ses magnifiques villages.

Cantons-de-l'Est

- **Les belles auberges de North Hatley** (allez voir le manoir Hovey).
- **L'observatoire du mont Mégantic.**
- **Les activités de plein air :** les sports nautiques en été et le ski en hiver.

Bas-Saint-Laurent

- **Le parc national du Bic.**
- **Rimouski et ses musées** sur la mer.

Gaspésie

- **Parc de la Gaspésie.**
- **Parc national de Forillon.**
- **Le rocher Percé et l'île Bonaventure** (fous de Bassan).
- **Parc de Miguasha** (fossiles).
- **Site historique de Paspébiac** (pêche à la morue).

Paysage côtier des Laurentides.

© AUTHOR'S IMAGE

Fleuve Montmorency.

Mauricie

- **Visiter le Musée québécois de culture populaire** avec sa visite expérience dans la vieille prison, et le nouveau centre d'histoire de l'industrie papetière Boréalis, tous deux à Trois-Rivières.
- **Découvrir la Cité de l'énergie** à Shawinigan.
- **Faire des randonnées** dans le parc national du Canada de la Mauricie.

Québec et ses environs

- **La vieille ville de Québec et ses superbes musées :** musée de la Civilisation, musée des Beaux-Arts et musée de l'Amérique française.
- **La station touristique Duchesnay** pour ses nombreuses activités en toutes saisons.
- **L'Île d'Orléans,** paradis gourmand et site enchanteur, royaume du chansonnier Félix Leclerc.
- **Les routes touristiques chargées d'histoire :** le Chemin du Roy et la Route de la Nouvelle-France.

Charlevoix

- **Les galeries de Baie Saint-Paul,** repère d'artistes.
- **Le tour de l'Isle-aux-Coudres** (de préférence en vélo).
- **En hiver, skier au Massif de Charlevoix,** une montagne ayant le plus haut dénivelé à l'est des Rocheuses (770 m).

Saguenay – Lac-Saint-Jean

- **Le village historique** de Val-Jalbert.
- **Le parc marin** du Saguenay-Saint-Laurent et le parc national du Saguenay où l'on peut faire du kayak, de la randonnée, de l'observation de baleines, etc.
- **La visite du site de la Nouvelle-France** à Saint-Félix-d'Otis

Côte-Nord

- **L'observation des baleines à Tadoussac.**
- **Les monts Groulx et la réserve du parc national de l'Archipel-de-Mingan**, dont la biodiversité est fascinante.
- **Le parc national de l'île d'Anticosti**, très réputé pour la chasse et la pêche.

L'exploitation minière. Le sous-sol du Québec est particulièrement riche en minéraux métalliques : or, argent, fer, cuivre, zinc, plomb et nickel. L'industrie extractive a connu, au Québec, trois grandes périodes : celle de l'amiante dans les Cantons-de-l'Est à la fin du XIXe siècle, celle de l'or et du cuivre en Abitibi au début du XXe siècle et, après 1945, celle du fer sur la Côte-Nord et dans le Nord-Est du Québec (Schefferville). Elle représente aujourd'hui 8 % de la production canadienne.

L'hydroélectricité. C'est la principale ressource du Québec, qui en exporte environ 15 %. Elle fournit l'énergie nécessaire à l'industrie du bois, à la pétrochimie et à l'électrométallurgie (Alcan, Reynolds). C'est dans les années 1960 que le gouvernement provincial, à l'instigation de René Lévesque alors ministre, décide que l'expansion économique du Québec passe nécessairement par la nationalisation de l'électricité et l'exploitation de l'immense potentiel hydroélectrique des régions nordiques dont il confie l'aménagement à la société d'État Hydro-Québec, créée en 1963. Le plus récent projet d'Hydro-Québec, La Romaine, s'échelonnera de 2009 à 2020. Composé de quatre centrales alimentées par des réservoirs, ce complexe offrira une production annuelle moyenne de 8 TWh. Une route permanente de 150 km reliera la route 138 à la zone d'implantation des ouvrages, située dans la région de la Côte-Nord, au nord d'Havre-Saint-Pierre.

Population et francophonie

À la fin du XVIIIe siècle, les francophones, sentant leur identité en danger devant l'afflux d'immigrants britanniques, déclenchèrent la Revanche des berceaux. Durant deux cents ans, la population va croître à un rythme accéléré : jusqu'à 15 enfants par famille. Les six millions de Québécois des années 1950 descendent des 65 000 Canadiens français de 1760. Le début de la révolution tranquille des années 1960 marque un coup d'arrêt brutal à cette politique nataliste. Aujourd'hui, le Québec a un taux de fécondité parmi les plus bas du monde.

Une mosaïque ethnique. Le Québec est, après l'Ontario, la province canadienne la plus peuplée avec 7,7 millions d'habitants, soit le quart de la population du Canada. Quatre Québécois sur cinq résident en zone urbaine dans le sud de la province. L'agglomération de Montréal regroupe à elle seule 45 % de la population. 82 % se déclarent d'origine française, 8 % britannique. La communauté anglophone qui s'était installée à Montréal, à Québec et dans les Cantons-de-l'Est après 1815 s'est fortement réduite au lendemain de la Seconde Guerre mondiale, remplacée par un afflux d'immigrants venus du Bassin méditerranéen (Italiens, Grecs, Portugais) et d'Europe centrale suivi dans les années 1970 d'un important groupe d'Asie du Sud-est (Vietnamiens, Cambodgiens) et, dans les années 1980, de Latino-Américains, notamment Chiliens et Haïtiens, de Libanais et, plus récemment, de ressortissants de l'ex-Yougoslavie. Ces nouveaux immigrants contribuent à donner au Québec un caractère cosmopolite, multiethnique. En cinquante ans, le Québec a accueilli 500 000 personnes de 80 nations différentes. Depuis quelques années, environ 45 000 personnes immigrent annuellement au Québec, dont plusieurs milliers de Français. Ces nouveaux Québécois contribuent à freiner le vieillissement de la population et à réduire le coût social engendré.

La question linguistique. La grande majorité des habitants du Québec se déclarant de langue maternelle française, la question linguistique est apparue dans les années 1960, avec la prise de conscience par les francophones de la fragilité de leur langue et de leur culture au sein d'un Canada anglophone. En effet, deux facteurs nouveaux étaient apparus : une forte poussée d'immigration internationale tendant à rejoindre la communauté anglophone, et la baisse du taux de natalité chez les francophones. La question linguistique se posait surtout en matière d'enseignement, à propos du rôle de l'école dans la transmission de la culture. C'est ainsi que le Parti québécois, élu en 1976, fit passer la fameuse loi 101, véritable charte définissant le statut de la langue française et son utilisation dans les domaines de la législation, de la justice, de l'administration, du commerce et de l'enseignement. Depuis les années 1980, l'application de la loi 101 et les accords conclus avec le gouvernement fédéral, permettant au Québec de sélectionner la moitié de ses immigrants, ont infléchi la tendance en faveur de la francophonie. Les anglophones, au nombre de près de 600 000, ne représentent plus aujourd'hui que 8 % de la population du Québec. Reste le problème d'assimilation des nouveaux Québécois.

MONTRÉAL

Deuxième ville du Canada après Toronto, place financière et commerciale particulièrement dynamique, centre portuaire de tout premier ordre sur la voie fluviale reliant les Grands Lacs à l'Atlantique, Montréal est la seconde ville francophone du monde après Paris. Elle est la seule ville du Canada à avoir su concilier les influences du Vieux Continent et la modernité nord-américaine, à avoir pu réunir les communautés anglophone et francophone que l'histoire a longtemps opposées, et à avoir réussi à intégrer une mosaïque ethnique issue de l'immigration. C'est aussi un agglomérat de villes et villages jadis distincts et une métropole culturelle d'une grande vitalité.

Histoire

Avant l'arrivée des Français, Montréal, alors appelée Hochelaga, était un village indien peuplé par les Mohawks, de la nation Iroquoise. Jacques Cartier arrive sur le site en 1535. Quant au baptême de l'île Sainte-Hélène, il revient à Samuel de Champlain.En 1642, Ville-Marie, la future Montréal est fondée par Paul de Chomedey. Une première croix fut plantée sur le mont Royal par le Sieur de Maisonneuve en 1643 en remerciement pour le sauvetage de la colonie alors menacée d'inondation. Ce qui allait devenir cette métropole comptait une quarantaine de personnes, parmi lesquelles des femmes qui ont marqué l'histoire québécoise : Marguerite Bourgeoys, à l'origine de la première école de jeunes filles ouverte dès 1658 et Jeanne Mance, qui a créé le premier hôpital de Montréal, l'Hôtel-Dieu. Les Amérindiens signent la Grande Paix en 1701. Dès lors, les colons se lancent dans la traite des fourrures. Les guerres menées à la fois contre les Indiens et les Anglais poussent la ville à se fortifier. Mais ces mesures de protection ne freineront pas les convoitises des Anglais. La capitulation de la Nouvelle France est signée à Montréal en 1760. Puis, le vent de la révolution passe par Montréal et les insurgés américains gagnent l'adhésion des colons en 1775.En 1792, une décision administrative, qui marque encore la géographie mentale des habitants, divise la ville en deux : est et ouest, à partir du Boulevard Saint-Laurent. En 1801, la vieille ville déborde de ses remparts que l'on doit démolir. En 1824 le canal Lachine s'ouvre, permettant ainsi un développement économique de la ville sans précédent. Depuis 1959, c'est par la voie maritime du Saint-Laurent que les bateaux transocéaniques peuvent remonter le fleuve jusqu'aux Grands Lacs.Le premier maire de la ville, Jacques Viger, est élu en 1833. En 1887, avec l'inauguration de la première ligne de chemin de fer transcontinentale, l'âge d'or de Montréal s'amorce. Durant la prohibition américaine, Montréal est très courue par les Américains, c'est le début des grands cabarets et de la joyeuse réputation de la ville.En 1967, l'exposition universelle « Terre des Hommes » marque la ville et souligne sa vocation internationale. Elle confirme cette orientation avec la tenue des Jeux olympiques d'été en 1976. Depuis lors, le plus grand événement sportif fut les premiers jeux gays Outgames, tenus dans la ville en 2006.

Vue du vieux port, Montréal.

La ville aujourd'hui

Une montagne dans une ville sur une île dans un fleuve

Montréal occupe une superficie de 500 km². Sa population est majoritairement francophone, mais à l'importante communauté d'origine anglo-saxonne, chinoise, italienne, irlandaise et juive, se sont ajoutés les immigrants grecs et portugais ; et, plus récemment, les communautés haïtienne, vietnamienne et cambodgienne ont enrichi cette mosaïque qui forme le caractère multiethnique du Montréal d'aujourd'hui.Montréal est desservie par un aéroport qui accueille le trafic aérien, tant national qu'international : l'aéroport Montréal-Trudeau, situé à quelques kilomètres du centre-ville.Situé à 1 600 km de la côte Atlantique, le port de Montréal, toujours très actif, s'étend sur 24 km et compte 117 postes à quai. Le trafic maritime y est assuré toute l'année, même en hiver. Parmi les 5000 navires qui y passent chaque année, un bon nombre fait la navette entre Montréal et les ports des Grands Lacs.

Quartiers

La ville est divisée en deux parties, Est et Ouest, par le boulevard Saint-Laurent (La Main), qui traverse l'île du sud au nord, frontière entre les anglophones et les francophones.Les quartiers de Montréal ne sont pas toujours clairement délimités. Les arrondissements, qui sont des subdivisions électorales, comprennent quelques quartiers (ou districts). Pour s'y retrouver, on doit se représenter la ville en damier, quadrillée de rues qui, pour les unes, vont dans la direction nord-sud, pour les autres dans la direction est-ouest. Font exception les rues qui serpentent autour et dans la montagne, notamment le chemin de la Côte-Sainte-Catherine et le chemin de la Côte-des-Neiges, qui contournent le mont Royal. Quant aux adresses, la numérotation des rues dans le sens est-ouest commence au boulevard Saint-Laurent. Pour les rues perpendiculaires dans la direction nord-sud, la numérotation débute à partir du fleuve.

Vieux Montréal et Parc Jean Drapeau

Vieux-Montréal

Le Vieux-Montréal, c'est l'histoire même de la ville, lieu de fondation de Ville-Marie en 1642 par Paul de Chomedey. Malgré les nombreux incendies ayant fait disparaître les plus anciens bâtiments, plusieurs travaux de restauration et d'aménagement ont donné un nouveau souffle à la vieille ville et au port qui accueillent dorénavant des milliers de touristes charmés par ce style européen et historique. Boutiques, restaurants, musées et galeries d'art, places et promenades, bref, vous aurez amplement de quoi remplir une journée.Situé au sud du centre-ville, le Vieux-Montréal longe le fleuve, ou plutôt le port, car l'ancienne rive a été comblée par la construction du port actuel. La rue de la Commune, qui constitue

Patinoire du Bonsecours.

Ville de Montréal.

la limite sud du Vieux-Montréal, correspond aux délimitations de l'enceinte des anciennes fortifications. Quelques rues, et parmi elles la plus ancienne, la rue Saint-Paul, ont conservé leur pavement ancien sur une partie de leur parcours. Ces fortifications n'ont guère servi, les édifices étant construits sur une hauteur qui leur permettait de les dominer. Les murs d'enceinte, assez fragiles, se sont avérés encombrants pour les commerçants et ont été détruits. Le Vieux-Port (dorénavant appelé « Quais du Vieux-Port ») a été converti en parc récréo-touristique s'étendant sur 2,5 km et offrant une vue imprenable sur le majestueux fleuve Saint-Laurent. Le projet de réaménagement du canal de Lachine a permis la revitalisation des berges qui servent maintenant de terrain de jeux aux Montréalais (kayak, vélo, etc.). La piste cyclable qui se rend du Vieux-Montréal au Lac Saint-Louis suit le canal et est agréablement aménagée.

Les Îles Sainte-Hélène et Notre-Dame (parc Jean-Drapeau)

Toutes deux situées en face des Quais du Vieux-Port, elles sont aujourd'hui un important lieu de villégiature pour les Montréalais. La Ronde (parc d'attractions, propriété du groupe Six Flags), les grands parcs, la Biosphère, la plage de l'île Notre-Dame, le Casino, et le circuit de Formule 1 / Nascar sont très populaires. L'île Sainte-Hélène porte le nom de la femme de Samuel de Champlain, qui se posa sur l'île en 1611. L'Exposition universelle de 1967 ainsi que les Jeux olympiques de 1976 ont eu de fortes répercussions sur les îles. De nombreuses structures actuelles comme la Biosphère (musée de l'Environnement) et le Casino ont été construits pendant l'Expo. Le bassin d'aviron a été édifié pour les Jeux olympiques.

Centre-ville et Westmount

Le centre-ville

Enserré par la montagne et le fleuve, le centre-ville de Montréal est le lieu par excellence des affaires et du « shopping ». La rue Sainte-Catherine, qui le traverse d'est en ouest, est l'artère principale du centre où se concentrent les grands noms de la mode, les restaurants et bars ainsi que les boutiques en tous genres. L'architecture y est aussi bien diversifiée : les gratte-ciel imposants côtoient les bâtiments d'époque. Le centre-ville englobe plusieurs « sous-quartiers » : le Centre des affaires, le Quartier du Musée (au nord-ouest et on y trouve également de nombreuses galeries d'art), le Quartier International et Chinatown (qui côtoient le Vieux-Montréal) et le Quartier des spectacles (qui englobe de nombreuses salles autour de la place des Arts). Mais le centre-ville ne se trouve pas qu'en surface... Une ville souterraine s'étend sous nos pieds avec plus de 30 km de couloirs et passages piétonniers empruntés chaque jour par pas moins de 500 000 personnes !

Plamondon
Côte Ste-Catherine
Snowdon
Côte-des-Neiges
Université de Montréal
Edouard Montpetit
Outremont
Villa-Maria
Vendôme
Atwater
Guy-Concordia
Peel
Lucien-l'Allier
Bonaventure
Georges-Vanier
Lionel-Groulx
Place-St-Henri
Charlevoix
Lasalle
Verdun
De l'Eglise
Parc Kent
Cimetière Notre-Dame des-Neiges
Cimetière du Mont-Royal
Parc Summit
PARC DU MONT ROYAL
Parc Westmount
Canal Lachine
Avenue Barclay
Avenue Ducharme
Avenue Van Horne
Avenue Kent
Av. Linton
Av. De la Peltrie
Av. Bourret
Avenue Ellendale
Chemin de la Côte ste-Catherine
Boulevard Edouard Montpetit
Avenue Isabella
Chemin Queen Mary
Chemin de la Côte des Neiges
Chemin remenbrance
Voie Camilien Houde
The Boulevard
Avenue Westmount
Avenue Cedar
Chemin St-Sulpice
Avenue des Pins
Avenue du Docteur Penfield
Sherbrooke
Maisonneuve
Rue Ste-Catherine
René-Levesque
Tupper
Avenue Saint-Antoine
St-Jacques
Notre-Dame
Avenue Ottawa
Bassin Wellington
St-Patrick
Saint-Patrick
Châteauguay
Grand Trunk
Centre
Avenue Knox
Avenue Wellington
Bridge
Mill
Pullman
Ste-Clothilde
Ste-Ambroise
Boulevard Décarie
Avenue Victoria
Avenue Grosvenor
Av. Lansdowne
Avenue Lansdowne
Avenue Roslyn
Avenue Arlington
Avenue Clarke
Avenue Kensington
Avenue Metcalfe
Avenue Marlowe
Av. de Vendôme
Av. Prince
Albert
Greene
Guy
McKay
Crescent
de la Montagne
Drummond
Stanley
Av. des Seigneurs
St-Martin
Avenue de Courcelle
St-Rémy
Avenue Butler
d'Argenson
Avenue Charlevoix
Island
Avenue Bourgeoys
Avenue de l'Eglise
Avenue Galt
Avenue Dupuis
Avenue Joseph
Avenue Bannatyne
Avenue de Verdun
Avenue Evelyn
Avenue Gertrude
Avenue Ethel
Avenue Verdun
Avenue Rhéaume
Lesage
Wellington
Circle Road
Chemin Hudson
Darlington
Av. De Vimy
Lajoie
Avenue Stuart
Avenue du Mont-Royal
Avenue Gatineau
Avenue Decelles
Jean-Brillant
Légaré
Peel
Smith
720
15
1000 m

Montréal
1- Centre Bell
2- Basilique Saint-Patrick
3- Bourse de Montréal
4- Casino de Montréal
5- Cathédrale Marie-Reine-du-Monde
6- Cathédrale Christ Church
7- Eglise Saint-Andrew & Saint-Paul
8- Eglise anglicane Saint-Georges
9- Eglise Saint-Jean-Baptiste
10- Eglise unie Saint-James
11- Fort Île Sainte-Hélène
12- Jardin Botanique
13- Infotouristes
14- Insectarium
15- La Ronde
16- Le Forum
17- Le Château Dufresne
18- Maison de la Poste
19- Maison Saint-Gabriel
20- Marché Atwater
21- Marché Jean Talon
22- Musée d'art contemporain
23- Musée David M. Stewart
24- Musée des Beaux-arts
25- Musée de l'Hôtel-Dieu
26- Oratoire Saint-Joseph
27- Place des Arts
28- Place Bonaventure
29- Théâtre du Nouveau Monde
vers 21
vers 12 14 17
Beaudien
Rosemont
Laurier
Mont-Royal
Sherbrooke
Berri-UQAM
Beaudry
Papineau
Frontenac
McGill
Place-des Arts
Saint-Laurent
Place d'Armes
Champ-de-Mars
Square Victoria
Jean-Drapeau
Parc Pére-Marquette
Parc Laurier
Parc Lafontaine
Parc de la Cité du Havre
Cité du Havre
FLEUVE SAINT-LAURENT
Navette Montréal-Longueuil
Navette
ILE SAINTE-HELENE
ILE NOTRE-DAME
Lac des Dauphins
Lac des Cygnes
Lac des Régates
Relais Nautique
Bassin Olympique
LONGUEUIL
Pont J.-Cartier
Pont de la Concorde
Avenue Pierre-Dupuy
Boulevard Rosemont
Avenue des Carrières
Boulevard St-Laurent
Boulevard Saint-Joseph
Avenue du Mont-Royal
Rue Rachel
Rue Duluth
Sherbrooke
Rue Ontario
Rue Ste-Catherine
Boulevard René-Levesque
Saint-Antoine
Notre-Dame
Avenue Notre-Dame
De la Commune
St-Paul
116
132
20

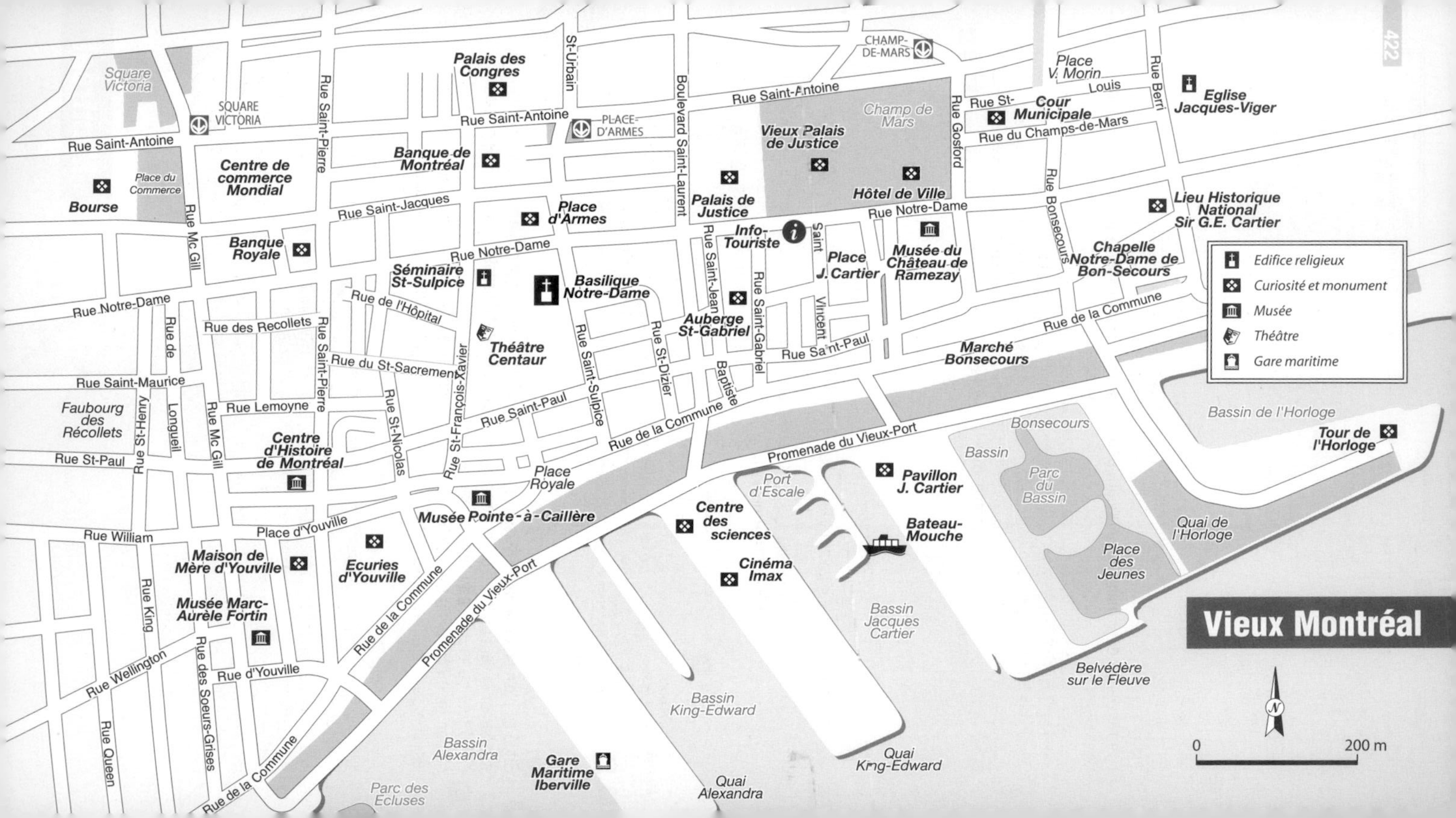
Vieux Montréal
Edifice religieux
Curiosité et monument
Musée
Théâtre
Gare maritime
0
200 m
Eglise Jacques-Viger
Cour Municipale
Lieu Historique National Sir G.E. Cartier
Chapelle Notre-Dame de Bon-Secours
Hôtel de Ville
Vieux Palais de Justice
Palais de Justice
Musée du Château de Ramezay
Place J. Cartier
Info-Touriste
Marché Bonsecours
Auberge St-Gabriel
Basilique Notre-Dame
Théâtre Centaur
Séminaire St-Sulpice
Place d'Armes
Banque de Montréal
Palais des Congres
Centre de commerce Mondial
Bourse
Banque Royale
Centre d'Histoire de Montréal
Musée Pointe-à-Caillère
Ecuries d'Youville
Maison de Mère d'Youville
Musée Marc-Aurèle Fortin
Faubourg des Récollets
Centre des sciences
Cinéma Imax
Pavillon J. Cartier
Bateau-Mouche
Tour de l'Horloge
Gare Maritime Iberville
Bassin de l'Horloge
Quai de l'Horloge
Place des Jeunes
Parc du Bassin
Bassin Bonsecours
Belvédère sur le Fleuve
Bassin Jacques Cartier
Quai King-Edward
Port d'Escale
Bassin King-Edward
Quai Alexandra
Bassin Alexandra
Parc des Ecluses
Square Victoria
SQUARE VICTORIA
PLACE-D'ARMES
CHAMP-DE-MARS
Champ de Mars
Place du Commerce
Place V. Morin
Place Royale
Rue Berri
Louis
Rue St-
Rue du Champs-de-Mars
Rue Bonsecours
Rue Gosford
Rue Saint-Antoine
Rue Notre-Dame
Saint
Vincent
Rue Saint-Paul
Rue de la Commune
Promenade du Vieux-Port
Rue Saint-Gabriel
Rue Saint-Jean
Baptiste
Boulevard Saint-Laurent
Rue St-Dizier
Rue Saint-Sulpice
St-Urbain
Rue Saint-Jacques
Rue de l'Hôpital
Rue St-François-Xavier
Rue du St-Sacrement
Rue St-Nicolas
Rue Saint-Pierre
Rue des Recollets
Rue Lemoyne
Rue Mc Gill
Rue de Longueil
Rue Saint-Maurice
Rue St-Henry
Rue St-Paul
Place d'Youville
Rue William
Rue d'Youville
Rue des Soeurs-Grises
Rue King
Rue Wellington
Rue Queen

Westmount

C'est sur l'un des trois sommets voisins qui forment le mont Royal, à l'ouest comme son nom l'indique bien, que s'est établie cette ville à majorité anglophone dont la population est la plus riche du pays. Aujourd'hui, entièrement entourée par la ville de Montréal, elle devient de plus en plus francophone. On y trouve, à flanc de montagne, de riches propriétés (l'ex-Premier ministre Brian Mulroney y a acheté une résidence de 2 millions de dollars pour prendre sa retraite politique). Au sommet, un bois a été conservé dans son état sauvage pour rappeler l'aspect du site originel. Pour visiter Westmount, il faut être bon marcheur, car plusieurs rues sont en pente raide : n'oublions pas, nous sommes à flanc de montagne.

Quartier latin et Village gai

Quartier latin

Le Quartier latin, délimité par la rue Sherbrooke et le boulevard de Maisonneuve (nord-sud) et par les rues Berri et Sanguinet (est-ouest), est un concentré de lieux de culture et de savoir. Les étudiants de l'Université du Québec à Montréal (UQÀM) et du CÉGEP du Vieux-Montréal donnent au quartier un ton jeune et festif. D'importantes institutions culturelles comme le Théâtre Saint-Denis, la Grande Bibliothèque, la Cinémathèque québécoise, l'Office national du film attirent un public averti. Résultat : un quartier renommé pour sa vie culturelle, ses cafés, bistros, brasseries artisanales, et de belles terrasses.

Le Village

Situé en plein cœur de la Terrasse Ontario, le Village gai se veut un lieu d'ouverture d'esprit et de joie de vivre dans la métropole. La station de métro Beaudry affiche fièrement les couleurs du quartier. Jouissant d'une excellente notoriété auprès de la communauté gay à travers le monde, il accueille chaque année de milliers de touristes. Et pour cause ! La rue Sainte-Catherine, principale artère du Village et transformée en rue piétonne l'été, réunit de nombreux cafés, bars, restaurants et boîtes de nuit. La communauté gay est aussi à la tête de la tenue de plusieurs événements festifs tels que le Black & Blue, Divers/Cité, Montréal en Arts et le Week-end Red. Un quartier haut en couleur où la liberté d'être prime avant tout.

Plateau Mont-Royal

Composé de quatre villages autonomes (Saint-Jean-Baptiste, Saint-Louis du Mile End, Coteau-Saint-Louis et Côte-de-la-Visitation), ce quartier de Montréal – le Plateau comme on l'appelle familièrement – a connu un développement rapide au début du siècle. Il est aujourd'hui habité par une population assez jeune et très branchée. Beaucoup de ses vieilles résidences ont été rénovées ou sont en passe de l'être.La rue Saint-Denis et l'avenue Mont-Royal qui la croise en sont les principales artères. Le quartier touche au Quartier latin au sud et au quartier Saint-Louis à l'ouest. Près du Carré Saint-Louis, on retrouve la rue Cherrier qui mène au parc Lafontaine et à la bibliothèque municipale.

▸ **La Main.** Le boulevard Saint-Laurent, baptisé familièrement La Main (pour Main Street), est l'une des vieilles rues de Montréal. D'abord chemin, elle fut ouverte au XIXe siècle sous le régime français. L'arrivée massive de juifs russes, qui s'y installèrent à partir de 1881, fera du yiddish la langue d'usage dans cette zone. D'autres groupes ethniques s'installeront sur ce boulevard qui comporte une section portugaise, espagnole, juive, italienne, etc. Elle reste l'artère la plus cosmopolite de Montréal, avec ses boîtes de nuit, bars, restaurants et commerces ethniques, et la rue Prince-Arthur, transformée en zone piétonne, est bordée de restaurants et terrasses. Jour et nuit, ces deux rues sont envahies par une foule bigarrée.

Sud-Ouest

Le Sud-Ouest, situé comme son nom l'indique au sud-ouest du centre-ville, englobe plusieurs quartiers regroupés autour du canal de Lachine et du fleuve Saint-Laurent : Petite Bourgogne, Saint-Henri, Pointe Saint-Charles, Verdun, LaSalle et Lachine.La plupart de ces quartiers se sont développés avec l'essor industriel favorisé par l'ouverture du canal de Lachine mais ils sont par la suite tombés en désuétude : les industries ont abandonné les lieux et les résidents se sont appauvris de concert avec l'habitat. Des nos jours, ce sont des quartiers résidentiels florissants de plus en plus dynamiques, notamment Saint-Henri et Verdun, où beaucoup de jeunes vont s'installer.

Retrouvez le sommaire en début de guide

Est

L'est de la ville, qui s'étend jusqu'au bout de l'île, est principalement composé de quartiers résidentiels et industriels. Toutefois, le quartier Hochelaga-Maisonneuve, qui longe la ligne verte de métro entre les stations Préfontaine et Viau, est l'hôte de nombreux attraits d'importance.

Hochelaga-Maisonneuve. Autrefois quartier ouvrier et populaire, Hochelaga-Maisonneuve garde les traces de ce passé. D'ailleurs, de nombreuses visites guidées permettent de mettre en valeur ce patrimoine et cette page d'histoire fort importante dans l'essor industriel de Montréal.

Une des principales attractions du quartier est le Jardin botanique avec ses 22 000 espèces et cultivars de plantes, ses dix serres d'exposition et sa trentaine de jardins thématiques. Il est d'ailleurs classé parmi les plus importants et les plus beaux jardins au monde ! Autres attraits : l'Insectarium, le Biodôme, le château Dufresne et le parc Olympique qui a accueilli les jeux d'été en 1976.

Nord

Il englobe plusieurs quartiers au nord du mont Royal et du Plateau, dont certains valent le détour :

Outremont

Située, comme son nom l'indique, sur l'autre versant (nord) de Montréal, Outremont se caractérise par ses imposantes résidences, tout particulièrement le long du chemin de la Côte-Sainte-Catherine qui longe le flanc de la montagne. Ville résidentielle, Outremont compte plusieurs beaux parcs et peu de commerces. Elle est délimitée par le chemin de la Côte-Sainte-Catherine, l'avenue du Parc et par une voie de chemin de fer.Parmi les édifices dignes d'intérêt, on notera la façade Beaux-arts de l'académie Querbes (215, rue Bloomfield) ; l'église Saint-Viateur (rue Laurier) dont la façade sculptée est considérée comme insurpassable à Montréal ; et le pensionnat du Saint-Nom-de-Marie qui abrite l'école de musique Vincent-d'Indy. L'immeuble se caractérise par une colonnade surmontée d'un fronton et d'un dôme.

La Petite Italie

Bien nommée, la Petite Italie accueille de nombreux immigrants d'origine italienne. Les premières vagues d'immigration italienne du début du XIXe siècle ont été suivies d'autres à la fin du même siècle. Mais les arrivées les plus importantes se sont succédé après la Seconde Guerre mondiale. C'est alors que des milliers d'ouvriers et de paysans se sont établis à Montréal et notamment dans ce quartier.De nos jours, la population tend à s'y mélanger : Maghrébins, Sud-américains, Africains s'y installent. Au cours d'une promenade, on ne manquera pas de faire une halte au Marché Jean-Talon, le plus vaste marché d'alimentation de Montréal. Il est ouvert en été comme en hiver et on y trouve des spécialités québécoises, des produits bio et toutes sortes de fruits et légumes exotiques. Un arrêt s'impose également dans un des nombreux cafés, trattorias et commerces des rues Saint-Laurent et Dante.

Stade olympique.

Se déplacer

L'arrivée

Avion

■ AÉROPORT PIERRE-ELLIOT-TRUDEAU
975, boulevard Roméo Vachon Nord
✆ +1 514 394 7377
✆ +1 800 465 1213
www.admtl.com
Anciennement appelé Dorval, l'aéroport a subi d'importants travaux d'agrandissement afin de doubler sa capacité d'accueil et de moderniser ses installations. Une quarantaine de compagnies aériennes y opèrent des vols nationaux et internationaux. Pour rejoindre le centre-ville :

- **Express Bus 747.** La Société de transport de Montréal (STM) exploite une nouvelle ligne d'autobus express entre l'aéroport et le centre-ville. Ce nouveau service est en opération 24h/24, 7j/7. Le trajet entre Montréal-Trudeau et la gare d'autocars de Montréal (Berri-UQAM) prend environ 35 minutes hors des périodes de pointe. Des arrêts ont lieu à la station de métro Lionel-Groulx ainsi que sur René-Lévesque aux intersections suivantes : Guy, Drummond, Peel, Mansfield, Anderson et St-Laurent. Aucun frais additionnels aux détenteurs des cartes mensuelles CAM et TRAM ainsi que des cartes touristiques 1 jour et 3 jours. Le prix des billets individuels est de 7 CAN $ pour un aller simple, valide 24h sur tout le réseau de la STM. À l'aéroport, les titres sont en vente au bureau de change (ICE), au niveau des arrivées internationales.
- **Taxis disponibles à l'aéroport, aucune réservation nécessaire.** Coût d'un taxi : 38 CAN $ vers le centre-ville (le prix est fixe). À partir de 49,50 CAN $ en limousine. Service additionnel de minibus offert vers certains hôtels (contactez votre hôtel pour savoir si ce service y est offert).

Train

■ AGENCE MÉTROPOLITAINE DE TRANSPORT (AMT)
Plusieurs gares à Montréal
✆ +1 514 287 8726
✆ +1 888 702 8726
www.amt.qc.ca
Renseignements sur les trains de banlieue. Cinq lignes reliant Montréal à Dorion-Rigaud, Deux-Montagnes, Blainville-Saint-Jérôme, Saint-Hilaire, et Delson-Candiac.

■ AMTRAK - GARE CENTRALE DE MONTRÉAL
895, rue de la Gauchetière Ouest
✆ +1 514 989 2626
✆ +1 888 842 7245
www.amtrak.com
M° Bonaventure. Billetterie ouverte du lundi au dimanche de 7h à 17h.
Compagnie ferroviaire américaine assurant notamment les liaisons entre les États-Unis et le Canada. Il faut réserver à l'avance. Un départ par jour pour New York.

■ VIA RAIL - GARE CENTRALE DE MONTRÉAL
895, rue de la Gauchetière Ouest
✆ +1 514 989 2626
✆ +1 888 842 7245
www.viarail.ca
relations_clientele@viarail.ca
M° Bonaventure. Heures d'ouverture de la gare : lundi-dimanche, 5h30-00h15. Heures d'ouverture de la billetterie : lundi-dimanche, 6h-19h.
Le temps d'attente au guichet peut être assez long. Prévoir d'arriver bien à l'avance. Néanmoins, certains départs sont possibles de la gare de Dorval pour les destinations de l'Ouest, comme Toronto et Ottawa. Le train dessert notamment l'Abitibi, la Gaspésie et le lac Saint-Jean, Québec, Ottawa, Toronto et Halifax. Se déplacer en train permet de voir de beaux paysages, mais les trajets sont souvent assez lents et coûtent plus chers que le bus (qui lui coûte plus cher que la voiture).

Bus

■ STATION CENTRALE D'AUTOBUS DE MONTRÉAL
505, boulevard de Maisonneuve Est
✆ +1 514 842 2281
M° Berri-UQÀM. Renseignements tarifs et horaires au numéro indiqué. Service téléphonique et gare routière : 7 jours/7, 24 heures/24.
Pour toutes les destinations d'Amérique du Nord situées à plus de 35 km de Montréal. Possibilité d'acheter un RoutPass (www.routpass.com), donnant droit à des trajets illimités, pendant une période de 7, 14 ou 18 jours. Il est valable au Québec et en Ontario (mais pas pour se rendre à l'aéroport Montréal-Trudeau). Le forfait de 18 jours comprend le Québec, l'Ontario et New York (360 CAN $).

Bateau

■ NAVETTES MARITIMES DU SAINT-LAURENT
Quais du Vieux-Port
✆ +1 514 281 8000, +1 800 563 4648
www.navettesmaritimes.com
info@croisieresaml.com
En opération de mi-mai à mi-octobre. 6 CAN $ par personne, gratuit pour les 5 ans et moins. Départ à toutes les heures.
Service de navette fluviale reliant les Quais du Vieux-Port de Montréal au parc Jean-Drapeau (Île Sainte-Hélène) et à Longueuil.

Voiture

Il faut compter au moins 50 CAN $ la journée pour la location d'un véhicule de catégorie A, tarif variable selon les promotions en vigueur, les saisons et la distance parcourue, le kilométrage étant souvent illimité. Notez que certaines de ces compagnies ont des comptoirs de location à l'aéroport ainsi qu'à la gare centrale.

■ AUTHENTIK CANADA
352, rue Émery
✆ +1 514 769 0101
www.authentikcanada.com
info@authentikcanada.com

■ AVIS
1225, rue Metcalfe
✆ +1 514 866 2847, +1 800 879 2847
www.avis.ca

■ BUDGET
895, rue de la Gauchetiere Ouest
✆ +1 514 866 7675, +1 800 268 8970
www.budget.ca

■ DISCOUNT
607, boulevard de Maisonneuve Ouest
✆ +1 514 286 1929, +1 800 263 2355
www.discountcar.com

■ ENTERPRISE
1005, rue Guy
✆ +1 514 931 3722, +1 800 261 7331
www.enterpriserentacar.ca

■ GLOBE-TROTTER AVENTURE CANADA
8088, rue Saint-Denis
✆ +1 514 849 8768, +1 888 598 7688
www.aventurecanada.com

■ HERTZ
1073, rue Drummond
✆ +1 514 938 1717, +1 800 263 0678
www.hertz.ca

En ville

Métro

■ SOCIÉTÉ DE TRANSPORT DE MONTRÉAL (STM)
Bureau administratif
800, rue de la Gauchetière Ouest
✆ +1 514 786 4636 – www.stm.info
Le réseau de transport de la métropole (métro et autobus). Renseignements sur les trajets et tarifs, les bus, le métro, le transport adapté et le taxi collectif.

▸ **Métro.** Ouvert dès 5h30 pour les quatre lignes. Le dernier départ s'effectue à chaque extrémité des lignes de métro. Lignes verte et orange : 00h35 en semaine, 1h le samedi, 00h30 le dimanche. Ligne jaune : 00h50 en semaine, 1h30 le samedi, 1h le dimanche. Ligne bleue : dernier départ à 00h15 tous les jours. Il existe un droit à la correspondance métro ou bus, valable 120 minutes à compter de l'heure de votre passage initial.

Bus

Référez-vous à la rubrique : Se déplacer, En ville, Métro, pour toute information.

Taxi

■ CHAMPLAIN
✆ +1 514 273 2435, +1 514 271 1111
www.taxichamplain.qc.ca
directors@taxichamplain.qc.ca

■ CO-OP
✆ +1 514 725 9885 – www.taxi-coop.com
taxicoop@videotron.ca

■ DIAMOND
✆ +1 514 273 6331 – www.taxidiamond.com

■ HOCHELAGA
✆ +1 514 322 2121
www.taxihochelaga.com
info@taxihochelaga.com

Vélo

■ BIXI
✆ +1 514 789 2494 – +1 877 820 2453
www.bixi.ca – info@bixi.ca
Depuis avril 2009, le BIXI (contraction de BIcylclette et de taXI), un nouveau système libre-service, est proposé dans plusieurs zones de la ville. Il permet d'emprunter un vélo à l'une des quelque 400 stations installées pour la belle saison, pour quelques heures ou pour la journée. Le service BIXI est offert de mai à

fin novembre et est accessible 24h par jour. L'abonnement annuel est disponible au coût de 78 CAN $ (28 CAN $ pour 30 jours). Il est possible d'avoir accès pendant 24h moyennant un paiement de 5 CAN $ par cartes Visa ou MasterCard avec dépôt de sécurité de 250 CAN $. Peu importe l'abonnement choisi, les 30 premières minutes sont toujours gratuites et un tarif s'applique alors à chaque tranche de 30 min subséquentes.Le BIXI est extrêmement avantageux pour les personnes effectuant des petits trajets à chaque fois. Si vous désirez avoir un vélo pour vos loisirs, nous vous conseillons de faire affaire avec un loueur.

■ **ÇA ROULE MONTRÉAL**
27, rue de la Commune Est
✆ +1 514 866 0633 – +1 877 866 0633
www.caroulemontreal.com
info@caroulemontreal.com
M° Place-d'Armes. Heures d'ouverture variables selon la saison et les conditions climatiques. Tarifs vélo : 8-9 CAN $ pour une heure, 20-25 CAN $ la demi-journée, 25-30 CAN $ la journée, 35 CAN $ pour 24h. Tarifs rollers : 9 CAN $ pour une heure, 16-20 CAN $ la demi-journée, 20-25 CAN $ la journée, 28 CAN $ pour 24h. Possibilité de louer à plus long terme. Dépôt ou pièce d'identité avec photo obligatoire. Antivol et casque fournis avec le vélo. Coudières, genouillères et casque fournis avec les rollers.
Personnel courtois qui prodigue les informations touristiques indispensables. Les commis aident avec sourire les candidats empêtrés avec leurs chaussures à roulettes et leur indiquent les meilleurs circuits. Si l'aventure s'avère impossible, les débutants peuvent suivre une leçon d'une heure. Tours guidés à vélo, service d'entretien et de location aussi disponibles.

Pratique

Tourisme

■ **BUREAU D'INFORMATION TOURISTIQUE DU VIEUX-MONTRÉAL**
174, rue Notre-Dame Est
www.tourisme-montreal.org
www.vieux.montreal.qc.ca
M° Champ-de-Mars, au coin de la Place Jacques-Cartier. Avril à octobre : lundi-dimanche, 9h-17h (jusqu'à 19h de mai à septembre). Novembre à mars : mercredi-dimanche, 9h-17h. Informations uniquement sur Montréal.

On peut s'y procurer des cartes routières et cartes téléphoniques, la carte musées et la carte des pistes cyclables.

■ **CENTRE INFOTOURISTE DE MONTRÉAL**
1255, rue Peel
✆ +1 514 873 2015, +1 877 266 5687
www.bonjourquebec.com
www.tourisme-montreal.org
info@tourisme-montreal.org
M° Peel, angle Peel et Sainte-Catherine. Ouvert tous les jours à l'année. N'hésitez pas à y passer un moment pour planifier l'ensemble de votre séjour. L'accueil est très professionnel et le fonds documentaire impressionnant. On y trouve de nombreux intervenants touristiques sur place : Exploratours (agence de voyage), Gray Line/Coach Canada (tours de ville, excursions touristiques commentées), Sépaq (parcs nationaux et réserves fauniques), etc.

▸ **Autre adresse :** Numéro vert en France : ✆ 0 800 90 77 77 – Numéro vert en Belgique : ✆ 0 800 78 532 – Numéro vert en Suisse : ✆ 0 800 051 70 55.

Argent

Banques

Il y en a partout (ou presque !). Les agences disposent en général des distributeurs automatiques, qui acceptent pour la plupart Visa ou MasterCard (jamais les deux !). Vérifiez les symboles avant d'effectuer un retrait.

Bureaux de change

Vous trouverez des bureaux à l'aéroport, aux gares ferroviaires et routières, au centre-ville (notamment le long de la rue Saint-Catherine), dans les centres commerciaux comme les Ailes de la Mode et le Centre Eaton, au Centre Infotouriste, et dans le Vieux-Montréal. Les banques offrent également un service de bureau de change. Les taux de changent varient un peu d'un endroit à l'autre, et l'on vous donnera souvent un meilleur taux pour un montant à échanger élevé.

Postes et télécom

Poste

Les bureaux de poste se trouvent en général dans les pharmacies (Jean Coutu, Pharmaprix...). Cherchez le logo (rouge) Postes Canada. On trouve des boîtes à lettres un peu partout dans les rues (les rouges et non les grises).

Téléphone

Les cabines sont encore relativement nombreuses dans les rues. Pas besoin d'acheter de cartes : avec 50 cents, on peut passer des appels locaux d'une durée illimitée. Les appels vers d'autres provinces sont coûteux. Pour appeler à l'étranger, mieux vaut acheter une carte prépayée (avec un code à gratter), dans une pharmacie ou chez un « dépanneur ».

Internet

La plupart des hôtels et des B&B ont des ordinateurs avec accès à Internet disponibles pour leurs clients. Montréal compte assez peu de commerces avec des postes d'accès à Internet mais beaucoup sont équipés en wi-fi. Le Centre Infotouriste est une bonne adresse pour avoir accès à un poste Internet.

Urgences

Pour joindre la police, les pompiers ou l'ambulance, composez le 911.
Pour obtenir des infos santé, composez le 811.

■ **SERVICE DE POLICE DE LA VILLE DE MONTRÉAL**
Quartier général
1441, rue Saint-Urbain
✆ +1 514 280 2121 – www.spvm.qc.ca
La ville compte 33 postes de quartier.

Se loger

Vieux Montréal et Parc Jean Drapeau

■ **HÔTEL CHAMP-DE-MARS**
756, rue Berri
✆ +1 514 844 0767, +1 888 997 0767
www.hotelchampdemars.com
info@hotelchampdemars.com
M° Champ-de-Mars. Occupation double : à partir de 115 CAN $, petit déjeuner inclus. Service de location de voiture/limousine, vélos, rollers, billetterie pour des spectacles.
La localisation de ce charmant hôtel, au pied des fortifications et dans le Vieux-Montréal, en fait un bon choix si vous cherchez le calme, à distance de marche du centre-ville. Une suite et 26 chambres coquettes autant qu'originales tiennent compte du passé dans leur agencement. Le petit déjeuner américain, l'accès à l'Internet et à la salle de gym Énergie-Cardio sont inclus. Restaurant sur place.

Centre-ville et Westmount

■ AUBERGE DE JEUNESSE DE MONTRÉAL HI

1030, rue Mackay
✆ +1 514 843 3317
✆ +1 866 843 3317
www.hostellingmontreal.com
info@hostellingmontreal.com
M° Lucien-L'Allier. Chambre partagée (4 à 10 lits) : à partir de 21 CAN $, chambre privée (simple ou double) : à partir de 76 CAN $, chambre privée (4 à 6 lits) : à partir de 112 CAN $. Promotions et forfaits disponibles. Café-bistro-bar, buanderie, Internet, cuisine, table de billard, programme d'activités, billetterie pour spectacles, hockey et événements, etc. Membre du réseau Hostelling International.
Située à quelques mètres de l'Université Concordia et du Centre Bell (domicile de l'équipe de hockey Canadien), au cœur du centre-ville, cette grande auberge accueille des visiteurs du monde entier et de tous les âges. Toutes les chambres ont une salle de bains privée, ce qui n'est pas à négliger. Côté ambiance, on peut rester anonyme ou socialiser en participant aux diverses activités dont la réputée tournée des bars, un incontournable. Matin et soir, un café-bistro-bar prépare un excellent menu à des prix très raisonnables. Une cuisine est également à la disposition de ceux qui souhaitent concocter leurs propres repas.

■ HÔTEL LE GERMAIN

2050, rue Mansfield
✆ +1 514 849 2050
✆ +1 877 333 2050
www.germainmontreal.com
reservations@germainmontreal.com
M° Peel. Occupation double : à partir de 230 CAN $, petit déjeuner continental de luxe inclus. Deux suites (exécutive et appartement sur deux étages). Forfaits disponibles. Espace détente avec foyer et bar à espresso, salle d'exercices dans les chambres, service de voiturier, boutique et restaurant Laurie Raphaël.
L'originalité de cet hôtel est sa merveilleuse simplicité. Le concept : un hôtel design qui s'adapte aux nouvelles tendances, beau, zen, tout confort. Le luxe à l'état pur, mais pas clinquant. Trois pommes vertes à chaque étage vous rappellent que vous êtes bien dans un hôtel Germain. Les deux suites appartements sont de toute beauté, la classe et le confort deux en un, elles laissent rêveur. Notez d'ailleurs que toutes les chambres et suites ont été rénovées au printemps 2009. Pour ce qui est de la table, le réputé chef Daniel Vézina est aux commandes du restaurant Laurie Raphaël qui fait honneur aux produits québécois. Si vous ne savez quoi choisir, il est possible de prendre plusieurs spécialités en format « entrée » dans un même repas.

Quartier latin et Village gai

■ ALEXANDRE LOGAN

1631, rue Alexandre de Sève
✆ +1 514 598 0555 – +1 866 895 0555
www.alexandrelogan.com
info@alexandrelogan.com
M° Beaudry. Occupation double : à partir de 90 CAN $, petit déjeuner inclus. 5 chambres. Un minimum de deux nuits est exigé.
Un peu à l'écart de la turbulente Sainte-Catherine, cette maison centenaire, entièrement rénovée dans le style de l'époque, offre aux visiteurs des chambres au charme indéniable. Beaux parquets, boiseries et moulures s'unissent pour un voyage dans le temps avec tout le confort moderne. La décoration, sans surcharge aucune, à la fois élégante et sobre, reste très chaleureuse. Les chambres, toutes climatisées, équipées de téléviseurs et d'un accès Internet gratuit, sont grandes, agrémentées de lourds meubles en bois et de teintes claires qui relèvent la chaleur des boiseries. Les salles de bains arborent le style épuré des années 1930. Et pour couronner le tout, les petits déjeuners, dont le menu varie tous les jours, sont concoctés par un chef français alternant les saveurs de son pays et celles du Québec. Un classique !

■ **MONTRÉAL ESPACE CONFORT**
2050, rue Saint-Denis
✆ +1 514 849 0505
www.montrealespaceconfort.com
info@montrealespaceconfort.com
M° Berri-UQÀM ou Sherbrooke. Occupation double : à partir de 65 CAN $ (salle de bain partagée) et 84 CAN $ (salle de bain privée), petit déjeuner inclus. 25 chambres réparties en section auberge et hôtel.
Située en plein coeur du Quartier latin, cette belle auberge mise sur le confort, le cachet et la convivialité. Toutes les chambres sont très bien équipées et douillettes à souhait, et celles de la section hôtel ont en plus une cuisinette et une aire de travail. On s'y sent comme à la maison ! Autres services offerts sur place : petite cuisine commune, buanderie, réservation pour tour de ville et location de voiture, centre d'affaires, etc.

Plateau Mont-Royal

■ **AUBERGE DE LA FONTAINE**
1301, rue Rachel Est
✆ +1 514 597 0166
✆ +1 800 597 0597
www.aubergedelafontaine.com
Angle Chambord. Occupation double : à partir de 119 CAN $ en basse saison et de 139 CAN $ en haute saison. 21 chambres et suites (une chambre est adaptée aux personnes à mobilité restreinte). Petit déjeuner buffet santé inclus. Forfaits disponibles. Internet sans fil, stationnement gratuit à l'arrière de l'auberge (3 places), billetterie (musées, croisières, visites guidées).
Située en face du magnifique parc Lafontaine, cette auberge largement primée offre un décor et un service dignes des grands hôtels. L'aspect victorien de la maison, datant de 1908, contraste avec sa décoration moderne, différente d'une chambre à l'autre et dont les couleurs chaudes et les murs en briques créent une ambiance montréalaise. Qu'elles soient régulières, supérieures ou suites, toutes les chambres sont très bien équipées avec air climatisé. À votre disposition : une terrasse accessible à tous au troisième étage, un libre accès à la cuisine pour collation gratuite (fromages, fruits, pâtés) de midi à minuit et une piste cyclable passant en face de l'Auberge, pour les sportifs. Sans aucun doute la plus futée des auberges en ville !

■ **HÔTEL OPUS**
10, rue Sherbrooke Ouest
✆ +1 514 843 6000, +1 866 744 6346
www.opushotel.com/montreal/french/
info@opusmontreal.com
M° Sherbrooke. Occupation double : à partir de 189 CAN $. Forfaits disponibles. Centre de conditionnement physique, service de massage aux chambres, service de voiturier VIP.
Idéalement situé entre le Plateau et le Quartier des spectacles, cet hôtel aux lignes épurées saura séduire ses invités. Sur place, le restaurant-bar KOKO propose une cuisine inspirée d'Asie aux accents contemporains. Les lieux sont ultra tendance et des DJs de renom y mettent une ambiance du tonnerre. Lors des beaux jours, sa magnifique terrasse est très prisée. Les mardis, vendredis et samedis soir, le Suco resto-lounge est la place en ville pour être vu. Un hôtel définitivement très branché !

Se restaurer

Vieux Montréal et Parc Jean Drapeau

■ **LE CLUB CHASSE ET PÊCHE**
423, rue Saint-Claude
✆ +1 514 861 1112
www.leclubchasseetpeche.com
M° Champ-de-Mars.
Mardi-samedi, 18h-22h30. Ouvert le midi à certaines périodes de l'année. Plats principaux le midi : moins de 25 CAN $, soir : à partir de 30 CAN $.
Cette pourvoirie urbaine offre un nouveau territoire pour pêcher de bonnes chairs. Presque une chasse gardée. Aucun signe extérieur, tout juste un sigle de ralliement pour les initiés gourmands : du bouche à oreille principalement. Un décor ultra léché fait de pierres, de poutres, de cuir, mélange cosy de sophistication et d'authenticité. Un concept avant-gardiste : dandysme et rusticité contemporaine. Dans ce design à couper le souffle, Claude Pelletier, considéré à juste titre comme l'un des meilleurs chefs en ville, élabore une cuisine puissante, animale, esthétique, instinctive. Tout en finesse et en élégance, Hubert Marsolais veille à conserver en salle l'eurythmie unique qui caractérise si bien les créations de cette équipe gagnante. Durant la saison estivale, vous pouvez profiter de cette cuisine de qualité dans un très beau cadre : la terrasse du château Ramezay, juste en face.

■ **CHEZ L'ÉPICIER**
311, rue Saint-Paul Est
✆ +1 514 878 2232
www.chezlepicier.com
reservations@chezlepicier.com
M° Champ-de-Mars. Jeudi-vendredi, 11h30-14h ; lundi-dimanche, 17h30-22h. Menu midi : 15-25 CAN $, plats principaux : 30 CAN $ et moins. Quel beau pari que celui du brillant chef et propriétaire de ces lieux, Laurent Godbout ! Une cuisine cosmopolite avec un menu élaboré à partir de produits du terroir. Un restaurant avec de la personnalité à revendre, sans toutefois sombrer dans le branché vide. Ici, tout est chaleur et bon goût, discrétion jusque dans les assiettes savamment concoctées, comme autant de mines gustatives que seule une gorgée de vin saura désamorcer. De plus, une épicerie fine complète cette réussite, avec des plats cuisinés à emporter et plus de 600 produits du Québec et du monde. Coup de cœur enflammé !

■ **OLIVE + GOURMANDO**
351, rue Saint-Paul Ouest
✆ +1 514 350 1083
www.oliveetgourmando.com
info@oliveetgourmando.com
M° Square-Victoria. Mardi-samedi, 8h-18h. Compter moins de 20 CAN $. Très achalandé le midi. Une des boulangeries les plus branchées de Montréal. Pour le cadre, la musique lounge, les murs colorés, les belles tables en bois et les menus écrits à la craie sur des ardoises attirent les jeunes professionnels du quartier. À l'entrée, un comptoir boulangerie vend un assortiment de pains, dont des grosses miches au levain et des pains ronds grillés. Au fond, le comptoir de sandwichs et de salades confectionne de délicieux repas santé à base de produits biologiques pour la plupart. Le choix des mets varie régulièrement : leur qualité et leur originalité ne déçoivent jamais. Un délicieux café ou un thé concluent admirablement un bon repas. Les fans repartiront avec de la confiture maison, des mélanges de noix, une bouteille d'huile d'olive ou une pâtisserie. Les prix sont raisonnables, vu la qualité supérieure des produits.

Centre-ville et Westmount

■ **BISTRO L'AROMATE**
Hôtel Le Saint-Martin
980, boulevard de Maisonneuve Ouest
✆ +1 514 847 9005
www.laromate.com – info@laromate.com
M° Peel ou McGill. Lundi-mercredi, 11h30-22h ; jeudi-vendredi, 11h30-23h ; samedi, 12h-23h ; dimanche, fermé. Menu à la carte : 16-35 CAN $, menu midi : 20-30 CAN $, table d'hôte du soir : 22-40 CAN $. Belle carte des vins et au verre. Terrasse.
Garçon choc pour bistro chic, le chef Jean-François Plante a posé ses valises aromatiques en plein cœur du centre-ville dans le tout nouvel hôtel Le Saint-Martin. Élégance et convivialité sont de mise, avec les tons blancs sur vert amande, l'acier et le bois. La mezzanine et le grand bar aux lignes épurées procurent une agréable sensation d'espace. Un resto qui a de la personnalité ! Dans l'assiette aussi, car le chef travaille les salades, les poissons frais, les pâtes et les viandes, qu'il fait mariner pour leur donner ce goût unique ; ce qui lui donne le plaisir de changer la carte régulièrement. Une excellente adresse en plein cœur du centre-ville.

▸ **Autre adresse :** Autre restaurant de ce chef : Plaisirs Coupables, 1410, rue Peel.

■ **CAFÉ HOLT**
1300, rue Sherbrooke Ouest
✆ +1 514 842 5111
www.holtrenfrew.com
M° Peel. Lundi-mercredi, 10h-18h ; jeudi-vendredi, 10h-21h ; samedi, 9h30-17h30 ; dimanche, 12h-17h30. Salades et plats principaux : 20 CAN $ et moins. De 15h à 18h, recevez gratuitement un café ou un thé à l'achat d'un dessert. Sous la gouverne du chef Nicolas Garbay, originaire de la région du Sud-Ouest de la France, le Café Holt est un concentré de raffinement et de bon goût. Branché mais pas trop, le cadre en fait un lieu agréable pour boire un cocktail ou un jus au cours d'une pause dans sa journée de magasinage. Pour une halte plus consistante, qui honorera les produits régionaux du Québec, demandez la tartine au Ciel de Charlevoix, poires rôties. Sur un pain venu directement de Paris, s'assemblent avec délicatesse divers produits de luxe et de saison. La carte des desserts est elle aussi alléchante. Parfait pour une pause gourmande !

■ **EUROPEA**
1227, rue de la Montagne
✆ +1 514 397 9161
www.europea.ca – info@europea.ca
M° Peel. Mardi-vendredi, ouvert le midi ; lundi-dimanche, ouvert tous les soirs
La réputation du chef Jérôme Ferrer n'est plus à faire et la qualité de ses nombreuses autres tables (Beaver Hall, Andiamo et Birks Café) non plus ! L'Europea, c'est la finesse de l'art culinaire avec une cuisine inventive et intuitive qui fait voyager tous nos sens.

Coté 4 diamants (l'équivalent de nos étoiles Michelin), c'est une des meilleures tables en ville et l'expérience gustative est franchement à la hauteur. En soirée, laissez-vous tenter par le menu dégustation ou découverte, des incontournables et savoureux classiques de l'Europea. La carte des vins qui accompagne le tout est un hymne au bonheur. Pour pousser plus loin l'expérience, réservez la Table du Chef afin de vivre l'arrière-scène des cuisines et de voir le chef à l'œuvre !

Quartier latin et Village gai

■ JULIETTE & CHOCOLAT

1615, rue Saint-Denis
✆ +1 514 287 3555
www.julietteetchocolat.com
juliette@julietteetchocolat.com
M° Berri-UQÀM. Dimanche-jeudi, 11h-23h ; vendredi-samedi, 11h-minuit (dès 10h le week-end sur Saint-Laurent et Laurier). Menu à la carte : moins de 20 CAN $.
Juliette et chocolat, c'est l'histoire d'un succès basé sur le chocolat. Né sur la rue Saint-Denis, le premier bar à chocolat-crêperie très Art déco avec ses boiseries, ses briques apparentes et ses chaises en rotin a eu un succès monstre. À tel point que Juliette a ouvert deux autres adresses. C'est le choix de chocolat, sous toutes ses formes, qui fait la réputation de Juliette : chocolat chaud ou froid, chocolat à boire alcoolisé, chocolat dans les crêpes, dans les glaces ou en fondues. On vous propose en plus tout un choix d'appétissantes salades et crêpes salées. En partant, vous pourrez acheter quelques chocolats faits maison, c'est une recommandation.

▶ **Autre adresse :** 377, rue Laurier Ouest ✆ +1 514 510 5651 ; 3600, boulevard Saint-Laurent ✆ +1 514 380 1090.

■ NÜVÜ BISTRO - EXPÉRIENCES

1336, rue Sainte-Catherine Est
✆ +1 514 940 6888
www.bistronuvu.com
info@bistronuvu.com
M° Beaudry. Lundi-vendredi, 11h30-1h ; samedi-dimanche, 8h30-1h. Brunch le week-end jusqu'à 15h30 (2 pour 1 avant 9h30). Menu fin de soirée tous les jours de 22h à 1h. Lunch express : 13-18 CAN $, menu midi : 22-27 CAN $, plats le soir : 15-32 CAN $. Menu dégustation : 85 CAN $.
Ce tout nouveau bistro tendance a décidément de quoi plaire à un public en quête d'une expérience éclectique. Comme le bistro l'affiche fièrement : 4 lettres, 2 trémas, 5 menus et 7 soirées thématiques. Niveau déco, c'est franchement épuré et à la fine pointe avec les immenses écrans ACL et les projecteurs HD qui permettent au bistro de changer d'ambiance en un clin d'œil. Côté menu, le chef Bernard L'Hôte nous gâte ! Une fine cuisine d'inspiration française (provençale) et italienne où les produits québécois côtoient un métissage vraiment intéressant. Rien n'est laissé au hasard ! Le nouvel endroit pour tout voir et être vu !

Plateau Mont-Royal

■ LA BANQUISE

994, rue Rachel Est
✆ +1 514 525 2415
www.restolabanquise.com
restolabanquise@hotmail.com
Entre Boyer et Christophe-Colomb. Ouvert 24h/24, 7j/7. Menu à la carte : moins de 20 CAN $. Terrasse. La Banquise n'a plus besoin de présentation ! À toute heure du jour ou de la nuit (fort achalandage à la fermeture des bars), on y vient surtout pour déguster une des 28 sortes de poutine figurant au menu. Plus que des frites, du fromage et de la sauce *gravy*, ici la créativité donne des résultats parfois surprenants, comme la Elvis au steak haché, poivrons et champignons sautés. On y trouve aussi une sélection de sandwichs, clubs sandwichs, omelettes, burgers et autres petits plats, à accompagner d'une bière de microbrasserie. Bon choix également de petits déjeuners copieux à prix dérisoires. Un passage obligé dans la métropole !

■ LA CHRONIQUE

99, rue Laurier Ouest
✆ +1 514 271 3095
www.lachronique.qc.ca
info@lachronique.qc.ca
Angle Saint-Urbain.
Mardi-vendredi, 11h30-14h ; lundi-dimanche, 18h-22h. Menu midi : à partir de 25 CAN $. Plats principaux : à partir de 35 CAN $. Menu dégustation : à partir de 100 CAN $. Service de traiteur. Ici on vous propose une carte haute en couleur qui tend à explorer les limites mêmes de la cuisine française. On la réinvente en une explosion de saveurs aux relents inédits. Bonne bouffe, peut-être, mais plus encore : une très grande bouffe, qui pousse les arômes et les saveurs à un degré tel que le palais en perd ses repères traditionnels. De la haute cuisine qui se libère des carcans typiques et qui s'évade ainsi de toute caractéristique nationale quelque peu

Les rues les plus animées de Montréal

- **La rue Sainte-Catherine,** surtout entre les rues Papineau et Atwater.
- **La petite rue Crescent,** dans l'ouest, entre les rues René-Lévesque et Maisonneuve, avec ses pubs, bars et restaurants pour fins de soirée surtout.
- **La rue Saint-Paul,** dans le Vieux-Montréal, qui va de la Place Royale au Marché Bonsecours, en passant par la Place Jacques-Cartier, quartier très apprécié des visiteurs étrangers, où se succèdent les restaurants pour touristes et les boutiques.
- **La rue de la Gauchetière,** dans le Quartier chinois.
- **La rue Prince-Arthur,** à deux pas du ravissant Carré Saint-Louis, entre le boulevard Saint-Laurent et la rue Saint-Denis, pour ses restaurants et la vie nocturne piétonne.
- **Le boulevard Saint-Laurent (ou *la Main*),** depuis le Vieux-Montréal jusqu'à la rue Mont-Royal. Notez que les quartiers ethniques s'étirent jusqu'à la rue Jean-Talon.
- **La rue Saint-Denis,** depuis l'Université du Québec à Montréal, à l'angle de la rue Sainte-Catherine, jusqu'à la rue Laurier.
- **L'avenue du Mont-Royal,** entre Saint-Laurent et Papineau, où se succèdent boutiques, restaurants et bars branchés.

contraignantes : chaudrée de la mer comme il se doit avec pétoncle rôti, moules, palourdes et crevettes de Matane, crème de caviar fumée et flétan de l'Atlantique, homard poché au beurre, pomme de terre ratte à la truffe et asperges vertes et son écume de mer... Lorsque la cuisine devient un matériau si hautement artistique, on parle sans contredit de l'une des meilleures tables de Montréal.

■ **CHEZ VICTOIRE – BISTRO DE QUARTIER**
1453, avenue Mont-Royal Est
✆ +1 514 521 6789
www.chezvictoire.com
info@chezvictoire.com
M° Mont-Royal.
Dimanche-lundi, 17h30-22h ; mardi-samedi, 17h30-minuit. Brunch le dimanche de 11h30 à 14h30. Plats principaux : 15-45 CAN $.
Chez Victoire, c'est un incroyable spectacle des sens. Le personnel du restaurant est à vos petits soins et vous apporte de précieux conseils. À croire qu'ils arrivent à lire dans vos pensées pour vous aider à effectuer les meilleurs choix, notamment dans l'accord mets et vins. Les portions sont généreuses pour des prix raisonnables. La joue de veau est magique, accordée avec champignons parfumés, purée d'aubergine et *pancetta* grillée : un vrai festival des saveurs dans votre bouche. La spécialité de la maison, le jarret de porcelet de Gaspor, accompagné de petits oignons et choux rouge, vous exalte jusqu'à la dernière bouchée. Le décor est chic. Une bistronomie de qualité !

Sortir

Les soirées montréalaises offrent une multitude de possibilités. Entre les grandes salles de concert, les festivals, les cafés-concerts et les brasseries artisanales, la liste est longue. En général, les concerts et pièces de théâtre commencent vers 20h. On peut facilement aller voir un petit concert dans un bar pour 5 ou 10 CAN $.
Les spectacles de la Place des Arts, le plus grand complexe culturel de la ville, sont bien plus chers, surtout si vous allez voir un Opéra ou l'Orchestre symphonique de Montréal. Du point de vue vestimentaire, les Montréalais sont très décontractés. Vous n'aurez donc pas besoin de vous mettre sur votre trente-et-un pour sortir.

■ **NIGHTLIFE**
www.nightlife.ca
redaction@nightlifemagazine.ca
Le site du magazine *Nightlife*. Sorties, répertoires des établissements, mode et design, blogs, etc.

■ **TOURISME-MONTRÉAL**
www.tourisme-montreal.org/Quoi-Faire/Evenements
info@tourisme-montreal.org
Le site de l'office du tourisme recense une grande partie des expositions et des spectacles.

■ **VOIR**
www.voir.ca
Le site du journal *Voir*. Bien fait et complet.

Cafés / Bars

Vieux Montréal et Parc Jean Drapeau

■ LE DEUX PIERROTS

104, rue Saint-Paul Est
✆ +1 514 861 1270
www.lespierrots.com
M° Champ-de-Mars. Ouvert vendredi-samedi (et la veille des fêtes, histoire de bien débuter un long congé !), 20h30-3h.
Le Deux Pierrots est incontournable si vous voulez plonger dans une atmosphère enivrante et joyeuse, sur fond de standards québécois comme de tubes internationaux. Pour avoir une chance de vous asseoir, prévoyez de venir en avance tellement l'endroit grouille de monde : jeunes et moins jeunes, Québécois et touristes à la recherche de spectacles « pure souche ». Les serveurs font un travail impressionnant pour satisfaire tout le monde, du grand sport avec un sourire omniprésent. Une référence pour les éternels fêtards. Toujours d'actualité ! Également sur place : bar sportif et resto-terrasse.

Centre-ville et Westmount

■ BRUTOPIA

1219, rue Crescent
✆ +1 514 393 9277 – www.brutopia.net
brutopiabrewery@videotron.ca
M° Lucien-L'Allier. Ouvert tous les jours de 15h à 3h (le vendredi à partir de 12h). Trois terrasses.
Brutopia est devenue une petite institution de la populaire rue Crescent. On y vient pour sa IPA, sa blonde aux framboises, sa Chocolate Stout mais surtout pour cette si agréable atmosphère, un endroit où il fait tout simplement bon déguster une bière maison entre amis. Pour les petits creux, jetez un coup d'œil au menu de Brutapas, de quoi faire gronder votre estomac ! Avons-nous besoin de mentionner les nombreux spectacles gratuits, les dimanches « open mic », les lundis « trivia night » (en anglais seulement), les fêtes et soirées bénéfices, et la terrasse chauffée à l'arrière ?

Quartier latin et Village gai

■ SAINTE-ÉLISABETH

1412, rue Sainte-Élisabeth
✆ +1 514 286 4302
www.ste-elisabeth.com
commentaires@ste-elisabeth.com
M° Berri-UQÀM. En été : lundi-dimanche 15h-3h. Le reste de l'année : lundi-vendredi, 16h-3h ; samedi-dimanche, 18h-3h.
Sa superbe terrasse emmurée, couverte de plantes grimpantes et parsemée d'arbres, fait la réputation de ce bar. Les bières de la microbrasserie Boréale sont en vedette, particulièrement les lundis et mardis où le prix de la pinte chute à 3,75 CAN $! Pour ce qui est des bières importées, l'Irlande et la Belgique sont rois et maîtres. En bouteille, certains amateurs seront ravis d'apprendre que la Délirium Tremens figure au menu, une bière corsée aux arômes d'abricot.

■ LE SAINT-SULPICE

1680, rue Saint-Denis
✆ +1 514 844 9458
www.lesaintsulpice.ca
info@lesaintsulpice.ca
M° Berri-UQÀM. Ouvert tous les jours de 12h à 3h. Programmation culturelle et musicale. Offres spéciales sur l'alcool tous les jours.
Avec ses huit bars répartis sur quatre étages, son restaurant, sa terrasse avant, son jardin-terrasse arrière et sa musique pour tous les goûts, le Saint-Sulpice est le plus grand bar en ville. L'endroit est pratiquement bondé tous les week-ends. Chaque jour, l'ambiance est à la fête, mais pour ceux qui se sentent l'âme plus philosophe, il y a toujours un petit coin pour discuter dans un des salons. Sans oublier l'attrait principal en été que constitue son jardin-terrasse (avec bars !), le plus grand à Montréal !

Plateau Mont-Royal

■ DIEU DU CIEL !

29, rue Laurier Ouest
✆ +1 514 490 9555 – www.dieuduciel.com
Ouvert tous les jours de 15h à 3h.
En mars 1993 naissait la bière Dieu du Ciel, produit mûri et brassé à la maison par Jean-François Gravel. Puis en septembre 1998, c'est l'ouverture de la brasserie artisanale portant le même nom et plus de 300 personnes sont présentes sans qu'aucune publicité n'ait été faite. Faute de place à l'intérieur, la police doit même tolérer les gens qui boivent sur le trottoir ! Sur les 70 recettes différentes élaborées depuis les débuts de la brasserie, une quinzaine de bières sont au menu. Notre recommandation : l'assiette de fromages québécois accompagnée d'une de leurs excellentes bières blanches. Un pur délice ! La réputation de Dieu du Ciel ! n'est plus à faire ! C'est ce gage de qualité et de diversité qui attire les amateurs de bières, venant parfois même de très loin.

■ **LAÏKA**
4040, boulevard Saint-Laurent
✆ +1 514 842 8088
www.laikamontreal.com
Angle Duluth. Ouvert tous les jours du matin au soir. Brunch le week-end.
Son originalité se voit partout, aussi bien dans la décoration et l'ambiance que dans le menu. Le Laïka est un bar de quartier aux prix très raisonnables qui a aussi une vocation de café-resto. Une excellente cuisine (répétons-le, les prix sont abordables) créative et diététique. Vous n'éprouverez pas le besoin d'aller ailleurs, surtout quand les meilleurs DJs en ville viennent faire un tour pour mettre un peu d'ambiance et que ça ne vous coûte rien du tout. Le programme des soirées se trouve sur le site web.

Clubs et discothèques

Pour ceux et celles qui veulent découvrir les clubs de Montréal, la ville regorge d'ambiances et de styles différents. De la Main jusqu'à Cresent, nul doute que vous trouverez de quoi passer des nuits endiablées. Un bon plan pour ceux qui veulent en profiter comme des habitués : se faire mettre sur la *guest list* du club. Ainsi, vous attendrez moins longtemps et n'aurez bien souvent pas à payer l'entrée. Contactez le club en question par téléphone ou visitez son site Internet afin de voir si une *guest list* est offerte.

Centre-ville et Westmount

■ **CLUB 1234**
1234, rue de la Montagne
✆ +1 514 395 1111
www.1234montreal.com
info@1234montreal.com
M° Lucien-L'Allier. Jeudi-dimanche, 22h-3h plus événements spéciaux.
Ce très beau club peut accueillir, paraît-il, environ 1 500 personnes ! Il faut avoir 21 ans et plus pour y être admis et, surtout, arborer une belle tenue vestimentaire. Le club s'étend sur trois niveaux : salle principale au premier étage avec piste de danse, mezzanine avec lounge (la Salle rouge) et un autre lounge au rez-de-chaussée, près de l'entrée. Non seulement vous y écoutez un son super (Hip hop, R&B, House et hits du moment), mais les effets visuels créent aussi une atmosphère des plus électrisantes. Le Club 1234 organise régulièrement des soirées à thèmes et des DJs de renom, tels Bob Sinclair et Manny Ward, y ont fait escale.

■ **FOUFOUNES ÉLECTRIQUES**
87, rue Sainte-Catherine Est
✆ +1 514 844 5539
www.foufounes.qc.ca
info@foufounes.qc.ca
M° Saint-Laurent. Ouvert tous les jours de 16h à 3h. Entrée au 2e étage : mardi : 3 CAN $, jeudi-vendredi : 5 CAN $, samedi : 8 CAN $. Spectacles plusieurs fois par semaine (gratuit ou payant). Bienvenue dans ce temple de la musique underground qui a su attirer avec le temps les plus marginaux des Montréalais. Les Foufounes demeurent l'un des endroits où l'originalité domine sur tous les plans. Soirées thématiques : les mardis à GoGo (Rock'n'roll, old-school, 80's), les jeudis Lady's night (4 consommations offertes pour les dames) et les samedis Éclectiques où la bière est à 1 CAN $ seulement. Les Foufounes sont également synonymes de spectacles. Les contacter ou visiter le site Internet pour le calendrier.

Quartier latin et Village gai

■ **CIRCUS**
917, rue Sainte-Catherine Est
✆ +1 514 844 3626
www.circusafterhours.com
info@circusafterhours.com
M° Berri-UQÀM. Jeudi & dimanche, 2h-8h ; vendredi, 2h-10h ; samedi, 2h-11h. Entrée : selon les soirées et les DJs invités.
Trois salles pour vous faire bouger jusqu'aux petites heures du matin au son de musiques house, trance, techno et électronique. De nombreux DJs de renom y font escale. Bref, on n'est jamais déçu par le son et l'ambiance, et côté espace, il y a de la place pour tous sur l'immense plancher de danse.

■ **STEREO**
858, rue Sainte-Catherine Est
✆ +1 514 658 2646
www.stereo-nightclub.com
M° Berri-UQÀM. Ouvert vendredi et samedi soir et selon les événements. Ça y est ! Après l'incendie qui avait ravagé le club à l'été 2008, Stereo renaît de ses cendres. Il a célébré en grande pompe sa réouverture lors du week-end de la Fête du Travail en septembre 2009, avec nul autre que son fondateur Angel Moraes aux platines pour une soirée privée des plus éclatantes. Une scène et des places assises ont été ajoutées pour les spectacles. La piste de danse est plus grande que jamais, les équipements audio et vidéo surréalistes... Attendez-vous à retrouver les nuits endiablées qui ont fait la réputation du Stereo !

Plateau Mont-Royal

■ CAFÉ CAMPUS

57, rue Prince-Arthur Est
✆ +1 514 844 1010
www.cafecampus.com
info@cafecampus.com
M° Sherbrooke. Mardi, 20h-3h ; jeudi-samedi, 20h30-3h ; dimanche, 20h-3h. Droits d'entrée, admission gratuite avant 22h. Concerts fréquents les autres soirs. 500-600 places. Fréquenté par de jeunes étudiants friands de nouveautés, le Café Campus est un des lieux ultra connus à Montréal ! On parle sans arrêt de son ambiance et de la qualité de sa programmation musicale. Le Café Campus se divise en deux parties : le Petit Campus, en bas, salle de taille moyenne et le Campus du haut, un grand espace équipé d'une scène et d'une mezzanine. Quand ce n'est pas une salle de concert, c'est un bar-discothèque à l'ambiance survoltée qui fait la joie d'une clientèle jeune et dynamique. Certains soirs de la semaine ont un thème ; mardi : « rétro » (musique des années 1950 à 1980), jeudi : « Hits-moi » (les hits des années 1990 à aujourd'hui), vendredi et samedi : week-ends X-Large (bonne musique pour danser). Si vous n'avez pas peur de bouger, essayez les mardis rétro et vous comprendrez l'ambiance du Café Campus !

■ IVY NIGHT CLUB

3556, boulevard Saint-Laurent
✆ +1 514 439 1212, +1 514 815 3145
www.ivynightclub.com
info@ivynightclub.com
M° Saint-Laurent, entre Prince-Arthur et Sherbrooke. Jeudi-samedi, 22h-3h. Entrée payante selon la soirée. Tenue de ville requise. L'un des derniers-nés du milieu de la nuit montréalaise, et déjà une référence pour la jeunesse dorée de la métropole. Idéalement localisé, en plein cœur de *La Main* et à deux pas de l'Ex-Centris, ce club a tout pour séduire la clientèle nocturne. Un bel établissement aux vastes proportions, parfait pour les jeunes branchés. D'excellents DJs, un cadre agréable, 4 bars et une belle clientèle, tout ce qu'il faut pour profiter de sa soirée !

Spectacles

Centre-ville et Westmount

■ MÉTROPOLIS

59, rue Sainte-Catherine Est
✆ +1 514 844 3500
www.metropolismontreal.ca
info-salle@equipespectra.ca
M° Saint-Laurent. Billetterie ouverte : lundi-mercredi, 12h-18h ; jeudi-vendredi, 12h-21h ; samedi, 12h-17h. Billetterie ouverte jusqu'à 21h les soirs de spectacles. Achat possible avec Réseau Admission. Situé en plein cœur de la ville, le Métropolis est une salle immense qui peut accueillir 2 300 personnes. Les travaux de rénovations en 2002 et 2003 ont inclus entre autres la reconstruction du balcon en gradins afin d'avoir une meilleure vue sur la scène, l'achat d'un nouveau système de son, la construction de nouveaux bars et points de services et la rénovation des loges. Les grands noms de la chanson tels que David Bowie, The Wailers, Ben Harper, Manu Chao, Les Rita Mitsouko, INXS, ou encore Björk s'y sont produits.

■ PLACE DES ARTS

260, boulevard de Maisonneuve Ouest
✆ +1 514 842 2112, +1 866 842 2112
www.pda.qc.ca
M° Place-des-Arts. Billetterie sur place : lundi-samedi, 12h-20h30 ou une demi-heure après la levée du rideau. Dimanches et jours fériés, selon l'horaire des spectacles en salle. Billetterie par téléphone : lundi-samedi, 9h-20h. Le plus grand complexe culturel de la métropole. Cinq salles sont réunies à la Place des Arts : le Théâtre Maisonneuve (grand théâtre), le Studio-théâtre (petit théâtre), la Salle Wilfrid-Pelletier (salle immense qui reçoit les orchestres symphoniques et les opéras), le Théâtre Jean-Duceppe (grand théâtre) et la Cinquième Salle (plus petite salle avec les spectacles de la relève). Musiciens, chanteurs, comédiens ou humoristes se retrouvent dans un formidable complexe culturel où les salles sont toutes reliées entre elles par un réseau souterrain. Travaux en cours pour y aménager la salle de concert Adresse Symphonique et le Grand Foyer Culturel.

Quartier latin et Village gai

■ THÉÂTRE ST-DENIS

1594, rue Saint-Denis
✆ +1 514 849 4211
www.theatrestdenis.com
information@theatrestdenis.com
M° Berri-UQÀM. Billetterie ouverte : lundi-samedi, 12h-18h. Pour les jours de spectacle, la billetterie est ouverte à partir de 12h jusqu'à 30 minutes après le début du spectacle.
Avec ses deux salles, le Saint-Denis est un des théâtres les plus beaux et les plus populaires de la ville, qui accueille bon nombre d'humoristes, d'artistes de la musique d'ici et d'ailleurs et de comédies musicales.

Plateau Mont-Royal

■ CASA DEL POPOLO & SALA ROSSA

4873 - 4848, boulevard Saint-Laurent
✆ +1 514 284 3804
✆ +1 514 284 0122
www.casadelpopolo.com
Angle Saint-Joseph.
Les heures d'ouverture varient d'un endroit à l'autre ainsi que les tarifs pour les spectacles.
Deux excellentes adresses de la scène musicale et culturelle à Montréal ! La programmation musicale de la Casa del Popolo et de la Sala Rossa marque la diversité car tous les genres ou presque viennent se mêler : Pop, Rock, Jazz, Rock alternatif, Folk ou Électro. La Casa del Popolo propose une cuisine végétarienne à des prix tout à fait abordables pour ceux qui souhaitent y manger, tandis que la Sala Rossa offre un menu tapas et paella (spectacle de flamenco les jeudis).

■ THÉÂTRE DU RIDEAU VERT

4664, rue Saint-Denis
✆ +1 514 844 1793
www.rideauvert.qc.ca
info@rideauvert.qc.ca
M° Laurier. Billetterie ouverte : lundi-vendredi, 10h-19h ; samedi, 10h-17h (jusqu'à 19h30 les soirs de représentations).
Confortablement installé dans son quartier depuis plus de 50 ans, ce théâtre a vécu de grands moments qui l'ont fait connaître jusqu'à l'étranger. Antonine Maillet, Michel Tremblay, Gratien Gélinas, Marie-Claire Blais et plusieurs autres grands noms ont fait leurs classes sur les planches de cette scène. Encore aujourd'hui, ce théâtre attire un grand auditoire avec son répertoire classique et sa filière contemporaine.

Nord

■ TOHU, LA CITÉ DES ARTS DU CIRQUE

2345, rue Jarry Est
✆ +1 514 376 8648
✆ +1 888 376 8648
www.tohu.ca
info@tohu.ca
Angle d'Iberville. Billetterie ouverte tous les jours de 9h à 17h et jusqu'à 30 minutes après le début des représentations. Billets disponibles sur Admission.
La TOHU, regroupement national des arts du cirque, a été fondée par les trois principaux acteurs de ce milieu : Le Cirque du Soleil, l'École nationale de cirque et En Piste. Souhaitant réhabiliter le Quartier St-Michel, la TOHU propose dans son pavillon, au centre de la cité, des spectacles mêlant toutes les disciplines du cirque : équilibrisme, contorsionnisme, jonglage, trapèze ainsi que des expositions, des conférences, et même des événements indépendants comme la Fête Éco-Bio paysanne.
Riche programme alternant spectacles de troupes venues de tous les horizons et démonstrations des élèves de l'école du cirque.

Casino

■ CASINO DE MONTRÉAL

Île Notre-Dame
1, avenue du Casino
✆ +1 514 392 2746
✆ +1 800 665 2274
www.casino-de-montreal.com
mtlsacren@casino.qc.ca
M° Jean-Drapeau. Ouvert tous les jours, 24h/24. Entrée gratuite. Forfaits disponibles. Restaurants, bars et salons à votre disposition.
Plus de 3 000 machines à sous, 120 tables de cartes, roulettes, kéno, tout y est. Quelques heureux en sortiront gagnants, mais si l'on se fie aux lois statistiques, les chances sont plutôt faibles. Cependant, le casino remplit admirablement bien sa fonction de lieu de divertissement. L'établissement est tenu avec classe (code vestimentaire à l'appui). Le restaurant Nuances compte parmi les meilleures tables de Montréal (fermé jusqu'en 2013 pour rénovation). Des spectacles d'envergure y sont produits (temporairement suspendus durant les travaux de modernisation).

À voir / À faire

Visites guidées

■ CROISIÈRES AML

Quais du Vieux-Port
Quai King-Edward,
✆ +1 866 856 6668
www.croisieresaml.com
info@croisieresaml.com
M° Place-d'Armes. Coûts : circuits à prix variables. Forfaits-croisières disponibles (croisière guidée, repas, hébergement au Fairmont).
Embarquez à bord du Cavalier Maxim pour une découverte du majestueux fleuve Saint-Laurent. Des croisières de jour, de soir et même de nuit, sont offertes avec des thématiques convenant à chaque groupe d'âge. AML organise également des soupers-croisières, des brunchs en plus des nombreux forfaits adaptés aux groupes. L'entreprise opère aussi à Rivière-du-Loup, à Québec/Lévis et au fjord du Saguenay avec notamment des sorties en zodiac pour l'observation des baleines à Baie-Sainte-Catherine et à Tadoussac.

■ GUIDATOUR

360 Rue Saint-Francois-Xavier
✆ +1 514 844 4021, +1 800 363 4021
www.guidatour.qc.ca
www.fantommontreal.com
info@guidatour.qc.ca
M° Place-d'Armes. Visites guidées en toutes saisons. Coûts : circuits à prix variable. Forfaits sur mesure pour les groupes aussi disponibles.
Vous serez transporté dans l'histoire de Montréal, son développement, sa vie culturelle. À pied, à vélo ou en autobus, le choix de visites est vaste et la qualité, omniprésente. Ne ratez pas les Fantômes du Vieux-Montréal où quatre visites nocturnes vous feront frissonner...

Vieux Montréal et Parc Jean Drapeau

■ BASILIQUE NOTRE-DAME DE MONTRÉAL

110, rue Notre-Dame Ouest
✆ +1 514 842 2925
✆ +1 866 842 2925
www.basiliquenddm.org
info@basiliquenddm.org
M° Place-d'Armes. Lundi-vendredi, 8h-16h30 ; samedi, 8h-16h ; dimanche, 12h30-16h. Ouvert tous les jours dès 7h30 pour la prière. Adulte : 5 CAN $, 7-17 ans : 4 CAN $.
La basilique a été construite entre 1824 et 1829 pour remplacer la précédente église Notre-Dame. Son majestueux décor intérieur ne fut rajouté qu'à la fin du XIXe siècle. Elle a été le théâtre de grands événements, des funérailles de sir Georges Etienne Cartier en 1873, l'un des pères de la Confédération et ancien premier ministre du Canada, jusqu'à celles de Pierre-Elliot Trudeau en octobre 2000, en passant par les funérailles de Maurice Richard, un des plus grands joueurs de hockey, celles du cinéaste Gille Carle et le mariage de Céline Dion. Le grand congrès eucharistique international de 1910 s'y est tenu et le pape Jean-Paul II y a reçu les enfants en 1984.

Basilique Notre-Dame de Montréal.

Pour une expérience Son et lumière hors du commun, ne ratez pas le spectacle multimédia « Et la lumière fut ». Grâce à des éclairages animés et des projections dynamiques sur d'immenses toiles suspendues à la voûte, l'histoire de Montréal et de la basilique vous est racontée. Les représentations ont lieu du mardi au samedi à l'année (adulte : 10 CAN $).

■ MUSÉE POINTE-À-CALLIÈRE
350, Place Royale ✆ +1 514 872 9150
www.pacmusee.qc.ca
info@pacmusee.qc.ca
M° Place-d'Armes. Mardi-vendredi, 10h-17h ; samedi-dimanche, 11h-17h (jusqu'à 18h en juillet et août). Adulte : 15 CAN $, étudiant : 8 CAN $, aîné : 10 CAN $, 6-12 ans : 6 CAN $, famille : 30 CAN $, gratuit pour les moins de 5 ans. Restaurant L'Arrivage sur place.
Sur les lieux mêmes de la fondation de Montréal, ce musée met en valeur d'importants vestiges architecturaux et une collection unique d'objets et d'artefacts. Le site a fait l'objet de nombreuses fouilles dans les années 1980 menant à la découverte de 1 000 ans d'activité humaine et à la fondation du musée en 1992, lors des célébrations du 350e anniversaire de Montréal. Aujourd'hui, la visite du musée commence par un spectacle sons et lumières sur l'histoire de la ville. On passe ensuite sous terre pour découvrir les fondations de la ville. Le musée abrite également des expositions temporaires, généralement très intéressantes.

■ PARC JEAN-DRAPEAU
Îles Sainte-Hélène et Notre-Dame
✆ +1 514 872 6120
www.parcjeandrapeau.com
M° Jean-Drapeau. En voiture, vous y accédez par le pont Jacques-Cartier ou par l'autoroute Bonaventure. L'été, vous pouvez emprunter, depuis les Quais du Vieux-Port, la navette fluviale.
L'île Sainte-Hélène est le joyau le plus complet de Montréal, accessible par vélo, métro ou auto. Un peu à l'écart et épousée par le Saint-Laurent, elle offre une foule d'activités sur une surface particulièrement privilégiée. Ainsi, vous y trouverez un important belvédère pour admirer le Vieux-Port et le fleuve, il est fort à parier que même les Montréalais l'ignorent, sans oublier la piscine extérieure, la Biosphère (le musée de l'Environnement), le musée Stewart (histoire), les lacs (lac des Cygnes, au sud, et lac des Dauphins, au nord), une marina et le parc d'attractions réputé La Ronde. De mi-juin à mi-août s'y déroule la plus grande compétition d'art pyrotechnique du monde, les feux Loto-Québec. Sur l'île Notre-Dame, créée artificiellement à l'occasion de l'Expo 67 et accessible par le pont des Îles prolongeant le pont de la Concorde, se trouvent le bassin olympique, le circuit automobile Gilles-Villeneuve, sur lequel se dispute le grand prix de Formule 1 en juin, les superbes jardins des Floralies, l'agréable plage des Îles pour la baignade (avec son système de filtrage naturel totalement inédit), sans oublier le fameux casino. Le parc offre également pistes de ski de fond, patinoires, championnats d'aviron et concerts extérieurs, été comme hiver.

Centre-ville et Westmount

■ MUSÉE D'ART CONTEMPORAIN DE MONTRÉAL
185, rue Sainte-Catherine Ouest
✆ +1 514 847 6226
www.macm.org – info@macm.org
M° Place-des-Arts. Mardi-dimanche, 11h-18h (21h le mercredi) ; fermé le lundi (sauf lundi fériés). Adulte : 10 CAN $, aîné : 8 CAN $, étudiant : 6 CAN $, famille : 20 CAN $, gratuit pour les moins de 12 ans. Entrée libre le mercredi de 17h à 21h. Nocturne tous les premiers vendredis soir du mois (sauf en janvier et en août), de 17h à 21h, la visite se fait avec musique live, visite-clip des expositions et bar. Tarif d'admission général. Bistro Le Contemporain sur place.
Le musée d'Art contemporain fait la promotion de l'art d'aujourd'hui en exposant des œuvres québécoises, canadiennes et étrangères. La collection permanente regroupe plus de 7 000 œuvres datant de 1939 à nos jours, dont la plus importante collection d'œuvres de Paul-Émile Borduas. Dans les autres salles, des artistes invités se partagent temporairement la vitrine. Vous pouvez rapporter un peu du musée avec vous en flânant à la boutique qui offre un choix intéressant d'objets dérivés.

■ MUSÉE DES BEAUX-ARTS DE MONTRÉAL
1379, rue Sherbrooke Ouest
(pavillons Hornstein et Stewart)
✆ +1 514 285 2000, +1 800 899 6873
www.mbam.qc.ca
M° Peel ou Guy-Concordia. Mardi, 11h à 17h ; mercredi-vendredi, 11h-21h ; samedi-dimanche, 10h-17h. Accès gratuit aux collections permanentes. Expositions temporaires : adulte : 15 CAN $, aîné : 10 CAN $, étudiant : 7,50 CAN $, famille : 30 CAN$, gratuit pour les moins de 13 ans. Réductions le mercredi à partir de 17h (sauf pour les étudiants). Boutique et café sur place.

Ce musée est réputé pour ses expositions au succès international telles que « Picasso érotique », « Hitchcock et l'art », « de Dürer à Rembrandt », « Riopelle », « Egypte éternelle », ou encore « Imagine ». La collection permanente recèle de pièces des plus intéressantes. Plus de 30 000 objets forment une des collections les plus riches d'Amérique du Nord : antiquités, collection d'objets précolombiens et asiatiques, tableaux de maîtres européens du Moyen-Âge à nos jours (Memling, Mantegna, Rembrandt, Monet, Cézanne, Matisse, Picasso, Dali...), art contemporain (Robert Rauschenberg, Alexander Calder, Riopelle...). Vous verrez également une collection d'art canadien exceptionnelle, peintures, sculptures, art décoratif retraçant l'histoire du Canada, de la Nouvelle-France à nos jours. Enfin, à ne pas manquer, la collection d'art décoratif regroupant 700 objets et couvrant plus de six siècles de design.

▶ **Autre adresse :** 1380, rue Sherbrooke Ouest (pavillon Jean-Noël Desmarais) ; 1339, rue Sherbrooke Ouest (pavillon Claire et Marc Bourgie).

Plateau Mont-Royal

■ PARC DU MONT-ROYAL

1260 Chemin Remembrance
www.lemontroyal.qc.ca
info@lemontroyal.qc.ca

Accès en voiture ou bus (ligne 11) par la voie Camilien-Houde prenant sur l'avenue du Mont-Royal ou accès direct à pieds depuis l'avenue des Pins par une série d'escaliers assez impressionnante.

Il mérite le détour pour le panorama montréalais qu'il offre depuis le belvédère (aire de stationnement) de la voie Camilien-Houde, du nom d'un maire populaire à Montréal au milieu du siècle, et depuis la terrasse du Chalet (accessible à pieds seulement). On peut se balader à pied dans le parc, ou à bicyclette. Au sommet se trouve un lac artificiel, le lac des Castors, qui attire les promeneurs, été comme hiver quand on le transforme en patinoire.

Est

■ BIODÔME DE MONTRÉAL

4777, avenue Pierre-De Coubertin
✆ +1 514 868 3000 – www.biodome.qc.ca
biodome@ville.montreal.qc.ca

M° Viau. Lundi-dimanche, 9h-17h (jusqu'à 18h en été). Fermé le lundi de mi-septembre à mi-février. Adulte : 16,50 CAN $, étudiant et aîné : 12,50 CAN $, 5-17 ans : 8,25 CAN $, 2-4 ans : 2,50 CAN $. Possibilité d'acheter des forfaits combinés avec Insectarium, Jardin botanique et/ou Tour olympique.

Dans ce muséum nature, les écosystèmes les plus extraordinaires des Amériques ont été reconstitués : le golfe et l'estuaire du Saint-Laurent, l'érablière des Laurentides, la forêt tropicale, et même les régions subpolaires des côtes du Labrador et des îles subantarctiques. L'idée est de sensibiliser la population à la précarité de notre environnement dans une optique de préservation de la biodiversité et d'adoption de comportements responsables. Hautement apprécié en toutes saisons, nous vous recommandons « l'expérience » d'une visite de la forêt tropicale en plein hiver. Cet écosystème truffé d'amphibiens, de reptiles, d'oiseaux et de poissons aux couleurs paradisiaques provoque un véritable choc culturel, en plus de vous faire oublier le froid qui sévit à l'extérieur. Pour ceux et celles qui désirent voir un castor ou un pingouin, c'est aussi le meilleur (sinon le seul) endroit à Montréal.

■ JARDIN BOTANIQUE ET INSECTARIUM DE MONTRÉAL

4101, rue Sherbrooke Est
✆ +1 514 872 1400
jardin_botanique@ville.montreal.qc.ca

M° Pie-IX. Mi-mai à début septembre : lundi-dimanche, 9h-18h (jusqu'à 21h de début septembre à novembre). Novembre à mi-mai : mardi à dimanche, 9h-17h. Tarifs réguliers pour les deux muséums (variables selon la saison) : adulte 14-16,50 CAN $, aîné et étudiant 10,50-12,50 CAN $, 5-17 ans 7-8,25 CAN $, 2-4 ans 2-2,50 CAN$. Forfaits disponibles. Service de navette gratuite sur le site. Restaurant saisonnier et boutiques sur place.

Les citadins viennent s'y ressourcer à coup d'air pur et de verdure. Grâce à ses 75 hectares, ce vaste poumon de la métropole procure un dépaysement tel que le visiteur a l'impression de flâner au cœur de la Chine, ou encore, dans un délicat jardin japonais. À la Maison de l'arbre, le grand végétal est mis à l'honneur au cœur d'un arboretum de 40 hectares. Au jardin des Premières Nations, tout végétal à son importance utilitaire, alimentaire et médicinale. Il faut aussi choisir les sentiers pour apprécier ce grand jardin. Nombreuses activités et expositions proposées au fil du changement de saisons. Nouveauté : les 4 à 8 estivaux du jardin avec cocktails botaniques et tapas à saveur du terroir (jeudi-dimanche, 16h-20h).

© ISTOCKPHOTO.COM/NANTELA

Jardins aquatiques du jardin botanique de Montréal.

Sports / Détente / Loisirs

■ BELVÜ CROISIÈRE-BOUTIQUE

Quai Jacques-Cartier,
Quais du Vieux-Port
✆ +1 514 303 3111
www.belvu.ca info@belvu.ca
M° Place-d'Armes.
Sorties à quai (« happy hour ») et sur le fleuve (5 à 7, croisières gastronomiques). Tarifs selon la croisière choisie.

Un superbe catamaran-lounge de trois ponts a fait son entrée remarquée aux Quais du Vieux-Port en 2010. Les différentes formules offertes vous feront vivre une expérience exceptionnelle, que ce soit à quai pour un 5 à 7 électrisant ou en croisière pour admirer les feux d'artifice. Pour ceux qui aimeraient vivre l'expérience à moindre coût, les 5 à 7 sur le fleuve sont gratuits le vendredi ! Pour une réunion ou un événement corporatif qui épatera vos convives, vous pouvez réserver le pont de votre choix (ou le bateau au complet) et choisir ensuite si vous restez à quai ou optez pour une croisière sur le fleuve. Les tarifs incluent les membres d'équipage et l'équipe de service. Résolument tendance !

■ BOTA BOTA

Quais du Vieux-Port
✆ +1 514 283 0333
www.botabota.ca – info@botabota.ca
M° Square-Victoria.
Jeudi-mardi, 10h-22h. 2h et moins : 45 CAN $, 3h et moins : 60 CAN $, plus de 3h : 75 CAN $. Rabais sur l'entrée si jumelée à un soin.

Inauguré au début décembre 2010, ce dernier-né des Spa propose une expérience hors du commun. En effet, les installations occupent les locaux d'un ancien traversier qui fut également un bateau-théâtre. Afin de donner un look plus contemporain et tendance, la nouvelle entreprise a fait appel aux services de l'architecte Jean Pelland, et le résultat est franchement réussi, malgré quelques complexités mécaniques et architecturales. Avec ses 678 hublots et ses 5 étages, c'est le plus gros bateau-Spa au monde. Sur place, vous trouverez deux bains à remous extérieurs (vue panoramique à couper le souffle !), deux bains froids (intérieur et extérieur), un sauna, un bain vapeur, une dizaine de salles de soins, des aires de repos (dont une salle avec canapés et hublots géants) et une salle de yoga. Une nouvelle adresse qui vaut vraiment le détour !

Gay et lesbien

Ville de métissage et de tolérance, Montréal accueille une des communautés gay et lesbienne les plus dynamiques d'Amérique du Nord. Le Village gai, dans la partie francophone de Montréal, figure parmi les Villages les plus animés du monde. En 2006, la métropole a même accueilli les Outgames (jeux olympiques gays) où 12 000 athlètes de 35 disciplines se sont donné rendez-vous. Une animation d'autant plus importante que depuis maintenant quelques années, la rue Sainte-Catherine, une des artères principales de la zone, est piétonne durant la belle saison. Cela rend les terrasses et les balades dans ce quartier encore plus agréables.

LES LAURENTIDES

Paradis des skieurs et des mordus de la nature, les Laurentides désignent le massif montagneux de la rive nord du fleuve Saint-Laurent. La région des Laurentides fait partie des Basses Terres du Saint-Laurent et du bouclier canadien. On y trouve les plus vieilles roches du monde (datant d'un milliard d'années). Cette région, qui couvre près de 22 000 km², s'étend du sud au nord, de la rivière des Mille-Îles aux grands territoires au nord de Mont-Laurier et, d'est en ouest, des limites de la région de Lanaudière à celles de l'Outaouais. Elle est la principale destination touristique internationale du Québec, appelée plus communément « le Nord ». Vous y viendrez d'abord pour les activités sportives saisonnières qu'elle offre en abondance, et pour la quiétude de ses innombrables lacs et montagnes couvertes de forêts. Les citadins y font leur pèlerinage hebdomadaire en allant respirer cette campagne qui n'est qu'à quelque trente minutes du centre-ville de Montréal.

Géographie

La région des Laurentides est divisée en trois territoires : les Basses-Laurentides ou Portes des Laurentides, du nord de l'île Jésus (Laval) jusqu'à Saint-Jérôme, en sont la porte d'entrée ; les Pays-d'en-Haut, un nom plus familièrement utilisé par les habitants pour désigner le Cœur des Laurentides, s'étendent de Saint-Jérôme à Labelle ; les Hautes-Laurentides délimitent une zone de L'Annonciation (maintenant Ville de Rivière-Rouge) jusqu'au nord de Mont-Laurier. Les Laurentides ont été habitées 4 000 ans av. J.-C. par des nomades. Des Indiens d'Amérique (Amérindiens) de la tribu des Algonquins (aujourd'hui disparue) sillonnaient ces bois au XVIIe siècle. Vers 1840, arriveront les premiers colons dans ce qu'on appelle désormais les Pays-d'en-Haut. Le réseau routier qui parcourt les Laurentides s'élabore à partir du début du XXe siècle, époque de l'exploitation forestière et agricole. Le P'tit train du Nord (construit entre 1891 et 1909), reliant Saint-Jérôme à Mont-Laurier et longeant la rivière du Nord, inaugure l'ère industrielle. L'infrastructure économique qui en découle a permis, entre autres, de développer la vocation touristique de la région. Aujourd'hui, le train n'est plus. Ce dernier corridor est aménagé en parc linéaire le P'tit train du Nord. En empruntant un parcours (230 km, l'un des plus grands d'Amérique du Nord) ponctué de villages et de gares patrimoniales le long de l'ancienne voie ferrée, vous pouvez vous adonner à une pléiade d'activités : vélo, ski de fond, motoneige, randonnée pédestre...

▶ **www.laurentides.com**

Transports

Avion

La région de Mont-Tremblant est desservie par un aéroport international situé à La Macaza. Il y accueille des vols provenant de New York (Continental Airlines) et Toronto (Porter). www.mtia.ca

Bus

La compagnie Galland dessert de nombreuses municipalités des Laurentides au départ de Montréal : Laval, Saint-Jérôme, Piedmont, Saint-Sauveur, Sainte-Adèle, Sainte-Agathe, Saint-Donat (Lanaudière), Mont-Tremblant (secteur Saint-Jovite), station Tremblant, Labelle, L'Annonciation, Nominingue et Mont-Laurier. www.galland-bus.com

Trains de banlieue

Deux lignes desservent les Laurentides, soit Montréal - Deux-Montagnes et Montréal - Blainville/Saint-Jérôme. www.amt.qc.ca

Traversiers et ponts de glace

Il y a un traversier entre Pointe-Fortune (Montérégie) et Carillon ainsi qu'entre Hudson (Montérégie) et Oka. En hiver, la traverse Hudson-Oka se fait sur un pont de glace.

Voiture

Plusieurs routes desservent la région des Laurentides. Voici les principaux accès routiers en fonction des régions de départ.

▶ **Pour Lanaudière.** À partir de Saint-Donat, prendre la route 329 Sud qui mène à Sainte-Agathe-des-Monts. À partir de Joliette, prenez la route 158 Ouest menant à Saint-Jérôme. À partir du sud de la région, prenez l'autoroute 40 Ouest puis l'autoroute 640 Ouest traversant les Basses-Laurentides.

▶ **Pour la Montérégie.** Prenez le traversier Hudson/Oka (pont de glace de janvier à mars) ou Pointe-Fortune/Carillon. En passant par Montréal, plusieurs autoroutes mènent aux Laurentides (autoroute 13, autoroute 15, autoroute 25 Nord). Toutefois seule l'autoroute 15 Nord (qui devient la route 117 à Sainte-Agathe-des-Monts) traverse toute la région du sud au nord.

▸ **Pour l'Outaouais.** À partir de Masson, prenez la route 309 Nord qui mène à Mont-Laurier. À partir de Montebello, prenez la route 323 Nord qui mène à Saint-Jovite. À partir du sud de la région, prenez la route 148 Est.

SAINT-SAUVEUR

À 21 km au nord-ouest de Saint-Jérôme, le village de Saint-Sauveur se niche dans une vallée. Il est l'avant-poste de la région des lieux de villégiature, le lieu de rencontre des skieurs en hiver (capitale du ski alpin nocturne, avec un grand nombre de pistes éclairées) et le plus animé des villages laurentiens. L'animation de la rue principale séduit et bouillonne d'activités (festivals, théâtre et bars) la nuit tombée. Plusieurs galeries d'art et de jolies maisons d'époque attireront votre attention le long de vos promenades dans la rue Principale et la rue de la Gare.

▸ **www.valleesaintsauveur.com**

▸ **Accès :** sortie 60 de l'autoroute 15 Nord.

Pratique

■ **BUREAU D'ACCUEIL DES PAYS-D'EN-HAUT**
605, chemin des Frênes
Piedmont
✆ +1 450 227 3417, +1 800 898 2127
www.lespaysdenhaut.com
info@mrcpdh.org
Ouvert toute l'année.

■ **BUREAU TOURISTIQUE SAISONNIER**
228, rue Principale
✆ +1 450 227 2564, +1 877 528 2553
Ouvert de mi-juin à septembre.

Se loger

■ **HÔTEL SAINT-SAUVEUR**
570, chemin des Frênes – Piedmont
✆ +1 450 227 1800, +1 866 547 1800
www.hotelstsauveur.ca
info@hotelstsauveur.ca
Loft à partir de 99 CAN $, studios à partir de 139 CAN $, suites à partir de 149 CAN $, suites supérieures à partir de 159 CAN $. 45 unités. Forfaits disponibles.
Cet hôtel, anciennement connu sous le nom Loftboutiques, est une destination vacances par excellence, à quelques pas seulement de la station de ski. Ses lofts, studios et suites sont décorés avec goût et ont tous un foyer et la climatisation. Le tout est pratique et fonctionnel. Les studios et suites ont en plus une cuisine entièrement équipée. Une excellente adresse pour ceux qui prévoient passer quelques jours dans la région !

Se restaurer

■ **RESTAURANT LE MARABOU**
358, rue Principale ✆ +1 450 744 1210
✆ +1 450 694 1207 – www.lemarabou.com
info@lemarabou.com
Ouvert du mardi au dimanche dès 17h. Plats principaux : 19-60 CAN $. Menu de sushis à emporter. Belle carte des vins. Ce dernier-né de la gastronomie et du chic urbain à Saint-Sauveur fait déjà beaucoup jaser depuis son ouverture en juin 2009. Une cuisine créative aux accents internationaux avec à la barre le réputé chef Olivier Vigneault. Que ce soit pour un verre en terrasse entre amis ou un succulent repas, cette nouvelle adresse est un must lors de votre passage dans « l'Nord » !

Les Pays-d'en-Haut

L'expression date de 1715. On la trouve dans un rapport conjoint du gouverneur intérimaire Ramezay et de l'intendant Bégon qui parlent des « pais d'en hault ». Et il est vrai que, pendant toute la durée du régime français, les régions en amont de la colonie recouvraient tout l'arrière-pays s'étendant au nord-ouest du Saint-Laurent et au sud-ouest, jusqu'aux Grands Lacs et même jusqu'aux Rocheuses et en Louisiane. Cette vaste étendue était sillonnée par les fameux coureurs des bois. Pendant un siècle, les Pays-d'en-Haut ont représenté l'immense étendue géographique qui échappait au régime seigneurial implanté partout sur les deux rives du Saint-Laurent. Le roi Louis XV utilisait couramment l'expression Pays-d'en-Haut. Cette notion géographique assez vague évoquait alors « la liberté, l'ambiguïté, le rêve d'expansion coloniale ». C'est au Québec, vers les années 1930, que Claude-Henri Grignon, l'auteur du roman *Un homme et son péché* et de la série télévisée *Les Belles Histoires des Pays-d'en-Haut*, fit entrer l'expression dans les foyers. Elle concerne à présent le seul secteur des Laurentides compris entre Saint-Jérôme et Labelle. Cette dénomination est utilisée pour parler du cœur des Laurentides.

Sports / Détente / Loisirs

■ MONTAGNE RUSSE ALPINE LE VIKING

Au mont Saint-Sauveur
✆ +1 450 227 4671
www.montsaintsauveur.com
Ouvert à l'année (horaires variables selon les saisons). Billet : 9,99 CAN $. Tarif régressif selon le nombre de billets achetés. Interdit aux moins de 3 ans. Les enfants de 3 à 8 ans doivent faire la descente avec un adulte.
La montagne russe alpine est une attraction hybride mélangeant montagnes russes et luge d'été en milieu montagnard. Ces tobbogans individuels, pouvant accueillir deux personnes, suivent un circuit incliné sur rails et les utilisateurs ont le plein contrôle sur la vitesse de descente. Grâce à ce système de rails, le tobbogan ne peut pas dérailler et la vitesse est légèrement plus élevée que sur une luge d'été. Imaginez-vous maintenant faire cette descente en forêt sur environ 1,1 km avec une vitesse moyenne maximale de 35 km/h... L'idée vous plaît ? Rendez-vous alors à la station Saint-Sauveur pour de belles sensations et surtout, beaucoup de plaisir ! Gageons que vous ne vous arrêterez pas qu'à une seule descente...

■ PARC AQUATIQUE DU MONT-SAINT-SAUVEUR

Au mont Saint-Sauveur
✆ +1 450 227 4671
www.parcaquatique.com
Suivre les indications à partir de la sortie 60 de l'autoroute 15. Juin à septembre : lundi-dimanche, 11h-17h (jusqu'à 19h de mi-juin à mi-août). Droits d'entrée et forfaits disponibles.
En été, les pistes de ski laissent la place aux activités aquatiques. Les enfants et les adultes apprécieront les glissades d'eau (toboggans). Piscines à vagues et circuits d'eau en tous genres dans la montagne. Piscine-spa. Animations pour enfants. Bar-terrasse, restaurants et tables de pique-nique. Boutique de maillots de bain, t-shirts, lunettes de soleil, etc.

■ STATION DE SKI MONT-SAINT-SAUVEUR

350, rue Saint-Denis
✆ +1 450 227 4671
www.mssi.ca
Sorties 58 ou 60, autoroute 15 Nord. Lundi-jeudi : 9h-22h ; vendredi : 9h-22h30 ; samedi : 8h30-22h30 ; dimanche : 8h30-22h. Horaire spécial pendant la période des Fêtes. Tarifs pour bloc de 4 heures, la journée et la soirée.
38 pistes, 213 m de dénivellation, ski de soirée (27 pistes éclairées), 8 remontées mécaniques, snowpark. Achat, location et réparation d'équipement de glisse. Bars, restaurants.

Shopping

■ CHEZ BERNARD

411, rue Principale
✆ +1 450 240 0000, +1 866 240 0088
www.chezbernard.com
info@chezbernard.com
Lundi-mercredi, 9h-19h ; jeudi-vendredi, 9h-20h ; samedi-dimanche, 9h-18h.
Fondée en 2001 par Bernard Minguy, cette épicerie-traiteur vous mettra l'eau à la bouche ! Produits du terroir d'ici et d'ailleurs, fromages fins québécois, plats cuisinés, foie gras, huiles et vinaigres, tartinades, desserts maison... La liste est longue ! Pour ceux qui succombent à la tentation, il est possible de manger sur place au 2e étage ou sur la terrasse. Et pourquoi ne pas rapporter un petit souvenir de la librairie gourmande ou de la boutique du sommelier ? Aussi disponibles : service de chef ou de barbecue à domicile.

SAINTE-ADÈLE

Située sur la montagne, plus au nord sur l'autoroute des Laurentides, Sainte-Adèle s'étale au pied d'un lac, en haut de la côte Morin. Ici est né Claude-Henri Grignon, à la fois écrivain, polémiste et journaliste, dont le roman *Un homme et son péché* a fait l'objet d'une série TV diffusée pendant un nombre record d'années. La ville abrite également l'un des complexes hôteliers les plus réputés au cœur des Laurentides : l'hôtel Le Chantecler. Ce complexe bénéficie d'un domaine skiable, Ski Chantecler.

► **www.ville.sainte-adele.qc.ca**

► **Accès :** sorties 64, 67, 69 et 72 de l'autoroute 15. Après avoir pris la sortie 67 de l'autoroute 15 à gauche, au quatrième feu de signalisation, sur la route 117 (boulevard Sainte-Adèle).

Pratique

■ BUREAU D'ACCUEIL DES PAYS-D'EN-HAUT

(sortie 67 de l'autoroute 15)
1490, rue Saint-Joseph
✆ +1 450 229 3729
www.lespaysdenhaut.com
info@mrcpdh.org
Ouvert toute l'année.

Vue aérienne des Laurentides.

Se loger

■ HÔTEL SPA H20
3003, boulevard Sainte-Adèle
✆ +1 450 229 2991, +1 888 828 2991
www.hotelspah2o.com
info@leaualabouche.com
Occupation double : à partir de 155 CAN $. Forfaits disponibles. Piscine extérieure, bains nordiques, café-bistro. Connu pour son restaurant gastronomique, le restaurant L'Eau à la Bouche est membre depuis 1989 de la prestigieuse chaîne des Relais & Châteaux. Établissement de tout confort, il met à la disposition de sa clientèle des chambres et suites d'une grande qualité, ainsi qu'un centre de santé Spa de premier ordre.

Se restaurer

Quelques petits restaurants sympathiques sur la rue Valiquette (parallèle à la 117, à l'ouest) offrent surtout l'avantage d'être beaucoup moins chers que les restaurants gastronomiques.

■ CAFÉ DE LA GARE & ESPRESSO SPORTS
1000, rue Saint-Georges ✆ +1 450 229 5886
www.espressosports.net
Située aux abords de la piste cyclable Le P'tit Train du Nord dans l'ancienne gare, cette halte santé vous permettra de faire le plein d'énergie pour la route. Petits plats diététiques, petits déjeuners jusqu'à 11h, sandwichs, croques, bagels, et l'hiver venu, vous avez même droit à de la fondue au fromage. Dans le même bâtiment se trouve une boutique de location, vente et réparation de vélos et skis de fond. Terrasse, spectacles.

Sortir

■ THÉÂTRE D'ÉTÉ DE SAINTE-ADÈLE
1069, boulevard Sainte-Adèle
✆ +1 450 227 1389
www.theatrestsauveur.com
info@theatresteadele.ca
Ouvert de mi-juin à septembre. Représentations : mercredi-vendredi : 20h30 ; samedi : 16h (à confirmer) et 20h30. Billets : 38-39 CAN $. Forfaits disponibles. Situé dans l'ancienne chapelle entièrement rénovée du village, la vocation artistique des lieux s'amorça dans les années 1950 avec une pièce de Claude-Henri Grignon. Ce fut alors le début d'une belle aventure qui en fit un des premiers théâtres d'été de la province. Chaque saison estivale vous présente un petit bijou dans le but avoué de vous faire passer une excellente soirée.

VAL-DAVID

Paisible et pittoresque, ce village abrite un regroupement d'artistes et d'artisans de la région dont le plus célèbre est probablement M. Bernard Chaudron. Dans son atelier, situé sur le chemin de l'Île, vous pourrez choisir entre des poteries d'étain sans plomb faites à la main et des pièces de métal : argent, étain, cuivre. Val-David est le théâtre de nombreuses activités culturelles. Prenez également le temps de faire un arrêt à son marché agroalimentaire sur la rue de l'Académie (face à l'église). En opération un samedi par mois de février à mai, et tous les samedis de 9h à 13h de juin à octobre.

www.valdavid.com

■ AUBERGE DU VIEUX FOYER

3167, 1er Rang Doncaster
✆ +1 819 322 2686
✆ +1 800 567 8327
www.aubergeduvieuxfoyer.com
info@aubergeduvieuxfoyer.com
Occupation double : à partir de 98 CAN $ par personne (incluant la table d'hôte du soir et le petit déjeuner). Forfaits disponibles. Hébergement en chambres, chalets ou studios.

L'Auberge du Vieux Foyer saura vous charmer avec son site enchanteur et son décor chaleureux avec boiseries. Services sur place : cuisine raffinée avec belle carte des vins, centre de santé Spa, terrasse, piscine chauffée extérieure, grand Spa à l'eau salée, sauna, bain nordique. Activités : pédalo, canot, terrains de jeux, vélo de montagne, accès aux pistes de ski de fond et de raquettes, patinoire, etc. Plusieurs animations ponctuent les saisons.

■ AU PETIT POUCET

1030, route 117
✆ +1 819 322 2246
✆ +1 888 334 2246
www.aupetitpoucet.com
info@aupetitpoucet.com
Salle à manger : lundi-dimanche : 6h30-16h. Comptoir de charcuterie : dimanche-vendredi : 6h30-16h ; samedi : 6h30-17h. Emballages cadeaux offerts.

Ce grand classique de la cuisine québécoise a rouvert ses portes en 2008, et le bâtiment entièrement revu a su garder son cachet rustique. Au centre, un énorme foyer de bois trône et nous réchauffe pendant la saison froide. À goûter : l'incontournable jambon fumé au bois d'érable et les petits déjeuners très copieux. Comme vous risquez fort d'en vouloir plus, faites un tour au comptoir de vente où tourtière, jambon fumé au bois d'érable, tarte au sirop d'érable, cretons, sucre à la crème et autres gourmandises « bien de chez nous » vous attendent.

■ BUREAU TOURISTIQUE

2525, rue de l'Eglise
✆ +1 819 322 2900, +1 888 322 7030
Ouvert toute l'année.

LAC-SUPÉRIEUR

En passant par Saint-Faustin-Lac-Carré à l'est de la route, on parvient à l'un des plus beaux lacs du Nord, le lac Supérieur, particulièrement majestueux, surtout en automne lorsqu'il est enclavé entre des montagnes colorées.

■ CÔTÉ NORD TREMBLANT

141, chemin Tour-du-Lac
✆ +1 819 688 5201, +1 888 268 3667
www.cotenordtremblant.com
info@cotenordtremblant.com
Tarifs variables selon le type d'hébergement choisi (chalet, semi-détaché ou suite), et la saison. Forfaits disponibles.

Construits sur des terrains boisés, de magnifiques chalets en rondins tout confort offrent de deux à six chambres à coucher. Des semi-détachés de deux ou trois chambres ainsi que des suites d'une ou deux chambres (à partir de 165 CAN $ en occupation double) sont également disponibles en location. Côté Nord Tremblant offre aux inconditionnels de la nature et aux visiteurs en quête d'authenticité une expérience haut de gamme, une excellente table aux saveurs du terroir au restaurant Le Caribou (en bas de la colline) ainsi que des forfaits variés. Accès au Lac Supérieur et à la rivière Boulée, tennis, piscine et bain à remous sur place. À quelques minutes du parc national du Mont-Tremblant et de nombreuses activités.

■ PARC NATIONAL DU MONT-TREMBLANT

Chemin du Lac-Supérieur
✆ +1 819 688 2281, +1 800 665 6527
www.sepaq.com/pq/mot/fr/
inforeservation@sepaq.com
Ouvert à l'année. Accès quotidien adulte : 3,50 CAN $, enfant : 1,50 CAN $, gratuit pour les enfants de 5 ans et moins. Tarifs groupes et familles disponibles. Postes d'accueil : secteur de la Diable (poste d'accueil de la Diable de mi-mai à mi-octobre, centre de services du Lac-Monroe à l'année), secteur de la Pimbina (poste d'accueil de Saint-Donat dans Lanaudière, de mi-mai à mi-octobre et de mi-décembre à fin mars), secteur de l'Assomption (poste d'accueil de Saint-Côme de mi-mai à mi-octobre), territoire de la Cachée (poste d'accueil de la Cachée de mi-juin à septembre), station Tremblant (versant sud à l'année, versant nord en hiver).

Le parc national du Mont-Tremblant est le plus grand parc du Québec (1 510 km^2) et le premier à avoir été créé. Vous y découvrirez un immense univers de lacs (400), rivières (6), chutes, cascades et montagnes où la faune vit en toute liberté. Un large choix d'activités en toutes saisons, une plongée dans l'intimité de la nature des Laurentides. Les paysages sont majestueux. Une beauté sauvage qu'on ne se lasse pas d'admirer.

Hébergement : 11 chalets de villégiature (capacité de 2 à 10 personnes), 9 yourtes, 11 refuges, camping aménagé (plus de 1 000 emplacements), tentes-roulottes et tentes Huttopia.

Activités : via ferrata, baignade, canotage, canot-camping, pêche à l'omble de fontaine et au grand brochet (permis de pêche du Québec et droits d'accès obligatoires), randonnée pédestre, longue randonnée avec nuit en refuge, vélo, balade en raquettes, sentiers de randonnée pédestre sur neige, ski de fond, ski nordique.

MONT-TREMBLANT

Les Amérindiens de la tribu des Algonquins l'appelaient *Manitou Ewitchi Saga*, soit la montagne du redoutable Manitou. C'était leur dieu de la nature, celui qui faisait trembler les montagnes lorsque les humains perturbaient l'ordre naturel : d'où le nom de montagne tremblante. Mont-Tremblant - la municipalité du Mont-Tremblant a été fondée en 1894 - est un parc national, le premier jamais créé au Québec et qui possède un riche patrimoine naturel (400 lacs, 6 rivières et des dizaines de cascades répertoriées sur son territoire). C'est le paradis des amoureux de la nature. Mont-Tremblant abrite aujourd'hui la station de sports d'hiver la plus haute et la plus importante des Laurentides (968 m, dénivelé de la station de ski : 645 m). Sur la gigantesque montagne se déroulent des compétitions de ski de très haut niveau. Les pentes du Mont-Tremblant étaient une des destinations sportives préférées de l'ex-Premier ministre du Canada, Pierre-Elliott Trudeau. La station Tremblant, comme on l'appelle, propose une multitude d'activités quatre saisons. Elle a subi des transformations importantes. Plusieurs centaines de millions de dollars ont été investis dans un village à vocation entièrement touristique. Mont-Tremblant est appelé à devenir une station internationale digne de celle d'Aspen au Colorado ou encore de Tignes en France. D'ailleurs, un casino haut de gamme a ouvert ses portes durant l'été 2009. Le Vieux-Tremblant est un village pittoresque et plein de charme qui regorge d'auberges, maisons et chalets en rondins. En été ne manquez pas de faire une halte au marché agroalimentaire situé à côté du lac Mercier (les samedis, de début juillet à début septembre). La rivière du Diable qui coule à proximité du mont est régulièrement descendue par les amateurs de rafting : elle ne porte pas son nom sans raison. Aujourd'hui, Mont-Tremblant est devenue une seule grande ville qui regroupe les municipalités de Saint-Jovite, Mont-Tremblant et Lac Tremblant-Nord.

www.villedemont-tremblant.qc.ca

Pratique

■ BUREAU TOURISTIQUE

5080, montée Ryan
✆ +1 819 425 2434, +1 877 425 2434
www.tourismemonttremblant.com
info@tourismemonttremblant.com
Ouvert à l'année.

Autre adresse : Autre adresse : 48, chemin Brébeuf ✆ +1 819 425 3300

Se loger

De nombreux hôtels vous accueillent au bas de la montagne : les suites Tremblant, Marriott Residence Inn, Homewood Suite par Hilton, Fairmont Tremblant, Westin Resort & Spa... Pour y effectuer une réservation, il suffit de contacter les chaînes concernées. Fidèles à nos habitudes, nous vous proposons plutôt des adresses non franchisées, plus ou moins éloignées de la station.

■ AUBERGE INTERNATIONALE DE MONT-TREMBLANT HI

2213, chemin du Village
✆ +1 819 425 6008, +1 866 425 6008
www.hostellingtremblant.com
info@hostellingtremblant.com
Ouvert à l'année. Chambre partagée : à partir de 24,75 CAN $. Chambre privée : à partir de 63,75 CAN $. Forfaits disponibles. Petit déjeuner : 5,50 CAN $. Salles de bains partagées. Cuisine équipée, café-bar avec foyer, billard et babyfoot, salon avec télévision, grande cour arrière avec tipi et accès au lac, prêt de canoë, stationnement, Internet sans fil gratuit, buanderie payante.

Située au cœur du vieux village et à proximité de la piste du P'tit train du Nord, l'auberge propose de nombreuses activités en toutes saisons : baignade, canot, feu de camp dans le tipi, forfaits de ski, location de vélos et raquettes, etc. Nouveauté 2010 : programmation complète d'activités et de sorties en plein air guidées à l'année. Navette toutes les heures vers la station. N'oubliez votre carte membre HI (FUAJ) ou ISIC pour bénéficier du tarif réduit. Une adresse hautement recommandée pour les plus petits budgets et ceux qui adorent socialiser et rencontrer d'autres voyageurs !

■ **REGROUPEMENT DES GÎTES ET AUBERGES À MONT-TREMBLANT**
✆ +1 866 660 4636
www.bbtremblant.com
Cette association regroupe une trentaine d'établissements, des gîtes et des petites auberges de dix chambres et moins, répartis sur huit municipalités de la région de Mont-Tremblant. Ce regroupement vous propose de vivre la différence afin de vous faire découvrir au cours d'un même séjour le cachet de plusieurs établissements. Les hôtes, dignes ambassadeurs de la région, seront en mesure de vous guider sur les incontournables activités à faire, à voir et à déguster. N'hésitez surtout pas à les contacter pour la planification d'un séjour inoubliable dans cette belle région.

Se restaurer

■ **SEB L'ARTISAN CULINAIRE**
444, rue Saint-Georges
Secteur Saint-Jovite
✆ +1 819 429 6991
www.resto-seb.com – info@resto-seb.com
Mercredi-lundi, dès 18h ; fermé mardi. Ouvert le midi en semaine en saison estivale. Terrasse, bar à tapas l'été, service traiteur.
Sébastien Houle, l'artiste aux commandes de ce nouveau resto, est fort réputé dans le domaine. Il suffit de jeter un regard aux prix et mentions qu'il a reçus au cours des dernières années ! Au menu, une cuisine inventive, un équilibre des saveurs et une grande authenticité régionale. Ici, les fruits marins de la côte Atlantique sont associés aux produits du terroir québécois pour un mariage des plus réussis. La carte des vins est un petit bijou et le sommelier, Guy Bourbonnière, fait également des importations privées. Bref, une adresse gastronomique tout en saveurs qui mérite franchement le détour !

■ **LE SHACK RESTO-BAR**
3035, chemin de la Chapelle
✆ +1 819 681 4700
www.leshack.com – info@leshack.com
Ouvert tous les jours.
Lieu d'après-ski festif, le Shack peut accueillir plus de 200 personnes. Cuisine américaine familiale avec hamburgers, pâtes, fish n'chips et steak dans un cadre rustique. En hiver, les barbecues extérieurs ont la cote. Pour bien débuter la journée de ski, on y sert un déjeuner buffet. En été, depuis la terrasse, vous aurez un point de vue privilégié sur les concerts de la Place Saint-Bernard.

Sortir

■ **MICROBRASSERIE LA DIABLE**
117, chemin Kandahar
✆ +1 819 681 4546
www.microladiable.com
Lun-dim, 11h30-2h (la cuisine ferme à 22h). Visite des installations brassicoles et dégustation disponible sur réservation pour les groupes d'au moins 10 personnes. Terrasse.
Située dans la station touristique du Mont-Tremblant, elle tient son nom de la rivière qui passe tout près des lieux. Les habitués de la station y affluent tous les jours en grand nombre car leurs bières originales, diversifiées et de très bonne qualité, savent assouvir les papilles autant internationales que locales. Accompagnez une de leurs sept bières d'un des excellents repas préparés sur place et le tout devient alors une sublime expérience gustative.

À voir / À faire

La station Tremblant accueille un bon nombre de festivals et événements à l'année : Festival du film, Festival international du blues, Les Rythmes Tremblant, le 24h de Tremblant et bien d'autres encore. Pour connaître la liste complète : www.tremblant.ca

Sports / Détente / Loisirs

Mont-Tremblant est une destination golf par excellence avec plusieurs terrains réputés. Les amateurs n'auront que l'embarras du choix mais, nous vous recommandons particulièrement Le Diable et Le Géant.

► **Pour plus d'information,** rendez-vous sur les sites www.tremblant.ca et www.golfmanitou.com

■ **CENTRE NAUTIQUE PIERRE PLOUFFE**
2900, chemin du Village
✆ +1 819 681 5634, +1 888 681 5634
www.tremblantnautique.com
cnpp@sympatico.ca
Ouvert de mai à octobre.
Le champion canadien de ski nautique Pierre Plouffe et son équipe vous y attendent pour profiter des joies des eaux du lac Tremblant. On y loue des embarcations motorisées ou non, et des cours sont offerts pour les adultes et les enfants. Que ce soit en pédalo, en canot, en kayak, en vélo planche, en chaloupe, en catamaran ou en bateau à moteur, profitez des paysages enchanteurs qui bordent la rive. Pour ceux qui aiment les sensations fortes, essayez le ski nautique ou le wakeboard.

Parc national du Mont-Tremblant.

■ **HÉLI-TREMBLANT**
72, route 117
✆ +1 819 425 5662
✆ +1 866 425 5662
www.heli-tremblant.com
info@heli-tremblant.com
En opération à l'année.
La compagnie vous propose des tours d'hélicoptère de 10, 20, 30 et 60 minutes pour admirer le paysage d'une tout autre perspective. De nombreux forfaits sont disponibles, dont le forfait romantique avec atterrissage directement à un restaurant de fine cuisine italienne, repas inclus, à 219 CAN $ par personne. Le personnel se fera également une joie de créer un vol personnalisé en fonction de vos besoins, question de rendre cette expérience inoubliable.

■ **SCANDINAVE SPA MONT-TREMBLANT**
4280, Montée Ryan
✆ +1 819 425 5524
✆ +1 888 537 2263
www.scandinave.com
info@scandinave.com
Ouvert à l'année, tous les jours de 10h à 21h (massage dès 9h). Bains scandinaves : 48 CAN $ (37 CAN $ le jeudi pour les femmes), bains et massages : 118-256 CAN $ (60 à 90 minutes).
Une douce aventure dans un cadre enchanteur où se mêlent l'eau, l'air pur et le bois. Sauna finlandais, bain vapeur à l'eucalyptus, bains chauds et froids, chute et cascade, baignade en rivière, massages suédois, thaïlandais-yoga et aux pierres volcaniques (réservation recommandée). Également sur place : aires de détente (solarium, pavillon Zéro Gravité, hamacs, terrasses et foyer extérieur), bar santé offrant des collations saines et des jus frais. L'ultime relaxation !

■ **STATION DE SKI MONT-TREMBLANT**
1000, chemin des Voyageurs
✆ +1 819 681 2000
✆ +1 866 356 2233
www.tremblant.ca
info_tremblant@intrawest.com
De fin novembre à mi-avril. Ouvert tous les jours de 8h30 à 15h30/16h15 (selon le mois). Tarifs pour bloc de 4 heures ou la journée.
95 pistes, 645 m de dénivellation, 14 remontées mécaniques, snowpark. Achat, location et réparation d'équipement de glisse. Une multitude de boutiques, bars et restaurants dans la station.

Retrouvez le sommaire en début de guide

LABELLE

Labelle est une petite municipalité de moins de 3 000 habitants, en plein coeur de la Vallée de la Rouge, où la vie s'écoule paisiblement.

www.municipalite.labelle.qc.ca

KAYAK CAFÉ

8, rue du Camping ✆ +1 819 686 1111
www.kayak-cafe.com
kayakcafe@hotmail.com
Excursions : départ tous les jours de 9h à 16h en été. Restaurant : ouvert tous les jours de 11h30 à 22h en été et du jeudi au samedi de 17h à 22h hors saison. Forfaits famille, transport de vélo.
Lors de la belle saison, rien de mieux pour découvrir la Vallée de la Rouge et ses rives sablonneuses qu'une excursion guidée en canot ou en kayak. Quatre parcours sont disponibles, allant de 9,5 km à 27 km. Après votre randonnée, allez faire le plein d'énergie au Kayak Café qui surplombe la rivière. Au menu, des plats santé de type bistro, savoureux et très abordables. En saison estivale, vous aurez même droit à un spectacle acoustique sur la terrasse pour accompagner votre pinte de bière de microbrasserie ou votre repas. Une adresse à découvrir !

RIVIÈRE-ROUGE

Située dans la Vallée de la Rouge, Rivière-Rouge regroupe les anciennes municipalités de L'Annonciation, Marchand et Sainte-Véronique. C'est dans ce secteur que se trouve le réservoir Kiamika, un magnifique plan d'eau aux plages sablonneuses, très fréquenté des pêcheurs friands de doré jaune, de truite moulac et de ouananiche (saumon d'eau douce originaire du Québec).

www.riviere-rouge.ca

POURVOIRIE CECAUREL

16512, chemin du Lac Kiamika
Secteur Sainte-Véronique
✆ +1 819 275 2386
www.cecaurel.com – info@cecaurel.com
Tarifs selon le type d'hébergement choisi. Nouveauté pour 2011 ou 2012 : auberge d'une douzaine de chambres. Services sur place : dépanneur, marina de 40 places, essence pour bateau, motoneige et quad, restaurant-bar avec terrasse (ouvert en saison estivale).
Propriété de la famille Morin depuis des décennies, cette magnifique pourvoirie se trouve aux abords d'un réservoir d'eau naturel de 60 km² de superficie : le Kiamika. 16 chalets sont répartis sur le site dont six nouveaux chalets de type scandinave. Douillets à souhait, vous vous y sentirez comme à la maison ! 70 espaces de camping 2 services pour tentes et roulottes vous permettront de vous rapprocher des nuits étoilées. Une foule d'activités de plein air vous attend, tant sur le site qu'à proximité : activités nautiques, pêche, chasse au chevreuil et au petit gibier, sentiers de ski de fond et raquette, motoneige, randonnée en traîneau à chiens (départ depuis la pourvoirie), etc. Vous avez une idée d'activité en tête ? Informez-vous auprès d'eux car ils peuvent réserver à peu près n'importe quoi ! Un excellent pied-à-terre pour découvrir la région et profiter des grands espaces !

FERME-NEUVE

Pour se rendre à Ferme-Neuve, il faut emprunter, depuis Mont-Laurier, la route 309 Nord qui offre des paysages plutôt campagnards que forestiers. De là s'ouvrent les chemins menant à différentes pourvoiries et ZEC. C'est aussi un passage obligé si vous vous rendez au réservoir Baskatong et à sa réputée chute Windigo.

www.municipalite.ferme-neuve.qc.ca

BUREAU TOURISTIQUE

94, 12e Rue
✆ +1 819 587 3882
✆ +1 877 587 3882
www.montagnedudiable.com
lesamis@montagnedudiable.com
Ouvert toute l'année.

LE VILLAGE WINDIGO

548, chemin Windigo
✆ +1 819 587 3000, +1 866 946 3446
www.lewindigo.com
info@lewindigo.com
Condos de luxe : à partir de 225 CAN $ en haute saison et 185 CAN $ en basse saison. Résidences de luxe : à partir de 355 CAN $ en haute saison et 290 CAN $ en basse saison. Forfaits disponibles.
Dans ce grand domaine, situé aux abords du réservoir Baskatong, en pleine nature sauvage, luxe et confort vous attendent, sans négliger le cachet rustique. Son restaurant offre une cuisine gastronomique dans une magnifique salle à manger en bois rond. Après une longue journée d'activités, optez pour le Jacuzzi ou un massage. De nombreuses activités de plein air sont possibles en toute saison : tennis, quad, kayak, baignade, traîneau à chiens, patinage, motoneige, etc. Un lieu magnifique pour déconnecter de la routine.

L'OUTAOUAIS

Grâce à son vaste territoire de 33 000 km² émaillé de 20 000 lacs et une douzaine de rivières, l'Outaouais est une destination de premier choix pour les amoureux du plein air. Parcourir le parc de la Gatineau, aller à la découverte des animaux d'Amérique du Nord au parc Oméga, et visiter le musée canadien des Civilisations offrant la superbe vue sur Ottawa, voilà quelques-unes des activités phares que compte cette grande région, située entre l'Abitibi-Témiscamingue, l'Ontario et les Laurentides.

▶ **www.tourismeoutaouais.com**

Transports

Avion

L'aéroport international le plus près se situe à Ottawa (voir rubrique Ontario, L'Est de l'Ontario, Ottawa).

Bus

Autobus Voyageur (Greyhound) dessert quelques municipalités de la région dont Montebello, Gatineau et Maniwaki. www.greyhound.ca

Train

La gare ferroviaire Via Rail la plus près se situe à Ottawa (voir rubrique Ontario, L'Est de l'Ontario, Ottawa). www.viarail.ca

Traversiers

Il existe quatre services de traversiers entre l'Ontario et la région de l'Outaouais : Ottawa (Ont.) - Gatineau, Lefaivre (Ont.) - Montebello, Fitzroy Harbour (Ont.) - Quyon, et Rockland (Ont.) - Thurso.

Voiture

Plusieurs routes desservent la région de l'Outaouais. Voici les principaux accès routiers en fonction des régions de départ :

▶ **Abitibi-Témiscamingue :** prenez la route 117 Sud qui traverse la réserve faunique de la Vérendrye, et ensuite la route 105 Sud qui mène à Gatineau. Autre possibilité : prenez la route 117 Nord jusqu'en Ontario (où elle devient la route 66) puis la route 11 et la route 17 jusqu'à Ottawa.

▶ **Laurentides :** à partir de Mont-Laurier, prenez la route 309 ou la route 311 en direction sud (la route 309 mène à Masson mais possibilité de prendre la route 307 Sud à Val-des-Bois qui mène directement à Gatineau). À partir de Saint-Jovite, prenez la route 323 Sud qui mène à Montebello. À partir du sud de la région, soit la route 344 Ouest soit la 148 Ouest.

▶ **Province de l'Ontario :** vous prenez un traversier ou vous vous rendez jusqu'à Ottawa pour rejoindre le pont.

GATINEAU

À l'extrémité ouest du Québec et à la limite de l'Ontario, la ville de Gatineau s'élève au bord de la rivière des Outaouais et fait face à Ottawa, la capitale du Canada dont elle constitue, en quelque sorte, le prolongement. Gatineau regroupe depuis 2002 les municipalités d'Aylmer, Hull, Gatineau, Buckingham et Masson-Angers. La prospérité de la ville remonte au XIXe siècle, à l'époque de l'exploitation de la forêt qui couvrait alors la région et dont les pins rouges et blancs étaient utilisés pour la construction navale. Aujourd'hui la ville a vu l'édification de deux vastes complexes fédéraux : la place du Portage et les terrasses de La Chaudière, ainsi que l'implantation d'un campus de l'Université du Québec. Le Casino du Lac-Leamy, énorme structure d'avant-garde édifiée au bord du lac du même nom, est un attrait majeur. Du parc Jacques-Cartier (accès par la rue Laurier), vous découvrirez une vue d'ensemble d'Ottawa, sur l'autre rive, en particulier sur la colline du Parlement. Mais Gatineau est surtout renommée pour son musée canadien des Civilisations, le plus important de ce genre au Canada, qui fait face, sur l'autre rive des Outaouais, à un autre musée non moins prestigieux, le musée des Beaux-Arts du Canada.

▶ **www.gatineau.ca**

Pratique

■ **TOURISME OUTAOUAIS**
103, rue Laurier
✆ +1 819 778 2222, +1 800 265 7822
www.tourismeoutaouais.com
www.votreforfait.com
info@tourisme-outaouais.ca

Se loger

L'offre en hébergement ne manque pas à Gatineau et vous y retrouverez toutes les grandes chaînes d'hôtels, ou presque.

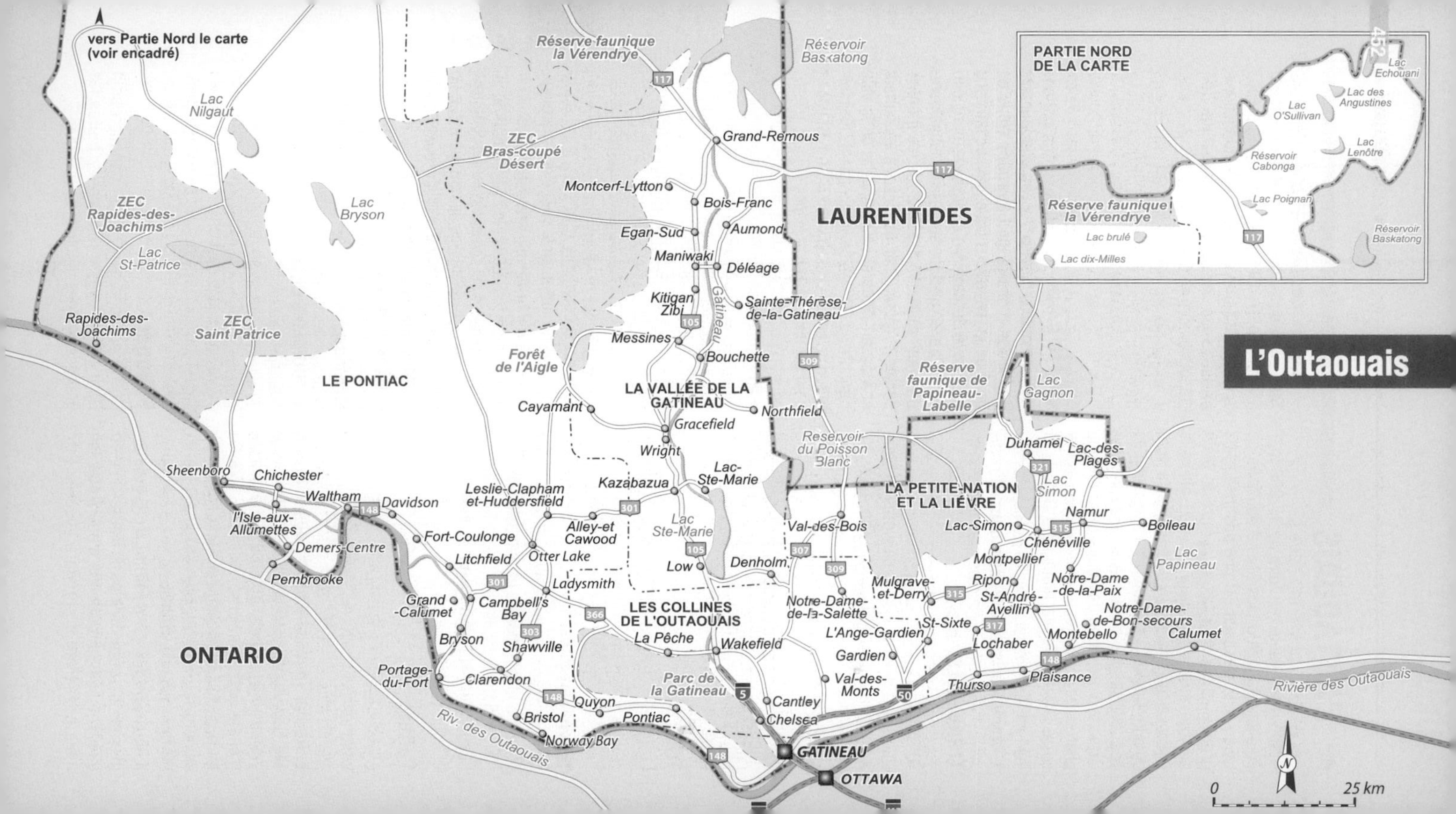
L'Outaouais
vers Partie Nord le carte
(voir encadré)
Réserve faunique la Vérendrye
Réservoir Baskatong
Lac Nilgaut
ZEC Bras-coupé Désert
Grand-Remous
Montcerf-Lytton
Bois-Franc
LAURENTIDES
ZEC Rapides-des-Joachims
Lac Bryson
Aumond
Egan-Sud
Lac St-Patrice
Maniwaki
Déléage
Kitigan Zibi
Gatineau
Sainte-Thérèse-de-la-Gatineau
Rapides-des-Joachims
ZEC Saint Patrice
Messines
Bouchette
Forêt de l'Aigle
LE PONTIAC
LA VALLÉE DE LA GATINEAU
Réserve faunique de Papineau-Labelle
Lac Gagnon
Cayamant
Northfield
Gracefield
Réservoir du Poisson Blanc
Wright
Duhamel
Lac-des-Plages
Sheenboro
Chichester
Lac-Ste-Marie
LA PETITE-NATION ET LA LIÈVRE
Lac Simon
Waltham
Davidson
Leslie-Clapham et-Huddersfield
Kazabazua
l'Isle-aux-Allumettes
Alley-et Cawood
Lac Ste-Marie
Val-des-Bois
Lac-Simon
Namur
Boileau
Fort-Coulonge
Chénéville
Lac Papineau
Demers-Centre
Otter Lake
Montpellier
Litchfield
Low
Denholm
Pembrooke
Ladysmith
Mulgrave-et-Derry
Ripon
Notre-Dame-de-la-Paix
Grand-Calumet
Campbell's Bay
LES COLLINES DE L'OUTAOUAIS
Notre-Dame-de-la-Salette
St-André-Avellin
Notre-Dame-de-Bon-secours
ONTARIO
St-Sixte
Bryson
La Pêche
Wakefield
L'Ange-Gardien
Lochaber
Montebello
Calumet
Shawville
Gardien
Portage-du-Fort
Clarendon
Parc de la Gatineau
Val-des-Monts
Thurso
Plaisance
Rivière des Outaouais
Quyon
Cantley
Bristol
Pontiac
Chelsea
Riv. des Outaouais
Norway Bay
GATINEAU
OTTAWA
0
25 km
N
117
105
309
301
366
303
148
5
50
307
315
321
317
PARTIE NORD DE LA CARTE
Lac Echouani
Lac des Angustines
Lac O'Sullivan
Lac Lenôtre
Réservoir Cabonga
Lac Poignan
Réserve faunique la Vérendrye
Lac brulé
Lac dix-Milles
Réservoir Baskatong

Sortir

■ LES BRASSEURS DU TEMPS

170, rue Montcalm
Secteur Vieux-Hull
✆ +1 819 205 4999
www.brasseursdutemps.com
info@brasseursdutemps.com
En été : dimanche-mardi, 11h30-minuit ; mercredi, 11h30-1h ; jeudi-samedi, 11h30-2h. Le reste de l'année : lundi-mardi, 11h30-minuit ; mercredi, 11h30-1h ; jeudi-vendredi, 11h30-2h ; samedi, 15h-2h ; dimanche, 15h-minuit. Visite des installations brassicoles et dégustation sur réservation, brassins publics. Items à l'effigie de la brasserie et bières pour emporter en vente sur place. Programmation culturelle et musicale. Terrasse.
Eté 2009, c'est l'aboutissement d'un rêve et de longues années de travail et de partenariats bien établis : Les Brasseurs du Temps (ou BDT) ouvrent leurs portes... et leurs pompes ! Pour assouvir les amateurs en quête de délices houblonnés, douze bières figurent au menu, en rotation selon les saisons et les humeurs, en plus de bières « invitées », fières représentantes de nos microbrasseries québécoises. Les indécis opteront pour « l'horloge », question de goûter à tout !
La table gourmande des BDT vaut également le détour avec ses excellents plats à saveurs locales. Un menu tapas est également offert (sauf le midi). Pour continuer l'expérience, partez à la découverte du passé brassicole régional en visitant le musée, ou profitez des groupes musicaux qui viennent fouler les planches du BDT plusieurs fois par semaine.

■ CASINO DU LAC-LEAMY

1, boulevard du Casino
✆ +1 819 772 2100
✆ +1 800 665 2274
www.casino-du-lac-leamy.com
commentairescll@casino.qc.ca
Ouvert tous les jours 24h/24. Stationnement, entrée et vestiaire gratuits. Quai d'accostage pour votre bateau. À partir de 18 ans et plus. Navette pour s'y rendre avec la ligne d'autobus 21.
64 tables de jeu, 1 800 machines à sous, un salon de Keno, un bingo, une piste de courses de chevaux électroniques, 6 restaurants, 3 bars et salons, et un théâtre. De quoi satisfaire les amoureux du jeu et des grands spectacles. En août s'y déroule une compétition d'art pyrotechnique (www.feux.qc.ca).

À voir / À faire

■ MUSÉE CANADIEN DES CIVILISATIONS

100, rue Laurier
✆ +1 819 776 7000, +1 800 555 5621
www.civilisations.ca – web@civilisations.ca
Ouvert tous les jours à l'année. Adulte : 12 CAN $, aîné et étudiant : 10 CAN $, 3-12 ans : 8 CAN $, famille : 30 CAN $. Entrée libre le jeudi à partir de 16h. Forfaits disponibles.
Ce vaste complexe muséologique ultramoderne offre 16 500 m² de salles d'exposition consacrées à l'histoire du Canada depuis les Vikings, ainsi qu'aux arts et traditions des nations autochtones du Canada. Par l'impressionnante collection d'objets qu'il regroupe (plus de 3 millions), ses diaporamas, ses systèmes de projection de haute technologie et ses expositions interactives, il vise à mettre en valeur le patrimoine culturel des 275 groupes humains vivant au Canada. Vous y verrez également le Musée canadien des enfants, le Musée canadien de la Poste, un théâtre IMAX et des expositions temporaires, le Café du Musée, le Café Express et une cafétéria.

Sports / Détente / Loisirs

■ TRAIN À VAPEUR HULL-CHELSEA-WAKEFIELD

165, rue Deveault
✆ +1 819 778 7246, +1 800 871 7246
www.trainavapeur.ca – info@steamtrain.ca
Excursion panoramique de début mai à fin octobre. Train des saveurs de juin à début septembre. Différents tarifs selon la classe de service, la période et le forfait choisi. Forfaits disponibles, réservation obligatoire.
Vivez l'expérience des pionniers du début du siècle dernier dans l'un des derniers véritables trains à vapeur en circulation au Canada. L'excursion d'une demi-journée, commentée par des guides et des musiciens à bord de la locomotive, vous conduira jusqu'au pittoresque village de Wakefield. Le train roule en bordure de la rivière Gatineau pendant ce voyage hors du temps.

CHELSEA

Située à peine à 10 minutes de voiture au nord de Gatineau, la municipalité rurale de Chelsea est un havre de nature avec en son territoire, la porte d'entrée du parc de la Gatineau. C'est aussi un lieu de prédilection pour les gourmands avec de bonnes tables misant sur les produits régionaux du Québec.

www.chelsea.ca

Parc de la Gatineau, quartier résidentiel.

■ PARC DE LA GATINEAU

Centre des visiteurs – 33, chemin Scott
✆ +1 819 827 2020, +1 800 465 1867
www.capitaleducanada.gc.ca/gatineau
info@ncc-ccn.ca

Centre des visiteurs : lundi-dimanche : 9h-17h (fermé le matin du 25 décembre). Quelques routes fermées en hiver. Droit d'entrée.

Cette réserve de 363 km² coincée entre la rivière des Outaouais et celle de la Gatineau, aux collines parsemées de lacs, faisait partie du territoire des Iroquois. Elle doit son nom à Nicolas Gatineau, négociant en fourrures de Trois-Rivières qui disparut en 1683 au cours d'une expédition sur la rivière. C'est dans la maison Wilson (pavillon des rencontres officielles), au bord du lac Meech, que furent signés, en 1987, les fameux accords du Lac-Meech. Poussez jusqu'au belvédère Champlain (altitude 335 m) pour découvrir un panorama d'ensemble de la vallée des Outaouais. Visitez aussi le domaine Mackenzie-King, légué à l'État en 1950 par l'ancien Premier ministre du Canada (1921-1948). Couvrant 230 hectares, il comprend plusieurs bâtiments, dont la maison rustique Kingswood et la villa Moorside aménagée en salon de thé. Il offre également des sentiers aménagés pour la promenade et des jardins décorés d'éléments architecturaux récupérés sur divers sites. Les activités sont nombreuses dans le parc : vélo, canot, kayak, randonnée pédestre, baignade, pêche, camping au lac Philippe, yourtes d'hébergement été comme hiver, spéléologie, ski de fond sur près de 200 km de pistes aménagées, ski alpin à la station Camp Fortune, etc.

MONTEBELLO

Destination nature par excellence, les plus fortunés s'installeront à l'hôtel Fairmont Le Château Montebello, dans lequel séjournèrent les présidents Bush et Calderon lors du sommet annuel des chefs d'État américains en 2007.

► **www.ville.montebello.qc.ca**

■ BUREAU TOURISTIQUE

502A, rue Notre-Dame ✆ +1 819 423 5602

■ FAIRMONT LE CHÂTEAU MONTEBELLO

392, rue Notre-Dame
✆ +1 819 423 6341, +1 800 441 1414
www.fairmont.com/montebello

Ensemble de 211 chambres de luxe. Forfaits disponibles. Nombreux services sur place.

Un complexe impressionnant, le plus grand de son genre en bois rond, construit en un temps record sur un site magnifique, au bord de l'eau. Vaste hôtel de luxe, le Fairmont Le Château Montebello reste un exemple unique de mariage entre nature et prestige. Avec un choix presque illimité d'activités (centre sportif, équitation, golf, canot, centre de santé Spa, piscines intérieure et extérieure, curling, ski de fond…), un domaine réservé à la chasse et à la pêche (Fairmont Kenauk au Château Montebello), un port privé, un service de restauration haut de gamme, nul doute que vous y trouverez votre bonheur, si bien sûr vous en avez les moyens, car les forfaits sont à la hauteur du prestige de l'endroit. Futé : le restaurant de l'hôtel offre une formule buffet des plus avantageuses le midi. Parfait pour s'offrir le luxe à moindre coût ! En été, les soirées buffet-barbecue sont un must.

■ **PARC OMÉGA**

399, route 323 Nord ✆ +1 819 423 5487
www.parc-omega.com
info@parc-omega.com
Juin à novembre : lundi-dimanche : 9h-17h (fermeture du parc à 19h). Adulte : 18 CAN $, aîné : 17 CAN $, 6-15 ans : 13 CAN $, 2-5 ans : 7 CAN $. Le reste de l'année : lundi-dimanche : 10h-16h (fermeture du parc à 17h30). Adulte : 14 CAN $, aîné : 13 CAN $, 6-15 ans : 10 CAN $, 2-5 ans : 6 CAN $. Forfaits disponibles sur le site www.votreforfait.com.

Attention, coup de cœur garanti ! Le parc Oméga vous propose, dans une réserve privée parfaitement entretenue, de partir à la rencontre des animaux d'Amérique du Nord dans votre voiture ! Des centaines de bêtes plus magnifiques les unes que les autres évoluent librement dans le parc et s'empressent de venir déguster les carottes que vous leur tendez (sachets disponibles à la réception pour quelques dollars seulement). Autant vous dire qu'il s'agit là d'une expérience inoubliable pour les petits et les grands. Seuls les loups, les coyotes et les ours sont dans de larges enclos, mais c'est davantage pour vous assurer de meilleures conditions d'observation que pour des raisons de sécurité car ici, les lois de la nature sont respectées. En été, des démonstrations d'oiseaux de proie sont proposées plusieurs fois par jour, de même qu'une activité qui permet aux jeunes enfants de nourrir de petits cerfs de Virginie. Il est possible de louer une voiturette de golf ou de laisser sa voiture au milieu du parcours pour se rendre à la ferme du parc où vous attendent d'autres espèces. Récents ajouts : la reproduction, dans les bâtiments, de la maison de l'artiste local Georges Racicot, dont les objets et meubles ont été rachetés afin de continuer à faire « vivre » l'artiste ; une ancienne cabane à sucre déjà sur place reprend du service ; et surtout, l'arrivée en 2009 de 15 caribous au parc dans un nouvel espace aménagé pour eux ! Un incontournable !

LA MONTÉRÉGIE

La Montérégie est un vaste territoire de plus de 10 000 km² où dominent collines et vallées. Le nom Montérégie trouve son origine dans les collines appelées montérégiennes qui émergent de la plaine. Les monts Rigaud, Saint-Bruno, Saint-Hilaire, Rougemont, Yamaska et Saint-Grégoire forment une ligne imaginaire entre l'île de Montréal et les Appalaches.

Bordée de lacs et de rivières, la Montérégie possède un réseau hydrographique important qui fut le témoin privilégié de plusieurs batailles historiques. La Montérégie est en effet la troisième région en importance au Québec en ce qui concerne le nombre de sites historiques, de musées et de centres d'interprétation : de la présence autochtone aux guerres de conquête de la Nouvelle-France, de la récente histoire industrielle du Québec à la Bataille des Patriotes.

La vallée du Richelieu constitue un axe majeur reliant Montréal à New York. Prenant sa source dans l'État de New York, la rivière se jette dans le Saint-Laurent au niveau de Sorel. Baptisée rivière des Iroquois par Champlain et colonisée dès le début du XVIIIe siècle, la vallée du Richelieu est aussi, du point de vue agricole, l'une des régions les plus riches du Québec. En raison de la situation stratégique de la vallée, de nombreux forts y ont été construits aux premiers temps de la présence française : fort Chambly, fort Saint-Jean, fort Lennox (sur l'île aux Noix) et le Blockhaus de la rivière Lacolle.

► **www.tourisme-monteregie.qc.ca**

Transports

Bus

L'AMT gère de nombreux organismes de transport joignant les régions en périphérie de Montréal. Vous pourrez consulter le site Internet pour connaître la liste des municipalités desservies. www.amt.qc.ca

Trains de banlieue et grandes lignes

Trois lignes de train de banlieue de l'AMT desservent la Rive-Sud : Montréal – Dorion/Rigaud, Montréal – Mont-Saint-Hilaire, et Montréal – Delson/Candiac. www.amt.qc.ca

LE QUÉBEC

La ligne Montréal-Québec de Via Rail effectue des arrêts à Saint-Lambert et Saint-Hyacinthe en Montérégie. www.viarail.ca

Traversiers

De nombreux traversiers et bacs desservent la Montérégie. Ils sont tous en service de la mi-avril à la mi-novembre, à l'exception de la ligne Sorel - Saint-Ignace-de-Loyola qui fonctionne à l'année. Pour connaître la liste de tous les traversiers, consultez le site Internet de l'office du tourisme régional.

Voiture

Plusieurs routes desservent la région de la Montérégie. Voici les principaux accès routiers en fonction des régions de départ :

- **Cantons-de-l'Est :** à partir de Sherbrooke, Magog, Orford et Bromont, prenez l'autoroute 10 Ouest. À partir de Waterloo ou Granby, prenez la route 112 Ouest.
- **Centre-du-Québec :** à partir de Drummondville, prenez l'autoroute 20 Ouest ou la route 122 Ouest. À partir du fleuve, prenez la route 132 Ouest.
- **Lanaudière :** prenez le traversier de Saint-Ignace-de-Loyola à Sorel.
- **Laurentides :** prenez le traversier Oka-Hudson ou passez par la région de Montréal.
- **Montréal :** de nombreux ponts et tunnels relient la métropole à la Montérégie : pont de l'Ile-aux-Tourtes, pont Galipeau, pont Honoré-Mercier, pont Champlain, pont Victoria, pont Jacques-Cartier et le pont-tunnel Louis-Hippolyte-Lafontaine.
- **Outaouais :** prenez le traversier Carillon-Pointe-Fortune.

LES CANTONS-DE-L'EST

C'est la Nouvelle-Angleterre du Québec et c'est la route des loyalistes. Situés au sud-est de Montréal, les Cantons-de-l'Est longent la frontière des États-Unis. Ils commencent dans les plaines et montent jusqu'aux Appalaches. De vallons en vallées, de collines en montagnes, les forêts de feuillus et de conifères se succèdent ou se côtoient.
Vous vous rendrez dans les Cantons-de-l'Est pour ses paysages bucoliques, sa température légèrement au-dessus de la moyenne, ses magnifiques lacs, ses montagnes skiables, et pour le petit côté nostalgique et dépaysant de sa belle architecture d'influence anglo-saxonne. Royaume du silence et de grande paix, les Cantons-de-l'Est ne sont pas seulement très écologiques, ils offrent en prime tous les attraits d'une région vinicole et gastronomique.

- **www.cantonsdelest.com**

Transports

Bus

Transdev Limocar dessert plusieurs municipalités de la région sur sa ligne Montréal-Sherbrooke : Granby, Bromont, Waterloo, Eastman, Magog, Omerville et Deauville. www.transdev.ca

Voiture

Plusieurs routes desservent la région des Cantons-de-l'Est. Voici les principaux accès routiers en fonction des régions de départ :

- **Centre-du-Québec :** à partir de Drummondville, prenez l'autoroute 55 ou la route 143 Sud en direction de Sherbrooke, ou la route 139 Sud en direction de Granby et Sutton. À partir de Victoriaville, prenez la route 166 Ouest en direction de Richmond ou la route 161 Sud en direction de Lac-Mégantic.
- **Chaudière-Appalaches :** à partir de Thetford Mines, la route 112 Ouest en direction de Sherbrooke. À partir de Beauceville, prenez la route 108 Ouest en direction du parc de Frontenac et les régions de Sherbrooke et Magog.
- **Montréal et Montérégie :** prenez l'autoroute 10 Est qui traverse les Cantons jusqu'à Sherbrooke. Puis la route 116 Est en direction de Richmond. À partir de Chambly, la route 112 Est en direction de Granby, Magog et Sherbrooke.

BROMONT

La ville de Bromont, nichée au pied du mont Brome, a été fondée par une famille d'entrepreneurs en 1964. Dans ce site d'activités de plein air, vous pouvez marcher en montagne, jouer au golf, vous baigner, pratiquer l'équitation. Bromont est aussi une station de ski réputée et fort courue.

- **Accès :** sortie 78 de l'autoroute 10.

■ BUREAU TOURISTIQUE
15, boulevard de Bromont
✆ +1 450 534 2006, +1 877 276 6668
www.tourismebromont.com
Ouvert toute l'année.

■ **DOMAINE CHÂTEAU-BROMONT**
90, rue de Stanstead
✆ +1 450 534 3433
✆ +1 888 276 6668
www.chateaubromont.com
www.monevasion.ca
info@chateaubromont.com
Tarifs selon le lieu d'hébergement (hôtel ou auberge). Forfaits disponibles. Piscines et Jacuzzi intérieurs et extérieurs, salle de conditionnement physique, centre de santé Spa et hammam oriental, terrain de golf, deux restaurants, bistro-lounge, terrasses panoramiques, activités sur place. Visitez leur nouveau microsite (www.monevasion.ca) afin de bénéficier de promotions exclusives.
Situé en face du mont Brome, le domaine est composé d'une auberge 3-étoiles, d'un hôtel 4-étoiles et d'un superbe terrain de golf 18-trous. Un passage au restaurant Les Quatre Canards ainsi qu'au Pavillon des Sens (hammam oriental, sauna, massothérapie, soins du corps) s'impose si vous souhaitez conclure votre séjour en beauté ! Concernant ce restaurant, il propose une cuisine française et à saveur régionale. La spécialité de la maison, le canard du lac Brome, est déclinée sous toutes ses formes pour le plus grand bonheur de nos papilles en extase. Ajoutée à cela, une très belle sélection internationale de plus de 500 vins, avec une collection d'importations privées et de vins régionaux.

■ **SKI BROMONT**
150, rue Champlain
✆ +1 450 534 2200
✆ +1 866 276 6668
www.skibromont.com
parlez@skibromont.com
Lundi-jeudi et dimanche, 8h30-22h ; vendredi-samedi, 8h30-22h30 (horaire variable pendant les fêtes, la semaine de relâche et la fin de saison). Tarifs à la journée, à la soirée, et par bloc de 3 ou 4 heures.
Ski Bromont est un parc multiactivités qui s'adapte aux quatre saisons. En hiver, vous profiterez des plaisirs de la glisse dans des conditions exceptionnelles d'enneigement avec 135 pistes dont 70 éclairées, un dénivelé de 385 m, 9 remontées mécaniques, et les fameux snowparks avec sauts, box et rails. Ski Bromont est le plus grand domaine skiable éclairé en Amérique du Nord. En été, vélo de montagne ou randonnée pédestre avec plus de 100 km de sentiers balisés (14 pistes de descente pour le vélo).

GRANBY

Carrefour industriel, culturel et touristique d'importance, connue pour son zoo et son Festival international de la chanson, la ville doit son nom au marquis de Granby (ville d'Angleterre), duc de Rutland et baron de Belvoir, propriétaire d'un vaste territoire que lui avait offert le roi George III. C'est la deuxième ville la plus peuplée, après Sherbrooke.

▸ **www.tourismegranbyregion.com**

■ **BUREAU TOURISTIQUE SAISONNIER**
Place de la Gare
111, rue Denison Est
✆ +1 450 372 7056
✆ +1 800 567 7273

■ **ZOO DE GRANBY**
525, rue Saint-Hubert
1050, boulevard David-Bouchard
(arrivée des visiteurs en été)
✆ +1 450 372 9113
✆ +1 877 472 6299
www.zoodegranby.com
info@zoodegranby.com
Horaire variable selon les saisons (parc aquatique et les manèges fermés en hiver). Tarifs selon la saison et l'activité choisie.
Près de 1 000 animaux regroupés en 200 espèces attendent votre visite : des lions, des flamants roses, des crocodiles, des éléphants et des singes et d'autres encore. De plus, le zoo possède une miniferme avec tous les animaux de la basse-cour (lapins, chèvres, cochons, poneys). La savane africaine quant à elle vous promet un safari inoubliable. Pour finir la journée en beauté, passez par le parc aquatique Amazoo et profitez de sa piscine à vagues et de ses bassins de jeux. La température de l'eau y est en permanence à 26 °C. Aires de pique-nique et de restauration, boutiques, location de poussettes, aires de jeux et manèges.

KNOWLTON (LAC-BROME)

Knowlton, principale localité de l'agglomération du lac Brome et membre de l'Association des plus beaux villages du Québec, est connue pour son héritage loyaliste avec son architecture victorienne et son atmosphère anglo-saxonne. Sa renommée tient également au fameux canard du Lac Brome que l'[illegible] célèbre en grande pompe en septembre. L[illegible] village s'anime et des festivités ont lieu un peu partout.

Au coeur du village de Knowlton, vous aimerez aussi musarder dans les rues bordées de galeries d'art, de boutiques d'artisanat, d'antiquités et d'articles déco. Pour les repas, nous vous conseillons les bonnes tables des auberges, mais également L'Écho, Le Knowlton Pub et La Galerie Bistrot Carpe Diem. Les gourmands et férus de produits régionaux marqueront un arrêt à la boutique Brie & Cie.

- **www.knowltonquebec.ca**
- **www.brome-missisquoi.ca**

SUTTON

Constituée en 1802, la municipalité du canton de Sutton est appréciée pour ses paysages de campagne paisible. Les randonneurs apprécieront les quelque 50 km de sentiers du parc d'environnement naturel de Sutton. Vous avez aussi accès à la réserve naturelle Montagnes Vertes qui s'étend sur 460 hectares dans les monts Sutton. En hiver, raquettes et ski de fond sont bienvenus. Le mont Sutton est très renommé pour la qualité de ses pistes de ski et l'aménagement de ses sous-bois. Le cœur du village, sur la rue Principale, est quant à lui propice à la balade et aux découvertes : boutiques gourmandes, petits cafés, bonnes tables, boutiques déco, chocolaterie, etc. Vous remarquerez que plusieurs drapeaux de la Suisse trônent au cœur du village. En effet, nombreux expatriés vivent à Sutton et la fête nationale du 1er août y est célébrée en grandes pompes. Pour découvrir l'histoire et l'architecture de Sutton, procurez-vous les dépliants des circuits patrimoniaux au bureau touristique.

- **www.infosutton.com**

■ BUREAU TOURISTIQUE

24-A, rue Principale Sud
✆ +1 450 538 8455, +1 800 565 8455
Ouvert toute l'année.

La route des vins

La route des vins sillonne la région de Brome-Missisquoi, de Farnham à Lac-Brome (Knowlton) et relie une dizaine de municipalités sur un circuit de 120 km. La région possède d'autres vignobles qui ne sont pas sur ce circuit mais qui n'en valent pas moins le détour. Vous les trouverez sur la liste du site Internet de l'association touristique régionale.

- **www.laroutedesvins.ca**

■ HÉBERGEMENT SUTTON CONDOS ET CHALETS

10, rue Principale Nord
✆ +1 450 538 2646, +1 800 663 0214
www.hebergementsutton.ca
info@hebergementsutton.ca
Vous cherchez un chalet, un condo, un studio ou une maison de campagne pour vos vacances ? Faites appel aux agents d'Hébergement Sutton. Peu importe vos critères et votre budget, cette compagnie a plusieurs choix en banque. Un moteur de recherche sur leur site Internet vous permet même de trouver la disponibilité de votre hébergement selon des critères précis.

■ STATION DE SKI MONT SUTTON

671, chemin Maple
✆ +1 450 538 2545, +1 866 538 2545
www.montsutton.com
sutton@montsutton.com
Autoroute 10, sortie 68, route 139 Sud. Lundi-vendredi, 9h-16h ; samedi-dimanche, 8h30-16h. Tarifs à la matinée, l'après-midi et la journée. Service de location et réparation d'équipement de glisse, boutique Sports Experts, navettes, service de restauration et bar, et garderie.
Le mont Sutton est une belle station de ski, très complète, où petits et grands trouveront ce qu'ils recherchent. Elle possède 54 pistes d'une grande variété dont 40 % dans les sous-bois très bien entretenus et 196 jonctions. Les débutants s'entraîneront sur 15 pistes faciles, les habitués progresseront sur 19 pistes difficiles alors que les experts montreront leur talent sur 10 pistes très difficiles et 10 autres extrêmes. Le mont Sutton propose également plusieurs sentiers de ski de fond et de raquette.

SAINT-BENOÎT-DU-LAC

Saint-Benoît-du-Lac comprend une seule chose : son abbaye. La « municipalité » fut constituée en 1939 et est administrée par les moines qui y vivent.

■ ABBAYE DE SAINT-BENOÎT-DU-LAC

✆ +1 450 843 4080
www.st-benoit-du-lac.com
abbaye@st-benoit-du-lac.com
L'abbaye fait partie de la congrégation bénédictine de Solesmes en France et abrite un monastère de vie contemplative où vivent une soixantaine de moines (les visiteurs peuvent être accueillis pour de courts séjours spirituels, à noter que les dames sont reçues dans une maison voisine tenue par des religieuses). Plus prosaïquement, c'est ici que

sont fabriqués une dizaine de fromages et des cidres réputés au Québec. Sur place, des vergers (autocueillette possible), une érablière et une boutique proposant les spécialités de l'abbaye ainsi que des objets de piété.

ORFORD

Pendant longtemps, ce canton resta faiblement peuplé, en raison de son relief montagneux ne facilitant pas la tâche des agriculteurs de l'époque. De nos jours, la municipalité d'Orford est surtout connue pour son parc national qui compte sur son territoire la station de ski Mont-Orford, le club de golf et le Centre d'arts Orford.

■ CENTRE D'ARTS ORFORD

3165, chemin du Parc
✆ +1 819 843 3981, +1 800 567 6155
www.arts-orford.org
info@arts-orford.org
Ouvert toute l'année.
Dans un site enchanteur, au pied du mont Orford, cette académie de musique et d'arts visuels organise de nombreuses expositions et des concerts. Une promenade dans le jardin extérieur, parsemé de sculptures d'une vingtaine d'artistes internationaux, dure près d'une heure. En saison estivale, le centre organise le très réputé Festival Orford. Hébergement possible en chambre (à l'année) ou en refuge en forêt (été seulement).

■ ESTRIMONT SUITES & SPA

44, avenue de l'Auberge
✆ +1 819 843 1616, +1 800 567 7320
www.estrimont.ca
info@estrimont.ca
Forfait expérience gourmande : 139 CAN $ par personne en occupation double (table d'hôte du soir, hébergement en suite avec foyer et cuisinette, petit déjeuner, accès aux bains scandinaves). Forfaits disponibles.
L'établissement a été presque entièrement réaménagé pour le confort de la clientèle, et le résultat est à la hauteur des attentes. Les suites sont spacieuses et très bien agencées : la plupart possèdent un foyer et une cuisinette toute équipée, et deux d'entre elles ont un Spa privé. Pour les repas, un bistro est ouvert midi et soir et la salle à manger, avec vue sur le mont Orford, propose une table d'hôte très réputée où la fine cuisine est à l'honneur. Pour se gâter, le centre de santé offre des soins corporels, d'esthétique et des massages. Également : Jacuzzi extérieurs creusés dans la pierre, douche nordique, sauna finlandais, piscines intérieure et extérieure, yourte de détente, terrains de tennis et de volleyball. Une adresse chic et abordable, qui saura satisfaire les plus exigeants.

■ PARC NATIONAL DU MONT-ORFORD

3321, chemin du Parc
✆ +1 819 843 9855
✆ +1 800 665 6527
www.sepaq.com/pq/mor/fr/
inforeservation@sepaq.com
Ouvert à l'année. Accès quotidien adulte : 3,50 CAN $, enfant : 1,50 CAN $, gratuit pour les enfants de 5 ans et moins. Tarifs groupes et familles disponibles. Postes d'accueil : centre de services du secteur du Lac-Stukely (ouvert à l'année), secteur du Lac-Fraser (ouvert de mi-juin à septembre, chemin Alfred DesRochers jusqu'à la route 220, direction Bonsecours jusqu'à l'entrée du parc).
Le parc national du Mont-Orford (58,4 km²) offre une diversité végétale avec ses forêts de feuillus et d'érables, de vastes étangs, marécages et lacs ainsi que montagnes et collines. Les amateurs de plein air seront comblés par un large éventail d'activités, été comme en hiver, en totale harmonie avec la nature.

- **Hébergement :** camping d'été et d'hiver, tentes-roulottes et tentes Huttopia, un chalet, 3 refuges, Centre de villégiature Jouvence et auberge du Centre d'arts Orford.
- **Activités :** baignade, activités nautiques, randonnée pédestre et longue randonnée avec nuit en camping rustique, vélo, golf (à proximité), ski de fond, randonnée pédestre sur neige et en raquettes. Ski alpin et surf des neiges à la station de ski Mont-Orford.

MAGOG

Magog, sa vue sur le lac Memphrémagog (« vaste étendue d'eau » dans la langue abénaquis), le mont Orford à l'arrière-plan, l'importante marina au premier plan, les auberges, les boîtes à spectacles. C'est ici que vous vous arrêtez ! Magog, abréviation de Memphrémagog, est le point stratégique des attraits touristiques des Cantons-de-l'Est. Un point central de la région duquel on part pour mieux y revenir. Petite histoire dont vous entendrez sûrement parler : le monstre légendaire du lac, Memphré aurait été vu plus de 225 fois et ce, depuis 1798. Peut-être l'apercevrez-vous durant votre séjour... Pour le voir de plus près, profitez des nombreuses croisières possibles sur le lac !

■ BUREAU TOURISTIQUE
55, rue Cabana
✆ +1 819 843 2744, +1 800 267 2744
www.tourisme-memphremagog.com
info@tourisme-memphremagog.com
Accès par la route 112.
Ouvert toute l'année.

■ AUX JARDINS CHAMPÊTRES
1575, chemin des Pères
✆ +1 819 868 0665, +1 877 868 0665
www.auxjardinschampetres.com
auxjardinschampetres@qc.aira.com
Menu dégustation 6 services : 55 $. Apportez votre vin. Table aux saveurs du terroir certifiée.
Cette magnifique maison bleue reflète l'architecture typique des Cantons. La table de ce gîte du passant rend hommage au terroir régional. En effet, elle met en valeur les produits régionaux tels que les fromages de l'abbaye Saint-Benoît-du-Lac, le foie gras de la ferme La Girondine, de la viande de cerf des fermes d'élevage Highwater, l'agneau de la ferme Le Seigneur des Agneaux, etc. Les fruits et légumes de saison proviennent soit des producteurs maraîchers de la région soit directement de leur jardin. L'ambiance est chaleureuse et le service impeccable. Une adresse hautement recommandée !

■ LE VIEUX CLOCHER
64, rue Merry Nord
✆ +1 819 847 0470
www.vieuxclocher.com
Tarifs des billets variables.
Dans une vieille église rénovée, le Vieux Clocher propose spectacles d'humour, récitals d'orchestre, jazz, rock... Ce lieu, qui a vu les débuts de nombreux artistes, reste une salle légendaire où les vieux routiers rodent leur spectacle.

NORTH HATLEY

Appelé joyau des Cantons-de-l'Est, North Hatley se trouve à la pointe nord du lac Massawippi. Le lieu, colonisé par les loyalistes, est reconnu pour la qualité de son accueil, pour ses gîtes mais surtout, pour sa beauté. De belles galeries d'art, des boutiques d'artisanat et d'antiquités lui donnent un indéniable cachet. Des aristocrates et des industriels y ont construit de somptueuses demeures. Vous ne manquerez pas de les apprécier : elles comptent aujourd'hui parmi les plus célèbres auberges du Québec.

▶ **www.northhatley.net**

■ BUREAU TOURISTIQUE SAISONNIER
300, rue Mill
✆ +1 819 780 2759

■ MANOIR HOVEY
575, chemin Hovey
✆ +1 819 842 2421
✆ +1 800 661 2421
www.manoirhovey.com
manhovey@manoirhovey.com
Membre de la chaîne Relais & Châteaux. Occupation double (prix par personne) : 145 CAN $ à 370 CAN $ (basse saison) et de 175 CAN $ à 470 CAN $ (haute saison), petit déjeuner champêtre, souper gastronomique et accès aux activités inclus. Chalet en location à la semaine. Forfaits disponibles.
Le Manoir Hovey est un élégant établissement situé au bord d'une plage privée avec accès direct sur le lac. Il est ainsi nommé en l'honneur du capitaine Ebenezer Hovey, découvreur du lac Massawippi. Décor raffiné et chaleureux. Fine cuisine à base de produits régionaux. Carte des vins très étoffée. Jardin, terrasse, piscine extérieure avec service de bar, deux plages, salle d'exercices, massothérapie, pub. Activités : kayak, canoë, pédalo et planche à voile, tennis, vélo, ski de randonnée, patin à glace, raquette, pêche blanche. Un vrai bijou que cet hôtel qui vous laissera assurément un bon souvenir. À découvrir pour son hébergement, mais aussi pour sa table réputée.

SHERBROOKE

Ainsi nommée en l'honneur de John Coape Sherbrooke, gouverneur du Canada, Sherbrooke est la capitale régionale des Cantons-de-l'Est. Cette ville accueillante qui s'étale sur plusieurs collines est, à ce titre, un centre industriel, économique, commercial et universitaire réputé. Les rues King et Wellington où vous trouverez tout, ou presque, en constituent l'épicentre. Pour des produits frais du terroir québécois, rendez-vous dans la rue Minto en bordure de la Promenade du Lac-des-Nations. Les saveurs et bonnes odeurs du marché de la gare vous y attendent ! Récemment, la ville a inauguré un nouveau circuit pédestre patrimonial autoguidé de 5,6 km avec des stations archéologiques et une dizaine de fresques murales de type trompe-l'oeil. Une véritable galerie d'art à ciel ouvert ! Renseignez-vous auprès de l'office du tourisme.

Pratique

■ BUREAU TOURISTIQUE
785, rue King Ouest
✆ +1 819 821 1919
✆ +1 800 561 8331
www.tourismesherbrooke.com
info@tourismesherbrooke.com
Ouvert toute l'année.

Se loger

■ GRAND TIMES HOTEL
1, rue Belvédère Sud
✆ +1 819 575 2222, +1 888 999 3499
www.grandtimeshotel.ca
info@grandtimeshotel.ca
Occupation double : à partir de 151 CAN $, petit déjeuner inclus. Forfaits et promotions disponibles. Bar lounge avec superbe sélection de vins, grande terrasse extérieure.
Ce nouvel établissement, ouvert depuis l'été 2010, a le charme urbain de la ville de New York. Dès qu'on franchit la porte, on est subjugué par la beauté et le design des lieux, les œuvres d'art et surtout, par la vue imprenable sur le lac des Nations. Toutes les chambres ont un décor résolument tendance et vont de la catégorie Grand Confort à Appartement sur le lac. Nous vous recommandons d'ailleurs de débourser quelques dollars de plus pour une chambre avec vue sur le lac. Côté restauration, un petit déjeuner continental de style buffet est offert et vous trouverez également un comptoir de viennoiseries et sandwichs. La nouvelle adresse « in » à Sherbrooke !

Se restaurer

■ AUGUSTE RESTAURANT
82, rue Wellington Nord
✆ +1 819 565 9559
www.auguste-restaurant.com
info@auguste-restaurant.com
Mardi-vendredi, 11h30-14h30 ; mardi-samedi, 17h-23h. Menu midi : 15-25 CAN $, menu soir : 25-40 CAN $. Menu couche-tard offert après 21h. Service de traiteur. Grande cave à vins.
Danny St-Pierre, qui œuvra aux cuisines chez Toqué et fut le chef exécutif du restaurant Derrière les fagots, est maintenant copropriétaire, avec Anik Beaudoin, de ce merveilleux restaurant. Tartare de bœuf, saumon fumé maison, poisson du marché et foie de veau de lait poêlé ne sont que quelques exemples du délicieux menu. Des produits frais du terroir apprêtés avec goût en toute simplicité !

Sortir

■ BOQUÉBIÈRE
50, rue Wellington Nord
✆ +1 819 542 1311
www.boquebiere.com
info@boquebiere.com
Lundi-samedi, 15h30-2h ; dimanche, 18h-23h. Visite guidée des installations brassicoles et dégustation sur réservation. Ateliers de dégustation et événements gastronomiques également offerts. Programmation culturelle et musicale. Salle multifonctionnelle avec écran géant disponible pour location.
La microbrasserie Boquébière est l'endroit parfait pour un 5 à 7 ou un repas entre amis. Elle arbore un look chic et contemporain ; la bière, brassée avec amour et patience, est délicieuse ; et le menu bistro est entièrement composé de produits locaux et très souvent biologiques. Aux pompes, une dizaine de bières sont disponibles en tout temps dont des saisonnières et des cuvées spéciales. Blonde de blé, ambrée d'épeautre, rousse de seigle ou encore noire fumée sont autant de petits délices à découvrir sur place. À ne pas manquer : les lundis Douteux (www.douteux.org) !

À voir / À faire

■ MUSÉE DE LA NATURE ET DES SCIENCES DE SHERBROOKE
225, rue Frontenac
✆ +1 819 564 3200, +1 877 434 3200
www.naturesciences.qc.ca
info@naturesciences.qc.ca
Du 24 juin à la fête du travail : lundi-dimanche, 10h-17h (jusqu'à 20h du mercredi au samedi de mi-juillet à fin août). Le reste de l'année : mercredi-dimanche, 10h-17h. Adulte : 7,50-12 CAN $, étudiant et aîné : 6,50-10 CAN $, 4-17 ans : 5-8 CAN $, famille : 20-35 CAN $.
Une belle activité pour toute la famille où le monde des sciences et de la nature sera expliqué par le biais d'expositions, d'ateliers et de jeux interactifs.

Sports / Détente / Loisirs

■ ORFORD EXPRESS TRAIN TOURISTIQUE
Marché de la Gare, rue Minto
✆ +1 819 575 8081, +1 866 575 8081
www.orfordexpress.com
info@orfordexpress.com
De début mai à novembre. Durée : 3h30. Départs du jeudi au dimanche selon le circuit choisi. Tarifs variables. Forfaits disponibles.

Ce magnifique train à vocation touristique, doté d'une voiture lounge panoramique, réalise un beau circuit de découverte dans les Cantons-de-l'Est. Il se rend en effet jusqu'à Eastman en passant par Magog. À bord une animation culturelle et musicale ponctue le voyage. Plusieurs forfaits sont proposés : p'tit plaisir gourmand (66-81 CAN $ par adulte), souper à la brunante (85-100 CAN$), brunch du week-end (71-86 CAN $) ou animation sans repas (50 CAN $). Nouveauté : les trains de Noël (16 sorties dont 3 spéciales pour les enfants).

LAC-MÉGANTIC

Vous viendrez dans cette région reculée pour ses deux parcs nationaux et son observatoire. Au centre-ville, près de la marina, profitez du parc des Vétérans qui est magnifique le soir. Côté hébergement et loisirs, le complexe Baie-des-Sables propose l'hébergement en camping, chambre et chalet et une multitude d'activités de plein air feront votre bonheur en toute saison, dont le nouveau parc aérien d'Arbre en Arbre.

▸ **www.tourisme-megantic.com**

■ **BUREAU TOURISTIQUE**
5490, rue de la Gare
✆ +1 819 583 5515, +1 800 363 5515
Ouvert toute l'année.

■ **PARC NATIONAL DU MONT-MÉGANTIC**
189, route du Parc – Notre-Dame-des-Bois
✆ +1 819 888 2941, +1 800 665 6527
www.sepaq.com/pq/mme/fr/
inforeservation@sepaq.com
Ouvert à l'année. Accès quotidien adulte : 3,50 CAN $, enfant : 1,50 CAN $, gratuit pour les enfants de 5 ans et moins. Tarifs groupes et familles disponibles. Poste d'accueil : centre de découverte et services sur la route du Parc.

Le parc national du Mont-Mégantic (54,85 km²) est situé dans le petit village enchanteur de Notre-Dame-des-Bois (ne pas confondre avec la ville de Lac-Mégantic, située à environ 50 km au nord-est du parc). Il est constitué de monts (plus de 1 000 m d'altitude), vallées, crêtes et collines. Ces sommets sont accessibles en randonnée pédestre et à raquette. Vous pouvez apercevoir les montagnes blanches du New Hampshire et du Maine et les montagnes vertes du Vermont. Le milieu naturel abrite une faune et une flore très diversifiées, dont plus de 125 espèces d'oiseaux et une vingtaine d'espèces de mammifères, dont l'orignal et le cerf de Virginie. La présence de l'ASTROLab, le centre de découverte en astronomie dédié au grand public, permet de combiner les activités de la terre et celles des étoiles (www.astrolab.qc.ca). D'ailleurs au mois d'août, c'est la grande fête des étoiles filantes (perséides) et plusieurs activités sont organisées à l'ASTROLab. Une belle découverte en perspective.

▸ **Hébergement :** camping d'été et d'hiver, 7 refuges (2 à 8 personnes) et 4 tentes de prospecteur (6 personnes).

▸ **Activités :** randonnée pédestre, longue randonnée avec nuit en refuge ou tente de prospecteur, ski de fond, ski nordique, randonnée en raquettes et glissade. Activités de découverte.

BAS-SAINT-LAURENT

C'est la destination des grands espaces. Au crépuscule (on dit la brunante au Québec), vous admirerez les plus beaux couchers de soleil du monde. Le Bas-Saint-Laurent est aussi le chemin qui mène à la péninsule gaspésienne et à son célèbre rocher, aux Provinces Maritimes et à l'océan Atlantique. C'est une région dite de passage qui vaut la peine d'être découverte puisque tout le monde y revient toujours : à partir de la ville de Québec, prenez la direction de l'autoroute 20 Est, qui longe le fleuve sur sa rive sud et finit quelques kilomètres plus loin, après Rivière-du-Loup. Vous constaterez que ce qu'on appelle plus communément le « Bas-du-Fleuve » présente parfois un horizon si vaste qu'on a du mal à l'embrasser du regard. Le Bas-du-Fleuve commence à La Pocatière, dans la région de Kamouraska. Durant le trajet, chaque virage, chaque apparition du fleuve, attirera votre regard. Si le symptôme persiste, et si c'est vous qui conduisez, abandonnez l'autoroute et faites un détour par la route 132 qui longe le littoral. Ce chemin, moins fréquenté hors saison vous permettra de mieux apprécier ce qu'il y a de plus caractéristique au Québec : l'espace de l'immense tableau dans lequel sont figés les montagnes, les plaines, les forêts, la mer et ses archipels. Emplissez bien vos yeux, et surtout vos poumons. Ici, vous respirez de l'air pur.

▸ **www.bassaintlaurent.ca**

Ferme du Bas-Saint-Laurent.

Transports

Bus

Orléans Express dessert plusieurs municipalités du Bas-Saint-Laurent dont Rivière-du-Loup, Trois-Pistoles et Rimouski. www.orleansexpress.com

Train

Via Rail relie Montréal à La Pocatière, Rivière-du-Loup, Trois-Pistoles et Rimouski en direction de Gaspé. www.viarail.ca

Traversiers

Il existe de nombreuses traverses dans la région. La Compagnie de Navigation des Basques assure la liaison entre Trois-Pistoles et Les Escoumins (Côte-Nord). Le CNM Évolution relie Rimouski à Forestville (Côte-Nord) et la Société des traversiers du Québec, Rivière-du-Loup à Saint-Siméon (Charlevoix). Finalement, le Relais Nordik est un navire semi-cargo semi-passagers qui dessert une dizaine de localités de la Côte-Nord au départ de Rimouski.

Voiture

Plusieurs routes desservent la région du Bas-Saint-Laurent. Voici les principaux accès routiers en fonction des régions de départ :

- **Charlevoix :** prenez le traversier de Saint-Siméon à Rivière-du-Loup.
- **Chaudière-Appalaches :** prenez la route 132 ou l'autoroute 20 Est.
- **Côte-Nord :** prenez le traversier soit de Forestville à Rimouski soit des Escoumins à Trois-Pistoles.
- **Gaspésie :** si vous arrivez de la Haute-Gaspésie ou de la vallée de la Matapédia, prenez la route 132 Ouest.
- **Province du Nouveau-Brunswick :** à partir d'Edmunston, prendre la route 2 devenant la route 185 Nord au Québec. À partir de Lac Baker, la route 120 devenant la route 289 Nord au Québec.

KAMOURASKA

C'est l'un des plus anciens villages de la côte sud et par conséquent un des plus pittoresques. Le berceau d'un peuple, comme on se plaît à le dire. Ici commence la mer. L'eau douce est maintenant salée. Arthur Buies, célèbre journaliste québécois, disait : « Aller à l'eau salée, veut dire aller à Kamouraska. » À marée basse, vous pouvez traverser à pied vers les îles. Elles forment un archipel qui comprend la Grande Ile, l'île de la Providence, l'île Brûlée, l'île aux Corneilles, l'île aux Patins, le Rocher, la Caye et quelques autres îlots. Ces îles constituent le terrain de prédilection des chasseurs d'oiseaux de la région qui y traqueront surtout des canards et des outardes. Impossible à visiter mais visible, quoique en retrait de la route, à la sortie ouest du village, à votre gauche, la maison Langlais, avec ses quatre cheminées.

Saveurs et gourmandises

Cette belle région du Québec vous ouvre les portes des saveurs agroalimentaires à découvrir absolument lors de votre séjour. Que ce soit des boutiques ou marchés, des confitures et chocolats, des pâtisseries et boulangeries, des produits de l'érable ou du miel, des fromages, des fines herbes et condiments, des viandes et gibiers, des poissons et fruits de mer, des alcools et cafés, sans oublier les bonnes tables de la région, recherchez avant tout le logo Saveurs du Bas-Saint-Laurent, gage de qualité et surtout, de belles découvertes en perspective. Visitez leur site Internet (www.saveursbsl.com) ou procurez-vous leur dépliant auprès des établissements membres ou dans les bureaux d'information touristique.

Elle a été le lieu de tournage, en 1972, du film *Kamouraska* de Claude Jutra, tiré du célèbre récit de la romancière québécoise Anne Hébert. L'actrice Geneviève Bujold en était l'héroïne.

▸ **www.kamouraska.ca**

■ **BUREAU TOURISTIQUE SAISONNIER**
69A, Avenue Morel (route 132)
✆ +1 418 492 1325

■ **MAGASIN GÉNÉRAL DE KAMOURASKA**
98, avenue Morel
✆ +1 418 492 2882
De Pâques à fin mai : samedi-dimanche, 9h-18h. Juin à fin octobre : lundi-dimanche, 9h-18h. Comptoir de dégustation de produits du terroir, terrasse avec vue sur le fleuve.
Situé au cœur du village, le Magasin Général fera le plaisir des gourmands et des amoureux d'artisanat. Dans une immense maison, rénovée dans le but de recréer l'ambiance des années 1930, vous pourrez vous procurer tous les meilleurs produits de la région : conserves, tartinades, marmelades, produits fumés, charcuteries, fromages, etc., ainsi que des items pour la cuisine, la maison et la déco. Le restaurant L'Amuse-Bouche, à deux pas de là sur le bord de l'eau, sert ces délicieux produits.

RIVIÈRE-DU-LOUP

Considérée comme une ville étape, Rivière-du-Loup mène à la Gaspésie, aux Provinces Maritimes et à Charlevoix (grâce à son traversier). La ville est bâtie dans un site enchanteur, au flanc des monts Notre-Dame, face au massif laurentien. Ses trois collines abritent les paroisses de Saint-Ludger et Saint-François-Xavier. Saint-Patrice est une station balnéaire qui a reçu des gens aussi illustres que les Premiers ministres Louis Saint-Laurent et John A. McDonald, dont vous pouvez admirer les résidences. La ville doit son nom à la rivière qui la traverse. Les historiens pensent toutefois qu'elle a été baptisée d'après un vaisseau français, Le Loup, contraint d'hiverner dans l'estuaire de la rivière en 1659. La région n'a vraiment connu son essor qu'au XIXe siècle avec l'expansion des chemins de fer. Cette petite ville a aussi connu son heure de gloire quand le Transcanadien s'y arrêtait. Aujourd'hui, elle vit au rythme du trafic fluvial sur le Saint-Laurent. L'économie est dominée par la transformation de la tourbe et par la production de bois de pulpe (par opposition au bois d'œuvre) destiné à la pâte à papier. Le traversier mène de Rivière-du-Loup à Saint-Siméon, sur la rive nord. Bien que les bélugas (ou marsouins) soient plus fréquemment visibles près de la rive nord du fleuve, il n'est pas rare, pendant cette traversée, d'en apercevoir quelques spécimens près de Rivière-du-Loup.

Pratique

■ **OFFICE DU TOURISME ET DES CONGRÈS DE RIVIÈRE-DU-LOUP**
189, rue Hôtel-de-Ville
✆ +1 418 862 1981, +1 888 825 1981
www.tourismeriviereduloup.ca
De la 3e semaine de juin à la fête du Travail : lundi-dimanche, 8h30-21h. De la fête du Travail à la mi-octobre : lundi-vendredi, 8h30-16h30 ; samedi-dimanche, 11h-16h. Hors saison : fermé le midi et les week-ends.

Se loger

■ **AUBERGE INTERNATIONALE DE RIVIÈRE-DU-LOUP HI**
46, rue Hôtel-de-Ville ✆ +1 418 862 7566
www.aubergerdl.ca
reservation@aubergerdl.ca
Ouvert du 1er avril au 20 décembre. Hors saison : fin de semaine seulement (les groupes peuvent réserver sur semaine également). Chambre partagée : 22-26 CAN $, chambre privée : 52-56 CAN $, chambre familiale :

72-76 CAN $. Au total, 65 lits en été, 35 en hiver. Petit déjeuner inclus. Services : repas du soir (9,25 CAN $), cuisine, Internet, salon, coin lecture, terrasse, foyer extérieur, rangement et coin réparation pour les vélos, location de vélos, 3 emplacements de camping, activités et excursions, forfaits disponibles. Membre du réseau Hostelling International.
Entièrement rénovée, cette auberge « verte » se trouvant dans une magnifique maison patrimoniale vous offre confort, calme et convivialité. Membre d'Aventure-Écotourisme Québec, l'auberge fait la promotion d'un tourisme écologiquement responsable. Son programme d'activités et de sorties guidées, vous fera découvrir les joyaux de la région.

Se restaurer

■ RESTO PUB L'ESTAMINET

299, rue Lafontaine ✆ +1 418 867 4517
www.restopubestaminet.com
Lundi-mercredi, 7h-minuit ; jeudi-vendredi, 7h-1h ; samedi, 8h-1h ; dimanche, 8h-minuit.
Le terme estaminet, surtout employé en Europe, signifie petit café ou modeste débit de boissons. Dans le Bas-Saint-Laurent, on retrouve cette même ambiance intime et chaleureuse dans ce petit bistro. Steaks, sautés thaïs, paninis, pizzas... le tout couronné de porto et fromages, d'une gaufre fruitée ou d'un café flambé, le menu nous met définitivement l'eau à la bouche. Côté houblon, le choix s'étend à plus de 150 bières ! À déguster lors des spéciaux du « super 4 à 7 » et pourquoi pas, avec leurs délicieuses moules à volonté. Ils servent également des petits déjeuners gargantuesques tous les jours jusqu'à 11h, 15h le week-end.

À voir / À faire

■ COUCHER DE SOLEIL SUR LE FLEUVE SAINT-LAURENT

Selon un magazine américain, ce serait l'un des plus beaux du continent. On y verrait un pont d'or : quand le soleil se couche, il dépose une traînée de petites lumières scintillantes qui traverse le Saint-Laurent.

■ STATION EXPLORATOIRE DU SAINT-LAURENT

Chalet de la Côte-des-Bains
80 rue Mackay, dans le parc de la Pointe
✆ +1 418 867 8796, +1 418 867 8882
www.romm.ca – info@romm.ca
Ouvert de mi-juin à mi-septembre : lundi-dimanche, 9h30-17h. Le reste de l'année : sur réservation de groupes de 10 personnes et plus. Adulte : 7,50 CAN $, étudiant et ainé : 6 CAN $, 6-17 ans : 4 CAN $, famille : 18 CAN $.
Les biologistes du Réseau d'observation de mammifères marins (ROMM) ont mis sur pied ce centre où deux expositions permanentes vous feront découvrir les nombreux secrets de la biodiversité marine. Collection de squelettes, laboratoire d'expérimentation pour les jeunes, aquarium du Saint-Laurent avec bassin tactile, station d'observation, activités d'interprétation, boutique souvenirs, terrasses et aire de pique-nique.

Sports / Détente / Loisirs

■ CROISIÈRES AML

Embarquement à la marina
de Rivière-du-Loup
✆ +1 418 867 3361, +1 866 856 6668
www.croisieresaml.com
info@croisieresaml.com
De juin à octobre, embarquement à 9h et 13h. Durée : 3 heures 30. Adulte : 64 CAN $, étudiant et aîné : 59 CAN $, 6-12 ans : 29 CAN $, famille : 157 CAN $. La croisière guidée « Des baleines et des îles » vous fera parcourir le fleuve Saint-Laurent sur 25 km à la rencontre de mammifères et oiseaux marins, entre les phares et les îles, pour une excursion nature des plus mémorables.

ÎLES DU BAS-SAINT-LAURENT

L'archipel des Pèlerins tire son nom du mirage provoqué par la rencontre des masses d'air chaud et froid qui, déformant le profil de ces quatre îles, les fait ressembler à des pèlerins coiffés d'une cagoule. Les 7,5 km de longueur sont colonisés par de petits pingouins, nombreux et actifs. Mais l'espace est disputé par d'autres variétés d'oiseaux : grands hérons, guillemots à miroir, etc. Hélas – ou heureusement – on ne peut pas débarquer sur les Pèlerins.

■ LA SOCIÉTÉ DUVETNOR

Embarquement à la marina
de Rivière-du-Loup ✆ +1 418 867 1660
www.duvetnor.com – info@duvetnor.com
En opération de mi-juin à mi-septembre. Tarifs variables selon l'activité ou le forfait.
Duvetnor, reconnue pour l'excellente qualité de ses prestations, est une corporation sans but lucratif, vouée à la conservation des milieux naturels dans le Bas-Saint-Laurent. Elle offre un ensemble de services dans les îles et les sanctuaires d'oiseaux suivants : l'archipel des îles du Pot-à-l'Eau-de-Vie, l'île aux Lièvres, l'archipel des îles Pèlerins et l'île aux Fraises.

Ses activités : différentes excursions en mer, randonnée pédestre, camping sauvage, nuitée en auberge, maisonnettes ou au phare de l'île du Pot-à-l'Eau-de-Vie.

LE BIC

C'est le plus grandiose panorama du Bas-du-Fleuve. Une légende raconte qu'à la Création, l'ange chargé de distribuer les îles et les montagnes a vidé à cet endroit le reste de son sac. En sont sorties des îles d'une grande beauté. Il y a aujourd'hui un village et un parc. Bic est probablement un diminutif de bicoque, ou bien encore une erreur de typographie : on aurait dû lire Pic... En août, un festival de musique de chambre se tient au parc du Bic et dans des chapelles et églises des environs. Un beau concept alliant musique et nature !

▶ **www.lebic.ca**

■ AUBERGE DU MANGE GRENOUILLE

148, rue Saint-Cécile ✆ +1 418 736 5656
www.aubergedumangegrenouille.qc.ca
admg@globetrotter.net

Ouvert du 1er mai à la fin octobre. Occupation double : à partir de 89 CAN $. Environ 20 chambres. Petit déjeuner inclus. Menu table d'hôte : 37 CAN $ à 54 CAN $. Menu dégustation 7 services : 80 CAN $ (ajoutez 60 CAN $ avec l'accord de vin). Superbe carte des vins. Table aux saveurs du terroir certifiée. Boutique-cadeaux sur place.

Sans aucun doute une des plus belles auberges de la région. L'édifice rouge, avec son grand jardin et sa vue imprenable sur les îles, intrigue les flâneurs. Les chambres sont à la fois luxueuses, champêtres et très romantiques. La cuisine, d'une qualité remarquable, reçoit régulièrement des lauréats. Bref, cette auberge devient une destination plus qu'un lieu où passer la nuit. Une escale d'exception, une invitation au rêve !

■ CHEZ SAINT-PIERRE

129, Mont-Saint-Louis
✆ +1 418 736 5051
www.chezstpierre.ca
restaurant@chezstpierre.ca

Ouvert de mai à décembre (fermé en novembre) : mercredi-dimanche, 11h30-14h & 17h-21h30. Ouvert le mardi en saison estivale. Table d'hôte du midi : à partir de 12 CAN $, le soir : à partir de 35 CAN $. Terrasse ensoleillée. Carte des vins, bières de microbrasserie.

Après une escapade dans le magnifique et verdoyant parc naturel du Bic, régalez-vous au restaurant Chez Saint-Pierre, situé en plein cœur du village. Colombe Saint-Pierre, Chef réputée, est une autodidacte passionnée et amoureuse de la vie, et donc de la cuisine. Elle désire que les gens prennent conscience des richesses que leur offre leur propre patrimoine alimentaire, et elle reflète sa personnalité à travers ses créations. Vous aurez les références des produits utilisés ainsi que les noms des agriculteurs de la région inscrits à côté de chaque plat énuméré. Quelques exemples du menu : queue de homard croustillante aux zestes de citron, pinces confites au pastis, mayonnaise aux câpres et anchois, magret de canard mariné à la truffe en tartare mi-cuit au balsamique 12 ans d'âge, salade de marguerite et bœuf séché maison, pannacota à l'angélique, ganache de chocolat blanc à la rose sauvage... Ça creuse l'appétit, non ?

▶ **Autre adresse :** Rimouski : 150, avenue de la Cathédrale ✆ +1 418 730 6525

■ PARC NATIONAL DU BIC

3382, route 132 Ouest (20 km de Rimouski)
✆ +1 418 736 5035, +1 800 665 6527
www.sepaq.com/pq/bic/fr/
inforeservation@sepaq.com

Ouvert à l'année. Accès quotidien adulte : 3,50 CAN $, enfant : 1,50 CAN $, gratuit pour les enfants de 5 ans et moins. Tarifs groupes et familles disponibles. Postes d'accueil : Rivière-du-Sud-Ouest, (route 132), entrées du Cap-à-l'Orignal et Havre-du-Bic (route 132).

Situé dans l'estuaire maritime du Saint-Laurent, le parc national du Bic (33,2 km²) se compose de caps, baies, anses, îles et montagnes. Le pic Champlain (baptisé par Champlain en 1603) est la plus haute montagne de ce parc qui comporte également le cap Enragé, l'île du Massacre, l'île Brûlée (ou l'île Ronde), la baie des Roses, la pointe aux Anglais, l'île Bicquette, l'anse à Mouille-Cul et l'anse des Pilotes. L'environnement est calme et paisible. Vous y apprécierez les bruits et les odeurs de la mer ainsi que le vent marin et les magnifiques couchers de soleil. Vous pourrez y voir s'ébattre des phoques gris et des phoques communs et observer les milliers d'oiseaux marins, dont l'eider à duvet, venant nicher. La mer, la forêt et la prairie rendent ce havre de nature exceptionnel.

▶ **Hébergement :** camping aménagé et rustique (197 emplacements – camping d'hiver disponible), yourtes (8), tentes-roulottes et tentes Huttopia, igloo (2 à 4 personnes) et un refuge hivernal (capacité 8 personnes).

▸ **Activités :** balade de découverte du parc en minibus, excursion en kayak de mer, bicyclette (15 km), randonnée pédestre (25 km), randonnée guidée. En hiver, ski nordique (20 km de sentiers balisés, non tracés), balade en raquettes (27 km), randonnée pédestre sur neige (5 km). Depuis l'été 2009, le chalet Lyman, en bordure du fleuve et uniquement accessible aux marcheurs, est devenu un salon de thé. Il est ouvert tous les jours en été de 11h à 16h.

RIMOUSKI

Rimouski, qui signifierait cabane à chien ou terre à l'orignal dans la langue des autochtones, est la métropole du Bas-du-Fleuve, sa capitale administrative et culturelle. Les origines de la ville, située sur trois monts, au bord du fleuve Saint-Laurent, remontent aux Indiens Micmacs qui campaient sur le bord de la rivière qu'ils scrutaient attentivement.

▸ **www.tourisme-rimouski.org**

Pratique

■ OFFICE DU TOURISME ET DES CONGRÈS DE RIMOUSKI

50, rue Saint-Germain Ouest
✆ +1 418 723 2322, +1 800 746 6875
www.tourisme-rimouski.org
inforiki@tourisme-rimouski.org
Mi-juin à début septembre : lundi-dimanche, 8h30-19h30. Début septembre à début octobre : lundi-vendredi, 9h-16h30 ; samedi-dimanche, 11h-16h. Début octobre à mi-juin : fermé entre midi et 13h et les week-ends.

Se loger

■ HÔTEL RIMOUSKI ET CENTRE DE CONGRÈS

225, boulevard René-Lepage Est
✆ +1 418 725 5000, +1 800 463 0755
www.hotelrimouski.com
hotelrim@hotelrimouski.com
Occupation double : à partir de 71 CAN $ par personne, petit déjeuner inclus. Forfaits disponibles.
L'hôtel Rimouski est un établissement situé au centre-ville à quelques pas de la rue Saint-Germain où se trouvent tous les bons restos, cafés et bars. Ses chambres sont très confortables et le service est impeccable. Parmi les services sur place, notons un restaurant, un bar, un centre de santé, une salle de conditionnement physique et une piscine intérieure avec glissoire.

Se restaurer

■ BISTRO L'ARDOISE

152, rue Saint-Germain Est
✆ +1 418 732 3131
www.bistrolardoise.blogspot.com
Mardi-samedi, 17h30-22h (heure de fermeture de la cuisine) ; jeudi-vendredi, 11h-14h30. Menu midi : 14-20 CAN $, menu du soir (renouvelé chaque semaine) : 20-32 CAN$.
Ce charmant bistro français vous propose une cuisine du Vieux continent à partir de produits du terroir québécois. Ses spécialités sont les poissons frais, le gibier, l'agneau et les grillades. Belle cave de vins. En 2010, le même propriétaire ouvre une épicerie fine à côté du resto.

Sortir

■ CHEZ PULL

45, rue Saint-Germain Est
✆ +1 418 723 2152
www.barchezpull.com
barchezpull@globetrotter.net
Pub St-Germain Steak House : mardi, 15h-minuit ; mercredi et samedi-dimanche, 15h-3h ; jeudi-vendredi, 11h30-3h. Cactus (show bar) : jeudi-dimanche, 21h30-3h. Bar Chez Pull (discothèque) : mercredi, 16h30-3h ; jeudi-samedi, 21h30-3h.
Le complexe Chez Pull regroupe un resto, un bar à spectacles et une discothèque. Spectacles, chansonniers, soirées à thèmes et bonne bouffe, l'ambiance y est toujours garantie et les bons spéciaux aussi !

À voir / À faire

■ INSTITUT MARITIME DU QUÉBEC

53, rue Saint-Germain Ouest
✆ +1 418 724 2822
www.imq.qc.ca
Ouvert de fin juin à la mi-août, tous les jours de 10h à 17h. Adulte : 5 CAN $, 6-11 ans : 3 CAN $.
C'est le plus grand centre de formation maritime au Canada. Le visiteur est familiarisé avec le milieu maritime en passant par le laboratoire, les ateliers et les expositions. Vous explorerez l'histoire du transport maritime sur le Saint-Laurent. Le clou du spectacle : vous entrerez dans les simulateurs de navigation électronique.

Sports / Détente / Loisirs

■ EXCURSION À L'ÎLE SAINT-BARNABÉ

Marina de Rimouski – Route 132
✆ +1 418 723 2280, +1 418 723 2322
En service de mi-juin à la fête du Travail. Départs aux 30 minutes de 9h à 14h30 et retour aux 30 minutes jusqu'à 18h15. Adulte : 15,50 CAN $, 6-17 ans : 10 CAN $, moins de 5 ans : gratuit.
L'excursion à l'île Saint-Barnabé vous permettra d'apercevoir Rimouski sous un autre angle. Rencontre avec les hérons et les phoques, peut-être même les orignaux. Randonnée pédestre (20 km), aires de pique-nique, 13 emplacements de camping rustique.

POINTE-AU-PÈRE

Pointe-au-Père, un district de Rimouski, fut l'un des centres d'aide à la navigation les plus importants au pays. Une station de pilotage y fut opérée pendant un siècle, soit de 1859 à 1959, ainsi qu'un bureau de la quarantaine et un télégraphe Marconi. Quatre phares y furent construits de manière successive et le dernier est dorénavant un lieu historique national. Le site historique maritime et son sous-marin Onondaga, qui participa à des missions de l'OTAN, sont des attractions majeures.

■ SITE HISTORIQUE MARITIME DE LA POINTE-AU-PÈRE

1000, rue du Phare
✆ +1 418 724 6214
www.shmp.qc.ca
info@shmp.qc.ca
Fin mai à mi-octobre : lundi-dimanche, 9h-18h (fermeture de la billetterie à 17h). Tarifs pour le musée et/ou le phare et/ou le sous-marin.
Depuis 2009, le sous-marin Onondaga, ancienne propriété de la marine canadienne, est accosté pour y rester ! Venez découvrir le quotidien d'une soixantaine d'hommes qui vivaient confinés pendant des mois dans ce sous-marin. Visite audioguidée, possibilité d'une expérience nocturne sur place. Sans nul doute l'une des attractions majeures de la région ! C'est aussi le deuxième plus haut phare du Canada et un lieu historique. À côté, le site historique maritime propose une exposition permanente sur l'histoire locale et l'environnement maritime régional. On y raconte le naufrage du bateau Empress of Ireland, qui s'est échoué près des côtes en 1914 et où plus de 1 000 voyageurs ont trouvé la mort. Ce fut l'une des plus grandes tragédies maritimes en temps de paix. Une des expositions permet de visionner de magnifiques et terribles images prises à l'intérieur de l'épave.

GASPÉSIE

La péninsule gaspésienne est l'une des destinations privilégiées du Québec. Quand on dit Gaspésie, on pense aussitôt homard, saumon, crevette. On pense aussi rocher Percé, île Bonaventure, fous de Bassan, baie des Chaleurs, Forillon, jardins de Métis, forêts de conifères, rivières, caps, anses, grèves, fossiles et agates. Immense avancée dans l'océan où se confrontent sans cesse la mer et les montagnes vieilles de plusieurs millions d'années, territoire des Micmacs, les Indiens de la mer, qui l'occupent depuis plus de 2 500 ans. Sur cette terre, tous ont fait halte : les Acadiens, les loyalistes, les Bretons, les Basques, les Anglais, les Jersiais, les Écossais. Comprise entre l'estuaire du Saint-Laurent, le Nouveau-Brunswick et le golfe du Saint-Laurent, la Gaspésie est dominée au nord par les monts Chic-Chocs, aux versants couverts de l'épaisse forêt boréale. Ses parcs naturels (Gaspésie, Forillon) et ses réserves d'oiseaux (fous de Bassan de l'île Bonaventure) jouissent d'une réputation internationale. Du côté de l'estuaire, son littoral est parsemé de paisibles villages de pêcheurs, tandis que sa pointe orientale, rocheuse, découpée et brossée par les flots, est particulièrement sauvage et spectaculaire, notamment à Forillon et à Percé. Au sud, les hautes terres, dépourvues de lacs, sont profondément entaillées par des rivières qui se jettent dans la baie des Chaleurs. Protégée des vents polaires, cette région bénéficie effectivement d'un microclimat méridional.Vous vous devez de faire le tour complet de la Gaspésie. Nous vous suggérons donc d'amorcer ce tour à Sainte-Flavie, en suivant la route 132 Est, qui longe d'abord le littoral de l'estuaire du Saint-Laurent, puis la pointe de Forillon, Gaspé, Percé, la baie des Chaleurs, jusqu'à Matapédia où vous fermerez la boucle en remontant la vallée du même nom.La Gaspésie s'éveille à la mi-juin et se rendort fin octobre (la majorité des musées et boutiques ferment alors et les activités cessent pour le reste de l'année, hormis pour la motoneige).

▶ **www.gaspesiejetaime.com**

Gaspésie

RÉGION TOURISTIQUE DE MANICOUAGAN
Godbout
Baie-Comeau
0 35 km
N
Golfe Saint-Laurent
Estuaire du Saint-Laurent
Mont-Louis
Mont-Saint Pierre
La Martre
LA HAUTE-GASPÉSIE
Petite Vallée
Grande Vallée
132
Sainte-Anne-des-Monts
Cap-Chat
Les Méchins
Saint-Octave-de-l'avenir
Grosses-Roches
LA CÔTE
Matane
Saint-Ulric
Métis-sur-Mer
Les Jardins de Métis
Sainte-Flavie
Grand-Métis
Mont-Joli
Sainte-Luce
Sayabec
Lac Towago
Lac Matapédia
Amqui
Causapscal
Routhierville
Lac Inférieur
Lac Supérieur
Réserve faunique de la rivière Matapédia
RÉGION TOURISTIQUE DU BAS SAINT-LAURENT
VALLÉE DE LA MATAPÉDIA
Lieu historique national du Canada La bataille de la Ristigouche
Escuminac
Pointe-à-la-Croix
Campbellton
Saint-Alexis-de-Matapédia
NOUVEAU-BRUNSWICK
Restigouche (Partie sud-est)
17
11
Parc national de la Gaspésie
Réserve faunique de Matane
Réserve faunique de Dunière
Réserve faunique des Chic-Chocs
Rivière Madeleine
Murdochville
198
299
Rivière Bonaventure
Cascapédia
Parc national de Miguasha
Miguasha
Carleton
New Richmond
LA BAIE-DES-CHALEURS
Caplan
Bonaventure
New Carlisle
Paspébiac
Baie des Chaleurs
Port-Daniel
Réserve faunique de Port-Daniel
Chandler
Grande-Rivière
Ste-Thérèse-de-Gaspé
L'Anse-à-Beaufils
Percé
Île Bonaventure
Barachois
LA POINTE
Saint-Georges-de-Malbaie
Cap Bon-Ami
Rivière Saint-Jean
Gaspé
Cap-des-Rosiers
Rivière-au-Renard
L'Anse-à-Valleau
Gaspésie

Transports

Avion

Air Canada dessert les aéroports de Mont-Joli et Gaspé. Pascan Aviation dessert également Mont-Joli ainsi que Bonaventure.

Bus

Orléans Express dessert toute la Gaspésie sauf Murdochville. www.orleansexpress.com

Train

Le train Le Chaleur dessert entre autres Percé et Gaspé. Départs de Montréal et de Gaspé trois fois par semaine. Pas de service sur la rive nord entre Mont-Joli et Gaspé. Le train coupe par la vallée de la Matapédia et suit le littoral sud de la péninsule jusqu'à Gaspé. www.viarail.ca

Traversiers

La Société des traversiers du Québec offre une liaison entre Matane et Baie-Comeau/ Gobout (Côte-Nord). Le CTMA Vacancier, en opération de mi-juin à fin septembre, propose une croisière hebdomadaire entre Montréal et les îles de la Madeleine avec escales à Chandler en Gaspésie et à Québec. www.ctma.ca

Voiture

Plusieurs routes desservent la région de la Gaspésie. Voici les principaux accès routiers en fonction des régions de départ :

- **Bas-Saint-Laurent :** suivez la route 132 Est. Cette route fait tout le tour de la péninsule gaspésienne et revient par la vallée de la Matapédia.
- **Côte-Nord :** prenez le traversier soit de Baie-Comeau soit de Godbout en direction de Matane.
- **Nouveau-Brunswick :** prenez la route 11 et la route 134 passant par Bathurst qui mène à Campbellton et puis le pont qui traverse en Gaspésie. La route 17 qui arrive de l'ouest du Nouveau-Brunswick mène également à Campbellton.

GRAND-MÉTIS

Grand-Métis et Métis-sur-Mer sont aujourd'hui encore des destinations privilégiées de la bourgeoisie anglaise de Montréal. Métis est une forme récente de l'orthographe Mitis (nom de la rivière), mot micmac dont la signification reste obscure. Le père Pacifique pense qu'il vient du terme micmac Miti Sipo, qui signifie « rivière du peuplier ». D'après monseigneur Guay, cette appellation viendrait du mot micmac mistik, qui veut dire « bouleau ». Pierre-George Roy, pour sa part, prétend que Métis signifie « tremble » ou « bouleau » car la rivière Mitis est bordée de ces arbres. On dit encore que mitis est une déformation du mot métioui ou mitiwee employé par les Micmacs et les Malécites pour désigner un lieu de réunion. Quoi qu'il en soit... En 1886, Lord Mount Stephen, président fondateur du Canadian Pacific, achetait au seigneur de Grand-Métis des terres situées au confluent de la rivière Mitis et du Saint-Laurent pour y pratiquer la pêche. Sa nièce, Elsie Meighen Reford, hérite du domaine en 1918 et le transforme en jardins de 1926 à 1954.

■ **JARDINS DE MÉTIS**
200, route 132 Est
✆ +1 418 775 2222
www.jardinsdemetis.com
info@jardinsdemetis.com
Juin et septembre : lundi dimanche, 8h30-18h (dernière entrée à 17h). Juillet et août : lundi-dimanche, 8h30-19h (dernière entrée à 18h). Adulte : 16 CAN $, aîné : 15 CAN $, étudiant : 14 CAN $, 14-18 ans : 8 CAN $, 13 ans et moins : gratuit.
Ces jardins à l'anglaise d'une superficie de 17 hectares bénéficient d'un microclimat exceptionnel. Ils comprennent plus de 3 000 espèces de fleurs et de plantes ornementales, parmi lesquelles certaines sont très rares. L'ensemble est composé d'une quinzaine de jardins distincts où poussent plantes annuelles et plantes vivaces : le massif floral comprend des pivoines, des lupins, des bégonias ; les rocailles présentent la flore des régions montagneuses ; le jardin des rhododendrons fleuri au début de l'été abrite en juillet, le rare pavot bleu originaire d'Himalaya, emblème floral des Jardins de Métis ; viennent enfin le jardin des pommetiers et le jardin des primevères. Depuis 2000, un Festival international de jardins est organisé chaque année. Des œuvres avant-gardistes, venues du monde entier y sont présentées de fin juin à début octobre.

MATANE

L'origine du nom de la ville viendrait d'un mot indien d'origine micmac signifiant « vivier de castor ». Port industriel, centre commercial et administratif, Matane possède un chantier naval et l'usine de transformation de crevettes la plus importante du Québec. Donc, vous n'aurez pas d'autre choix que de déguster ces petits crustacés décapodes de toutes les façons possibles. Allergiques s'abstenir !

www.tourismematane.com

■ AUBERGE DE MONTAGNE DES CHIC-CHOCS

Sur le territoire de la réserve
faunique de Matane ✆ +1 800 665 3091
www.chicchocs.com
inforeservation@sepaq.com

Présentez-vous au bureau d'accueil de Cap-Chat (en bordure du fleuve). Le transport est assuré depuis le bureau jusqu'à l'auberge. Plusieurs forfaits disponibles.

Perchée à 615 m d'altitude dans la réserve faunique de Matane, la première auberge de montagne dans l'est du Canada vous réserve une expérience. Au cœur d'une nature immense et presque intacte, une auberge chaleureuse de dix-huit chambres où rien n'est négligé par le chef aubergiste et son équipe pour vous assurer confort, plaisir et quiétude. Libre à vous d'explorer cet environnement montagnard lors d'une randonnée, d'une partie de pêche, d'une sortie en ski de haute route, ou d'une activité plus contemplative. Loin du quotidien, dans une atmosphère des plus conviviales, les échanges et les discussions prennent place autour d'un savoureux repas. Rencontres mémorables et souvenirs impérissables garantis !

■ BUREAU TOURISTIQUE SAISONNIER

968, avenue du Phare Ouest
✆ +1 418 562 1065, +1 877 762 8263

CAP-CHAT

À 2 km à l'ouest des Méchins, un rocher rappelle la forme d'un chat accroupi. Il aurait, dit-on, inspiré le nom de la localité. C'est ici que le fleuve devient golfe du Saint-Laurent. Le parc éolien Le Nordais, le plus important du Canada, d'une puissance de 100 MW, compte 133 éoliennes, que vous ne manquerez pas de remarquer dans ce paysage.

SAINT-OCTAVE-DE-L'AVENIR

Cette colonie fut fondée suite au crash boursier de 1929 par le Mgr Octave Caron, curé de Cap-Chat. Dans les années 1930, les familles s'installent peu à peu et le premier bureau de poste voit le jour en 1934. S'ajoutent aussi magasins, forges, moulins à scie, moulin à bardeaux, etc. L'été 1945, une partie de la colonie est ravagée par un grave incendie et s'ensuit le premier exode. Malgré les efforts et la volonté de continuer le développement, un second incendie d'ampleur fait rage en 1958 et l'exode s'accélère. En avril 1970, un arrêté ministériel permet la fermeture de 10 villages dits non-viables, dont Saint-Octave, et la relocalisation de leur population. Ce lieu-dit est maintenant l'hôte d'un site récréotouristique : le Village Grande Nature Chic-Chocs.

■ VILLAGE GRANDE NATURE CHIC-CHOCS

951, route Saint-Octave
✆ +1 418 786 2349
✆ +1 800 530 2349
www.villagegrandenaturechic-chocs.com
village.accueil@globetrotter.net

Auberge : à partir de 69 CAN $. Chalets : à partir de 159 CAN $. 15 chambres, 6 chalets canadiens (4 à 6 personnes), 3 chalets scandinaves (4 personnes), 1 loft, camping. Forfaits disponibles. Service de location de motoneiges, de raquettes et de skis de fond. Restaurant ouvert tous les jours dès 7h30. Bar, salle d'exercice, Jacuzzi, piscine, sauna. Nouveau service de soins de santé offert par Isabelle Morel, massothérapeute membre de l'AMQ.

Ce centre de villégiature 4 saisons offre des séjours en pleine nature pour les amants du plein air. Le restaurant sur place propose des petits déjeuners consistants pour bien démarrer la journée, un menu à la carte ou en boîte en lunch le midi, et un menu à la carte ou en table d'hôte le soir (comptez 40 CAN $ pour la table d'hôte). Plusieurs activités de plein air sont offertes sur place et à proximité.

SAINTE-ANNE-DES-MONTS

Terre d'aventure où mer et montagnes se rencontrent, nichée au creux d'une anse, la ville de Sainte-Anne-des-Monts est un véritable terrain de jeux pour les amateurs de plein air et de grands espaces. C'est également la porte d'entrée pour le parc national de la Gaspésie. Sentiers et promenades longent le fleuve et la rivière à saumon, constituant une belle balade à toute heure de la journée, surtout au coucher du soleil qui teint alors en rouge et orangé le ciel et le fleuve.

▶ **www.villesainte-anne-des-monts.qc.ca**

Pratique

■ BUREAU TOURISTIQUE SAISONNIER

96, boulevard Sainte-Anne Ouest
✆ +1 418 763 7633

Se loger

■ AUBERGE FESTIVE SEA SHACK HI

Route 132, 14 km
à l'est de Sainte-Anne-des-Monts
À Ruisseau Castor
✆ +1 418 763 2999, +1 866 963 2999
www.aubergefestive.com
info@aubergefestive.com

Ouvert à l'année sauf de novembre à Noël. Hébergement en dortoir, yourte, chalet, tipi ou camping. Consultez leur site Internet pour connaître la gamme des tarifs. Cuisine équipée, restaurant Le Rorqual (ouvert en saison, à l'année pour les groupes), bar (sur la plage l'été, dans le bâtiment principal en hiver), scène extérieure pour les spectacles, babyfoot, poste Internet, Jacuzzi, boutique, transport pour groupe, navette, activités, Eskamer (kayak de mer et canyoning). Membre du réseau Hostelling International.

En bordure de mer, ce petit coin de paradis vous offre une expérience dont vous vous souviendrez longtemps. Non seulement c'est l'endroit idéal pour les activités de plein air en toutes saisons, mais c'est aussi un haut lieu festif avec les soirées réputées du Tiki Bar Le Barbu. Relaxez-vous dans le Jacuzzi sur la plage, laissez-vous bercer dans un des nombreux hamacs, ou savourez une bonne pinte de bière de la microbrasserie gaspésienne Pit Caribou au bar de l'auberge (sans oublier les spéciaux du 4 à 8). Nouveautés : vu la grande popularité des lieux, 4 minichalets (2 à 4 personnes), 3 grands chalets (jusqu'à 11 personnes) et une yourte d'hébergement ont été ajoutés sur le site. La construction du nouveau bloc sanitaire le Chin Tas (ne manquez pas de lire les règlements affichés...), l'installation du nouveau service de restauration, et la rénovation complète de l'auberge et de sa cuisine commune avec agrandissement de la terrasse (coin BBQ inclus !) furent également au programme. Un lieu franchement unique qui mise sur l'environnement, la convivialité et la bonne humeur. Sea Shack Tabarnak !

■ GÎTE DU MONT-ALBERT

À environ 40 km de Sainte-Anne-des-Monts, dans le parc national de la Gaspésie, au 2001, route du Parc (route 299)
✆ +1 418 763 2288, +1 866 727 2427
www.sepaq.com/pq/gma/
inforeservation@sepaq.com

L'auberge ferme de fin octobre au lendemain de Noël, et du jour de Pâques jusqu'à la mi-juin. Certains chalets restent disponibles à la location toute l'année, réservation à l'avance. Consultez leur site Internet pour connaître la gamme de tarifs. Forfaits disponibles. Restaurant gastronomique ouvert à tous, bar, terrasse, piscine, sauna.

Le Gîte du Mont-Albert est une élégante demeure blanche de style montagnard datant de 1950. Située dans un écrin de montagnes, elle offre des paysages à couper le souffle. Réputée pour sa table gastronomique et son hospitalité, c'est une adresse dont on entend beaucoup parler.

À voir / À faire

■ EXPLORAMER

1, rue du Quai ✆ +1 418 763 2500
www.exploramer.qc.ca
info@exploramer.qc.ca

Ouvert tous les jours de début juin à mi-octobre de 9h à 17h. Droits d'entrée pour l'aquarium et le musée : adulte 12,75 CAN $, aîné et étudiant 10,25 CAN $, 6-17 ans 7,50 CAN $, famille 32 CAN $. Excursion en mer et forfait combo excursion-musée disponibles.

Exploramer, récipiendaire du Phénix de l'Environnement 2010, vous invite à la découverte de l'écosystème et de la biodiversité du Saint-Laurent. Sur place : aquariums avec collections vivantes, expositions, animation, tour d'observation, boutique d'artisanat, café. Pour ceux qui ont plus de temps, montez à bord du JV Exploramer où vous assisterez entre autres à la levée de casiers de pêche.

Sports / Détente / Loisirs

■ PARC NATIONAL DE LA GASPÉSIE

1981, Route du Parc
À 40 km de Sainte-Anne-des-Monts
✆ +1 418 763 7494, +1 800 665 6527
www.sepaq.com/pq/gas/fr/
inforeservation@sepaq.com
Ouvert à l'année. Depuis Sainte-Anne-des-Monts, prendre la route 299 (entrée nord), depuis New Richmond, la route 299 vers le nord sur 92 km (entrée sud). Postes d'accueil : centre de découverte et de services, à l'entrée nord, à côté du Gîte du Mont-Albert. Accès quotidien adulte : 3,50 CAN $, enfant : 1,50 CAN $, 5 ans et moins : gratuit. Tarifs groupe et famille disponibles.
Situé en plein cœur de la péninsule gaspésienne, le parc national de la Gaspésie (802 km²) est une véritable mer de montagnes qui offre un panorama grandiose. Le parc compte 25 sommets de plus de 1 000 m dont les monts Albert (1 154 m) et Jacques-Cartier (1 268 m). Ces sommets, parmi les plus hauts de l'Est du pays, sont célèbres pour leur végétation subarctique identique à celle du Grand Nord québécois. On retrouve, sur le même territoire, une diversité d'espèces vivantes unique au Québec dont l'orignal, le cerf de Virginie et le caribou de la Gaspésie. Les monts Chic-Chocs sont appréciés des amateurs de plein air. Sans oublier l'excellent service de l'auberge le Gîte du Mont-Albert, nichée au cœur du parc.

◗ **Hébergement :** Auberge le Gîte du Mont-Albert, 33 chalets, 17 refuges, camping aménagé (environ 200 emplacements), camping d'hiver au camping Mont-Albert, 2 tentes-roulottes, 7 tentes Huttopia.

◗ **Activités :** randonnée pédestre de courte ou longue durée, canotage sur le lac Cascapédia, pêche à la truite et au saumon, pêche avec séjour en chalet. Hiver : raquette, ski de fond, ski nordique, télémark, surf des neiges ou ski de haute route. De nombreuses entreprises offrent d'autres activités que celles mentionnées. Consultez le site Internet de Tourisme Gaspésie.

MONT-SAINT-PIERRE

Point de départ pour la visite du parc national de la Gaspésie et de la réserve faunique des Chic-Chocs (secteur du mont Jacques-Cartier), Mont-Saint-Pierre fait partie des plus beaux villages de Gaspésie. Capitale du vol libre aux paysages exceptionnels, il est le village préféré de bien des habitués du tour de Gaspésie. Avec sa longue anse ceinturée de montagnes abruptes et sa vaste plage de galets, c'est l'endroit idéal pour cacher un trésor, en même temps qu'une halte reposante. L'été, les ailes multicolores des parapentes et des deltaplanes viennent habiller le ciel.

◗ **www.mont-saint-pierre.ca**

■ RÉSERVE FAUNIQUE DES CHIC-CHOCS

116, rue Prudent-Cloutier (Route 132)
✆ +1 418 797 5214, +1 800 665 6527
www.sepaq.com/rf/chc/
inforeservation@sepaq.com
Poste d'accueil ouvert à l'année à Mont-Saint-Pierre (bureau administratif).
La Réserve faunique des Chic-Chocs (1 129 km²) se divise en deux parties bien distinctes : la majeure partie du territoire (1 048 km²) située au sud et à l'est du parc de la Gaspésie, l'autre partie (81 km²) au nord du parc. Elle est créée en 1949 afin de préserver un territoire exceptionnel pour la faune et permettre une meilleure utilisation du territoire. Le vénérable père Le Clerk s'exclamait à la fin du XVIe siècle : « Un pays plein de montagnes, de bois, et de rochers ». En effet, ce lieu englobe des montagnes impressionnantes de plus de 800 m dont les monts Blanche-Lamontagne (940 m), Vallières-de-Saint-Réal (940 m), Hog's Back (830 m) et le mont Brown (920 m). La forêt est couverte de sapinières à épinette noire et à bouleaux blancs, et on trouve une végétation typique de la toundra sur les sommets les plus élevés. On compte 42 lacs et de nombreux ruisseaux et rivières. Une véritable nature harmonieuse au sein de la chaîne des Appalaches.

◗ **Faune :** orignal, ours noir, lièvre d'Amérique, porc-épic, la gélinotte huppée et plusieurs espèces d'oiseaux chanteurs, truite mouchetée et grise.

◗ **Hébergement :** 15 chalets et camping d'été.

◗ **Location d'équipement :** chaloupes, gilets de flottaison et literie.

◗ **Activités :** chasse à l'orignal, au petit gibier, chasse printanière à l'ours, observation de la faune, pêche à la truite mouchetée (omble de fontaine) et à la truite grise (touladi), à la journée et avec séjour, randonnée pédestre, équitation, cueillette de champignons et petits fruits, ski de randonnée, raquette et télémark.

GASPÉ

C'est ici qu'en juillet 1534 Jacques Cartier plante sa croix, prenant symboliquement possession du Canada au nom du roi de France. Gaspé viendrait du mot *gespeg* qui signifie, en langue micmac, « fin des terres, bout, extrémité ». Gaspé regroupe 17 villages, s'étendant de l'Anse-à-Valleau jusqu'à Prével, sur une superficie de 1 447 km². Certains villages sont inclus dans le territoire du parc national de Forillon. Le centre-ville de Gaspé constitue un bon point de chute pour la visite des attraits des environs et pour la pratique de nombreuses activités : randonnées, kayak de mer, voile, plongée sous-marine, équitation, observation des baleines et des phoques... La région de Gaspé est connue pour sa pêche au saumon qui abonde dans les rivières York, Dartmouth et Saint-Jean. D'ici peu, Gaspé sera dotée d'un tout nouveau port d'escale afin d'accueillir les navires de croisière internationale. Pour suivre l'évolution de ce projet et pour en apprendre davantage à propos des croisières sur le Saint-Laurent et les ports d'escale, visitez le site Internet suivant : www.cruisesaintlawrence.com

Pratique

■ TOURISME GASPÉ

27, boulevard York Est
✆ +1 418 368 8525
www.tourismegaspe.org
info@cctgaspe.org
Ouvert toute l'année.

Se loger

■ AUBERGE INTERNATIONALE FORILLON (AUBERGE DE JEUNESSE)

2095, boulevard Grande-Grève
Secteur Cap-aux-Os
✆ +1 418 892 5153
✆ +1 877 892 5153
www.aubergeforillon.com
reservations@aubergeforillon.com
Ouvert du 1er mai au 31 octobre. Chambre partagée (72 places) : 21-25 CAN $, chambre privée (4) : 64 CAN $. Cuisine équipée, buanderie, boutique, restaurant (ouvert de juin à septembre), terrasse, location de vélos. Forfaits disponibles. Renseignez-vous sur les forfaits offerts avec Cap Aventure.

Cette sympathique auberge, très connue des voyageurs français, est située à l'entrée sud du parc Forillon, face à la mer. À quelques pas se trouve une magnifique plage (très animée en soirée avec feu de grève). Vous pouvez faire vos courses à proximité mais nous vous conseillons le restaurant de l'auberge, membre de Gaspésie Gourmande, qui est d'ailleurs ouvert à tous (prenez l'assiette de homard frais ou le saumon au beurre d'agrumes !). Le soir, plusieurs tables d'hôte sont proposées et l'accent est mis sur l'excellence des produits locaux. De nombreuses activités sont offertes par l'auberge : observation des ours, castors et phoques, diaporama sur Forillon, forfaits kayak de mer et croisière aux baleines. Gilles, Alexa et toute l'équipe vous y attendent !

■ HÔTEL DES COMMANDANTS

178, rue de la Reine
✆ +1 418 368 3355
✆ +1 800 462 3355
www.hoteldescommandants.com
info@hoteldescommandants.com
Occupation double : à partir de 105 CAN $. Ensemble de 70 chambres. Forfaits disponibles.

L'hôtel des Commandants, 4-étoiles, dispose de chambres confortables, d'un centre de santé Spa et d'une belle vue sur la mer. Restaurant, bar, cinéma, théâtre d'été.

Se restaurer

■ MAISON WILLIAM WAKEHAM

186, rue de la Reine
✆ +1 418 368 5537
✆ +1 418 368 5792
www.maisonwakeham.ca
maisonww@hotmail.fr
Lundi-vendredi, 11h30-14h ; lundi-dimanche, dès 17h30. Horaire restreint hors saison et fermeture annuelle de janvier à Pâques (parfois un peu plus). Brunch du dimanche dès 9h. Réservation conseillée. Compter 15-20 CAN $ le midi et 30-40 CAN $ le soir pour la table d'hôte. Table aux saveurs du terroir certifiée. Hébergement et forfaits disponibles sur place.

Si vous voulez tenter une expérience gastronomique des plus honorables, c'est à la Maison Wakeham qu'il faut aller. La cuisine y est savoureuse et les produits du terroir apprêtés à merveille : poêlée de crevettes géantes au caramel de cinq épices, fettucini faits maison aux six champignons de Gaspésie Sauvage, homard à la gaspésienne... Le rapport qualité-prix est plus que correct, le service excellent et la carte des vins bien étoffée.

À voir / À faire

■ **MUSÉE DE LA GASPÉSIE**
80, boulevard de Gaspé
✆ +1 418 368 1534
www.museedelagaspesie.ca
info@museedelagaspesie.ca
Du 1er juin au 31 octobre, tous les jours de 9h à 17h. Le reste de l'année : lundi-vendredi, 9h-12h et 13h-17h ; samedi, 13h-17h. Adulte : 7 CAN $, aîné et étudiant : 5 CAN $, 6 ans et moins : gratuit, famille : 11 CAN $.
Le musée de la Gaspésie, agrandi et rénové en 2009, présente une toute nouvelle exposition historique : *Gaspésie... le grand voyage*, un « tour de la Gaspésie » original et dynamique, à la rencontre des hommes et des femmes qui ont façonné ce coin de pays. Le musée présente aussi des expositions saisonnières illustrant divers volets de la culture gaspésienne (arts, sciences, société). En plus des expositions, vous y retrouverez une boutique, un centre d'archives, une bibliothèque spécialisée en histoire gaspésienne, un périodique culturel (le *Gaspésie*) et le monument à Jacques-Cartier. Une promenade d'un kilomètre, en bordure de la baie de Gaspé, relie le musée au centre-ville. Une escale incontournable ! Visites guidées bilingues offertes aux groupes sur réservation.

Sports / Détente / Loisirs

■ **SOCIÉTÉ DE GESTION DES RIVIÈRES DE GASPÉ**
25, boulevard York ✆ +1 418 368 2324
www.zecgaspe.com
info@zecgaspe.com
À côté de l'office de tourisme.
Consultez leur site Internet pour connaître les tarifs des permis selon la zone.
La période de pêche commence le 1er juin et se termine le 30 septembre. Vous y achèterez les droits quotidiens pour pêcher le saumon dans les rivières York, Darmouth et Saint-Jean. Vous pouvez peser et laver vos prises sur place. Possibilités de guides, d'hébergement et de restauration.

■ **ZONE DE CONSERVATION DU PARC FORILLON**
122, boulevard Gaspé
✆ +1 418 368 5505, +1 888 773 8888
www.pc.gc.ca/forillon
Services et activités principalement offerts de juin à octobre. Postes d'accueil : Penouille et l'Anse-au-Griffon. Adulte : 7,80 CAN $, aîné : 6,80 CAN $, jeune : 3,90 CAN $, famille : 19,60 CAN $.
Le mot *forillon* signifie petit phare. Ce parc national a été conçu sous le thème de l'harmonie entre l'homme, la terre et la mer en 1970. Outre la configuration de son paysage constitué de falaises abruptes, de plages de galets et de grottes, il offre le très grand attrait de sa faune et de sa flore. Le lynx, le castor, l'orignal, le renard roux et l'ours y vivent en harmonie avec la nature. Les différentes forêts (mixtes, de conifères ou de feuillus), les marais d'eau douce, les prairies et la végétation des dunes vous enchanteront. On y observe d'importantes colonies d'oiseaux de mer ainsi que différentes espèces de phoques et de baleines dont le rorqual à bosse, le petit rorqual et le dauphin à flanc blanc.

▸ **Hébergement :** 3 terrains de camping aménagés et rustiques (367 emplacements, à partir de 25,50 CAN $ par nuit ✆ 1 877 737 8783 – www.pccamping.ca). Le camping Cap-Bon-Ami sur les falaises offre une vue imprenable.

▸ **Activités :** randonnée pédestre, vélo, équitation (70 km de sentiers), croisières de découverte et observation des baleines, kayak de mer, baignade, pêche en eau salée, plongée sous-marine et en apnée, aires de pique-nique, activités d'interprétation, camping d'hiver, ski de fond et hors piste, raquette, traîneau à chiens, motoneige.

PERCÉ

Percé doit son nom à un spectaculaire rocher, percé sous l'effet de l'érosion marine, qui se dresse tout près de la côte. Ses dimensions dépassent l'imagination : on a calculé qu'il pesait environ 5 millions de tonnes et qu'il est là, les pieds dans l'eau, depuis 350 millions d'années. Son site exceptionnel ne cesse d'inspirer les artistes et d'attirer les touristes du monde entier. Jacques Cartier a débarqué à Percé en 1535, puis les pêcheurs européens se sont installés sur son littoral dès le XVe siècle. L'île Bonaventure, située au large de Percé mais bien visible, est un sanctuaire d'oiseaux migrateurs qui accueille environ 250 000 oiseaux (mouettes, guillemots marmettes, macareux, cormorans, goélands, petits pingouins), dont 110 000 forment la colonie de fous de Bassan. Un spectacle unique qu'il faut voir de près. Ajoutez à cela le mont Sainte-Anne, juste derrière l'église, avec sa grotte, sa crevasse et ses failles, et vous aurez une idée des richesses offertes par ce coin de Gaspésie. Longtemps isolé, Percé s'est développé grâce au tourisme.

Il est devenu un lieu de villégiature bien équipé et renommé pour sa table. Mieux vaut réserver son hébergement si on prévoit de s'y rendre entre la mi-juillet et la mi-août. Certains jours, vous aurez même du mal à marcher parmi la foule de vacanciers. Vrai petit village touristique, une foule de lieux d'hébergement, de restaurants, de boutiques souvenirs et d'artisanat sillonnent la route principale. Pour une petite sortie sympathique en soirée : le bar-terrasse Au P'tit Bateau est « la place qui bouge » en ville.

▸ **www.rocherperce.com**

Pratique

■ BUREAU TOURISTIQUE SAISONNIER

142, route 132 Ouest
✆ +1 418 782 5448

Se loger

L'offre en hébergement ne manque pas à Percé et on retrouve de tout à tous les prix. Comme il nous est impossible d'en faire la liste complète, voici quelques bonnes adresses. Chose certaine : réservez à l'avance !

■ AUBERGE DE JEUNESSE LA MAISON ROUGE

125, route 132 Ouest
✆ +1 418 782 2227
www.lamaisonrouge.ca
info@lamaisonrouge.ca

Ouvert de mi-mai à mi-octobre. Chambre partagée (27 lits) : 25 CAN $ (location de draps : 5 CAN $), chambre privée (5) : à partir de 75 CAN $ en occupation simple ou double. Wi-fi gratuit, buanderie, location de vélo, vente de billets pour les activités à Percé.

À deux pas du fameux rocher Percé se trouve cette jolie auberge toute rouge. Le tout se divise en deux pavillons. Les chambres partagées sont situées dans l'ancienne grange où on retrouve une cuisine équipée, une salle à manger et une grande terrasse. Les chambres privées sont dans la maison d'à côté à l'allure de petit gîte. Sur place, cuisine tout équipée, salle à manger, véranda, terrasse. Un bel endroit un peu à l'extérieur du centre touristique sur un immense terrain où rencontres et bon temps sont au menu.

■ RIOTEL PERCÉ

261, route 132 Ouest
✆ +1 418 782 2166, +1 800 463 4212
www.riotel.com
riotelperce@riotel.com

Ouvert de mi-mai à mi-octobre. Occupation double : à partir de 69 CAN $. Ensemble de 88 chambres à l'hôtel et 12 unités au pavillon de la montagne. Forfaits disponibles. Wi-fi gratuit, poste Internet, terrasse, Jacuzzi extérieur, accès direct à la plage, salle d'exercices.

Un hôtel 3-étoiles très confortable et fort bien tenu. Les chambres, aux murs recouverts de bois, sont très chaleureuses et confortables. La plupart ont une vue imprenable sur le rocher Percé et l'île Bonaventure. Le panorama depuis la salle à manger du restaurant Bonaventure sur Mer est à couper le souffle. On peut y déguster en exclusivité la cuisine d'Atkins et Frères, en profitant d'un service attentionné, ou encore y prendre le petit déjeuner en face du rocher... Une adresse de choix, pour laquelle il est recommandé de réserver en saison !

Se restaurer

Tout comme l'hébergement, il existe une multitude de restaurants. Certains situés dans les hôtels sont ouverts au public. Voici nos préférés :

■ LE CAFÉ DE L'ATLANTIQUE

Dans le même bâtiment
que La Maison du Pêcheur
155, Place du Quai
✆ +1 418 782 5331

Ouvert du 24 juin à début septembre : tous les jours dès 8h. Compter 10-25 CAN$.

Des plats plus simples et servis plus rapidement qu'à la Maison du Pêcheur, dont il partage les installations. Une bonne ambiance nocturne fait le succès de ce café bistro proche de la mer. Essayez le homard'œuf (œuf bénédictine au homard) au petit déjeuner. Si vous êtes gourmand comme nous, vous en prendrez tous les matins !

■ LA MAISON DU PÊCHEUR

155, Place du Quai
✆ +1 418 782 5331

Ouvert de juin à mi-octobre : lundi-dimanche, 11h-14h30 et 17h-22h. Le midi : environ 15 CAN $, table d'hôte du soir : 20-40 CAN $.

Georges Mamelonet, ancien maire de Percé, député de la circonscription et propriétaire des lieux, est un Français installé en Gaspésie depuis une trentaine d'années et qui défend bec et ongles les produits québécois. La pêche, à défaut d'être miraculeuse, est toujours bonne. Tous les jours, il va chercher pour vous du homard dans ses viviers sous-marins. La langue de morue au beurre d'oursin que l'on

dégustera après un potage d'algues marines, par exemple, est une des spécialités de la maison. L'assiette du pêcheur pour deux est généreuse et délicieuse. Outre les fruits de mer et le poisson, le restaurant apprête aussi bien, avec des légumes de la région essentiellement bio, la bavette de bœuf. Les pizzas au feu de bois d'érable sont délicieuses. Également au menu, fromages québécois en provenance des îles de la Madeleine et d'autres régions du Québec.
Pour terminer, craquez pour l'un des desserts qui trônent au centre du restaurant. Un incontournable dont vous repartirez avec le sourire !

À voir / À faire

■ CROISIÈRES JULIEN CLOUTIER

9, rue du Quai
✆ +1 418 782 2161
✆ +1 877 782 2161
En activité de mi-mai à fin octobre. Croisières aux baleines (2h-2h30) : adulte 50 CAN $, enfant 25 CAN $. En zodiac : 70 CAN $ par adulte (60 CAN $ si jumelé avec le forfait du tour de l'île). Excursion tour de l'île : adulte 25 CAN $, enfant 7 CAN $.
Cette entreprise propose des croisières d'observation des baleines ainsi que des excursions autour du rocher Percé et de l'île Bonaventure. Nouveauté : un Zodiac de 25 places permettant un contact plus vrai que nature lors de l'observation des baleines.

■ PARC NATIONAL DE L'ÎLE-BONAVENTURE-ET-DU-ROCHER-PERCÉ

4, rue du Quai
✆ +1 418 782 2240
✆ +1 800 665 6527
www.sepaq.com/pq/bon/fr
inforeservation@sepaq.com
Accès quotidien adulte : 3,50 CAN $, enfant : 1,50 CAN $, 5 ans et moins : gratuit. Tarifs groupes et familles disponibles.
Situé à l'extrémité de la péninsule gaspésienne, le parc national de l'île-Bonaventure-et-du-Rocher-Percé (5,8 km²) se distingue par son riche patrimoine naturel et historique. Le paysage est sculpté par la mer. Les Appalaches se prolongent dans les eaux du golfe, laissant apparaître l'île Bonaventure d'un côté avec ses effluves champêtres et la gigantesque muraille comme le rocher Percé. Il s'agit d'un véritable kaléidoscope de couleurs, paysages

© ISTOCKPHOTO.COM/LAUGHINGMANGO

Rocher percé à Percé.

et odeurs. Le parc abrite un sanctuaire de 250 000 oiseaux migrateurs, dont les petits pingouins, les mouettes trydactyles, les guillemots marmettes, les macareux et une colonie des fous de Bassan, la plus importante concentration en Amérique du Nord. Le rocher Percé mesure 471 m de long et 85 m de haut. Il est constitué de calcaire formé au fond de l'océan il y a des millions d'années. Il était jadis rattaché au continent et percé de plusieurs arcades. En 1845, une de ces arcades s'est effondrée, laissant le pilier que l'on voit aujourd'hui.

■ PÊCHE EN HAUTE MER - LES TRAVERSIERS DE L'ÎLE

Billetterie : 9, rue du Quai
✆ +1 418 782 5526
✆ +1 866 782 5526
www.croisieresgaspesie.com
info@croisieresgaspesie.com
Cette compagnie de croisières offre des excursions de pêche au homard avec interprétation. Vous participerez à la levée des casiers à homards avec les pêcheurs et qui sait, vous pourrez peut-être même apercevoir des baleines et des phoques... On vous recommande toutefois de réserver à l'avance. Le départ se fait au quai de Percé à 17h (durée de 1h30) et il possible de prendre un forfait souper de homard.

L'ANSE-À-BEAUFILS

Ce petit village concentre de nombreuses activités de qualité. Pour commencer, allez récolter des agates sur la plage, faites un tour au Magasin Général puis visitez la Vieille Usine. Et pendant que vous êtes dans le coin, allez juste à côté à la microbrasserie Pit Caribou.

■ MAGASIN GÉNÉRAL HISTORIQUE AUTHENTIQUE 1928

32, rue à Bonfils
✆ +1 418 782 2225, +1 418 782 5286
Ouvert tous les jours de 10h à 17h de mi-juin à fin septembre. Horaire restreint hors saison. Visites guidées en continu. Droits d'entrée.
Une visite ludique qui retrace la vie des pêcheurs de morue, à travers leurs habitudes de consommation : ce qu'ils achetaient, comment ils le payaient, tout est raconté avec conviction et passion par Rémi Cloutier, le propriétaire. Il partagera avec vous les petites et grandes histoires de son magasin général authentique de 1928, et de son bureau, entrepôt et vieux salon de barbier.

■ LA VIEILLE USINE

55, rue à Bonfils ✆ +1 418 782 2277
www.lavieilleusine.qc.ca
admin@lavieilleusine.qc.ca
Ouvert de juin à mi-septembre. Salle d'exposition ouverte de 9h à 18h, entrée libre. Salle de spectacles de 130 places. Café-bistro avec événements (jam, spectacles de la relève musicale, vernissages, etc.). Atelier-boutique. Terrasse sur le quai.
La reconversion de l'usine à poissons est une grande réussite. Dans ce bâtiment restauré à merveille, des expositions d'art et des spectacles de grande qualité côtoient un café-bistro où les plats sont frais et peu onéreux. Des sentiers de randonnées pédestres partent de l'usine, le long d'une rivière que l'on traverse en nacelle.

BONAVENTURE

Bastion acadien de la baie des Chaleurs, la ville de Bonaventure a été fondée en 1760 suite à la déportation des Acadiens des villages du sud des Provinces Atlantiques (Beaubassin, Port-Royal, Grand-Pré). La ville vient d'ailleurs de célébrer ses 250 ans en 2010. Compte tenu de la diversité et de la qualité de ses activités et de son hébergement, Bonaventure constitue une bonne localité où vous arrêter pour passer quelques jours.

▸ www.tourismebonaventure.com

■ BIOPARC DE LA GASPÉSIE

123, rue des Vieux-Ponts
✆ +1 418 534 1997, +1 866 534 1997
www.bioparc.ca – info@bioparc.ca
En juin et septembre à mi-octobre : lundi-dimanche, 9h-17h. En juillet et août : lundi-dimanche, 9h-18h. Ouvert pour la relâche scolaire en mars. Le reste de l'année sur réservation. Adulte : 13,95 CAN $, aîné : 12,50 CAN $, 13-17 ans : 9,75 CAN $, 4-12 ans : 7,50 CAN $, famille : 50 CAN $. Possibilité d'hébergement sur place en chalet.
Les cinq écosystèmes de la Gaspésie y sont représentés : la baie, le barachois, la rivière, la forêt et la toundra. Une trentaine d'espèces animales et plus de 70 espèces végétales vivent dans leur écosystème respectif. Ours, orignaux, phoques, tous sont au rendez-vous, pour le plus grand plaisir des petits et des grands ! Bref, une excellente façon de découvrir la faune et la flore de façon ludique. Nouveauté : un insectarium a ouvert ses portes sur le site en juin 2010.

■ BUREAU TOURISTIQUE SAISONNIER

95, rue Port-Royal ✆ +1 418 534 4014

■ POISSONNERIE DU PÊCHEUR

230, route 132 ✆ +1 418 534 2434
Ouvert de mai à octobre : lundi-dimanche, 8h30-21h. Apportez votre vin. Brunch le dimanche. Spéciaux du midi : 10,95 CAN $, table d'hôte : 25-30 CAN $. Réservation conseillée. Expositions d'art visuel. Cette entreprise familiale fait la vente au détail de poissons frais, congelés, salés et fumés (glace et emballage gratuits pour les voyageurs). On y retrouve également une gamme de produits maison comme la soupe de poisson. De plus, une salle à manger est annexée à la poissonnerie et connaît un franc succès. La qualité des plats de poissons et leur fraîcheur permettent de faire salle comble tous les soirs.

CARLETON-SUR-MER

Jacques Cartier est le premier visiteur à s'être arrêté à Carleton le 9 juillet 1534 et s'est exclamé : « la baye de Chaleur ! » (la baie de chaleur). Suite à la fameuse dispersion, les Acadiens vinrent s'établir à Carleton en 1766. Aujourd'hui la station balnéaire de Carleton-sur-Mer est surtout un point de passage, mais n'hésitez pas à y rester quelques jours car l'endroit regorge de bonnes adresses pour vous tenir bien occupé dans ce beau coin de pays.

▸ www.carletonsurmer.com

■ **AUX 4 VENTS**
725, boulevard Perron
✆ +1 418 364 3885
www.aux4vents.ca
boutiqueaux4vents@gmail.com
Comptez environ 130 CAN $ la nuit plus les frais de location du canot (il faut bien se rendre !). Tarifs dégressifs selon le nombre de nuitées. Les tarifs sont pour deux adultes ou deux adultes et deux enfants. Boutiques plein air à Carleton, Matane et Gaspé.
Un concept d'hébergement totalement inusité a fait son apparition sur le barachois il y a quelques années, au large de Carleton : des yourtes flottantes. Sur chacun des îlots, vous retrouverez tout le confort nécessaire : lit double, tables de chevet, meuble de rangement, brûleur pour la cuisine, eau potable, chaufferette, radio satellite, toilette écologique (douches et buanderie au camping municipal), terrasse, table et chaises extérieures, etc. Des panneaux solaires alimentent les yourtes en électricité. À venir sous peu : yourtes en montagne, descente de canot.

■ **BUREAU TOURISTIQUE SAISONNIER**
Quai des Arts
774, boulevard Perron
✆ +1 418 364 3544

■ **MICROBRASSERIE LE NAUFRAGEUR**
586, boulevard Perron
✆ +1 418 364 5440
www.lenaufrageur.com
info@lenaufrageur.com
En été : lundi-dimanche, 11h-minuit. Le reste de l'année : mercredi-samedi, 15h-minuit. Terrasse. Visite des installations et dégustation sur réservation.
Difficile de rater cette belle construction de bois en plein cœur de Carleton. En plus d'être les lieux de brassage du Naufrageur, c'est également un pub où vous pourrez savourer nombreux délices houblonnés, au verre/pinte ou en format de dégustation de 8 mini-verres appelé la « rose de vents ». Pour les petits creux, on vous conseillera d'aller à la boulangerie La Mie Véritable située à deux pas et de ramener le tout à la micro. Ici c'est le genre « apportez votre nourriture », mais des pizzas et des nachos sont également disponibles sur place. Côté culturel, des événements tels des spectacles, jam et projections de films se tiennent au fil des semaines. Un nouvel arrêt obligé à Carleton et si vous aimez leur bière à ce point, pas de souci, des cruchons sont en vente.

POINTE-À-LA-CROIX

Un grand pont relie Pointe-à-la-Croix à la ville de Campbellton au Nouveau-Brunswick. Une croix, autrefois plantée par les Micmacs sur une pointe de la rivière Ristigouche, a inspiré le nom de cette localité. C'est ici qu'a été reconstituée la bataille de la Ristigouche, dernier affrontement entre la France et l'Angleterre.

▸ **www.pointe-a-la-croix.com**

■ **LIEU HISTORIQUE NATIONAL DU CANADA DE LA BATAILLE-DE-LA-RISTIGOUCHE**
Route 132
✆ +1 418 788 5676
✆ +1 888 773 8888
www.pc.gc.ca/restigouche
Juin à mi-octobre : lundi-dimanche, 9h-17h. Sur réservation le reste de l'année. Adulte : 3,90 CAN $, aîné : 3,40 CAN $, jeune : 1,90 CAN $, famille : 9,80 CAN $.
L'épave du Machault, un des navires de la dernière flotte de ravitaillement venue à la rescousse de la Nouvelle-France au printemps 1760, a livré ses secrets et d'authentiques pièces et objets. L'exposition permet aux visiteurs de revivre cette terrible bataille navale où 400 soldats français, aidés de quelques Acadiens et d'une poignée d'Indiens, ont dû faire face à 1 700 soldats britanniques. Un décor recrée l'intérieur du navire et un film d'animation retrace l'affrontement naval.

ÎLES DE LA MADELEINE

Cet archipel d'une douzaine d'îles, d'une superficie totale de 222 km², est situé à quelques centaines de kilomètres au large de la péninsule de Gaspésie et du Nouveau Brunswick. Vu du ciel, c'est un croissant de lune coloré, tombé tout droit en plein golfe du Saint-Laurent. « Aux Îles », comme on dit, tout est accentué : la langue, les falaises rouges, les dunes de sable et les couleurs éclatantes des maisons. C'est un dépaysement total, surtout quand on vient en hiver et que l'archipel est pris par les glaces. En été, la géographie se prête au farniente et à la méditation, pour peu que le vent tombe. Les îles se laissent parcourir en voiture ou à vélo, puisqu'elles sont reliées par un mince - et immuable - cordon de sable. En allant du nord au sud, on rencontre l'île de la Grande-Entrée, Grosse-Île, l'île de Pointe-aux-Loups, l'île du Havre-aux-Maisons, l'île du Cap-aux-Meules et l'île du Havre-Aubert, qui constituent l'essentiel de l'archipel. Deux autres îles, assez grandes, se détachent : l'île Brion, inhabitée, au nord de l'archipel et l'île d'Entrée, visible de toutes les autres îles habitées, un bon point de repère à l'est de Havre-Aubert. Le rocher aux Oiseaux, l'île aux Loups Marins, l'île aux Cochons et le rocher du Corps Mort s'ajoutent à quelques autres encore pour parachever l'ensemble. À cause de la faible amplitude des marées, de la situation des Îles de la Madeleine sur des hauts-fonds et de l'action bénéfique du Gulf Stream, la température de l'eau des lagunes et de la mer atteint parfois 21 °C. C'est bien plus agréable de s'y baigner que le long des berges du Saint-Laurent. Par contre, les vents, on l'a dit, sont forts et changeants, parfois violents, heureusement beaucoup plus en hiver qu'en été, ce qui enchantera les mordus des sports de voile qui feront fi de ces inconvénients. Enfin, pour les gourmets, les Îles de la Madeleine sont vraiment le paradis du homard.

Histoire

C'est Samuel de Champlain qui, en 1629, nomme sur une carte La Magdeleine, l'actuelle île du Havre-Aubert. Sous l'occupation française, les Îles passent entre plusieurs mains. Visité périodiquement par les Amérindiens micmacs, qui le nommaient Menagoesenog « îles balayées par les vagues »,

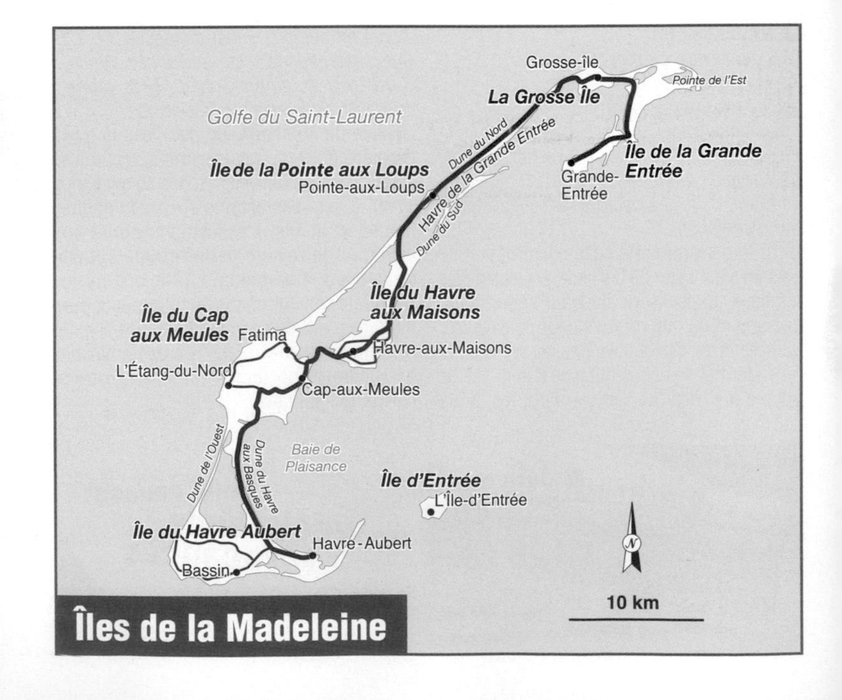

l'archipel se sépare de l'île de Terre-Neuve et passe sous la juridiction du Bas-Canada en 1774, lors de la signature de l'acte de Québec. En 1798, Isaac Coffin obtient les Îles en concession et soumet ses habitants au paiement de la tenure seigneuriale. À cette domination féodale s'ajoute celle des marchands sur les pêcheurs. Les persécutions dont les Madelinots sont victimes expliquent leur émigration continuelle vers d'autres cieux. Ils fondent ainsi plusieurs villages de la Côte-Nord : Blanc-Sablon (1854), Havre-Saint-Pierre, Natashquan (1855) et Sept-Îles (1872). C'est en 1895 seulement qu'une loi du Québec leur permettra de racheter leurs terres et de se suffire à eux-mêmes. Les Îles sont un pays de navigateurs, de pêcheurs, dont la vie maritime regorge d'histoires de naufrages, toutes plus terribles les unes que les autres. Peut-être les entendrez-vous, on les raconte encore aujourd'hui.

▶ **De la chasse au phoque à l'observation des blanchons.** Depuis les premiers temps de la colonisation, la pêche reste le principal moyen d'existence des Madelinots, même s'ils sont aussi cultivateurs. Ils pêchent toujours la morue, le sébaste, le maquereau, le flétan, la plie, mais aussi les crustacés et les mollusques : pétoncles, moules bleues, crabes des neiges et bien sûr, le homard, qui abonde dans les eaux du golfe. Pendant l'hiver, qui dure cinq mois, les îles de la Madeleine sont cernées par la banquise. Il y fait moins 20 °C. C'est justement sur cette banquise que les phoques gris (appelés « loups marins ») descendent du Groenland pour mettre bas les fameux blanchons (bébés phoques) dont la chasse est aujourd'hui interdite.

▶ **www.tourismeilesdelamadeleine.com**

Transports

Avion

Le voyage en avion reste très cher, mais si vous réservez suffisamment à l'avance, vous pouvez bénéficier de tarifs raisonnables. L'aéroport des Îles de la Madeleine se trouve sur l'île de Havre-aux-Maisons et est desservi par Air Canada et Pascan Aviation.

Bus

Depuis avril 2010, un nouveau service de transport hebdomadaire est assuré par la compagnie locale Autobus Les Sillons. Le trajet relie Québec (départ le vendredi à 22h), Rivière-du-Loup, Edmundston, Fredericton, Moncton et Charlottetown aux îles. Il est possible de partir de Montréal via Orléans Express avec une connexion à Québec. Les tarifs sont offerts en aller simple ou aller-retour (départ des îles le jeudi matin) et incluent les frais de traversier. Un forfait découverte tout inclus est également proposé. wwwautobus-lessillons.com/nolises.htm

Décalage horaire

Les Îles de la Madeleine vivent à l'heure des Maritimes. Il y a une heure de décalage avec le Québec continental. Lorsqu'il est 12h au Québec, il est 13h sur l'archipel des Îles de la Madeleine.

Voiture – Traversiers

Il faut se rendre à Souris (Île du Prince-Édouard) et prendre le traversier de CTMA jusqu'aux Îles de la Madeleine. Les voitures sont acceptées sur le traversier et il faut réserver au moins un mois à l'avance, surtout en juillet-août. On peut aussi partir de Montréal : le CTMA Vacancier effectue une croisière hebdomadaire depuis Montréal. www.ctma.ca

ÎLE DU HAVRE AUBERT ET ÎLE D'ENTRÉE

L'île du Havre Aubert, c'est l'île du sud. La majorité des habitants sont francophones, contrairement à la petite île d'Entrée, située plus à l'est, qu'on atteint en bateau et où l'on parle plutôt anglais. L'île du Havre Aubert offre une bonne cuisine, un peu de culture, des boutiques et des cafés, des collines arrondies et de coquettes maisons traditionnelles, tout ce qu'il faut pour flâner. La Montagne est une région de hauteurs boisées. Havre-Aubert et Bassin sont les deux localités principales de l'île.

▶ **Île du Havre Aubert.** Au sud-est de l'île, Havre-Aubert a été longtemps le chef-lieu des Îles de la Madeleine. C'est ici que tout a commencé. Des vestiges amérindiens témoignent encore de sa préhistoire. Aujourd'hui, on y vient pour admirer les Demoiselles, de drôles de buttes aux formes arrondies. On les découvrira le long d'une belle route panoramique, bordée de maisons traditionnelles. Le site historique de la Grave avec une petite plage de galets au charme unique mérite le déplacement.

L'île compte trois belles grandes plages : la plage de Havre-Aubert (Sandy Hook, 12 km), la plage de l'Ouest (3,8 km) et la plage du Cap (13 km).

▶ **Île d'Entrée.** C'est la seule île qui n'est pas reliée aux autres. On y séjourne quelques heures ou quelques jours, pour profiter de son calme, de sa nature vierge, de ses sentiers saisissants le long des falaises. L'île est habitée par 130 anglophones d'origines irlandaise et écossaise qui y vivent isolés toute l'année. On y accède en une heure en prenant le bateau de Cap-aux-Meules. Les voitures ne sont pas autorisées à bord. Big Hill est le plus haut sommet des Îles de la Madeleine (174 m). Pour l'atteindre, vous suivrez le chemin Main, puis le chemin Post Office, et traverserez les champs en suivant le sentier. Du sommet, vous découvrirez une belle vue sur l'archipel. Il est possible de manger et de dormir dans les petites pensions de l'île, mais il faut réserver.

Transports

■ TRAVERSIER ÎLE D'ENTRÉE N.M. IVAN QUINN

Port de Cap-aux-Meules
✆ +1 418 986 3278
www.traversiers.gouv.qc.ca
stq@traversiers.gouv.qc.ca
Navette lundi au samedi. Durée : 1h. Tarif (aller-retour) : adulte 30 CAN $, 3-12 ans 20 CAN $. Départs de Cap-aux-Meules à 7h30 et 15h ; départs du port de l'île d'Entrée à 9h et 16h30. Dimanche sur réservation.

Se loger

■ AUBERGE CHEZ DENIS À FRANÇOIS

404, chemin d'en Haut ✆ +1 418 937 2371
www.aubergechezdenis.ca
info@aubergechezdenis.ca
Occupation double : à partir de 75 CAN $ en basse saison et 105 CAN $ en haute saison. Dix chambres. Petit déjeuner inclus. Restaurant ouvert également au public en soirée sur réservation. Repas de midi disponible pour les groupes.
On reconnaîtra facilement cette jolie maison jaune, de loin sur la route. Quand on pénètre à l'intérieur, l'ambiance chaleureuse et l'accueil plus que sympathique nous séduit immédiatement. Les chambres sont très coquettes et vraiment spacieuses. Son menu du soir vous mettra l'eau à la bouche et vous pouvez composer vous-même votre table d'hôte. Une belle découverte à faire !

Se restaurer

■ CAFÉ DE LA GRAVE

969, route 199, La Grave
✆ +1 418 937 5765
Ouvert tous les jours de fin avril à mi-octobre. Brunch le dimanche. Programmation culturelle et musicale.
Situé sur le site historique de la Grave, ce café-bistro occupe les lieux d'un ancien magasin général madelinot. Dans une ambiance chaleureuse et amicale, vous y découvrirez un menu des plus savoureux : burger de chevreuil avec confit d'oignon et cheddar des Îles, galettes de morue salée, chaudrée de palourdes dans le pain, « pot-en-pot » au poisson… Pour les plus petites faims, une sélection de sandwichs et de grignotines est offerte. Que ce soit donc pour une pause café, un déjeuner ou un repas plus consistant, cette adresse mythique vaudra toujours le détour.

À voir / À faire

■ AQUARIUM DES ÎLES

982, route 199, La Grave
✆ +1 418 937 2277
Juin à fin août : lundi-dimanche, 10h-18h. Septembre : lundi-dimanche, 10h-17h. Animateurs sur place.
L'occasion d'observer plusieurs espèces de crustacés, de poissons et de mollusques qui vivent autour des îles, et d'en manipuler certains spécimens dans le bassin tactile. Les phoques évoluent dans un bassin extérieur. Exposition photographique sur la pêche et les méthodes de conservation des espèces ainsi que sur l'environnement marin.

■ LES ARTISANS DU SABLE, ÉCONOMUSÉE DU SABLE

907, route 199, La Grave
✆ +1 418 937 2917
www.artisansdusable.com
Fin juin à septembre : lundi-dimanche, 10h-21h. Le reste de l'année : lundi-samedi, 10h-17h30. Entrée libre. Carré de sable pour les enfants dans la boutique. Créations d'artistes locaux en vente sur place (verre soufflé, gravures, bijoux, etc.).
Des artistes d'ici travaillent le sable pour en tirer toutes sortes de formes et de couleurs étonnantes. De superbes réalisations originales, que l'on peut transporter grâce à une technique qui permet de rendre le sable dur comme de la pierre. S'agissant d'en apprendre davantage sur le sable, la boutique est un véritable milieu de découverte. On peut entre

autres observer une vaste collection de sable des quatre coins de la planète, ou découvrir pourquoi le sable des Îles de la Madeleine « chante » lorsqu'on marche dessus. Une fois par semaine, et quand la température le permet, on peut assister à la construction d'un château de sable devant la boutique.

■ LA GRAVE

Vient du mot *grève*, signifiant terrain caillouteux et sablonneux. C'est, à l'extrémité de l'île du Havre-Aubert, une plage de galets classée site historique depuis 1983 et dotée d'un petit port de plaisance qui compte plusieurs boutiques et restaurants. C'est aussi un lieu de rencontres et d'échanges où s'alignent cafés et boutiques d'artisanat, dans de vieilles maisons traditionnelles qui ont conservé leur revêtement de bardeaux de cèdre. Au mois d'août s'y déroule une compétition d'envergure : le concours de construction de petits bateaux. En trois heures et avec un budget de 200 CAN $, chaque équipe construit son prototype sur lequel elle naviguera à la voile et à la rame. Information ✆ +1 418 937 2525.

■ MUSÉE HISTORIQUE DE L'ÎLE D'ENTRÉE

✆ +1 418 986 6622
✆ +1 410 905 2116
Ouvert de juin à septembre. Entrée libre.
Ce musée relate l'histoire de l'occupation de l'île. Plusieurs objets personnels ont été donnés par les membres de la petite communauté.

ÎLE DU CAP AUX MEULES

Son nom vient de la présence de pierres à meule qu'on trouve sur le cap qui surplombe le port. C'est l'île la plus peuplée de l'archipel et la seconde en taille. Elle concentre les services administratifs : l'école, l'hôpital, le centre thermique Hydro-Québec. Il est possible d'en voir toutes les beautés en empruntant les itinéraires panoramiques qui la traversent. C'est dans la ville de Cap-aux-Meules, petit port très fréquenté, que vous débarquerez en arrivant de Souris (Île-du-Prince-Édouard) ou de Montréal. D'ici vous embarquerez pour des excursions de pêche ou d'observation des falaises, quand vous ne déciderez pas tout simplement d'y séjourner. Autres lieux de séjour : Fatima et Étang-du-Nord.

▸ **L'île compte trois belles grandes plages :** plage de la Martinique (13 km), plage de la Dune de l'Ouest (8,7 km) et la plage de la Dune-du-Nord (16,5 km).

Transports

■ CTMA

✆ +1 418 986 3278, +1 888 986 3278
www.ctma.ca – info@ctma.ca
Liaison par bateau entre Souris (Île-du-Prince-Édouard) et Cap-aux-Meules (Îles de la Madeleine), en opération toute l'année. Le nombre de départ varie selon les époques de l'année : deux par jour à certaines périodes de l'été, à trois par semaine en décembre. Tarifs par adulte, aller simple : 29,25 CAN $ en basse saison et 45,75 CAN $ en haute saison. Le coût pour la voiture en aller simple varie de 60 CAN $ à 85,50 CAN $ selon la saison. Réservation indispensable en haute saison. Se présenter 1 heure avant le départ. Le trajet de Souris dure 5 heures. On peut aussi partir de Montréal : le CTMA Vacancier effectue une croisière une fois par semaine (450 passagers), depuis Montréal avec escales à Chandler en Gaspésie et à Québec. Départ de Montréal le vendredi après-midi, arrivée à Cap-aux-Meules le dimanche matin. Retour : départ le mardi soir, arrivée le vendredi matin. En opération de mi-juin à fin septembre.

■ TRAVERSIER ÎLE D'ENTRÉE N.M. IVAN QUINN

Port de Cap-aux-Meules
✆ +1 418 986 3278
Voir la rubrique Québec / Îles de La Madeleine / Île du Havre Aubert et Île d'Entrée / Transport.

Pratique

■ ASSOCIATION TOURISTIQUE RÉGIONALE DES ÎLES DE LA MADELEINE

128, chemin Principal, à l'angle du chemin du Débarcadère
Cap-aux-Meules
✆ +1 418 986 2245
✆ +1 877 624 4437
www.tourismeilesdelamadeleine.com
Ouvert toute l'année.

Se loger

■ AUBERGE HI PARC DE GROS-CAP

74, chemin du Camping, Étang-du-Nord
✆ +1 418 986 4505, +1 800 986 4505
www.parcdegroscap.ca
info@parcdegroscap.ca
Chambre partagée : 23-27 CAN $, chambre privée : 46-58 CAN $, chambre familiale : 70-76 CAN $. Camping : à partir de 20 CAN $. Cuisine, salon, buanderie, casiers, terrasse, kayak de mer et animations, accès à la plage.

Pour le camping : bloc sanitaire, buanderie, abri, terrain de jeux, accès à la plage, kayak de mer et animations. Membre du réseau Hostelling International.
L'auberge de jeunesse, colorée et si accueillante, surplombe la mer qui vous envoie un air marin. Sur place, ne ratez pas les excursions en kayak de mer pour découvrir les grottes et les oiseaux de mer. La dernière excursion de la journée vous fera admirer le coucher du soleil dans un panorama exceptionnel. Son personnel dévoué vous parlera du mode de vie des Madelinots, des secrets les mieux gardés des Îles et vous aurez peut-être droit à quelques anecdotes et légendes de la région...

■ CHÂTEAU MADELINOT

323, chemin Principal – Cap-aux-Meules
✆ +1 418 986 3695, +1 800 661 4537
www.hotelsilesdelamadeleine.com
madelichatmad@lino.com
Ouvert de juin à fin septembre. Occupation simple ou double : à partir de 99 CAN $. 122 chambres et suites confortables et équipées. Réservez à l'avance pour une chambre avec vue. Forfaits disponibles.
L'hôtel Château Madelinot offre le confort, une bonne qualité de services ainsi qu'une superbe vue sur la mer. Accès à la plage directement derrière l'hôtel et malgré les galets, vous profiterez pleinement de la sérénité des lieux et de l'eau chaude. Sur place : restaurant, piscine intérieure, Jacuzzi et sauna.

Se restaurer

■ LES PAS PERDUS

169, chemin Principal, Cap-aux-Meules
✆ +1 418 986 5151, +1 418 986 6002
www.pasperdus.com
pasperdus@hotmail.com
En été : lundi-dimanche, 8h-23h. Hors saison : lundi-mercredi, 11h30-15h ; jeudi-vendredi, 11h30-22h ; samedi, 17h-22h. Terrasse.
Comment décrire ce lieu invitant aux multiples facettes ? D'abord, un petit resto sympa au menu savoureux. Ensuite, un bistro où il fait bon prendre un verre entre amis qui propose une carte de bières locales dont celles de la microbrasserie À l'Abri de la Tempête. Autres services disponibles sur place : une salle de spectacles au calendrier chargé de belles découvertes (à quelques pas du resto), un café Internet et une petite boutique où on retrouve les T-shirts de l'auberge-bistro ainsi que de jolis produits en verre soufflé d'Isoline Vallée, une artiste de la région. Possibilité d'hébergement sur place.

Sports / Détente / Loisirs

■ AÉROSPORT, CARREFOUR D'AVENTURES

1390, chemin de Lavernière
Étang-du-Nord
✆ +1 418 986 6677, +1 866 986 6677
www.aerosport.ca
info@aerosport.ca
Forfaits disponibles.
Vivez l'aventure avec des professionnels du cerf-volant de traction (kitesurf). Aérosport a été la première école de kite à ouvrir au pays et jouit d'une grande réputation pour la pratique des sports de vent. Muni de quatre cordes, le cerf-volant de traction développe une puissance suffisante pour tirer une personne en buggy, ski, snowboard ou planche de surf. Autres activités disponibles : wakeboard, sorties en kayak de mer ou voilier, et location d'équipements.

■ EXCURSIONS EN MER

Kiosque à la marina de Cap-aux-Meules
70 chemin Principal
✆ +1 418 986 4745
www.excursionsenmer.com
info@excursionsenmer.com
Un voyage aux Îles ne peut être complet sans les découvrir par la mer. Plusieurs escapades sont proposées en compagnie de guides qualifiés : grottes et falaises, île d'entrée, île Brion, observation d'oiseaux marins, partie de pêche, interprétation du milieu. Deux bateaux et quatre Zodiacs sont disponibles, avec des départs fréquents en saison. Réservation obligatoire.

ÎLE DU HAVRE AUX MAISONS

Au nord-est de l'île du Cap-aux-Meules. C'est la plus belle. On y accède par la route 199. Une route panoramique dessine la pointe de l'île du côté est. Empruntez-la. Elle vous mènera à de magnifiques panoramas (Cap Alright et le chemin des Montants). Une marina, des petits quais, des rochers rouges dominant la mer, une petite baie, avec l'île du Cap-aux-Meules en arrière-plan, composent le paysage, tout près de l'île aux Cochons. Une île où nichent des espèces variées d'oiseaux parmi les bleuets de la dune (en saison, il n'y a qu'à se baisser). L'aéroport des Îles de la Madeleine fait face à la lagune du Havre, au nord-ouest de l'île. Une éolienne expérimentale y a été bâtie par Hydro-Québec.

DOMAINE DU VIEUX COUVENT
292, route 199
✆ +1 418 969 2233
www.domaineduvieuxcouvent.com
info@domaineduvieuxcouvent.com
Occupation double : à partir de 125 CAN $ en basse saison, 175 CAN $ en moyenne saison et 200 CAN $ en haute saison. Dix chambres. Petit déjeuner inclus. Forfaits disponibles. Restaurant sur place (Le Réfectoire).
Dans un bâtiment de pierres grises, situé face à la mer, les convives dorment dans l'une des dix chambres au décor moderne et épuré. Le confort et le charme de cet hôtel rajoute cette touche magique au charme envoûtant des Îles de la Madeleine. Seul hôtel du genre aux Îles, le Vieux Couvent est une adresse qui vous laissera bouche bée.

FROMAGERIE DU PIED-DE-VENT
149, chemin de la Pointe-Basse
✆ +1 418 969 9292
Boutique de vente sur place. Juillet à mi-septembre : lundi-dimanche, 8h-18h. Le reste de l'année : lundi-dimanche, 8h-16h30.
À l'origine de cette fromagerie, un amour pour la crème de lait cru des Îles de la Madeleine. En 1998, un troupeau de petites vaches noires arrive sur les Îles. Ce troupeau est nourri à partir de tourrage des Îles, ce qui confère au Pied-de-Vent, un fromage à croûte légèrement lavée, son goût si particulier. Entre le moment de la traite et celui de la fabrication, il ne s'écoule que douze heures. Plus récemment, la Tomme des Demoiselles a fait son apparition sur les tablettes, un fromage à pâte ferme pressée de six mois d'affinage. Une visite s'impose dans cette fromagerie où les fondateurs vous transmettront avec bonheur tout l'amour de leur terroir. Sachez qu'en effet, depuis l'été 2010 et grâce notamment à une subvention du gouvernement provincial, la fromagerie a rejoint le réseau ÉCONOMUSÉE.

ÎLE DE LA POINTE AUX LOUPS

C'est un hameau d'une cinquantaine de maisons. C'est là qu'on achète les coques et les mollusques, pêchés dans le sable à l'intérieur des lagunes. Les plus belles plages des Îles se trouvent de part et d'autre de Pointe-aux-Loups. La Dune du Nord, long cordon de sable entre la mer et la lagune de la Grande-Entrée, la relie à Grosse-Île. Avant de vous baigner, faites très attention au vent et aux courants.

GROSSE ÎLE ET ÎLE DE LA GRANDE ENTRÉE

Grosse Île

Grosse Île est à majorité anglophone, d'ascendance écossaise. Nombre de ses pêcheurs sont devenus mineurs. À l'entrée du village, on distingue les structures de la mine de sel (Seleine), mais elle est fermée au public. En suivant la route panoramique, vous passerez East Cape pour longer la Réserve nationale de faune de la Pointe-de-l'Est. La petite route entre East Cape et Old Harry vous y mènera, mais il est préférable de se faire accompagner d'un guide (se renseigner à la maison du tourisme).

Île de la Grande Entrée

La capitale du homard accueille le Festival du homard en juillet. On y pratique également la culture de la moule bleue. Grande-Entrée a été un port de pêche important à la fin du XIXe siècle. La pointe de l'île offre un spectacle saisissant. En été, des dizaines de bateaux de pêcheurs côtiers, aux couleurs vives, dansent le long des quais. Grande-Entrée, où la route s'arrête, propose une pension, et quelques boutiques et commerces.

LA SALICORNE
377, route 199
✆ +1 418 985 2833
✆ +1 888 537 4537
www.salicorne.ca
info@salicorne.ca
Consultez leur site Internet pour connaître la gamme des tarifs des séjours, forfaits, excursions et activités offerts. Restaurant du terroir ouvert pour les 3 repas (ouvert également au public). Réservation requise pour le repas du soir.
Anciennement le Club Vacances les Îles, la Salicorne conserve sa vocation d'offrir des séjours d'exception en axant dorénavant ses services et ses installations sur le concept d'une auberge. Ses chambres, nouvellement rénovées et décorées sont sublimes et le mobilier de bois est l'œuvre d'un artisan local. Les forfaits sont variés et permettent aux vacanciers de vivre de véritables moments d'aventure selon les rythmes et besoins de chacun. Certaines activités sont originales et vous ouvriront sur des horizons jusque là inaccessibles. Que ce soit pour dormir ou tout simplement acheter un forfait, une activité ou une excursion, la Salicorne est l'adresse idéale aux Îles de la madeleine.

MAURICIE

À mi-chemin entre Montréal et Québec, cette région se trouve au cœur de la zone habitée du Saint-Laurent. La Mauricie englobe un immense territoire s'étendant du sud au nord à partir du Saint-Laurent. Ses paysages sont modelés par le Bouclier canadien qui couvre la haute Mauricie, par la plaine littorale qui borde le Saint-Laurent et par les Appalaches qui effleurent sa partie sud. La Mauricie, c'est essentiellement la nature dans toute sa beauté majestueuse et plus particulièrement l'alliance de l'eau, de la montagne et de la forêt.

La région fut habitée très tôt par plusieurs nations amérindiennes. Ainsi les Abénaquis étaient concentrés sur la rive sud du Saint-Laurent, les Algonquins sur la rive nord, et les Attikameks en Haute-Mauricie. Puis les colons français se sont établis le long du chemin du Roy, tandis que les loyalistes anglais se sont installés dans le Sud.

Mais la Mauricie est aussi une région de détente où les activités de plein air sont légion. On peut y pratiquer la randonnée équestre, les sports nautiques, le vélo, le canot... On peut facilement s'y rendre le temps d'un week-end pour se relaxer dans un endroit paisible. On y retrouve un parc national, deux réserves fauniques, un immense territoire de chasse, de pêche et de plein air.

▶ **www.tourismemauricie.org**

Transports

Bus

Orléans Express dessert plusieurs municipalités de la région dont Trois-Rivières, Shawinigan, Grand-Mère et La Tuque. www.orleansexpress.com

Train

Le train Via Rail relie Montréal à Shawinigan et La Tuque. www.viarail.ca

Voiture

Plusieurs routes desservent la région de la Mauricie. Voici les principaux accès routiers en fonction des régions de départ :

▶ **Centre-du-Québec :** prenez l'autoroute 55 Nord qui se rend jusqu'à Grand-Mère en passant par Trois-Rivières et Shawinigan. Elle devient ensuite la route 155 montant jusqu'au Lac-Saint-Jean.

▶ **Montréal et Lanaudière :** prenez l'autoroute 40 Est ou la route 138 Est menant toutes deux à Trois-Rivières.

▶ **Québec :** même chose que pour Montréal et Lanaudière mais en direction Ouest.

▶ **Saguenay-Lac-Saint-Jean :** au départ de Chambord au Lac-Saint-Jean, prenez la route 155 Sud traversant entièrement la région de la Mauricie.

TROIS-RIVIÈRES

Fondée en 1634 par Laviolette, la capitale de la Mauricie, qui a célébré ses 375 ans en 2009, tire son nom des trois chenaux que forme la rivière Saint-Maurice à son embouchure. Favorisée par sa situation géographique (elle est reliée à Montréal, à Québec mais aussi à Sherbrooke et à la rive sud du Saint-Laurent grâce au pont Laviolette), Trois-Rivières possède une grande activité maritime. Le fleuve coule près du centre-ville et les navires font partie du paysage urbain. Trois-Rivières est le berceau de la famille Duplessis, célèbre grâce à Maurice Duplessis, qui fut Premier ministre du Québec pendant dix-huit ans, de 1936 à 1939 et de 1944 à 1959. Trois-Rivières dispose d'une université reconnue pour l'unicité de certains programmes, tels l'Institut de recherche sur l'hydrogène et celui sur les PME ou encore son Pavillon de la santé. Trois-Rivières bénéficie d'un rayonnement culturel et artistique assumé grâce, entre autres, à de nombreux événements dont le Festival international de la poésie.

▶ **www.sortiratroisrivieres.com**

Pratique

■ **BUREAU TOURISTIQUE**
1457, rue Notre-Dame Centre
✆ +1 819 375 1122, +1 800 313 1123
www.tourismetroisrivieres.com
Ouvert toute l'année.

Se loger

■ **AUBERGE INTERNATIONALE DE TROIS-RIVIÈRES HI**
497, rue Radisson
✆ +1 819 378 8010, +1 877 378 8010
www.hihostels.ca – info@hihostels.ca
Chambre partagée : 24-28 CAN $. Chambre privée : 55-60 CAN $. Chambres familiales et tarif groupe disponibles. 32 lits. Membre du réseau Hostelling International.

Située au centre-ville, à 500 m du terminal des bus, l'auberge de jeunesse, propre et bien équipée, dispose de chambres privées et partagées. Parmi les services offerts, notons une cuisine tout équipée, une buanderie, une cour arrière, Internet sans fil et un ordinateur avec accès Internet gratuit. Sur place, l'équipe de l'auberge se fera un plaisir de vous renseigner sur les activités à faire et les attraits de la région. De plus, c'est l'endroit idéal pour rencontrer des voyageurs des quatre coins de la planète.

■ **MANOIR DEBLOIS**
197, rue Bonaventure
✆ +1 819 373 1090
✆ +1 800 397 5184
www.manoirdeblois.com
Occupation simple ou double : à partir de 79,95 CAN $. Cinq chambres. Petit déjeuner compris. Forfaits disponibles.
Gîte touristique 5-soleils logé dans le quartier historique du vieux Trois-Rivières, le Manoir DeBlois est une demeure érigée en 1828, dont les pièces recèlent un mobilier d'époque. Un cadre d'autrefois mais un confort contemporain car les chambres disposent de l'air climatisé et de la télévision par câble. Ajoutez-y un accueil chaleureux et vous obtiendrez une bien belle étape lors d'une escale trifluvienne.

Se restaurer

■ **POIVRE NOIR**
1300, rue du Fleuve
✆ +1 819 378 5772
www.poivrenoir.com
info@poivrenoir.com
Ouvert midi et soir du mardi au dimanche (fermé le midi le week-end en basse saison). Table d'hôte le midi : 20-25 CAN $. Menu du soir à la carte : 30-45 CAN $. Menu dégustation 5 services : 99 CAN $ (60 CAN $ sans le vin). Bar & lounge, terrasse donnant sur le fleuve.
Au cœur du parc portuaire, les yeux sur le fleuve, le Poivre Noir offre une cuisine d'inspiration française aux saveurs du monde. Les recettes sortent, pour la plupart, de l'imagination du jeune chef José Pierre Durand, et sont composées avec les meilleurs ingrédients, ce qui donne un charme si singulier au menu. Grande attention portée aux accords des mets et des vins, très réussis. Le cadre est élégant, les œuvres qui décorent les murs soulignent un mobilier moderne et distingué. Sans nul doute la meilleure table en ville.

■ **LE SACRISTAIN**
300, rue Bonaventure
✆ +1 819 694 1344
www.lesacristain.com
lesacristain@mac.com
Lundi-vendredi : 10h-17h. Menu du jour : 10-20 CAN $. Menu à la carte : moins de 10 CAN $. Bien installée dans l'ancienne église wesleyenne, la sandwicherie Le Sacristain offre des repas diététiques avec une touche d'inspiration méditerranéenne. Le propriétaire des lieux, le Français Michel Blot, accorde une grande importance à la qualité des produits offerts mais également, à la décoration de son petit restaurant. Le style de l'ancien lieu de culte est bien conservé, notamment grâce à de magnifiques vitraux restaurés accrochés au plafond.

Sortir

■ **LE P'TIT PUB**
106, rue Des Forges
✆ +1 819 375 1211
Lundi-dimanche : 12h-3h. Terrasse.
LA boîte à chansons de la région ! Soirées karaoké les mardis et mercredis, chansonniers et groupes musicaux divers du jeudi au dimanche, bref, une belle ambiance chaleureuse qui nous invite à la fête et aux rencontres. En semaine, profitez des tarifs spéciaux sur l'alcool entre 16h et 19h.

À voir / À faire

■ **BORÉALIS, CENTRE D'HISTOIRE DE L'INDUSTRIE PAPETIÈRE**
200, avenue des Draveurs
✆ +1 819 372 4633
www.borealis3r.ca
borealis@v3r.net
Sortie 201 de l'autoroute 40 (suivre les indications touristiques). 24 juin à fin décembre : lundi-dimanche, 10h-18h. Début janvier au 24 juin : mardi-dimanche, 10h-17h. Adulte : 9-13 CAN $, étudiant et enfant : 6-10 CAN $, famille : 25-35 CAN $.
Situé dans un bâtiment historique, au confluent de la rivière Saint-Maurice et du fleuve Saint-Laurent, Boréalis présente des expositions interactives de calibre international sur l'industrie papetière de la région, symbole de la prospérité économique mauricienne. Autres activités et services sur le site : tour d'observation grandiose, rallye souterrain générateur d'émotions fortes, espace de découvertes pour toute la famille, boutique-concept, service de restauration, terrasse, et plus encore !

Carte musées de Trois-Rivières : « Une carte futée, Un prix malin »

Elle vous donne accès aux principaux attraits de la ville, dont le tout nouveau centre d'interprétation BORÉALIS, la Vieille Prison, le Musée québécois de culture populaire et le site historique national du Canada des Forges-du-Saint-Maurice, en plus de vous procurer plusieurs autres avantages comme un bon café dans une galerie d'art franchement unique... Le tout pour une trentaine de dollars seulement ! Valide de la mi-mai à la mi-octobre.

■ MUSÉE QUÉBÉCOIS DE CULTURE POPULAIRE ET VIEILLE PRISON DE TROIS-RIVIÈRES

200, rue Laviolette ✆ +1 819 372 0406
www.culturepop.qc.ca, www.enprison.com
info@culturepop.qc.ca
Du 24 juin à la fête du Travail : tous les jours, 10h-18h. Le reste de l'année : mardi-dimanche, 10h-17h. Adulte : 9 CAN $, aîné : 8 CAN $, étudiant : 7 CAN $, 5-17 ans : 5 CAN $, famille : 11-22 CAN$. Forfait prison-musée disponible.
Le Musée québécois de culture populaire vous ouvre les portes de la vieille prison de Trois-Rivières ; construite en 1822 par François Baillairgé, elle constitue le meilleur exemple du style palladien au Québec. Des ex-détenus vous font découvrir l'univers carcéral d'hier à aujourd'hui. Visite guidée de l'intérieur de la prison (état originel des cellules, chapelle, aire commune, parloir, cachots). Du côté du musée, plusieurs expositions permettent de découvrir la culture populaire des Québécois. Une salle est dédiée exclusivement aux enfants.

SAINTE-ANNE-DE-LA-PÉRADE

Au confluent de la rivière Sainte-Anne et du fleuve Saint-Laurent, Sainte-Anne-de-la-Pérade tire son nom de la Seigneurie qui l'a vue naître. Vous y admirerez ses rues pittoresques, ses vergers en fleurs ainsi que l'architecture patrimoniale des maisons Dorion, Gouin-Bruneau et Rivard-Lanouette. En hiver, un village féerique s'installe sur la rivière Sainte-Anne pour la pêche aux petits poissons des Chenaux.

▶ **www.sainteannedelaperade.net**

■ BUREAU D'INFORMATION TOURISTIQUE DES CHENAUX

8, rue Marcotte
✆ +1 418 325 1750
Ouvert toute l'année.

■ PÊCHE AUX PETITS POISSONS DES CHENAUX

Bureau administratif
8, rue Marcotte
✆ +1 418 325 2475
www.associationdespourvoyeurs.com
pourvoyeurs@globetrotter.net
Horaire de pêche : le jour de 8h à 18h, nuit de 20h à 6h. Tarifs en semaine : adulte 20 CAN $, 6-12 ans 10 CAN $, moins de 6 ans gratuit. Le week-end : adulte 25 CAN $, 6-12 ans 12,50 CAN $, moins de 6 ans gratuit. Un minimum de 50 CAN $ au total est exigé en semaine et 100 CAN $ le week-end.
Une vieille tradition québécoise qui réunit plus de 500 chalets chauffés sur la glace de la rivière Sainte-Anne. Activités : pêche au poulamon, balade en tramway, glissades, symposium de sculptures sur neige, animation pour les enfants et événements spéciaux.

SHAWINIGAN

À 36 km de Trois-Rivières (sortie 211). On l'appelait jadis la Ville Lumière car elle fournissait presque toute l'énergie électrique de la ville de Montréal. Les chutes de la Saint-Maurice furent exploitées à des fins hydroélectriques dès la fin du XIXe siècle. Elles sont impressionnantes (50 m de hauteur), surtout au printemps, au moment du dégel.
Le territoire de Shawinigan possède notamment le parc national de la Mauricie, magnifique joyau naturel, et la Cité de l'Énergie relatant cent ans d'histoire industrielle du Québec.

■ LA CITÉ DE L'ÉNERGIE

1000, avenue Melville
✆ +1 819 536 8516
✆ +1 866 900 2483
www.citedelenergie.com
infocite@citedelenergie.com
De mi-juin à fin septembre : lundi-dimanche : 10h-18h (dernière entrée pour une visite complète à 15h). Ouvert à l'année sur réservation de groupe. Présentez-vous 3h avant la fermeture pour une visite complète. Adulte : 17 CAN $, aîné : 16 CAN $, étudiant : 15 CAN $, 6-12 ans : 10 CAN $, moins de 6 ans : gratuit, famille : 37 CAN $-39 CAN $. Autres tarifs pour le spectacle ECLYPS et pour l'exposition l'écho-l'eau.

Parc thématique qui comprend la deuxième plus haute tour d'observation au Québec (qui offre une vue saisissante sur la ville et ses alentours), des expositions interactives très bien conçues, et des spectacles multimédias, La Cité de l'Énergie vous invite à la découverte de l'aventure industrielle et centenaire de Shawinigan, et vous permet même de visiter l'intérieur d'une centrale en activité. La Cité de l'Énergie est une étape incontournable dans la région, et vous en ressortirez agréablement surpris, d'autant que la visite ne vous ruinera pas ! Le soir, le spectacle ECLYPS, pour toute la famille, combine théâtre, musique, danse et arts du cirque pour vous transporter dans la mythologie de la voûte céleste, à la rencontre des Sélénites. Nouveauté : le spectacle multimédia ENERGIA, L'âme de la terre, qui vous fera découvrir l'énergie que l'on retrouve dans la nature.

■ TOURISME SHAWINIGAN (CLD)

522, 5e Rue
✆ +1 819 537 7249, +1 888 855 6673
www.tourismeshawinigan.com
tourisme@cldshawinigan.qc.ca

■ LE TROU DU DIABLE

412, avenue Willow ✆ +1 819 537 9151
www.troududiable.com
info@troududiable.com
Dimanche-mardi : 15h-23h ; mercredi-jeudi : 15h-1h ; vendredi-samedi : 15h-3h. Cuisine ouverte mercredi-dimanche : 17h-21h. Visite des installations brassicoles et dégustation sur réservation.

Le Trou du Diable, c'est d'abord et avant tout une brasserie artisanale. Sur place, on retrouve toujours huit de ses produits en pompe, en rotation selon les saisons et les humeurs, car c'est en tout plus d'une quarantaine de bières qui sont brassées ici au fil des mois. Question d'accompagner votre pinte de houblon, un menu à base de produits régionaux est offert : assiette de fromages québécois, burger à l'agneau du Québec, filet de truite St-Alexis...Une foule d'événements allant d'expositions d'art visuel aux spectacles musicaux, en passant par les soirées de contes, sont organisés chaque semaine et pour les mordus de la bière, deux soirées « bières philosophales » se tiennent à chaque mois (en hiver seulement). C'est ici que l'expression « refaire le monde autour d'une bonne bière » prend tout son sens !

SECTEUR DE GRAND-MÈRE

À 46 km de Trois-Rivières (sortie 223). C'est ici que fut installée en 1890 la première centrale hydroélectrique. Les usines de pâte à papier contribuèrent au développement de la ville. Celle-ci doit son nom à un gigantesque rocher évoquant une tête de vieille femme qui se trouvait jadis au milieu de la rivière. Gênant la construction du barrage, le rocher fut transporté dans un parc du centre-ville. Grand-Mère est la porte d'entrée du parc national de la Mauricie.

■ PARC NATIONAL DU CANADA DE LA MAURICIE

À 20 km de Grand-Mère et de Shawinigan
✆ +1 819 538 3232
✆ +1 888 773 8888
www.pc.gc.ca/mauricie
Ouvert à l'année. Postes d'accueil (fermés de mi-octobre à mi-mai) : à l'ouest, à Saint-Mathieu (sortie 217 de la 55 en direction de Saint-Gérard-des-Laurentides) ; à l'est, à Saint-Jean-des-Piles (sortie 226 de la 55). Adulte : 7,80 CAN $, aîné : 6,80 CAN $, 6-16 ans : 3,90 CAN $, famille : 19,60 CAN $.

C'est un territoire sauvage de lacs et de forêts de 536 km², au cœur des Laurentides. Feuillus et résineux couvrent des collines arrondies de 350 m de hauteur tout au plus. Indiens, coureurs des bois, bûcherons ont toujours parcouru cette région, attirés par ses richesses naturelles. La route panoramique de 70 km, qui serpente à travers la forêt et les rochers de granite rose du bouclier laurentien, relie les deux points d'accès du parc. Elle longe, sur 16 km, le lac Wapizagonke, longue et étroite étendue d'eau filiforme, avant de conduire au belvédère du Passage puis au lac Edouard qui offre une ravissante plage de sable fin aménagée pour la baignade et le pique-nique. Derrière l'accueil de l'entrée ouest du parc, la vue sur la rivière Saint-Maurice est magnifique.

▶ **Hébergement :** camping semi-aménagé et dans l'arrière-pays (✆ 1 877 737 3783).

▶ **Activités :** canot-camping (location sur place), canot, baignade, pêche, randonnée pédestre, vélo de montagne. En hiver, ski de fond, raquettes.

QUÉBEC

Berceau de la province du Québec, bastion de la culture française en Amérique du Nord, la ville de Québec est un bijou. C'est aussi la seule ville fortifiée d'Amérique du Nord, et son quartier ancien, le Vieux-Québec, s'inscrit désormais sur la liste du patrimoine mondial de l'Unesco. Depuis la création de la Confédération en 1867, Québec est la capitale politique de la province du même nom, sa grande fierté aussi. Ici siège le Parlement, à peu de distance du Château Frontenac, massif et ô combien célèbre construction surplombant le majestueux fleuve Saint-Laurent, typique des hôtels de style château Renaissance avec tourelles et mâchicoulis implantés par le Canadian Pacific le long de la ligne du chemin de fer transcanadien.

Le Vieux-Québec se compose d'une Haute-Ville, au sommet du cap Diamant, et d'une Basse-Ville, comprise entre la falaise et le Saint-Laurent. Il convient d'en faire la visite à pied. La flânerie est le meilleur moyen de la découvrir. À pied, mille charmes s'y dévoilent, au gré de ses étroites ruelles pavées, de ses escaliers, de ses places ombragées et de ses jardins. Ici aussi, les manifestations abondent à longueur d'année et, plus particulièrement, durant la saison estivale. Les fêtes de la Nouvelle-France, en août, y recréent l'atmosphère du XVIIe siècle. En février s'y déroule le célèbre carnaval de Québec, conduit par le non moins célèbre Bonhomme Carnaval, vêtu de sa tuque (bonnet) rouge et de sa ceinture fléchée (pièce de tissu traditionnelle).Vous découvrirez Québec avec enchantement et vous la redécouvrirez toujours avec plaisir. Il faut prendre votre temps, pour déguster les spécialités culinaires de la gastronomie québécoise d'antan, vous offrir un verre en plein air sur les nombreuses terrasses de café de la vieille ville ou de la Grande-Allée (les Champs-Élysées de Québec) par une nuit de pleine lune. Et, les soirs d'été, vous ferez une balade sur la promenade en planches de la terrasse Dufferin, au pied du Château Frontenac, pour jouir de la vue sur le fleuve ou vous laisser charmer par les chanteurs et musiciens qui s'y produisent.

Histoire

Bien avant l'arrivée des Européens, les chasseurs et pêcheurs amérindiens habitaient le village de Stadaconé, non loin du site actuel de Québec. En 1535, Jacques Cartier y accoste et donne le nom de cap Diamant au promontoire qui domine le Saint-Laurent, pensant y trouver de précieuses gemmes, avant d'en repartir, déçu. En 1608, Samuel de Champlain débarque à son tour à *Kébec*, mot algonquin signifiant « là où le fleuve se resserre », et, de fait, le Saint-Laurent

Château Frontenac.

ne mesure qu'un kilomètre de large à cet endroit. Il y établit un poste de traite des fourrures et y érige une première forteresse de bois. Les institutions religieuses et l'administration coloniale s'établissent dans la Haute-Ville, tandis que les marchands et les artisans habitent la Basse-Ville qui demeurera, jusqu'au milieu du XIXe siècle, le cœur économique de la cité. Très vite, Québec devient le centre politique, administratif et militaire de la Nouvelle-France.

Perchée sur le promontoire du cap Diamant (98 m de hauteur), au confluent de la rivière Saint-Charles et du Saint-Laurent, la ville, surnommée *le Gibraltar de l'Amérique*, occupe, en effet, un site stratégique qui fera l'objet de multiples offensives : elle ne subira pas moins de six sièges. Les frères Kirke réussissent même à s'en emparer en 1629. Comme elle reste vulnérable en dépit de sa situation de forteresse naturelle, on décide de l'entourer de puissantes fortifications. Elles sont érigées en 1690 par le comte de Frontenac qui réussit à repousser l'assaut de l'amiral Phips. Mais, en 1759, les troupes anglaises du général Wolfe assiègent la ville. C'est ainsi que, lors de la funeste bataille des Plaines d'Abraham, le général français Montcalm est battu. La France perd sa colonie. Conquise, Québec est cédée à l'Angleterre en 1763. Cependant la ville conserve son droit de pratiquer la religion catholique, alors interdite en Angleterre et obtiendra en 1774, grâce à la signature de l'acte de Québec, l'autorisation de préserver sa langue et ses coutumes.

Quartiers

La ville de Québec est divisée en six arrondissements : Sainte-Foy-Sillery-Cap Rouge, La Haute-Sainte-Charles, Les Rivières, Charlesbourg, Beauport, et La Cité-Limoilou. Ce dernier est l'hôte de la majorité des attraits touristiques et des bonnes adresses branchées. Il comprend la Haute-Ville, la Basse-Ville et Limoilou, et est divisé en neuf quartiers : Saint-Sacrement, Montcalm, Saint-Jean-Baptiste, Vieux-Québec-Cap-Blanc-Colline Parlementaire, Saint-Roch, Saint-Sauveur, Vieux-Limoilou, Lairet et Maizerets. Toutefois, n'oubliez pas que le centre de la ville de Québec implique un fort dénivelé entre le port et la partie surélevée de la ville. Soyez donc prêt à faire un peu d'exercice ! Le cas échéant, vous trouverez un ascenseur au bout de la rue de la Couronne et un funiculaire dans le quartier Petit Champlain.

Quartier du Petit Champlain.

Le Vieux-Québec et le Port

Classé patrimoine mondial par l'Unesco en 1985, le quartier du Vieux-Québec, le plus visité de la province, s'étend en partie au niveau de l'eau et en partie sur les hauteurs stratégiques du cap Diamant. Champlain choisit la partie haute en 1620 pour installer le fort Saint-Louis. La vocation des deux parties date de cette époque : la Basse-Ville sera réservée aux commerçants et artisans tandis que la Haute-Ville sera le quartier des militaires, des fonctionnaires et des membres du clergé. Les travaux pour l'édification de l'enceinte fortifiée commencent à la fin du XVIIe siècle et se terminent en 1832 avec l'achèvement de la construction de la citadelle. Aujourd'hui, de nombreuses institutions politiques et religieuses occupent une place de choix dans la Haute-Ville : l'Hôtel de Ville, le Séminaire de Québec, le couvent des Ursulines, le monastère des Augustines, l'hôpital de l'Hôtel-Dieu. Dans la Basse-Ville, la vocation commerçante et artisanale de la ville se confirme dans le quartier du Petit Champlain qui regroupe de beaux magasins vendant de l'artisanat, essentiellement québécois. Au niveau administratif, le quartier du Vieux-Québec comprend aussi les Plaines d'Abraham (ainsi nommées en raison de la bataille au cours de laquelle la France perdit sa colonie) et la Colline parlementaire.

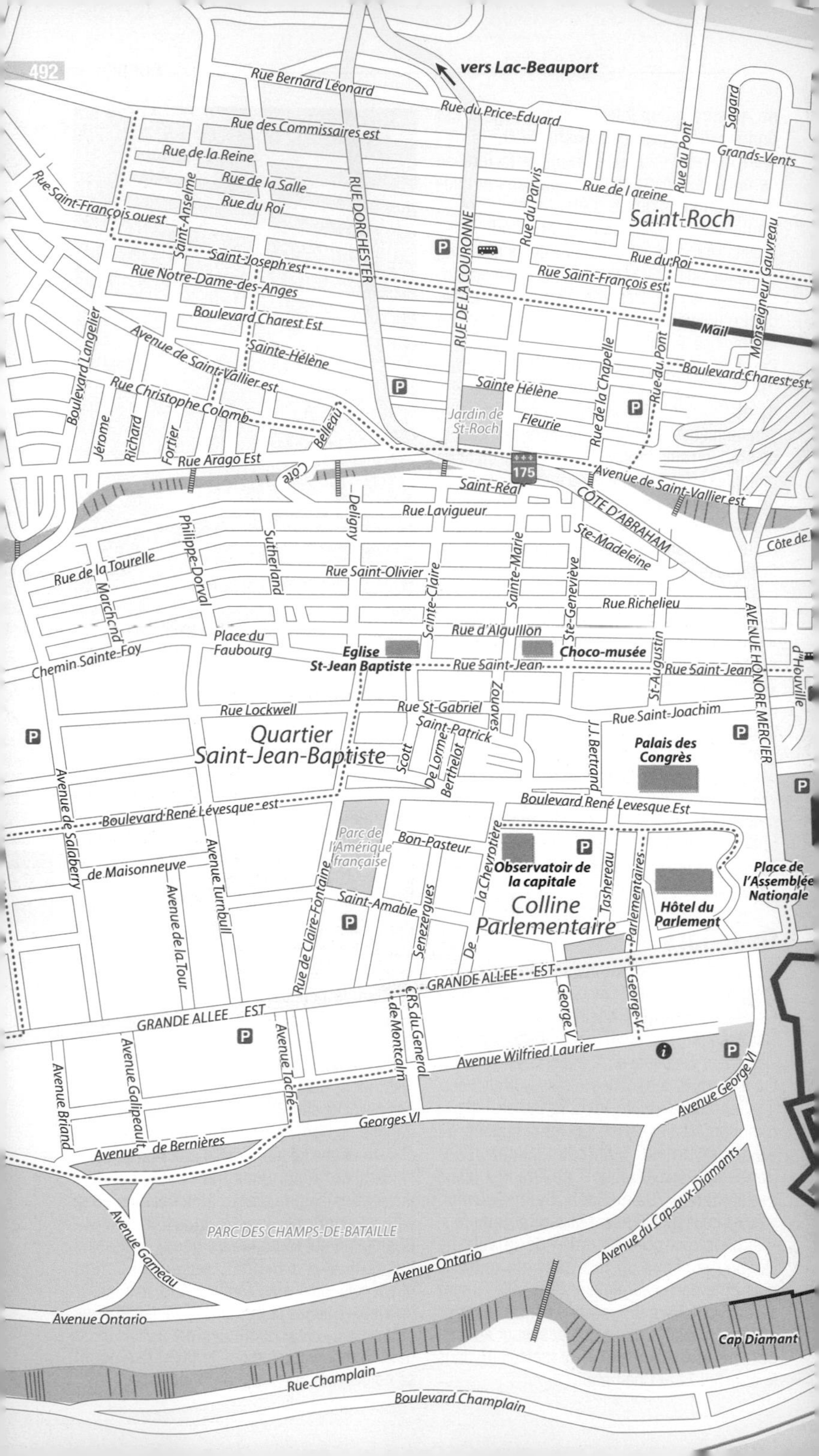
vers Lac-Beauport
Rue Bernard Léonard
Rue du Price-Eduard
Rue des Commissaires est
Rue de la Reine
Rue de la Salle
Rue du Roi
Rue Saint-François ouest
Saint-Anselme
RUE DORCHESTER
RUE DE LA COURONNE
Rue du Parvis
Rue du Pont
Sagard
Grands-Vents
Rue de Lareine
Saint-Roch
Monseigneur Gauvreau
Saint-Joseph est
Rue Notre-Dame-des-Anges
Rue du Roi
Rue Saint-François est
Boulevard Charest Est
Mail
Sainte-Hélène
Avenue de Saint-Vallier est
Rue Christophe Colomb
Boulevard Langelier
Rue de la Chapelle
Boulevard Charest est
Sainte Hélène
Jardin de St-Roch
Fleurie
Belleau
Jérome
Richard
Fortier
Rue Arago Est
Côte
175
Saint-Réal
Avenue de Saint-Vallier est
CÔTE D'ABRAHAM
Deligny
Rue Lavigueur
Philippe-Dorval
Sutherland
Ste-Madeleine
Côte de
Rue de la Tourelle
Marchand
Rue Saint-Olivier
Scinte-Claire
Sainte-Marie
Ste-Geneviève
Rue Richelieu
Rue d'Aiguillon
Place du Faubourg
Eglise St-Jean Baptiste
Choco-musée
Chemin Sainte-Foy
Rue Saint-Jean
Rue Saint-Jean
St-Augustin
AVENUE HONORÉ MERCIER
d'Youville
Rue Lockwell
Rue St-Gabriel
Zouaves
Saint-Patrick
Rue Saint-Joachim
Quartier Saint-Jean-Baptiste
Scott
De Lorme
Berthelot
J.J. Bertrand
Palais des Congrès
Avenue de Salaberry
Boulevard René Lévesque est
Boulevard René Levesque Est
Parc de l'Amérique française
Bon-Pasteur
De la Chevrotière
Observatoir de la capitale
Tashereau
Parlementaires
Place de l'Assemblée Nationale
de Maisonneuve
Avenue Turnbull
Avenue de la Tour
Rue de Claire-Fontaine
Saint-Amable
Senezergues
Colline Parlementaire
Hôtel du Parlement
GRANDE ALLEE EST
GRANDE ALLEE EST
George V
George V
CRS du General de Montcalm
Avenue Taché
Avenue Galipeault
Avenue Briand
Avenue Wilfried Laurier
Avenue George VI
Georges VI
Avenue de Bernières
PARC DES CHAMPS-DE-BATAILLE
Avenue du Cap-aux-Diamants
Avenue Garneau
Avenue Ontario
Avenue Ontario
Cap Diamant
Rue Champlain
Boulevard Champlain

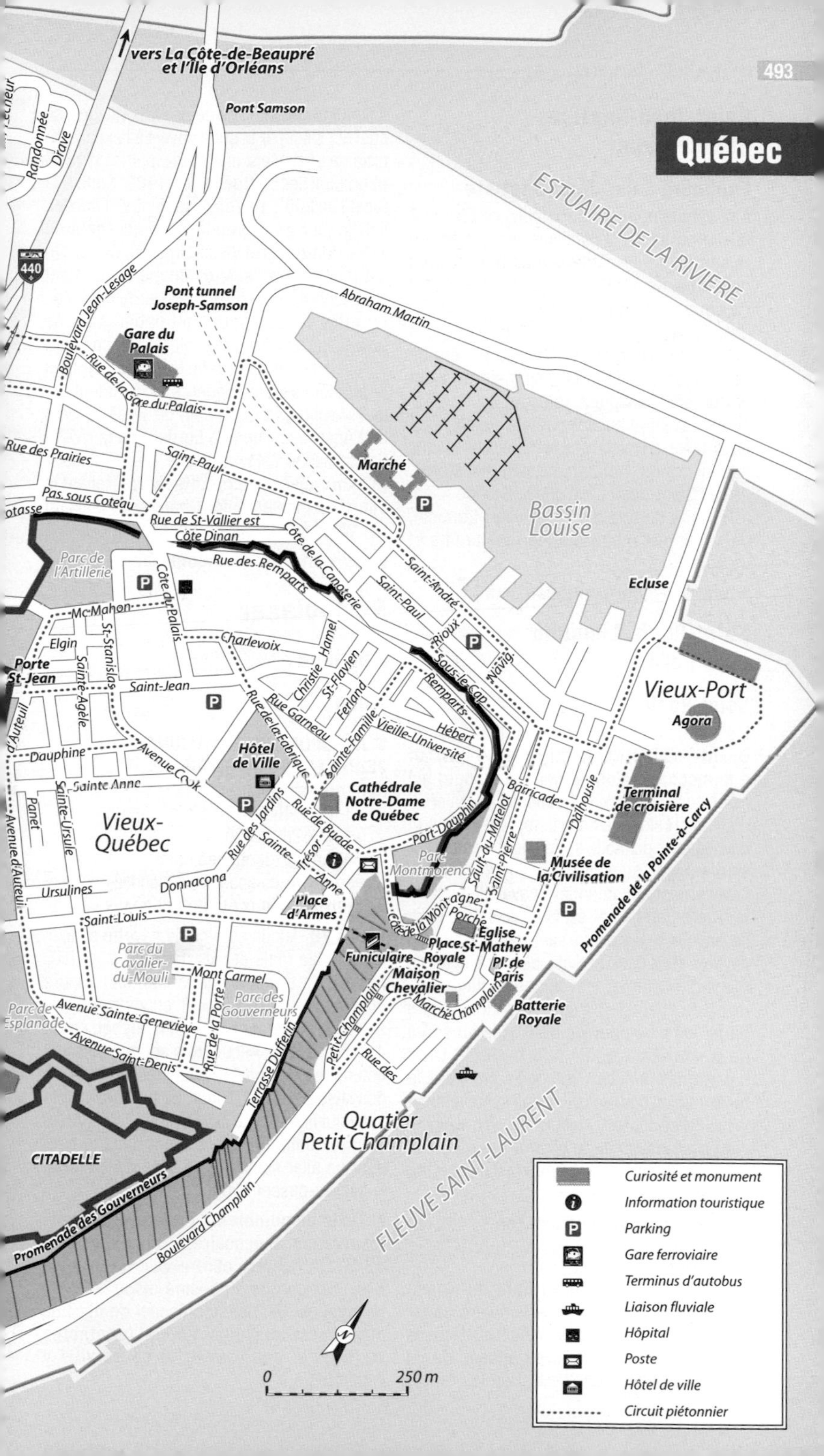

Québec
vers La Côte-de-Beaupré et l'Île d'Orléans
Pont Samson
ESTUAIRE DE LA RIVIERE
Pont tunnel Joseph-Samson
Gare du Palais
Marché
Bassin Louise
Ecluse
Vieux-Port
Agora
Terminal de croisière
Cathédrale Notre-Dame de Québec
Hôtel de Ville
Vieux-Québec
Porte St-Jean
Parc de l'Artillerie
Parc Montmorency
Musée de la Civilisation
Place d'Armes
Funiculaire
Place Royale
Eglise St-Mathew
Pl. de Paris
Maison Chevalier
Batterie Royale
Parc du Cavalier-du-Mouli
Parc des Gouverneurs
Parc de Esplanade
CITADELLE
Quatier Petit Champlain
FLEUVE SAINT-LAURENT
Promenade des Gouverneurs
Promenade de la Pointe-à-Carcy
Boulevard Champlain
Terrasse Dufferin
Curiosité et monument
Information touristique
Parking
Gare ferroviaire
Terminus d'autobus
Liaison fluviale
Hôpital
Poste
Hôtel de ville
Circuit piétonnier
0
250 m

Saint-Jean-Baptiste et Montcalm

Faubourg Saint-Jean-Baptiste

Aux débuts du régime français, ce territoire faisait partie de la banlieue, notamment en raison de sa situation géographique, hors de l'enceinte fortifiée. Son véritable essor ne commence qu'au début de XIXe siècle, quand il se peuple d'artisans, de commerçants et d'ouvriers. En 1929, il prend le nom de Saint-Jean-Baptiste, en l'honneur du saint patron des Canadiens français. Le quartier connaît aujourd'hui une activité économique importante, en raison des nombreux bâtiments administratifs, notamment des ministères. La rue Saint-Jean ainsi que la Grande Allée, à la limite du quartier Saint-Jean-Baptiste, débordent de magasins, de restaurants et de bars.

www.faubourgsaintjean.com

Saint-Roch, Limoilou et le nord

Saint-Roch

Il s'agit d'un des plus anciens faubourgs de Québec mais surtout, du nouveau quartier à la mode que l'on surnomme aujourd'hui le « Nouvo St-Roch ». Beaucoup de galeries d'art, de résidences d'artistes, de bistros et de magasins de mode s'y côtoient. Ce quartier se développe au milieu du XVIIIe siècle avec l'avènement des chantiers navals le long de la rivière Saint-Charles. Un siècle plus tard, l'économie se concentre sur la construction de navires. Mais cette activité, ainsi que d'autres types d'industries, développées ultérieurement, déclinent. Par la suite, le quartier figure parmi les plus pauvres de la ville au cours de la deuxième moitié du XXe siècle. C'est à partir des années 1990 que commence la réhabilitation des rues principales, notamment la rue Saint-Joseph. Aujourd'hui, en raison de son passé industriel, du charme des ruelles et de la qualité des commerces, c'est un quartier qui mérite une visite.

www.quartiersaintroch.com

Limoilou

Ce quartier est situé au nord du Nouvo St-Roch, de l'autre côté de la rivière Saint-Charles. Son nom vient du manoir où Jacques Cartier vécut les dernières années de sa vie, en Bretagne dans l'ouest de la France. À l'origine constitué de deux petits villages, ce quartier s'est par la suite ouvert à l'expansion urbaine : il devient une municipalité en 1893 et un quartier de Québec en 1909. Suite à la fusion de 2002, l'arrondissement de Limoilou voit le jour en regroupant les quartiers de Lairet, Maizerets et Vieux-Limoilou. Ce dernier est d'ailleurs considéré comme l'équivalent québécois du Plateau Mont-Royal de Montréal. En effet, il est aujourd'hui habité par une population assez jeune et plutôt branchée. On y trouve de bons petits restos, cafés sympas et boutiques en tous genres, notamment sur la 3e Avenue. Pour un bain de soleil, le parc de l'Anse-à-Cartier, en bordure de la rivière Saint-Charles, est tout indiqué. Un parc linéaire (32 km) suit d'ailleurs cette rivière, reliant le Vieux-Port au lac Saint-Charles, en passant par Wendake.

www.monlimoilou.com

Se déplacer

L'arrivée

Avion

■ **AÉROPORT INTERNATIONAL JEAN-LESAGE DE QUÉBEC**
505, rue Principale
✆ +1 418 640 3300
✆ +1 877 769 2700
www.aeroportdequebec.com
Une dizaine de compagnies aériennes y opèrent des vols nationaux et internationaux.

Bus 78. Aucun service de navette avec le centre-ville mais depuis août 2008, le RTC (réseau de transport de la capitale) assure une liaison en transport en commun en semaine seulement (www.rtcquebec.ca ou 418-627-2511). Aucun frais additionnels aux détenteurs des cartes mensuelles ainsi que des laissez-passer 1 jour. Le prix des billets individuels est de 2,55 CAN $ (2,75 CAN $ si payé comptant directement dans le bus) pour un aller simple et de 6,85 CAN $ pour le laissez-passer 1 jour.

Taxis disponibles à l'aéroport, aucune réservation nécessaire. Coût d'un taxi : 32,50 CAN $ vers centre-ville (le prix est fixe). Service de limousine disponible sur réservation. Service additionnel de minibus offert vers certains hôtels (contactez votre hôtel pour savoir si ce service y est offert).

Train

■ VIA RAIL - GARE DE QUÉBEC
Gare du Palais
450, de la Gare du Palais
✆ +1 888 842 7245
www.viarail.ca
relations_clientele@viarail.ca
Heures d'ouverture de la gare : lundi-vendredi, 4h45-21h ; samedi-dimanche, 7h-21h. Heures d'ouverture de la billetterie : lundi-vendredi, 5h-18h ; samedi-dimanche, 7h-18h.
Le train dessert quelques régions du Québec (une connexion à Montréal peut être nécessaire). Autres destinations : Halifax, Toronto, Ottawa, etc. Se déplacer en train permet de voir de beaux paysages, mais les trajets sont souvent assez lents et coûtent plus cher que le bus (ce dernier étant plus onéreux que la voiture).

Bus

■ TERMINUS D'AUTOBUS DE LA GARE DU PALAIS
320, rue Abraham-Martin
✆ +1 418 525 3000
Renseignements tarifs et horaires au numéro indiqué.
La gare routière se trouve dans le même édifice que la gare ferroviaire, à côté du marché Vieux-Port. Pour acheter les billets de bus longue distance, le mieux est de se rendre directement sur place.

Bateau

■ SOCIÉTÉ DES TRAVERSIERS DU QUÉBEC
10 rue des Traversiers
✆ +1 877 787 7483
www.traversiers.gouv.qc.ca
stq@traversiers.gouv.qc.ca
Ligne Québec - Lévis - ✆ (418) 643 8420
L'embarquement se fait sur le quai situé à deux pas du quartier Petit-Champlain et de la place Royale.

Voiture

Il faut compter au moins 50 CAN $ la journée pour la location d'un véhicule de catégorie A, tarif variable selon les promotions en vigueur, les saisons et la distance parcourue, le kilométrage étant souvent illimité. Notez que certaines de ces compagnies ont des comptoirs de location à l'aéroport ainsi qu'à la Gare du Palais.

■ AVIS
1100, boulevard René Lévesque Est
✆ +1 418 523 1075, +1 800 879 2847
www.avis.ca

■ BUDGET
1110, boulevard Wilfrid-Hamel
✆ +1 418 687 4220, +1 800 268 8970
www.budget.ca

■ DISCOUNT
Hôtel Château Laurier
1220, Place George V Ouest
✆ +1 418 529 2811, +1 800 263 2355
www.discountcar.com

■ HERTZ
44, Côte du Palais
✆ +1 418 694 1224, +1 800 263 0678
www.hertz.ca

En ville

■ COOP
✆ +1 418 525 5191
www.taxicoop-quebec.com
admin@taxicoop-quebec.com
Le taxi classique mais qui propose, en plus, des tours de ville. Tarifs : entre 55 CAN $ et 65 CAN $ l'heure, tout dépendant du nombre de passagers.

■ RÉSEAU DE TRANSPORT DE LA CAPITALE (RTC)
720, rue des Rocailles
✆ +1 418 627 2511
www.rtcquebec.ca
Renseignements sur les trajets et les lignes de bus.
Le RTC offre des services de bus (dessert toute la métropole), métrobus (dessert les centres d'activités), eXpress (service en semaine aux heures de pointe) et écolobus (dessert les attraits du Vieux-Québec). Il n'existe pas de bus de nuit à Québec. Pour utiliser le bus, il faut dorénavant se procurer la carte à puce rechargeable Opus (6 CAN $) ou payer comptant (montant exact). Le coût : 74,75 CAN $ pour le mois. Le coût d'un passage à l'unité est fixé à 2,55 CAN $ (2,75 CAN $ si payé comptant directement dans le bus, 1 CAN $ pour l'écolobus) et il est également possible de se procurer un laissez-passer d'un jour au coût de 6,85 CAN $ (sauf écolobus). Il existe un droit à la correspondance valable 90 minutes à compter de l'heure de votre passage initial.

▸ **Autre adresse :** 884, rue Saint-Joachim (autre centre d'information).

■ **VÉLOS ROY-O**
463, rue Saint-Jean ✆ +1 418 524 0004
www.velosroyo.com – info@velosroyo.com
Lundi-mercredi, 10h-18h ; jeudi-vendredi, 10h-20h ; samedi-dimanche, 12h-17h. Horaire réduit de novembre à mars. Location 24h de vélo hybride : 25 CAN $ (casque, cadenas et carte des pistes cyclables inclus). Dépôt de 250 CAN $ (comptant ou pré-autorisation sur carte de crédit).
Julien Roy et Marc-André Deshaies sont deux grands passionnés de vélo. Il n'est donc pas étonnant qu'ils aient ouvert leur propre boutique en plein cœur du Faubourg Saint-Jean. Que vous recherchiez un vélo neuf ou usagé, ou encore des accessoires (dont les marques québécoises Cocotte et Arkel), vous trouverez de tout chez Vélos Roy-O. Et que dire de son service mécanique complet, assuré par nul autre qu'Yves Sauvageau, un mécanicien qui œuvre dans le quartier depuis près de 20 ans ! Petit plus : la location long terme sur le principe de rachat. Procurez-vous un vélo usagé au prix de vente normal et la boutique vous le rachètera à moitié prix (s'il est toujours en bon état !). Fort utile pour les étudiants en échange et les « PVTistes ». Bref, une nouvelle adresse coup de cœur !

Pratique

Tourisme

■ **CENTRE INFOTOURISTE DE QUÉBEC**
12, rue Sainte-Anne
✆ +1 877 266 5867
www.bonjourquebec.com
www.regiondequebec.com
info@bonjourquebec.com
En face du château Frontenac. Du 21 juin à septembre : lundi-dimanche, 9h-19h. Le reste de l'année : lundi-dimanche, 9h-17h.
N'hésitez pas à y passer un moment pour planifier l'ensemble de votre séjour. L'accueil est très professionnel et le fonds documentaire impressionnant. On y trouve de nombreux intervenants touristiques sur place : Croisières AML et Groupe Dufour Croisières (compagnies de croisières, en saison estivale seulement), Les Promenades Fantômes, Autocars Dupont/Tours du Vieux-Québec (tours de ville, excursions touristiques commentées), Sépaq (parcs nationaux et réserves fauniques), etc.

▶ **Autre adresse :** No. vert de la France : 0 800 90 77 77 ; de la Belgique : 0 800 78 532 ; de la Suisse : 0 800 051 70 55.

■ **OFFICE DU TOURISME DE QUÉBEC**
835, avenue Wilfrid-Laurier
✆ +1 418 641 6290
✆ +1 877 783 1608
www.regiondequebec.com
Ouvert tous les jours à l'année. Informations uniquement sur Québec.

Argent

Banques

Il y en a partout (ou presque !). Les agences disposent en général des distributeurs automatiques, qui acceptent pour la plupart Visa ou MasterCard (jamais les deux !). Vérifiez les symboles avant d'effectuer un retrait.

Bureaux de change

Vous trouverez des bureaux à l'aéroport, aux gares ferroviaires et routières, dans le Vieux-Québec, dans les centres commerciaux comme les Galeries de la Capitale, et au Centre Infotouriste. Les banques offrent également un service de bureau de change. Les taux de changent varient un peu d'un endroit à l'autre, et l'on vous donnera souvent un meilleur taux pour un montant à échanger élevé.

Postes et télécom

Poste

Les bureaux de poste se trouvent en général dans les pharmacies (Jean Coutu, Pharmaprix...). Cherchez le logo (rouge) Postes Canada. On trouve des boîtes à lettres un peu partout dans les rues (les rouges et non les grises).

Téléphone

Les cabines sont encore relativement nombreuses dans les rues. Pas besoin d'acheter de cartes : avec 50 cents, on peut passer des appels locaux d'une durée illimitée. Les appels vers d'autres provinces sont coûteux. Pour appeler à l'étranger, mieux vaut acheter une carte prépayée (avec un code à gratter), dans une pharmacie ou chez un « dépanneur ».

Internet

La plupart des hôtels et des B&B ont des ordinateurs avec accès à Internet disponibles pour leurs clients. Québec compte assez peu de commerces avec des postes d'accès à Internet mais beaucoup sont équipés en wi-fi. Le Centre Infotouriste est une bonne adresse pour avoir accès à un poste Internet.

Urgences

Pour joindre la police, les pompiers ou l'ambulance, composez le 911.Pour obtenir des infos santé, composez le 811.

Se loger

Le Vieux-Québec et le Port

■ **AUBERGE INTERNATIONALE DE QUÉBEC HI**
19, rue Sainte-Ursule
✆ +1 418 694 0755
✆ +1 866 694 0950
www.aubergeinternationaledequebec.com
reservation@hostellingquebec.com
Chambre partagée : à partir de 24 CAN $, chambre privée sans salle de bain : à partir de 70 CAN $ en simple ou double (85 CAN $ avec salle de bain), petit déjeuner inclus. Café bistro, cuisine équipée, buanderie, salon télé, wi-fi gratuit et postes Internet, cour intérieure (BBQ l'été !), billard ; baby foot ; ping-pong ; programme d'activités. Membre du réseau Hostelling International.
Une très belle auberge de jeunesse dans le centre historique de la ville. Des travaux de rénovation ont permis d'allier l'ancien et le moderne, faisant de l'auberge un lieu de séjour prisé. Les chambres privées sont très agréables et les chambres partagées sont bien entretenues. De plus, le personnel utilise des produits écologiques pour faire le ménage et prône la récupération. De la qualité pour un prix plus qu'intéressant !

■ **AUBERGE SAINT-ANTOINE**
8, rue Saint-Antoine
✆ +1 418 692 2211
✆ +1 888 692 2211
www.saint-antoine.com
Occupation double : à partir de 149 CAN $. Forfaits disponibles. 95 chambres et suites de luxe avec vue sur les fortifications et le Saint-Laurent. Literie de luxe, couette et oreiller en duvet d'oie, peignoirs, chaîne hi-fi haute qualité, minibar, téléviseur à écran plat, Internet haut débit, etc. Stationnement intérieur payant avec voiturier. Salle d'entraînement complète, service de massothérapie, salle de cinéma. Service en chambre et service « bonne nuit ». Fine cuisine canadienne revisitée au restaurant Panache (si vous souhaitez manger léger ou boire un verre, l'Artefact est conseillé). Service de conciergerie impeccable.
Suite à des fouilles archéologiques entreprises en 2001 sous ses assises, cet hôtel/musée, membre de la célèbre chaîne Relais & Châteaux, vous propose une façon originale de trouver le repos et le luxe à l'intérieur des murs d'un ancien entrepôt maritime du début du XVIIe siècle et de la Maison Hunt datant de la même époque. Des chambres grand confort qui exposent les artéfacts découverts sur le site. Style contemporain du mobilier et de l'architecture en accord avec le passé. Une belle façon de découvrir la Nouvelle-France !

■ **HÔTEL SAINTE-ANNE**
32, rue Sainte-Anne
✆ +1 418 694 1455
✆ +1 877 222 9422
www.hotelste-anne.com
info@hotelste-anne.com
Occupation double : à partir de 129 CAN $. 28 chambres et suites. Forfaits disponibles. Restaurant « Le Grill » sur place (cuisine d'inspiration française et québécoise).
Un hôtel boutique 3-étoiles au cachet unique vous offrant le confort et le service d'un 5-étoiles ! Ses chambres sont très chaleureuses et stylisées. La plupart d'entre elles ont un mur de briques ou de pierres d'origine. Trois salons privés sont à disposition pour des réunions ou événements privés (capacité de 25 à 50 personnes). Cet hôtel plaira aux amateurs de style épuré et contemporain.

Saint-Jean-Baptiste et Montcalm

■ **AUBERGE RESTAURANT LOUIS-HÉBERT**
668, Grande Allée Est
✆ +1 418 525 7812
www.louishebert.com
restaurant@louishebert.com
Occupation double : à partir de 120 CAN $, petit déjeuner et stationnement inclus. Forfait gastronomique à 195 CAN $ pour 2 personnes incluant le stationnement, la table d'hôte 5 services, et le petit déjeuner.
Une superbe auberge à l'ambiance familiale proposant sept chambres douillettes et délicieuses avec toutes les commodités requises : salle de bain privée, télé, téléphone, Internet sans fil. Le Louis-Hébert possède également une table de choix servant une fine cuisine française où gibier et fruits de mer sont à l'honneur. Le tout est accompagn[illegible] d'un cadre superbe, celui d'une maison [illegible] près de trois siècles au charme indénia[illegible] avec ses boiseries, sa verrière et ses [illegible] d'autrefois.

Saint-Roch, Limoilou et le nord

■ AUBERGE L'AUTRE JARDIN

365, boulevard Charest Est
✆ +1 418 523 1790, +1 877 747 0447
www.autrejardin.com
info@autrejardin.com
Haute saison : chambre régulière 129 CAN $, de luxe 145 CAN $, suite 197 CAN $. Hors saison : chambre régulière 99 CAN $, de luxe 116 CAN $, suite 159 CAN $. 28 chambres dont 3 suites. Petit déjeuner inclus. Forfaits disponibles. Salles de réunion, bain à remous dans certaines chambres, Internet sans fil gratuit. Stationnement payant à proximité.
Située dans le quartier Saint-Roch, cette auberge est à environ 15 min de marche du Vieux-Port et à 5 min de la vieille ville. L'auberge est née d'une initiative novatrice d'économie sociale développée par Carrefour Tiers-Monde, un organisme de solidarité internationale. Résultat, un hôtel 3-étoiles, très confortable et œuvrant pour la solidarité internationale et le développement local : jolie boutique qui vend des bijoux et des vêtements issus du commerce équitable et buffet du petit déjeuner aux produits locaux. L'auberge l'Autre Jardin prouve que tourisme durable et séjours d'affaires ne sont pas nécessairement antagonistes : bureau, climatisation, Internet, téléphone et sérénité garantie dans chaque chambre ! Les chambres sont belles, décorées chaleureusement et avec personnalité. Tout le monde y trouve son compte puisque trois catégories de chambres sont proposées : régulière, luxe et suite. Quant à l'accueil, il est très doux et professionnel. À recommander sans hésitation.

■ HÔTEL DE GLACE

9530, rue de la Faune
Charlesbourg
✆ +1 418 623 2888, +1 877 505 0423
www.hoteldeglace-canada.com
info@hoteldeglace-canada.com
Ouvert de début janvier à fin mars. Ouvert au public tous les jours de 10h à minuit. Visite guidée : tous les jours de 10h30 à 16h30. Adulte : 17 CAN $, aîné et étudiant : 15 CAN $, 6-12 ans : 8,50 CAN $, 5 ans et moins : gratuit, famille : 42,50 CAN $. Tarifs d'entrée réduits après 20h. Service de navette depuis Québec (réservation : 418 664 0460).Capacité d'hébergement : 36 chambres et suites thématiques. Plusieurs forfaits disponibles. Bar de Glace, chapelle (mariages), salles d'expositions thématiques, glissade, etc.
Ce majestueux complexe de glace et de neige voit le jour en janvier et disparaît sous le soleil du printemps chaque année. Il s'agit d'une structure exceptionnelle de 3 000 m² fabriquée de 12 000 tonnes de neige et de 400 tonnes de glace. Les murs sont dotés d'œuvres d'art, le mobilier, le lustre étincelant qui dominent le hall d'entrée, les colonnes et les magnifiques sculptures sont façonnées à même la glace. Le chaud et le froid se mélangent, vos sens sont en éveil, un émerveillement qui vous fera vivre une expérience hors du commun !

Se restaurer

Le Vieux-Québec et le Port

■ LE 48

48, rue Saint-Paul
✆ +1 418 694 4448
www.le48.ca
info@le48.ca
Lundi-vendredi, 7h-23h (ou plus) ; samedi-dimanche, 8h-23h (ou plus). Menu midi et à la carte : à partir de 10 CAN $. Terrasse.
On reste encore étonné par l'excellence du rapport qualité-prix de ce restaurant branché situé à quelques pas du Vieux-Port. On y déguste des grands classiques et des plats fusion. Explorez le très populaire saumon de Madagascar ou bien le tartare de bœuf Angus à la thaï. La terrasse est idéale pour la dégustation d'un assortiment de tapas piochées parmi les « tentations du 48 », allant de la crevette géante dans sa tempura à la bière rousse au satay de bœuf aux deux sésames et salade kikomen. À l'intérieur du restaurant, le décor acrobatique met en scène des voiles colorées sur fond de murs noirs, des miroirs aux moulures nouées d'arabesques, et des cubes comme sièges où se poser. Une musique du monde parfume l'atmosphère pendant que les assiettes s'élaborent devant vous.

■ PAILLARD

1097, rue Saint-Jean
✆ +1 418 692 1221
www.paillard.ca
En été : lundi-dimanche, 7h30-23h. Hors saison : dimanche-jeudi, 7h30-19h ; vendredi-samedi, 7h30-21h. Service de traiteur.
Si le palais était pourvu d'une mémoire, il serait hanté par le croissant au beurre de Paillard : une couverture croustillante et un cœur si tendre, un bon goût de beurre, c'est une merveille ! Mais celui-ci ne doit pas faire ombrage au rayon pâtisserie, à ses tartes au

chocolat et autres religieuses confectionnées par un chef français formé dans les meilleures écoles. Les salades, les sandwichs, les boîtes repas : encore des délices ! Quant à la décoration, vous ne savez plus si vous êtes à New York ou à Paris !

■ **PANACHE**
10, rue Saint-Antoine
✆ +1 418 692 1022
www.restaurantpanache.com
info@restaurantpanache.com
Lundi-vendredi, 6h30-10h30 ; samedi-dimanche, 7h-11h ; mercredi-vendredi, 12h-14h ; et tous les soirs de 18h à 22h. Menu midi : environ 20-25 CAN $, plats principaux à la carte le soir : 35-50 CAN $, menu gastronomique : 95 CAN $ (ajouter 74 CAN $ pour l'accord mets-vins). Superbe cave à vins.
Une cuisine qui puise ses inspirations des recettes de maman pour les réinventer et leur donner une note contemporaine. Derrière ce tour de force, se cachent le célèbre chef François Blais et ses acolytes, qui tantôt traquent les fruits sauvages, tantôt les truffes. Ainsi, le canard sur broche provient de Saint-Apollinaire pour se retrouver frotté à la fleur d'ail et au vin. Le homard des Îles de la Madeleine est décortiqué puis poché au thym citronné, accompagné d'une bisque corsée et d'une salade de salicorne. Le Québec en saveurs réinventées nous est servi dans un décor qui conjugue le passé et le présent. La salle à manger ouvre un grand espace aux murs de pierres anciens, soutenu par des poutres en bois massif, équarries de façon rustique. Un terreau fertile et convivial.

Saint-Jean-Baptiste et Montcalm

■ **CAFÉ KRIEGHOFF**
1089, avenue Cartier
✆ +1 418 522 3711
www.cafekrieghoff.qc.ca
info@cafekrieghoff.qc.ca
Ouvert tous les jours de 7h à 23h. Menu à la carte : à partir de 6,50 CAN $. Table d'hôte le midi : 12-15 CAN $, le soir : ajoutez 5 CAN $ au prix du plat principal. Terrasse. Hébergement disponible sur place.
Il y a des petits cafés que l'on apprécie autant l'hiver que l'été. Le Café Krieghoff en fait partie ! Véritable institution bien implantée sur cette rue passante depuis 1977, vous y achèterez du café maison, vous y « bruncherez, luncherez, souperez ». Parmi les spécialités du Krieghoff, notons la pizza méditerranéenne, le tartare de bœuf, le steak AAA et la saucisse de Toulouse. L'hiver, c'est l'appel du chocolat chaud ou d'un dessert maison qui aura raison de vous et l'été, c'est la salade sur la terrasse. En bref, un petit café de quartier fort sympa où vous prendrez plaisir à revenir !

■ **GRAFFITI**
1191, avenue Cartier
✆ +1 418 529 4949 – www.legraffiti.ca
Ouvert le midi en semaine et tous les soirs dès 17h. Succulent brunch le dimanche dès 9h30. Plats à la carte : 10-30 CAN $. Tables d'hôte disponibles. Salons privés, verrière.
Plus franco-italien et inventif que le Graffiti, impossible ! La critique est unanime et nos papilles le confirment, choisissez les yeux fermés, c'est excellent à tous les coups. Notre suggestion : en entrée, les raviolis de homard au beurre d'estragon et en plat, l'escalope de veau Graffiti (sauce crème aux champignons et cheveux d'anges au pesto). Fondé en 1984, le Graffiti offre depuis plus de 25 ans une cuisine de marché originale et en constante évolution, accompagnée de l'une des meilleures caves de la région. La décoration assez branchée et chaleureuse vous invitera régulièrement à pousser les portes de cette excellente table de la Capitale.

Saint-Roch, Limoilou et le nord

■ **CAFÉ DU CLOCHER PENCHÉ**
203, rue Saint-Joseph Est
✆ +1 418 640 0597
www.clocherpenche.ca
info@clocherpenche.ca
Mardi-vendredi, 11h30-14h et 17h-22h ; samedi, 9h-14h et 17h-22h ; dimanche, 9h-14h. Fermé dimanche soir et lundi. Brunch et menu midi : à partir de 16 CAN $, plats principaux le soir : 19-26 CAN$.
De l'avis de beaucoup, c'est le meilleur rapport qualité-prix en ville ! Situé dans le quartier Saint-Roch, il bénéficie du superbe espace d'une ancienne banque, les toilettes sont d'ailleurs à l'emplacement du coffre-fort. Boiseries et vue sur le clocher penché de l'église à côté, tout est parfait pour prendre un excellent brunch. Le chef est un amoureux des produits du terroir et il transforme rapidement tout client en disciple. Une cuisine de bistro moderne et une carte des vins riche, incluant plusieurs choix de vins bio. Le clocher penché, une adresse où vous ne pouvez pas vous tromper !

■ **L'ABRAHAM-MARTIN**
595, rue Saint-Vallier Est
✆ +1 418 647 9689
Lundi-vendredi, 9h-23h ; samedi, selon les activités de la Méduse ; dimanche, fermé. Menu à la carte : moins de 20 CAN $. Terrasse.
Que pouvez-vous trouver de mieux placé que ce café-bistro situé juste au-dessus de la Méduse, haut lieu de création artistique né de la coopération entre plusieurs organismes artistiques ? En montant ou en descendant la rue de la Chapelle vous trouverez ce petit café aux couleurs chatoyantes et à la terrasse fleurie. L'ambiance conviviale et la musique très agréable confèrent une grande intimité à ce lieu. Vous y mangerez toutes sortes de plats, du sandwich à la brochette de viande, en passant par des pâtes ou des burgers. Vous ne regretterez pas ce passage au cœur même de l'espace culturel du quartier et vous pourrez vous tenir informé des expositions ou autres événements culturels pour tout public.

Sortir

L'offre culturelle est variée dans la ville de Québec. Les grandes institutions culturelles sont réparties dans les différents quartiers de la ville. La Grande Allée est très réputée auprès des étudiants pour ses bars et ses boîtes de nuit. Le quartier Saint-Roch attire plus les artistes et professionnels branchés. Quant au Vieux-Québec, il compte plusieurs bars à l'ambiance très sympathique et des salles de spectacles qui valent le détour.

Cafés / Bars

Le Vieux-Québec et le Port

■ **BAR LE CHANTAUTEUIL**
1001, rue Saint-Jean
✆ +1 418 692 2030
Ouvert tous les jours de 10h à 3h. Grande terrasse à l'arrière. Menu midi : 14,95 CAN $, table d'hôte du soir : 18,95 CAN $, menu à la carte : moins de 20 CAN $.
Cette ancienne boîte à chansons créée en 1968 par Gilles Vigneault a vu défiler bien des artistes : Félix Leclerc, Claude Gauthier, Dorothy Berryman et même Bob Dylan, qui y a tourné un film avec Joni Mitchell. Sans doute est-ce pour cette raison que nombre d'écrivains, journalistes, peintres, comédiens et autres protagonistes de la scène culturelle viennent encore y papoter. En heureuse compagnie ou un livre à la main, ce lieu mythique sait toujours autant réconforter.

■ **PUB SAINT-ALEXANDRE**
1087, rue Saint-Jean
✆ +1 418 694 0015
www.pubstalexandre.com
Lundi-dimanche, 11h-3h.
Cet authentique pub anglais est un des lieux fort chaleureux de la vieille ville. Les boiseries d'acajou, les vieux miroirs, le foyer et le bar long d'une douzaine de mètres rendent une atmosphère feutrée. Sa carte des alcools fera grand plaisir aux amateurs de bières importées (plus de 200 marques provenant d'une vingtaine de pays) et de scotchs single malt (une quarantaine). La Belgique fait bonne figure avec une cinquantaine de produits proposés allant des bières trappistes aux gueuzes, sans négliger pour autant les microbrasseries québécoises. Accompagnez le tout d'une de leurs fameuses saucisses artisanales ou d'une grillade et vous comprendrez vite pourquoi cet endroit est si apprécié.

Saint-Jean-Baptiste et Montcalm

■ **LA NINKASI DU FAUBOURG**
811, rue Saint-Jean
✆ +1 418 529 8538
www.ninkasi.ca
laninkasi@oricom.ca
Lundi-dimanche, 16h-3h (dès 14h en saison estivale).
Ninkasi fut la première divinité associée à la bière mais c'est également une excellente adresse pour les bièrophiles de la vieille capitale. Située à cinq minutes des fortifications du Vieux-Québec, la Ninkasi mise sur la culture québécoise, tant au niveau des bières que de son contenu artistique et événementiel. Au menu, on dénombre près de 50 sortes de bières de microbrasseries québécoises. Impossible de ne pas trouver ce que vous cherchez ! Des vins et spiritueux fabriqués par des artisans d'ici figurent également sur la carte des alcools. L'hiver, on déguste sa pinte devant un bon match du tricolore diffusé au bar et l'été, c'est sur la terrasse qu'on s'installe sans se faire prier. À ne pas manquer : les lundis Douteux (www.douteux.org).

■ **LE SACRILÈGE**
447, rue Saint-Jean
✆ +1 418 649 1985
www.lesacrilege.net
info@lesacrilege.net
Lundi-dimanche, 12h-3h. Programmation musicale et culturelle, émission de radio enregistrée en direct le mercredi dès 17h30.

Il ne faut pas passer à côté : ce bar du Faubourg Saint-Jean réserve une véritable surprise à celui qui s'aventure dans son antre. La verrière et la charmante terrasse aménagée dans la cour intérieure en inspirent plus d'un, les jours de beaux temps. Les arbres matures, le vieux mur en pierre... Une impression de vacances y plane lorsque le vent glisse sur les feuilles. Une quinzaine de bières de microbrasserie y coulent à flot, sans compter la dizaine de scotch. Ça serait presque un sacrilège de ne pas y faire un tour.

Saint-Roch, Limoilou et le nord

■ LA BARBERIE

310, rue Saint-Roch
✆ +1 418 522 4373
www.labarberie.com
Lundi-dimanche, 12h-1h. Terrasse. Pour les groupes de 30 personnes et plus, possibilité d'organiser des dégustations de bières et fromages avec animation (lieu à votre choix). Visite des installations et dégustation sur réservation.

Ouvert depuis plus d'une dizaine d'années, le salon de dégustation de l'excellente microbrasserie La Barberie permet aux bièrophiles de découvrir une sélection de près d'une vingtaine de bières en rotation selon les saisons. Si vous voulez goûter à tout, deux formats de carrousel (huit galopins ou huit verres) viendront assouvir votre soif de découverte. Comble de bonheur, on peut se procurer de la bière pression en vrac, à rapporter à la maison. Côté ambiance, on s'y plaît assurément et les événements organisés sont une valeur ajoutée à La Barberie : dégustations (bières sur réservation, bières et fromages tous les premiers samedis du mois – sauf en été – sur réservation), vernissages et expositions d'art visuel, festivités pour la Ste-Barbe (!)...

■ LE CERCLE

228, Saint-Joseph est
✆ +1 418 948 8648
www.le-cercle.ca
info@le-cercle.ca
Lundi-vendredi, 11h30-3h ; samedi-dimanche, 10h-3h. Cuisine ouverte jusqu'à 1h, brunch un week-end sur deux.

Tenant lieu de l'ancienne Galerie Rouge, Le Cercle est à la fois un bar à vin, un resto, une galerie d'art et une salle de spectacle. Ce lieu branché est le choix idéal pour prendre l'apéro, un repas léger ou pour finir la soirée entre amis. On vous offre des tapas de tous genres tellement bons que vous risquez d'oublier de souper. Les prix sont abordables et l'ambiance est superbe. Côté musique, vous y ferez de belles découvertes. Pour la programmation, consultez le site web.

Clubs et discothèques

■ DAGOBERT NIGHT CLUB

600, Grande Allée Est
✆ +1 418 522 0393
www.dagobert.ca – info@dagobert.ca
Mercredi-dimanche, 21h30-3h. Entrée gratuite (certains spectacles payants).

Le « Dag », comme disent les habitués, est le lieu de rencontre des oiseaux de nuit prêts à se trémousser toute la nuit au son de la musique. Et quelle musique ! Les DJ maison et du top 100 mondial alternent et vous servent une musique à grand renfort de technologie (écrans, lumières et sons sophistiqués). De la mezzanine, il faut voir ce spectacle et les filles ! Une façon comme une autre de dénicher le bon parti... Tous les horaires des spectacles sont disponibles sur le site Internet.

■ MAURICE NIGHT CLUB

575, Grande Allée Est ✆ +1 418 647 2000
www.mauricenightclub.com
administration@mauricenightclub.com
Mercredi, 20h-3h ; jeudi, 23h-3h ; vendredi, 20h30-3h ; samedi, 22h-3h. Entrée payante certains soirs.

Cette maison étrange, reconnaissable entre toutes, réunit sous le même toit quatre bars sur trois niveaux avec des ambiances différentes et un restaurant exotique le Voo Doo Grill. Côté ambiance, la programmation musicale alterne dance, latino, R&B et jazz. L'intérieur est beau et bien travaillé. L'ambiance est bien là. Une clientèle élégante s'y donne rendez-vous. Dépaysement garanti dans ce haut lieu des nuits de Québec. Quant à l'origine du nom de ce complexe de la nuit, il faut savoir que l'édifice a accueilli le siège social du parti de l'Union nationale de Maurice Duplessis, voilà pour la petite histoire.

Spectacles

■ LE CAPITOLE DE QUÉBEC

972, rue Saint-Jean
✆ +1 418 694 4444, +1 800 261 9903
www.lecapitole.com
admin@lecapitole.com
Billetterie ouverte : lundi-dimanche, 9h-21h. Tarifs variables selon les spectacles. Forfaits disponibles.

Une salle de spectacle qui a du cachet. Créée en 1903, puis abandonnée en 1982 et restaurée en 1992, l'architecture du Capitole est remarquable. En plein cœur de la ville, des concerts, des spectacles, des pièces de théâtre, mais aussi des événements (le festival du Grand Rire) et des conférences y sont organisés. Le Capitole reçoit des spectacles tels Les Misérables, Elvis Story, ou des artistes comme Natacha St-Pier, Daniel Bélanger et beaucoup d'autres.

■ **GRAND THÉÂTRE DE QUÉBEC**
269, boulevard René-Lévesque Est
✆ +1 418 643 8131, +1 877 643 8131
www.grandtheatre.qc.ca
gtq@grandtheatre.qc.ca
Tarifs variables selon les spectacles. Visites guidées offertes (mardi et mercredi en après-midi, 5 CAN $ par personne, réservation au 418 646 6154).
Deux salles, Louis-Fréchette et Octave-Crémazie, accueillent des spectacles de haute qualité et variés : danse, théâtre, musique, opéra, variétés. Une immense fresque murale de l'artiste Jordi Bonet accueille le public dans le plus vieux théâtre de la ville.

À voir / À faire

Visites guidées

■ **CROISIÈRES AML**
Face à la Place Royale
Quai Chouinard
✆ +1 866 856 6668
www.croisieresaml.com
info@croisieresaml.com
Coûts : circuits à prix variables. Forfaits-croisières disponibles (croisière guidée, repas, hébergement au Fairmont).
Embarquez à bord du Louis Jolliet pour une découverte du majestueux fleuve Saint-Laurent, de la chute Montmorency, de l'Île d'Orléans… Des croisières de jour, de soir et même de nuit, sont offertes avec des thématiques convenant à chaque groupe d'âge. AML organise également des soupers-croisières, des brunchs en plus des nombreux forfaits adaptés aux groupes. L'entreprise opère aussi à Montréal, Rivière-du-Loup et au fjord du Saguenay avec notamment des sorties en Zodiac pour l'observation des baleines à Baie-Sainte-Catherine et à Tadoussac.

■ **TOURS DU VIEUX-QUÉBEC**
✆ +1 418 664 0460, +1 800 267 8687
www.toursvieuxquebec.com
Ouvert toute l'année. Tarifs variables selon l'excursion choisie.
Visites guidées en autobus ou à pied du Vieux-Québec. Autres excursions offertes : Sainte-Anne-de-Beaupré, Île d'Orléans, Chute Montmorency, tours combinés, safari photo aux baleines, etc.

Le Vieux-Québec et le Port

Pour découvrir Québec et son patrimoine, voici une balade ponctuée de visites de sites historiques et de musées. Pour tout voir, il vous faudra une bonne semaine, sans exagération.

▶ **Haute-Ville Intra-muros.** Le cœur du Vieux-Québec, où Champlain érigea le premier fort, conserve depuis sa fondation une vocation religieuse et administrative. Depuis 1985, la zone du Vieux-Québec dans l'enceinte des murailles est classée patrimoine mondial par l'Unesco.

▶ **Basse-Ville.** Accès par le funiculaire (2 CAN $) ou par l'escalier Frontenac. Le quartier a été joliment restauré dans les années 1970. Restaurants, cafés-terrasses, boutiques et galeries d'art foisonnent. L'animation bat son plein dans la rue du Petit Champlain et autour de la Place-Royale, le cœur de la Basse-Ville, qui a gardé son aspect du XVIIIe siècle. Un de ces endroits à ne pas manquer où vous sentez de façon authentique le souffle de l'histoire.

▶ **Le Vieux-Port.** Il contribua à l'essor de la ville et joua un rôle primordial jusqu'à la fin du XIXe siècle. Aujourd'hui on y trouve l'Agora, un amphithéâtre à ciel ouvert qui propose des concerts en été. Une promenade en planches a été aménagée le long de la marina (port de plaisance). S'y trouve également, un marché couvert, sympathique et animé, où vous dénicherez tous les produits locaux.

■ CENTRE D'INTERPRÉTATION DE LA PLACE-ROYALE

27, rue Notre-Dame
✆ +1 418 646 3167
✆ +1 866 710 8031
www.mcq.org
mcq@mcq.org
Du 24 juin à la fête du Travail : lundi-dimanche, 9h30-17h. Le reste de l'année : mardi-dimanche, 10h-17h. Adulte : 7 CAN $, aîné : 6 CAN $, étudiant : 5 CAN $, 12-16 ans : 2 CAN $, 11 ans et moins : gratuit. Entrée gratuite tous les mardis du 1er novembre au 31 mai et les samedis de 10h à 12h en janvier et février.
Le Centre d'interprétation de la Place-Royale, situé dans un superbe bâtiment de la Place Royale, fait revivre de façon très vivante les 400 ans d'histoire de cette place. Les expositions sont conçues de façon très ludique. Par exemple, des objets « mystères » étranges sont disséminés, chacun contenant une énigme. Un spectacle multimédia, des ateliers et activités découverte, et des visites guidées, à l'intérieur en hiver et dehors en été, contribuent au dynamisme de la visite.

■ FAIRMONT LE CHÂTEAU FRONTENAC

1, rue des Carrières
✆ +1 418 692 2166
www.tourschateau.ca
Visites guidées : départ à chaque heure, durée de 50 min. Mai à mi-octobre : lundi-dimanche, 10h-18h. Le reste de l'année : horaire variable en semaine ; samedi-dimanche, 12h-17h. Adulte : 8,50 CAN $, aîné : 7,75 CAN $, moins de 16 ans : 6 CAN $. Réservations nécessaires.
Ainsi baptisé en l'honneur du gouverneur de la Nouvelle-France, il se dresse au flanc du cap Diamant depuis 1893, à l'emplacement de l'ancienne résidence du gouverneur. En août 1943 et en septembre 1944, les Alliés se donnèrent rendez-vous au château pour discuter de la conduite générale de la guerre et de la stratégie future. C'est lors de la première rencontre que furent déterminés la logistique et le lieu du débarquement de Normandie. Lors de la deuxième rencontre, l'après-guerre constitua l'essentiel des conversations. Aujourd'hui, le château, hôtel 5-étoiles propriété du groupe Fairmont, compte plus

de 600 chambres, plusieurs restaurants, magasins, etc. Il faut y entrer, ne serait-ce que pour prendre une consommation au bar, pour l'ambiance et la vue sur la ville. Les visites guidées sont intéressantes et vivantes. Un personnage de la fin du XIXe siècle vous dévoilera ses confidences sur le château tout en vous faisant parcourir ses couloirs et visiter certaines de ses pièces.

■ GALERIE D'ART INUIT BROUSSEAU ET BROUSSEAU

35, rue Saint-Louis
✆ +1 418 694 1828
www.artinuit.ca
sculpture@artinuit.ca
Ouvert tous les jours.
Une galerie superbe pour les férus d'art inuit ou tout simplement pour les curieux car cet art particulier vaut le détour. Les étagères créent des cadres qui soulignent magnifiquement toute la beauté des courbes et des couleurs des sculptures. Celles-ci ont des prix proportionnels à leur raffinement et à leur taille. Le personnel est extrêmement qualifié et ne manquera pas de vous faire découvrir les subtilités, les mythes et légendes de cette culture ancestrale.

■ MUSÉE DE LA CIVILISATION
85, rue Dalhousie
✆ +1 418 643 2158, +1 866 710 8031
www.mcq.org
mcq@mcq.org
Du 24 juin à la fête du Travail : lundi-dimanche, 9h30-18h30. Le reste de l'année : mardi-dimanche, 10h-17h. Adulte : 12 CAN $, aîné : 11 CAN $, étudiant : 9 CAN $, 12-16 ans : 4 CAN $, 11 ans et moins : gratuit. Entrée gratuite tous les mardis du 1er novembre au 31 mai et les samedis de 10h à 12h en janvier et février.
Le bâtiment (1988) est une réalisation du célèbre architecte Moshe Safdie. À l'intérieur, le musée propose annuellement plus de dix expositions et ateliers sur des sujets actuels, historiques et parfois insolites. Il faut absolument voir l'exposition « Nous, les Premières Nations » qui décrit la vision du monde et le mode de vie des 11 nations autochtones peuplant le territoire du Québec.

■ MUSÉE DE L'AMÉRIQUE FRANÇAISE - SITE HISTORIQUE DU SÉMINAIRE DE QUÉBEC
2, Côte de la Fabrique
✆ +1 418 692 2843, +1 866 710 8031
www.mcq.org
Du 24 juin à la fête du Travail : lundi-dimanche, 9h30 à 17h. Le reste de l'année : mardi-dimanche, 10h-17h. Adulte : 8 CAN $, aîné : 7 CAN $, étudiant : 5,50 CAN $, 12-16 ans : 2 CAN $, 11 ans et moins : gratuit. Entrée gratuite tous les mardis du 1er novembre au 31 mai et les samedis de 10h à 12h en janvier et février.
Il s'agit du plus ancien musée du Canada. Il se situe dans un bâtiment attenant au Séminaire de Québec, fondé en 1663 par Mgr François de Laval. Le Musée de l'Amérique française est issu de la tradition religieuse et éducative européenne. Dès 1806, on y présente une collection d'instruments destinés à l'enseignement des sciences, puis des collections de monnaies anciennes, de médailles, des collections de minéraux, de fossiles, de peintures, etc. Aujourd'hui le musée est tourné vers l'histoire de l'Amérique française et notamment sur le développement de la culture française sur le continent. La toute nouvelle exposition permanente, Partir sur la route des francophones, nous entraîne sur les traces laissées ceux qui ont décidé de s'installer sur le continent nord-américain. De nombreuses activités et expositions temporaires se renouvellent continuellement.

Saint-Jean-Baptiste et Montcalm

▶ **Le quartier des Champs de bataille.** Du XVIIe au XXIe siècle, la forteresse de Québec eut en charge la défense de tout le Nord-Est de l'Amérique. De ce dispositif militaire subsistent d'importants vestiges.

▶ **Grande Allée et ses environs.** Cette grande avenue qui part de la porte Saint-Louis, dans le prolongement de la rue Saint-Louis, est appelée « les Champs-Élysées » de Québec. C'est une succession de bureaux, boutiques, hôtels, restaurants et terrasses de café où se déroule la vie nocturne.

■ CITADELLE DE QUÉBEC
1, Côte de la Citadelle
✆ +1 418 649 2815
www.lacitadelle.qc.ca
information@lacitadelle.qc.ca
Ouvert toute l'année (horaires variables selon la saison). Adulte : 10 CAN $, aîné et étudiant : 9 CAN $, 17 ans et moins : 5,50 CAN $, 7 ans et moins : gratuit, famille : 22 CAN $. Stationnement extérieur gratuit. Visite guidée seulement (aucune visite libre).
Située dans la haute-ville, au sommet du cap Diamant, sur le flanc Est des fortifications, le plan de la citadelle forme une étoile caractéristique de Vauban. Ce lieu historique national est aussi connu sous le nom de « Gibraltar d'Amérique ». Depuis 1920, la citadelle est occupée par les troupes du 22e régiment royal. L'ancienne poudrière (1750) et l'ancienne prison militaire abritent un musée présentant une collection d'armes, d'uniformes et de décorations, du XVIIe siècle à nos jours. En tout, 25 bâtiments. Durant la saison estivale, des cérémonies militaires se tiennent tous les jours.

■ LIEU HISTORIQUE NATIONAL DU CANADA DES FORTIFICATIONS-DE-QUÉBEC
2, rue d'Auteuil
✆ +1 418 648 7016, +1 888 773 8888
www.pc.gc.ca/fortifications
Début mai à début septembre : lundi-dimanche, 10h-18h. Début septembre à mi-octobre : lundi-dimanche, 10h-17h. Fermé de mi-octobre à avril. Avril à début mai : ouvert sur réservation. Adulte : 3,90 CAN $, aîné : 3,40 CAN $, jeune : 1,90 CAN $, famille : 9,80 CAN $.
Québec est la seule ville d'Amérique du Nord ayant conservé ses fortifications. Ce qui lui a valu d'être proclamée joyau du patrimoine

mondial par l'Unesco en 1985. Le centre d'interprétation des fortifications de Québec raconte plus de trois siècles d'histoire, de façon ludique et interactive. La visite de la poudrière de l'Esplanade est incluse dans les droits d'entrée du centre d'interprétation. La grande muraille est pourvue d'un sentier d'orientation expliquant, à l'aide de panneaux, l'évolution du système de défense de la ville. Possibilité de faire la randonnée guidée Québec, ville fortifiée, une randonnée qui longe les 4,6 km de murs qui ceinturent le Vieux-Québec.

■ OBSERVATOIRE DE LA CAPITALE

Édifice Marie-Guyart
1037, rue de la Chevrotière
31e étage
✆ +1 418 644 9841, +1 888 497 4322
www.observatoirecapitale.org
info@observatoirecapitale.org

Février à mi-octobre : lundi-dimanche, 10h-17h. Le reste de l'année : fermé le lundi. Adulte : 10 CAN $, étudiant et aîné : 8 CAN $, 12 ans et moins : gratuit. illimité annuel : 19,95 CAN $. Notez que des travaux de réaménagement ont eu lieu à l'hiver 2011. Nouvelle boutique de souvenirs.

Monter au sommet du plus haut bâtiment de Québec (221 mètres d'altitude) permet de comprendre en un coup d'œil l'histoire de la ville : le Vieux-Québec de la Nouvelle France, la Citadelle, les Plaines d'Abraham, le Parlement, les maisons plus modestes, etc. De plus, vous pouvez vous rendre compte des distances, ce qui vous permet de prévoir votre itinéraire pour votre visite de Québec. Inutile d'ajouter que le panorama est spectaculaire. Des lunettes d'observation sont mises à votre disposition ainsi que des panneaux d'interprétation. Nouvelles expositions à venir dans le cadre de la restauration de l'Observatoire.

■ PARC DES CHAMPS-DE-BATAILLE

835 Avenue Laurier

C'est ici, sur les Plaines d'Abraham, que Wolfe et Montcalm se sont affrontés en 1759. Il en reste des souvenirs (plaques commémoratives, monuments et pièces d'artillerie), disséminés sur 125 hectares de parc boisé et de jardins. S'y trouve une belle vue de la terrasse Grey. De là, la Promenade des Gouverneurs longe la citadelle jusqu'à la Terrasse Dufferin, au pied du château Frontenac. Les tours Martello que vous apercevez dans le parc (quatre à Québec, dont deux sur les Plaines d'Abraham) ont été érigées, après la conquête anglaise, entre 1808 et 1812, pour servir d'ouvrages avancés de défense, en prévision d'une autre invasion américaine à la suite de celle de 1775. Rondes, robustes, en pierre, elles constituaient des unités de défense autonome, servant à la fois de caserne, de magasin, de plate-forme de tir, et leur unique entrée à l'étage n'était accessible que par une échelle. Elles n'ont, en fait, jamais servi.

Porte Saint Jean.

LES ENVIRONS DE QUÉBEC

WENDAKE

La visite du village huron Wendake se compose de plusieurs éléments : un hôtel-musée des Premières Nations, un site traditionnel huron, une salle de spectacles en plein air, un sentier pédestre longeant la rivière Saint-Charles, etc. Des événements hauts en couleur s'y déroulent également au fil des mois : Pow-wow à la fin juillet (fête traditionnelle), spectacles musicaux à l'amphithéâtre en été, courses de traîneaux à chiens en janvier...

▶ **www.wendake.ca**

■ HÔTEL-MUSÉE PREMIÈRES NATIONS

5, Place de la Rencontre « Ekionkiestha' »
✆ +1 418 847 2222, +1 866 551 9222
www.hotelpremieresnations.ca
info@hotelpremieresnations.ca
Forfait couette et musée : à partir de 73 CAN $ par personne en occupation double (incluant petit déjeuner, visite du musée, stationnement et Internet sans fil). Autres forfaits disponibles. Restaurant et bar sur place. Musée : du 21 juin à novembre, tous les jours de 9h à 16h ; le reste de l'année, fermé lundi et mardi. Ouvert tous les jours à l'année sur réservation de groupes de 10 personnes et plus. Visites guidées également disponibles (3 départs par jour). Entrée adulte : 9 CAN $, aîné : 8 CAN $, étudiant : 7 CAN $, enfant : 4 CAN $, famille : 24 CAN $. Forfait découverte disponible incluant la visite du musée, des sites culturels et patrimoniaux du village, et de la chute Kabir Kouba.

Au cœur du territoire huron-wendat, venez découvrir un hôtel 4-étoiles où l'histoire et la tradition côtoient habilement la modernité. Vous serez autant surpris par le confort des chambres que par la qualité du Restaurant La Traite. Celui-ci offre une cuisine unique, inspirée des Premières Nations. Visitez aussi le Musée national Huron-Wendat et découvrez-y des expositions offrant une fenêtre ouverte sur les territoires, les mémoires et les savoirs d'un peuple fier de ses racines.

■ TOURISME WENDAKE

100, boulevard Bastien ✆ +1 418 847 1835
www.tourismewendake.com
info@tourismewendake.com
De mi-juin à mi-octobre : lundi-vendredi, 8h30-16h30 ; samedi-dimanche, 9h-17h. Le reste de l'année : fermé le week-end.
Organisme à but non lucratif visant à promouvoir le tourisme à Wendake et la culture autochtone sous toutes ses formes.

STONEHAM-ET-TEWKESBURY

Son nom proviendrait de deux villages du comté de Gloucester en Angleterre. D'ailleurs, sa petite église St. Peter (1839) et son cimetière sont des témoins du peuplement des cantons par les immigrants anglophones. De nos jours, cette municipalité est surtout réputée pour sa station de ski, classée parmi les plus importantes à l'est des Rocheuses.

▶ **www.villestoneham.com**

Un incontournable !

■ PARC DE LA CHUTE-MONTMORENCY

✆ +1 418 663 3330
www.sepaq.com/chutemontmorency – inforeservation@sepaq.com
12 km à l'est du Vieux-Québec de Québec. Accès à la partie haute via l'avenue Royale (route 360) et à la partie basse via le boulevard Sainte-Anne (route 138). Stationnement et téléphérique payants. Théâtre La Dame Blanche à même le site du parc. Bien que moins large que les chutes du Niagara, le saut est plus haut d'une trentaine de mètres. Le site a été aménagé en vue d'offrir aux visiteurs des points de vue grandioses (téléphérique, escalier panoramique, pont suspendu, belvédères, sentiers de promenade et aires de pique-nique). La chute est encore plus spectaculaire en hiver lorsqu'elle est gelée et que s'est créé le « pain de sucre », énorme cône de glace formé par la cristallisation de la vapeur d'eau en suspension : ce dernier est en lui-même une curiosité qui attire toujours beaucoup de monde. Surplombant la chute, le Manoir Montmorency, élégante villa reconstruite comme au XVIIIe siècle, abrite un centre d'interprétation consacré à l'histoire du site, un restaurant, un grill-terrasse et un café bistro. En saison estivale, ne ratez pas le spectacle pyrotechnique Les Grands Feux Loto-Québec (forfait souper-spectacle disponible).

■ **PARC NATIONAL DE LA JACQUES-CARTIER**
Km 74, route 175 Nord
✆ +1 418 848 3169, +1 418 528 8787
✆ +1 800 665 6527
www.scpaq.com/pq/jac/
À 40 km de Québec. Poste d'accueil ouvert de mi-mai à fin octobre et de mi-décembre à mi-mars. Accès quotidien adulte : 3,50 CAN $, enfant : 1,50 CAN $, 5 ans et moins : gratuit. Tarifs groupe et famille disponibles.
Véritable sanctuaire de la nature sauvage, le parc occupe un territoire de 670 km², constitué d'un plateau fracturé par des vallées aux versants abrupts, couvert de conifères et lacs et profondément entaillés par la rivière Jacques-Cartier. Vous y découvrirez une faune intéressante : orignal, cerf de virginie, ours noir, loup, lynx... Le parc organise des activités de découverte qui intéresseront la famille au grand complet : safari au coeur de la forêt boréale, randonnée guidée en canot rabaska, découverte des abris sous roches, etc.

◗ **Hébergement :** 9 chalets (2 à 14 personnes), 5 yourtes, camps rustiques, camping rustique et aménagé (140 emplacements), 14 tentes Huttopia.

◗ **Activités :** activités nautiques, randonnée pédestre, vélo, pêche à la journée ou avec hébergement, ski nordique, raquette. Location d'équipement sur place.

■ **STATION TOURISTIQUE STONEHAM**
600, chemin du Hibou
✆ +1 418 848 2411, +1 800 463 6888
www.ski-stoneham.com
info@ski-stoneham.com
Début décembre à début avril. Ouvert tous les jours de 9h à 21h30/22h. Tarifs à la journée, la demi-journée et la soirée. Billets multi-jours disponibles. 39 pistes, 420 m de dénivellation, ski de soirée (19 pistes éclairées), 7 remontées mécaniques, snowpark. Achat, location et réparation d'équipement. Bars, restaurants, garderie, Zone Arctic Spa, boutiques.

SAINTE-CATHERINE-DE-LA-JACQUES-CARTIER

Porte d'entrée de la station touristique Duchesnay, cette municipalité est traversée par une magnifique rivière à saumon, la Jacques-Cartier. Paradis des pêcheurs, cyclistes et kayakistes en été, l'endroit est tout aussi populaire en hiver grâce à son réseau bien entretenu de sentiers de motoneige.

◗ **www.villescjc.com**

© AUTHOR'S IMAGE

Parc de Montmorency.

■ **STATION TOURISTIQUE DUCHESNAY**
143, route Duchesnay
✆ +1 418 875 2122
✆ +1 877 511 5885
www.sepaq.com/duchesnay/
Forfait couette et café en occupation double (prix par personne) : à partir de 59,50 CAN $ en pavillon et de 87 CAN $ en auberge (hébergement, petit déjeuner, accès aux activités de la station). Un minimum de deux peut être exigé selon la saison. Hébergement en auberge, en pavillon, en villa et en refuge. Forfaits disponibles.
Ancienne école de gardes forestiers, la station touristique Duchesnay, située en bordure du lac Saint-Joseph, est gérée par la Sépaq depuis 1999. Celle-ci développe et met en valeur le potentiel touristique de ce territoire, axé sur l'environnement et le plein air. La forêt laurentienne (érables et bouleaux jaunes) couvre une superficie de 89 km². Vous y découvrirez un véritable patrimoine naturel, notamment à travers les activités proposées : activités nautiques, escalade, randonnée pédestre, vélo, baignade, ski de fond (150 km), raquette (15 km), traîneau à chiens, patinage, glissade, pêche blanche, etc. Autres services sur place : Bistro-bar Le Quatre-Temps, casse-croûte hivernal au pavillon l'Horizon, Spa scandinave Tyst Trädgård.

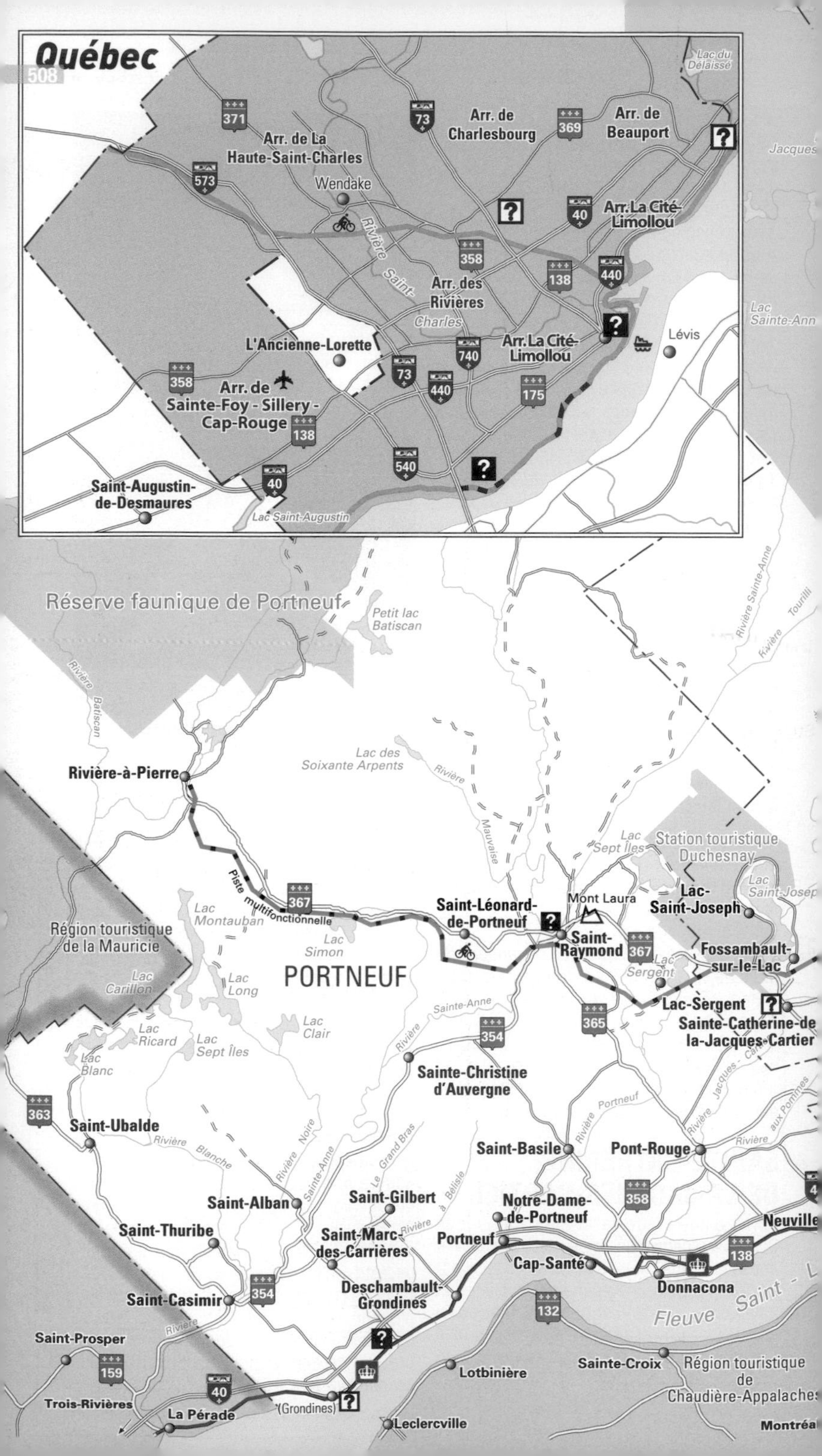
Arr. de Charlesbourg
Arr. de Beauport
Arr. de La Haute-Saint-Charles
Wendake
Rivière Saint-Charles
Arr. La Cité-Limoilou
Arr. des Rivières
L'Ancienne-Lorette
Arr. La Cité-Limoilou
Lévis
Arr. de Sainte-Foy - Sillery - Cap-Rouge
Saint-Augustin-de-Desmaures
Lac Saint-Augustin
Lac du Délaissé
Lac Sainte-Ann
Réserve faunique de Portneuf
Petit lac Batiscan
Rivière Batiscan
Rivière Sainte-Anne
Lac des Soixante Arpents
Rivière Mauvaise
Rivière-à-Pierre
Piste multifonctionnelle
Lac Sept Îles
Station touristique Duchesnay
Lac Saint-Joseph
Lac-Saint-Joseph
Mont Laura
Saint-Léonard-de-Portneuf
Saint-Raymond
Lac Montauban
Lac Simon
PORTNEUF
Région touristique de la Mauricie
Lac Carillon
Lac Long
Lac Sergent
Fossambault-sur-le-Lac
Lac-Sergent
Sainte-Catherine-de-la-Jacques-Cartier
Lac Ricard
Lac Sept Îles
Lac Clair
Lac Blanc
Sainte-Christine d'Auvergne
Saint-Ubalde
Rivière Blanche
Rivière Noire
Saint-Basile
Rivière Portneuf
Pont-Rouge
Rivière Jacques-Cartier
Rivière aux Pommes
Saint-Alban
Saint-Gilbert
Le Grand Bras
Rivière à Bélisle
Notre-Dame-de-Portneuf
Neuville
Saint-Thuribe
Saint-Marc-des-Carrières
Portneuf
Cap-Santé
Donnacona
Deschambault-Grondines
Saint-Casimir
Fleuve Saint-L
Saint-Prosper
Sainte-Croix
Région touristique de Chaudière-Appalaches
Lotbinière
Trois-Rivières
La Pérade
(Grondines)
Leclercville
Montréal
371
73
369
573
40
358
138
440
740
73
358
440
175
138
540
40
367
367
365
354
363
358
138
354
132
159
40

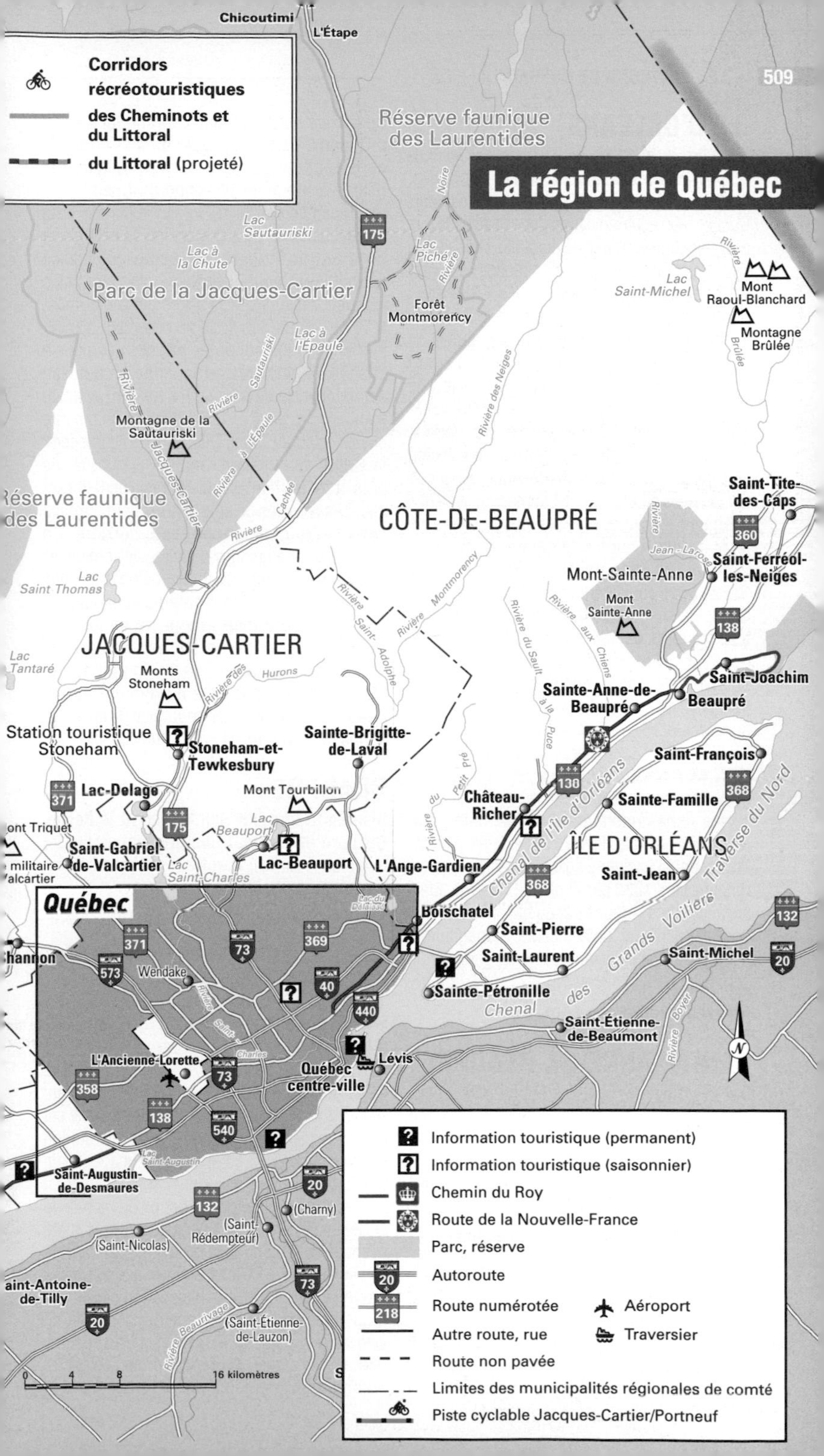
La région de Québec
Corridors récréotouristiques
des Cheminots et du Littoral
du Littoral (projeté)
Chicoutimi
L'Étape
Réserve faunique des Laurentides
Parc de la Jacques-Cartier
Forêt Montmorency
Mont Raoul-Blanchard
Montagne Brûlée
Montagne de la Sautauriski
CÔTE-DE-BEAUPRÉ
JACQUES-CARTIER
Monts Stoneham
Station touristique Stoneham
Stoneham-et-Tewkesbury
Sainte-Brigitte-de-Laval
Mont Tourbillon
Lac-Delage
Saint-Gabriel-de-Valcartier
Lac-Beauport
L'Ange-Gardien
Mont-Sainte-Anne
Saint-Tite-des-Caps
Saint-Ferréol-les-Neiges
Saint-Joachim
Sainte-Anne-de-Beaupré
Beaupré
Saint-François
Château-Richer
Sainte-Famille
ÎLE D'ORLÉANS
Saint-Jean
Boischatel
Saint-Pierre
Saint-Laurent
Sainte-Pétronille
Saint-Michel
Saint-Étienne-de-Beaumont
Québec
Wendake
L'Ancienne-Lorette
Lévis
Québec centre-ville
Saint-Augustin-de-Desmaures
(Charny)
(Saint-Rédempteur)
(Saint-Nicolas)
Saint-Antoine-de-Tilly
(Saint-Étienne-de-Lauzon)
0 4 8 16 kilomètres
Information touristique (permanent)
Information touristique (saisonnier)
Chemin du Roy
Route de la Nouvelle-France
Parc, réserve
Autoroute
Route numérotée
Aéroport
Autre route, rue
Traversier
Route non pavée
Limites des municipalités régionales de comté
Piste cyclable Jacques-Cartier/Portneuf

ÎLE D'ORLÉANS

À 10 km au nord-est de Québec par la route 138 et accès par le pont de l'île d'Orléans. D'une superficie de 192 km², bien visible depuis Québec, elle apparaît comme une terre plate, qui présente des érablières au nord, des chênaies au sud-ouest, des zones marécageuses au centre et des plages en bordure du fleuve. Elle n'a rien perdu de sa tranquillité pastorale qui inspira le chanteur Félix Leclerc (il y vécut jusqu'à sa mort). Avec ses églises aux clochers effilés et ses demeures normandes du XVIIIe siècle, elle perpétue l'image de la vie rurale en Nouvelle-France. La route 368 qui permet d'en faire le tour (68 km) offre de superbes vues sur la côte de Beaupré et le mont Sainte-Anne, ainsi que sur les rives du Bas-Saint-Laurent. Six localités jalonnent le parcours. Vous pourrez faire un arrêt à Saint-Laurent, le centre maritime de l'île (construction navale au XIXe siècle) ; à Saint-Jean pour visiter le manoir Mauvide-Genest (visite guidée du 1er mai au 31 octobre tous les jours de 10h à 17h), datant de 1734, de style normand, considéré comme le plus bel exemple d'architecture rurale du régime français ; au village de Sainte-Famille (la plus ancienne paroisse de l'île, fondée par Mgr de Laval en 1669) pour jeter un coup d'œil à l'église de 1748, qui se distingue par ses trois clochers et un intérieur néoclassique ; à Sainte Pétronille où les riches habitants de la capitale firent construire des villas luxueuses ; et enfin, à Saint-Pierre, dont l'ancienne église du XVIIIe siècle fut rénovée vers 1830 par Thomas Baillairgé. Mais surtout, l'île d'Orléans est un havre de paix, un endroit bucolique, un lieu calme et magique. À n'importe quelle saison de l'année, nous vous conseillons de la découvrir.

► **www.iledorleans.com**

SAINTE-ANNE-DE-BEAUPRÉ

Sainte-Anne-de-Beaupré est mondialement connue pour sa basilique, lieu de pélerinage attirant plus de 1,5 million de visiteurs chaque année. Le Cyclorama de Jérusalem, situé à quelques pas de la basilique, est une autre attraction fort populaire.

► **www.sainteannedebeaupre.com**

■ **BASILIQUE SAINTE-ANNE-DE-BEAUPRÉ**
10 018, avenue Royale ✆ +1 418 827 3781
www.ssadb.qc.ca
Messes quotidiennes dont l'horaire varie selon la saison. Visites guidées offertes sur réservation.
Sur la rive nord du Saint-Laurent, face à l'île d'Orléans, cette basilique, dont la première construction remonte au XVIIe siècle, est dédiée à la sainte patronne du Québec. De renommée mondiale, facilement repérable de la route, elle est le plus ancien lieu de pèlerinage de la province. C'est un gigantesque édifice néogothique pourvu de deux clochers entre lesquels veille la statue dorée de sainte Anne. À l'intérieur, la basilique se compose de cinq immenses nefs séparées par des colonnes à chapiteaux sculptés, et la voûte en berceau est recouverte de mosaïques relatant la vie de sainte Anne. Environ 200 vitraux à dominante bleue l'éclairent. Dans l'aile gauche du transept, la statue de la sainte tenant Marie dans ses bras attire les fidèles, qui se recueillent devant elle. Les reliques de sainte Anne sont abritées dans la chapelle située juste derrière. De nombreux témoignages de miraculés ornent les colonnes des nefs. S'y entremêlent béquilles et prothèses, souliers d'enfants et photos. Ce lieu de recueillement, respecté de tous les Québécois, connaît en été une très grande affluence. L'attrait religieux, touristique et historique de la basilique a engendré, autour d'elle, la prolifération de boutiques de bondieu-series, le tout cher et sans intérêt.

BEAUPRÉ

Sise entre le mont Saint-Anne et le fleuve, Beaupré est surtout une destination nature avec un éventail d'activités d'aventure et d'écotourisme.

► **www.villedebeaupre.com**

■ **MONT-SAINTE-ANNE**
2000, boulevard Beau Pré
✆ +1 418 827 4561, +1 888 827 4579
www.mont-sainte-anne.com
info@mont-sainte-anne.com
Tarifs selon l'activité choisie et la saison. Hébergement et restauration disponibles sur place. Forfaits offerts. Le Mont-Saint-Anne est la plus ancienne et la plus importante station de ski de la région, ce qui promet beaucoup de plaisir sur les 66 pistes, dont 17 sont éclairées en soirée. Les épreuves de la Coupe du monde de ski alpin s'y déroulent. En haut des pistes, juste avant de se jeter dans la poudreuse, admirez la vue sur le fleuve ! Outre le ski, le site est le lieu privilégié de bon nombre d'activités de plein air : randonnée pédestre, parapente, descente en vélo de montagne, golf, canyoning, ski de fond, raquette, traîneau à chiens, patin à glace... Nombreux événements en toutes saisons.

CHARLEVOIX

Charlevoix est un territoire de 6 000 km², situé au cœur du Bouclier canadien, le plus vieux sol géologique de la terre. La chaîne de montagnes qui le caractérise, et qui se termine dans le Saint-Laurent, est celle des Laurentides, largement couverte par la forêt boréale. Une partie de sa région a été proclamée réserve mondiale de la biosphère par l'Unesco en 1988, rien de moins. Charlevoix est peuplée de 32 000 habitants vivant principalement de la forêt, du tourisme et de l'agriculture. Sa renommée, en tant que villégiature, a débuté vers la fin du XIIIe siècle, plus précisément à La Malbaie, grâce aux seigneurs écossais Malcolm Fraser et John Nairn qui, dès 1760, recevaient des visiteurs dans leur manoir. La région devient alors très populaire, avec ses pensions de famille, ses petits hôtels et ses lieux pittoresques où l'on s'adonne à la randonnée, à la pêche à la truite ou au saumon, ou encore aux bains d'eau de mer. Si bien qu'en 1899, se construit dans le secteur Pointe-au-Pic, à La Malbaie, un hôtel de trois cent cinquante chambres, le Manoir Richelieu. C'est par bateaux à vapeur, appelés alors les palais flottants, que les premiers touristes débarquent en grand nombre. Depuis, un important réseau d'auberges a vu le jour. Charlevoix peut se vanter d'avoir une tradition d'accueil vieille de plus de deux cents ans. Elle est également reconnue au Québec comme étant la région gastronomique et touristique par excellence.

À partir de Québec, la route 138 Est caresse le fleuve sur sa rive nord, en lacet de Sainte-Trinité-des-Caps jusqu'à l'embouchure de la rivière Saguenay, à Baie-Sainte-Catherine. C'est l'itinéraire le plus romantique du Québec, le plus agréable et le plus pittoresque, celui dont les panoramas imprégneront vos rêves à venir.

www.tourisme-charlevoix.com

Transports

Bus

Intercar dessert toutes les municipalités de Charlevoix situées en bordure de la route 138. www.intercar.qc.ca

Train

Depuis l'automne 2011, un nouveau train touristique relie Québec à La Malbaie avec quelques escales. www.lemassif.com/train

Traversiers

La Société des traversiers du Québec propose trois lignes : Saint-Siméon - Rivière-du-Loup (Bas-Saint-Laurent), Baie-Sainte-Catherine - Tadoussac (Côte-Nord), et Saint-Joseph-de-la-Rive - Isle-aux-Coudres.

Voiture

Plusieurs routes desservent la région de Charlevoix. Voici les principaux accès routiers en fonction des régions de départ :

© AUTHOR'S IMAGE

- **Bas-Saint-Laurent :** à partir de Rivière-du-Loup, prendre le traversier qui mène à Saint-Siméon.
- **Côte-Nord :** suivre la route 138 Ouest et prendre le traversier qui mène de Tadoussac à Baie-Sainte-Catherine, la porte d'entrée ouest de Charlevoix.
- **Québec :** prendre la route 138 Est qui longe le fleuve Saint-Laurent.
- **Saguenay-Lac-Saint-Jean :** à partir de la ville de Saguenay, prendre soit la route 381 Sud qui mène à Baie-Saint-Paul, ou la route 170 Est qui mène à Saint-Siméon. Sachez qu'entre Baie-Saint-Paul et La Malbaie, vous pouvez suivre la route 362 appelée la « Route du fleuve », qui vous offrira un panorama exceptionnel sur le Saint-Laurent. Vous pourrez emprunter également la « Route des montagnes » qui relie les deux parcs nationaux de la région.

PETITE-RIVIÈRE-SAINT-FRANÇOIS

Au terme d'une descente panoramique, vous découvrirez Petite-Rivière-Saint-François, localité de 750 habitants nichée entre fleuve, rivière et montagne. Ce village est particulièrement renommé en hiver car les conditions de ski y sont excellentes.

- **www.petiteriviere.com**

■ LE MASSIF DE CHARLEVOIX

1350, rue Principale
✆ +1 418 632 5876
✆ +1 877 536 2774
www.lemassif.com
info_lamontagne@lemassif.com
Ouvert dès 9h en semaine, 8h30 le week-end. L'heure de fermeture dépend de la période (entre 15h et 16h). Tarif pour 1 jour : adulte 64 CAN $, aîné 53 CAN $, 13-17 ans 48 CAN $, 7-12 ans 35 CAN $. Différents tarifs et forfaits offerts.
Le Massif est la plus haute montagne skiable au Québec. Elle offre une dénivellation de 770 m et une vue panoramique à couper le souffle. Ski alpin, surf des neiges, télémark. 48 pistes et sous-bois, 4 remontées mécaniques. Accès aux pistes par la base ou par le sommet. Excellentes pistes de ski de fond au sommet. Sentiers pour la randonnée en raquette. Nombreux services sur place dont un restaurant, deux cafétérias, une crêperie et deux pubs. Un projet de grande envergure est en cours en ce moment afin de transformer la station de ski en un complexe quatre saisons. Afin de faciliter l'accès à la région, un train touristique relie Québec à La Malbaie depuis l'automne 2011. Plus d'informations sur le site Internet du Massif.

BAIE-SAINT-PAUL

Juste avant d'entreprendre la longue descente vers la baie, arrêtez-vous. Vous serez sidéré par la vue plongeante sur la vallée du Gouffre où est implantée Baie-Saint-Paul, dans le superbe paysage de sommets boisés d'un vert profond. C'est l'une des villes les plus anciennes du Québec, fondée en 1678. C'est aussi l'un des lieux les plus photographiés de la province. Devant la baie s'étend l'Isle-aux-Coudres, qui semble la fermer. De tout temps, Baie-Saint-Paul a été le refuge des artistes québécois, en particulier des peintres et des sculpteurs. Marc-Aurèle Fortin, Clarence Gagnon, Jean-Paul Lemieux et René Richard, l'écrivain Gabrielle Roy, entre autres, ont vécu ici pour imprégner leurs œuvres du charme de cette irrésistible région.

- **www.baiestpaul.com**

Pratique

■ BUREAU TOURISTIQUE DE BAIE-SAINT-PAUL

6, rue Saint-Jean-Baptiste
✆ +1 418 240 3218
Ouvert toute l'année.

■ BUREAU TOURISTIQUE DE CHARLEVOIX

444, boulevard Mgr-de-Laval (route 138)
✆ +1 418 435 4160
www.tourisme-charlevoix.com
info@tourisme-charlevoix.com
Ouvert toute l'année.

Se loger

Notez qu'il existe un site Internet qui regroupe l'ensemble de l'offre touristique en hébergement et forfaits :

- **www.hebergementbaiestpaul.com**

■ AUBERGE LA GRANDE MAISON

160, rue Saint-Jean-Baptiste
✆ +1 418 435 5575
✆ +1 800 361 5575
www.grandemaison.com
lagrandemaison@bellnet.ca
Occupation double : à partir de 90 CAN $, petit déjeuner inclus. Forfaits disponibles. Centre

de santé Spa et restaurant gastronomique sur place.

Belle demeure victorienne rouge et blanche, La Grande Maison, bâtie en 1913, fut d'abord une résidence privée avant de devenir un hôpital, reconverti ensuite en hôtel dans les années 1940. Ses belles chambres colorées sont parmi les plus romantiques de la ville. Son restaurant 4-étoiles, Le Marion Grill, est très réputé et sa carte des vins a été primée Carte d'Or de 2005 à 2009.

■ **LE BALCON VERT**

22, côte du Balcon Vert
✆ +1 418 435 5587
www.balconvert.com
Accès par la route 362.

Ouvert de mi-mai à mi-octobre. Chambre partagée et camping : 21-23 CAN $ (pour le camping, le prix est par tente), chambre privée en occupation double : 49-52 CAN $, cabine privée avec sanitaires : 63-67 CAN $ et cabine privée sans sanitaires : 53-57 CAN $ (tarif pour 2 adultes et 2 enfants), cabine privée sans sanitaires en occupation double : 49-52 CAN $.

L'auberge est bâtie sur un cap offrant une magnifique vue sur la baie. L'hébergement se fait soit en camping classique soit en petits chalets (cabines) rustiques mais très propres. Le bâtiment central comporte une grande terrasse où il fait bon contempler le paysage. Services sur place : salle communautaire, emplacement pour feu de camp, parc pour enfants, sanitaires, cafétéria, cuisine extérieure, activités, spectacles gratuits, feux de joie.

Se restaurer

■ **RESTAURANT AU 51**

51, rue Saint-Jean-Baptiste
✆ +1 418 435 6469
✆ +1 866 435 6469
www.leculinarium.com
restoau51@gmail.com

Du 24 juin à la fête du Travail : lundi-dimanche, dès 18h. Le reste de l'année : mardi-samedi, dès 18h. Ouvert le midi sur réservation de 15 personnes et plus (réservation requise au moins 10 jours à l'avance). Entrées à partir de 9 CAN $, plats à la carte à partir de 20 CAN $, menu saveur à 42 CAN $, menu enfant à 13,95 CAN $. Réservation recommandée. Superbe sélection de vins en bouteille ou au verre.

Le chef Patrick Fregni et son équipe vous accueillent en plein cœur de cette charmante municipalité. Un restaurant gastronomique avec une petite touche méditerranéenne, au cadre soigné et au service impeccable. Les produits de la région sont à l'honneur et servent de prétexte à des mariages de saveurs au sein d'une carte raffinée et abordable. Tout est délicieux, des entrées aux desserts. Notre recommandation : la cuisse de pintade des Volières Baie-St-Paul mijotée à l'érable et bleuets, un plat lauréat du Concours national des créatifs de l'érable. Bref, une des meilleures tables de la région, qui saura satisfaire les plus exigeants.

■ **LE SAINT-PUB**

2, rue Racine
✆ +1 418 240 2332
www.saint-pub.com

Lundi-dimanche, 11h03-21h (jusqu'à 22h en saison estivale).

Le Saint-Pub appartient à la microbrasserie Charlevoix. Au menu, une cuisine régionale où les produits du terroir sont à l'honneur, dont plusieurs recettes à la bière, et de la bière locale de qualité brassée avec amour et patience (dont des saisonnières qui font leur apparition selon l'humeur des brasseurs). Malgré le déménagement de la microbrasserie, les installations du Saint-Pub sont encore utilisées pour le brassage sur place de bières exclusives au resto-pub. Un lieu à découvrir pour une bonne boustifaille dans le cadre champêtre de cette magnifique région.

À voir / À faire

■ **LAITERIE CHARLEVOIX, ÉCONOMUSÉE DU FROMAGE**

1167, boulevard Mgr-de-Laval
✆ +1 418 435 2184
www.fromagescharlevoix.com
jlabbe@charlevoix.net

Ouvert tous les jours à l'année. Visite guidée gratuite mais dégustations payantes.

Cette entreprise produit des fromages depuis plus de 60 ans : fromage à pâte molle à croûte fleurie, cheddar frais du jour ou vieilli cinq ans, fromage affiné en surface à pâte cuite, etc. Prenez quelques échantillons au comptoir de vente. C'est également un centre d'interprétation où l'on vous expliquera les différentes étapes de fabrication du fromage avec aussi en démonstration des équipements anciens.

Sports / Détente / Loisirs

■ **AIR DU LARGE**
Au quai municipal de Baie-Saint-Paul
210, rue Sainte-Anne
✆ +1 418 435 2066
✆ +1 800 453 4850
www.airdularge.com
info@airdularge.com
Activités de plein air pour tous les goûts : descente de rivière, kayak de mer, initiation à la voile, cerf-volant, parapente, canyoning. Service de location de kayaks, vélos, de remorques, de cerfs-volants et Zodiac.

LES ÉBOULEMENTS

À 19 km de Baie-Saint-Paul, via la route 362. Village au nom évocateur qui rappelle le glissement de terrain qui a suivi le terrible tremblement de terre de 1663. Les Éboulements a su cependant conserver son patrimoine architectural avec son église de pierre et ses anciennes maisons bordant la rue principale.

ISLE-AUX-COUDRES

Cette petite île s'étend au large de la côte de Charlevoix, face à Baie-Saint-Paul. Le 6 septembre 1535, lors de son deuxième voyage, Jacques Cartier la baptisa ainsi à cause des couldres (coudriers), ancien nom des noisetiers, qui poussent ici en grand nombre. Vers 1728, les colons vinrent s'établir sur l'île qui, pendant longtemps, appartint au Séminaire de Québec. Les habitants pratiquaient l'agriculture et chassaient aussi le beluga, qu'ils appelaient marsouin, pour son huile. La chasse au beluga a cessé à la fin des années 1960. L'espèce, menacée de disparition, est aujourd'hui protégée. Jusqu'à la fin des années 1950, l'île abrita des chantiers navals où étaient construites les voitures d'eau – simples canots d'écorce, lourds canots, chaloupes, puis goélettes (à voile puis à moteur) – adaptées à la navigation sur les eaux du fleuve, quelquefois tumultueuses ou encombrées de glaces flottantes. Les goélettes étaient utilisées pour le cabotage et la chasse aux marsouins.

■ **BUREAU TOURISTIQUE SAISONNIER**
1024, chemin des Coudriers
✆ +1 418 760 1066
✆ +1 866 438 2930
www.tourismeisleauxcoudres.com

■ **VÉLO-COUDRES**
2926, chemin des Coudriers
✆ +1 418 438 2118
www.charlevoix.qc.ca/velocoudres
Ouvert tous les jours. Mai, juin et septembre : 9h-17h. Juillet et août : 8h-coucher du soleil. Service de navette gratuit.
Comme la découverte de l'île se fait à merveille sur deux roues (ou plus !), voici notre bonne adresse pour la location de vélos de montagne ou randonnée, tandems, quadricycles et mobylettes. Vélos et accessoires pour les plus petits.

LA MALBAIE

À l'embouchure de la rivière Malbaie, ce centre administratif est la ville la plus importante de Charlevoix. Samuel de Champlain baptise la baie « malle baye » (mauvaise baie) en 1608, parce que ses navires, qui y ont mouillé l'ancre, s'y sont tous échoués. Effectivement, la mer se retire complètement de la baie à marée basse.
Suite à la loi sur les fusions de villes, les anciennes municipalités de Pointe-au-Pic, Rivière Malbaie, Sainte-Agnès, Cap-à-l'Aigle et Saint-Fidèle se sont unies pour former La Malbaie.

Se loger

À La Malbaie, vous avez le choix parmi des dizaines d'auberges qui se révèleront toutes être très accueillantes.

■ **AUBERGE DES EAUX-VIVES**
39, rue de la Grève
✆ +1 418 665 4808
✆ +1 888 565 4808
www.aubergedeseauxvives.com
info@aubergedeseauxvives.com
Occupation double : à partir de 135 CAN $. Trois chambres. Petit déjeuner 4 services inclus. Repas du soir offert en hiver sur réservation. Forfaits disponibles. Massothérapie et soins santé offerts sur place par Zen Évasion Spa.
Dans un joli cadre boisé où serpente un ruisseau, cette maison de bois offre des chambres douillettes, et une verrière et terrasse dominant le fleuve Saint-Laurent. La décoration, nouvellement refaite, est très soignée et résolument tendance. Pour les amoureux des grands espaces, sachez que l'auberge est à proximité de nombreuses activités de plein air (kayak de mer, randonnée pédestre et à raquette, pêche, observation des baleines, etc.). Une adresse hautement recommandée !

Chapelle Saint-Pierre sur l'Isle-aux-Coudres.

■ AUBERGE DES FALAISES

250, chemin des Falaises
✆ +1 418 665 3731
Fax : +1 418 665 6194
www.aubergedesfalaises.com
falaises@charlevoix.net
Occupation double : à partir de 145 CAN $, petit déjeuner inclus. Forfaits disponibles.
Située sur les hauteurs de Pointe-au-Pic, cette auberge 4-étoiles surplombe le fleuve et la rivière Malbaie. Comprenez par là que la vue est spectaculaire ! Vous pouvez opter pour une chambre champêtre à l'auberge ou une chambre de luxe dans le pavillon. Ces dernières sont équipées d'un foyer, d'un bain à remous et d'une grande terrasse. La piscine extérieure est située plus haut et la vue est imprenable sur le Saint-Laurent. La table met en avant les excellents produits de la région.

Se restaurer

■ CAFÉ CHEZ NOUS

1075, rue Richelieu
✆ +1 418 665 3080
www.cafecheznous.com
Ouvert tous les jours. Menu à la carte : moins de 20 CAN $.
Sympathique brûlerie, dans un décor rétro, où l'on sert des menus diététiques du matin au soir. Les petits déjeuners sont savoureux (servis jusqu'à 11h en semaine, 13h le week-end et en saison estivale). Terrasse, service de traiteur, boutique à café, événements spéciaux. Possibilité d'hébergement sur place dans un des trois studios.

■ VICES VERSA

216, rue Saint-Étienne
✆ +1 418 665 6869
www.vicesversa.com
restaurant@vicesversa.com
Cuisine ouverte de 18h à 21h. Voir le site Internet pour les jours d'ouverture. Table gastronomique 3 services à partir de 65 CAN $.
Quand deux chefs propriétaires rivalisent de talent pour nous offrir une cuisine aussi fine et haut de gamme, on ne peut qu'apprécier ! Choix entre deux menus (3 choix et un dessert ou formule 1 grillade). Décoration épurée et élégante, service courtois et efficace.

Sortir

■ CASINO DE CHARLEVOIX

183, rue Richelieu
✆ +1 418 665 5300
✆ +1 800 665 2274
www.casino-de-charlevoix.com
cha-commentaires-internet@casino.qc.ca
Ouvert tous les jours à l'année, du matin au soir. Accès réservé aux 18 ans et plus.
Vingt tables de jeu et près de 800 machines à sous. Blackjack, roulette, mini-baccara, poker des Caraïbes, poker Grand Prix, poker Pai Gow, Kéno. Evénements spéciaux, restaurant, bars, bar à spectacles, forfaits disponibles.

SAINT-AIMÉ-DES-LACS

Située dans l'arrière-pays de Charlevoix, à environ 15 km du centre-ville de La Malbaie, Saint-Aimé-des-Lacs est un lieu de villégiature et de tourisme exceptionnel. On peut en effet accéder à deux parcs nationaux réputés pour leur biodiversité et les nombreuses activités de plein air offertes. Avis ici aux amoureux de la nature !

■ PARC NATIONAL DES GRANDS-JARDINS

Routes 138 et 381
Saint-Urbain
✆ +1 418 439 1227
✆ +1 800 665 6527
www.sepaq.com/pq/grj/fr
inforeservation@sepaq.com
À 35 km de Baie-Saint-Paul. Ouvert à l'année. Postes d'accueil : centre de services Thomas-Fortin au km 31 (fin mai à mi-octobre), Mont-du-lac-des-Cygnes au km 21 (ouvert tous les jours pendant l'été et le temps des fêtes, les week-ends le reste de l'année). Accès quotidien adulte : 3,50 CAN $, enfant : 1,50 CAN $, 5 ans et moins : gratuit. Tarifs groupe et famille disponibles.
Jadis fréquenté par les chasseurs montagnais, et, vers la fin du XIXe siècle, par quelques riches Ontariens et Américains en villégiature, s'adonnant à la chasse au caribou et à la pêche à l'omble de fontaine, le parc national des Grands-Jardins, est un territoire de 310 km² situé au cœur de la réserve mondiale de la biosphère de Charlevoix. Paysages de taïga et de toundra, forêt d'épinettes noires avec sol recouvert de lichen. La faune est représentative des régions nordiques : orignal, ours, loup, caribou et lynx. Le sommet du mont du Lac-des-Cygnes s'élève à 980 m d'altitude et le panorama est unique.

▶ **Hébergement :** camping (58 emplacements aménagés, 28 rustiques), 2 terrains de camping d'hiver, 14 chalets (dont 6 à l'année), 2 refuges (à l'année), 1 camp rustique, prêt-à-camper (tente-roulotte et tente Huttopia).

▶ **Activités :** location kayak, canot et chaloupe, pêche à l'omble de fontaine avec séjour en chalet (permis de pêche du Québec et droits d'accès obligatoires), randonnée pédestre (30 km) et longue randonnée (sentier de la Traversée de Charlevoix). En hiver : ski nordique, randonnée en raquette, pêche blanche, ski nordique (longue randonnée) avec nuit en chalet ou refuge (en collaboration avec la Traversée de Charlevoix).

■ PARC NATIONAL DES HAUTES-GORGES-DE-LA-RIVIÈRE-MALBAIE

Accès via la route 138
✆ +1 418 439 1227, +1 800 665 6527
www.sepaq.com/pq/hgo/fr
inforeservation@sepaq.com
À 48 km de La Malbaie. Ouvert à l'année. Poste d'accueil : centre de découverte et de services Félix-Antoine-Savard (mi-mai à mi-octobre). Service de navette obligatoire entre le stationnement et le barrage des Érables. Accès quotidien adulte : 3,50 CAN $, enfant : 1,50 CAN $, 5 ans et moins : gratuit. Tarifs groupe et famille disponibles.
D'une superficie de 2247 km², le parc national des Hautes-Gorges-de-la-Rivière-Malbaie, aire protégée de la réserve mondiale de la biosphère de Charlevoix, abrite l'une des plus impressionnantes vallées du Québec. Les monts Elie et Jérémie ainsi que la montagne des Erables dominent les vallées de la rivière Malbaie, de la rivière des Martres, du lac Noir et du ruisseau du Pont. En effet, les gigantesques parois (dénivellation de 1 000 m) qui encaissent la rivière Malbaie, la beauté des paysages et l'importante valeur écologique de ce parc rendent ce territoire exceptionnel dans l'Est du Canada.

▶ **Hébergement :** 137 emplacements individuels et un camping de groupe, tentes Huttopia.

▶ **Activités :** croisière commentée à bord du bateau de croisière Le Menaud sur la rivière Malbaie, canot et kayak, canot (kayak) -camping, pêche au lancer léger ou à la mouche pour toutes les espèces sauf le saumon (permis de pêche du Québec et droits d'accès obligatoires), randonnée pédestre (15 km), bicyclette, vélo de montagne (sentier reliant le parc national des Grands Jardins au parc national des Hautes-Gorges-de-la-Rivière-Malbaie), vélo-camping. En hiver : randonnée à ski (100 km, en collaboration avec la Traversée de Charlevoix).

BAIE-SAINTE-CATHERINE

Dernier arrêt à l'embouchure du Saguenay, face à Tadoussac, Baie-Sainte-Catherine regarde la mer (en prenant le traversier gratuit, vous poursuivez l'itinéraire vers Tadoussac et la Côte-Nord). Riche de son passé de pionniers, cette petite ville, construite sur un plateau de sable et d'argile, est à l'intersection de la rivière Saguenay, devenue fjord, et des eaux du Saint-Laurent. C'est d'ici que partent les plus belles croisières d'observation de baleines et d'exploration du fjord du Saguenay (voir rubrique Côte-Nord, Tadoussac).

SAGUENAY – LAC-SAINT-JEAN

La région du Saguenay-Lac-Saint-Jean est divisée en trois sections : le lac Saint-Jean à l'ouest, une véritable mer intérieure, le Haut-Saguenay et sa vallée au centre, et le fjord du Saguenay au sud-est, le seul navigable en Amérique du Nord. On dit de la région du Saguenay-Lac-Saint-Jean que c'est un pays en soi, isolé derrière une chaîne de montagnes et de denses forêts, en plein centre de la carte du Québec. On dit aussi que les grandes villes comme Montréal et Québec n'en sont que des banlieues hypertrophiées ! Le Saguenay, pour sa part, est à lui seul tout un royaume. Et c'est bien ainsi que les Européens l'auraient considéré à la suite des descriptions faites par les Amérindiens. La région comprend la vallée de la rivière Saguenay, principal affluent du Saint-Laurent, composé d'eau salée en profondeur et d'eau douce en surface. Plusieurs espèces marines y ont trouvé refuge dont notamment les baleines.

Le fjord est d'une beauté à couper le souffle, par son silence, ses forêts, ses montagnes, ses caps vertigineux et cette mer qui va lentement rejoindre le fleuve. Ajoutons que la rivière Saguenay, qui s'étire sur 155 km, et son fjord, un des plus longs du monde, navigable jusqu'à Chicoutimi, sont l'exutoire naturel du lac Saint-Jean, un lac d'obturation glaciaire. Le Lac-Saint-Jean est, par excellence, le pays du bleuet (baie bleue des bois, emblème de la région ; la myrtille n'en serait qu'une pâle copie). On qualifie ses habitants de « Bleuets grandeur nature ». C'est le pays des Tremblay et de Maria Chapdelaine. Il faut en faire le tour en prenant son temps. Au bout du parc des Laurentides, Saguenay est la première étape de cette région magique. Cette grande municipalité unit maintenant Chicoutimi, Jonquière, La Baie, Canton Tremblay, Shipshaw, Laterrière et Lac Kénogami.

- **www.saguenaylacsaintjean.ca**

Transports

Avion

Air Canada dessert Bagotville ; Air Creebec, Roberval ; et Pascan Avation offre des vols vers Alma et Bagotville.

Bus

Intercar dessert plusieurs municipalités de la région dont Alma, Chicoutimi et Jonquière. www.intercar.qc.ca

Train

Le train de Via Rail relie Montréal à Lac-Bouchette, Chambord, Hébertville-Station et Jonquière. www.viarail.ca

Voiture

Plusieurs routes desservent la région du Saguenay-Lac-Saint-Jean. Voici les principaux accès routiers :

- **Charlevoix :** au départ de Saint-Siméon, prenez la route 170 conduisant au lac Saint-Jean en passant par la route du fjord et le Haut-Saguenay. Au départ de Baie-Saint-Paul, empruntez les routes 138 et 381 qui mènent directement à la ville de La Baie.
- **Manicouagan :** au départ de Tadoussac, prenez la route 172 qui longe la rive nord de la rivière Saguenay pour aboutir au lac Saint-Jean.
- **Mauricie :** au départ de Trois-Rivières, prenez l'autoroute 55 qui deviendra la route 155 à Shawinigan. Cette dernière, qui longe la majestueuse rivière Saint-Maurice, est considérée comme une des plus belles routes panoramiques au Québec. Elle mène à Chambord, aux abords du lac Saint-Jean.
- **Québec :** au départ de Québec, prenez la route 175 jusqu'à Chicoutimi (croisement avec la route 169 pour ceux qui veulent aller directement au lac Saint-Jean). Celle-ci, nouvellement aménagée et plus sécuritaire qu'à l'époque, traverse le parc des Laurentides. Une très belle route !

L'ANSE-SAINT-JEAN

L'Anse-Saint-Jean, offrant une magnifique ouverture sur le fjord du Saguenay, fait partie de l'Association des plus beaux villages du Québec. Vous trouverez l'âme des maisons ancestrales et le grand pont couvert, appelé le pont Couv'Art, qui recèle d'ailleurs d'œuvres d'art à l'intérieur. À ce fait, les amoureux d'artisanat et de produits régionaux ont rendez-vous dans deux merveilleuses boutiques : Le Coquill'Art (en face de la marina) qui distribue les produits d'environ 35 artisans d'ici, et l'atelier-boutique Rebelles des Bois (en plein cœur du village) qui conçoit des bijoux uniques en bois. Les gourmands avides de découvertes régionales iront, quant à eux, à la Pâtisserie Louise (rue Saint-Jean-Baptiste, un peu avant la marina), question de savourer une bonne tourtière !

Une foule d'activités de plein air sont offertes tout au long de l'année. L'hiver, les 31 pistes du Mont-Édouard accueillent les adeptes de la glisse sur 450 m de dénivelé. En été, profitez des cinq nouveaux belvédères et de la tour d'observation érigés en haut de la montagne.

▶ **www.lanse-saint-jean.ca**

■ LES CHALETS ET CONDOS LES GÎTES DU FJORD

354, rue Saint-Jean-Baptiste
✆ +1 418 272 3430
✆ +1 800 561 8060
www.lesgitesdufjord.com
info@lesgitesdufjord.com
Les contacter directement ou visitez leur site Internet pour connaître la gamme des tarifs. Hébergement en condo et chalet. Forfaits disponibles. Un minimum de deux nuits peut être requis certains week-ends. Condos près du Mont Édouard aussi disponibles en location.
À quelques pas de l'anse, à flanc de montagne, un regroupement de plus d'une trentaine de chalets (2 ou 3 chambres) et de condos (1 ou 2 chambres) tout équipés offre la possibilité d'avoir un petit chez-soi à un prix abordable. Plusieurs services offerts sont sur place dont un restaurant ouvert tous les jours dès 8h, une piscine extérieure chauffée et un Jacuzzi avec vue sur la baie et les montagnes, une grande aire pour BBQ, des terrains de jeux, une salle d'exercices et une buanderie. Une halte de choix pour quiconque désire passer quelques jours à explorer la région.

RIVIÈRE-ÉTERNITÉ

C'est la principale porte d'entrée du parc national du Saguenay. C'est ici que le fjord est le plus profond (276 m). Ses parois verticales de 300 m sont vertigineuses, et l'on sait que les fjords sont en général aussi profonds que les caps et les montagnes qui les bordent.

▶ **www.riviere-eternite.com**

■ PARC NATIONAL DU SAGUENAY

91, rue Notre-Dame
✆ +1 418 272 1556, +1 800 665 6527
www.sepaq.com/pq/sag/fr/
inforeservation@sepaq.com
Accès quotidien adulte : 3,50 CAN $, enfant : 1,50 CAN $, 5 ans et moins : gratuit. Tarifs groupe et famille disponibles. Plusieurs services offerts : location d'équipement, service de guides, services alimentaires, service de transport, etc.
Le parc national du Saguenay s'étend sur les deux rives du fjord et se divise en quatre secteurs d'accès : Baie-Éternité (ouvert à l'année, sentiers fermés de mi-novembre à mi-décembre et en avril), Baie-Sainte-Marguerite (mi-mai à mi-octobre), Baie-de-Tadoussac (mi-mai à mi-octobre) et L'Anse-de-Tabatière (mi-mai à mi-octobre).

▶ **Hébergement :** deux terrains de camping offrant des sites aménagés avec ou sans service, 6 terrains offrant des sites rustiques, ainsi que 10 chalets, un camp rustique, 5 refuges et une dizaine de prêt-à-camper (tente-roulotte et tente Huttopia).

▶ **Activités :** croisière sur le fjord, excursion guidée en kayak de mer et Zodiac, pêche à la truite mouchetée ou à l'omble de fontaine anadrome (permis de pêche du Québec et droits d'accès obligatoires), randonnée pédestre (plus de 100 km de sentiers), pêche blanche, ski nordique et randonnée en raquettes (sentiers balisés, non tracés) avec nuit en refuge (attention aux conditions climatiques très variables). Plusieurs autres activités découverte également offertes.

SAINT-FÉLIX-D'OTIS

Saint-Félix-d'Otis et ses environs regorgent de lacs et de rivières. Ce décor sauvage attire des cinéastes depuis plusieurs années, dont le tournage du film *Robe noire* en 1990. Sur le site de ce tournage, on a fidèlement reconstitué, avec l'aide d'historiens, la vie dans la Nouvelle-France du XVIIe siècle. La visite de ce site est d'un grand intérêt. En été, vous apprécierez la plage du camping, une des seules plages publiques de la rive sud du fjord. La route 170 descend à travers les petits villages du Bas-Saguenay qui vous donneront accès aux caps.

▶ **www.st-felix-dotis.qc.ca**

■ SITE DE LA NOUVELLE-FRANCE

370, Vieux Chemin
✆ +1 418 544 8027, +1 888 666 8027
www.sitenouvellefrance.com
info@sitenouvellefrance.com
Visites commentées de juin à fin août. Départs à chaque 30 minutes pour la visite commentée, entre 9h15 et 16h30. Adulte : 15 CAN $, aîné : 14 CAN $, enfant : 7 CAN $, 5 ans et moins : gratuit, famille : 40 CAN $. Forfaits disponibles.
Un fascinant voyage dans le temps qui vous transporte au XVIIe siècle en Nouvelle-France ! Tout a été mis en œuvre pour vous faire revivre un passé authentique : habitants en costumes d'époque, bâtiments minutieusement reconsti-

tués dans un paysage fidèle aux descriptions. Que ce soit dans un village huron, dans la ferme des Cent associés ou dans la Basse Ville de Québec, vous serez accueilli par des acteurs talentueux qui feront de vous des personnages de l'époque de la Nouvelle-France. Un spectacle équestre de grande qualité relate l'histoire du cheval canadien, une race exceptionnelle (tarification supplémentaire).

VILLE DE SAGUENAY

La récente loi sur les fusions des municipalités a entraîné le regroupement des villes de Chicoutimi, La Baie et Jonquière, qui sont aujourd'hui réunies sous le nom de Saguenay. Mais de nombreux habitants réticents ne parlent que rarement de la ville de Saguenay, favorisant l'utilisation du nom de leur arrondissement. Depuis l'été 2009, un autobus touristique propose deux circuits reliant les trois arrondissements de la ville. La majorité des attraits sont desservis. Le service, en continu de 9h30 à 17h30, est offert du mercredi au samedi pour le coût de 10 CAN $ par personne (gratuit pour les moins de 10 ans). Il est valide pour une période de 48h.

▸ **www.saguenay.ca**

Pratique

■ **BUREAU TOURISTIQUE**
295, rue Racine – Chicoutimi
✆ +1 418 698 3167
✆ +1 800 463 6565
Ouvert toute l'année.

▸ **Autre adresse :** 2555, boulevard Talbot

Se loger

■ **AUBERGE DE JEUNESSE LA MAISON PRICE**
110, rue Price Ouest
✆ +1 418 549 0676, +1 877 549 0676
www.ajsaguenay.com
info@ajsaguenay.com
Chambre partagée : 27 CAN $ (lit simple), 35 CAN $ (lit double, 1 personne) et 44 CAN $ (lit double, deux personnes). Chambre privée : à partir de 65 CAN $ en simple et 70 CAN $ en double, literie et petit déjeuner inclus. Appartement (capacité de 6 personnes) : à partir 80 CAN $ en simple + 15 CAN $ par personne additionnelle, literie incluse. Forfaits disponibles. La Maison Price participe au programme Carbone Boréal pour la compensation de gaz à effet de serre.
Cette toute nouvelle auberge de jeunesse, qui a ouvert ses portes en avril 2010, est gérée par la Coopérative de solidarité V.E.R.T.E. (www.coopverte.com). Bien installée dans la plus vieille maison de Chicoutimi (1870), elle a su garder son charme d'antan tout en offrant un confort moderne. Les lieux sont vraiment uniques et vous y retrouverez d'ailleurs quelques artefacts du passé régional. Au niveau des services, tout a été pensé : cuisine équipée, salon et salle à manger, poste Internet et wi-fi, bar avec programmation musicale et culturelle... Bref, avec une localisation aussi centrale et une super ambiance, l'auberge deviendra vite votre deuxième chez-soi !

▸ **Autre établissement géré par la coop :** l'auberge La Villa au Pignon Vert.

■ **HÔTEL CHICOUTIMI**
460, rue Racine Est
✆ +1 418 549 7111, +1 800 463 7930
www.hotelchicoutimi.qc.ca
info@hotelchicoutimi.qc.ca
Occupation simple : à partir de 92 CAN $, table d'hôte du soir et petit déjeuner inclus. Nombreux forfaits disponibles.
Situé en plein cœur du centre-ville, l'hôtel Chicoutimi vous réserve une expérience inoubliable où tous vos sens seront mis à contribution. Les chambres, épurées et très tendances, ont été créées par un designer local et offrent toutes les commodités nécessaires à votre séjour (et même plus !). L'hôtel abrite trois restaurants dont le nouveau Rouge Burger Bar avec son menu de type « comfort food », son look contemporain et la diffusion d'événements sportifs. Parmi les nombreux services sur place : boutique de produits régionaux, massothérapie, salle d'exercices, savonnerie. Notez que le nouveau concept de l'hôtel a intégré le virage vert et le développement durable, tant dans ses infrastructures que ses services.

Se restaurer

■ **CAFÉ CAMBIO**
405, rue Racine Est
✆ +1 418 549 7830
www.cafecambio.ca
cafecambio@bellnet.ca
Dimanche-mardi, 8h-22h ; mercredi-samedi, 8h-23h. Snack à partir de 4 CAN $. Petits déjeuners servis en semaine entre 8h et 11h, et jusqu'à 13h le week-end. Ouvert depuis quelques années, ce bistro culturel, géré par une coopérative de travail, se spécialise dans la torréfaction de café (vente pour emporter également).

Produits bio et du terroir, thés, cafés maison, menu varié à prix raisonnables, vous irez pour l'ambiance et la convivialité des lieux. Vernissages, expositions, concerts, débats et conférences, un calendrier d'activités qui plaira assurément à plus d'un.

■ LA CUISINE

387, rue Racine Est ✆ +1 418 698 2822
www.restaurantlacuisine.ca
info@restaurantlacuisine.ca
Ouvert tous les jours. Menu midi : à partir de 13 CAN $, menu soir : 13-39 CAN $ à la carte, table d'hôte à partir de 30 CAN $.

Un restaurant branché et très prisé qui se spécialise dans la cuisine de type bistro (tartare de bœuf, salade tiède de foies de poulet, bavette de veau, etc.), en plus d'offrir un savoureux menu de grillades, pâtes, moules et mets asiatiques. Une excellente carte des vins agrémente le tout. Une adresse incontournable où l'accent est mis sur les produits du terroir régional.

Sortir

■ LA TOUR À BIÈRES

571, rue Racine Est ✆ +1 418 545 7272
www.latourabieres.com
bieresaguenay@yahoo.ca
En été : lundi-dimanche, 14h-3h (16h-21h pour le resto). Le reste de l'année : lundi-dimanche, 16h-3h (16h-21h pour le resto). Visite guidée des installations et dégustation pour les groupes sur réservation.

La Tour à Bières a pignon sur la très achalandée rue Racine, réputée pour son animation, dans une magnifique maison avec des terrasses et une cour verdoyante. Au menu, des spectacles musicaux les vendredis et samedis soir (octobre à avril), une dizaine de bières maison en rotation (aussi disponibles en format de 5 à 7 verres de dégustation), et un menu de type pub avec des saucisses à la bière, des pizzas, des paninis et autres petits plats savoureux, dont la fameuse tourtière du Lac-Saint-Jean à la bière. Un lieu fort sympathique !

À voir / À faire

■ MUSÉE DU FJORD

3346, boulevard de la Grande-Baie Sud
✆ +1 418 697 5077, +1 866 697 5077
www.museedufjord.com
info@museedufjord.com
Juin à début septembre : lundi-dimanche, 9h-18h. Hors saison : mardi-vendredi, 9h-16h30 ; samedi-dimanche, 13h-17h. Adulte : 10 CAN $, aîné : 8,50 CAN $, étudiant : 6 CAN $, moins de 5 ans, gratuit. Durée moyenne de la visite : 2h. Boutique souvenirs sur place.

Situé directement sur les berges de la majestueuse baie des Ha ! Ha !, le très beau musée du Fjord est un lieu de passage recommandé à tous ceux qui prévoient passer quelques jours dans la région. En effet, il lève le voile sur tous les secrets du fjord du Saguenay. Il est simultanément un laboratoire, un lieu d'apprentissage, d'observation et de découverte. De façon interactive, les divers composants du fjord et son histoire sont expliqués. Le must, l'excursion en Zodiac dans la baie, en présence d'un plongeur scientifique.

■ PULPERIE DE CHICOUTIMI

300, rue Dubuc
✆ +1 418 698 3100, +1 877 998 3100
www.pulperie.com
info@pulperie.com
Horaire d'été : lundi-dimanche, 9h-18h (dernière entrée à 17h). Début septembre à mi-juin : mercredi-dimanche, 10h-16h. Adulte : 10 CAN $, étudiant : 5,50 CAN $, aîné : 8,50 CAN $, 5-17 ans : 4 CAN $, moins de 5 ans : gratuit. Tarifs famille disponibles. Durée moyenne de la visite : 3h.

C'est sur ce site impressionnant, près de la chute de la Rivière Chicoutimi, qu'a été implanté le premier complexe industriel de pulpe de bois mécanique, fondé par un Canadien français, Alfred Dubuc. Fermé en 1930, sauvé de la démolition en 1978, le bâtiment est aujourd'hui un site historique national mais également, le Musée régional du Saguenay-Lac-Saint-Jean avec une collection de plus de 26 000 objets, artefacts et œuvres. L'exposition permanente, interactive et très bien montée, est un incontournable pour tous ceux qui veulent en savoir plus sur l'histoire de la région et sur celle de la production de papier au début du XXe siècle.

Sports / Détente / Loisirs

■ QUÉBEC HORS-CIRCUITS - ORGANISACTION

110, rue Price Ouest
À l'auberge La Maison Price
✆ +1 418 549 0676, +1 877 549 0676
www.quebec-hors-circuits.com
organisaction@coopverte.com
Tarifs selon l'activité ou le forfait choisi. QHC-OrganisAction participe au programme Carbone Boréal pour la compensation de gaz à effet de serre.

Québec Hors-Circuits, désormais administré par OrganisAction, une entreprise satellite de la Coopérative de solidarité V.E.R.T.E. (www.coopverte.com), est un organisme de tourisme de plein air et d'aventure qui vous offre plus d'un million de kilomètres carrés de nature. Activités proposées sous forme de circuits et d'expéditions avec encadrement et prise en charge par des guides expérimentés : excursion en Zodiac ou kayak de mer sur le fjord du Saguenay, canot-camping, ski nordique, randonnée en traîneau à chiens ou en raquettes, pêche blanche, raid motoneige (1 à 6 jours), etc. Possibilité d'organiser son forfait sur mesure. Service de location de motoneiges (avec guide).

SAINTE-ROSE-DU-NORD

C'est incontestablement le plus beau et le plus pittoresque village du Saguenay. De tout temps, il a inspiré les peintres, tel Marc-Aurèle Fortin, les artistes et les rêveurs. Blanc, serein, paisible entre mer et montagne, à rendre jaloux ceux qui n'y vivent pas. À juste titre, ce village a été sélectionné par l'Association des plus beaux villages du Québec. Partez à la découverte des sentiers du village qui vous offriront des paysages à couper le souffle.

www.ste-rosedunord.qc.ca

■ BUREAU TOURISTIQUE SAISONNIER

213, rue du Quai
✆ +1 418 675 2346

■ CAMPING LA DESCENTE DES FEMMES

154, rue de la Montagne
✆ +1 418 675 2581

Ouvert de juin à mi-octobre. Tarif journalier : 18 CAN $ (tente seulement) à 23 CAN $ (site avec services). Sites de camping répartis sur trois paliers. Ce grand site de camping est situé en pleine nature dominant le fjord et le village, offrant ainsi une vue superbe. Services et activités : randonnée pédestre, baignade, service de buanderie, bloc sanitaire (douche payante) et salle communautaire.

■ SENTIERS DE LA PLATE-FORME

Gratuit. Pour y accéder, prenez la route de la Montagne. Vous vous garez à la Plateforme (site bien indiqué). Aménagés dans les pins, les sentiers mènent à divers belvédères dominant le fjord du Saguenay. Vous choisirez le sentier selon le temps dont vous disposez. Le point d'observation le plus proche se trouve à 15 minutes du stationnement. La vue est extraordinaire.

CHAMBORD

C'est le point d'arrivée de la route 155 et l'accueil est grandiose : le lac Saint-Jean s'ouvre ici sous vos yeux, après une longue route en forêt dans la réserve faunique des Laurentides. D'ailleurs, plusieurs parcs et aires de repos permettent de contempler cette mer intérieure. Mais la municipalité de Chambord est surtout connue pour son village historique Val-Jalbert, ancien village fantôme reconverti en site touristique de grand intérêt.

www.chambord.ca

■ VILLAGE HISTORIQUE DE VAL-JALBERT

95, rue Saint-Georges
✆ +1 418 275 3132
✆ +1 888 675 3132
www.valjalbert.com
valjalbert@valjalbert.com

Route 169 Nord en direction de Roberval, après la municipalité de Chambord. En mai et mi à fin octobre : le week-end seulement, sans animation théâtrale. De juin à mi-octobre : ouvert tous les jours. Visite seulement : adulte 23 CAN $, 6-16 ans 11,50 CAN $, moins de 6 ans gratuit. Forfaits disponibles. Tarifs téléphérique, famille et groupe disponibles.

Construite en 1901, la pulperie de Val-Jalbert, reprise par Alfred Dubuc, produisait chaque jour 50 tonnes de pâte à papier mécanique exportées ensuite vers les États-Unis et l'Europe. L'usine faisait vivre un village modèle de 950 personnes, doté de l'électricité et du chauffage, avant d'être à son tour victime de la grande crise et contrainte de fermer ses portes en 1927. Tributaire de l'usine, la population dut quitter les lieux. Pendant près de 60 ans, les maisons qui avaient abrité les familles des ouvriers sont restées à l'abandon, tel un village fantôme. Aujourd'hui, elles sont restaurées et animées d'habitants en costumes d'époque. Vous pouvez visiter le moulin désaffecté, le couvent et le magasin général. Il faut aussi monter au belvédère, par un escalier de 752 marches, et aller voir l'impressionnante chute Ouiatchouan. Haute de plus de 70 m, elle assurait le bon fonctionnement de l'usine. Aujourd'hui, un téléphérique permet de survoler le site. Un trolleybus dessert le village et en fait le tour. C'est un vrai dépaysement que cette remontée dans le temps, un rien nostalgique. De surcroît, le site est vraiment superbe. Sur place, restauration, camping, quelques chambres dans les maisons rénovées et un petit hôtel au-dessus du magasin général pour recevoir ceux que l'endroit inspire.

Projets en cours ou déjà réalisés grâce au plan de développement touristique : nouveau belvédère avec plancher de verre, studio de photographie d'antan avec costumes, audioguide multilingue, présentation multimédia dans le moulin, construction d'un nouveau pavillon d'accueil, nouvelles activités d'interprétation, restauration du vieux moulin et d'autres bâtiments, etc.

SAINT-FÉLICIEN

Carrefour important de la région, cette petite ville industrielle posée sur les rives des rivières Ashuapmushuan, Mistassini et Ticouapé, est surtout connue pour son zoo. Le territoire de Saint-Félicien fut jadis le complice des allées et venues des Montagnais.

▸ **www.ville.stfelicien.qc.ca**

■ BUREAU TOURISTIQUE

1209, boulevard Sacré-Cœur
✆ +1 418 679 9888, +1 877 525 9888
Ouvert toute l'année.

■ ZOO SAUVAGE DE SAINT-FÉLICIEN

2230, boulevard du Jardin
✆ +1 418 679 0543, +1 800 667 5687
www.zoosauvage.org
info@zoosauvage.org
Route 167 Nord. En mai, septembre et octobre : lundi-dimanche, 9h-17h. De juin à septembre : lundi-dimanche, 9h-18h (jusqu'à 20h de mi-juillet à mi-août). Horaire d'hiver : consultez leur site Internet. Adulte : 37 CAN $, aîné et étudiant : 31 CAN $, 6-14 ans : 24,50 CAN $, 3-5 ans : 15 CAN $, moins de 3 ans : gratuit, famille : 75-105 CAN $. Durée de la visite : minimum 4h, incluant la visite du parc et la projection de deux films.
Les humains en cage, les animaux en liberté ! Un concept unique et l'une des grandes attractions du Québec depuis 50 ans. Assis dans un train grillagé, vous ferez une balade inoubliable à travers le Canada d'est en ouest, parmi sa faune étonnante : ours noirs, grizzlis, caribous, cerfs, loups, cougars, bisons, orignaux, bœufs musqués, grues du Japon, macaques japonais, etc., mais également aigles et échassiers, tous évoluant dans leurs habitats naturels. Sans oublier les fameux sentiers de la nature et le zoo traditionnel situé sur l'Ile-aux-Bernard que traverse une rivière en cascades. Ajouts récents : tigres de l'amour, nouvel habitat des grizzlis, nouvel habitat de la Mongolie, nouveau circuit éducatif à la Petit ferme et aux jeux d'eau, exposition « les artistes du zoo en scène ».

ALMA

Près de la source de la rivière Saguenay, cette ville fondée en 1854 doit son nom à la bataille de Crimée que les troupes franco-britanniques venaient de remporter sur l'armée russe. Tout d'abord centre agricole et forestier, son industrialisation commença avec l'implantation de la papeterie Price, puis du complexe hydroélectrique de l'Isle-Maligne et, à partir des années 1940, avec l'installation de l'aluminerie de la société Alcan, la seule usine du groupe Rio Tinto Alcan au monde à pouvoir être visitée durant la période estivale. Vie culturelle et artistique, quartiers patrimoniaux, nombreuses activités de plein air, plus de 42 km de plages... Alma est la capitale jeannoise au pays des bleuets.

▸ **www.tourismealma.com**

■ COMPLEXE TOURISTIQUE DAM-EN-TERRE

1385, chemin de la Marina
✆ +1 418 668 3016, +1 888 289 3016
www.damenterre.qc.ca
info@damenterre.qc.ca
À 6 km d'Alma, sur la Véloroute des Bleuets. Ouvert à l'année. Hébergement en chalet, en condo, en suite-condo et en camping. Les contacter directement ou visiter leur site Internet pour connaître la gamme des tarifs. Forfaits disponibles.
En bordure de la rivière Grande-Décharge, le complexe touristique Dam-en-Terre, sauvage et boisé, offre hébergement et un large choix d'activités. Total de 200 emplacements de camping aménagés (tente, tente roulotte, caravane motorisée), location d'appartements équipés (2 à 6 personnes), location de chalets équipés (2 personnes). Activités en été : piscine, tour d'escalade, plage aménagée pour la baignade, location de canot, kayak, pédalo, vélo, sentiers pédestres et marina. En hiver : raquettes et une patinoire de 1,5 km dans un sentier boisé. Croisière sur le lac Saint-Jean à bord du bateau La Tournée. Restaurant, théâtre.

■ PARC THÉMATIQUE L'ODYSSÉE DES BÂTISSEURS

1671, avenue du Pont Nord
✆ +1 418 668 2606, +1 866 668 2606
www.odysseedesbatisseurs.com
info@odysseedesbatisseurs.com
Mi-juin à fin septembre : lundi-dimanche, 9h-17h30 (fermeture à 16h30 en septembre). Le reste de l'année : lundi-vendredi, 9h-16h30 ; samedi-dimanche, sur réservation de groupe. Visites guidées disponibles toutes les heu-

res. Adulte : 7,50-12,50 CAN $, aîné : 6,50-11,50 CAN $, étudiant : 5,50-10,50 CAN $, 6-17 ans : 3-6,25 CAN $, moins de 6 ans : gratuit. Durée : 3h.

Le parc thématique L'Odyssée des Bâtisseurs propose une expérience vivante vous démontrant l'importance de l'eau dans le développement de la région. À travers ses expositions, vous découvrez les grands moments de la construction de la centrale Isle-Maligne. Dans les lieux d'exposition en plein air, c'est de façon très interactive que sont présentés les métiers liés à l'eau ainsi que des points importants de l'histoire de la ville. Depuis le château d'eau, la vue est fort intéressante. Possibilité de continuer sa visite en faisant une randonnée sur l'île Maligne en prenant un petit traversier. À l'intérieur du bâtiment principal, des expositions animées par des personnages en costumes vous permettront d'en savoir plus sur la région, son peuplement, et les chantiers qui ont marqué son développement.

■ TOURISME ALMA LAC-SAINT-JEAN

1682, avenue du Pont Nord
✆ +1 418 668 3611, +1 877 668 3611
www.tourismealma.com
info@tourismealma.com
Ouvert toute l'année.

Le site Internet de l'office du tourisme est une véritable mine d'informations. En plus de vous proposer des expériences (motoneige, route campagne et fromagers, à la découverte des plages, etc.), vous avez accès à la liste des attraits et activités, hébergements, restaurants, événements et autres bonnes adresses pour rendre votre séjour dans la région des plus agréables. Jetez également un coup d'œil aux forfaits proposés sur leur site : de belles découvertes à moindres prix !

■ LA VÉLOUROUTE DES BLEUETS

1692, avenue Du Pont Nord
✆ +1 418 668 4541, +1 866 550 4541
www.veloroute-bleuets.qc.ca
info@veloroute-bleuets.qc.ca
Officiellement ouverte de la mi-mai à la mi-octobre.

Le circuit de 271,8 km parcourt le lac, traversant une quinzaine de municipalités et villages pittoresques. Il donne accès au parc national de la Pointe-Taillon, à des points d'eau, ainsi qu'à de nombreux sites et attraits touristiques. Haltes d'informations sur la Véloroute : les Maisons du vélo à Alma, Roberval et Dolbeau-Mistassini.

▸ **Autre adresse :** Navette de bagages : ✆ +1 418 342 6651 – +1 888 342 6651

SAINT-GÉDÉON

Saint-Gédéon-de-Grandmont a littéralement les pieds dans le lac Saint-Jean. Ses belles plages, ses campings et ses marinas font le bonheur de tous en saison estivale. Nombreuses activités de plein air sont praticables en toutes saisons comme le vélo (la Véloroute passe au coeur du village), le kayak, le golf, le ski de fond, la motoneige, la pêche blanche, etc.

▸ **www.ville.st-gedeon.qc.ca**

■ CÔTE NORD

Elle s'étire le long de l'estuaire du golfe du Saint-Laurent, de Tadoussac, à l'embouchure du Saguenay, jusqu'à Blanc-Sablon, à la frontière du Labrador. Cette longue côte se subdivise en deux régions touristiques principales : Manicouagan (de Tadoussac à Baie-Trinité) et Duplessis (de Pointe-aux-Anglais à Blanc-Sablon). La route s'arrête à Natashquan où commence la Basse-Côte-Nord peuplée de réserves indiennes, et dont les petits villages ne sont accessibles que par avion ou par bateau (accessible en motoneige l'hiver via le circuit de la Route Blanche). La Côte-Nord plaira à tous ceux qui recherchent des vacances actives, qui sont attirés par la randonnée, le kayak, la voile, la pêche au saumon et en hiver, par le ski de fond, le ski alpin, la pêche blanche et la motoneige. Les plus aventureux pourront même remonter le fleuve en kayak, de Baie Comeau à Havre-Saint-Pierre ! À l'image de l'île d'Antiscoti, la plus grande du Québec et classée parc national, la Côte-Nord est une destination nature par excellence.

▸ **www.tourismemanicouagan.com**

▸ **www.tourismeduplessis.com**

Retrouvez l'index général en fin de guide

Transports

Avion

Plusieurs compagnies desservent la région de la Côte-Nord : Air Canada (Baie-Comeau et Sept-Îles), Air Labrador (Sept-Îles, Havre-Saint-Pierre, Natashquan, Kegaska, La Romaine, Chevery, Tête-à-la-Baleine, La Tabatière, Saint-Augustin et Blanc-Sablon), Air Liaison (Baie-Comeau, Sept-Îles et Havre-Saint-Pierre), Exact Air (Sept-Îles, Havre-Saint-Pierre et Port-Menier à l'île d'Anticosti), Pascan Aviation (Baie-Comeau, Sept-Îles, Havre-Saint-Pierre et Fermont/ Wabush), Provincial Airlines (Sept-Îles et Blanc-Sablon).

Bus

Le Groupe Intercar dessert toutes les villes principales de Québec à Havre-Saint-Pierre. www.intercar.qc.ca

Traversiers

La Compagnie de navigation des Basques relie Les Escoumins à Trois-Pistoles (Bas-Saint-Laurent). Labrador Marine assure la liaison entre Blanc-Sablonc et St. Barbe/Corner Brook (Terre-Neuve). Le Relais Nordik dessert une dizaine de localités de la région en partance de Rimouski (Bas-Saint-Laurent). La Société des traversiers du Québec propose deux lignes : Baie-Sainte-Catherine (Charlevoix) -Tadoussac et Matane (Gaspésie) -Baie-Comeau/Godbout. Finalement, le CNM Évolution relie Forestville à Rimouski (Bas-Saint-Laurent).

Voiture

Plusieurs routes desservent la région de la Côte-Nord. Voici les principaux accès routiers en fonction des régions de départ :

- **Bas-Saint-Laurent :** prendre le traversier soit de Rimouski à Forestville soit de Trois-Pistoles à Les Escoumins.
- **Charlevoix :** prendre le traversier qui relie Baie-Sainte-Catherine à Tadoussac (la route 138 coupe de chaque côté du fjord et le service de traversier est gratuit).
- **Gaspésie :** prendre le traversier de Matane à Baie-Comeau-Godbout.
- **Province de Terre-Neuve-Labrador :** de Terre-Neuve : prendre le traversier qui relie St. Barbe à Blanc-Sablon. Du Labrador : prendre la route 389 Sud qui mène à Baie-Comeau (route Trans-Québec-Labrador).
- **Saguenay-Lac-Saint-Jean :** prendre la route 172 Est qui mène à Tadoussac.

TADOUSSAC

Tadoussac est la capitale de l'observation des baleines. De mai à octobre, elles viennent nombreuses dans cette partie du Saint-Laurent, très riche en planctons. On les voit depuis les bateaux de croisière ou le quai. Elles attirent, bien entendu, des cars de touristes du monde entier. Séjourner à Tadoussac demeure très agréable, la baie étant grandiose et le village sympathique (il fait d'ailleurs partie de l'Association des plus beaux Villages du Québec). La petite ville se trouve sur la rive nord de l'embouchure du Saguenay, qui se jette dans l'estuaire du Saint-Laurent. Un traversier franchit l'embouchure entre Baie-Sainte-Catherine et Tadoussac. Entre le lac Saint-Jean et l'estuaire, le Saguenay forme un large fjord bordé de falaises grises très découpées, hautes d'une centaine de mètres, culminant à 510 m au Cap Éternité. Le fjord du Saguenay est protégé par un parc provincial. Le village de Tadoussac occupe un superbe site. Il est abrité au fond d'une baie sableuse entourée de collines boisées : la colline de l'Anse-à-la-Barque, la colline de l'Anse-à-l'Eau, et la pointe de l'Islet. Le nom de Tadoussac vient d'ailleurs du montagnais « totouskak » signifiant « les mamelles » en référence aux collines rocheuses et boisées à l'ouest du village. Sur les hauteurs, les arbres disparaissent et la roche nue témoigne, par ses stries, du passage des glaciers il y a des milliers d'années. De Tadoussac, part un sentier qui longe la rive du fjord. Bien avant l'arrivée de Jacques Cartier, c'était déjà un lieu d'échanges entre les Amérindiens. En 1600, Pierre Chauvin y établit le premier poste de traite des fourrures du Canada. Tadoussac se trouva alors au cœur d'un vaste réseau de communications, par rivières et portages, formé par le Saint-Laurent, le Saguenay, le lac Saint-Jean, et allant jusqu'à la Baie-James. Puis les Jésuites y créèrent une mission. En 1603, Champlain s'arrêta à Tadoussac qui devint un port de relâche pour les navires faisant la traversée de l'Atlantique. Le village demeura un comptoir de fourrures jusqu'en 1850.

- **www.tadoussac.com**

Pratique

■ **BUREAU TOURISTIQUE SAISONNIER**
197, rue des Pionniers
✆ +1 418 235 4744
✆ +1 866 235 4744

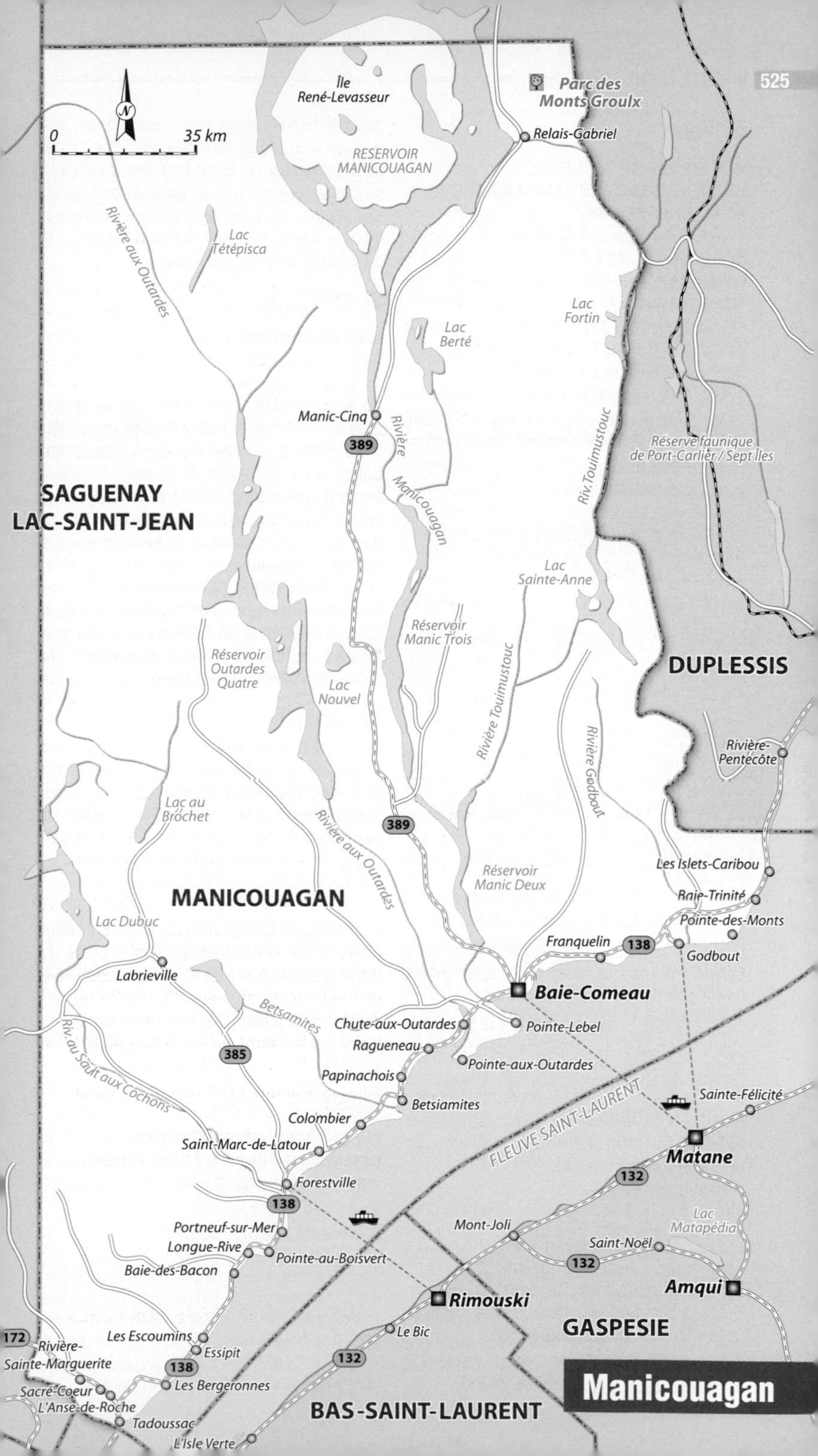

0
35 km
Île René-Levasseur
RESERVOIR MANICOUAGAN
Parc des Monts Groulx
Relais-Gabriel
Rivière aux Outardes
Lac Tétépisca
Lac Fortin
Lac Berté
Manic-Cinq
389
Rivière Manicouagan
Riv. Touimustouc
Réserve faunique de Port-Carlier / Sept Îles
SAGUENAY LAC-SAINT-JEAN
Lac Sainte-Anne
Réservoir Manic Trois
Réservoir Outardes Quatre
Lac Nouvel
DUPLESSIS
Rivière Toulnustouc
Rivière Godbout
Rivière-Pentecôte
Lac au Brochet
389
Rivière aux Outardes
Réservoir Manic Deux
Les Islets-Caribou
MANICOUAGAN
Baie-Trinité
Pointe-des-Monts
Lac Dubuc
Franquelin
138
Godbout
Labrieville
Baie-Comeau
Betsamites
Chute-aux-Outardes
Pointe-Lebel
Rivière au Sault aux Cochons
385
Ragueneau
Pointe-aux-Outardes
Papinachois
Betsiamites
FLEUVE SAINT-LAURENT
Sainte-Félicité
Colombier
Saint-Marc-de-Latour
Matane
132
Forestville
138
Lac Matapédia
Portneuf-sur-Mer
Mont-Joli
Longue-Rive
Saint-Noël
Pointe-au-Boisvert
132
Baie-des-Bacon
Rimouski
Amqui
Les Escoumins
Le Bic
GASPESIE
172
Rivière-Sainte-Marguerite
Essipit
132
138
Les Bergeronnes
Sacré-Coeur
L'Anse-de-Roche
BAS-SAINT-LAURENT
Tadoussac
L'Isle Verte
Manicouagan

Se loger

■ AUBERGE DE JEUNESSE DE TADOUSSAC (MAISON MAJORIQUE ET MAISON ALEXIS)

158, rue du Bateau-Passeur
✆ +1 418 235 4372
www.ajtadou.com
ajt@ajtadou.com
Ouvert à l'année. Maison Majorique : 80 lits et 50 emplacements de camping. Maison Alexis : 33 lits. Dortoir : 23 CAN $ la 1re nuit, 20 CAN $ les suivantes. Chambre privée (1 ou 2 personnes) : 57 CAN $ la 1re nuit, 54 CAN $ les suivantes. Possibilité de prendre le petit déjeuner (3,75 CAN$) et le repas communautaire du soir sur place (9-15 CAN $). Bar, service de petits repas à l'extérieur midi et soir (seul endroit à Tadoussac où l'on peut manger après 22h !), buanderie, cuisine tout équipée, Internet sans fil et bornes Internet, service de prêt de voiture (en échange d'un don à l'auberge selon vos moyens financiers), nombreuses activités et événements sur place en toutes saisons, service de navette pour les randonneurs (2 départs par jour pour le fjord), point d'arrivée et départ des bus et covoiturage.
La meilleure adresse pour se loger à bon marché et surtout, pour faire des rencontres mémorables dans une ambiance festive et amicale. L'auberge est un ancien gîte rural restauré, offrant des installations de qualité et une gamme d'activités. À ce propos, l'auberge offre un tarif réduit sur toutes les croisières aux baleines. Après une journée bien remplie, inscrivez-vous au repas communautaire du soir, profitez des concerts au bar et allez vous « chauffer la couenne » au bord du feu de camp à Coco. Une auberge dont la réputation n'est plus à faire et un immanquable pour un excellent séjour à Tadoussac. Note : les moins fêtards opteront pour la Maison Alexis…

■ HÔTEL TADOUSSAC

165, rue du Bord-de-l'Eau
✆ +1 418 235 4421, +1 800 561 0718
www.hoteltadoussac.com
info.hoteltadoussac@silverbirchhotels.com
Ouvert de début mai à mi-octobre. Occupation double : à partir de 90 CAN $ par personne, petit déjeuner inclus. Forfaits disponibles.
L'hôtel Tadoussac, situé juste en face de la plage et du fleuve, est un magnifique édifice qui ouvra ses portes en 1865. Son toit rouge se repère de loin, et représente Tadoussac mieux qu'aucun autre édifice. Une référence en matière d'élégance et de décoration et que dire de sa table gastronomique ! Sur place, de nombreux services en font une destination de choix pour qui veut se gâter et profiter du bon temps : trois restaurants, bar, terrasse, piscine, tennis, minigolf, centre de santé, club d'activités pour les enfants.

Se restaurer

■ CAFÉ BOHÊME

239, rue des Pionniers
✆ +1 418 235 1180
Menu à la carte : 8-20 CAN $, table d'hôte le soir : 17,50-26,50 CAN $, petit déjeuner : 2-14 CAN $. Accès Internet gratuit sur place.
Ce petit café fort sympathique sert des repas complets et propose des tables d'hôtes le soir. Au menu : savoureux paninis maison et salade, salades repas, assiette du fumoir, pizzas fines, pâtes fraîches le soir, etc. Bon choix de desserts maison (essayez l'Affogato Diabolo). Grand choix de cafés bio et équitables. La petite terrasse est bien agréable pour un déjeuner ou une pâtisserie.

Sortir

Malgré le fait que Tadoussac soit un tout petit village, on y fait bien la fête ! Trois endroits sont à retenir pour passer une belle soirée. Tout d'abord, l'incontournable auberge de jeunesse est bien reconnue pour son bar, ses spectacles musicaux et son ambiance du tonnerre. Toutefois, pour que tous puissent dormir, le bar ferme vers 1h. Juste à côté de l'auberge se trouve le Café du Fjord, pour ceux qui ont davantage la fibre danseuse. Et finalement, le Gibard, situé face à la plage dans une belle petite maison, est un endroit fort sympathique pour prendre un verre. Il accueille également des spectacles et événements artistiques. Bonne soirée !

À voir / À faire

■ CENTRE D'INTERPRÉTATION DES MAMMIFÈRES MARINS (CIMM)

108, rue de la Cale-Sèche
✆ +1 418 235 4701
www.gremm.org
www.baleinesendirect.net
Mi-mai à mi-juin et fin septembre à mi-octobre : lundi-dimanche, 12h-17h (jusqu'à 18h pendant une semaine en juin). Mi-juin à fin septembre : lundi-dimanche, 9h-20h. Adultes : 8 CAN $, aînés : 6 CAN $, 6-17 ans : 4 CAN $, moins de 5 ans : gratuit, famille : 18 CAN $.

Visite incontournable sur la route des baleines. Exposition qui, avant ou après votre excursion, vous permettra d'en connaître davantage sur les mammifères marins fréquentant le fleuve Saint-Laurent de juin à octobre : bélugas, petits rorquals, rorquals communs, rorquals à bosse. Des films, jeux et activités diverses illustrent la vie de cet animal fascinant.

■ **PARC MARIN DU SAGUENAY-SAINT-LAURENT**
182, rue de l'Église
✆ +1 418 235 4703, +1 888 773 8888
www.parcmarin.qc.ca
Le parc marin du Saguenay-Saint-Laurent est la première aire de conservation marine au Québec. D'une superficie de plus de 1 000 km², il s'étend dans les régions du Bas-Saint-Laurent, Charlevoix, Côte-Nord et Saguenay-Lac-Saint-Jean, et a pour mandat de conserver les espèces et les écosystèmes d'une partie de l'estuaire du Saint-Laurent et du fjord du Saguenay. Véritable richesse, tant au niveau de la faune et de la flore qu'au niveau des paysages, grandioses.

Sports / Détente / Loisirs

■ **CROISIÈRES 2001**
Billetterie : 318, rue des Forgerons
✆ +1 418 235 3333, +1 800 694 5489
www.croisieres2001.com
info@croisieres2001.com
Mai-juin et septembre-octobre : 2 départs par jour (9h15 et 12h30). Juillet et août : 3 départs par jour (9h15, 12h30 et 15h45). Embarquement au quai de Tadoussac. Adulte : 64 CAN $, aîné et étudiant : 59 CAN $, enfant : 29 CA N$. Forfaits disponibles.
Croisière de 3 heures en catamaran avec découverte d'une partie du fjord du Saguenay et observation des baleines. La présence d'une caméra vidéo sous-marine permet d'admirer la faune et la flore de cette région. Des croisières en Zodiac d'une capacité de 12 passagers sont également offertes (voir site Internet pour horaires et tarifs).

■ **CROISIÈRES AML**
Marina Tadoussac – 161, rue des Pionniers
✆ +1 866 856 6668
www.croisieresaml.com
info@croisieresaml.com
Juin à octobre : 3 départs par jour pour l'excursion Baleines & Fjord (9h45, 13h et 15h30). Embarquement au quai de Tadoussac. Adulte : 64 CAN $, étudiant et aîné : 59 CAN $, enfant : 29 CAN $. Deux départs par jour pour le Zodiac. Un départ par jour pour la croisière de découverte du fjord. Forfaits disponibles à partir de Montréal et Québec.
Croisière d'interprétation et d'observation des baleines (3 heures en bateau régulier, 2 ou 3 heures en Zodiac). Croisière découverte du fjord (incluant repas typiquement québécois) : 6 heures avec escale à l'Anse-Saint-Jean et au parc national du Saguenay.

■ **CROISIÈRES DUFOUR**
✆ +1 800 463 5250 – www.dufour.ca
Safari visuel aux baleines (mi-mai à fin octobre) : 2 départs par jour (9h30 et 13h30), 1 départ supplémentaire de mi-juillet à début septembre à 16h45. Embarquement au quai de Tadoussac. Adulte : 64 CAN $, étudiant et aîné : 59 CAN $, enfant : 29 CAN $. Croisière sportive (juin à mi-octobre) : 3 départs par jour (9h, 13h et 16h). D'autres croisières sont offertes : fjord du Saguenay, oiseaux au crépuscule, etc. Forfaits disponibles. Ces excursions aux baleines d'une durée de 3 heures se font soit sur le monocoque Famille Dufour I soit à bord du Tadoussac III, un Zodiac de 48 places. Pour l'excursion Expédition aux baleines, Le Grand Charlevoix (48 places) vous offre une vue panoramique sur 360 degrés, en bateau-mouche pour celle dans le fjord.

■ **CROISIÈRES OTIS**
431, rue du Bateau-Passeur
✆ +1 418 235 4537
✆ +1 877 235 4197
www.otisexcursions.com
info@otisexcursions.com
Croisière en Zodiac de 12 personnes (mai à mi-octobre). Quatre départs quotidiens à 6h30, 9h15, 13h15 et 16h45. Les premières et dernières excursions de la journée durent 2 heures, les autres 3 heures. Embarquement au quai de Tadoussac. Adulte : 59-69 CAN $, étudiant et aîné : 54-64 CAN $, 6-12 ans : 44-49 CAN $.
Excursions offertes : aux baleines, sur le fjord, safari photo, pêche à la morue, sur mesure. Croisière en catamaran aussi disponible.

LES BERGERONNES

Lieu écotouristique par excellence pour l'observation des baleines, la pratique du kayak de mer et de la plongée sous-marine.

▸ **www.bergeronnes.net**

■ **BUREAU TOURISTIQUE SAISONNIER**
505, rue du Boisé
✆ +1 418 232 6595

■ **MER ET MONDE ÉCOTOURS**
270 route 138
✆ +1 418 232 6779
✆ +1 866 637 6663
www.meretmonde.ca
info@mer-et-monde.qc.ca
À l'Anse à la Cave, entre Les Bergeronnes et Les Escoumins (surveillez les indications depuis la route 138).
Sites de camping et bivouacs à l'Anse à la Cave (location d'équipement de camping disponible sur place). Café-bistro au 87 rue principale à Bergeronnes. Forfaits disponibles.
Dans le parc marin du Saguenay-Saint-Laurent, en été, des guides expérimentés vous emmèneront en excursions en kayak de mer. À l'Anse à la Cave, trois excursions vous sont proposées : Découverte des baleines du Saint-Laurent (demi-journée ou journée complète), Soleil-Levant destinée aux lève-tôt, et Sons et Lumières qui vous permettra d'écouter les mammifères marins à l'aide d'hydrophones. À Tadoussac, deux excursions d'une durée de 3 ou 7 heures sont organisées. Pour les mordus, deux expéditions incluent une ou deux journées sur l'eau et une nuit en camping.

BAIE-COMEAU

Nom donné en mémoire de Napoléon-Alexandre Comeau, trappeur, géologue et naturaliste de la Côte-Nord. La visite patrimoniale, circuit de 6 km, permet de découvrir le vieux Baie-Comeau et les fondations de la ville. À part cela, Baie-Comeau est surtout un point de passage pour les activités aux alentours (notamment pour la visite des barrages Manic-2 et Manic-5). Le traversier mène de Baie-Comeau à Matane en Gaspésie, sur la rive sud (traversée : environ 2h20). Nous vous recommandons de vous arrêter à Pointe-aux-Outardes, charmant village situé à 17 km à l'ouest de Baie-Comeau et Pointe-Lebel à proximité où vous verrez des plages magnifiques avec dunes et trottoirs en bois. À Baie-Comeau, le Boisé de la Pointe St-Gilles plaira sans nul doute aux amateurs de randonnée pédestre (18 km de sentiers) et de farniente (plage Champlain).

▸ **www.ville.baie-comeau.qc.ca/visiter/**

■ **BUREAU TOURISTIQUE**
69, place La Salle
✆ +1 418 296 0829, +1 888 589 6497
Ouvert toute l'année.

▸ **Autre adresse :** Bureau saisonnier : 3503, boulevard Laflèche ✆ +1 418 589 3610

■ **HÔTEL LE MANOIR**
8, avenue Cabot ✆ +1 418 296 3391
✆ +1 866 796 3391 – www.manoirbc.com
manoirbc@globetrotter.qc.ca
Occupation double : à partir de 70 CAN $ par personne, petit déjeuner inclus. 60 chambres et suites. Forfaits disponibles. Manoir de caractère construit en 1967, cet hôtel 4-étoiles se distingue par son cachet particulier et son décor élégant et raffiné. La vue qu'offrent, entre autres, plusieurs chambres et le bar sur le fleuve Saint-Laurent est tout simplement magnifique. Vous retrouverez de nombreux services sur place : restaurant (ouvert tous les jours matins et soirs), bar, grande terrasse, centre de santé adjacent, salle d'exercices, accès à la plage, location de vélos, terrain de tennis... Définitivement notre meilleure adresse à Baie-Comeau !

■ **JARDIN DES GLACIERS**
3, avenue Denonville
✆ +1 418 296 0182
✆ +1 877 296 0182
www.jardindesglaciers.ca
info@jardindesglaciers.ca
Ouvert à l'année (horaires variables selon l'activité et la saison). Droits d'entrée selon l'activité choisie. Forfaits disponibles. Boutique souvenirs, aire de restauration.
Ce site d'interprétation traite de l'ère glaciaire, des changements climatiques et de la migration des premiers peuples. La zone spectacle qui présente *L'aventure boréale, 20 000 ans sous les glaces* est une des activités phares. La zone nature, quant à elle, vous tranformera en véritable explorateur en vous amenant sur des circuits guidés fort intéressants. Ajoutez à cela, une zone d'adrénaline qui propose des activités de kayak, d'escalade, de randonnée, une via ferrata, une tyrolienne et de la descente en rappel. Possibilité d'hébergement sur place en camping, tente prospecteur et yourte.

SEPT-ÎLES

Sept-Îles est une ville accueillante, dont le caractère maritime se reflète dans ses paysages, son patrimoine et sa culture. On appréciera de se promener dans les grands parcs ou en bordure du fleuve et de visiter les musées présentant notamment l'histoire de la région.

Pratique

■ **TOURISME SEPT-ÎLES**
1401, boulevard Laure Ouest
✆ +1 418 962 1238
✆ +1 888 880 1238
www.tourismeseptiles.ca
info@tourismeseptiles.ca
Ouvert toute l'année.

▸ **Autre adresse :** Bureau saisonnier : parc du Vieux-Quai - ✆ +1 418 968 1818

Se loger

■ **HÔTEL SEPT-ÎLES**
451, avenue Arnaud
✆ +1 418 962 2581
✆ +1 800 463 1753
www.hotelseptiles.com
reservations@hotelseptiles.com
Occupation simple : à partir de 81 CAN $. Forfaits disponibles.
Profitez d'un séjour dans cet établissement 3-étoiles pour prendre un grand bol d'air marin. Toutes les chambres offrent une vue sur la mer et les chambres exécutives ont été rénovées en mars 2009 pour plus de confort et d'espace. Sur place, le restaurant Seven Gr'Îles, ouvert du matin au soir, est réputé pour ses grillades, poissons et fruits de mer (réservation ✆ +1 418 960 0012).

Se restaurer

■ **EDGAR CAFÉ BAR**
490, avenue Arnaud
✆ +1 418 968 6789
Ouvert de mai à décembre. Mi-juin à septembre : lundi-vendredi, dès 11h ; samedi-dimanche, dès 14h. Le reste du temps : mardi-dimanche, dès 16h. L'heure de fermeture varie selon l'affluence. Terrasse. Café Santropol en vente sur place et pour emporter.
Une excellente adresse à Sept-Îles où les produits régionaux sont à l'honneur. Situé à quelques pas de la « mer », c'est l'endroit idéal pour savourer des bons petits plats du terroir. Et que dire de leur sélection de fromages québécois, d'autant plus qu'on peut les prendre pour emporter… Côté houblon, on y retrouve que des produits « bien de chez-nous ». Spectacles musicaux et autres événements y sont organisés.

À voir / À faire

■ **ARCHIPEL DES SEPT-ÎLES**
Au large de Sept-Îles
Information : 1401, boulevard Laure
✆ +1 418 962 1238
✆ +1 888 880 1238
L'archipel des Sept-Îles est un lieu de ressourcement dans un cadre maritime exceptionnel. Observation des oiseaux et des mammifères marins. On y accède en prenant un bateau ou un kayak de mer depuis le port de plaisance situé au parc du Vieux-Quai. Sur l'île Grande Basque, camping et sentiers de randonnée.

■ **MUSÉE RÉGIONAL DE LA CÔTE-NORD**
500, boulevard Laure
✆ +1 418 968 2070
www.mrcn.qc.ca
mrcn@mrcn.qc.ca
Du 24 juin à la fête du Travail : lundi-dimanche, 9h-17h. Le reste de l'année : mardi-vendredi, 10h-12h et 13h-17h ; samedi-dimanche, 13h-17h. Adulte : 7 CAN $, aîné et étudiant : 6 CAN $, 12 ans et moins : gratuit.

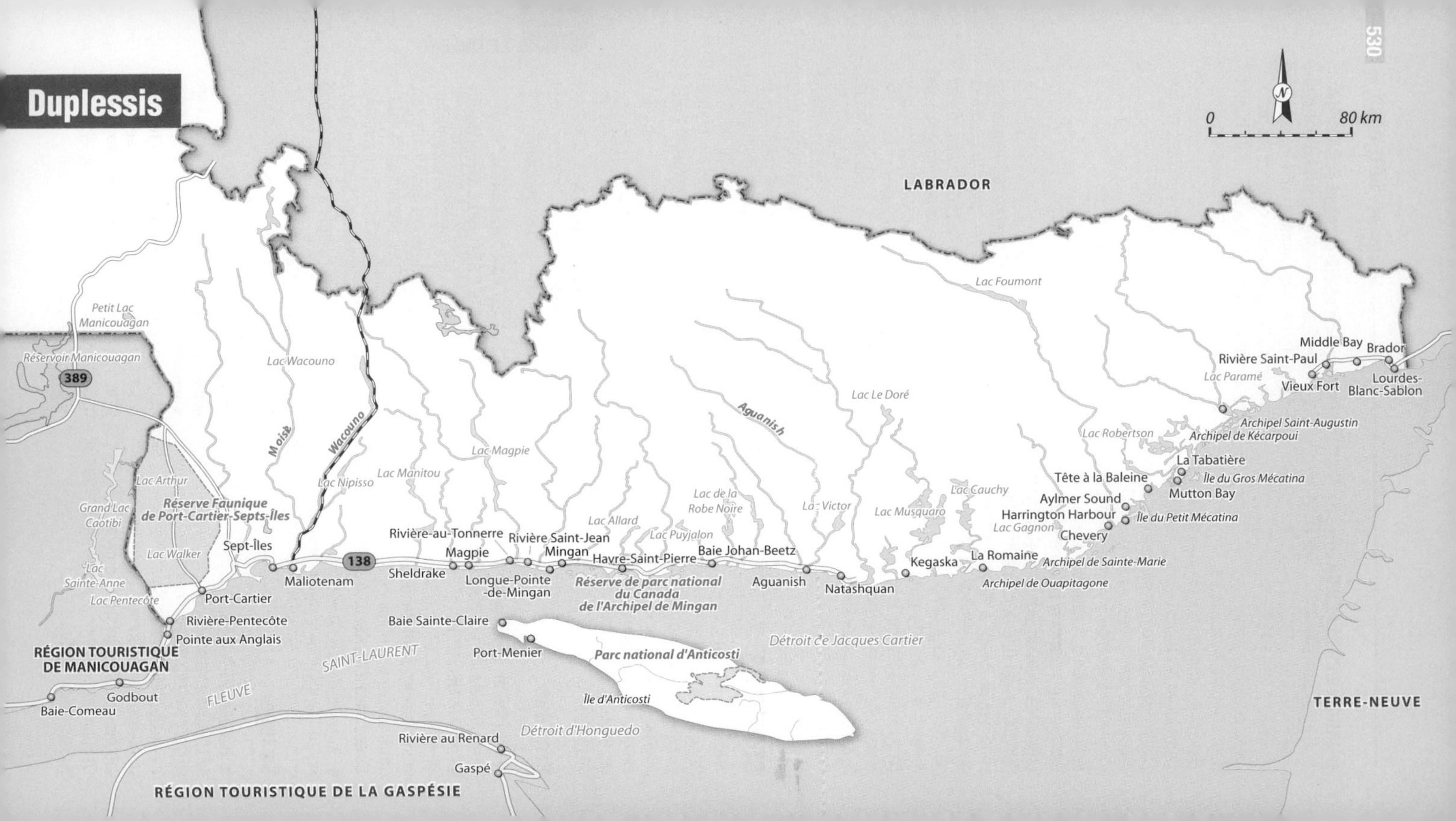
Duplessis
0
80 km
N
LABRADOR
TERRE-NEUVE
Lac Foumont
Middle Bay
Brador
Rivière Saint-Paul
Lac Paramé
Vieux Fort
Lourdes-Blanc-Sablon
Lac Le Doré
Aguanish
Archipel Saint-Augustin
Archipel de Kécarpoui
Lac Robertson
La Tabatière
Île du Gros Mécatina
Tête à la Baleine
Mutton Bay
Aylmer Sound
Harrington Harbour
Île du Petit Mécatina
Lac Gagnon
Chevery
Lac Cauchy
Lac Musquaro
La Romaine
Archipel de Sainte-Marie
Archipel de Ouapitagone
Kegaska
Natashquan
Aguanish
Baie Johan-Beetz
Lac de la Robe Noire
Lac Puyjalon
Lac Allard
Havre-Saint-Pierre
Réserve de parc national du Canada de l'Archipel de Mingan
Rivière Saint-Jean
Mingan
Longue-Pointe -de-Mingan
Rivière-au-Tonnerre
Magpie
Sheldrake
Lac Magpie
Lac Manitou
Lac Nipisso
Wacouno
Moisie
Lac Wacouno
138
Maliotenam
Sept-Îles
Réserve Faunique de Port-Cartier-Septs-Îles
Lac Arthur
Lac Walker
Port-Cartier
Rivière-Pentecôte
Pointe aux Anglais
Petit Lac Manicouagan
Réservoir Manicouagan
389
Grand Lac Caotibi
Lac Sainte-Anne
Lac Pentecôte
RÉGION TOURISTIQUE DE MANICOUAGAN
Godbout
Baie-Comeau
FLEUVE
SAINT-LAURENT
Baie Sainte-Claire
Port-Menier
Parc national d'Anticosti
Île d'Anticosti
Détroit de Jacques Cartier
Détroit d'Honguedo
Rivière au Renard
Gaspé
RÉGION TOURISTIQUE DE LA GASPÉSIE

Monolithes du parc national de l'archipel de Mingan.

Le Musée régional de la Côte-Nord est un musée d'histoire et d'archéologie qui se consacre à la conservation, à l'étude et à la mise en valeur du patrimoine régional nord-côtier. La collection du Musée regroupe plus de 40 000 objets répartis dans les domaines des beaux-arts, de l'archéologie, de l'ethnologie, des sciences naturelles et de la photographie.

ARCHIPEL DE MINGAN

Le long de la côte, à moins de 4 km de celle-ci, la Réserve du parc national du Canada de l'Archipel-de-Mingan égrène sa trentaine d'îles et d'îlots sur 82 km. Havre-Saint-Pierre fait face à l'île du Havre, habillée de falaises rocheuses en haut desquelles trônent des conifères. Non loin de là, vous pouvez voir les deux îles à Marteau, la grosse et la petite, où se trouvent un phare et quelques maisons aujourd'hui délaissées. Les îles de Mingan présentent une curiosité géologique : des monolithes ou « pots de fleurs » géants de 5 à 10 m de hauteur, étrangement sculptés par la mer et qui doivent leur forme à une couche supérieure de calcaire plus résistant que leur pied friable. À chacun d'eux, Roland Jomphe, le vieux poète de Havre-Saint-Pierre, a donné un nom selon sa forme. Certaines îles sont habitées par l'orignal ou l'ours noir et dans les mers alentour, on observe de nombreux oiseaux ainsi que des cétacés. Les oiseaux de mer (le macareux moine à bec-de-perroquet et pattes orange – emblème du parc – l'eider, le guillemot noir, la sterne arctique) ne sont pas les seuls à pêcher, c'est aussi l'activité du balbuzard, un rapace commun dans les îles. L'archipel possède également une flore d'une remarquable diversité : fougères, orchidées, mousses et lichens, dont certaines espèces ne se trouvent qu'en climat arctique ou alpin. Des plantes rares comme le chardon de Minganie, répertorié en 1924 par le frère Marie-Victorin, fondateur du Jardin botanique de Montréal.

■ RÉSERVE DU PARC NATIONAL DU CANADA DE L'ARCHIPEL-DE-MINGAN

Renseignements : au bureau touristique de Havre-Saint-Pierre
✆ +1 418 538 3285
✆ +1 888 773 8888
www.pc.gc.ca/mingan
Ouvert de juin à septembre. Adulte : 5,80 CAN $, aîné : 4,90 CAN $, 6-16 ans : 2,90 CAN $, famille : 14,70 CAN $. Prévoir le transport maritime vers les îles (croisières, excursions, bateau-taxi ou kayak de mer).
La réserve du parc national de l'Archipel-de-Mingan est constituée d'une quarantaine d'îles et de plus de deux milliers d'îlots et de récifs. Outre les spectaculaires falaises, monolithes sculptés par la mer, l'archipel abrite une faune et une flore riches et diversifiées. Paysages majestueux. Randonnée pédestre, camping, kayak de mer, croisières.

PROVINCES ATLANTIQUES

Lac de Terre-Neuve.

Provinces atlantiques

Brossées par les vents de l'océan, baignées par les eaux plus calmes du golfe du Saint-Laurent, les quatre provinces situées à l'est du Québec forment la façade atlantique du Canada : ce sont le Nouveau-Brunswick (NB), la Nouvelle-Écosse (NS, Nova Scotia en anglais), l'île du Prince-Édouard (PEI) et Terre-Neuve-Labrador (NL, Newfoundland-Labrador en anglais). Appelées aussi Provinces maritimes (ou parfois, simplement, les Maritimes), leur dénominateur commun, l'Océan, a modelé leur climat, leur économie, leur peuplement et leur histoire.

Géographie

Formée d'îles et de péninsules densément boisées, aux côtes tantôt plates, sablonneuses ou marécageuses, tantôt rocheuses, bordées de falaises ou festonnées d'anses autour de l'immense baie de Fundy, la région des Provinces atlantiques correspond au prolongement des Appalaches vers l'est et le nord, jusqu'aux monts Long Range qui occupent la partie occidentale de Terre-Neuve, grande île rocheuse aux côtes dentelées.

Climat. L'influence océanique contribue à adoucir les températures, bien que les écarts restent importants entre l'été et l'hiver. Les vents marins tempèrent les côtes (Halifax : 20 °C en été, -5 °C en hiver) par rapport à l'intérieur des terres où les températures peuvent être extrêmes (Nouveau-Brunswick : 25-30 °C en été, -10 à -30 °C en hiver). Les courants marins exercent, eux aussi, une influence déterminante sur le climat. Ainsi, la rencontre entre le courant froid du Labrador, qui descend du nord pour s'engouffrer dans le golfe du Saint-Laurent par le détroit de Belle-Isle, et les vents d'ouest dominants réchauffés par leur passage au-dessus du continent peut, à tout instant, engendrer des nappes de brouillard sur les côtes de la Nouvelle-Écosse, de Terre-Neuve et dans la baie de Fundy.

Le Gulf Stream réchauffe sensiblement les eaux du golfe, notamment celles du littoral acadien et du détroit du Northumberland. Les vents du nord soufflent parfois avec violence sur la façade atlantique de la Nouvelle-Écosse, le littoral septentrional de l'île du Prince-Édouard et la côte occidentale de Terre-Neuve. Les précipitations sont plus importantes le long des côtes qu'à l'intérieur. La grande péninsule septentrionale de Terre-Neuve connaît le climat le plus sec. En hiver, les températures descendent largement en dessous de zéro, le froid humide règne. La neige qui recouvre les Provinces atlantiques est plus abondante dans le nord-ouest du Nouveau-Brunswick qu'autour d'Halifax.

Population. La population des quatre Provinces atlantiques totalise 2,3 millions d'habitants. Elle est en majeure partie originaire des îles britanniques : Angleterre, Écosse, Irlande. L'île de Terre-Neuve compte 98% d'habitants de langue maternelle anglaise.

Toutefois, il existe aussi une minorité acadienne francophone. Elle représente 34% de la population du Nouveau-Brunswick (Nord et littoral oriental), seule province officiellement bilingue du Canada, 4% des habitants de l'île du Prince-Édouard (partie ouest), 4% en Nouvelle-Écosse (côte occidentale du Cap-Breton) et 1% seulement à Terre-Neuve, concentrée dans la péninsule occidentale de Port-au-Port.Les Écossais représentent, à eux seuls, plus de 30% de la population de Nouvelle-Écosse, installés principalement sur l'Île du Cap-Breton et le long du détroit du Northumberland. Une communauté d'origine allemande (4%) est installée au sud d'Halifax. Les Amérindiens, surtout Micmacs, sont présents au Nouveau-Brunswick, en Nouvelle-Écosse et à Terre-Neuve.

Histoire

Une terre amérindienne. Avant l'arrivée des Européens, ces provinces étaient peuplées par les Amérindiens des forêts de l'Est : les Malécites, sédentarisés au sud du Nouveau-Brunswick, vivaient de l'agriculture, tandis que les Micmacs, installés sur les territoires allant de la péninsule de la Gaspésie à la Nouvelle-Écosse, étaient des nomades vivant de la pêche et de la chasse, tout comme les

Béothuks établis à Terre-Neuve. Ces derniers ont été massacrés par les colons et décimés par les maladies. La dernière survivante est morte à St John's en 1829.

Arrivée et exploitation des Européens. Il n'existe pour le moment aucune preuve tangible de l'installation des Vikings en Nouvelle-Écosse. En revanche, ce qui est maintenant certain, c'est que les Vikings, partis du Groenland, se sont installés le long du détroit de Belle-Isle, dans la grande péninsule nord de Terre-Neuve où l'on a retrouvé, à l'Anse aux Meadows, des traces de leur présence. On sait que déjà au XIVe siècle, les Basques fréquentaient les eaux poissonneuses de l'Atlantique Nord. L'Italien Jean Cabot, au service du roi d'Angleterre, aurait abordé sur les côtes de Terre-Neuve en 1497, dévoilant l'existence d'importants bancs de poissons.

En 1583, l'Angleterre prend possession de Terre-Neuve. Il faudra attendre le XVIIe siècle pour que des colons s'installent en Acadie, sur des terres aujourd'hui occupées par la Nouvelle-Écosse, l'île du Prince-Édouard, une partie du Nouveau-Brunswick et de l'État du Maine.

L'Acadie française et la renaissance d'un peuple. Le navigateur italien Verrazano aurait, en 1524, baptisé Jardins d'Arcadie la région de l'actuelle Virginie, aux États-Unis, en référence à la Grèce antique mais, au XVIIe siècle, l'appellation Acadie, en perdant la lettre « r », désignait la façade atlantique du Canada.

En 1603, le roi de France, Henri IV, cédait à Pierre Du Gua, sieur de Monts, un territoire allant de Philadelphie au Cap-Breton, avec la charge d'y créer une colonie. C'est ainsi qu'en 1604, Du Gua jeta l'ancre dans la baie de Fundy pour fonder la première colonie française d'Amérique du Nord, sur l'île Sainte-Croix (à la frontière du Maine) puis, en 1605, celle de Port-Royal, qui prospéra grâce à un commerce fructueux avec les Amérindiens et à de bonnes récoltes sur un sol fertile. Mais en 1613, cet établissement fut rasé par les Anglais qui voulaient s'approprier le territoire. Lorsqu'en 1632 le traité de Saint-Germain-en-Laye reconnut l'Acadie à la France, de nouveaux colons furent alors recrutés dans le centre et l'ouest de la France (en Touraine, dans le Berry mais surtout en Poitou-Charentes) pour s'établir autour de Port-Royal : les Acadiens d'aujourd'hui sont leurs descendants. Ces communautés rurales étaient constamment attaquées par des expéditions venant de Nouvelle-Angleterre, au cours des guerres incessantes auxquelles se livraient Français et Anglais. En 1713, le traité d'Utrecht cédait Terre-Neuve et l'Acadie aux Anglais.Les Acadiens eurent alors à choisir : ou bien partir pour aller s'installer sur le territoire français de l'île Royale (Cap-Breton) ou bien demeurer sur place en prêtant allégeance à la Couronne britannique. Les Acadiens préférèrent rester, en jouant la carte de la neutralité. Dans un premier temps, les Anglais acceptèrent ce compromis mais, à mesure que la tension montait entre la France et l'Angleterre, ils supportaient de moins en moins bien l'attitude des Acadiens qu'ils jugeaient ambiguë, d'autant qu'ils se sentaient menacés par la présence de la forteresse française de Louisbourg, établie sur l'île Royale, raison pour laquelle ils édifièrent, en 1749, la citadelle d'Halifax.En 1755, les Britanniques demandèrent aux Acadiens de prêter allégeance à la Couronne. Comme ils refusèrent, le gouverneur Charles Lawrence signa l'ordre de leur déportation. Les villages furent investis un par un, le bétail et les terres confisqués, les fermes brûlées, la population embarquée de force sur des navires, les familles séparées puis dispersées : c'est le Grand Dérangement, épisode historique particulièrement dramatique. Sur les 15 000 Acadiens, 4 000 qui s'étaient enfuis dans les bois furent recueillis par les Micmacs ; 3 000 faits prisonniers par les Anglais furent autorisés à retourner en France ; 3 000 trouvèrent la mort au cours de leur exode en bateau ; 2 000 parvinrent à gagner la France, certains le Venezuela et les îles Malouines ; 3 000 se réfugièrent dans les bayous de Louisiane et devinrent les Cajuns, contraction phonétique du mot acadien ; d'autres enfin se réfugièrent dans l'archipel de Saint-Pierre-et-Miquelon, à l'île Saint-Jean (île du Prince-Édouard) et aux îles de la Madeleine. En 1840, une loi permit le retour officiel des Acadiens au Nouveau-Brunswick et en Nouvelle-Écosse.Les Acadiens forment aujourd'hui une communauté bien vivante de 350 000 personnes, très organisée. C'est dans les années 1960, au Nouveau-Brunswick, province qui regroupe le plus grand nombre d'Acadiens (250 000), qu'apparaissent des changements majeurs dans les domaines de la politique, de l'économie, de l'éducation et de la culture. L'Acadien Louis Robichaud, élu à la tête du Nouveau-Brunswick en 1960, élabore un programme de « chances égales pour tous » tant sur le plan de l'éducation que de la santé.

Une loi sur les langues officielles est adoptée en 1969, puis la loi 88, votée en 1981, garantit l'égalité des deux groupes, francophone et anglophone. En 1972 est fondé le Parti acadien, groupe nationaliste qui sera dissous en 1980, mais divers organismes de revendication et des groupes de pression verront le jour. À l'image de la révolution tranquille au Québec, pendant les années 1970 et 1980, les Acadiens font entendre leurs voix, créent des universités, des chaînes de télévisions, des maisons d'édition et finissent par prendre une place importante dans la francophonie à travers le monde. Ce réveil culturel touche non seulement les Acadiens du Nouveau-Brunswick mais aussi les petites communautés acadiennes de Nouvelle-Écosse et de l'île du Prince-Édouard.

▶ Pour plus d'information sur l'Acadie : www.acadievacances.com.

Économie

Les Provinces maritimes bénéficient à la fois des richesses de la mer, dont elles ont longtemps été tributaires, et des ressources de leurs immenses forêts alimentant les industries du bois. La beauté des paysages, les longues plages de sable fin et des eaux douces invitant à la baignade, ont favorisé l'essor d'une industrie touristique devenue un facteur important du développement économique des provinces.

▶ **Pêche.** La pêche au homard (Nouveau-Brunswick, Nouvelle-Écosse), strictement réglementée, est limitée à une courte saison (juillet et août) afin de permettre le renouvellement de l'espèce. Les homards sont conservés dans des viviers, avant d'être expédiés vivants dans le monde entier. On pêche aussi le saumon de l'Atlantique au Nouveau-Brunswick, la morue en Nouvelle-Écosse, et sur les bancs de Terre-Neuve, le hareng et le capelan. On cultive les huîtres de Malpèque à l'île du Prince-Édouard, les pétoncles géants dans la baie de Fundy, et les moules bleues. La chasse au phoque de l'Arctique est réservée à Terre-Neuve où elle est une tradition séculaire.

▶ **Agriculture.** Elle représente l'activité essentielle de l'île du Prince-Édouard, connue pour sa production de pommes de terre. Avec le Nouveau-Brunswick, l'île produit 70% des pommes de terre de la Confédération ; leur exportation représente 44% des exportations canadiennes de ce tubercule. Les autres régions agricoles des Maritimes sont la vallée de Saint-Jean au Nouveau-Brunswick, la vallée de l'Annapolis en Nouvelle-Écosse et la péninsule d'Avalon à Terre-Neuve.

▶ **Exploitation forestière.** Elle tient un rôle majeur dans l'économie du Nouveau-Brunswick, dont la forêt couvre 89% de la superficie, de même que dans celle de la Nouvelle-Écosse (77%). Elle alimente essentiellement les scieries et les industries de pâte à papier. Jadis le bois servait à la construction navale des goélettes et des clippers…

▶ **Tourisme.** On compte une dizaine de parcs au Nouveau-Brunswick, 25 à l'île du Prince-Édouard, près de 130 en Nouvelle-Écosse, et une trentaine à Terre-Neuve-Labrador (incluant parcs et réserves). Certains, minuscules, proposent des activités d'une journée au plus ; d'autres offrent une grande gamme de loisirs incluant plages, campings, observation de la faune, sentiers de randonnée, location de canots, ski, terrains de golf…
Il existe huit parcs nationaux du Canada dans les Provinces maritimes : Fundy (NB), Gros-Morne (NL), Hautes-Terres-du-Cap-Breton (NS), Parc de l'Île-du-Prince-Édouard (PEI), Kejimkujik (NS), Kouchibouguac (NB), Monts-Torngat (NL), et Terra-Nova (NL).Pour y entrer et y circuler librement, il est nécessaire d'acheter un permis à l'accueil qui servira de laissez-passer pour le nombre de jours désirés et que l'on fixera sur le pare-brise de la voiture.

Transports

Avion

Certaines compagnies comme Air Canada Jazz, Porter Airlines et Westjet desservent plusieurs destinations dans les Maritimes en partance, entre autres, de Vancouver, Calgary, Toronto, Ottawa ou Montréal. Bien entendu, vous pouvez faire votre vol depuis l'Europe vers les Maritimes mais une connexion sera nécessaire.

Bus

Le bus relie entre elles les principales villes des Provinces maritimes mais, les trajets sont longs et assez coûteux.

▶ **Pour les itinéraires et les horaires :** www.acadianbus.com.

Train

On accède aux Provinces atlantiques par train depuis le Québec (Montréal). Le train marque des arrêts à Moncton et Halifax, entre autres.

▶ **Pour en savoir plus :** www.viarail.ca

NOUVEAU-BRUNSWICK

Bordé à l'ouest par les États-Unis (État du Maine) et au nord par le Québec (Gaspésie), le Nouveau-Brunswick constitue la charnière entre le continent et les autres provinces atlantiques. Séparé de l'île du Prince-Édouard par le détroit de Northumberland, il est rattaché à la grande péninsule de Nouvelle-Écosse par l'isthme de Chignecto. C'est un quadrilatère couvert par la forêt boréale. Son littoral donne sur la baie des Chaleurs au nord, le golfe du Saint-Laurent à l'est, et l'immense baie de Fundy, dans laquelle se jette le fleuve Saint-John, au sud. Au centre nord, les Hautes-Terres culminent au mont Carleton (altitude 820 m).Fiers de leur héritage francophone, anglophone et amérindien, les habitants du Nouveau-Brunswick (les néo-Brunswickois) sont un bel exemple de cohabitation. Chaque communauté établie sur ce territoire y a laissé son empreinte : ainsi la diversité du patrimoine culturel se manifeste par la vivacité des traditions propres à chaque groupe. L'influence amérindienne se retrouve dans des noms de lieux aux sonorités pittoresques comme Kouchibouguac, Mactaquac, Neguac, Shediac, Miramichi. À la frontière américaine, près d'Edmundston, les Brayons exhibent le drapeau (un aigle à tête blanche entouré de six étoiles) de leur mythique république de Madawaska, les étoiles symbolisant les différentes origines ethniques des habitants : Américains, Acadiens, Québécois, Amérindiens, Anglais et Irlandais. Les loyalistes américains sont établis dans la région de Fredericton et de Saint-John. Les Acadiens sont principalement enracinés au nord et sur le littoral oriental. Le Nord a un climat continental à forte amplitude thermique (26 °C en juillet, -20 °C en janvier), le Sud un climat plus tempéré par l'influence maritime.

▸ **www.tourismenouveaubrunswick.ca**

Transports

▸ **Avion.** Air Canada dessert Bathurst, Fredericton, Moncton et Saint John. Vol direct depuis certaines villes canadiennes et service avec les autres provinces maritimes. Si vous prévoyez faire votre vol vers le Nouveau-Brunswick depuis l'Europe, une connexion sera nécessaire. Quant à Westjet Porter Airlines, seule la ville de Moncton est desservie.

▸ **Bus.** Acadian dessert les principales villes du Nouveau-Brunswick et assure le lien avec les provinces adjacentes.

▸ **Train.** Le train Océan de Via Rail dessert Bathurst, Campbellton, Jacquet River, Miramichi, Moncton, Rogersville et Sackville depuis Montréal. Un train par jour sauf le mardi.

▸ **Traversiers.** Bay Ferries relie Saint John à Digby (Nouvelle-Écosse).

▸ **Voiture.** Plusieurs routes mènent au Nouveau-Brunswick depuis le Québec. Les deux régions d'accès sont le Bas-Saint-Laurent et la Gaspésie. Le pont de la Confédération relie l'île du Prince-Édouard au Nouveau-Brunswick (voir Cape Jourimain).

EDMUNDSTON

Aujourd'hui métropole d'une région majoritairement francophone et catholique, cette petite cité industrielle contraste avec la région agricole qui l'entoure. Le musée historique du Madawaska, ouvert toute l'année, retrace l'histoire de cette région, petite enclave entre le Québec et le Maine (États-Unis), comprise entre le fleuve Saint-Jean et la rivière Madawaska, qui fut colonisée par les Acadiens à la fin du XVIIIe siècle.

■ JARDIN BOTANIQUE DU NOUVEAU-BRUNSWICK

(au nord d'Edmundston, sortie 8 de la Transcanadienne)
15, rue Principale (secteur Saint-Jacques)
✆ +1 506 737 4444
www.jardinnbgarden.com
info@jardinNBgarden.com

Les immanquables du Nouveau-Brunswick

▸ **Une croisière d'observation de baleines** à St-Andrews.

▸ **La pêche au saumon** sur la rivière Miramichi.

▸ **La baignade** dans les eaux chaudes de Shediac.

▸ **La baie de Fundy** avec ses marées record et ses drôles de sculptures naturelles.

▸ **Les manifestations** des traditions acadiennes.

▸ **La dune de Bouctouche.**

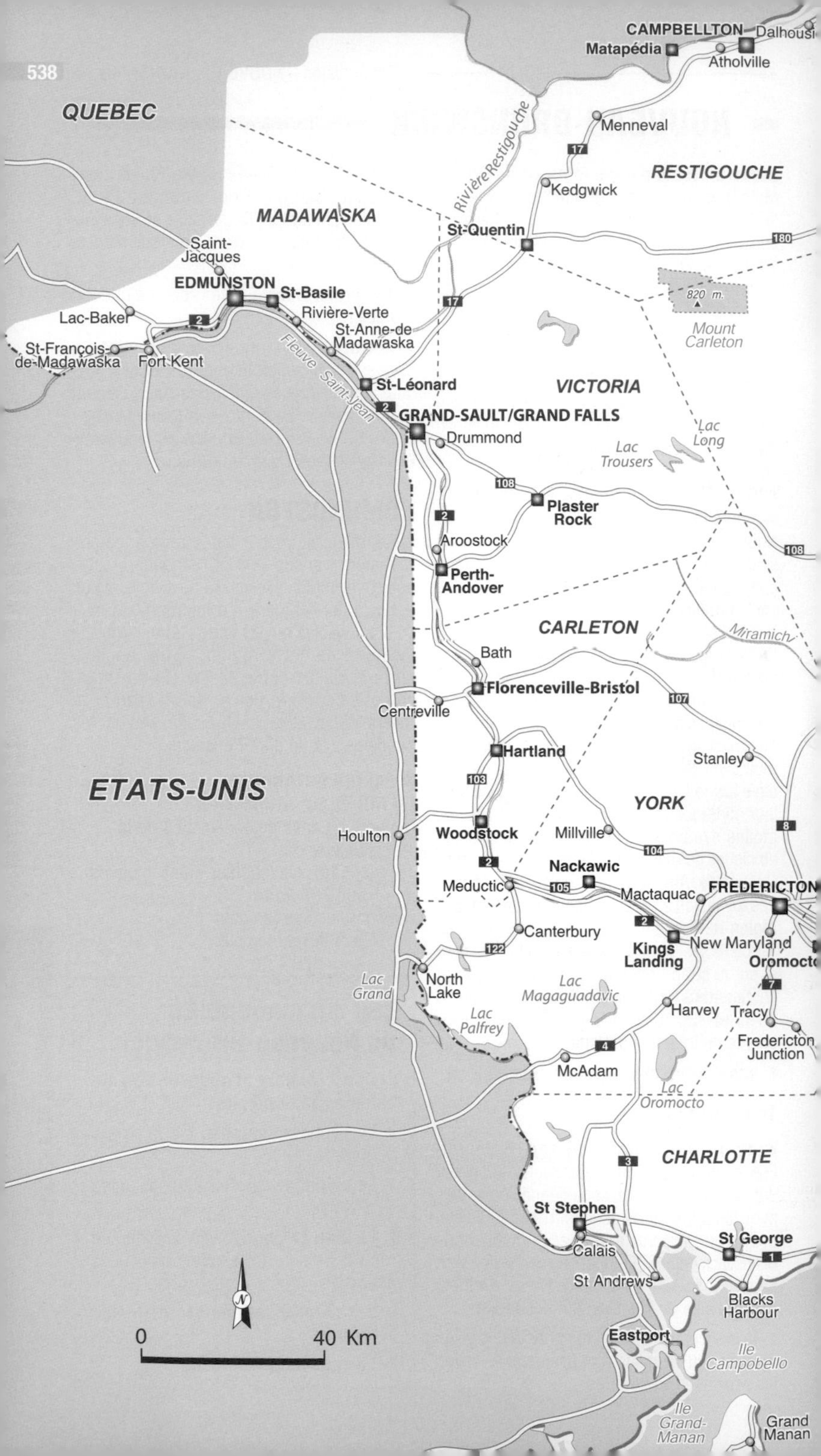

QUEBEC
CAMPBELLTON
Dalhousi
Matapédia
Atholville
Menneval
Rivière Restigouche
17
RESTIGOUCHE
Kedgwick
MADAWASKA
St-Quentin
180
Saint-Jacques
EDMUNSTON
St-Basile
820 m.
Lac-Baker
2
Rivière-Verte
17
St-Anne-de-Madawaska
Mount Carleton
St-François-de-Madawaska
Fort Kent
Fleuve Saint-Jean
St-Léonard
VICTORIA
GRAND-SAULT/GRAND FALLS
Drummond
Lac Long
Lac Trousers
108
Plaster Rock
Aroostock
108
Perth-Andover
CARLETON
Miramichi
Bath
Florenceville-Bristol
107
Centreville
Hartland
Stanley
103
ETATS-UNIS
YORK
Houlton
Woodstock
Millville
8
104
Nackawic
Meductic
105
Mactaquac
FREDERICTON
Canterbury
New Maryland
122
Kings Landing
Oromocto
Lac Grand
North Lake
Lac Magaguadavic
7
Lac Palfrey
Harvey
Tracy
4
Fredericton Junction
McAdam
Lac Oromocto
CHARLOTTE
3
St Stephen
St George
Calais
1
St Andrews
Blacks Harbour
N
0
40 Km
Eastport
Ile Campobello
Ile Grand-Manan
Grand Manan

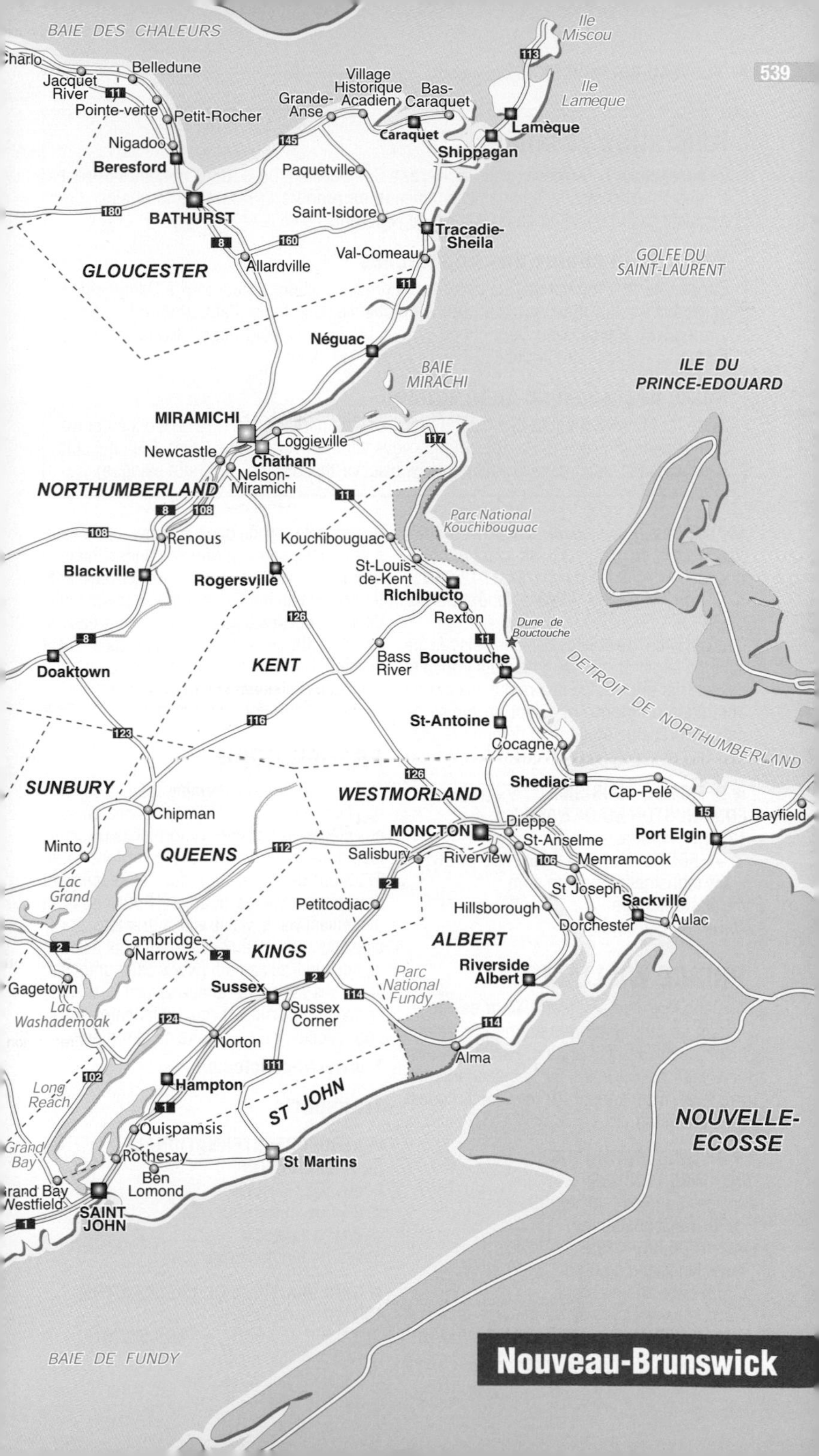
BAIE DES CHALEURS
Ile Miscou
Ile Lameque
Charlo
Belledune
Jacquet River
Pointe-verte
Petit-Rocher
Nigadoo
Beresford
Village Historique Acadien
Grande-Anse
Bas-Caraquet
Caraquet
Lamèque
Shippagan
Paquetville
BATHURST
Saint-Isidore
Tracadie-Sheila
Val-Comeau
Allardville
GLOUCESTER
GOLFE DU SAINT-LAURENT
Néguac
BAIE MIRACHI
ILE DU PRINCE-EDOUARD
MIRAMICHI
Loggieville
Newcastle
Chatham
Nelson-Miramichi
NORTHUMBERLAND
Parc National Kouchibouguac
Renous
Kouchibouguac
Blackville
Rogersville
St-Louis-de-Kent
Richibucto
Rexton
Dune de Bouctouche
Doaktown
KENT
Bass River
Bouctouche
DETROIT DE NORTHUMBERLAND
St-Antoine
Cocagne
SUNBURY
WESTMORLAND
Shediac
Cap-Pelé
Bayfield
Chipman
MONCTON
Dieppe
St-Anselme
Port Elgin
Minto
QUEENS
Salisbury
Riverview
Memramcook
Lac Grand
St Joseph
Sackville
Petitcodiac
Hillsborough
Dorchester
Aulac
ALBERT
Cambridge-Narrows
KINGS
Riverside Albert
Parc National Fundy
Gagetown
Sussex
Sussex Corner
Lac Washademoak
Norton
Alma
Long Reach
Hampton
ST JOHN
NOUVELLE-ECOSSE
Quispamsis
Grand Bay
Rothesay
St Martins
Ben Lomond
Grand Bay Westfield
SAINT JOHN
BAIE DE FUNDY
Nouveau-Brunswick

Itinéraires possibles

En passant par la Gaspésie, vous arriverez à Campbellton. De là, deux options s'offrent à vous : partir vers la péninsule acadienne ou prendre la Route de la chaîne des Appalaches qui descend jusqu'à la Route panoramique de la vallée.

Route de la chaîne des Appalaches

Sur ce chemin, vous croiserez deux parcs provinciaux dont Sugarloaf à Campbellton et mont Carleton (820 m d'altitude) à mi-chemin. Une foule d'activités nature vous y attendent. Kayak, vélo, randonnée... tous les moyens sont bons. Arrêtez-vous au bureau touristique de Campbellton pour toute information.

Route panoramique de la vallée

Cette route mène jusqu'à Saint-John mais nous ne parlerons ici que du tronçon entre Edmundston et Fredericton. Renseignez-vous sur le Circuit du bas Saint-Jean qui suit le fleuve Saint-Jean dans la vallée : www.discoverthepassage.com (site bilingue).

Mai à fin septembre : lundi-dimanche, 9h-18h (jusqu'à 17h en mai et 20h en juillet et août). Adulte : 14 CAN $, étudiant et aîné : 12 CAN $, 5-17 ans : 7 CAN $. Café et boutique sur placc.

Dans un cadre de douces collines boisées, ce superbe jardin de plus de 8 ha a été conçu et dessiné par une équipe du prestigieux Jardin botanique de Montréal. C'est un havre de paix qui présente également de nombreuses activités et expositions uniques. À voir !

■ **OFFICE DU TOURISME EDMUNDSTON MADAWASKA**
121, rue Victoria
✆ +1 506 737 1850, +1 866 737 6766
www.tourismedmundston.com
mylene@otem.ca
Ouvert toute l'année.

PRINCE WILLIAM

Ancienne colonie, Prince William est dorénavant un site historique animé : le Village historique de Kings Landing. Facile d'accès, ce village est situé sur la Transcanadienne (route 2), à seulement 20 minutes à l'ouest de Fredericton.

■ **VILLAGE HISTORIQUE DE KINGS LANDING**
À Kings Landing (sortie 253 de la Transcanadienne)
✆ +1 506 363 4999
www.kingslanding.nb.ca
info@kingslanding.nb.ca
Ouvert tous les jours de mi-juin à mi-octobre. Adulte : 16 CAN $, aîné : 14 CAN $, étudiant : 13 CAN $, 6-16 ans : 11 CAN $. Restauration et boutiques sur place.

Un véritable voyage dans le temps ! Le village a été édifié, après la guerre d'Indépendance américaine, par d'anciens soldats des régiments de dragons du roi. Il restitue une image fidèle dc la vic que les loyalistes menaient dans la région au XIXe siècle. Le site est particulièrement plaisant. Une centaine de personnes en habit d'époque expliquent les travaux quotidiens de ce qu'était autrefois la vie rurale.

FREDERICTON

Au bord du large fleuve Saint-Jean, la capitale du Nouveau-Brunswick est une ville paisible aux élégantes maisons victoriennes dissimulées dans la verdure. La ville fut fondée en 1783 par des loyalistes, sur l'emplacement d'un ancien village acadien. Pour ceux qui aimeraient voir la vieille ville autrement, participez au tour guidé *Haunted Hike* qui a lieu le soir du lundi au samedi (www.calithumpians.com). Les samedis à l'année se tient un marché agricole sur la rue George. Un incontournable pour découvrir les produits de la région.

▸ **www.fredericton.ca**

Transports

■ **AÉROPORT INTERNATIONAL DE FREDERICTON**
Route 102 – Lincoln
✆ +1 506 460 0920
www.yfcmobile.ca
gfaa@frederictonairport.ca

■ **GARE ROUTIÈRE DE FREDERICTON**
150 Woodside Lane
✆ +1 506 458 6007, +1 800 567 5151
www.acadianbus.com
infobus@acadianbus.com

Pratique

■ **TOURISME FREDERICTON**
11, rue Carleton
✆ +1 506 460 2041, +1 888 888 4768
www.tourismfredericton.ca
tourism@fredericton.ca
Ouvert à l'année : lundi-vendredi, 8h15-16h30. Centres d'information aux visiteurs (saisonniers) : 397, rue Queen ; chemin Nevers à Lincoln (sortie 297) ; Village historique de Kings Landing à Prince William.

Se loger

■ **CARRIAGE HOUSE INN**
230, avenue University
✆ +1 506 452 9924, +1 800 267 6068
www.carriagehouse-inn.net
info@carriagehouse-inn.net
Occupation double : à partir de 99 CAN $. 10 chambres. Petit déjeuner inclus.
Gîte du voyageur fort sympathique dans un manoir victorien construit à la fin du XIXe siècle.

■ **THE VERY BEST – A VICTORIAN B&B**
806, rue George
✆ +1 506 451 1499
www.bbcanada.com/2330.html
samru@nb.aibn.com
Ouvert de mai à novembre. Occupation simple ou double : à partir de 109 CAN $. 5 chambres. Petit déjeuner inclus.
Magnifique maison victorienne à l'atmosphère et à la décoration champêtres. Jardins, gazebo, sauna, piscine extérieure et table de billard sur place.

À voir / À faire

■ **ASSEMBLÉE LÉGISLATIVE DU NOUVEAU-BRUNSWICK**
706, rue Queen
✆ +1 506 453 2506
www.gnb.ca/legis/index-f.asp
leg@gnb.ca
Juin à mi-août : lundi-vendredi, 9h-17h (fermeture à 16h le reste de l'année). Entrée libre.
Des visites autonomes et guidées (groupes seulement) permettent de découvrir cet édifice dans lequel siège le gouvernement du Nouveau-Brunswick depuis 1882. Bibliothèque avec une collection de plus de 50 000 livres.

■ **CATHÉDRALE CHRIST CHURCH**
168, rue Church
✆ +1 506 450 8500
www.christchurchcathedral.com
office@christchurchcathedral.com
Entrée libre.
Un gracieux édifice de style néogothique datant de 1853 et entouré de jolies demeures en bois de style loyaliste. À l'intérieur, charpente en bois et vitraux. Visites guidées offertes.

■ **QUARTIER HISTORIQUE DE GARNISON**
Rue Queen
✆ +1 506 460 2041, +1 888 888 4768
www.tourismfredericton.ca/fr/HistoricGarrisonDistrict.asp
Gratuit (certaines activités payantes).
Le Quartier Historique de Garnison, ancien chef-lieu des activités de l'armée britannique dans la province du Nouveau-Brunswick, est un haut lieu historique et culturel. Musées, galeries et boutiques d'art, festivals et autres activités viennent égayer la saison estivale. Un incontournable de la Capitale !

MACTAQUAC

Havre de paix et de nature, la région de Mactaquac, située à proximité de Fredericton, offre des paysages parmi les plus beaux de la province et ce, à l'année, avec ses pentes douces et ses vallées entourant la rivière Saint-Jean. Son parc provincial vaut d'ailleurs amplement le détour !

▸ **www.mactaquaccountry.com**

■ **PARC PROVINCIAL MACTAQUAC**
1265, route 105
✆ +1 506 363 4747, +1 800 561 0123
www.tourismenouveaubrunswick.ca
mactaquacpark@gnb.ca
Ouvert à l'année, de 8h à la brunante (tombée de la nuit). Voiture et conducteur : 8 CAN $. 300 emplacements de camping. Nombreux services sur place.
Activités proposées en toutes saisons : plage, sentiers pédestres, planche à voile, canot, pêche, terrain de golf, sentiers de ski de fond, etc.

VALLÉE DE LA MIRAMICHI

Ce circuit relie Fredericton à Miramichi par la route 8. La rivière Miramichi est célèbre pour ses saumons de l'Atlantique qui, en période de ponte, fréquentent ses eaux. Cette dernière est également un lieu de prédilection pour la pêche, le canot et kayak, et les croisières. Le musée du saumon de l'Atlantique à Doaktown, situé en bordure de la rivière Miramichi, propose un joli site d'où l'on peut voir les bassins d'élevage. Cette région vit de la pêche, mais aussi de l'exploitation forestière, comme en témoigne le Musée des Bûcherons à Boiestown.

▶ **www.tourismenouveaubrunswick.ca/RoutedelarivièreMiramichi.aspx**

ROUTE DU LITTORAL ACADIEN

Ce littoral est entièrement parcouru par l'autoroute 11. L'Acadie, celle de la période qui a suivi le Grand Dérangement, c'est ici qu'on la retrouve, tout le long de la côte orientale du Nouveau-Brunswick. C'est là que les Acadiens se sont installés à leur retour de déportation. En raison de la pauvreté du sol, ils ont dû, eux qui étaient d'habiles cultivateurs, se reconvertir dans la pêche, comme en témoignent les hameaux de pêcheurs qui jalonnent le littoral. L'accueil chaleureux des habitants, les villages du passé reconstitués et les longues plages de sable blanc aux eaux étonnamment chaudes valent vraiment la peine de s'y arrêter.

▶ **www.peninsuleacadienne.ca**

Congrès mondial acadien

Tous les cinq ans se tient un grand rassemblement d'Acadiens venant de partout dans le monde. À l'été 2009, le Nouveau-Brunswick fut l'heureux élu pour ce beau rendez-vous culturel avec, au programme, des réunions de familles, des grandes fêtes populaires, des activités thématiques et communautaires, et des conférences. Prochain rendez-vous : du 8 au 24 août 2014, toujours au Nouveau-Brunswick, dans la région de L'Acadie des terres et des forêts.

▶ **www.cma2014.org**

CARAQUET

La plus grande ville de la péninsule, dotée de plusieurs hôtels et restaurants, est le centre culturel de l'Acadie. C'est là que se déroule, en août, le Festival acadien, marqué par la traditionnelle bénédiction de la flotte.

■ CENTRE D'INFORMATION AUX VISITEURS DE CARAQUET

39, boulevard Saint-Pierre Ouest
✆ +1 506 726 2676
www.caraquet.ca
daniel.landry@caraquet.ca
Ouvert de fin mai à fin septembre.

▶ **Autre adresse :** 404, rue Acadie, Grande-Anse, +1 506 732 3256 (ouvert de fin juin à mi-août).

■ HÔTEL PAULIN

143, boulevard Saint-Pierre Ouest
✆ +1 506 727 9981
✆ +1 866 727 9981
www.hotelpaulin.com
innkeeper@hotelpaulin.com
Occupation double : à partir de 179 CAN $ en basse saison et 195 CAN $ en haute saison, souper 4-services et petit déjeuner inclus. Forfaits disponibles. Un minimum de deux nuits peut être exigé en haute saison.
Cette maison historique surplombe la baie des Chaleurs et vous propose un séjour où détente, gastronomie et grand confort seront au rendez-vous. Cet hôtel a une excellente réputation.

■ VILLAGE HISTORIQUE ACADIEN

14311, route 11
(à 10 km à l'ouest de Caraquet)
✆ +1 506 726 2600
✆ +1 877 721 2200
www.villagehistoriqueacadien.com
vha@gnb.ca
Début juin à mi-septembre : lundi-dimanche, 10h-18h. Mi à fin septembre : horaire réduit. Adulte : 16 CAN $, aîné : 14 CAN $, étudiant : 13 CAN $, 6-16 ans : 11 CAN $. Comptez une bonne demi-journée. Hébergement et restauration sur place, soupers-spectacles.
On a remonté ici une quarantaine de maisons, fermes et entrepôts authentiques, dont la plupart datent de 1770 à 1890, et qui proviennent de toute la province. Le Village Acadien s'étire sur 1,6 km et des interprètes en costumes d'époque vous feront revivre les coutumes et métiers traditionnels. Des charrettes servent de moyens de transport.

SHIPPAGAN

Shippagan est le principal centre de pêche de la péninsule acadienne (festival des pêches en juillet) et un lieu d'extraction de la tourbe. Un pont-levis et une digue la relient à l'île de Lamèque, dont la végétation rase de conifères nains et de tourbières est ponctuée de maisons colorées. À ne pas manquer à Lamèque : festival provincial de la tourbe en juillet et le parc écologique de la péninsule acadienne. De là, un superbe pont vous conduira à l'île de Miscou, un havre de paix possédant une longue plage de sable bordée de dunes qui donne sur la baie des Chaleurs.

■ AQUARIUM ET CENTRE MARIN DU NOUVEAU-BRUNSWICK

100, rue de l'Aquarium ✆ +1 506 336 3013
www.aquariumnb.ca – info@aquariumnb.ca
Fin mai à fin septembre : lundi-dimanche, 10h-18h. Adulte : 8,50 CAN $, étudiant et aîné : 6,50 CAN $, 6-16 ans : 5,50 CAN $. Restaurant et boutique sur place. Le musée, consacré à la vie maritime dans le golfe du Saint-Laurent, présente différents types de bateaux. Des aquariums et bassin de manipulation montrent les diverses espèces de poissons vivant dans les eaux du golfe, ainsi que dans les lacs et rivières du Nouveau-Brunswick. À l'extérieur, on pourra voir les ébats des phoques et assister à leur repas (11h et 16h).

■ CENTRE D'INFORMATION AUX VISITEURS DE SHIPPAGAN

200, avenue de l'Hôtel-de-Ville
✆ +1 506 336 3993
www.shippagan.ca – jules@shippagan.ca
Ouvert de mi-juin à fin août.

KOUCHIBOUGUAC

Kouchibouguac est la porte d'entrée du magnifique parc national du même nom. Plus au sud, la ville de Richibucto offre un monde de splendeurs océanes et de merveilles naturelles et culturelles, ainsi que de nombreux services touristiques.

► **www.richibucto.org**

■ PARC NATIONAL DU CANADA DE KOUCHIBOUGUAC

186, route 117
✆ +1 506 876 2443, +1 888 773 8888
www.pc.gc.ca/kouch – kouch.info@pc.gc.ca
Ouvert à l'année. Heures d'ouverture et tarification selon la saison. Sites de camping d'été et d'hiver. Réservation fortement conseillée en été.

Ce magnifique parc, l'un des plus sauvages des Provinces atlantiques, est recouvert d'une forêt de conifères, notamment de cèdres, et est parsemé de tourbières. Son nom micmac signifie « rivière aux longues marées » car, le terrain étant plat, l'eau des marées se mélange à l'eau des rivières sur plusieurs kilomètres. Sa côte est une succession de marais salants, de lagunes, de dunes et de plages de sable doré où les eaux chaudes sont propices à la baignade (plages Kellys et Callanders, avec aires de pique-nique). Le parc est l'habitat de nombreux oiseaux, en particulier du pluvier siffleur. Nombreuses activités de plein air en toutes saisons. Location d'équipement disponible sur le site.

BOUCTOUCHE

Cette petite ville donnant sur une large baie aux eaux calmes a été fondée, à la fin du XVIIIe siècle, par les Acadiens chassés de la vallée de Memramcook. Bouctouche est le lieu de naissance de la romancière et auteur de pièces de théâtre Antonine Maillet, et de l'industriel Irving, qui laissa à sa mort un empire colossal rassemblant de nombreux secteurs, dont celui du pétrole.

■ CENTRE D'INFORMATION AUX VISITEURS DE BOUCTOUCHE

4, rue Acadie
✆ +1 506 743 8811
www.bouctouche.ca
vbouctou@nbnet.nb.ca
Ouvert de juin à septembre.

■ ECO-CENTRE IRVING : LA DUNE DE BOUCTOUCHE

1932, route 475
✆ +1 506 743 2600, +1 888 640 3300
www.irvingecocentre.com
info@jdirving.com
Ce centre a pour mission de protéger ce fragile écosystème. La dune s'étend sur 12 km le long de la baie de Bouctouche, ouverte sur le détroit de Northumberland et bordée d'une superbe plage de sable (baignade possible). Cette dune, qui protège le marais salant de la baie, a été formée par l'action constante du vent, des marées et des courants marins depuis la dernière période glaciaire. Elle sert d'habitat naturel à tout un tas de plantes (telle l'ammophile à ligule courte qui stabilise le sable), d'animaux aquatiques et d'oiseaux migrateurs ou riverains, tels le grand héron solitaire, le petit pluvier siffleur, en voie de disparition, ou la sterne aux longues ailes.

Enjambant la dune afin de mieux la préserver, une passerelle de bois longue de 2 km ainsi qu'une tour permettent l'observation de la flore et de la faune. N'oubliez pas vos jumelles. Possibilité de visites commentées par des spécialistes de l'environnement.

■ LE PAYS DE LA SAGOUINE

57, rue Acadie
✆ +1 506 743 1400, +1 800 561 9188
www.sagouine.com
Fin juin à début septembre : site ouvert tous les jours de 8h30 à 17h30 (19h les soirs de spectacles). Le reste de l'année : lundi-vendredi, 8h30-16h30. Visites guidées, animations, soupers-spectacles. Restauration et boutique sur place.
Ce site fait revivre l'Acadie du début du siècle et s'inspire de la célèbre pièce de théâtre d'Antonine Maillet, *La Sagouine*. Il est animé par les personnages de la pièce, qui présentent des mises en scène, chantent ou jouent de la musique. Le principal point d'attraction est l'Île-aux-Puces, à laquelle on accède par une longue passerelle et où ont été reconstituées des maisonnettes de pêcheurs aux couleurs vives ainsi qu'un quai où sont amarrées des barques plates. En discutant avec les habitants du lieu, on s'initiera au mode de vie ancestral des Acadiens de cette région.

SHEDIAC

La ville de Shediac est un lieu de villégiature qui doit sa popularité à sa superbe plage, Parlee Beach (près de la route 15, sortie 35), aux eaux chaudes idéales pour la baignade. C'est également la capitale mondiale du homard. Sur place, profitez-en pour faire une excursion au homard avec les Croisières Shediac Bay. Pour l'hébergement, vous trouverez de nombreux gîtes et auberges convenant à toutes les bourses (www.shediac.org/hebergements.cfm).

■ CENTRE D'INFORMATION AUX VISITEURS DE SHEDIAC

229, rue Main
✆ +1 506 532 7788
www.shediac.org
andrea.comeau@shediac.org
Ouvert de fin mai à fin septembre.

■ CROISIÈRES SHEDIAC BAY

60, chemin Quai Pointe-du-Chêne
Secteur Pointe-du-Chêne
✆ +1 506 532 2175, +1 888 894 2002
www.lobstertales.ca
tours@lobstertales.ca
En opération de début mai à début octobre. Différents forfaits offerts. Sorties privées également disponibles.
Dans ce beau coin de l'Acadie, aux eaux les plus chaudes au nord des Carolines, les Croisières Shediac Bay vous proposent un moment de détente ponctué de faits saillants sur la région. Pour les mordus du homard, une croisière interactive vous fera non seulement découvrir ce crustacée, mais vous pourrez également le savourer ! « Une expérience à faire rougir d'envie ! »

■ MAISON VIENNEAU

426, rue Main
✆ +1 506 532 5412, +1 866 532 5412
www.maisonvienneau.com
info@maisonvienneau.com
Occupation double : à partir de 89 CAN $ en basse saison et de 109 CAN $ en haute saison, petit déjeuner inclus.
Idéalement situé, dans un quartier résidentiel tranquile à quelques pas des boutiques et restaurants, ce magnifique gîte historique de style victorien propose l'hébergement dans une des quatre chambres lumineuses au décor antique. Une adresse hautement recommandée pour son excellent rapport qualité-prix.

CAP-PELÉ

Lieu de villégiature par excellence, avec bon nombre d'activités culturelles et récréatives, Cap-Pelé possède également un riche historique acadien qu'il faut absolument découvrir. Région reconnue pour ses pêcheries, on y retrouve aussi une multitude de boucanières (usines de séchage de hareng fumé). En saison estivale, ses magnifiques plages sablonneuses figurant parmi les plus belles de l'est du pays, dont la réputée plage de l'Aboiteau, sont un lieu de prédilection pour le farniente et la baignade. Si vous êtes de passage dans la région, un arrêt s'impose !

■ CENTRE D'INFORMATION AUX VISITEURS DE CAP-PELÉ

2463, chemin Acadie
✆ +1 506 577 2017
www.cap-pele.com
tourism@cap-pele.com
Ouvert de mi-juin à début septembre.

■ LES CHALETS DE L'ABOITEAU

55, Allée des Chalets
✆ +1 506 777 2005, +1 888 366 5555
www.chaletsaboiteau.ca
aboiteau@nbnet.nb.ca

Ouvert à l'année. Tarifs selon la saison et le type de chalet (économique, supérieur, deluxe). Tarifs à la nuit et à la semaine. Forfaits disponibles. Buanderie sur le site.

De beaux chalets situés à quelques pas de la Plage de l'Aboiteau, que demander de mieux pour les vacances ? Entièrement équipés, ils peuvent accueillir jusqu'à 8 personnes en tout confort. Et que dire de la vue… tout simplement à couper le souffle !

■ **LES CHALETS DE L'ABOITEAU**

55, Allée des Chalets
✆ +1 506 777 2005
✆ +1 888 366 5555
www.chaletsaboiteau.ca
aboiteau@nbnet.nb.ca

Ouvert à l'année. Tarifs selon la saison et le type de chalet (économique, supérieur, deluxe). Tarifs à la nuit et à la semaine. Forfaits disponibles. Buanderie sur le site.

De beaux chalets situés à quelques pas de la Plage de l'Aboiteau, que demander de mieux pour les vacances ? Entièrement équipés, ils peuvent accueillir jusqu'à 8 personnes en tout confort. Et que dire de la vue… tout simplement à couper le souffle !

CAPE JOURIMAIN

Un lieu incontournable car situé au pied du pont de la Confédération pour l'Île du Prince-Édouard (www.confederationbridge.com). Aux abords du détroit de Northumberland se trouve le Centre d'interprétation de la nature, une aire protégée gérée par le Service canadien de la faune. Ceux désirant prendre la navette pour l'Île du Prince-Édouard le feront ici.

▶ **www.capejourimain.ca**

ROUTE DU LITTORAL DE FUNDY

Cette belle route panoramique longe une bonne partie de la baie de Fundy qui sépare le sud du Nouveau-Brunswick de la province de la Nouvelle-Écosse. C'est aussi un haut lieu de l'observation des baleines avec bon nombre de croisières organisées. Les amoureux du kayak pourront aller observer les marées, cavernes et rochers lors de la belle saison. Ceux qui préfèrent garder les pieds à terre ne manqueront pas une visite au Sentier Fundy près de St-Martins.

AULAC

Situé à la frontière de la Nouvelle-Écosse, Aulac possède un riche passé militaire. Il fut en effet un point stratégique au 18e siècle pour l'armée française après la cession en 1713 à l'Angleterre de ce qui est dorénavant la Nouvelle-Écosse (Traité d'Utrecht). Pour en savoir plus sur cette page d'histoire, une visite au lieu historique national de Fort-Beauséjour s'avérera fort intéressante.

■ **LIEU HISTORIQUE NATIONAL DU CANADA DU FORT-BEAUSÉJOUR – FORT-CUMBERLAND**

111, chemin Fort Beauséjour
✆ +1 506 364 5080, +1 888 773 8888
fort.beausejour@pc.gc.ca

De juin à mi-octobre : lundi-dimanche, 9h-17h. Adulte : 3,90 CAN $, aîné : 3,40 CAN $, jeune : 1,90 CAN $, famille : 9,80 CAN $.

Situé sur l'isthme de Chignecto, étroite bande de terre reliant le Nouveau-Brunswick à la Nouvelle-Écosse, ce fort, dont il ne subsiste que quelques casemates et talus herbeux,

Baie de Fundy

De la frontière américaine à la Nouvelle-Écosse, les paysages sont marqués par les gigantesques marées de la baie de Fundy, les plus hautes du monde, qui deux fois par jour partent à l'assaut des rivages puis se retirent en arrachant d'énormes quantités de terre. La puissance de ces marées est telle que le courant des rivières qui se jettent dans la baie en est inversé et qu'il se produit un phénomène de mascaret (petit raz-de-marée) à certains endroits (notamment sur la rivière Petitcodiac, près de Moncton). La mer en se retirant découvre d'interminables plages, des grottes creusées dans les falaises, que l'on peut alors explorer, des rochers en forme de champignons que l'on appelle ici pots de fleurs parce que leur sommet est couvert de végétation. Le littoral est semé d'une multitude de petits villages pittoresques. C'est là aussi que sont établis le plus grand port de la province, Saint John, et la ville la plus dynamique, Moncton. La baie constitue aussi l'un des meilleurs endroits pour l'observation des baleines, qui y reviennent tous les étés pour faire provision de nourriture.

offre, par beau temps, un superbe panorama sur le bassin du Cumberland, au fond de la baie de Fundy. C'est, en face, sur la rive gauche de la Missaguash, que les Acadiens s'étaient établis, mettant en valeur les terres grâce à leur technique d'assèchement des marais.

MONCTON

La capitale acadienne est située au bord de la rivière Petitcodiac, soumise à l'impressionnant phénomène du mascaret. La population est francophone pour un tiers et l'université de Moncton (1963) est à l'origine de la renaissance acadienne.La ville est connue pour sa côte magnétique (8 km au nord en bordure de la route 126, à la sortie de la Transcanadienne). Les automobilistes, invités à couper le contact de leur moteur, auront la surprise de voir leur véhicule gravir la pente en marche arrière. Le phénomène serait-il dû au magnétisme induit par la présence d'uranium... La question reste ouverte mais l'expérimentation n'est plus gratuite aujourd'hui. De plus, c'est un véritable centre d'attraction où on retrouve aussi un zoo, un parc aquatique, des boutiques, des restaurants et de l'hébergement.

▶ **www.gomoncton.com**

Transports

■ **AÉROPORT INTERNATIONAL DU GRAND MONCTON**
777 Aviation Avenue
Dieppe
✆ +1 506 856 5444
www.gmia.ca

■ **GARE ROUTIÈRE DE MONCTON**
92 Lester Street
✆ +1 506 859 5060
✆ +1 800 567 5151
www.acadianbus.com
infobus@acadianbus.com

■ **VIA RAIL – GARE DE MONCTON**
1240, rue Main
✆ +1 506 857 9830
✆ +1 888 842 7245
www.viarail.ca
relations_clientele@viarail.ca
Heures d'ouverture de la billetterie et de la gare : lundi-dimanche, 9h-18h.
Le train, l'Océan, relie Montréal à Halifax (Nouvelle-Écosse) en passant par Moncton. Un train par jour, sauf le mardi.

Pratique

■ **CENTRE D'INFORMATION AUX VISITEURS DE MONCTON**
10, cour Bendview
✆ +1 506 853 3540
www.moncton.ca
judy.dougan@moncton.ca
Ouvert de mi-mai à mi-octobre.
Autres centres saisonniers à Magnetic Hill et un permanent à l'aéroport.

Se loger

■ **AUBERGE C'MON INN HOSTEL**
47, rue Fleet ✆ +1 506 854 8155
www.monctonhostel.ca
monctonhostel@yahoo.ca
Chambre partagée : à partir de 30 CAN $. Chambre privée : à partir de 70 CAN $. Internet et petit déjeuner inclus. Maison plus que centenaire, à 5 minutes à pied de la gare, reconvertie en auberge de jeunesse. Services sur place : cuisine toute équipée, casiers, buanderie, salon, information touristique, etc. Décorée avec goût et très propre, nous recommandons fortement cette auberge.

■ **B&B BONACCORD HOUSE**
250, rue Bonaccord ✆ +1 506 388 1535
www.bbcanada.com/4135.html
submissions@bbcanada.com
Tarif par nuit : 50-80 CAN $, petit déjeuner inclus. 4 chambres. Agréable maison victorienne centenaire, située dans le vieux quartier de Moncton, qui n'a rien perdu de son cachet historique. Très bon rapport qualité-prix.

HOPEWELL CAPE

Sur la route qui vous mènera de Moncton à Saint-John, faites un arrêt à Rockwell Rocks, le plus célèbre environnement géologique de la province : les marées y sont impressionnantes et c'est l'unique endroit pour accéder au fond de l'océan et à la baie de Fundy.Un peu plus loin, juste avant Alma, la route 915 mène à une grande anse de galets fermée par une péninsule rocheuse qui s'avance dans la baie de Chignecto. Continuer la route pour gravir le sommet du cap Enragé. Du belvédère du phare, on a une vue saisissante sur la baie de Fundy, avec la Nouvelle-Écosse juste en face. Le cap porte ce nom évocateur en raison des courants marins tourbillonnants qui constituent un danger extrême pour les pêcheurs de homards, surtout par brouillard, ici très fréquent.

ALMA

Bordé au sud par la baie de Fundy, Alma est un pittoresque village de pêcheurs aux maisons colorées, et les restaurants de homards y sont nombreux. C'est aussi la porte d'entrée au parc national Fundy, un incontournable de la région.

Autrefois appelé Salmon River, ce village a officiellement adopté son nouveau nom en 1855 lors de la création de la paroisse d'Alma, en commémoration de la victoire britannique et française à la bataille de l'Alma en 1854.

■ **CENTRE D'INFORMATION AUX VISITEURS D'ALMA**
8584, rue Main ✆ +1 506 887 6127
Ouvert de fin juin à mi-septembre.

■ **PARC NATIONAL DU CANADA FUNDY**
Accès par la route 114, à partir de Moncton
✆ +1 506 887 6000, +1 888 773 8888
www.pc.gc.ca/fundy
fundy.info@pc.gc.ca
Ouvert à l'année. Adulte : 7,80 CAN $, aîné : 6,80 CAN $, jeune : 3,90 CAN $, famille : 19,60 CAN $. Hébergement en camping sur place. Ce parc occupe un territoire de collines escarpées, densément boisées et tombant en falaises abruptes sur la baie de Fundy. Il offre de nombreuses activités (canot, baignade dans les lacs, golf) mais c'est surtout le paradis des randonneurs avec 120 km de sentiers à travers la forêt, près des lacs ou le long de la baie : sentier de la pointe Wolfe offrant des vues sur les falaises rouges, sentier de Herring Cove, une anse découvrant à marée basse toute une faune enfouie sous le sable et les rochers.

SAINT JOHN

Surnommé la « cité du brouillard » en raison des nappes de brouillard qui envahissent fréquemment la baie de Fundy, ce grand port industriel s'est développé à l'embouchure du fleuve Saint-Jean, dans une région de collines escarpées.

Dès le XVIIe siècle s'était établi, à cet endroit, un poste français de traite des fourrures qui devint anglais après le traité de Paris, en 1763. Puis, en 1783, y débarquèrent 4 000 loyalistes refusant l'indépendance des États-Unis. Ils réussirent à créer là une ville prospère dont l'économie, jusqu'au XIXe siècle, reposait essentiellement sur la construction navale. Aujourd'hui, les Journées loyalistes font revivre cet épisode historique du débarquement et toute la population est, à cette occasion, habillée en costume du XVIIIe siècle.

Saint John.

Transports

■ **AÉROPORT DE SAINT JOHN**
4180 Loch Lomond Road
✆ +1 506 638 5555
www.saintjohnairport.com
fly@saintjohnairport.com

■ **BAY FERRIES – TERMINAL DE SAINT JOHN**
170 Digby Ferry Road
✆ +1 506 649 7777
✆ +1 888 249 7245
www.acadiaferry.com
En opération à l'année (1 à 2 traversiers par jour selon la saison). Adulte aller simple (tarifs variables selon la saison) : 31-41 CAN $, voiture : 77-82 CAN $. Service de traversier reliant Saint John à Digby (Nouvelle-Écosse).

■ **GARE ROUTIÈRE DE SAINT JOHN**
199 Chesley Drive
✆ +1 506 648 3500, +1 800 567 5151
www.acadianbus.com
infobus@acadianbus.com

Pratique

■ **TOURISME SAINT JOHN**
15, Place Market
✆ +1 506 658 2990, +1 866 463 8639
www.tourismsaintjohn.com
visitsj@saintjohn.ca
Ouvert toute l'année. Autres centres saisonniers : 200, chemin Bridge (Reversing Falls) ; route 1 Ouest.

Se loger

■ CARLETON HOUSE B&B

213, rue Lancaster ✆ +1 506 672 7458
www.bbcanada.com/4173.html
Occupation double : à partir de 79 CAN $, petit déjeuner inclus. 3 chambres.
Petite auberge dans une maison datant de 1845. On apprécie la proximité du centre-ville et du traversier pour Digby.

■ INN ON THE COVE & SPA

1371, chemin Sand Cove
✆ +1 506 672 7799, +1 877 257 8080
www.innonthecove.com
spa@innonthecove.com
Occupation double : à partir de 99 CAN $ en basse saison et 165 CAN $ en haute saison. Forfaits disponibles. Restaurant ouvert au public sur place. Un endroit de rêve pour la détente avec une vue imprenable sur la baie de Fundy. Le centre de santé Spa vous offre dorlotage et bien-être, et le restaurant viendra combler votre appétit avec, entre autres, des spécialités de la mer et une fine cuisine.

À voir / À faire

Bien aménagé, le centre-ville, autour du port, est petit et particulièrement agréable à parcourir à pied. Ne manquez pas une visite au jardin public de la ville, King Square.

■ MUSÉE DU NOUVEAU-BRUNSWICK

1, Market Square ✆ +1 506 643 2300
✆ +1 888 268 9595 – www.nbm-mnb.ca
nbmuseum@nbm-mnb.ca
Lundi-mercredi & vendredi, 9h-17h ; jeudi, 9h-21h ; samedi, 10h-17h ; dimanche, 12h-17h. Fermé le lundi de novembre à mi-mai. Adulte : 8 CAN $, aîné : 6 CAN $, enfant et étudiant : 4,50 CAN $. Tarifs réduits hors saison.
Ce musée retrace l'histoire économique de la province tout en interprétant le patrimoine culturel et naturel. En plus de sa remarquable collection de sciences naturelles, il possède des collections variées et impressionnantes d'artéfacts provenant du monde entier. Programmes spéciaux, manifestations et activités extérieures sont également au menu.

▶ **Autre adresse :** Archives et bibliothèque : 277, avenue Douglas, +1 506 643 2322.

■ RAPIDES RÉVERSIBLES (REVERSING RAPIDS)

200, chemin Bridge
✆ +1 506 658 2937, +1 866 463 8639
Accès à partir de Main Street par Chesley Drive (route 100) en direction de Fredericton.
Le phénomène s'observe depuis le parc Fallsview et le belvédère d'observation du restaurant des chutes. Pour pouvoir l'apprécier, il faut se renseigner sur les heures des marées à l'office du tourisme sur le chemin Bridge. À marée basse, le fleuve Saint-Jean se précipite dans la baie mais, à marée haute, le contraire se produit et c'est alors la mer qui remonte le fleuve. Ce phénomène entraîne la formation de rapides et de tourbillons. Pour une expérience encore plus complète, chevauchez la marée à bord d'un jet boat (www.jetboatrides.com).

Shopping

■ MARCHÉ DE LA VILLE DE SAINT JOHN

47, rue Charlotte
✆ +1 506 658 2820
www.sjcitymarket.ca
hayesm@nb.aibn.com
Lundi-vendredi, 7h30-18h ; samedi, 7h30-17h ; dimanche, fermé.
Depuis 1875-1876, les marchands de toute sorte se donnent rendez-vous dans ce bâtiment à la toiture en forme de coque de navire inversée. C'est le plus vieux marché d'Amérique du Nord et l'endroit tout indiqué pour découvrir les saveurs locales.

ÎLES DE FUNDY

À Blacks Harbour et Letete, des traversiers effectuent le trajet à l'année vers les îles Deer, Campobello et Grand Manan, dunes, plages, phares, parcs et sites naturels, observation des baleines, et plus encore vous y attendent.

ST. ANDREWS

Situé près de la frontière américaine dans la baie de Passamaquoddy (petit bras de mer de la baie de Fundy), à la pointe d'une péninsule, ce village huppé est le plus célèbre lieu de villégiature de la baie de Fundy. Il a été fondé en 1783 par les loyalistes. On peut encore y admirer ses magnifiques demeures dont celle abritant désormais l'hôtel de luxe Fairmont. Les amateurs de golf seront ravis par la beauté du terrain appartenant à l'hôtel.

■ CENTRE D'INFORMATION AUX VISITEURS DE ST. ANDREWS

24, avenue Reed
✆ +1 506 529 3556, +1 800 563 7397
www.standrewsbythesea.ca
town@townofstandrews.ca
Ouvert de mi-mai à mi-octobre.

NOUVELLE-ÉCOSSE

Cette province du Canada atlantique se présente comme une grande péninsule (565 km de long sur 130 km de large) qu'une étroite langue de terre, l'isthme de Chignecto, rattache au Nouveau-Brunswick. La mer qui la ceinture presque complètement est à l'origine de sa vocation maritime. C'est, dans son ensemble, une grande terre plutôt plate, couverte de forêts et entourée de côtes rocheuses festonnées d'une multitude d'anses et de baies où se blottissent de minuscules hameaux de pêcheurs, en accord parfait avec le paysage sauvage. Toutefois, le comté de Cumberland, au nord, présente quelques monts rabotés et, le long de la baie de Fundy, la chaîne North s'étire sur 190 km du cap Blomidon au goulet de Digby, protégeant la riche vallée de l'Annapolis des vents et des brouillards maritimes. La jetée de Canso relie la péninsule à l'île du Cap-Breton, haut plateau s'achevant par un promontoire boisé dont les escarpements plongent dans les eaux du golfe. Une mer intérieure de 930 km², le lac du Bras d'Or, en occupe le cœur, coupant pratiquement l'île en deux.En raison de sa position dans le golfe, la Nouvelle-Écosse a toujours eu, dans l'histoire, un rôle stratégique, comme en témoignent la forteresse française de Louisbourg et la citadelle anglaise d'Halifax. Le gouvernement, tant au niveau fédéral que provincial, s'efforce aujourd'hui de conserver le riche patrimoine historique de la province (plus d'une vingtaine de sites). La Nouvelle-Écosse compte aussi deux parcs nationaux d'un caractère bien différent mais qui, tous deux, en justifient la visite : au sud, celui de Kejimkujik, ancien terrain de chasse des Indiens micmacs, aux vastes étendues de lacs ; au nord, celui des Hautes-Terres-du-Cap-Breton, montagneux, parcouru par le célèbre Cabot Trail. Le détroit de Northumberland, au nord, offre de superbes plages de sable blanc ourlées d'eaux tranquilles réchauffées par le Gulf Stream.

▶ **www.novascotia.com**

Orientation

La province se divise sept régions touristiques : Yarmouth & Acadian Shores à l'ouest, Fundy Shore & Annapolis Valley au nord-ouest sous la baie de Fundy, Halifax Metro pour la région de la capitale, Eastern Shore au sud-est sur la côte Atlantique, Northumberland Shore au nord-est sous l'île du Prince-Édouard, et Cape Breton Island complètement à l'est.Onze routes panoramiques permettent de découvrir les attraits et magnifiques paysages de la Nouvelle Écosse : Bras d'Or Lakes Scenic Drive, Cabot Trail, Ceilidh Trail, Evangeline Trail, Fleur-de-Lis/Marconi/Metro Cape Breton, Glooscap Trail, Halifax/Dartmouth, Lighthouse Route, Marine Drive, et Sunrise Trail.

Transports

▶ **Avion.** Air Canada dessert Halifax et Sydney. Vol direct depuis certaines villes canadiennes et service avec les autres provinces maritimes. Si vous prévoyez faire votre vol vers la Nouvelle-Écosse depuis l'Europe, une connexion sera nécessaire. Porter Airlines et Westjet desservent également Halifax (Westjet offre en plus des vols saisonniers vers/depuis Sydney et une liaison entre St-John's à Terre-Neuve et Halifax).

▶ **Bus.** Acadian dessert les principales villes de la Nouvelle-Écosse et assure le lien avec les provinces adjacentes. Un service de navette existe également entre Halifax / Darmouth et l'Île du Prince-Édouard (Borden, Summerside et Charlottetown - voir la rubrique Transport de Charlottetown).

▶ **Train.** Le train Océan de Via Rail dessert Halifax depuis Montréal. Un train par jour sauf le mardi.

Les immanquables de la Nouvelle-Écosse

▶ **Halifax,** la capitale, regorge de musées intéressants et sa vie nocturne est des plus animées.

▶ **La jolie petite ville de Lunenberg,** classée au patrimoine mondial de l'Unesco.

▶ **Annapolis Royal,** ses belles auberges et les départs pour les croisières d'observation de baleines.

▶ **Le Cabot Trail,** une des plus belles routes panoramiques du monde sur l'île du Cap-Breton.

▶ **La forteresse de Louisbourg,** la plus grande reconstruction de ville fortifiée française du XVIIIe siècle en Amérique du Nord.

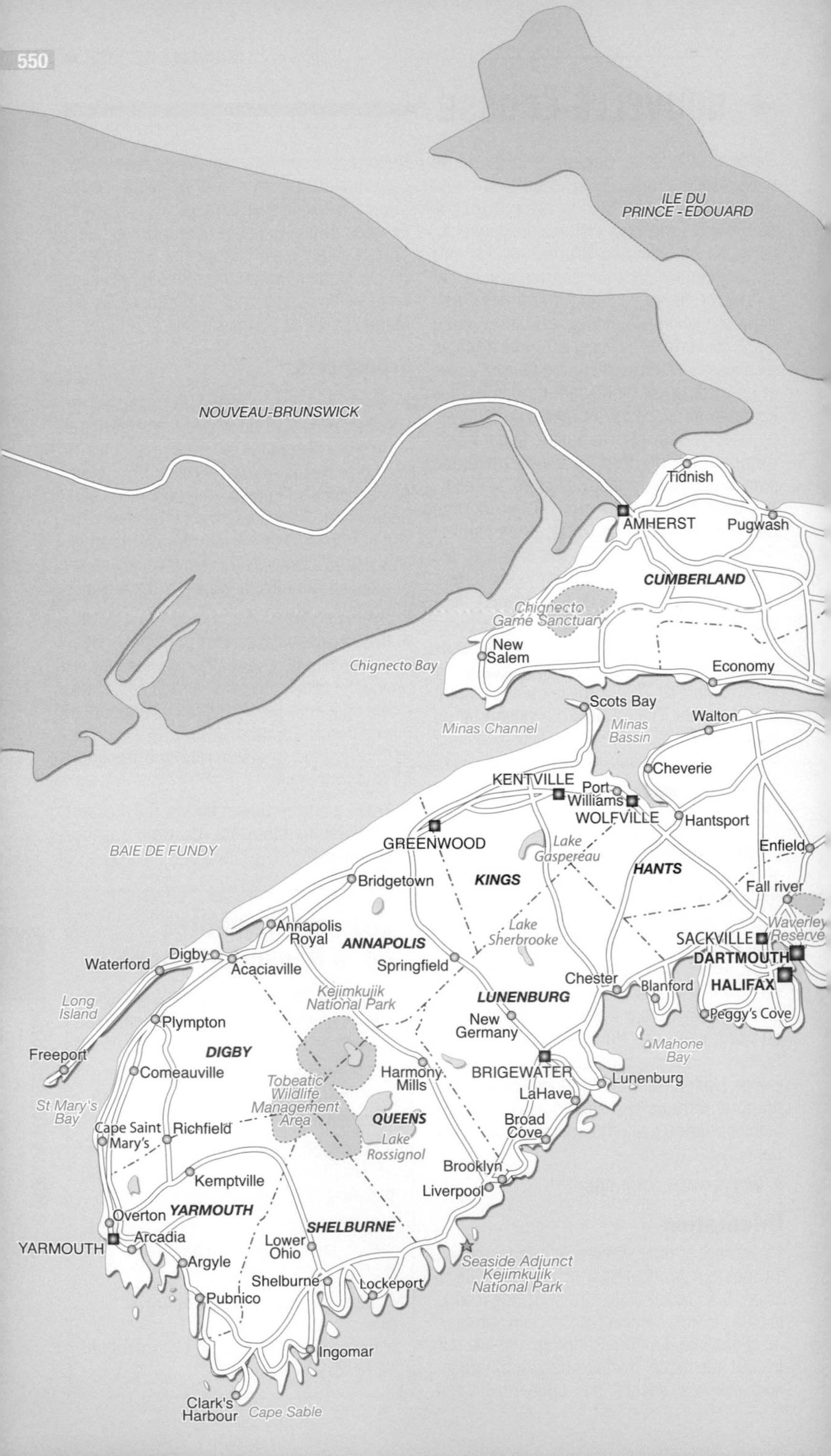

ILE DU
PRINCE - EDOUARD
NOUVEAU-BRUNSWICK
Tidnish
AMHERST
Pugwash
CUMBERLAND
Chignecto
Game Sanctuary
New
Salem
Chignecto Bay
Economy
Scots Bay
Walton
Minas Channel
Minas
Bassin
Cheverie
KENTVILLE
Port
Williams
WOLFVILLE
Hantsport
GREENWOOD
BAIE DE FUNDY
Lake
Gaspereau
Enfield
HANTS
Bridgetown
KINGS
Fall river
Waverley
Reserve
Lake
Sherbrooke
Annapolis
Royal
ANNAPOLIS
SACKVILLE
DARTMOUTH
Waterford
Digby
Acaciaville
Springfield
Chester
Blanford
HALIFAX
Kejimkujik
National Park
Long
Island
LUNENBURG
Peggy's Cove
Plympton
New
Germany
Mahone
Bay
Freeport
DIGBY
Comeauville
Harmony
Mills
BRIGEWATER
Lunenburg
Tobeatic
Wildlife
Management
Area
LaHave
St Mary's
Bay
QUEENS
Broad
Cove
Cape Saint
Mary's
Richfield
Lake
Rossignol
Brooklyn
Kemptville
Liverpool
Overton
YARMOUTH
SHELBURNE
YARMOUTH
Arcadia
Lower
Ohio
Seaside Adjunct
Kejimkujik
National Park
Argyle
Shelburne
Lockeport
Pubnico
Ingomar
Clark's
Harbour
Cape Sable

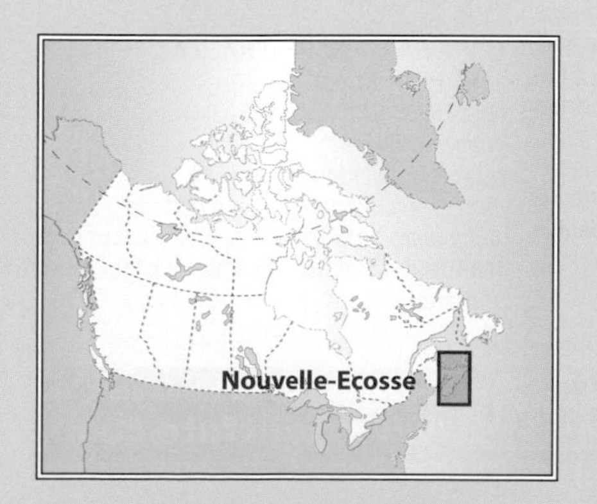

La Nouvelle-Écosse

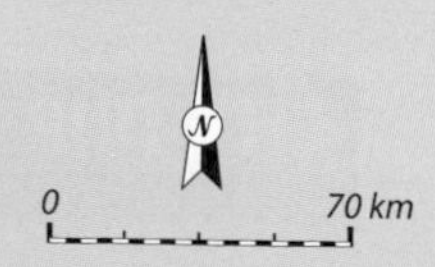

Le paradis du kayak et du surf

Le kayak de mer est une belle façon de découvrir les côtes et les anses de la Nouvelle-Écosse. Plusieurs compagnies offrent des excursions allant de quelques heures à quelques jours.Les plus aventureux, quant à eux, testeront les vagues de l'Atlantique sur une planche de surf. Le Rossignol Surf Shop propose des cours à White Point Beach Resort sur la côte sud de la province.

- **Traversiers.** Bay Ferries relie Digby à Saint John (Nouveau-Brunswick). NFL relie Caribou à Wood Islands (Île du Prince-Édouard). Marine Atlantic relie North Sydney à Channel - Port aux Basques / Argentia (Terre-Neuve).
- **Voiture.** Seul le Nouveau-Brunswick est relié à la Nouvelle-Écosse via la route transcanadienne. Notez que les traversiers des trois autres Provinces atlantiques acceptent les voitures à bord.

HALIFAX

Charmante ville portuaire de près de 400 000 habitants, mais aussi le plus grand centre urbain des Provinces atlantiques, la capitale de la Nouvelle-Écosse ne cache pas ses racines écossaises. Une atmosphère décontractée et joyeuse règne dans ses nombreux pubs et dans ses rues bordées de vieilles maisons géorgiennes. Ces demeures en brique rouge datent d'un passé antérieur à l'explosion du navire français, *le Mont-Blanc*, qui, en 1917, détruisit une partie de la ville et causa la mort d'un millier d'habitants. Cette tragédie explique le mélange architectural qui caractérise le centre-ville. Le cœur d'Halifax est traversé par deux rues commerçantes : Barrington Street et Spring Garden Road. Argyle Street et Granville Street sont fameuses, au même titre que Lower Water Street, pour l'animation qui y règne le soir. Deux grands ponts : Angus L. MacDonald et A. Murray MacKay relient la ville à sa jumelle, Dartmouth.

- **www.halifax.ca**

Transports

Comment y accéder et en partir

■ GARE ROUTIÈRE D'HALIFAX
1161 Hollis Street
✆ +1 902 454 9321, +1 800 567 5151
www.acadianbus.com
infobus@acadianbus.com

■ HALIFAX STANFIELD INTERNATIONAL AIRPORT
1 Bell Boulevard
Enfield ✆ +1 902 873 4422
www.hiaa.ca – info@hiaa.ca
Il accueille de nombreux vols venant des États-Unis et du Canada. Le service de navette Airporter (19,50 CAN $ l'aller simple) assure la liaison entre le centre-ville (hôtels, gare, etc.) et l'aéroport situé à 35 km : www.airporter.biz, +1 902-873-2091.

■ PEI EXPRESS SHUTTLE
Lieu d'embarquement :
Au centre-ville ✆ +1 877 877 1771
www.peishuttle.com
peiexpress@yahoo.ca
Adulte : 65 CAN $ pour un aller simple, 120 CAN $ pour un aller-retour. Communiquez avec eux pour les horaires. Réservation obligatoire. Service de navette entre la Nouvelle-Écosse (Halifax, Darmouth, Bedford, aéroport) et l'Île du Prince-Édouard (Borden, Summerside, Charlottetown).

■ TRAVERSIER HALIFAX – DARTMOUTH / WOODSIDE
Halifax Ferry Terminal ✆ +1 902 490 4000
www.halifax.ca/metrotransit/ferries.html
contactHRM@halifax.ca
Départ sur le quai près de Historic Properties. Adulte et étudiant : 2,25 CAN $, aîné et enfant : 1,50 CAN $.

■ VIA RAIL – GARE D'HALIFAX
1161 Hollis Street
✆ +1 888 842 7245
www.viarail.ca
relations_clientele@viarail.ca
Heures d'ouverture de la billetterie : lundi-dimanche, 9h15-17h30. Le train Océan relie Montréal à Halifax. Un train par jour, sauf le mardi.

Se déplacer

■ **FRED (FREE RIDES EVERYWHERE DOWNTOWN)**
Centre-ville d'Halifax
✆ +1 902 490 4000
www.halifax.ca/metrotransit/fred.html
contactHRM@halifax.ca
De juillet à fin octobre, montez à bord de Fred, un service gratuit d'autobus parcourant tout le centre-ville et ses attraits. Le service est offert tous les jours de 10h30 à 17h.

■ **METRO TRANSIT**
✆ +1 902 490 4000
www.halifax.ca/metrotransit/
contactHRM@halifax.ca
Adulte et étudiant : 2,25 CAN $, aîné et enfant : 1,50 CAN $. Lisière de 10 billets aussi disponible. Société de transport régional d'Halifax pour les bus et traversiers. Contrairement à ce que Metro Transit laisse croire, il n'y a pas de métro à Halifax.

Pratique

■ **DESTINATION HALIFAX**
1800 Argyle Street, Suite 802
✆ +1 902 422 9334, +1 877 422 9334
www.destinationhalifax.com
info@destinationhalifax.com
Centres permanents d'information aux visiteurs : 1655 Lower Water Street, +1 902 424 4248 ; aéroport international Halifax Stanfield, +1 902 873 1223.

Se loger

■ **HALIFAX HERITAGE HOUSE HOSTEL**
1253 Barrington Street ✆ +1 902 422 3863
www.hihostels.ca – info@hihostels.ca
Ouvert toute l'année sauf le 25 décembre. Chambre partagée : à partir de 30 CAN $; chambre privée : à partir de 57 CAN $. Demi-tarif pour les 6-17 ans. Tarifs groupe disponibles. Membre du réseau Hostelling International.
Située à 10-15 minutes à pied des principales attractions de la ville et à deux pas de la gare, dans un magnifique bâtiment historique, cette auberge a entièrement été rénovée et ses nouvelles chambres privées offrent un plus grand confort. Nombreux services dont une buanderie, une cuisine équipée, des casiers dans les chambres, Internet sans fil gratuit et plusieurs activités. Petit conseil : ceux qui ont la carte d'adhésion FUAJ obtiennent un rabais chez Henry House, un pub-restaurant fort sympathique, situé juste en face.

■ **THE HALLIBURTON**
5184 Morris Street
✆ +1 902 420 0658, +1 888 512 3344
www.thehalliburton.com
information@thehalliburton.com
Occupation double : à partir de 150 CAN $, petit déjeuner inclus. Forfaits disponibles. Restaurant Stories sur place (ouvert tous les soirs sauf lundi).
Superbe petit hôtel-boutique, à deux pas des principales attractions. On apprécie le soin apporté à tous les détails, des bouquets de fleurs à la musique d'ambiance et l'amabilité du personnel. Notre coup de cœur !

■ **WAVERLEY INN**
1266 Barrington Street
✆ +1 902 423 9346
✆ +1 800 565 9346
www.waverleyinn.com
welcome@waverleyinn.com
Occupation double : à partir de 109 CAN $ en basse saison et 129 CAN $ en haute saison, petit déjeuner inclus.
Belle demeure bourgeoise construite en 1865, où plusieurs personnages célèbres eurent l'occasion de séjourner, dont le poète anglais Oscar Wilde. Atmosphère victorienne, charme d'antan et décoration raffinée.

Se restaurer

■ **HARBOURSIDE MARKET**
Historic Properties
1869 Upper Water Street
www.historicproperties.ca
swhite@historicproperties.ca
Ouvert toute la journée.
On y trouve des stands de restauration rapide de bonne qualité. Ne manquez pas de goûter au caldwer, la soupe de poissons, une spécialité locale. Les tables installées face à l'eau, dedans et dehors, offrent une belle vue sur le port. Plusieurs autres restaurants sont également situés dans le quartier des Historic Properties.

■ **THE HENRY HOUSE RESTAURANT & PUB**
1222 Barrington Street
✆ +1 902 423 5660
www.henryhouse.ca
Ouvert tous les jours. Brunch le week-end.
Bel endroit pour prendre le pouls de la vie quotidienne. Au menu, plats copieux et abordables. Au sous-sol se trouve le pub où vous prendrez certainement l'habitude d'y venir pour débuter la soirée.

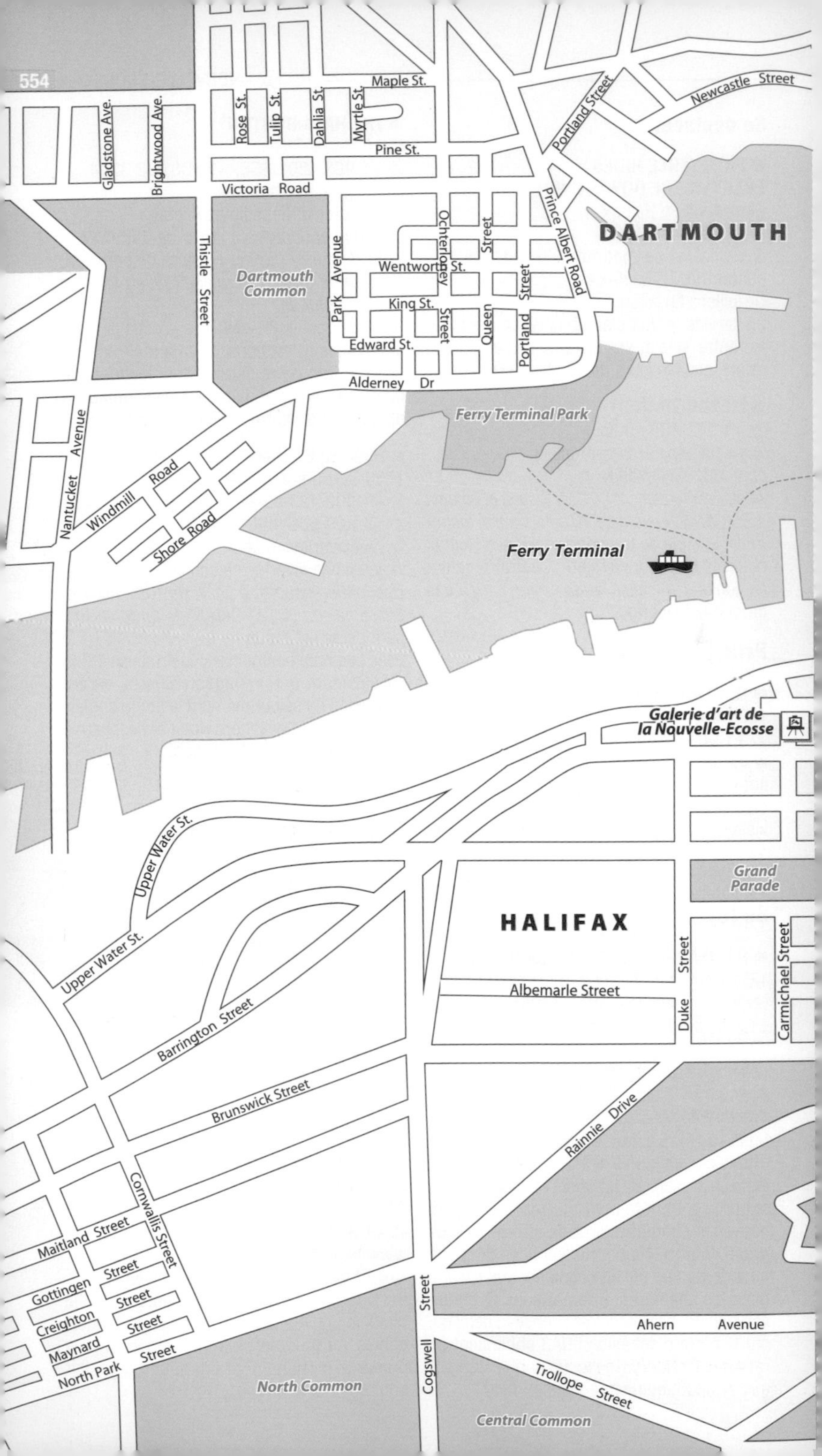

DARTMOUTH
Maple St.
Newcastle Street
Portland Street
Rose St.
Tulip St.
Dahlia St.
Myrtle St.
Gladstone Ave.
Brightwood Ave.
Pine St.
Victoria Road
Prince Albert Road
Thistle Street
Dartmouth Common
Park Avenue
Ochterloney Street
Queen Street
Wentworth St.
King St.
Portland Street
Edward St.
Alderney Dr
Ferry Terminal Park
Nantucket Avenue
Windmill Road
Shore Road
Ferry Terminal
Galerie d'art de la Nouvelle-Ecosse
Upper Water St.
Grand Parade
HALIFAX
Duke Street
Carmichael Street
Albemarle Street
Barrington Street
Brunswick Street
Rainnie Drive
Cornwallis Street
Maitland Street
Gottingen Street
Creighton Street
Maynard Street
North Park Street
Cogswell Street
Ahern Avenue
Trollope Street
North Common
Central Common

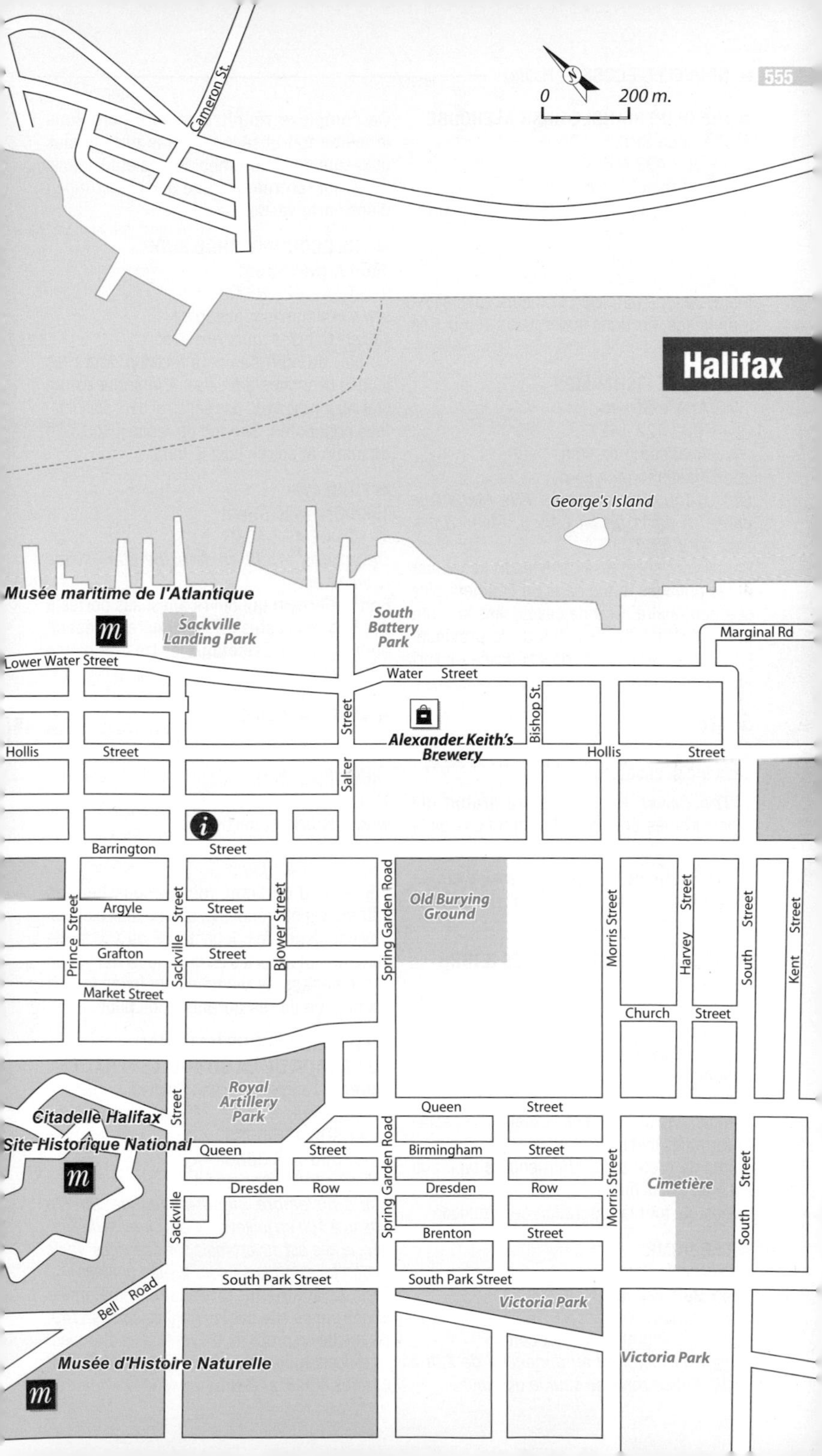

Halifax
0
200 m.
Cameron St.
George's Island
Musée maritime de l'Atlantique
Sackville Landing Park
South Battery Park
Marginal Rd
Lower Water Street
Water Street
Alexander Keith's Brewery
Bishop St.
Hollis Street
Hollis Street
Sal-er Street
Barrington Street
Argyle Street
Grafton Street
Market Street
Prince Street
Sackville Street
Blower Street
Spring Garden Road
Old Burying Ground
Morris Street
Harvey Street
South Street
Kent Street
Church Street
Royal Artillery Park
Citadelle Halifax
Site Historique National
Queen Street
Queen Street
Birmingham Street
Dresden Row
Dresden Row
Brenton Street
Sackville Street
Spring Garden Road
Morris Street
Cimetière
South Street
South Park Street
South Park Street
Bell Road
Victoria Park
Victoria Park
Musée d'Histoire Naturelle

■ **THE OLD TRIANGLE IRISH ALEHOUSE**
5136 Prince Street
✆ +1 902 492 4900
www.oldtriangle.com
Ouvert tous les jours dès 11h. Menu à la carte : moins de 20 CAN $.
Une vraie atmosphère de pub irlandais vous y attend. Spectacles de musique celtique. Menu de type pub avec plusieurs spécialités irlandaises. Portions généreuses et prix très abordables.

■ **THE FIVE FISHERMEN**
1740 Argyle Street
✆ +1 902 422 4421
www.fivefishermen.com
info@fivefishermen.com
Ouvert tous les soirs dès 17h. Menu à la carte : à partir de 34 CAN $. Menu à prix fixe : 42 CAN $.
Restaurant spécialisé dans les fruits de mer et les grillades, situé dans un bâtiment plus que centenaire. Grande cave à vins incluant une sélection de cépages de la province. Restaurant grill au rez-de-chaussée (ouvert en semaine dès 11h, 11h30 le week-end).

Sortir

Question de bien planifier vos sorties, voici deux indispensables :

- ***The Coast.*** Hebdomadaire gratuit qui répertorie les activités et distractions de la ville. Un must pour vos sorties !
- ***Where.*** Guide touristique mensuel gratuit listant les activités, magasins, restaurants et plus encore.

■ **BEARLY'S HOUSE OF BLUES & RIBS**
1269 Barrington Street
✆ +1 902 423 2526
www.bearlys.ca
Ouvert tous les jours dès 11h, midi le dimanche.
Les amoureux du blues ont leur temple à Halifax ! Assistez à un des excellents spectacles gratuits tout en sirotant une bonne bière... Keiths de préférence. Un menu de type pub est offert sans oublier leurs délicieuses côtes levées qui font la réputation de la maison.

■ **THE DOME**
1726 Argyle Street
✆ +1 902 422 6907
www.thedome.ca
garymuise@graftonconnor.com
Ouvert du mercredi au dimanche de 22h à 3h30. Entrée payante sauf le dimanche.
Ce complexe réunit plusieurs bars sous le même toit et revendique le titre de plus gros club des Maritimes. Soirée étudiante le mercredi (entrée gratuite sur présentation d'une carte valide).

■ **THE ECONOMY SHOE SHOP**
1663 Argyle Street
✆ +1 902 423 8845
www.economyshoeshop.ca
Ouvert tous les jours dès 11h.
Ce bar, au nom des plus farfelus, attire les jeunes branchés d'Halifax. L'intérieur est un vrai labyrinthe avec des salles et bars distincts, tous connectés. Service de repas jusqu'à 2h du matin et soirée jazz le lundi.

■ **TRIBECA**
1588 Granville Street
✆ +1 902 492 4036
Ouvert dès 11h30 en semaine et en soirée le week-end.
Bon petit resto qui ouvre aussi ses portes à des DJs et artistes en tous genres. C'est un endroit assez éclectique et très tendance à Halifax.

À voir / À faire

■ **HISTORIC PROPERTIES**
1869 Upper Water Street
✆ +1 902 429 0530
www.historicproperties.ca
swhite@historicproperties.ca
Ouvert tous les jours.
Sur le bord de l'eau, le vieux quartier des entrepôts a été rénové et réservé aux piétons. Des bâtiments de brique datant du XIXe siècle abritent toutes sortes de boutiques, tandis que la promenade de planches qui longe le port est animée de restaurants et de pubs.

■ **LIEU HISTORIQUE NATIONAL DU CANADA DE LA CITADELLE-D'HALIFAX**
Entrée à l'angle des rues Sackville et Brunswick
✆ +1 902 426 5080
✆ +1 888 773 8888
halifax.citadel@pc.gc.ca
Mai à novembre : lundi-dimanche, 9h-17h (jusqu'à 18h en juillet et août). Le reste de l'année, le site est ouvert mais sans services. Tarifs variables selon la saison. Visites guidées.
C'est la quatrième fortification bastionnée érigée sur ce site par les Anglais depuis 1749, en vue de se protéger d'éventuelles attaques. La reconstitution de scènes militaires d'époque par des acteurs talentueux rend la visite très

ludique. Le passé d'Halifax et l'histoire militaire de la citadelle sont retracés dans les salles d'exposition.

■ MUSÉE CANADIEN DE L'IMMIGRATION DU QUAI 21

1055 Marginal Road
✆ +1 902 425 7770, +1 855 526 4721
www.quai21.ca
info@quai21.ca
Ouvert à l'année (fermé dimanche-lundi de décembre à avril, et les dimanches en avril). Adulte : 8,60 CAN $, aîné : 7,60 CAN $, 6-16 ans : 5 CAN $.
C'est par ce bâtiment que sont entrés au Canada, entre 1928 et 1971, plus d'un million d'immigrants, pour la plupart venus d'Europe. Restauré et ouvert au public depuis quelques années, Quai 21 a recueilli de nombreux témoignages d'immigrants qui sont arrivés au Canada par ce bureau d'immigration. Leurs paroles sont merveilleusement conservées et commentées. Ce musée rend compte des conditions qui ont conduit à leur départ et ce qu'ils ont ressenti quand ils sont arrivés au Canada. Comme à Ellis Island au large de New York ou de Grosse-Île au large de Québec (départ de Berthier-sur-Mer), Quai 21 est un lieu chargé d'émotion.

■ MUSÉE MARITIME DE L'ATLANTIQUE

1675 Lower Water Street
✆ +1 902 424 7490
www.maritime.museum.gov.ns.ca
Ouvert tous les jours à l'année (fermé le lundi de novembre à mai). Adulte : 8,75 CAN $ de mai à novembre, 4,75 CAN $ le reste de l'année.
Il réunit des bateaux de toutes tailles, de la maquette aux modèles grandeur nature, et présente des expositions sur l'histoire maritime de la province : âge d'or de la marine à voile, époque des navires à vapeur... Le naufrage du Titanic, dont 156 victimes sont enterrées dans les différents cimetières d'Halifax, ainsi que l'explosion du bâtiment français le Mont-Blanc, chargé de 2 500 tonnes d'explosifs destinés au front, sont évidemment des sujets longuement traités.

Sports / Détente / Loisirs

Croisières

Les croisières ne manquent pas dans le port d'Halifax. Voiliers, amphibus, répliques de bateau à vapeur... Tout y est ! Deux croisières ont retenu notre attention : Tall Ship Cruises avec sa croisière aux pirates, et le Bluenose II, réplique de la célèbre goélette de Lunenburg. Plusieurs compagnies offrent aussi des cours de voile et navigation.

Visites guidées

■ ALEXANDER KEITH'S BREWERY TOUR

1496 Lower Water Street
✆ +1 800 268 2337
www.keiths.ca
Juin à novembre : lundi-samedi, 12h-20h ; dimanche, 12h-17h. Le reste de l'année : vendredi, 17h-20 ; samedi : 12h-20h ; dimanche : 12h-17h. Adulte : 15,95 CAN $.
Cette visite guidée très originale (en anglais seulement) est un incontournable à Halifax, même si vous y êtes qu'une seule journée. Cette brasserie, fondée en 1820, est la grande fierté des habitants et fut un des moteurs de développement de la ville. Faites comme nous : ne vous renseignez pas sur la visite, ne regardez pas les affiches ou publicité... Gardez l'effet de surprise car cela en vaut vraiment la peine !

PEGGY'S COVE

Ce petit village, à 40 min de route d'Halifax, compte une cinquantaine de pêcheurs. Mais chaque année, il attire des centaines de visiteurs. Les vagues qui se cassent sur les rochers rappelleront peut-être à certains la plage de Perros-Guirec, en Bretagne. Vous pourrez envoyer des cartes postales depuis l'unique bureau de poste au monde se trouvant dans un phare.

LUNENBURG

C'est un port de pêche très actif. Les maisons d'époque et les bâtiments colorés rappellent l'architecture du Vieux Continent. Lunenburg a d'ailleurs été classé au patrimoine mondial de l'Unesco en raison de son architecture. Ses chantiers navals ont vu naître de nombreuses goélettes qui partaient pêcher sur les bancs de morue, comme le très célèbre Bluenose (lancé en 1921) qui remporta à plusieurs reprises le Trophée international des pêcheurs, et sa copie conforme, le Bluenose II (1963). En hiver, ce dernier retrouve ici son port d'attache. Ce port, qui fut dans le passé un repaire de pirates, doit son nom à la ville allemande de Lünenburg, près de Hambourg, d'où ses premiers colons protestants arrivèrent au XVIIIe siècle. Tous les étés, à la fin d'août, a lieu la grande fête de la pêche : Nova Scotia Fisheries Exhibition and Fishermen Reunion.

Lighthouse Route

D'Halifax à Yarmouth, la côte Atlantique, longée par la Route des phares, est une succession de caps rocheux, d'anses, de baies et de plages de sable baignés par un océan aux eaux vert émeraude, où se sont établis de pittoresques hameaux de pêcheurs, longtemps repaires de pirates, de pimpants villages aux belles demeures disséminées dans la verdure et des petits ports actifs, prospères grâce à la construction navale et à l'industrie de la pêche. Comme son nom l'indique, elle relie entre eux les nombreux phares ponctuant la côte Atlantique jusqu'à Yarmouth. Elle traverse des landes, battues par les vents et dorées par le soleil, qui font inévitablement penser à l'Écosse, mais les blocs de granite évoquent plutôt la côte bretonne de Perros-Guirec, et les minuscules cabanes de pêcheurs sur pilotis, la Norvège. La route rencontre les villages de Peggy's Cove (petit port aux cabanes sur pilotis) et Chester (perché sur une falaise au-dessus de Mahone Bay).

PORT MOUTON

Port Mouton (prononcez «Port Ma-toon») est un petit village de pêcheurs situé le long de la route 103, à 15 km à l'ouest de Liverpool et à 150 km d'Halifax. C'est ici qu'on accède à la section bord de mer du Parc national Kejimkujik, l'autre partie du parc se trouvant au nord dans les terres (accès via la route 8 depuis Liverpool).

■ PARC NATIONAL ET LIEU HISTORIQUE NATIONAL DU CANADA KEJIMKUJIK

✆ +1 902 682 2772, +1 888 773 8888
kejimkujik.info@pc.gc.ca
Ouvert toute l'année. Adulte : 5,80 CAN $, aîné : 4,90 CAN $, jeune : 2,90 CAN $, famille : 14,70 CAN $. Terrains de camping.
Le Parc national de Kejimkujik occupe, en plein cœur de la Nouvelle-Écosse, une région de lacs, à l'atmosphère étrange et envoûtante, qui couvre un territoire boisé de 381 km². Les tribus Micmacs, qui autrefois le peuplaient, y avaient établi leur camp de chasse et de pêche, en raison des rivières tranquilles et poissonneuses qui le sillonnent. Ici, l'asphalte n'a pas droit de cité. Seuls les sentiers de randonnée et les circuits de canotage permettent de découvrir cette région, connue pour la variété de sa faune : cerf de Virginie, orignal, huard, pluvier siffleur. Les novices pourront s'initier au canot soit sur la rivière Mersey, soit sur le lac Kejimkujik ; les autres loueront un vélo, ou profiteront de la belle plage de Merrymakedge pour se baigner. En hiver, le parc reçoit les skieurs de fond et les adeptes de la raquette. Une annexe du parc s'étend en bord de mer (à l'ouest de Liverpool), où il se termine en falaises d'où l'on peut apercevoir des phoques.

PUBNICO

Fondée en 1653 par Philippe Mius d'Entremont, Pubnico est la plus ancienne communauté acadienne de la province. Elle vit principalement de la pêche, notamment à Pubnico Ouest où se trouvent plusieurs compagnies de transformation du poisson.
Pour en connaître davantage sur la Nouvelle-Écosse acadienne, une visite au Village historique acadien s'impose. Voici également deux sites web d'intérêt sur le sujet :

- **www.patrimoineacadiendelanouvelleecosse.ca**
- **www.pubnico.ca**

■ VILLAGE HISTORIQUE ACADIEN DE LA NOUVELLE-ÉCOSSE

Pubnico-Ouest-Le-Bas – 91 Old Church Road
✆ +1 902 762 2530, +1 888 381 8999
www.museum.gov.ns.ca/av
villagehistorique@ns.aliantzinc.ca
Fin mai à début octobre : lundi-dimanche, 9h-17h. Adulte : 5 CAN $, aîné : 4 CAN $, 6-17 ans : 2 CAN $, famille : 12 CAN $. Boutique souvenirs sur place. Le Village historique acadien reconstitue la vie des francophones de Nouvelle-Écosse du milieu du XVIIe jusqu'à la fin du XIXe siècle. Pour rendre les choses aussi vivantes que possible, le sieur Philippe Mius d'Entremont, fondateur de Pubnico, vous y accueille et des animateurs en costumes d'époque recréent les différents aspects de la vie acadienne d'antan.

YARMOUTH

Fondé au XVIIIe siècle par des colons venus de Nouvelle-Angleterre, ce port plein de vitalité est un des plus importants de la province et le principal port d'entrée pour les visiteurs en provenance des États-Unis. La majorité des attractions ont la mer pour thème. Dans le port règne un incessant va-et-vient de ferries pour Portland ou Bar Harbour (Maine,

États-Unis). Signalons que le port de Bar Harbour est aux portes du splendide Parc national acadien (États-Unis) et qu'il n'est pas loin non plus de Northeast Harbour où habitait Marguerite Yourcenar. Sa maison, Petite Plaisance, est fort jolie.

■ **CENTRE D'INFORMATION AUX VISITEURS DE YARMOUTH**
228 Main Street ✆ +1 902 742 6639
www.YarmouthandAcadianShores.com
info@YarmouthandAcadianShores.com
Ouvert de mi-mai à mi-octobre.

BAIE SAINTE-MARIE

Entre Digby et Yarmouth se trouve la région acadienne de la baie Sainte-Marie, anciennement connue sous le nom de Baie française, protégée par un long cordon littoral (Long Island). Ses habitants sont en effet les descendants des anciens colons venus de France au XVIIe siècle. Après le Grand Dérangement, certains Acadiens, qui s'étaient réfugiés au Nord-Est des États-Unis, ont voulu rentrer chez eux. Leurs terres fertiles de la vallée de l'Annapolis étant occupées par les Planters de Nouvelle-Angleterre depuis 1760, les Acadiens se sont alors installés, à partir de 1767, sur la côte peu fertile de la baie Sainte-Marie, où ils durent se reconvertir à la pêche. Un arrêt à Pointe-de-l'Église pour visiter l'église Sainte-Marie (la plus grande église en bois d'Amérique du Nord) est recommandé. C'est en 1890 que l'université francophone Sainte-Anne a été fondée à Pointe-de-l'Église.

▸ **www.clarenovascotia.com**

DIGBY

Ce port de pêche situé à proximité du bassin d'Annapolis et du détroit de Digby, qui débouche sur la baie de Fundy, est connu pour sa pêche au pétoncle, la plus importante au monde de ce genre. Cela dit, il ne présente pas d'intérêt majeur, sauf celui d'assurer un service régulier de ferries en direction de Saint-John (Nouveau-Brunswick).

■ **BAY FERRIES – TERMINAL DE DIGBY**
Shore Road ✆ +1 902 245 2116
✆ +1 888 249 7245 – www.acadiaferry.com
En opération à l'année (1 à 2 traversiers par jour selon la saison). Adulte aller simple (tarifs variables selon la saison) : 31-41 CAN $, voiture : 77-82 CAN $.
Service de traversier reliant Dibgy à Saint John (Nouveau-Brunswick).

ANNAPOLIS ROYAL

Situé dans un joli site, en bordure de l'estuaire de la rivière Annapolis qui débouche dans la baie de Fundy, cette petite ville paisible montre quelques belles maisons victoriennes.
Elle fut rebaptisée au XVIIIe siècle, en l'honneur de la reine Anne Stuart, lorsqu'elle devint la capitale de la Nouvelle-Écosse, après avoir été celle de l'Acadie française sous le nom de Port-Royal. Son bassin, dans la baie de Fundy, enregistre les marées parmi les plus hautes du monde.

Pratique

■ **CENTRE D'INFORMATION AUX VISITEURS D'ANNAPOLIS ROYAL**
204 Prince Albert Road
✆ +1 902 532 5454
www.annapolisroyal.com
annapoilsroyalvic@destinationsouthwest-nova.com
Ouvert de mi-mai à mi-octobre.

Se loger

■ **GRANGE COTTAGE B&B**
102 Ritchie Street
✆ +1 902 532 7993
www.bbcanada.com/6225.html
Occupation simple ou double : 65-75 CAN $. 2 chambres. Petit déjeuner inclus.
Cette maison d'hôte a beau être l'une des moins chères de la ville, la qualité de ses prestations en satisfera plus d'un. Les beaux jours on profite de la terrasse à l'arrière d'où l'on voit la rivière et même des cerfs de Virginie, des faisans, des oiseaux migrateurs…

■ **THE QUEEN ANN INN**
494 Upper George Street
✆ +1 902 532 7850
✆ +1 877 536 0403
www.queenanneinn.ns.ca
contact@queenanneinn.ns.ca
Occupation double : à partir de 99 CAN $ en basse saison et 129 CAN $ en haute saison, petit déjeuner 3-services compris. 10 chambres et 2 suites. Forfaits disponibles.
Maison d'hôte des plus élégantes, située dans une magnifique résidence victorienne. Le restaurant de l'auberge est ouvert au public du mercredi au dimanche. Ne manquez pas de goûter au homard de la Nouvelle-Écosse, spécialité de la maison.

Evangeline Trail

L'Evangeline Trail (la Route Évangéline) emprunte la vallée de l'Annapolis, parallèle à la baie de Fundy. Cette section d'itinéraire porte le nom de l'héroïne du drame en vers écrit par Longfellow en 1847. Étudié par des générations d'écoliers, il évoque les amours déchirées d'Évangéline, qui voit partir celui qu'elle aime, Gabriel, déporté comme tant d'autres pendant le Grand Dérangement. Évangéline ne le retrouvera que sur son lit de mort. La baie Sainte-Marie qui sert de toile de fond à cette triste histoire, est, avec le Cap-Breton, une des régions où la culture acadienne reste la plus vivace.

▶ **www.destinationsouthwestnova.com**

Hébergement

Si vous souhaitez passer une nuit sur la route, nous recommandons Annapolis Royal. La ville se trouve entre Yarmouth et Windsor et l'hébergement y est de haute qualité.

À voir / À faire

■ HISTORIC GARDENS

441 Saint George Street ✆ +1 902 532 7018
www.historicgardens.com
admin@historicgardens.com

Mai à novembre : lundi-dimanche, 9h-17h. (jusqu'à 20h en juillet et août). Adulte : 10 CAN $, aîné et étudiant : 8,50 CAN $, 12-18 ans : 5 CAN $, 6-11 ans : 2 CAN $.

On y découvre plusieurs styles de jardins (victorien, acadien, roseraie...) répartis dans un magnifique espace de dix acres. Boutique et restauration sur place. Aussi offerts : visites guidées, ateliers, événements spéciaux, etc.

■ LIEU HISTORIQUE NATIONAL DU CANADA DE PORT-ROYAL

✆ +1 902 532 2898, +1 902 532 2321
www.pc.gc.ca/portroyal
information@pc.gc.ca

À 10 km d'Annapolis Royal, sur la rive opposée, vers l'ouest. Route 1, embranchement vers Granville Ferry. Mi-mai à mi-octobre : lundi-dimanche, 9h-17h30 (jusqu'à 18h en juillet et août). Hors saison : en semaine sur rendez-vous. Adulte : 3,90 CAN $, aîné : 3,40 CAN $, jeune : 1,90 CAN $.

L'Habitation de Port-Royal – c'est-à-dire le premier établissement permanent élevé par Champlain en 1605 – a été reconstituée par le gouvernement canadien en 1938, d'après les croquis et les notes de Champlain. Le site est animé par des interprètes en costume d'époque.

■ LIEU HISTORIQUE NATIONAL DU CANADA DU FORT-ANNE

✆ +1 902 532 2397
✆ +1 902 532 2321
www.pc.gc.ca/fortanne
information@pc.gc.ca

Sur le site de Port-Royal. Mêmes heures et tarifs qu'à Port-Royal.

On a du mal à croire que ce lieu paisible fut, en son temps, un champ de bataille où Français et Anglais s'affrontaient régulièrement (plus de quatorze sièges). Le musée installé dans l'ancien quartier des officiers (XVIIIe siècle) évoque l'histoire militaire du site. On ne manquera pas la remarquable tapisserie retraçant les 400 ans d'histoire de la région.

GRAND-PRÉ

Établi en 1680 par des Acadiens provenant de la colonie de Port-Royal, Grand-Pré fut à l'époque la plus grand colonie acadienne de la région de la Vallée de l'Annapolis. Mais le 5 septembre 1755, et jusqu'en 1763, le Grand Dérangement força la déportation de plus de 10 000 Acadiens hors de la Nouvelle-Écosse.

De nos jours, Grand-Pré est un lieu historique national commémorant cet événement et rendant hommage au peuple acadien.

■ LIEU HISTORIQUE NATIONAL DU CANADA DE GRAND-PRÉ

✆ +1 902 542 3631, +1 866 542 3631
grandpre_info@pc.gc.ca

Sortie 10 sur la route 101. Mi-mai à mi-octobre : lundi-dimanche, 9h-18h. Adulte : 7,80 CAN $, ainé : 6,55 CAN $, jeune : 3,90 CAN $.

Grand-Pré est en quelque sorte le lieu de mémoire des Acadiens, symbolisé par la petite église commémorative, construite en 1930 à l'emplacement supposé de l'église et du cimetière du village acadien des XVIIe et XVIIIe siècles, au milieu d'un beau parc entouré de vieux saules et agrémenté d'étangs. Dans l'église, l'histoire mouvementée des Acadiens et leur déportation lors du Grand Dérangement de 1755 sont évoquées à travers des tableaux et des expositions.

WINDSOR

Cette coquette et paisible bourgade, au confluent des rivières Avon et Sainte-Croix, a une allure vraiment *british* avec ses maisons disséminées sur des pelouses vertes parfaitement entretenues, ombragées de superbes arbres. Certaines, avec leurs galeries à colonnettes portent l'empreinte des loyalistes américains. Elle conserve aussi de belles demeures, comme la maison du juge Haliburton, au milieu d'un parc de 10 ha. En bois, d'aspect relativement modeste, elle abrite de magnifiques meubles victoriens d'époque. Elle fut la résidence de Thomas Chandler Haliburton (1796-1865), homme politique canadien, avocat, juge, historien et auteur à succès (créateur de Sam Slick).Les Anglais ne sont arrivés ici qu'à partir de 1750, lorsque Charles Lawrence fit ériger le fort Edward, la région étant possession britannique depuis 1713 (traité d'Utrecht). C'est au fort Edward que les Acadiens furent rassemblés en 1755 avant d'être déportés.

www.town.windsor.ns.ca

PARRSBORO

La ville côtière de Parrsboro a été qualifiée d'endroit le plus beau pour observer les marées de la baie de Fundy par le *National Geographic*, rien de moins. Avons-nous donc besoin de préciser qu'un appareil-photo serait indispensable ?

www.town.parrsboro.ns.ca

MUSÉE GÉOLOGIQUE DE FUNDY

162 Two Island Road
✆ +1 902 254 3814
www.fundygeo.museum.gov.ns.ca
fundygeo@gov.ns.ca
Mi-mai à début octobre : lundi-dimanche, 9h30-17h30. Les contacter pour les horaires hors saison. Adulte : 7,50 CAN $, aîné et étudiant : 6,25 CAN $, 6-17 ans, 4,25 CAN $. Visites guidées.
Les maquettes de paysages préhistoriques peuplés de dinosaures et des expositions sur la géologie de la région sont un prélude à des excursions géologiques sur la plage.

PICTOU

Avec ses bâtiments en brique du XIXe siècle, cette petite ville portuaire cultive avec soin son cachet *Old Scotland*. Il faut dire que ses habitants sont presque tous originaires d'Écosse. L'ambiance est sympathique, les rues ont beaucoup de charme et les habitants sont accueillants. Les boutiques regorgent d'articles écossais (kilts, lainages, écharpes, musique), les pubs sont nombreux. Quand on arrive par bateau de l'île du Prince-Édouard, on n'est pas déçu de ce premier contact avec la Nouvelle-Écosse : on se croirait sur le Vieux Continent. Et pour cause ! C'est en 1773 que la goélette *Hector* débarqua à Pictou ses premiers colons écossais. Séduits par un climat et une géographie qui leur rappelaient leur pays d'origine, leurs successeurs viendront coloniser d'autres endroits de la côte et le Cap-Breton. Près de la marina, l'Hector Heritage Quay est un petit musée consacré à l'histoire de cette goélette écossaise. À l'arrière du bâtiment, une réplique exacte de *Hector*.

www.threeshoresnovascotia.com

AUBERGE WALKER INN

78 Coleraine Street
✆ +1 902 485 1433
✆ +1 800 370 5553
www.walkerinn.com
info@walkerinn.com
Occupation double : à partir de 79 CAN $, petit déjeuner inclus. Tarifs hors saison disponibles. Maison d'hôte située dans le quartier historique de Pictou. La plupart des chambres ont vue sur le port.

CENTRE D'INFORMATION AUX VISITEURS DE PICTOU

Pictou Rotary
350 West River Road
✆ +1 902 485 6213
www.townofpictou.ca
info@tourismpictoucounty.com
Ouvert de mi-mai à mi-décembre. Autre centre saisonnier au Hector Heritage Quay.

Glooscap Trail

Cet itinéraire panoramique, qui porte le nom d'un guerrier et sorcier micmac, suit les contours sinueux de la baie de Fundy, célèbre pour l'amplitude de ses marées et la beauté de ses paysages, notamment vers Parrsboro. Les rivières, rougies par la terre que les marées remontantes ont arrachée aux rives, sillonnent une région vallonnée de champs cultivés, ponctuée de fermes.

www.centralnovascotia.com

Sunrise Trail

D'Amherst au détroit de Canso, par lequel on accède à l'île du Cap-Breton, cette route longe la côte du Northumberland et ses larges plages de sable baignées d'eaux calmes réchauffées par le Gulf Stream. Elle traverse une série de villages de pêcheurs où s'alignent des maisons et des églises de bois peintes en blanc.
Toute la côte est imprégnée de culture écossaise : musique, kilts, rassemblements de clans. Les Écossais sont venus s'installer principalement dans cette région à la fin du XVIIIe siècle.

► **www.centralnovascotia.com**

RÉGION DE L'ÎLE DU CAP-BRETON

Un pont pivotant construit au bout d'une digue de 65 m de profondeur permet de passer le détroit de Canso et d'atteindre Port Hastings, un village de pêcheurs, premier d'une longue série. L'île du Cap-Breton est habitée par deux communautés, celle importante des Écossais de culture gaélique et celle des Acadiens francophones. Elle présente une grande diversité de paysages : vastes espaces balayés par les vents, côtes déchiquetées, intérieur vallonné, immense lac central du Bras d'Or. Mais surtout, elle abrite dans sa péninsule septentrionale un des joyaux de la province : le parc national des Hautes-Terres, que traverse le célèbre Cabot Trail. On y accède par le Ceilidh Trail, qui longe la côte occidentale.

Hébergement

Les campings, hôtels et B&B du Cap-Breton ne désemplissent pas de tout l'été. Une seule solution, réservez à l'avance.

Ceilidh Trail

Jalonné de charmants villages de pêcheurs, le Ceilidh Trail (prononcer *quéli,* mot gaélique signifiant *rassemblement*) traverse, sur 108 km, des espaces sauvages de landes et de sable, balayés par le vent, qui évoquent les Highlands d'Écosse. Il commence à Port Hastings et se rend jusqu'à Inverness.

Points d'intérêt

Observation des baleines (Chéticamp, Bay St. Lawrence, Ingonish), randonnées pédestres dans le parc national des Hautes-Terres, vélo, baignade, camping. Les amateurs de golf trouveront ici les plus beaux terrains du Canada : Highlands Links, un terrain magnifique situé à l'intérieur même du parc des Hautes-Terres, Le Portage, Dundee.

► **www.cbisland.com**

JUDIQUE

Judique est un petit village du comté d'Inverness situé sur la Ceilidh Trail, sur la côte ouest de l'île du Cap-Breton. Les premiers colons européens qui vinrent s'y établir provenaient majoritairement de la région des Highlands en Écosse. C'est une commauté qui vit surtout de la pêche et de la foresterie.

■ CELTIC MUSIC INTERPRETIVE CENTRE
5471 Route 19
✆ +1 902 787 2708
www.celticmusiccentre.com
info@celticmusiccentre.com
Lundi-samedi, 9h-17h ; dimanche, 11h-18h30. Les contacter pour les horaires hors saison estivale. Adulte : 12 CAN $.
C'est à l'aide d'enregistrements, de photos et d'interviews que ce centre nous fait plonger dans la musique celtique. Les démonstrations de musique traditionnelles et contemporaines du Cap-Breton sont incluses dans la visite. Ateliers de violon possibles (2h, 30 Can $).

GLENVILLE

Glenville se situe presqu'à mi-chemin entre Judique et Chéticamp, porte d'entrée du parc national des Hautes-Terres. Son principal point d'intérêt est la distillerie Glenora où vous pourrez découvrir un des meilleurs whiskys du pays.

■ GLENORA DISTILLERY
13727 Route 19
✆ +1 902 258 2662
✆ +1 800 839 0491
www.glenoradistillery.com
Info@Glenora1.ca
Ouvert de mai à octobre, tous les jours de 9h à 17h. Entrée : 7 CAN $, gratuit pour les enfants. Visites guidées aux heures.
Distillerie de whisky de malt pur produisant l'excellente gamme *Glen Breton Rare*. Les dégustations sont incluses, bien entendu !

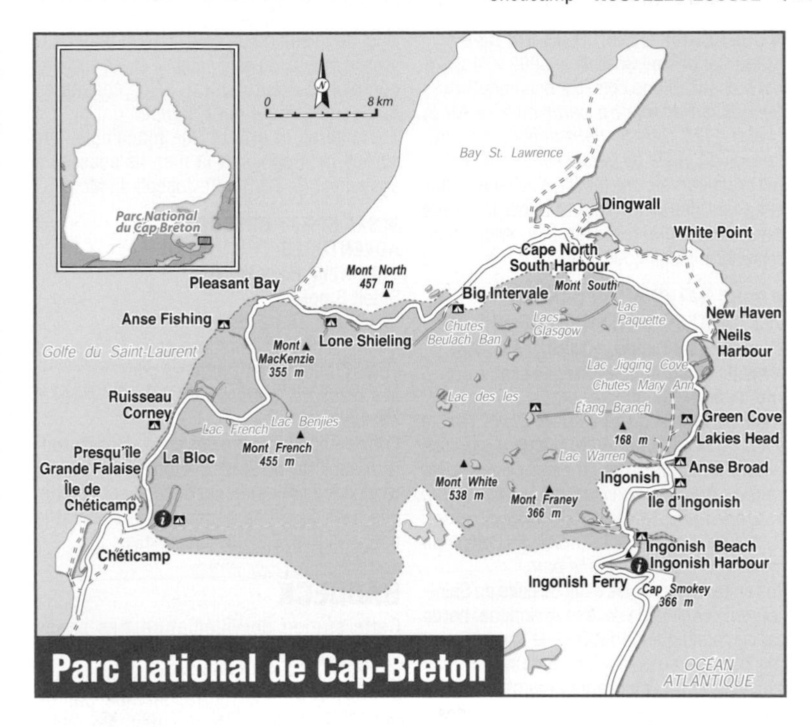

CHÉTICAMP

En franchissant la rivière Margaree, on quitte l'Écosse gaélique pour pénétrer dans un autre univers, en terre acadienne : les panneaux redeviennent bilingues, le drapeau bleu, blanc, rouge frappé de l'étoile jaune de la Vierge flotte fièrement aux côtés du drapeau canadien. Sur un plateau dénudé se succèdent des villages aux noms bien français : Belle-Côte, Cap Lemoine, Terre Noire, Saint-Joseph-du-Moine, Grand Étang. Mais c'est plus loin, à Chéticamp, fondé en 1785 par des Acadiens, que la culture et l'esprit acadien soufflent véritablement. Autour de ce centre sont regroupés 3 500 Acadiens des villages voisins : Petit Étang, la Prairie, Belle Marche, le Plateau... Allez d'ailleurs faire un tour au Musée acadien sur la rue Principale (entrée libre).

Petit port de pêche dominé par l'imposante église Saint-Pierre et son clocher pointu, Chéticamp s'étire le long d'une unique rue bordée de maisonnettes en bois toutes simples. Situé aux portes du parc national des Hautes-Terres, il tire l'essentiel de ses ressources de la pêche, du tourisme et de la vente de ses célèbres tapis hookés, c'est-à-dire crochetés (de l'anglais hook : crochet). 300 personnes tissent encore la laine de cette manière ; plusieurs boutiques, notamment Flora's au sud de Chéticamp, vendent leurs ouvrages. Chéticamp est également un haut lieu d'observation des baleines.

Cabot Trail

Considérée comme une des plus belles du monde, cette route fait le tour de la péninsule sur 303 km, s'enroule sur les flancs des montagnes, épouse les contours des baies, surplombe des falaises rouges sans jamais perdre de vue le golfe du Saint-Laurent ou l'Atlantique, traverse les hauts plateaux sauvages, formés de tourbières, des Hautes-Terres de l'intérieur.

▶ **Points de vue :** dès l'entrée du parc en arrivant de Chéticamp, la route qui escalade la côte ouest offre des vues spectaculaires sur le cap Rouge, avant de franchir le mont French, le point le plus élevé du parcours, puis de bifurquer pour gravir les monts Mackenzie (vues sur Pleasant Bay).

■ **CHETICAMP OUTFITTERS INN B&B**
13938 Cabot Trail Road ✆ +1 902 224 2776
www.cheticampns.com/cheticampoutfitters
Occupation double : à partir de 75 CAN $, chalet : 110 CAN $. Petit déjeuner inclus. Service de guide de pêche sur demande.
Les propriétaires, une famille acadienne, vous attendent dans cette petite auberge blottie dans les montagnes. Très bien situé, petit déjeuner maison gourmand.

■ **PARC NATIONAL DU CANADA DES HAUTES-TERRES-DU-CAP-BRETON**
✆ +1 902 224 2306, +1 888 773 8888
www.pc.gc.ca/capbreton
information@pc.gc.ca
Première entrée du parc sur le Cabot Trail, à 8 km de Chéticamp. Autre entrée a Ingonish Beach, de l'autre côté du parc. Ouvert toute l'année (pas de services de la mi-octobre à la mi-mai). Adulte : 7,80 CAN $, aîné : 6,80 CAN $, jeune : 3,90 CAN $. Prévoir au moins une journée dans le parc.
Pris en tenailles par les eaux du golfe du Saint-Laurent et celles de l'océan Atlantique, bordé par le magnifique Cabot Trail, le parc national des Hautes-Terres-du-Cap-Breton offre une succession de panoramas spectaculaires. Ses forêts, ses ruisseaux, ses lacs et son vaste plateau central constituent un ensemble unique. En hiver, les côtes sont prisonnières des eaux gelées et les sentiers de randonnée se transforment en pistes de ski de fond et de raquette. Juste à la lisière du parc, de typiques villages de pêcheurs agrémentent le parcours et permettent de se ravitailler. Le parc s'étend sur 950 km² de territoire sauvage où cohabitent l'orignal, le chevreuil, le lynx, le castor, l'ours noir et l'aigle à tête blanche. Si la côte ouest est baignée par les eaux relativement calmes du golfe du Saint-Laurent, la côte est, en revanche, est soumise aux assauts répétés de l'océan. Nombreuses activités en toute saison et des belvédères pour un panorama exceptionnel.

▶ **Hébergement.** Vous pouvez trouver un hébergement aux portes du parc à Chéticamp, à Ingonish, à St. Ann's ou à Baddeck. Il est fortement conseillé de réserver votre chambre suffisamment à l'avance, en raison de l'affluence. Le parc offre également des sites de camping.

■ **PILOT WHALE CHALETS & SUITES**
15775 Cabot Trail Road ✆ +1 902 224 1040
www.pilotwhalechalets.com
pilotwhalechalets@ns.sympatico.ca
Suites à partir de 95 CAN $, chalets à partir de 159 CAN $. Service de buanderie.
Quoi de mieux qu'un pied-à-terre pour ceux voulant profiter du parc national et des environs pendant plusieurs jours... Ces chalets en bois rond entièrement équipés ont de 2 à 3 chambres et offrent une magnifique vue sur les montagnes et la mer. Ils possèdent également un B&B à St-Joseph du Moine.

■ **SEA SPRAY OUTDOOR ADVENTURES**
1141 White Point Road
Smelt Brook
✆ +1 902 383 2732
www.cabot-trail-outdoors.com
office@cabot-trail-outdoors.com
Les contacter directement pour les tarifs et disponibilités.
Cette compagnie offre des excursions d'aventure sur l'île du Cap-Breton. Vélo, kayak, randonnée pédestre, ski de fond et raquette, une belle façon de découvrir la région et le parc national. Forfaits disponibles.

BADDECK

Cette station de villégiature très prisée occupe un joli site en bordure du Bras d'Or et à proximité du Cabot Trail. Il y règne une ambiance sympathique, animée par de nombreux restaurants et cafés. Alexander Graham Bell (1847-1922), l'inventeur du téléphone, y avait sa résidence d'été.

▶ **www.baddeck.com**

■ **LIEU HISTORIQUE NATIONAL DU CANADA ALEXANDER-GRAHAM-BELL**
Chebucto Street
✆ +1 902 295 2069
www.pc.gc.ca/bell
information@pc.gc.ca
Ouvert toute l'année (novembre à mai : visite sur rendez-vous seulement). Adulte : 7,80 CAN $, aîné : 6,55 CAN $, jeune : 3,90 CAN $. Outre l'invention du téléphone, le célèbre M. Bell a créé le bateau le plus rapide du monde (à son époque), a amélioré le phonographe, le cerf-volant, les avions. À découvrir dans ce site historique interactif.

■ **TELEGRAPH HOUSE**
479 Chebucto Street
✆ +1 902 295 1100
✆ +1 888 263 9840
www.baddeck.com/telegraph
telegraph@ns.sympatico.ca
À partir de 75 CAN $ la nuit. Hébergement aussi possible en motel, chalet, ou au MacRae House.

Le Telegraph House est une maison de style victorien située au cœur du village. Chambres accueillantes et confortables. Restaurant sur place (spectacles de musique celtique en juillet et août).

SYDNEY

Situé au nord-est de l'île dans une rade profonde de l'Atlantique, ce port séparé en deux villes jumelles, Sydney et North-Sydney, est la capitale industrielle de l'île du Cap-Breton. Ses gisements de charbon, les plus importants du Canada atlantique, ont favorisé le développement des aciéries.

www.sydney.capebretonisland.com

■ A CHARMING VICTORIAN B&B

115 George Street
✆ +1 902 564 0921
www.acharmingvictorianbb.com
annsbb@ns.sympatico.ca
À partir de 125 CAN $ la nuit. 3 chambres. Petit déjeuner inclus.
En plein cœur du quartier historique de Sydney et à quelques pas de toutes les attractions, Ann et Alex vous convient dans leur maison victorienne de charme.

■ GARE ROUTIÈRE DE SYDNEY

99 Terminal Road
✆ +1 902 564 5533
✆ +1 800 567 5151
www.acadianbus.com
infobus@acadianbus.com

■ JA DOUGLAS MCCURDY SYDNEY AIRPORT

Grand Lake Road
✆ +1 902 564 7723
www.sydneyairport.ca

■ MARINE ATLANTIC – TERMINAL DE NORTH SYDNEY

355 Purves Street
North Sydney
✆ +1 800 341 7981
www.marine-atlantic.ca
reservations@marine-atlantic.ca
Service quotidien à l'année entre North Sydney et Channel – Port aux Basques. Service saisonnier avec Argentia (mi-juin à fin septembre – 3 traverses par semaine). Aller simple (Port aux Basques) : adulte 35 CAN $, voiture 100 CAN $; (Argentia) : adulte 100 CAN $, voiture 210 CAN $.
Service de traversier reliant North Sydney à Channel - Port aux Basques / Argentia (Terre-Neuve).

Le lac du Bras d'Or

Le lac du Bras d'Or est une véritable mer intérieure qui partage l'île en deux et qui communique, au nord, avec l'Atlantique par deux chenaux : le Great Bras d'Or et le Little Bras d'Or, séparés par l'île Boularderie. Cette vaste étendue d'eau salée est le domaine de l'aigle à tête blanche.Les tribus micmacs avaient très tôt élu domicile sur ses bords, les eaux du lac abondant en truites et saumons. Elles y sont toujours installées : il y a plusieurs réserves micmacs établies près du lac, dont celle de Whycocomagh. Le Bras d'Or Scenic Drive, identifié par un aigle à tête blanche, permet d'en faire le tour.

GLACE BAY

Glace Bay se situe dans la partie est de la municipalité régionale de Cap Breton, laquelle est fort industrialisée, et compte près de 20 000 habitants. Avant sa fusion avec les municipalités environnantes, elle était la 4e plus grande région urbaine et la plus grande ville en population de la province.

■ LIEU HISTORIQUE NATIONAL DU CANADA MARCONI

Timmerman Street
✆ +1 902 295 2069
✆ +1 888 773 8888
www.pc.gc.ca/marconi
information@pc.gc.ca
Juin à mi-septembre : lundi-dimanche, 10h-18h. Entrée libre. Saviez-vous que le premier message radio transatlantique partit d'ici ? Il fut envoyé en décembre 1902, grâce à une antenne métallique suspendue à 4 tours géantes en bois. Exposition sur la télégraphie sans fil et sentier d'interprétation menant à la première station de transmission.

LOUISBOURG

Ancienne ville de l'Île Royale, Louisbourg fut un avant-poste de la Nouvelle-France au 18e siècle. La cité historique, dorénavant lieu historique national, reconstitue fidèlement cette époque mouvementée.
Mais Louisbourg, c'est également une petite communauté charmante de 1 265 habitants, située en bord de mer, aux paysages à couper le souffle et aux plages invitantes.

www.louisbourg.com

■ LIEU HISTORIQUE NATIONAL DU CANADA DE LA FORTERESSE-DE-LOUISBOURG
259 Park Service Road
✆ +1 902 733 2280, +1 888 773 8888
www.pc.gc.ca/louisbourg
information@pc.gc.ca
Les voitures ne peuvent pas pénétrer dans la forteresse. Une navette de bus conduit au site. Ouvert tous les jours de juin à mi-octobre. Les deux dernières semaines de mai et octobre : accès au site mais sans services. Le reste de l'année : sur réservation. Adulte : 17,60 CAN $ (7,30 CAN $ lors de la réduction de services). Compter une demi-journée minimum.
Le lieu historique national de la Forteresse-de-Louisbourg fut l'une des plus importantes places fortes du continent américain et la capitale de l'île Royale (Cap-Breton), du temps où cette dernière appartenait à la France. C'est aujourd'hui la plus vaste reconstitution historique d'Amérique du Nord et sans doute, la plus spectaculaire. Afin de mieux rendre l'atmosphère de 1744, on a reconstruit la forteresse à l'extérieur de la ville actuelle, dans ce site au bord de l'eau. Les figurants (soldats français en bleu, anglais en rouge) qui évoluent au milieu des bâtiments du XVIIIe siècle animent la place forte, nous faisant revivre ses heures de gloire. Plus d'une cinquantaine de maisons sont ouvertes à la visite, dont la résidence de l'ingénieur, la maison de Gannes, la maison des Roches, la maison de La Vallière. Elles sont meublées comme au XVIIIe siècle. On ne manquera pas la visite du Bastion du roi : la résidence du gouverneur aux nombreuses pièces décorées avec raffinement, le quartier des officiers, les casernes, la prison et la chapelle. Au corps de garde, démonstrations de tambour précédant le tir au canon et de tir au fusil. Plusieurs auberges proposent des repas du XVIIIe siècle.

ABERDEEN

La petite municipalité d'Aberdeen est située en plein coeur de la Nouvelle-Écosse, royaume de la nature et des grands espaces. Un bon pied-à-terre pour un séjour d'activités de plein air et pour visiter la région du lac du Bras d'Or.

■ BEAR ON THE LAKE GUESTHOUSE
10705 Highway 105
✆ +1 902 756 2750
✆ +1 866 718 5253
www.bearonthelake.com
info@bearonthelake.com
Ouvert de mi-mai à fin octobre. Chambre partagée : à partir de 28 CAN $, chambre privée : à partir de 70 CAN $. Membre du réseau Hostelling International.
Située sur Salt Mountain avec une vue imprenable du lac du Bras d'Or, cette auberge est l'endroit tout indiqué pour les routards, les familles et les amoureux de la nature. Nombreux services sur place dont une cuisine équipée, une buanderie et Internet gratuit. Après une journée d'activités (l'auberge propose aussi un programme), installez-vous sur la terrasse pour un bon barbecue et finissez la soirée autour d'un feu de camp.

ÎLE DU PRINCE-ÉDOUARD

Ce berceau de la Confédération canadienne est en même temps la plus petite province du Canada. Elle ne mesure que 225 km de longueur sur une largeur variable (parfois moins de 6 km) mais ses côtes sont profondément échancrées. Elle est située dans le golfe du Saint-Laurent, à 14 km du Nouveau-Brunswick et à 22 km de la Nouvelle-Écosse, les deux provinces voisines, dont elle est séparée par le détroit de Northumberland. Des petits ports de pêche aux villages de l'intérieur des terres, la vie ici a la réputation de s'écouler paisiblement, dans un cadre naturel exceptionnel. La principale culture est la pomme de terre (la patate, comme on aime à l'appeler ici), ce qui ne manquera pas de plaire aux gourmets, qu'ils soient belges ou français. On les déguste sans les éplucher et sincèrement, elles sont une pure merveille ! L'île est riche en bonnes tables, spécialisées entre autres dans le homard, mais on débarque ici avant tout pour les paysages. Dès les premiers beaux jours, ils sont un véritable enchantement : les plages de sable rose ou blanc ourlées de bleu, les falaises de grès rouge, le vert tendre de la campagne vallonnée, les champs de lupins roses, le ciel bleu traversé de nuages cotonneux composent des tableaux sans cesse renouvelés d'une richesse de palette digne d'un peintre fauve. Des trois circuits panoramiques de l'île – Circuit côtier North Cape (300 km), Circuit côtier du centre (198 km), Circuit côtier des pointes de l'Est (411 km) – le Petit Futé a préféré le deuxième. Ces itinéraires sont faciles à identifier, un pictogramme particulier

les signale sur les routes que vous suivrez. Attention, pas de boîtes de soda sur les routes de l'île, le non-respect de l'environnement est ici un délit passible d'amende.
L'île est découpée en cinq régions touristiques : North Cape, Côte des pignons verts, Côte de sable rouge, Charlottetown, et Pointes de l'Est. Les côtes sont ponctuées de phares, construits au XIXe siècle, pour prévenir les naufrages des navires, très fréquents dans ces parages : ceux de Wood Islands, Panmure Island, East Point, North Cape, West Point et Cap-Egmont sont les plus visités. Les plus anciens sont en bois, octogonaux ou carrés, et certains coniques en brique. L'île du Prince-Édouard est la plus *british* de toutes les provinces du Canada ; on comprendra pourquoi en lisant l'histoire de l'île. Les Acadiens francophones ne représentent que 4% de sa population.

- **www.tourismpei.com**

Transports

- **Avion.** Air Canada et Westjet desservent Charlottetown. Vol direct depuis certaines villes canadiennes et service avec les autres Provinces maritimes. Si vous prévoyez faire votre vol vers l'île du Prince-Édouard depuis l'Europe, une connexion sera nécessaire.
- **Bus.** Acadian dessert quelques destinations à l'Île du Prince-Édouard (Borden, Summerside, Hunter River et Charlottetown) et assure le lien avec les provinces adjacentes. Un service de navette (PEI Express Shuttle) existe également entre Halifax / Darmouth en Nouvelle-Écosse et l'Île du Prince-Édouard (Borden, Summerside et Charlottetown).
- **Traversiers.** NFL relie Caribou (Nouvelle-Écosse) à Wood Islands. Il est également possible de rejoindre les Îles de la Madeleine (Québec) depuis Souris avec le CTMA Traversier.

Les immanquables de l'île du Prince-Édouard

- **Charlottetown,** berceau de la Confédération canadienne et son musée La Salle des Fondateurs.
- **Cavendish** avec la plus grande attraction de l'île, *Anne of Green Gables.*
- **Les plages innombrables** et les magnifiques petits ports de pêcheurs.

- **Voiture.** L'Île du Prince-Édouard est reliée au Nouveau-Brunswick par le pont de la Confédération. Notez que les traversiers acceptent les voitures à bord. Sur place, mieux vaut louer une voiture plutôt que de prendre les transports en commun car ceux-ci sont très limités. Quatre agences de location de voiture vous attendent à l'aéroport de Charlottetown si vous arrivez sur l'île par avion.

SUMMERSIDE

Seconde ville (près de 15 000 habitants) en importance après Charlottetown, Summerside connaît un boom économique depuis la mise en service en 1997 du pont de la Confédération, qui relie l'île au Nouveau-Brunswick. Summerside constitue un bon point de départ pour partir à la découverte des sites de cette partie de l'île. À voir et à faire : Spinnaker's Landing en été (destination marchande, restaurants, spectacles, phare panoramique, centre d'information touristique), le centre historique et ses demeures (Wyatt Heritage Properties et The Shipyard), le Celtic Festival – Highland Storm en juillet et août, et le Summerside Lobster Carnival en juillet.

- **www.city.summerside.pe.ca**

Accès direct entre le Nouveau-Brunswick et l'Île du Prince-Édouard

■ **PONT DE LA CONFÉDÉRATION**
Borden-Carleton ✆ +1 902 437 7300, +1 888 437 6565
www.confederationbridge.com
Tarifs aller-retour (à payer à Borden en quittant l'île) : voiture 43,25 CAN $, moto 17,25 CAN $. Service continu de navette : piéton 4 CAN $, cycliste 8 CAN $.
Cet ouvrage d'art, long de 13 km, datant de 1997, relie Cape Tormentine (Nouveau-Brunswick) à Borden-Carleton (PEI).

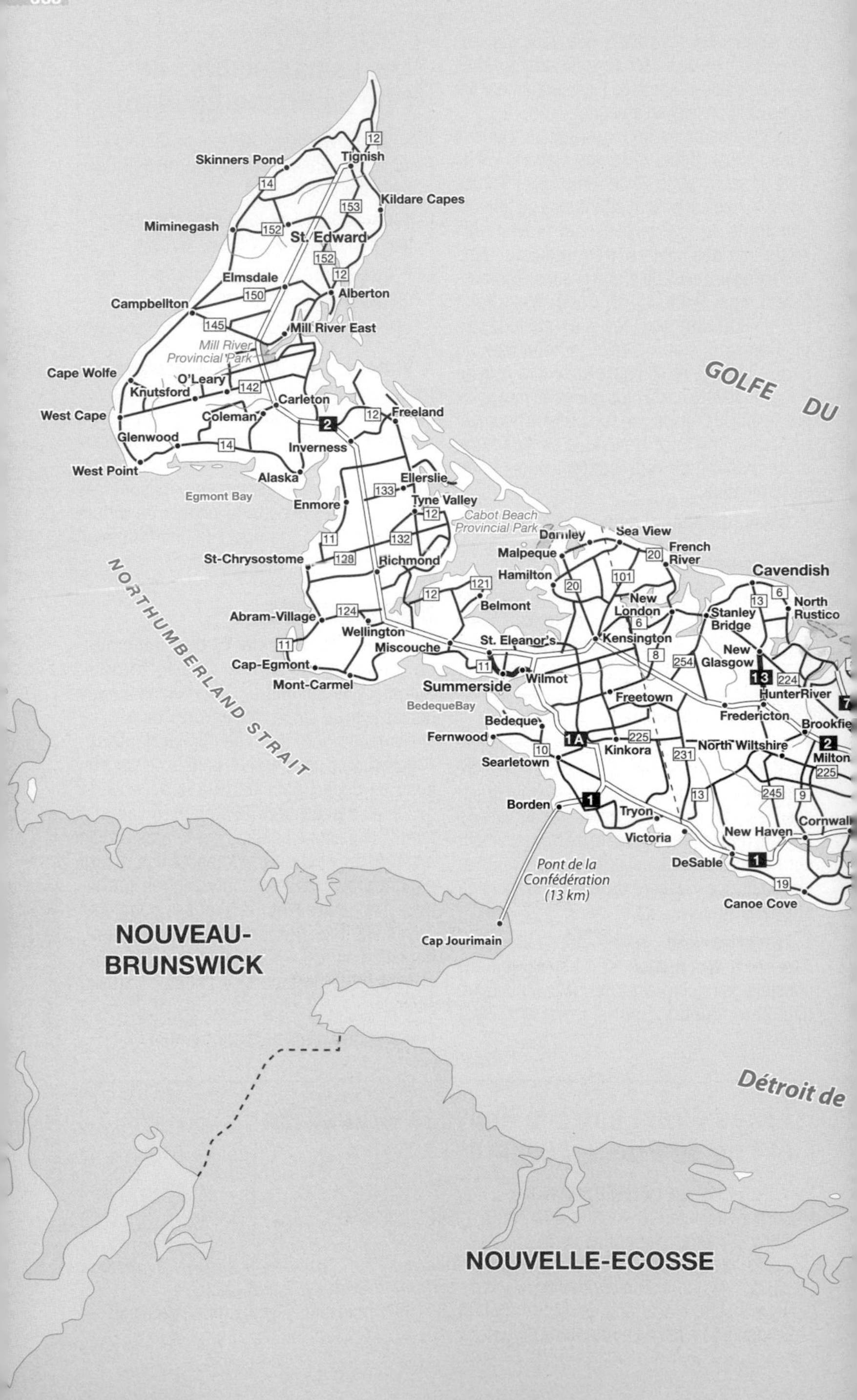
GOLFE DU
Skinners Pond
Tignish
Kildare Capes
Miminegash
St. Edward
Elmsdale
Alberton
Campbellton
Mill River East
Mill River Provincial Park
Cape Wolfe
O'Leary
Knutsford
Carleton
West Cape
Coleman
Freeland
Glenwood
Inverness
West Point
Alaska
Egmont Bay
Ellerslie
Enmore
Tyne Valley
Cabot Beach Provincial Park
Darnley
Sea View
Malpeque
French River
St-Chrysostome
Richmond
Hamilton
Cavendish
Belmont
New London
North Rustico
Stanley Bridge
Abram-Village
Wellington
Kensington
St. Eleanor's
Miscouche
New Glasgow
Cap-Egmont
Wilmot
Mont-Carmel
Summerside
Freetown
HunterRiver
Fredericton
BedequeBay
Bedeque
Fernwood
Kinkora
North Wiltshire
Milton
Searletown
Borden
Tryon
Cornwal
Victoria
New Haven
DeSable
Pont de la Confédération (13 km)
Canoe Cove
Cap Jourimain
NORTHUMBERLAND STRAIT
NOUVEAU-BRUNSWICK
Détroit de
NOUVELLE-ECOSSE

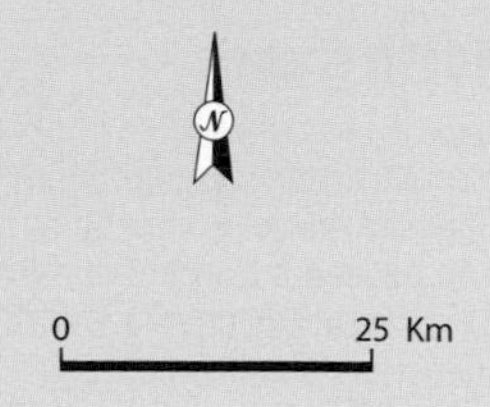

Île du Prince Édouard

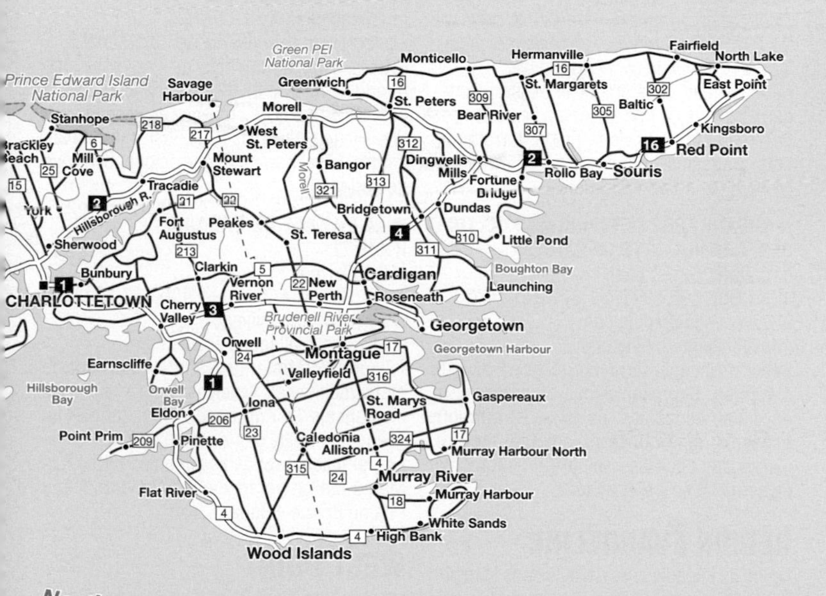

Circuit côtier North Cape

Cette partie de l'île possède la seconde ville en importance de la province, Summerside, mais aussi ses régions les plus isolées, notamment celle de sa pointe septentrionale. C'est dans la région Évangéline que se groupent la majorité des Acadiens de l'île, dont les minuscules villages de pêcheurs s'égrènent autour de Cap-Egmont. Mais il existe aussi de petites communautés acadiennes à l'extrême nord.Les côtes se présentent comme festonnées, échancrées d'immenses baies (Malpeque, Bedeque et Egmont) parfois fermées par de longs cordons littoraux. Entre les baies de Malpeque et de Bedeque, la largeur de l'île n'excède pas 6 km. La baie de Malpeque est par ailleurs célèbre pour ses huîtres (festival des huîtres fin juillet-début août à Tyne Valley). La construction navale a joué, jusqu'à la fin du XIXe siècle, un rôle très important dans cette région ; Summerside en était l'un des principaux centres.

▶ **www.tourismpei.com/circuit-north-cape**

■ ART GALLERY B&B
407 MacMurdo Road – North Bedeque
✆ +1 902 887 2683, +1 877 388 2683
www.bbcanada.com/2360.html
freitag@pei.sympatico.ca
Occupation simple ou double : à partir de 99 CAN $. 5 chambres. Petit déjeuner inclus. Tarif à la semaine aussi disponible.
Hébergement dans une belle maison centenaire typique de l'île, un peu à l'extérieur de Summerside. Près de la plage, terrains de golf, magasins, restaurants. À 15 minutes du pont de la Confédération.

■ THE COLLEGE OF PIPING AND CELTIC PERFORMING ARTS OF CANADA
619 Water Street East
✆ +1 902 436 5377, +1 877 224 7473
www.collegeofpiping.com
info@collegeofpiping.com
Seule maison de formation/concert ouverte à l'année. Représentations de cornemuse, de danse écossaise, de gigue et tambour écossais, mini-concerts, salle de théâtre, visites des coulisses, exposition interactive en semaine en juillet et août.

RÉGION ÉVANGÉLINE

La vie des Acadiens se déroule dans la région Évangéline, entre la baie Bedeque et la baie Egmont. Les petits villages acadiens portent des noms de saints : Saint-Nicholas, Saint-Raphaël, Saint-Timothée, Saint-Gilbert, Saint-Philippe, Saint-Chrysostome, qui témoignent de l'attachement des Acadiens à la religion catholique. On pratique, le long du littoral du détroit, la pêche au hareng, au pétoncle, au maquereau, mais surtout au homard en été. Le Mont-Carmel est un joli village riche en histoire.

▶ **www.regionevangeline.com**

■ MUSÉE ACADIEN
À 10 km à l'ouest de Summerside
Route 2 – Miscouche
✆ +1 902 432 2880
www.gov.pe.ca/peimhf/
museeacadien@teleco.org
Ouvert toute l'année. Adulte : 4,50 CAN $.
Partez à la découverte de l'odyssée des Acadiens de l'île de 1720 à nos jours : c'est près de 300 ans de présence acadienne dans la province. Sur place : sentier patrimonial, centre de recherche généalogique, boutique de cadeaux.

■ LE VILLAGE DE L'ACADIE
Route 11
Mont-Carmel
✆ +1 902 854 2227, +1 800 567 3228
www.teleco.org/village/
levillage@levillagedelacadie.com
Village historique, artisanat, restaurant de mets traditionnels acadiens. Souper-spectacle en français *La Cuisine à Mémé*, qui met en scène une vieille dame attachante dont la vie est remplie de rebondissements inattendus. Mémé est un personnage incontournable à l'île du Prince-Édouard.

WEST POINT

Le phare de West Point s'élève dans le parc provincial de Cedar Dunes, qui offre de jolies plages et constitue un excellent endroit pour l'étude de la flore et de la faune des dunes.Ce phare, construit en 1875 et reconnaissable à ses rayures blanches et rouges, est devenu, en 1984, un petit musée retraçant l'histoire des phares de l'île. De la plate-forme d'observation, le regard embrasse l'ensemble des dunes rouges du rivage.

▶ **www.westpointlighthouse.com**

NORTH CAPE

Superbe bout du monde que cette pointe de l'extrême nord. Le phare (1866) se détache sur les falaises de grès rouges balayées par le vent, où l'on entend le mugissement des phoques. C'est également le site du Centre d'interprétation d'énergie éolienne avec son parc éolien. Pour les randonnées, le sentier Black Marsh longe le plus long récif rocheux en Amérique du Nord.

www.tourismpei.com/north-cape

MALPEQUE

Sur la côte nord, cet endroit, qui signifie *large baie* en micmac, est célèbre pour ses huîtres. C'est du parc provincial de Cabot Beach, aux plages sauvages peu fréquentées (camping), que l'on aura la meilleure vue d'ensemble sur cette grande baie.

CAVENDISH

Au nord, la région de Cavendish est le haut lieu du tourisme de l'île. Situé près des plus belles plages de cette côte et des principaux points d'intérêt de l'île, Cavendish est aussi la porte d'entrée du parc national de l'Île-du-Prince-Édouard et de Green Gables, probablement la plus grande attraction de l'île.La localité possède un centre d'information touristique, plusieurs ressources hôtelières et un bon nombre de restaurants et de boutiques. À proximité, les enfants pourront profiter des parcs d'attractions.

www.cavendishbeachpei.com

Se loger

■ KINDRED SPIRITS COUNTRY INN & COTTAGES

Route 6
✆ +1 902 963 2434
✆ +1 800 461 1755
www.kindredspirits.ca
info@kindredspirits.ca
Ouvert de mi-mai à fin octobre. Occupation double : à partir de 65 CAN $ en basse saison et 85 CAN $ en haute saison. Petit déjeuner inclus. Cottages disponibles à l'année : à partir de 150 CAN $ en basse saison et 260 CAN $ en haute saison. Forfaits disponibles.
Situé à proximité de la plage de Cavendish, le Kindred Spirits est une auberge de qualité, meublée à l'ancienne et joliment décorée, avec un superbe salon. Piscine, Jacuzzi, salle d'exercices, location de vélos.

■ NEW GLASGOW HIGLANDS CAMPGROUND & CAMP CABINS

Hunter River RR #3
New Glascow
✆ +1 902 964 3232
www.campcabinpei.com
les.andrews@pei.sympatico.ca
Ouvert en saison estivale. Camping : 32 CAN $, motorisés (3 services) : 38 CAN $, chalet rustique : 60 CAN $ pour 2 personnes.
Aménagé dans un environnement boisé et à proximité de Cavendish, ce camping propose des emplacements avec et sans services ainsi que des chalets rustiques. Nombreux services sur place dont une piscine, un magasin et des sentiers pédestres.

■ STANHOPE BAY & BEACH RESORT

3445 Bayshore Road
Stanhope
✆ +1 902 672 2701, +1 866 672 2701
www.stanhopebeachresort.com
info@stanhopebeachresort.com
Ouvert de mi-avril à fin octobre. Occupation double : à partir de 129 CAN $. Forfaits disponibles.
Haut lieu de villégiature depuis plus d'un siècle, venez profiter de la mer, du confort et de l'excellente cuisine du restaurant spécialisé en fruits de mer. Bar, massothérapie sur réservation, piscine extérieure chauffée, grande terrasse avec vue sur la mer.

Se restaurer

Les restaurants abondent dans les environs de Cavendish. La spécialité est bien entendu les fruits de mer et surtout, le homard. Quelques bonnes adresses : New Glascow Lobster Suppers à New Glascow, Fisherman's Wharf Lobster Suppers à North Rustico, et Church Lobster Supper à St. Ann.

Circuit côtier du centre

Cette route fait le tour complet de la partie centrale de l'île. Elle passe à proximité des superbes plages de sable blanc de la côte nord, baignées par le golfe du Saint-Laurent et englobées dans le parc national de l'Île-du-Prince-Édouard. Elle traverse de pittoresques petits ports de pêche acadiens (environs de Rustico) puis longe les falaises de grès rouge du détroit de Northumberland.

www.tourismpei.com/circuit-heron-bleu

À voir / À faire

■ AVONLEA – VILLAGE OF ANN OF GREEN GABLES

8779 Route 6 ✆ +1 902 963 3050
www.avonlea.ca – anne@avonlea.ca
Mi-juin à fin septembre : lundi-dimanche, 10h-17h (jusqu'à 16h en septembre). Adulte : 19,05 CAN $ (6 CAN $ en septembre).
Retrouvez les personnages du roman *Anne... la maison aux pignons verts* dans le village reconstitué de l'héroïne. Bâtiments du patrimoine, promenade en carriole et à dos de poney, spectacles de musique traditionnelle, mini-ferme, expositions, salle de théâtre, et bien d'autres activités vous y attendent. Boutiques sur place.

■ SITE PATRIMONIAL GREEN GABLES

8619 Route 6
✆ +1 902 963 7874, +1 888 773 8888
www.pc.gc.ca/greengables
greengables.info@pc.gc.ca
Ouvert de mai à novembre : lundi-dimanche, 9h-17h. Le reste de l'année : accès au site sans services ni animation. Tarification selon la saison.
La romancière Lucy Maud Montgomery (1874-1942), qui était profondément attachée à son île et à la beauté des paysages de Cavendish, a immortalisé la ferme de ses cousins Macneill, non loin de laquelle elle habitait : c'est elle qui a servi de cadre à son célèbre roman *Anne of Green Gables (Anne... la maison aux pignons verts)*, l'un des contes pour enfants les plus populaires de la littérature anglaise. Dominant une campagne vallonnée, le jardin à l'anglaise offre ses pelouses d'un vert tendre rehaussé de touffes de fleurs vives ; en contrebas, c'est la forêt hantée. Suivez l'héroïne, elle vous guidera... La romancière est enterrée dans le cimetière de Cavendish.

Sports / Détente / Loisirs

■ PARC NATIONAL DU CANADA DE L'ÎLE-DU-PRINCE-ÉDOUARD

À 24 km au nord de Charlottetown
✆ +1 902 672 6350, +1 888 773 8888
www.pc.gc.ca/pei – pnipe.peinp@pc.gc.ca
Ouvert toute l'année (services complets en juillet et août). Adulte : 7,80 CAN $, aîné : 6,80 CAN $, jeune : 3,90 CAN $. Hébergement en camping sur place.
Ce parc qui s'étire sur 40 km le long de la côte nord, en bordure du golfe du Saint-Laurent, est parcouru par le Gulf Shore Parkway, qui permet de découvrir un des plus beaux paysages du Canada atlantique. Des sentiers, des chemins de planche et des passerelles conduisent à un littoral qui offre une succession de dunes de sable, de falaises de grès rouge, de marais d'eau saumâtre, d'étangs d'eau douce, de terres boisées et de superbes plages blanches de sable fin. La teinte rouge des falaises contenant de l'hématite provient de l'oxydation de ce minéral riche en fer. Ces falaises sont extrêmement friables. Sous l'action des glaciers et des vagues se sont créés des cordons littoraux et des dunes résultant de l'accumulation du grès érodé. Les vagues, les courants et les vents violents continuent à modeler les dunes de sable fixées seulement par les plantes ammophiles. Des sentiers d'interprétation de la nature permettent de mieux comprendre ce fragile équilibre écologique. Des pistes cyclables, de nombreux sentiers de randonnée et des aires de pique-nique sont aménagés dans le parc. En été, une foule d'activités et de manifestations y sont organisées.

► **Plages :** elles sont nombreuses. Les plus belles sont celles de North Rustico, de Brackley, tout en longueur et ourlées de dunes, et, plus encore, celle de Cavendish, bordée de falaises de grès rouge stratifiées, la plus spectaculaire de l'île. Toutes les plages sont bien équipées et surveillées.

■ PÊCHE SPORTIVE

Les amants de la pêche seront ici comblés. À North Rustico vous trouverez bon nombre de compagnies aux tarifs assez similaires. Covehead Harbour, situé dans le parc national, est un autre endroit de référence dans le domaine. À l'entrée du parc, mentionnez que vous allez à Covehead pour la pêche et vous économiserez les droits d'entrée au parc.

ROCKY POINT

Rocky Point, situé sur un cap au sud de Charlottetown, est surtout connu pour son site historique national de Port-La-Joye - Fort Ahmerst, principale attraction des lieux.

■ LIEU HISTORIQUE NATIONAL DU CANADA DE PORT-LA-JOYE – FORT-AHMERST

Route 19
✆ +1 902 566 7626, +1 888 773 8888
www.pc.gc.ca/portlajoye
information@pc.gc.ca
Ouvert de juin à octobre. Réception des visiteurs et services d'interprétation en juillet et août : tous les jours de 9h à 17h. Adulte : 3,90 CAN $, aîné : 3,40 CAN $, jeune : 1,90 CAN $.

C'est ici que, les premiers, les Français s'installèrent sur l'île, en 1720. En 1758, les Anglais s'emparèrent de la région et élevèrent, sur le même emplacement, Fort Amherst, qu'ils occupèrent jusqu'en 1768. De la forteresse, il ne subsiste plus aujourd'hui que des talus herbeux d'où l'on a de superbes vues sur la baie et le port de Charlottetown juste en face. C'est l'endroit idéal pour un pique-nique. Le centre d'accueil présente l'histoire du lieu au moyen d'expositions et d'un montage audiovisuel.

CHARLOTTETOWN

Au cœur d'une riche région agricole, cette petite capitale tranquille (58 625 habitants) aux maisons victoriennes classiques, mène doucement sa vie de port moyen dans une anse bien abritée du détroit du Northumberland. Fondée en 1768, elle doit son nom à la reine Charlotte, épouse du roi George III d'Angleterre. L'animation bat son plein sur les terrasses de café de la Victoria Row, interdite à la circulation, et dans les restaurants de la marina.

Transports

■ CHARLOTTETOWN AIRPORT
Route 15
✆ +1 902 566 7997
www.flypei.com
info@flypei.com

■ EAST CONNECTION SHUTTLE
Lieu d'embarquement :
Au centre-ville
✆ +1 902 892 6760
✆ +1 902 393 5132
En service de fin juin à fin septembre. Hors saison : sur réservation. Se renseigner sur les tarifs et les horaires.
Service de navette de passagers entre Charlottetown et Souris (point d'embarquement du traversier pour les Îles de la Madeleine).

■ GARE ROUTIÈRE DE CHARLOTTETOWN
156 Belvedere Avenue
✆ +1 902 566 9744, +1 800 567 5151
www.acadianbus.com
infobus@acadianbus.com

■ PEI EXPRESS SHUTTLE
Lieu d'embarquement au Burger King :
473 University Avenue
✆ +1 877 877 1771
www.peishuttle.com
peiexpress@yahoo.ca
Adulte : 65 CAN $ pour un aller simple, 120 CAN $ pour un aller-retour. Communiquez avec eux pour les horaires. Réservation obligatoire.
Service de navette entre l'Île du Prince-Édouard (Charlottetown, Summerside, Borden) et la Nouvelle-Écosse (Halifax, Darmouth, Bedford, aéroport).

Pratique

■ TOURISM CHARLOTTETOWN
91 Water Street
✆ +1 800 955 1864
www.tourismcharlottetown.ca
ljay@tcpei.ca

▸ **Autre adresse :** Centre permanent d'information aux visiteurs : 6 Prince Street, +1 902 368 4444.

Se loger

■ CHARLOTTETOWN BACKPACKERS INN
60 Hillsborough Street
✆ +1 902 367 5749
www.charlottetownbackpackers.com
info@charlottetownbackpackers.com
Ouvert d'avril à novembre. Chambre partagée : à partir de 28 CAN $, chambre privée : à partir de 71 CAN $. Petit déjeuner maison inclus (savoureux !). Programme d'activités. Membre du réseau Hostelling International.
En y mettant les pieds, on se croirait à la maison et on pense déjà à prolonger son séjour. La déco donne des airs de campagne à cette petite maison pleine de cachet. Plusieurs services dont des postes Internet, une cuisine toute équipée, et un salon avec une vaste sélection de films. Pour les noctambules, l'ancien garage a été converti en lounge avec divans, table de billard et une immense collection de vinyles. Un gros coup de cœur pour cette auberge située à deux pas du centre !

■ HERITAGE HARBOUR HOUSE INN B&B
9 Grafton Street
✆ +1 902 892 6633
✆ +1 800 405 0066
www.hhhouse.net
inquiry@hhhouse.net
Occupation simple ou double : à partir de 99 CAN $ en basse saison et 129 CAN $ en haute saison. Petit déjeuner inclus. Forfaits disponibles.
Cette charmante auberge est située à proximité de tous les attraits et restaurants de la ville. Ambiance champêtre et personnel très chaleureux.

Se restaurer

■ THE GAHAN HOUSE
126 Sydney Street
✆ +1 902 626 2337
www.gahanbrewery.com
gahan@murphyrestaurants.ca
Ouvert tous les jours dès 11h (midi le dimanche). Menu à la carte : 20 CAN $ et moins.
Brasserie artisanale, restaurant, grande terrasse en été, bref un lieu à visiter pour les amoureux du houblon et des soirées animées entre amis. En juillet et août, des visites guidées des installations de brassage sont proposées du lundi au samedi à 17h et 19h (8 CAN $).

Sortir

Pour tout savoir sur les activités culturelles et artistiques de la capitale et de la province, procurez-vous le mensuel gratuit *The Buzz*. Un incontournable pour vos sorties !

▸ **www.buzzon.com**

■ CENTRE DES ARTS DE LA CONFÉDÉRATION
145 Richmond Street
✆ +1 902 628 1864
✆ +1 800 565 0278
www.confederationcentre.com
info@confederationcentre.com
Horaire variable selon les spectacles.
Ce centre culturel abrite des salles de spectacles, d'exposition, un restaurant (Mavor's), ainsi qu'une galerie d'art présentant quelques peintures canadiennes. Dans le théâtre, se donne, en été, la représentation musicale d'*Anne of Green Gables*.

À voir / À faire

■ LIEU HISTORIQUE NATIONAL DU CANADA PROVINCE HOUSE
Angle des rues Richmond et Great George au centre-ville
✆ +1 902 566 7626, +1 888 773 8888
www.pc.gc.ca/provincehouse
information@pc.gc.ca
Ouvert toute l'année (fermé le week-end de l'Action de Grâce à fin mai). Droit d'entrée : 3,40 CAN $. Ce bâtiment à trois étages de style géorgien, construit en 1847, est d'importance nationale. Dans sa Chambre de la confédération s'est tenue, en 1864, la rencontre historique qui devait aboutir, en 1867, à la formation du Dominion du Canada. C'est aujourd'hui le siège de l'Assemblée législative.

■ SALLE DES FONDATEURS – PAVILLON DU BERCEAU DU CANADA
6 Prince Street ✆ +1 902 368 1864
www.foundershall.ca
requests@walkandseacharlottetown.com
Ouvert toute l'année. Horaires variables selon la saison. Adulte : 9,50 CAN $, aîné et étudiant : 8,50 CAN $, 6-12 ans : 6,25 CAN $.
Grâce à un audio-guide, vous vous baladerez à travers l'histoire de la confédération canadienne, de 1864 à nos jours. Présentations multimédias, jeux interactifs et expositions enrichissent le tout. Visites guidées de la ville avec personnages d'époque disponibles.

Shopping

Ne quittez pas Charlottetown sans un arrêt à Bestofpei sur la rue Richmond où vous trouverez une foule de produits de l'Île. Un autre incontournable est Anne of Green Gables Store sur la rue Queen où tous les souvenirs

Circuit côtier des pointes de l'Est

Dans cette partie de l'île où la côte est particulièrement échancrée, les petits ports sont nombreux, blottis au fond d'anses ou de baies, et les pêcheries en activité (Basin Head, Murray River, Gaspereaux, Montague, Georgetown, Souris) sont là pour témoigner de la vie maritime de ce comté qui jadis vivait de la construction des navires de bois. L'intérieur est occupé par la forêt, et les noms bien anglais des villages que l'on traverse font partie de l'héritage britannique (Cardigan, Greenfield, Upton, Southampton...). Cette partie de l'île est moins touristique, plus sauvage que la partie centrale et l'on pourra profiter de ses superbes plages (Wood Islands, Panmure Island, Red Point). Ajoutons que cette région est connue pour ses moules bleues, cultivées pour l'exportation (les bouées blanches sur l'eau marquent l'emplacement des lignes à moules).

▸ **www.tourismpei.com/circuit-pointes-est**

possibles à l'effigie de Green Gables sont disponibles. En annexe se trouve la chocolaterie d'Anne.

GASPEREAUX

Ce joli village de pêcheurs, situé à 65 km au sud-est de Charlottetown, tient son nom d'un poisson qui fréquente ses eaux. C'est l'endroit idéal pour les activités de pêche, de vélo de montagne et de randonnée, sans compter que c'est également la porte d'entrée pour le parc provincial Panmure Island.

■ PARC PROVINCIAL PANMURE ISLAND

350 Panmure Island Road
✆ +1 902 838 0668
www.tourismpei.com/parc-provincial/ile-panmure
Camping sur place (juin à mi-septembre) : à partir de 24 CAN $ (sans service) et 28 CAN $ (2 services).
Non loin de Gaspereaux, pittoresque village de pêcheurs de homards, ce parc offre une longue plage de sable fin pratiquement toujours déserte, bordée de dunes, qui est en réalité un cordon littoral reliant le cap Sharp à Panmure Island. L'eau est bonne et les méduses ne sont pas au rendez-vous. Sur l'île, montez au petit phare octogonal, blanc et rouge, bâti en 1853 pour marquer l'entrée du port de Georgetown, et profitez d'un joli panorama.

MONTAGUE

Ce petit port de pêche est, malgré sa taille modeste, un des principaux centres de la partie orientale de l'île. On y trouve quelques commerces, boutiques et restaurants, mais Montague est surtout le point de départ des croisières d'observation des phoques organisées par la Cruise Manada Seal Watching Boat Tours. Point d'embarquement à la marina de Montague sur la route 4.

► **www.townofmontaguepei.com**

CARDIGAN

Cette petite communauté (374 habitants) tire son nom du 5e Comte de Cardigan, James Brudenell, devenu plus tard duc de Monague.
Installée aux abords de la rivière Cardigan, la municipalité vit principalement de l'industrie et de la pêche, notamment aux moules et aux homards.

■ PARC PROVINCIAL DE BRUDENELL RIVER

À 5 km à l'ouest de Georgetown
près de Cardigan – Route 3
✆ +1 902 652 8966, +1 902 652 8950
www.tourismpei.com/parc-provincial/riviere-brudenell
Camping sur place (mi-mai à octobre) : à partir de 24 CAN $ (sans service), de 28 CAN $ (2 services) et de 31 CAN $ (3 services).
Longeant la Brudenell River, ce parc, situé à proximité du petit port de Georgetown, bénéficie d'un site exceptionnel sur la rivière. Il possède un hôtel, des chalets, une plage, de superbes terrains de golf, des sentiers pédestres, des emplacements de camping, et plus encore. Nombreuses activités de plein air.

SOURIS

Ce port actif est le seul point d'embarquement pour les îles de la Madeleine. C'est la communauté la plus importante de l'Est de l'île du Prince-Édouard (1 300 habitants). On y trouve un centre d'information touristique, des magasins, boutiques, hôtels et restaurants, ce qui en fait un bon point de départ pour aller explorer l'extrémité nord-est de l'île, particulièrement sauvage. On pourra également profiter de la plage du parc provincial Souris Beach.

■ CENTRE D'INFORMATION TOURISTIQUE DE SOURIS

95 Main Street
✆ +1 902 687 7030
www.sourispei.com
vicsouris@gov.pe.ca
Ouvert de fin mai à mi-octobre.

■ CTMA TRAVERSIER

Route 2
✆ +1 418 986 3278
✆ +1 888 986 3278
www.ctma.ca – info@ctma.ca
Tarifs par adulte, aller simple : 30 CAN $ en basse saison et 46,75 CAN $ en haute saison. Le coût pour la voiture en aller simple varie de 61,25 CAN $ à 87,25 CAN $ selon la saison. Réservation indispensable en haute saison. Se présenter 1h avant le départ.
Liaison par bateau entre Souris et Cap-aux-Meules (Îles de la Madeleine), en opération toute l'année. Le nombre de départ varie selon les saisons : de deux par jour à certaines périodes de l'été à deux par semaine en hiver. Le trajet dure 5h.

■ MCLEAN HOUSE INN

16 Washington Street ✆ +1 902 687 1875
www.mcleanhouseinn.com
reservations@mcleanhouseinn.com
Ouvert de juin à fin octobre. Occupation double : à partir de 95 CAN $ en basse saison et 105 CAN $ en haute saison. Petit déjeuner inclus. Située dans une maison datant de 1875, cette auberge vous offre des chambres confortables au décor simple et une magnifique vue sur la mer.

RED POINT

Porte d'entrée pour le parc provincial du même nom, Red Point est situé à peine à 15 min de voiture de Souris. Profitez de votre passage à Red Point pour visiter le musée de la Pêche Basin Head et à East Point, juste à côté, vous pourrez observer la rencontre des marées et visiter le phare.

■ BASIN HEAD FISHERIES MUSEUM

À 10 km à l'est de Souris
336 Basin Head Road
✆ +1 902 357 7233, +1 902 368 6600
www.gov.pe.ca/peimhf/
basin_head@gov.pe.ca
Ouvert de juin à mi-septembre. Adulte : 4 CAN $. Ce musée occupe un joli site surplombant un petit port, à proximité d'une superbe plage de sable et de magnifiques dunes. Il est consacré à la pêche côtière et à la vie des pêcheurs d'antan. Des hangars à bateaux abritent divers modèles d'embarcations et l'on verra une ancienne conserverie. Exposition d'artisanat.

■ PARC PROVINCIAL DE RED POINT

À 13 km à l'est de Souris
Route 16 ✆ +1 902 357 3075
www.tourismpei.com/parc-provincial/parc-red-point
Camping sur place (juin à mi-septembre) : mêmes tarifs qu'au parc provincial de Brudenell River. Une halte idéale pour un pique-nique, une balade ou une baignade. La superbe plage de sable blanc (surveillée) est bordée de conifères et de falaises de grès rouge. Camping agréable en bordure de plage.

HERMANVILLE

En route vers St. Peters, un arrêt s'impose dans cette petite localité, ne serait-ce que pour goûter à la fameuse vodka de l'île à la distillerie de Hermanville.

■ PRINCE EDWARD DISTILLERY

9984 Route 16
✆ +1 902 687 2586
✆ +1 877 510 9669
www.princeedwarddistillery.com
info@princeedwarddistillery.com
Juin à octobre : lundi-dimanche, 10h-18h. Visite de la distillerie, à l'heure, de 11h à 17h. Le reste de l'année : sur rendez-vous.
Ici, on prépare une vodka faite à partir de pommes de terre de l'Île, produit qui a récemment remporté une médaille d'or à San Francisco lors du *Wolrd Spirits Competition.* Pour quelque chose d'encore plus typé, la vodka aux bleuets sauvages fera des heureux. Bien entendu, il est possible de vous procurer ces délicieux produits sur place. Aussi disponibles : éditions limitées de whiskey, de rhum et de produits de spécialité.

ST. PETERS

C'est à cet endroit qu'en 1719 a été créé le tout premier établissement de l'île avec l'arrivée de deux marins normands dont le bateau s'était échoué dans les parages. Bien abrité dans une baie profonde, ce lieu fut nommé Havre Saint-Pierre et prospéra grâce à la pêche jusqu'à la déportation des Acadiens en 1755.Tout le long de cette côte nord se succèdent de magnifiques plages sauvages protégées à Greenwich par la prolongation du parc national de l'île du Prince-Édouard. Certaines sont accessibles. Ici la nature est reine et le meilleur moyen de transport est le vélo : vous pourrez rouler sur le sentier de la Confédération (que l'on peut rejoindre à St. Peters) qui relie Elmira, au nord, à Mount Stewart, au sud. Ce sentier longe les anciennes voies ferrées abandonnées et permet d'explorer des coins sauvages à l'écart de la circulation automobile.

TERRE-NEUVE

La plus orientale des provinces canadiennes est aussi la plus grande des Maritimes. Elle se compose de l'île de Terre-Neuve (111 390 km²), rocheuse et dentelée, et, sur le continent, d'une vaste zone montagneuse peu habitée, le Labrador (294 330 km²), à la frontière du Québec. On appréciera cette île éloignée pour sa rudesse et sa beauté sauvage. Elle demeure aujourd'hui encore une terre méconnue qui se distingue des autres Provinces atlantiques tant par son histoire et sa culture que par ses paysages. Son isolement au nord-est de l'Amérique a contribué à forger son individualité.

Une géographie particulière

Le Rocher (The Rock) – tel est son surnom – est une île rocailleuse, impropre à la culture, une terre hostile aux paysages vierges. La partie occidentale de l'île est occupée par la chaîne des Long Range, un vieux massif érodé, prolongement et fin des Appalaches. Le parc national Gros-Morne offre aux visiteurs et aux sportifs l'occasion unique de découvrir ces montagnes grandioses qui plongent dans les eaux limpides de profonds fjords (semblables à ceux de Norvège), dont certains sont en eau douce car ils ne communiquent pas avec la mer.L'intérieur de l'île est un plateau ondulé, incliné vers le sud-est, occupé tantôt par des forêts denses (40% de la surface), tantôt par des étendues désolées de landes rocheuses, de tourbières et de lacs, résidus des glaciers qui ont laissé leur empreinte. Au nord, en direction de l'Anse aux Meadows, les paysages côtiers sont d'une saisissante désolation, ponctués de minuscules villages de pêcheurs, comme égarés dans ces lieux sinistres. Ailleurs, de hautes falaises côtières abritent dans leurs anses de galets de minuscules ports de pêche. La rade de St. John's et celle de St. Anthony occupent un site naturel grandiose ceinturé de collines de roc battues par les vents et les flots.La péninsule d'Avalon est rattachée par un étroit isthme au reste de l'île. C'est la partie la plus riche et la plus peuplée, l'économie de l'île demeurant ailleurs sous-développée (peu d'industries). Les minéralogistes pourront découvrir des gemmes : albâtre, virginite, serpentine, agate.Le célèbre chien noir de Terre-Neuve, à pattes palmées, a été pendant des siècles le compagnon des marins et des pêcheurs.

Un peuplement très ancien

Comme en témoignent les nombreux vestiges autochtones mis au jour le long de ses côtes, l'île a été habitée sans interruption depuis plus de 8 000 ans.Les premiers à s'y établir ont été les Indiens de la civilisation dite archaïque maritime et les paléo-esquimaux des cultures Dorset et Groswater.Les Européens, lorsqu'ils débarquèrent à Terre-Neuve, rencontrèrent les Beothuks, des Amérindiens arrivés dans l'île vers l'an 200 et aujourd'hui disparus. L'île de Terre-Neuve, première terre en vue après la traversée de l'Atlantique, a été découverte très tôt par les Européens. Selon la tradition, à la fin du Vᵉ siècle de notre ère, le moine irlandais Brendan le Navigateur, parti à la recherche de nouvelles terres à évangéliser, aurait traversé l'Atlantique et posé le pied sur le continent. Puis les Vikings, partis du Groenland, ont séjourné sur l'île qu'ils utilisaient comme base pour l'exploration du continent : le camp établi par Leif Eriksson à l'Anse aux Meadows est le plus ancien site européen mis au jour en Amérique du Nord.

Ensuite, au XVᵉ siècle, les Basques vinrent y pêcher la morue sur les bancs de Terre-Neuve et chasser la baleine dans le détroit de Belle-Isle. L'exceptionnelle richesse des bancs avait été rapportée par le navigateur italien Jean Cabot, à la solde du roi d'Angleterre, qui aurait abordé Terre-Neuve au cap Bonavista en 1497. Le XVIᵉ siècle fut marqué par la rivalité des Français et des Anglais pour le contrôle de l'île. Dès 1558, les Anglais avaient fondé un comptoir à Trinity, sur la péninsule de Bonavista, et, en 1583, l'Angleterre prenait officiellement possession de Terre-Neuve.

Les immanquables de Terre-Neuve

- **Le parc national Gros-Morne**, joyau de l'île à la formation géologique exceptionnelle.
- **Le site archéologique de l'Anse aux Meadows** qui vous plongera à l'époque des Vikings.
- **St. John's,** la capitale très colorée à l'accueil légendaire.

LABRADOR
QUEBEC
Blanc Sablon
Strait of Belle Isle
Straitsview
L'Anse aux Meadows
St Anthony
Hare Bay
St Barbe
Main Brook
Ten Mile Lake
New Ferolle
Roddickton
Groais Island
Port aux Choix
PENINSULE DU NORD
Englee
Bell Island
OCEAN ATLANTIQUE
Estern Blue Pond
606 m.
GOLFE DU SAINT-LAURENT
Long Range Mountain
Horse Islands
Ferry vers Cartwright
White Bay
430
Cat Arm Reservoir
La Scie
Cow Head
Jackson's Arm
Baie Verte
410
Notre Dame Bay
Joe Batt's Arm
New World Island
Fogo
Fogo Island
Twillingate
Parc National Gros Morne
PENINSULE DE LA BAIE VERTE
Long Island
Rocky Harbour
420
Summerford
Gros Morne 806 m.
Triton
Trout River
Hampden
Springdale
Musgrave Harbour
Robert's Arm
Leading Tickles
South Brook
Carmanville
Tweed & Pearl Islands
Point Leamington
Sheffield Lake
330
Lark Harbour
1
Sandy Lake
Deer Lake
Lewisporte
Wesleyville

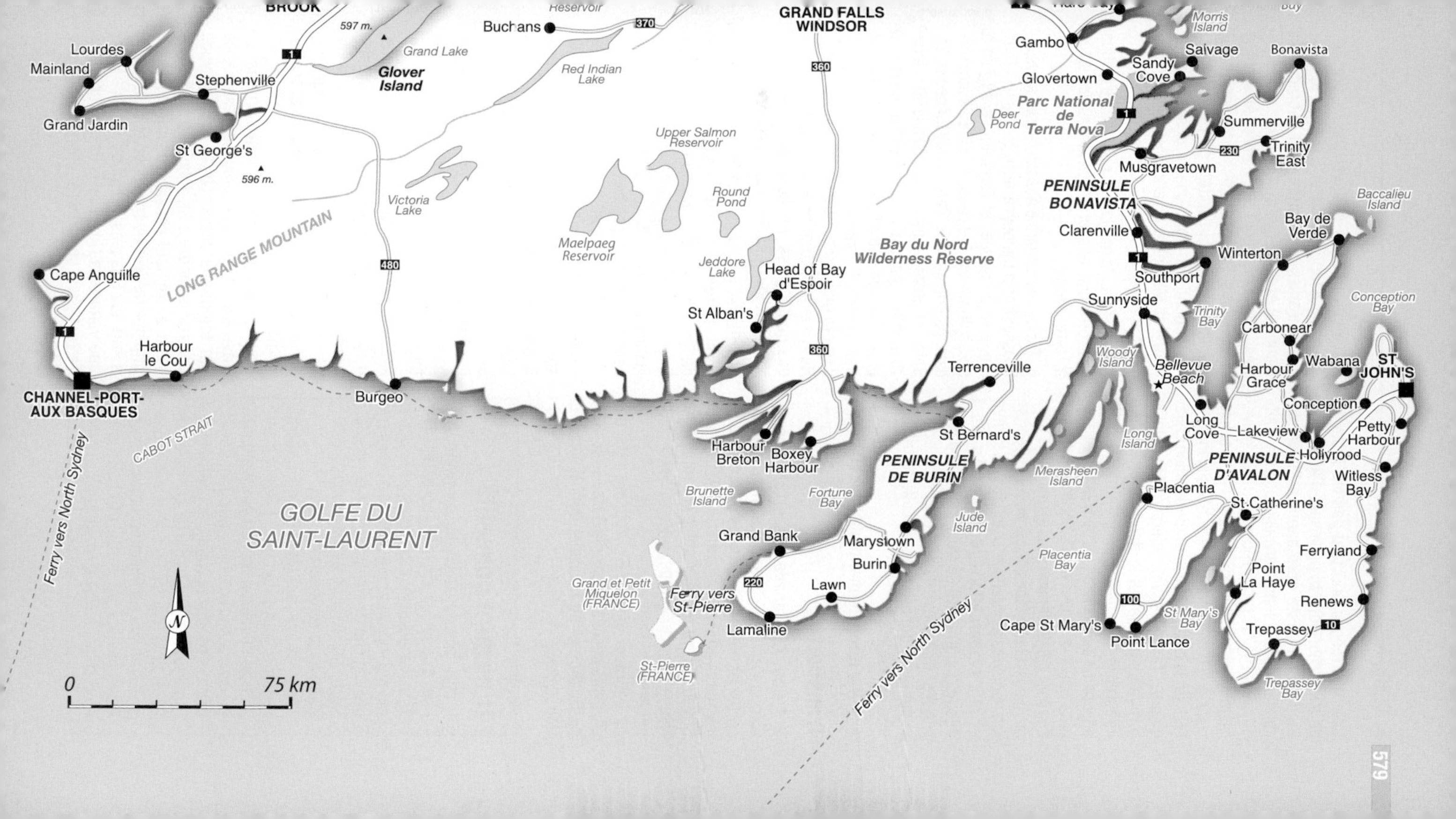
GRAND FALLS
WINDSOR
Buchans
Lourdes
Mainland
Grand Jardin
Stephenville
St George's
597 m.
596 m.
Grand Lake
Glover Island
Red Indian Lake
Upper Salmon Reservoir
Victoria Lake
Maelpaeg Reservoir
Round Pond
Jeddore Lake
LONG RANGE MOUNTAIN
Cape Anguille
Harbour le Cou
CHANNEL-PORT-AUX BASQUES
Burgeo
CABOT STRAIT
Ferry vers North Sydney
GOLFE DU SAINT-LAURENT
0
75 km
N
Head of Bay d'Espoir
St Alban's
Bay du Nord Wilderness Reserve
Harbour Breton
Boxey Harbour
Brunette Island
Fortune Bay
PENINSULE DE BURIN
Grand Bank
Marystown
Burin
Lawn
Lamaline
Grand et Petit Miquelon (FRANCE)
Ferry vers St-Pierre
St-Pierre (FRANCE)
Ferry vers North Sydney
Terrenceville
St Bernard's
Jude Island
Merasheen Island
Placentia Bay
Gambo
Glovertown
Deer Pond
Parc National de Terra Nova
Morris Island
Salvage
Sandy Cove
Bonavista
Summerville
Trinity East
Musgravetown
PENINSULE BONAVISTA
Clarenville
Southport
Sunnyside
Trinity Bay
Woody Island
Bellevue Beach
Long Island
Long Cove
Baccalieu Island
Bay de Verde
Winterton
Conception Bay
Carbonear
Harbour Grace
Wabana
ST JOHN'S
Conception
Petty Harbour
Lakeview
Holyrood
PENINSULE D'AVALON
Witless Bay
Placentia
St.Catherine's
Ferryland
Point La Haye
Renews
Trepassey
Trepassey Bay
St Mary's Bay
Cape St Mary's
Point Lance
1
10
100
220
230
360
370
480

Cela n'empêcha pourtant pas les Français de s'installer dans la péninsule d'Avalon, en fondant un poste permanent à Plaisance, capitale de la colonie française jusqu'au traité d'Utrecht (1713), qui reconnaîtra la souveraineté britannique sur l'île. Au XIXe siècle, celle-ci reçut une forte immigration irlandaise. Lors de la création de la Confédération canadienne, Terre-Neuve préféra rester colonie britannique. Elle fut la dernière province à intégrer le Canada en 1949.La moitié de la population de l'île habite la péninsule d'Avalon, et le quart la région de St. John's.

Le reste est disséminé le long des côtes dans de minuscules villages de pêcheurs (outports), aux maisons colorées accrochées au rocher, et aux embarcations (doris) amarrées à des appontements de bois fouettés par les vagues. L'intérieur de l'île est pratiquement inhabité en dehors de gros centres urbains très industriels.

- **www.newfoundlandlabrador.com**

Transports

- **Avion.** Air Canada dessert St. John's, Gander et Deer Lake. Vol direct depuis certaines villes canadiennes et service avec les autres provinces maritimes et le Labrador. Si vous prévoyez faire votre vol vers Terre-Neuve depuis l'Europe, une connexion sera nécessaire.

Air Labrador dessert St. Anthony, ainsi que plusieurs destinations sur la Basse-Côte-Nord au Québec et au Labrador dont Wabush et Goose Bay.

Itinéraire conseillé

Il faut faire la traversée complète de l'île d'ouest en est en empruntant la Transcanadienne. Les routes secondaires qui s'y relient permettent d'explorer des régions typées, comme la péninsule Nord, les Twillingate, la péninsule de Burin ou la péninsule d'Avalon.

Terre-Neuve est divisée en quatre régions touristiques : l'Ouest (qui s'étend du détroit de Port aux Basques au sud jusqu'à l'Anse aux Meadows dans la péninsule Nord), le Centre (qui représente toute la partie centrale de l'île), l'Est (qui s'étend de la péninsule de Burin au sud jusqu'à la péninsule de Bonavista au nord), et finalement Avalon (péninsule d'Avalon).

Provincial Airlines dessert Deer Lake, St. Anthony, Stephenville et St. John's, ainsi que plusieurs destinations au Labrador, et Montréal et Sept-Îles au Québec.

Westjet dessert Deer Lake (service saisonnier) et St. John's. Porter Airlines offre également une liaison avec la capitale de Terre-Neuve. Finalement, Air Saint-Pierre dessert Saint-Pierre et Miquelon (France) en provenance de St John's.

- **Bus.** DRL, la principale compagnie de bus de la province, dessert plusieurs municipalités à Terre-Neuve.

- **Traversiers.** Marine Atlantic relie la Nouvelle-Écosse (North Sydney) à Terre-Neuve (Port aux Basques à l'année, et Argentia de mi-juin à fin septembre). Labrador Marine assure des liaisons entre Blanc Sablon au Québec et St. Barbe / Corner Brook à Terre-Neuve. St. Pierre Tours offre, quant à lui, un service de traversier et d'excursion entre Fortune à Terre-Neuve et Saint-Pierre (France).

Il existe plusieurs autres traversiers à Terre-Neuve et au Labrador. Pour la liste complète des compagnies, les horaires et les tarifs : www.tw.gov.nl.ca/ferryservices/index.html

- **Voiture.** La Transcanadienne (Route 1) : C'est un ruban de bitume qui traverse l'île de Terre-Neuve d'ouest en est, de Port aux Basques (arrivée du traversier) à St. John's, la capitale, soit 909 km. En dehors des gros centres, elle traverse des régions sauvages et inhabitées (attention aux passages de caribous et d'orignaux). Reste que les haltes sont possibles : des stations-service jalonnent le parcours et vous trouverez toujours à vous loger à proximité, que ce soit dans un motel au bord de la route, ou en ville dans un B&B. La Transcanadienne est une superbe route panoramique, en autoroute la plupart du temps.

- **Location de voiture.** À Port aux Basques, à St. John's, Deer Lake et dans les principales villes de la province, il vous sera possible de louer une voiture auprès des agences suivantes : Avis, Budget, Hertz, National et Thrifthy.

Pour avoir une voiture à votre arrivée du traversier à Port aux Basques, réservez-la par téléphone depuis North Sydney, vous pourrez la rendre à St. John's ou à Argentia. Il est également possible d'en louer une à Argentia (arrivée du traversier) et de la rendre à Port aux Basques. Attention : si vous louez une voiture en Nouvelle-Écosse pour aller à Terre-Neuve, vous devrez obligatoirement la rendre à son point de départ, c'est-à-dire en Nouvelle-Écosse. Les agences de location refusent d'aller récupérer à Terre-Neuve une voiture louée dans une autre province. Il est donc préférable de louer sur place.

CHANNEL – PORT AUX BASQUES

En débarquant du traversier à Port aux Basques, le premier contact que l'on a avec ce village de pêcheurs aux petites maisons de bois colorées, accrochées aux rochers du rivage, est déjà un dépaysement : le ciel est plombé, les falaises grises, le paysage désolé et rocheux, tout indique un environnement rude, voire hostile.

■ CENTRE D'INFORMATION AUX VISITEURS DE PORT AUX BASQUES

Trans Canada Highway
✆ +1 709 695 2262
www.portauxbasques.ca
pabvic@mail.gov.nl.ca
Situé à proximité du débarcadère du traversier. Ouvert de mai à octobre.

■ J.T. CHEESEMAN PROVINCIAL PARK

Route 1 – Cape Ray
✆ +1 709 695 7222
✆ +1 877 214 2267
www.explorenewfoundlandandlabrador.com/provincial-parks/j.t-cheeseman.htm
parksinfo@gov.nl.ca
Camping ouvert de mi-mai à mi-septembre.
Situé à 16 km de l'embarcadère de Port aux Basques, ce parc constitue une bonne halte pour les amateurs de camping. Observation des oiseaux (attention aux nids), randonnée pédestre, baignade.

■ MARINE ATLANTIC - TERMINAL DE PORT AUX BASQUES

Route 1
✆ +1 800 341 7981
www.marine-atlantic.ca
reservations@marine-atlantic.ca
Service quotidien à l'année entre Channel – Port aux Basques et North Sydney. Service saisonnier depuis Argentia (mi-juin à fin septembre – 3 traverses par semaine). Aller simple (départ de Port aux Basques) : adulte 35 CAN $, voiture 100 CAN $; (départ d'Argentia) : adulte 100 CAN $, voiture 210 CAN $.
Service de traversier reliant Channel - Port aux Basques / Argentia à North Sydney (Nouvelle-Écosse).

■ ST. CHRISTOPHER'S HOTEL

146 Caribou Road
✆ +1 709 695 3500, +1 800 563 4779
www.stchrishotel.com
info@stchrishotel.com
Occupation double : à partir de 85 CAN $. 83 chambres et suites. Forfaits disponibles.
L'hôtel St. Christopher's est bien situé, à proximité des centres d'activités de Port aux Basques, et offre une vue panoramique sur le port et la mer. Restaurant, bar-lounge avec foyer, salle d'exercices, buanderie.

DEER LAKE

Le lac Deer, très poissonneux, possède aussi de belles plages. La localité de Deer Lake est un carrefour majeur où se croisent la Transcanadienne, qui continue jusqu'à Grand Falls-Windsor, et la route 430, qui mène au parc national Gros-Morne et jusqu'à la pointe septentrionale de Terre-Neuve. Dans cette localité agréable, on trouvera bon nombre de logements et de restaurants.

■ CENTRE D'INFORMATION AUX VISITEURS DE DEER LAKE

Route 1
✆ +1 709 635 2202
www.town.deerlake.nf.ca
dlvic@gov.nl.ca
Ouvert de mai à octobre. Centre d'information permanent à l'aéroport.

■ DEER LAKE REGIONAL AIRPORT

Route 1
✆ +1 709 635 3601, +1 709 635 5270
www.deerlakeairport.com
info@deerlakeairport.com

■ GARE ROUTIÈRE DE DEER LAKE

Irving Circle K
62 Trans Canada Hwy
✆ +1 709 635 2130, +1 888 263 1854
www.drl-lr.com
drl@eastlink.ca

PARC NATIONAL DU CANADA GROS-MORNE

Probablement le plus grand attrait de la province ! D'une immense beauté, les paysages de ce parc gigantesque semblent tout droit sortis d'un rêve. Des montagnes sauvages et inhabitées aux islets, en passant par les fjords et les petits villages de pêcheurs, Gros Morne est un incontournable pour les amoureux de la nature.

■ **BON TOURS**
Route 430
Ocean View Motel, Rocky Harbour
✆ +1 709 458 2016, +1 888 458 2016
www.bontours.ca
info@bontours.ca
Western Brook Pond Boat Tour : 3 bateaux par jour en juillet et août, un en juin et septembre. Durée : 2 heures. Adulte : 56 CAN $. Se couvrir chaudement. Plusieurs autres croisières et activités proposées.
Un sentier tracé dans la forêt boréale rabougrie permet d'accéder au lac qui occupe un site sauvage et grandiose. Le ruisseau Western Brook s'est frayé un chemin jusqu'à l'océan en creusant dans les monts Long Range un canyon qui a formé un fjord d'eau douce. Les parois de granite presque verticales qui surplombent le lac d'une hauteur de 600 m sont spectaculaires. Des chutes d'eau et des cascades tombent de ces escarpements qui abritent des aigles à tête chauve, tandis que les berges boisées sont peuplées de caribous. Seule une promenade en bateau permet de pénétrer à l'intérieur de ce fjord, vallée glaciaire aux eaux profondes (200 m) qui s'enfonce profondément à l'intérieur des montagnes.

■ **GROS-MORNE ADVENTURES**
Norris Point
✆ +1 709 458 2722
✆ +1 800 685 4624
www.grosmorneadventures.com
info@grosmorneadventures.com
Tarifs selon l'activité choisie. Service de location de kayak et de vélo. Resto Kayak Café à Norris Point.
Cette compagnie propose une foule d'activités de plein air guidées, allant du kayak de mer à la randonnée/camping et vélo. Des forfaits pour les familles sont également offerts ainsi que des sorties guidées en raquette et en ski de fond l'hiver. Une excellente référence dans le domaine !

■ **PARC NATIONAL DU CANADA GROS-MORNE**
Route 430
✆ +1 709 458 2417, +1 888 773 8888
grosmorne.info@pc.gc.ca
À 41 km de Deer Lake par la route 430. Ouvert à l'année (horaire variable selon le point d'accueil). Adulte : 9,80 CAN $, aîné : 8,30 CAN $, jeune : 4,90 CAN $. Tarifs réduits en saison hivernale. Renseignements à l'accueil pour le camping, les randonnées à pied, les diverses activités, les promenades en bateau, l'état des pistes de ski de fond en hiver. On vous remettra un plan du parc et le programme des activités. Comptez plusieurs jours pour visiter et faire les randonnées à pied.
Joyau de l'île, inscrit au patrimoine mondial de l'Unesco, ce parc s'étire sur 1 805 km², en bordure de la longue péninsule septentrionale. Il jouit d'une renommée internationale en raison de l'ancienneté exceptionnelle de sa formation géologique, remontant à 1 250 millions d'années, et des paysages grandioses qu'offrent les montagnes tabulaires des Long Range, entaillées de fjords. Sur l'étroite bande littorale, se succèdent petits villages de pêcheurs (Rocky Harbour, Lobster Cove, Baker's Brook, Sally's Cove, St. Pauls), falaises, anses de sable ou de galets.

▸ **Bonne Bay**. Il s'agit là d'un profond fjord d'eau de mer se séparant en plusieurs bras, dont East Arm et South Arm. Le South Arm présente de magnifiques vues sur les villages de pêcheurs surplombés par les hauteurs tabulaires des Tablelands (altitude : 600 m), aux roches nues d'ocre rouge sorties de l'écorce terrestre. Près de Woody Point, un belvédère avec panneaux explicatifs offre une large vue de ces formations. Un sentier permet de pénétrer au cœur des Tablelands.

▸ **Points d'intérêt :** On y pratique la randonnée à pied, principale activité du parc, le kayak, le camping et le ski en hiver. Avec son réseau de plus de 100 km de sentiers, le parc offre une vingtaine de randonnées de tous niveaux, des promenades faciles à faire en famille aux randonnées les plus difficiles pour marcheurs chevronnés. Quelques randonnées faciles : Broom Point (1 km aller-retour), Chutes Southeast Brook (1 km aller-retour, dans les bois jusqu'à des chutes spectaculaires), Green Point (3 km sens unique, sentier côtier), Étang Berry Head (boucle de 2 km, tourbières, forêt), Étang Berry Hill (boucle de 2 km, étangs, oiseaux, grenouilles), Lobster Cove Head (boucle de 1 km, plage, maison du gardien du phare avec exposition). L'excursion aux Tablelands (4 km aller-retour, difficulté moyenne) permet de voir une géologie et une flore exceptionnelles. La randonnée qui permet d'atteindre le sommet du Gros-Morne (altitude 806 m) – 16 km, 7-8h de marche, niveau difficile – vous fera découvrir une végétation arctique-alpine et une faune particulière (lièvre arctique, lagopède).

▸ **Programmes d'interprétation :** Promenades guidées dans les Tablelands et Bonne Bay. Se renseigner à l'accueil.

PORT AUX CHOIX

Ce petit port actif aux maisons colorées occupe un site austère, sur une presqu'île, à 230 km au nord de Deer Lake et 135 km au nord de St. Pauls. La pêche y demeure l'activité dominante. Sur le port, vous pourrez assister à l'arrivée des bateaux de pêche et au débarquement des fameux crabes des neiges, ces crustacés dont la chair est plus fine que celle du homard et qui sont reconnaissables à leurs pattes démesurément longues. La pureté de l'air, la couleur bleu pâle du ciel, celle éclatante de la mer, le sol pierreux où s'accroche une maigre végétation contribuent au charme du lieu malgré sa rudesse. Le Lieu historique national du Canada Port au Choix rend hommage à cette ville qui est le plus important site d'occupation, en Amérique du Nord, des Indiens archaïques maritimes, dont on a retrouvé des cimetières vieux de 4 500 ans. Mais aussi celui des paléoesquimaux des cultures Dorset et Groswater, qui appartiennent à une autre civilisation et dont on a retrouvé des vestiges plus récents (200 à 600 après J.-C.), en particulier des pierres et des os sculptés.

L'ANSE AUX MEADOWS

À la pointe de la péninsule nordique, à 453 km de la Transcanadienne par les routes 430 et 436, ce site désolé, ouvert sur une anse rocheuse d'aspect lugubre, souvent envahie de brume, fait partie du patrimoine mondial de l'Unesco. C'est le seul endroit où l'on a retrouvé les vestiges d'une colonie viking, considérée comme étant le premier établissement européen d'Amérique du Nord. On sait, d'après les légendes, qu'un navire ralliant le Groenland aurait été emporté par une tempête et qu'il aurait aperçu des côtes inconnues. Ayant eu connaissance de ces faits, le fils d'Erik le Rouge, Leif Eriksson, aurait organisé une expédition et abordé une région riche en bois, en pâturages et en saumons qu'il nomma Vinland car il y avait trouvé de la vigne sauvage. C'est seulement en 1960 que les Norvégiens Helge Ingstad et Anne Stine découvrirent à l'Anse aux Meadows les vestiges d'un camp viking nommé camp de Leif, érigé autour de l'an mille. Il comprenait huit bâtiments et servait de camp de base aux Vikings norvégiens pour leurs expéditions vers les côtes du Labrador, de Terre-Neuve mais aussi vers celles du golfe du Saint-Laurent qui faisaient partie du Vinland. L'Anse aux Meadows était donc un camp établi à l'extrémité nord du Vinland. Les autochtones y ont vécu pendant 5 000 ans, sans doute en raison de l'abondance des richesses de la mer et de la proximité du Labrador.

■ LIEU HISTORIQUE NATIONAL DU CANADA DE L'ANSE AUX MEADOWS

Route 436
✆ +1 709 458 2417
✆ +1 888 773 8888
www.pc.gc.ca/meadows
viking.lam@pc.gc.ca
Juin à début octobre : lundi-dimanche, 9h-18h. Adulte : 11,70 CAN $, aîné : 10,05 CAN $, jeune : 5,80 CAN $.
Le centre d'accueil présente une maquette du site à l'époque des Vikings, une collection d'objets trouvés sur place et un audiovisuel intéressant, sur l'histoire des fouilles, qui constituent une très bonne introduction à la visite du site archéologique. Sur place : reconstitution de trois huttes vikings et sentiers de randonnée.

DE L'ANSE AUX MEADOWS À QUIRPON

Dans ce bout du monde d'une grande austérité, la route dessert plusieurs petites anses isolées et rocheuses, avec quelques cabanes. La vie des pêcheurs est ici particulièrement rude, en raison des brouillards, du vent polaire et des températures hivernales extrêmes (-40°C). L'été, la température peut être agréable (20°C), mais le brouillard et le vent peuvent la faire chuter de 10°C dans la même journée. Un anorak s'avère parfois nécessaire même en plein été. Toute cette région, où quelques rares personnes parlent encore français, avait été colonisée par les Français dès 1713.

Route des Vikings

La péninsule septentrionale (Great North Peninsula) se distingue nettement, par son caractère nordique, des autres régions terre-neuviennes. La route 430, dite Route des Vikings, s'amorce à la sortie du parc national Gros-Morne. La chaîne des Long Range va s'abaisser graduellement, perdant ainsi son caractère spectaculaire, tandis que la route suit un littoral qui devient de plus en plus désolé, couvert d'une végétation rase de buissons rabougris parsemés de fleurs jaunes, roses ou blanches et de baies.

Témoins de cette époque d'occupation, les noms des hameaux de la côte entre L'Anse aux Meadows (peut-être une déformation de l'appellation française Anse aux Méduses) et St. Anthony : Criquet, Bréhat, baie Française, île Quirpon. Témoins aussi les vieux fours de French Beach et les pierres tombales.

ST. ANTHONY

La route des Vikings (430) s'achève aux abords de cette petite ville (3 200 habitants) qui occupe un superbe site au fond d'une rade bien abritée, encadrée de sombres promontoires battus par les vents et les vagues de l'océan. Pourvue d'un excellent port, d'un hôpital, de commerces, de lieux d'hébergement, de restaurants et d'un aéroport, c'est l'agglomération la plus proche de L'Anse aux Meadows (35 km) et le plus important centre urbain de la région.

www.town.stanthony.nf.ca

DE DEER LAKE À GANDER

À la sortie de Deer Lake, la Transcanadienne (route 1) traverse des forêts de pins, de sapins et d'épinettes qui abritent des hordes de caribous et s'étendent autour du lac Sandy, puis surplombent le lac Birchy. La route contourne la baie Halls, qui est un fjord menant à la baie Notre-Dame, véritable dentelle aux myriades d'îles.C'est au parc Catamaran (camping), au nord de Badger, que fut capturée en 1823 la dernière survivante de la tribu indienne des Beothuks, Shanawdithit, qui mourut en 1829.La petite ville de Badger a été rendue célèbre par la ballade des bûcherons terre-neuviens Badger Drive.

GANDER

Cette ville moderne est l'une des plus importantes du centre de Terre-Neuve et elle possède un aéroport international. Pendant la Seconde Guerre mondiale, Gander était un aéroport militaire chargé de la défense de l'Atlantique nord et qui servait de base aux opérations contre les U-Boats allemands. L'histoire de l'aviation de Gander est retracée au North Atlantic Aviation Museum situé sur la route 1.

www.gandercanada.com

GANDER INTERNATIONAL AIRPORT
Route 1 ✆ +1 709 256 6666
www.flygander.ca
marketing@giaa.nf.ca

GARE ROUTIÈRE DE GANDER
Gander International Airport
Route 1
✆ +1 709 651 3434, +1 888 263 1854
www.drl-lr.com
drl@eastlink.ca

TWILLINGATE

Cette superbe région d'îles rattachées en presqu'îles ou éparpillées en myriades d'îlots dans la baie Notre-Dame, est une zone d'habitat remontant à la préhistoire : les Indiens archaïques maritimes l'avaient occupée bien avant les Indiens Béothuks et l'arrivée des premiers marins français qui auraient nommé ces îles Toulinguet, dont Twillingate serait la déformation.Les deux îles, Twillingate Nord et Twillingate Sud, reliées entre elles par un pont, sont aujourd'hui rattachées à Terre-Neuve par une digue. Elles abritent une multitude de hameaux de pêcheurs blottis dans les multiples criques de ses côtes festonnées. Une lumière dorée, de douces collines, des falaises, des plages, des anses, des lacs sertis de lichen jaune, une mer d'huile composent un paysage sans cesse renouvelé, d'une beauté paisible. Le temps ici semble suspendu.La principale localité est Twillingate, où l'on peut visiter le Twillingate Museum & Craft Shop (à la boutique d'artisanat : pulls tricotés, tapis hookés, kilts, poterie).Du phare de Long Point à l'extrémité nord de l'île, on découvre un superbe panorama sur les îlots rocheux. Quelquefois, on peut même apercevoir des baleines et des icebergs, puisque cette zone située sur l'allée des Icebergs en est l'un des meilleurs postes d'observation. Nombreux sentiers de randonnée parcourent la région immédiate.

www.twillingate.com

GLOVERTOWN

Glovertown, situé sur la côte nord-est de la province, à quelque 60 km à l'est de Gander, est la porte d'entrée pour le parc national Terra-Nova. C'est également un haut lieu de la pêche au saumon sur la rivière Terra Nova, une des plus grandes de la région. Les activités nautiques ont ici leur cote mais pour ceux voulant garder les deux pieds sur terre, le Ken Diamond Memorial Park offre plusieurs kilomètres de sentiers, dont une grande partie accessible aux personnes à mobilité réduite.

www.glovertown.net

■ **PARC NATIONAL DU CANADA TERRA-NOVA**
Route 1 ✆ +1 709 533 2801
✆ +1 888 773 8888
www.pc.gc.ca/terranova
info.tnnp@pc.gc.ca
La Transcanadienne traverse le parc de part en part, de Glovertown à Port Blandford. Ouvert à l'année. Adulte : 5,80 CAN $, aîné : 4,90 CAN $, jeune : 2,90 CAN $. Centre d'accueil situé à Salton's Brook près de la Transcanadienne (mi-mai à mi-octobre). Terrains de camping disponibles à l'intérieur du parc.
S'étendant sur 400 km², cette réserve naturelle présente des paysages boisés et vallonnés, rabotés par les glaciers, et un littoral échancré de fjords ou sounds (Clode, Newman) ouverts sur la baie de Bonavista et s'enfonçant profondément à l'intérieur des terres tels des doigts. Cette région fut peuplée par les Béothuks puis par les colons européens. Les denses forêts de conifères de Terra-Nova sont l'habitat naturel de l'orignal, de l'ours noir, de la martre, du castor mais aussi du lynx. Au début de l'été, les eaux du littoral sont parsemées d'icebergs entraînés par le courant du Labrador. Les eaux des fjords sont fréquentées par les baleines de mai à août : rorqual commun, rorqual à bosse, petit rorqual.

▸ **Randonnées pédestres :** Le parc possède un réseau de plus de 100 km de sentiers de niveaux de difficultés variés. Quelques randonnées de niveau facile à moyen : Anse Green Head (2 km, pics, oiseaux de rivage), Cap Malady (5 km, paysages superbes, mousses, lichens), Colline Blue West (10 km, bouleaux, martres, hiboux), Ruisseau Southwest (6 km, digue construite par les castors), Plage Platters (10 km, longe le fjord Clode, plage en bordure de mer), L'étang Sandy (boucle de 3 km, collines de granit), L'étang Dunphy's (10 km, forêt avec grand étang et tourbières, camping), Colline Ochre (8 km, géologie intéressante, vue panoramique), Sentier Patrimoine (1 km, audioguide fourni, vue panoramique).

▸ **Newman Sound** : le fjord est un magnifique bras de mer aux rives boisées doté d'une plage. Camping.

▸ **Presqu'île d'Eastport.** Au nord du parc, par la route 310. Presqu'île superbe aux côtes découpées de falaises, aux petits villages de pêcheurs - Happy Adventure (homarderie), Salvage (musée des Pêcheurs) - et aux plages de sable (Little Sandy Cove).

▸ **Colline Ochre**. À 20 km de l'entrée nord du parc. Accès par une route de terre de 3 km. Du haut de la tour d'incendie, panorama exceptionnel de 360 degrés sur l'ensemble du parc, ses forêts, ses collines, ses lacs et ses fjords, jusqu'à l'océan.

▸ **Mont Standford**. En empruntant le sentier du petit port isolé (longueur totale de 48 km en boucle), vous longerez le littoral jusqu'à Newman Sound. À mi-chemin, le sentier se dédouble et un, d'une longueur de 1,5 km, vous mènera au sommet du mont Standford. Une vue exceptionnelle vous y attend.

BONAVISTA

Ce village de pêcheurs aux maisons colorées est le plus important de la péninsule. C'est un port très actif, qui fut utilisé par les flottes de pêche européennes (espagnoles, portugaises, françaises et anglaises) durant tout le XVIe siècle, jusqu'à ce qu'il devienne définitivement anglais vers 1600. Au XVIIIe siècle, les Français tentèrent de s'en emparer à plusieurs reprises mais sans succès.

▸ **Phare :** certains pensent que Jean Cabot aurait abordé, en 1497, au cap Bonavista après sa traversée de l'Atlantique, depuis Bristol en Angleterre, et qu'il lui aurait donné son nom. En fait, personne ne connaît le point d'arrivée exact du navigateur dans le Nouveau Monde.
Une route mène jusqu'à la pointe isolée du cap, promontoire rocailleux battu par les vagues, où s'élève une statue de Jean Cabot, à la gloire du navigateur. Sur le cap, se dresse un phare à rayures rouges et blanches, restauré et meublé comme en 1870, qui se visite de mi-mai à début octobre. À l'intérieur, exposition sur l'histoire des phares et la vie de leurs gardiens. Du haut du phare, on a une vue impressionnante sur l'océan et la côte rocheuse, et il n'est pas rare d'apercevoir des baleines, habituées de cette côte.

▸ **Ne manquez pas de faire une visite au Lieu historique national du Canada de l'Établissement-Ryan** qui commémore le début des pêcheries de la côte Est du Canada.

▸ **www.bonavista.net**

Retrouvez l'index général en fin de guide

TRINITY

Sur un promontoire qui s'avance dans la baie Trinity, ce village occupe un site pittoresque, au milieu de ses champs cultivés, en vue de son port bien abrité, encadré de rochers. Il doit son nom à l'explorateur portugais Gaspar Corte Real, qui explora la baie le dimanche de La Trinité de l'an 1501. Puis les Anglais s'y installèrent en 1558 et en firent leur premier poste permanent à Terre-Neuve. Trinity, qui connut la prospérité grâce à ses pêcheries, fut, en 1615, le siège du premier tribunal maritime du Canada, chargé de régler les conflits entre les pêcheurs locaux et les saisonniers. Aujourd'hui Trinity vit de la pêche et du tourisme. C'est aussi un bon point de départ pour l'observation des baleines, au rendez-vous sur la côte de mai à août.

Visite du village ancien

Fermé à la circulation automobile, Trinity est un village du XIXe siècle parfaitement préservé. On aura plaisir à se promener à pied dans ses rues, délimitées par des barrières de bois, dont les maisons carrées entourées de jardinets ont conservé leur cachet d'antan.Le Centre d'interprétation de Trinity présente le village, son histoire et son ascension économique au XVIIIe siècle et au début du XIXe, avant qu'il ne soit éclipsé par St. John's.

www.townoftrinity.com

■ ARTISAN INN TRINITY
57 High Street
✆ +1 709 464 3377, +1 877 464 7700
www.trinityvacations.com
info@trinityvacations.com
Occupation double : à partir de 125 CAN $, petit déjeuner inclus. Maisons de vacances également disponibles.
Sans conteste la meilleure adresse pour un séjour à Trinity. L'hébergement se fait dans une des trois propriétés dont deux sont classées au patrimoine architectural. Son restaurant situé aux abords de la baie, le Twine Loft, propose une fine cuisine (ouvert au grand public). Hautement recommandé !

■ TRINITY HISTORICAL WALKING TOURS
✆ +1 709 464 3723, +1 709 364 8528
www.trinityhistoricalwalkingtours.com
ktoope@nfld.com
Départ à 10h du mardi au samedi. 10 CAN $ par personne (gratuit pour les enfants). Durée : environ 2h30.
Malgré sa population de 350 personnes, on y retrouve près de 50 bâtiments d'importance architecturale. Votre guide, Kevin Toope, vous fera découvrir chaque lieu du village, vous contera des histoires du passé, des anecdotes, des crimes. Des photos vous montreront l'évolution du village et la contribution des Français, Anglais et Béothuks à son développement.

FRENCHMAN'S COVE

Petite communauté de 166 habitants sise les pieds dans l'eau, aux abords de la baie Fortune, sur la péninsule de Burin. Son parc provincial est le principal attrait.

■ FRENCHMAN'S COVE PROVINCIAL PARK
Route 213
✆ +1 709 826 2090, +1 877 214 2267
www.env.gov.nl.ca/env/parks/parks/p_fc/index.html
parksinfo@gov.nl.ca
Site agréable proposant 76 emplacements de camping (mi-mai à mi-septembre), location de bateaux et chalets rustiques, baignade, terrain de golf 9-trous.

PÉNINSULE D'AVALON

On pénètre dans la péninsule d'Avalon par un isthme étroit séparant la baie Trinity (jolie plage à Bellevue) de la baie Placentia, et aussitôt le paysage change. Les forêts ont disparu pour laisser place à de vastes étendues désolées. En effet, la péninsule est en grande partie formée de drumlins graveleux et de crêtes morainiques, vestiges d'anciens glaciers. Ceux-ci ont laissé de leur passage des milliers de blocs erratiques et une végétation de lichens et d'arbres rabougris. Les monts Hawke portent la marque de leur origine glaciaire et leur climat quasi arctique est très prisé par la horde des 1 500 caribous qui les peuplent. L'orignal et l'ours noir ont également élu domicile dans la péninsule. Le sol est riche en baies : bleuets, plaquebières, camarines noires, atocas. Les rivières abondent en saumons, truites mouchetées et arc-en-ciel. Les parcs provinciaux sont nombreux où camper, pêcher ou se baigner dans les lacs. Sur la péninsule d'Avalon est concentrée la moitié de la population de Terre-Neuve.

Littoral du cap (Cape Shore)

La route 100, qui s'embranche sur la Transcanadienne, longe le littoral de la partie occidentale de la péninsule, considéré comme l'une des plus belles côtes de Terre-Neuve. Les brouillards fréquents peuvent gêner la visibilité.

PLACENTIA

Riche en histoire, Placentia (Plaisance) fut à l'époque choisie par les colonies de pêcheurs basques en raison de son port bien protégé et de sa plage couverte de cailloux, ce qui facilitait le séchage du poisson.
Située à 100 km au sud-ouest de St. John's, dans un région boisée du littoral, Placentia continue à prospérer de nos jours. Tout en maintenant le charme de la région afin d'attirer les entreprises, elle reste l'une des communautés les plus pittoresques de la province. Placentia sera toujours connue comme Le lieu agréable.

www.placentiatourism.ca

■ LIEU HISTORIQUE NATIONAL DU CANADA DE CASTLE HIL

Route 100
✆ +1 709 227 2401
✆ +1 709 772 5367
www.pc.gc.ca/castlehill
castle.hill@pc.gc.ca
À 8 km du ferry d'Argentia. Ouvert à l'année (services et visite du centre d'accueil du 15 mai au 15 octobre, de 10h à 18h). Adulte : 3,90 CAN $, aîné : 3,40 CAN $, jeune : 1,90 CAN $.
Le lieu historique national surplombe le village historique de Placentia. C'est là que se situent les ruines du Fort Royal, bâti par les Français au XVIIe siècle, rebaptisé Castle Hill par les Anglais, d'où l'on découvre un panorama exceptionnel sur Placentia et sa baie. Le centre d'accueil présente l'histoire du lieu. On pourra gravir la colline aux canons, où subsistent quelques restes du fort, puis gagner le Gaillardin, une redoute construite par les Français.
En juillet et août, un spectacle historique avec des interprètes en costumes d'époque vous ramènera au XVIIe siècle, à l'époque où Plaisance était la capitale française de Terre-Neuve.

CAPE ST. MARY'S

Le promontoire de Cape St. Mary's est situé à l'extrémité sud de la péninsule d'Avalon, sur le bras sud-ouest. Jouissant d'une grande réputation en raison de sa réserve écologique de faune, ce cap est probablement un des plus connus de la province. L'artiste Otto P. Kelland a d'ailleurs composé une chanson folklorique en son honneur, *Let Me Fish Off Cape St. Mary's*.

Péninsule de Burin

Cette longue presqu'île, rocailleuse, montagneuse et isolée, s'avance comme une botte dans l'Atlantique, entre les baies Placenta et Fortune. C'est elle qui jadis donnait accès aux fameux bancs de Terre-Neuve. D'importantes industries de pêche hauturière s'y sont développées, ainsi que la construction navale. Au-delà, subsistent les vestiges de l'ancien empire français en Amérique du Nord : Saint-Pierre-et-Miquelon. La route 210 dessert Fortune d'où part le traversier pour Saint-Pierre. Pour plus d'information et pour réserver :

■ ST. PIERRE TOURS

5 Bayview Street – Fortune
✆ +1 709 832 0429
✆ +1 800 563 2006
www.spmtours.com
st.pierretours_fortune@hotmail.com
En opération de mi-juin à mi-septembre. Départ quotidien de Fortune à 11h15. Adulte : 80 CAN $ l'aller-retour. Excursion d'un jour offerte de juillet à début septembre (départ à 7h15 tous les jours sauf dimanche). Adulte : 90 CAN $ l'aller-retour.
Service de traversier / excursion d'un jour entre Fortune à Terre-Neuve et Saint-Pierre (France).

■ CAPE ST. MARY'S ECOLOGICAL RESERVE

✆ +1 709 277 1666
www.env.gov.nl.ca/env/parks/wer/r_csme/index.html
parksinfo@gov.nl.ca
Ouvert à l'année. Visites guidées de mai à fin septembre ou début octobre (7 CAN $ par personne, durée : 1h30).
Ce cap baigné par l'Atlantique est l'habitat naturel de 60 000 oiseaux de mer. C'est la réserve ornithologique qui protège la colonie d'oiseaux la plus importante d'Amérique du Nord. Le centre d'accueil dispense des informations sur leur mode de vie. De là, un sentier mène à Bird Rock, territoire de la plus grande colonie de fous de Bassan de Terre-Neuve. Les falaises voisines attirent mouettes tridactyles et guillemots. Superbes vues sur les escarpements de la côte. Au mois de juillet, on peut aussi apercevoir des baleines à bosse.

ST JOHN'S (SAINT-JEAN)

Située au nord-est de la péninsule d'Avalon, face au grand large, la capitale de Terre-Neuve (100 646 habitants) est l'une des plus anciennes villes d'Amérique du Nord. Son port historique occupe une rade bien protégée, dans un site spectaculaire.

Histoire

Jean Cabot serait entré dans la rade le jour de la Saint-Jean, en l'an 1497, d'où le nom de la ville. Au XVIe siècle, les pêcheurs européens utilisaient déjà ce port naturel comme base de leurs campagnes de pêche. C'est en 1583 que sir Humphrey Gilbert revendiqua l'île au nom de la reine Élisabeth 1re d'Angleterre. Terre-Neuve fut la première possession anglaise du Nouveau Monde. Afin de préserver leur monopole commercial fructueux, les marchands propriétaires des flottes de pêche anglaises empêchaient toute colonisation de l'île. Toutefois la menace française que représentait Plaisance, élevée en 1662, allait les faire changer de point de vue. En effet, depuis Plaisance, les Français lançaient des attaques incessantes contre les ports anglais et notamment St. John's, qui fut pris et détruit à plusieurs reprises, en 1696, 1709, 1762. C'est ainsi que la rade de St. John's fut fortifiée et Signal Hill bâti sur la colline afin de protéger la ville. Au XIXe siècle, St. John's subit plusieurs incendies et, à chaque fois, la ville fut reconstruite dans le style en vogue à l'époque. Elle a cependant conservé quelques édifices géorgiens. Pendant la Seconde Guerre mondiale, la ville servit de base aux convois américains. Après l'entrée de Terre-Neuve dans la Confédération canadienne, la ville connut de graves difficultés économiques, en raison de l'afflux des produits canadiens meilleur marché qui fut la cause de l'effondrement de ses industries. Son activité de centre d'exportation du poisson s'effondra aussi avec la diminution du commerce du poisson salé. Aujourd'hui le port s'est reconverti en base de réparation de navires et d'approvisionnement en carburant. Des bateaux de toutes nationalités y font relâche. Et on a découvert du pétrole au large de ses côtes. Au centre de St. John's, George Street est la place idéale pour se restaurer, sortir ou boire un verre dans un pub après une longue journée. Plusieurs commerces y sont rassemblés et vous feront découvrir la bonne atmosphère de la région.

▸ www.stjohns.ca/visitors/index.jsp

Transports

■ GARE ROUTIÈRE DE ST. JOHN'S
Crossroads Motel
980 Kenmount Road
Paradise ✆ +1 709 368 3191
✆ +1 888 263 1854
www.drl-lr.com
drl@eastlink.ca
Autre point d'embarquement au MUN University Centre.

■ ST. JOHN'S INTERNATIONAL AIRPORT
80 Airport Terminal Access Road
✆ +1 709 758 8500
✆ +1 866 758 8581
www.stjohnsairport.com

Pratique

■ DESTINATION ST. JOHN'S
291 Water Street, Suite 302
✆ +1 709 739 8899
✆ +1 877 739 8899
www.destinationstjohns.com
Autre centre d'information aux visiteurs à l'aéroport.

Se loger

■ EVERTON HOUSE
23 Kings Bridge Road
✆ +1 709 754 1326
✆ +1 866 754 1326
www.evertonhouse.com
info@evertonhouse.com
Occupation double : à partir de 99 CAN $, petit déjeuner inclus. Tarifs hors saison et forfaits disponibles.
Magnifique propriété située au centre de la ville près des attractions et restaurants. Couleurs joyeuses, déco très soignée, petit déjeuner typique de la région et un accueil des plus chaleureux.

■ THE RYAN MANSION
21 Rennies Mill Road
✆ +1 709 753 7926
www.ryanmansion.com
info@ryanmasion.com
Occupation double : à partir de 195 CAN $. Forfaits disponibles. Centre de santé Spa.
Comme son nom l'indique, ce manoir vous offre charme, luxe et grand confort. Tout est soigné et pensé dans cette magnifique maison centenaire. Pour ceux qui recherchent un peu de luxe dans leur séjour...

© ELENATHEWISE - FOTOLIA

St John's.

Se restaurer

■ **BIANCA'S**
171 Water Street
✆ +1 709 726 9016 – www.biancas.net
Ouvert en semaine dès 11h30 et tous les soirs dès 17h30 (18h le dimanche). Menu midi : 20 CAN $ et moins, soir : 42 CAN $ et moins.
Une excellente adresse pour les fins gourmets où produits régionaux et pleines saveurs se rencontrent. La carte des vins est très étoffée et fera plaisir à plus d'un !

■ **CHES'S FISH & CHIPS**
9 Freshwater Road ✆ +1 709 722 4083
www.chessfishandchips.ca
info@chessfishandchips.ca
Plusieurs succursales à St. John's. Menu à la carte : 20 CAN $ et moins.
Impossible de repartir de Terre-Neuve sans avoir goûté aux fameux fish & chips de l'île ! Ches's est l'incontournable en la matière.

À voir / À faire

■ **LIEU HISTORIQUE NATIONAL DU CANADA DE SIGNAL HILL**
Signal Hill Road
✆ +1 709 772 5367, +1 888 773 8888
www.pc.gc.ca/signalhill
signal.hill@pc.gc.ca
Tour Cabot et centre d'accueil ouverts à l'année (horaires variables selon les saisons). Adulte : 3,90 CAN $, aîné : 3,40 CAN $, jeune : 1,90 CAN $.
On aperçoit de partout cette colline de roc couronnée d'une tour qui garde l'entrée de la rade de St. John's. De son sommet, les vues sur l'Atlantique, la ville et la rade sont spectaculaires. En raison de sa situation stratégique, Signal HIll a été utilisé comme poste de signalisation, puis de communication. À l'aide de drapeaux, on signalait l'arrivée des bateaux dans la rade aux autorités militaires de la ville, et, aux marchands, l'arrivée de leur flotte.

Quidi Vidi

Au pied de Signal Hill, à l'arrière, le petit village de Quidi Vidi s'étend le long d'un goulet rocheux reliant le lac Quidi Vidi à la mer. C'est l'un des villages les plus pittoresques de la péninsule d'Avalon avec ses maisons aux couleurs vives, dont certaines datent de 1750, sa petite chapelle et son port de pêche en activité depuis le XVIIe siècle. Le lac Quidi Vidi est le théâtre en été des fameuses régates de St. John's qui se tiennent depuis 1826. Sur un promontoire à l'entrée du goulet, on peut voir les vestiges de la batterie de Quidi Vidi, qui défendait l'accès de St. John's par l'arrière ; elle fut construite par les Français lors de leur occupation de la ville, en 1762, qui ne dura que quelques mois, puis renforcée par les Anglais au XIXe siècle.

Du XVIIIe siècle à la Seconde Guerre mondiale, des batteries militaires y étaient installées. En 1901, Guglielmo Marconi y mena une expérience qui allait marquer le début du développement des télécommunications : la télégraphie sans fil, en recevant le premier message transatlantique, un « s » en morse, transmis par ondes électromagnétiques depuis l'autre côté de l'Atlantique (de Cornouailles, en Angleterre), à 2 700 km de là.

▶ **La Tour Cabot.** Elle fut élevée en 1897 pour fêter le 400e anniversaire du débarquement du navigateur à Terre-Neuve, et le 60e anniversaire du règne de la reine Victoria. L'intérieur abrite des expositions sur l'histoire de la signalisation maritime et sur les travaux de Marconi. On a, du sommet de la tour, un panorama exceptionnel sur la ville et la côte jusqu'au cap Spear. Sentiers de promenade sur la colline. De la Batterie de la reine (1833), qui gardait les Narrows (au XVIIIe siècle, en cas d'alerte, on tirait une chaîne pour fermer le chenal), on a une belle vue sur la rade.

▶ **Le Centre d'accueil.** Il retrace, à travers des expositions et à l'aide de dioramas et d'audiovisuels, l'histoire de Terre-Neuve et de St. John's, plus particulièrement : l'occupation de Terre-Neuve par les Anglais, les rivalités entre Français et Anglais, entre Plaisance (forteresse française) et St. John's (place forte anglaise). La pêche au phoque et à la morue fait, bien sûr, l'objet d'explications.

■ LA RADE ET LA VIEILLE VILLE

La ville est construite en amphithéâtre autour d'une rade profonde, longue de 1,6 km sur 800 m de large, qui communique avec l'océan Atlantique par un étroit chenal nommé les Narrows. Ce chenal, large de 200 m, est encaissé entre des escarpements hauts de 150 m qui s'élèvent pour former Signal Hill. En bordure du port, Harbour Drive longe les docks où sont ancrés des navires de toutes nationalités. En arrière du port, sur les pentes abruptes, s'étagent les rues de la vieille ville, bordées de coquettes maisons de bois aux couleurs vives et à toits mansardés. Les artères les plus animées, où se concentrent les magasins, les banques, les pubs, les restaurants et les théâtres, sont Water Street, Duckworth Street et George Street. On jettera un coup d'œil, sur Kings Bridge Road, à la Commissariat House, édifice de style géorgien du XIXe siècle, rénové et meublé comme en 1830, jadis l'intendance du poste militaire de St. John's.

■ THE ROOMS PROVINCIAL MUSEUM

9 Bonaventure Avenue
✆ +1 709 757 8000
www.therooms.ca
information@therooms.ca
Ouvert à l'année (fermé le lundi de mi-octobre à juin). Adulte : 7,50 CAN $, étudiant et aîné : 5 CAN $, 6-16 ans : 4 CAN $.
Ce musée relativement récent, dont vous ne pourrez certainement pas manquer l'édifice de par sa très imposante structure, dévoile l'histoire, le patrimoine et l'expression artistique de Terre-Neuve-et-Labrador. Dans un même endroit, on retrouve le musée provincial, la galerie d'art provincial et les archives provinciales. Café et boutique sur place.

CÔTE EST

La communauté irlandaise de la péninsule d'Avalon est concentrée sur cette côte empruntée par la route 10 (Irish Loop), qui s'éloigne souvent du rivage. L'accès à la mer se fait par de petites routes transversales. Le brouillard, fréquent, peut gêner la visibilité. Dans les environs, deux charmants villages chargés d'histoire : Bay Bulls et Witless Bay.

ESCAPADE À SAINT-PIERRE-ET-MIQUELON

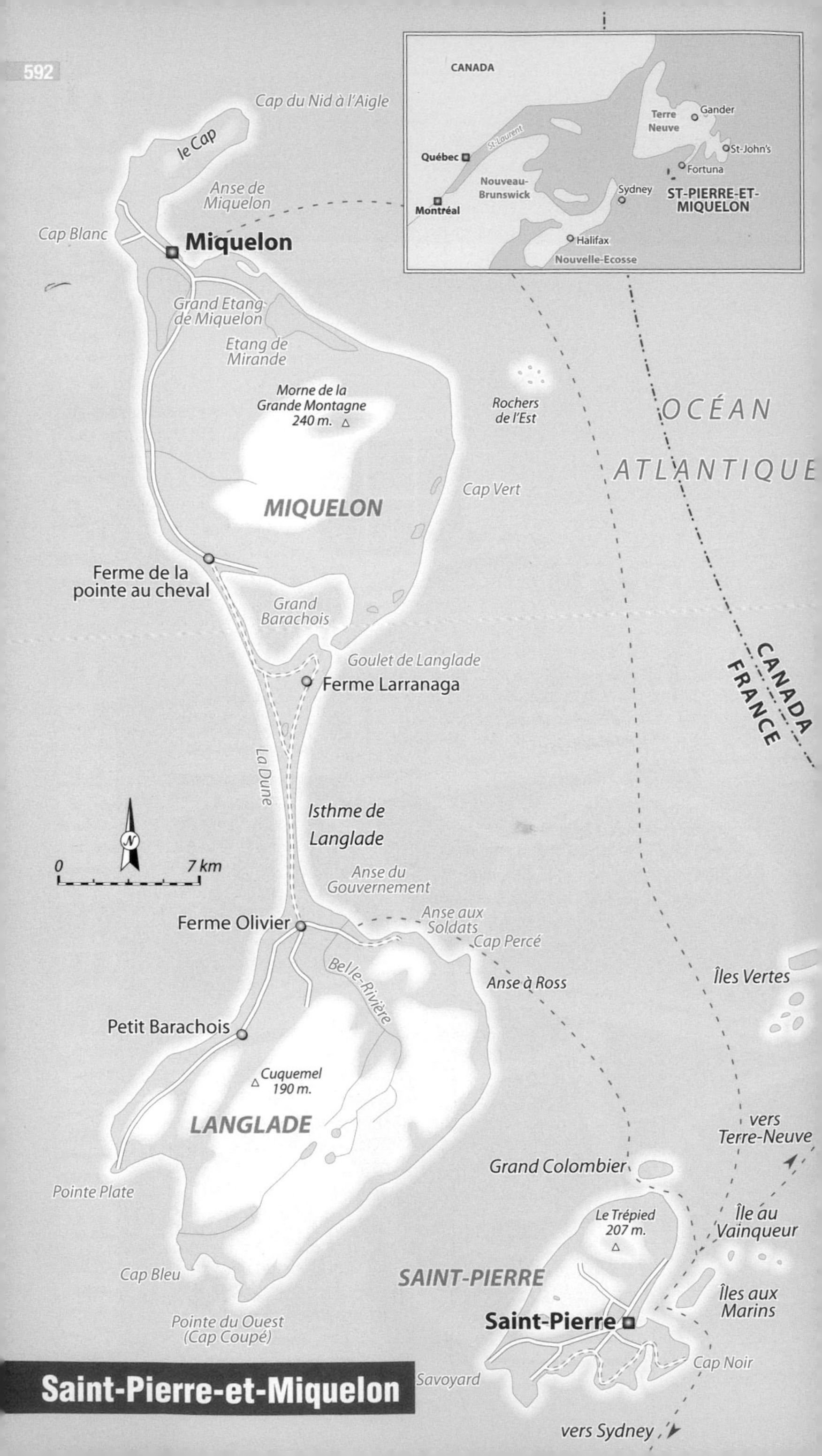

Saint-Pierre-et-Miquelon

Escapade à Saint-Pierre-et-Miquelon

A 25 km des côtes de l'île de Terre-Neuve, l'archipel de Saint-Pierre et Miquelon est le seul territoire français encore présent en Amérique du Nord, dernière parcelle de l'ancienne Nouvelle-France. Avec la Guadeloupe, la Martinique, la Guyane, Saint-Martin, Saint-Barthélemy et Clipperton, c'est l'un des sept territoires français en Amérique. Ancien département d'outre-mer puis collectivité territoriale à statut particulier, c'est aujourd'hui une collectivité d'outre-mer. Etonnant de se balader sur la place Charles de Gaulle, ou de faire un brin de causette aux gendarmes qui surveillent avec sérieux le « caillou », comme l'appellent ses habitants. Mais que l'on ne s'y trompe pas, s'il est une enclave française au Canada, ce petit bout de terre possède son caractère bien à lui.

Histoire

Le navigateur portugais Joao Alvares Fagundes, qui a exploré l'archipel avant 1521, en est le premier visiteur officiel. Cependant, de nombreux indices indiquent qu'Inuits et Indiens ont pu passer par l'archipel sans s'y établir véritablement. Les premiers Européens venus pêcher dans la région au début du XVIe siècle sont les Français, les Basques et les Portugais. En 1534, 1535 et 1536, le Malouin Jacques Cartier explore la région du Golfe du Saint-Laurent. Les Français et les Anglais se partagent l'île au XVIIe siècle. Des habitants permanents se sont installés à Saint-Pierre à la fin du XVIIe siècle. Au cours des années, les îles passent successivement sous la domination anglaise et française pour devenir définitivement françaises en 1816.

Géographie

L'archipel se compose de trois îles principales :

- **Saint-Pierre**, le chef-lieu, d'une superficie de 26 km²
- **Miquelon et Langlade** d'une superficie de 200 km², reliées par un isthme de sable long de 12 km.

Population

La population de Saint-Pierre et Miquelon est estimée à 6 125 habitants au recensement de 2006.

La plus grande partie est établie à Saint-Pierre, (5 509 habitants), le reste sur Miquelon (616 habitants). Les origines de la population sont basque, bretonne, normande et acadienne.

Le français est la langue officielle, bien que l'anglais soit parlé couramment par une grande partie des habitants.

Climat

Situé à 47°N et 56°W, l'archipel de Saint-Pierre et Miquelon est formé d'îles et d'îlots émergeant de l'Atlantique Nord, à l'entrée du golfe du Saint-Laurent, au Sud de Terre-Neuve. A la croisée du courant froid du Labrador et du courant océanique chaud du Gulf Stream, l'Archipel vit sous un climat subarctique souvent balayé par le vent et parfois chahuté par les tempêtes.

La température moyenne annuelle (5,3°C) se distingue par une amplitude annuelle élevée de 19°C entre le mois le plus chaud (15,7°C en août) et le mois le plus froid (-3,6°C en février)

Économie

L'économie de l'archipel repose sur des secteurs variés comme la pêche et l'industrie de transformation, la commande publique, l'agriculture, l'élevage, les services et le tourisme.

SAINT-PIERRE

Bien qu'étant la plus petite île de l'archipel, Saint-Pierre en est le chef-lieu, et c'est ici qu'est installée la quasi-totalité de la population. Ainsi, c'est dans ce petit bout de terre que vous trouverez la plupart des services, et c'est par ici que vous arriverez.

Transports

Comment y accéder et en partir

Que ce soit par avion ou par bateau, de multiples possibilités s'offrent aux visiteurs qui veulent se rendre à Saint-Pierre et Miquelon ou qui souhaitent inclure l'archipel dans leur découverte du Canada Atlantique.

Deux traversiers assurent des rotations régulières entre Saint-Pierre et Fortune, port situé au sud de Terre-Neuve. Notez que ces traversiers n'acceptent que les passagers uniquement. Pour votre véhicule, des parkings sont à disposition à Fortune.

■ AIR SAINT-PIERRE
✆ + 33 508 41 00 00
www.airsaintpierre.com
contact@airsaintpierre.com
729 € l'aller-retour depuis Montréal.
Air Saint-Pierre propose un service de vols réguliers et saisonniers depuis St-Jean (45 mn), Sydney (1h), Halifax (1h30) et Montréal (3h15). Dessert également Miquelon pour 17,50 € l'aller.

■ RÉGIE TRANSPORTS MARITIMES
Quai Mimosa
✆ +33 508 41 98 99
www.saintpierreferry.ca
billetterie.rtm@cg975.fr
cabestanticketoffice@bellaliant.net
75 $ l'aller-retour. Horaires variables selon la saison. Presque tous les jours en été, très peu de dates en hiver.
Le navire Le Cabestan effectue des allers-retours réguliers vers Fortune, mais aussi des liaisons inter-îles avec Miquelon, Langlade et l'île aux marins.

■ SPM TOURS
✆ +1 709 832 0429
www.spmtours.com
st.pierretours_fortune@hotmail.com
80 $ l'aller-retour.
Service de ferry entre Terre-neuve et les îles, mais également possibilités d'excursions à la journée.

Se déplacer

Pour vous déplacer sur Saint-Pierre, rien de mieux que vos deux jambes. Traverser la ville ne vous prendra pas plus de 15 minutes. Et si un coup de fatigue vous prend, de nombreux taxis sillonnent la ville.

Pratique

Tourisme

■ OFFICE DU TOURISME
Place du Général de Gaulle
✆ +33 5 08 41 02 00
www.tourisme-saint-pierre-et-miquelon.com
Un site internet très complet, et de nombreuses informations sur place pour visiter l'île ou trouver un hébergement. Egalement un calendrier des diverses manifestations.

■ ST-PIERRE-ET-MIQUELON.COM
www.st-pierre-et-miquelon.com
Site d'information sur l'archipel, très complet.

Argent

Rangez vos dollars canadiens, et ressortez vos euros. Vous êtes en France ! La plupart des commerçants acceptent cependant les dollars canadiens et américains. Les règlements par cartes bancaires sont acceptés dans de nombreux commerces. Des distributeurs automatiques sont également disponibles. Un avantage certain : pas de TVA dans l'archipel !

Postes et télécom

Les moyens de communication les plus modernes et diversifiés sont offerts à la population de l'archipel : internet, téléphone fixe et mobile, réseau câblé de télévision, le tout géré par un opérateur, SPM Télécom. La chaîne publique outre-mer de radio (99.9 Mhz) et de télévision SPM 1ère est installée à Saint-Pierre ainsi que deux radios communautaires « Radio Atlantique » (102.1 Mhz) et « Archipel FM » (103.3 Mhz).

Urgences

■ CENTRE DE SANTÉ
Place du Général de Gaulle
✆ +33 508 41 15 60

■ CENTRE HOSPITALIER FRANÇOIS DUNAN
20 rue Maître Georges Lefèvre
✆ +33 508 41 14 00

Se loger

L'hébergement à Saint-Pierre est principalement constitué de pensions de familles, de Bed & Breakfast et d'auberges. L'hôtel le plus grand de l'archipel ne compte que 40 chambres.

Bien et pas cher

■ AUBERGE DE L'ARCHIPEL

19 rue Beaussant ✆ +33 508 41 72 00
auberge@cheznoo.net
55 € la chambre double (petit déjeuner inclus). Une des pensions les moins chères de Saint-Pierre, aux 5 chambres proprettes, juste au-dessus du centre-ville.

■ PENSION DODEMAN

15 rue Paul Bert ✆ +33 508 41 30 60
www.pensiondodeman.com
jdodeman@cheznoo.net
50 € la chambre double, petit déjeuner inclus.
Bernard et Josette Dodeman vous accueillent dans leur charmante maison de 300 m² comprenant 3 chambres. Jouissant d'une belle vue sur la montagne, elle est située dans un quartier calme à 15 minutes à pied du centre-ville.

Confort ou charme

■ AUBERGE QUATRE TEMPS

Impasse des Quatre Temps
✆ +33 508 41 43 01
www.quatretemps.com
pascal.vigneau@quatretemps.com
74 € la chambre double.
Situé dans un quartier calme de la ville, au pied de la « Montagne », l'Auberge Quatre Temps est à quelques minutes à pied seulement du centre-ville. Elle propose des chambres rénovées, et est fière de la cuisine proposée par son restaurant.

■ AUBERGE SAINT-PIERRE

16 rue Georges Daguerre
✆ +33 508 41 40 86
www.aubergesaintpierre.fr
aubergesaintpierre@gmail.com
82 € la chambre double, petit déjeuner inclus.
Gérée par la même famille depuis près de 50 ans, l'Auberge Saint-Pierre, 3-étoiles, est une des valeurs sûres de l'archipel. La décoration est plutôt simple mais de bon goût, et le personnel est totalement à votre disposition.

■ HÔTEL NUITS SAINT-PIERRE

10 rue du Général Leclerc
✆ +33 508 41 20 27
nuitssaintpierre.com
info@nuitssaintpierre.com
De 110 € à 155 € la chambre double.
Probablement l'hôtel le plus luxueux de l'archipel, labellisé « Auberges et Bistrots de France ». L'ambiance est feutrée, l'atmosphère est romantique avec des noms de chambre évocateurs tels que Marcel Proust ou Ronsard. Uniquement 4 chambres et une suite pour cet hébergement d'exception, unique en son genre sur Saint-Pierre.

■ HÔTEL ROBERT

2 rue du 11 novembre ✆ +33 508 41 24 19
www.hotelrobert.com
hotelrobertspm@gmail.com
80 à 105 € la chambre double (petit déjeuner non compris).
Dans le vieux port, juste à l'arrivée du ferry, le Robert est le plus grand hôtel de l'archipel, avec 40 chambres. Construit pendant la prohibition dans les années 1920, il a, paraît-il, hébergé Al Capone lui-même ! Face à l'océan, il jouit d'une situation privilégiée, et d'un confort tout à fait correct.

Se restaurer

■ LE FEU DE BRAISE

14 rue Albert Briand ✆ +33 508 41 91 60
www.feudebraise.com
restaurant@feudebraise.com
Environ 25 € le repas. Dans l'une des rues les plus animées de la ville, ce restaurant propose une cuisine traditionnelle française aux accents de terroir. La carte est variée, passant du tartare de saint-jacques en charlotte de saumon fumé au confit de canard maison.

■ L'ATELIER GOURMAND

12 rue du 11 Novembre
✆ +33 508 41 53 00
www.lateliergourmandspm.com
lateliergourmand@cheznoo.net
Comptez 25 à 30 € le repas.
Sans racines, la cuisine n'aurait pas d'âme, clame la devise du restaurant. C'est avec les recettes séculaires de l'île et les produits locaux que le chef élabore ses recettes. La terrasse est agréable, et la situation de l'établissement ne l'est pas moins, dans le vieux port au rez-de-chaussée de l'hôtel Robert.

■ ONGI ETORRI

2 rue Amiral Muselier
✆ +33 508 41 57 50
www.ongietorrispm.com
ongietorrispm@gmail.com
25 à 30 € le repas. Fermé le dimanche soir et le lundi.
Cuisine traditionnelle à base de produits locaux. Bien entendu, beaucoup de plats aux saveurs marines. Une des bonnes tables de Saint-Pierre.

À voir / À faire

■ CALVAIRE

Sur une colline qui surplombe la ville, la croix du Calvaire témoigne de l'importance de la religion catholique aux îles Saint-Pierre et Miquelon. La vue sur la ville vaut à elle seule la balade.

■ CATHÉDRALE DE SAINT-PIERRE

Place Maurer

La cathédrale historique date de 1690, mais a été détruite par une incendie en 1902. Le bâtiment actuel date de sa reconstruction entre 1905 et 1907. L'architecture intérieure est caractéristique des églises basques avec ses tribunes supérieures, et ses vitraux datent du début du XXe siècle, installés peu après sa reconstruction. Seuls ceux du transept datent de 1967, dévoilés à l'occasion du passage du général de Gaulle qui en était le donateur.

■ FRONTON ZAZPIAK BAT

Témoin de l'origine basque de nombreux habitants de l'archipel, ce fronton typique est le lieu de pratique de plusieurs sports traditionnels de la même origine. Le fronton est construit sur la place Richard Briand, un lieu festivités lors de la fête nationale du 14 Juillet et de la fête basque.

■ MUSÉE DE L'ARCHE

Rue du 11 novembre

✆ +33 508 41 04 35

www.arche-musee-et-archives.net

Ouvert tous les jours sauf le lundi du 1er juin au 30 septembre de 10h à midi et de 13h30 à 17h. En dehors de ces dates, sur rendez-vous uniquement. Entrée 4 €, visite guidée 4,50 €.

L'Arche regroupe à la fois le musée et le service des Archives. L'une des pièces les plus notables est une guillotine utilisée lors d'un procès retentissant en 1889.

■ MUSÉE HÉRITAGE

Rue Maitre Georges Lefèvre

✆ +33 508 41 58 88

www.musee-heritage.fr

Fermé les dimanches et jours fériés. Entrée 4,50 €.

Inauguré en 2003 par un collectionneur passionné, le Musée héritage présente à travers 10 salles l'histoire de l'archipel. Nombreuses pièces de l'époque de la prohibition notamment.

■ PHARE DE GALANTRY

Ce phare visible depuis la mer, sur la pointe du même nom, fut construit pendant les années 1970 pour remplacer l'ancien phare de Galantry qui datait du XIXe siècle.

■ PHARE DE LA POINTE AUX CANONS

Gardant l'entrée du port de Saint-Pierre, vous ne pourrez le manquer en arrivant sur l'île par la mer. Il n'est pas ouvert au public, mais se trouve au bout d'une jetée propice à une agréable balade. Il est l'un des monuments caractéristiques de l'archipel, souvent représenté sur les cartes postales. La vue sur la ville depuis le bout de la jetée vaut le détour.

■ PLACE DU GÉNÉRAL DE GAULLE

Autrefois centre de l'activité économique de l'île, la Place du Général de Gaulle est aujourd'hui bien calme, mais reste encore la place principale de la ville. Située juste devant le port de Saint-Pierre, elle est le théâtre de la levée du drapeau lors de la fête nationale le 14 Juillet, peut-être plus émouvante encore ici dans ce petit coin de terre français sur les côtes d'Amérique.

■ POINTE AUX CANONS

Sur cette pointe, face à la mer, se dressait au début du XVIIIe siècle un fortin destiné à défendre la ville des assaillants. Au XIXe siècle, le fortin n'existe déjà plus, mais est remplacé par une batterie de canon à l'occasion de la guerre de Crimée, qui bien entendu n'est plus en fonction mais garde le port symboliquement.

Juste à côté, les Salines sont des cabanes construites par le gouvernement territorial de Saint-Pierre pour servir d'abri à l'équipement des pêcheurs.

■ QUARTIER ADMINISTRATIF

Établi autour des places François Maurer et Lieutenant Colonel Pigeaud, le centre politique, judiciaire et administratif de l'Archipel regroupe la préfecture, le palais de justice, le Conseil général et des bureaux annexes.

Visites guidées

L'office du tourisme organise plusieurs tours guidés de l'île de Saint-Pierre ou des autres îles de l'archipel.

- **Tour de Saint-Pierre en bus.**
- **Tour guidé de l'Ile aux Marins.**
- **Tour guidé de Langlade et Miquelon.**

■ **LE CAILLOU BLANC**
2 rue du Maine ✆ +33 508 41 49 88
www.lecailloublanc.fr
Le Caillou blanc est une agence locale spécialisée dans le service touristique sur mesure. Elle saura vous organiser une visite de l'archipel à votre image.

Shopping

■ **LA BUTTE**
67, rue Albert Briand ✆ +33 508 41 53 06
Fax : +33 508 41 34 05
http://shop.labutte.com/fr/
Cet atelier-boutique créé en 2006 par Thierry et sa femme Isabelle est dédié à la création et décoration sur porcelaine de Limoges. Isabelle décore à la main et avec talent vaisselle et autres objets déco, un travail récompensé en juin 2011 par le label « Atelier d'Art de France ». Des visites guidées de l'atelier sont proposées en période estivale.

MIQUELON

Au nord de l'île de Saint-Pierre, se trouvent deux îles reliées par un banc de sable de 12 km de long : Langlade et Miquelon. La première est inhabitée, mais la seconde abrite le petit village de Miquelon, riche de quelques 600 âmes. Vous pouvez choisir de visiter ces deux coins de nature en une excursion à la journée, ou loger à Miquelon… Sensation de bout du monde garantie !

Pratique

■ **CENTRE MÉDICAL**
20 rue Antoine Soucy
✆ +33 508 41 04 00

Se loger

■ **MOTEL DE MIQUELON**
40 rue Sourdeval ✆ +33 508 41 64 57
moteldemiquelon.wifeo.com
motel.de.miquelon@gmail.com
75 € la chambre double. L'un des rares hébergements en dehors de Saint-Pierre. Chambres confortables et simples. Possibilité de transfert sur demande.

Se restaurer

■ **SNACK BAR À CHOIX**
2 rue Sourdeval
✆ +33 508 41 62 00
snack-barachoix@cheznoo.net
Environ 10 €. Un snack tout simplement, mais l'accueil est bon !

À voir / À faire

■ **CAP DE MIQUELON**
Au nord de la commune, ce cap est de toute beauté et présente une géologie particulière.

■ **COMMUNE DE MIQUELON**
Peuplée par un peu plus de 600 habitants, et seule autre commune de l'archipel, Miquelon est une commune dont l'histoire et la culture sont proches de celle de l'Acadie. Quelques années après la déportation de 1755, plusieurs centaines d'Acadiens y cherchèrent refuge. Vous pourrez visiter l'église, le phare situé sur le Cap Blanc, et le cimetière.

■ **ÎLE AUX MARINS**
Inhabitée depuis les années 1960, l'île aux marins a autrefois compté près de 600 habitants et constituait un centre économique important. Pour visiter cette île, une excursion accompagnée est préférable. L'église Notre-Dame-des-marins est une curiosité, mais n'est accessible que par l'intermédiaire d'un tour guidé. Vous pourrez également apercevoir l'épave du Tanspacific, un cargo dont la carcasse se déplace au gré des marées, la batterie établie au même moment que celle de la pointe aux canons à Saint-Pierre. Enfin, le cimetière est particulièrement insolite.

■ **ÎLE DE LANGLADE**
De toutes les îles de l'archipel, Langlade est sans nul doute la plus intéressante sur le plan géologique. Ses falaises abruptes protègent un écosystème d'une grande richesse.

ORGANISER SON SÉJOUR

Vue aérienne de Toronto.

Pense futé

ARGENT

Monnaie

La monnaie s'exprime en dollars canadiens (à ne pas confondre avec le dollar US).
Pièces de 1 et 2 CAN $, et 1, 5, 10 et 25 ¢ (cents) ; billets de 5, 10, 20, 50 et 100 CAN $ (ces derniers sont parfois refusés dans certains magasins).

Taux de change

1 CAN $ = 0,71 € ; 1 € = 1,41 CAN $ (octobre 2011).

Budget

Voici quelques estimations de prix afin de mieux vous aider à établir un budget. Une nuit en auberge de jeunesse pour une personne revient à un minimum de 20 CAN $, une nuit en camping pour deux personnes entre 18 et 30 CAN $ (un peu plus pour le camping 2 ou 3 services). Il faut compter au moins 75 CAN $ la nuit pour deux dans une chambre d'hôte. Pour un motel, compter de 75 à 90 CAN $ la nuit pour deux. Dans les hôtels plus chics, compter à partir de 99 CAN $ la chambre double. Attention, les prix sont généralement hors taxes : il faut ajouter 5 à 13 % (selon la province).
Midi et soir, la table d'hôte désigne le menu accompagné généralement d'une entrée et parfois d'un dessert et du café. Il faut compter au minimum entre 6 et 10 CAN $ pour un snack, de 8 à 15 CAN $ en moyenne pour une assiette chaude garnie accompagnée d'une salade, et les tables d'hôtes de 10 à 40 CAN $. Attention, pour les repas, il faut ajouter aux taxes le service de 15 %. Pour bien compter, il faut donc majorer les prix de 20 à 30 % !

Banques et change

Elles ouvrent généralement à 10h et ferment à 16h (la plupart restent ouvertes jusqu'à 19h-20h le jeudi soir). Certaines sont même ouvertes le week-end depuis peu.
Les banques offrent généralement un service de change, mais ne proposent pas des taux très avantageux.

■ NATIONAL CHANGE
✆ 0 820 888 154
www.nationalchange.com
N'hésitez pas à contacter notre partenaire en mentionnant le code PF06 ou en consultant le site Internet. Vos devises et chèques de voyage vous seront envoyés à domicile.

Moyens de paiement

Lors de votre voyage au Canada, trois modes de paiement sont à privilégier : l'argent liquide, la carte de paiement bancaire et les chèques de voyage. Pour les petites dépenses, mieux vaut se prévaloir d'argent liquide. Pour les grosses dépenses, optez pour votre carte de paiement. Une petite commission vous sera facturée, mais la limite des dépenses permises est plus élevée qu'un retrait à un ATM (vérifiez d'ailleurs votre limite de retrait avec votre banque française). Vous pouvez aussi vous prévaloir de chèques de voyage (Traveler's Cheques) en dollars canadiens. Ces derniers sont acceptés presque partout au pays et en cas de perte ou de vol, ils se remplacent facilement.

▸ **Note :** contrairement à l'Europe, vous remarquerez que certaines banques acceptent uniquement la carte Visa® (Banque Royale, Banque Laurentienne, Caisse Desjardins...) alors que d'autres, seulement la MasterCard® (Banque Nationale, Banque de Montréal...).

Cash

Vous trouverez des distributeurs automatiques (appelés ATM) un peu partout. Privilégiez les distributeurs appartenant à une banque ou une caisse populaire locale plutôt que ceux dits « indépendants ».

Les cartes de paiement européennes permettent de retirer de l'argent dans les distributeurs si les banques émettrices sont affiliées au réseau Cirrus ou Plus. Attention, les banques nord-américaines sont liées à Visa® ou à MasterCard®, jamais les deux : surveillez donc les logos figurant sur le guichet.

Transfert d'argent

Avec ce système, on peut envoyer et recevoir de l'argent de n'importe où dans le monde en quelques minutes. Le principe est simple : un de vos proches se rend dans un point MoneyGram® ou Western Union® (poste, banque, station-service, épicerie...), il donne votre nom et verse une somme à son interlocuteur. De votre côté de la planète, vous vous rendez dans un point de la même filiale. Sur simple présentation d'une pièce d'identité avec photo et de la référence du transfert, on vous remettra aussitôt l'argent.

Carte de crédit

▸ **Avant votre départ,** pensez à vérifier avec votre conseiller bancaire la limitation de votre plafond de paiement et de retrait. Demandez, si besoin est, une autorisation exceptionnelle pour la période de votre voyage. Forts utiles, les règlements par carte sont très majoritairement acceptés dans les hôtels, les restaurants et les agences de voyages, moyennant une commission de 2 à 3 %.

© ISTOCKPHOTO.COM/MICHAELGZC

Patinoire devant l'hôtel de ville de Toronto.

▸ **En cas de perte ou de vol** de votre carte de paiement, appelez le serveur vocal du groupement des cartes bancaires Visa® et MasterCard® au ✆ (00 33) 892 705 705 ou (00 33) 836 690 880. Il est accessible 7j/7 et 24h/24. Si vous connaissez le numéro de votre carte bancaire, l'opposition est immédiate et confirmée. Dans le cas contraire, l'opposition est enregistrée mais vous devez confirmer l'annulation à votre banque par fax ou lettre recommandée.

▸ **En cas de dysfonctionnement de votre carte** de paiement ou si vous avez atteint votre plafond de retrait, vous pouvez bénéficier d'un *cash advance*. Proposé dans la plupart des grandes banques, ce service permet de retirer du liquide sur simple présentation de votre carte au guichet d'un établissement bancaire, que ce soit le vôtre ou non. On vous demandera souvent une pièce d'identité. En général, le plafond du *cash advance* est identique à celui des retraits, et les deux se cumulent (si votre plafond est fixé à 500 €, vous pouvez retirer 1 000 € : 500 € au distributeur, 500 € en *cash advance*). Quant au coût de l'opération, c'est celui d'un retrait à l'étranger.

Traveler's Cheques

Ce sont des chèques prépayés émis par une banque, valables partout, et qui permettent d'obtenir des espèces dans un établissement bancaire ou de payer directement ses achats auprès de très nombreux lieux affiliés (boutiques, hôtels, restaurants...). Ils sont valables à vie. Leur avantage principal est l'inviolabilité : un système de double signature (la deuxième étant faite par vous devant le commerçant) empêche toute utilisation frauduleuse. A la fin de votre séjour, s'il vous reste des Traveler's Cheques, vous pourrez les changer contre des Euros ou les restituer à votre banque qui les imputera à votre compte courant. A noter que le paiement par chèque classique est rarement possible à l'étranger. Lorsque c'est le cas, l'utilisation est compliquée et très coûteuse.

Pourboires, marchandage et taxes

- **Pourboire.** Il est habituellement de 15 %, non inclus dans l'addition. Dans les restaurants, comptez 15% de la somme totale due, en fonction du service fourni (pour éviter ces calculs, laissez un peu plus que l'équivalent des taxes indiquées sur la facture). Donner des « sous noirs » (1 cent) revient à dire que l'on n'a vraiment pas apprécié le service. Le pourboire aux chauffeurs de taxi, aux chasseurs d'hôtel et aux coiffeurs est donné au gré du client. Pas de pourboires dans les cinémas et les théâtres.
- **Taxes.** Les prix de la plupart des biens de consommation et des services sont majorés d'une taxe nationale (TPS) de 5% et d'une taxe provinciale dont le pourcentage varie d'une province à l'autre, à l'exception de l'Alberta et des trois Territoires. N'oubliez donc pas de rajouter entre 5% et 13 % de taxes au prix de vos achats.

Duty Free

Puisque votre destination finale est hors de l'Union européenne, vous pouvez bénéficier du Duty Free (achats exonérés de taxes). Attention, si vous faites escale au sein de l'Union européenne, vous en profiterez dans tous les aéroports à l'aller, mais pas au retour. Par exemple, pour un vol aller avec une escale, vous pourrez faire du shopping en Duty Free dans les trois aéroports, mais seulement dans celui de votre lieu de séjour au retour.

ASSURANCES

Simples touristes, étudiants, expatriés ou professionnels, il est possible de s'assurer selon ses besoins et pour une durée correspondant à son séjour. De la simple couverture temporaire s'adressant aux baroudeurs occasionnels à la garantie annuelle, très avantageuse pour les grands voyageurs, chacun pourra trouver le bon compromis. À condition toutefois de savoir lire entre les lignes.

BAGAGES

- **Les étés sont chauds.** Cependant, la climatisation et les soirées fraîches à la campagne nécessitent des lainages et un coupe-vent. N'oubliez pas le maillot de bain, un sac à dos pour les randonnées pédestres et une lotion anti-moustiques.
- **Au printemps et à l'automne**, il faut un imperméable doublé.
- **En hiver**, munissez-vous d'un bonnet, de moufles et d'une écharpe ainsi que d'un anorak, de vêtements chauds et de bottes fourrées.

DÉCALAGE HORAIRE

Le Canada est divisé en six fuseaux horaires. Avec la France : 9h de moins en Colombie-Britannique et au Yukon ; 8h de moins pour l'Alberta et les Territoires du Nord-Ouest ; 7h de moins pour la Saskatchewan, le Manitoba et l'extrême ouest de l'Ontario ; 6h de moins pour l'Ontario et le Québec ; 5h de moins pour les Îles de la Madeleine, le Nouveau-Brunswick, la Nouvelle-Écosse et l'Île du Prince-Édouard ; quant à Terre-Neuve, 4h30 de moins. Notez que le Nunavut couvre trois fuseaux horaires.

ÉLECTRICITÉ, POIDS ET MESURES

Courant alternatif de 110 volts avec une fréquence de 60 Hz. Les fiches sont plates à l'américaine (pas rondes comme en Europe). Munissez-vous d'un adaptateur afin de pouvoir utiliser les appareils européens tels que rasoir ou séchoir à cheveux, et vérifier qu'ils acceptent ce voltage. Le cas échéant, munissez-vous également d'un convertisseur de courant. Bien que le Canada ait adopté le système métrique depuis une vingtaine d'années, on utilise encore les anciennes mesures.

- **1 pied** = 30,48 cm (3 pieds font une verge = 0,914 cm). Il existe aussi les pieds carrés, verges carrées et acres.
- **1 mètre** = 3,28 pieds.
- **1 pouce** = 2,54 cm (il y a 12 pouces dans 1 pied).
- **10 cm** = 3,937 pouces.
- **1 livre** = 454 g (il y a 16 onces dans 1 livre). Je pèse 140 livres (63,5 kg) et je mesure 5 pieds 8 pouces (1,73 m).
- **1 kg** = 2,20 livres.
- **1 once** = 28,349 g.
- **1 kg** = 35,27 onces.
- **1 pinte** = environ 1 demi-litre.
- **1 gallon canadien** = 4,5 litres.
- **1 gallon américain** = 3,785 litres.
- **1 acre** = 0,4 hectare.
- **Quant aux pointures de chaussures**, le 38 femme correspond au 7 (qui équivaut au 39,5 pour l'homme).
- **Pour les tailles de vêtements**, le 40 femme correspond au 12 ; le 44 homme devient le 34.

FORMALITÉS, VISA ET DOUANES

Les voyageurs français, belges et suisses sont acceptés pour trois mois sans visa. Ils doivent être en possession d'un passeport encore valable six mois après le retour, d'un billet de retour et disposer d'une somme suffisante en argent pour assurer leur séjour.

- **Le programme US Visit.** Depuis le 26 octobre 2004, si vous prévoyez de passer la frontière américaine, vous devez impérativement être détenteur d'un passeport sécurisé à lecture optique ; cet impératif vaut également pour les voyageurs en transit. Dans le cas contraire, il vous faut obtenir un visa américain (attention, cela peut prendre plusieurs semaines pour obtenir un rendez-vous auprès de l'ambassade des États-Unis).
- **Attention aux conditions d'entrées pour vos animaux de compagnie.** Les animaux domestiques sont admis à condition qu'un permis d'importation canadien (délivré à la douane canadienne) ait été obtenu. Le certificat antirabique de moins d'un an et le certificat de santé (délivré dix jours avant le départ) sont obligatoires. La loi canadienne interdit de posséder plus de deux animaux domestiques (chiens, chats) par logis. En ville, les chiens sont obligatoirement tenus en laisse en tout temps. Dans les transports publics, il faut prendre l'ami fidèle dans ses bras. Tous (pour les résidents) doivent être enregistrés à l'hôtel de ville sous peine de voir la police frapper à leur porte pour s'en assurer. Pour en savoir plus, vous pouvez consulter les fiches pays de l'Ecole vétérinaire de Maison Alfort : www.vet-alfort.fr/ressources/anivoyage.

Obtention du passeport

Tous les passeports délivrés en France sont désormais biométriques. Ils comportent votre photo, vos empreintes digitales et une puce sécurisée. Pour l'obtenir, rendez-vous en mairie muni d'un timbre fiscal, d'un justificatif de domicile, d'une pièce d'identité et de deux photos d'identité. Le passeport est délivré sous trois semaines environ. Il est valable dix ans. Les enfants doivent disposer d'un passeport personnel (valable cinq ans).

- **Conseil futé.** Avant de partir, pensez à photocopier tous les documents que vous emportez avec vous. Vous emporterez un exemplaire de chaque document et laisserez l'autre à quelqu'un en France. En cas de perte ou de vol, les démarches de renouvellement seront ainsi beaucoup plus simples auprès des autorités consulaires. Vous pouvez également conserver des copies sur le site internet officiel http://mon.service-public.fr – Il vous suffit de créer un compte et de scanner toutes vos pièces d'identité et autres documents importants dans l'espace confidentiel.

Formalités et visas

■ **ACTION-VISAS**
69, rue de la Glacière 75013 Paris
✆ 0 892 707 710
www.action-visas.com

■ **VSI**
19-21, avenue Joffre
93800 Epinay-sur-Seine Cedex
✆ 0 826 46 79 19
www.vsi.1er.fr

■ **WORLD VISA**
117, rue de Charenton 75012 Paris
✆ 06 09 83 82 29 – www.worldvisa.fr

Douanes

Lorsque vous arrivez en France d'une destination hors de l'Union Européenne, vous pouvez transporter avec vous des marchandises achetées ou qui vous ont été offertes dans un pays tiers, sans avoir de déclaration à effectuer, ni de droits et taxes à payer. La valeur de ces marchandises ne doit pas excéder, selon les cas de figure :

▶ **Voyageur de moins de 15 ans (**quel que soit le mode de transport) : 150 €

▶ **Voyageur de 15 ans et plus,** utilisant un mode de transport autre que aérien et maritime : 300 €

▶ **Voyageur de 15 ans et plus, utilisant un mode de transport aérien et maritime :** 430 €

▶ **Attention :** aucune de ces sommes ne peut être cumulée par différentes personnes pour bénéficier d'une franchise plus importante pour un même objet. (Par exemple, un couple ne peut pas demander à bénéficier de la franchise pour un appareil d'une valeur de 860 €)

▶ **Si vous voyagez avec 10 000 € de devises ou plus,** vous devez impérativement les déclarer en douane et si vous transportez des objets d'origine étrangère, munissez-vous des factures ou des quittances de paiement des droits de douane : on peut vous les demander pour prouver que vous êtes en règle.

▶ **Enfin, certains produits sont libres de droits** de douane jusqu'à une certaine quantité. Au-delà de celle-ci, ils doivent être déclarés. Vous acquitterez alors les taxes normalement exigibles. Les franchises ne sont pas cumulatives. Cela signifie que si vous choisissez de ramener du tabac, vous pouvez acheter 200 cigarettes ou 50 cigares (soit 250 grammes de tabac), mais pas les deux. Contactez la douane pour en savoir plus.

Tabac	Cigarettes (unités)	200*
	Tabac à fumer (g)	250
	Cigares (unités)	50
Alcool (litres)	Vin	4
	Produits intermédiaires (- 22°)	2
	Boissons spiritueuses (+ 22°)	1
	Bières	16

** Certains pays peuvent abaisser ce chiffre à 40 selon leur politique de santé.*

■ **DOUANES**
✆ 0 811 20 44 44
www.douane.gouv.fr
dg-bic@douane.finances.gouv.fr

HORAIRES D'OUVERTURE

Les bureaux sont généralement ouverts du lundi au vendredi de 9h à 17h. Les commerces, quant à eux, servent habituellement du lundi au vendredi de 9h à 18h (jusqu'à 21h le jeudi et le vendredi), le samedi de 9h à 17h, et le dimanche de 10h ou midi à 17h. Notez que ces horaires peuvent varier d'une province à l'autre.

INTERNET

La grande majorité des hôtels et des B&B ont des ordinateurs avec accès à Internet disponibles pour leurs clients et/ou offrent une connexion wi-fi. Les villes comptent assez peu de commerces avec des postes d'accès à Internet mais beaucoup sont équipés en wi-fi. Les bureaux d'information touristique ont parfois un poste Internet à disposition. En tous les cas, il faut compter entre 3 et 5 CAN $ pour une heure de connexion.

Chaque année, Action contre la Faim vient en aide
à près de 5 millions de personnes dans le monde.
SOUTENEZ-NOUS
www.actioncontrelafaim.org
Dons sécurisés en ligne
© Véronique Burger/Phanie - RDC
ACTION
CONTRE LA
FAIM
ACF INTERNATIONAL

JOURS FÉRIÉS

La plupart des banques, écoles et services administratifs et gouvernementaux sont fermés :

- **Le 1er janvier :** jour de l'An.
- **Le vendredi saint :** le vendredi précédant le dimanche de Pâques.
- **Le lundi de Pâques :** le lundi suivant le dimanche de Pâques.
- **Le lundi précédant le 25 mai :** fête de la Reine – et sa concurrente québécoise, la journée nationale des Patriotes.
- **Le 24 juin :** fête nationale du Québec, Saint-Jean-Baptiste.
- **Le 1er juillet :** fête de la Confédération canadienne (anniversaire de la fondation du Canada).
- **Le 1er lundi d'août :** congé civique (sauf au Québec et au Nunavut).
- **Le 1er lundi de septembre :** fête du Travail.
- **Le 2e lundi d'octobre :** Action de grâces.
- **Le 11 novembre :** jour du Souvenir.
- **Les 25 et 26 décembre :** Noël.

LANGUES PARLÉES

Dans l'Ouest canadien, l'anglais est, à quelques exceptions près, la seule langue en usage. Le français est majoritaire au Québec et aussi très présent dans les Provinces atlantiques. Une communauté importante de francophones vit au Manitoba. Bref, il y a de grandes et petites communautés francophones dispersées partout dans le pays. Un million de francophones vivent hors Québec. Partout au Canada, les administrations et les services provinciaux (parcs, aéroports, etc.) communiquent dans les deux langues.

Apprendre la langue

Il existe différents moyens d'apprendre quelques bases de la langue et l'offre pour l'auto-apprentissage peut se faire sur différents supports : CD, cassettes vidéo, cahiers d'exercices ou même directement sur Internet.

■ ASSIMIL

11, rue des Pyramides
Paris (1er) ✆ 01 42 60 40 66
Fax : 01 40 20 02 17
www.assimil.com – contact@assimil.com
Métro Pyramides L14

Assimil est le précurseur des méthodes d'auto-apprentissage des langues en France, la référence lorsqu'il s'agit de langues étrangères. C'est aussi une nouvelle façon d'apprendre : une méthodologie originale et efficace, le principe, unique au monde, de l'assimilation intuitive.

■ POLYGLOT

www.polyglot-learn-language.com

Ce site propose à des personnes désireuses d'apprendre une langue d'entrer en contact avec d'autres dont c'est la langue maternelle. Une manière conviviale de s'initier à la langue et d'échanger.

■ TELL ME MORE ONLINE

www.tellmemore-online.com

Sur ce site Internet, votre niveau est d'abord évalué et des objectifs sont fixés en conséquence. Ensuite, vous vous plongez parmi les 10 000 exercices et 2 000 heures de cours proposés. Enfin, votre niveau final est certifié selon les principaux tests de langues.

POSTE

Les lettres prennent du temps pour arriver. Pourtant, si l'on en croit les sources officielles, le pourcentage de courrier non distribué ne dépasserait pas 0,05 %. Le service de la poste restante est assuré dans la majorité des bureaux de poste (le courrier y est conservé 15 jours). En 2011, affranchir une lettre normale coûtait 59 ¢ à l'intérieur du Canada et 1,75 CAN $ pour l'international (comptez 5 à 7 jours ouvrables pour la France). Un service de télécopieur est également disponible.

Les bureaux de poste ouvrent entre 9h30 et 17h. Certains magasins, telles les pharmacies, disposent de centres postaux ouverts généralement plus tard.

QUAND PARTIR ?

Climat

Le Canada est, toute l'année, une destination de vacances qui s'adresse à tous : aux familles, aux sportifs, aux amoureux de la nature, aux amateurs de chasse et de pêche.

▶ **L'été** est la saison touristique par excellence : elle bat son plein en juin, juillet et août. C'est l'occasion de pratiquer le camping, la randonnée pédestre ou les sports nautiques. Mais c'est aussi la saison des moustiques, ou « maringouins », notamment en juin. La plupart des Canadiens prennent leurs vacances la deuxième quinzaine de juillet : il est donc conseillé de réserver à l'avance à cette période.

▶ **Le printemps** (mars à mai) est la période des parties de sucre qui fêtent la récolte du sirop d'érable. Il s'installe véritablement au mois d'avril ou mai.

▶ **En automne,** le visiteur pourra jouir des magnifiques couleurs dans un pays où les érables sont abondants.

▶ **L'hiver** est la saison qui caractérise le mieux ce pays : c'est pour le sportif l'occasion d'aller skier dans les nombreuses stations de ski du pays, de patiner sur les lacs gelés, de faire des randonnées en raquette, ou des balades en motoneige (très nombreuses) et en traîneau à chiens (cette activité étant surtout réservée aux touristes !).

■ **MÉTÉO CONSULT**
www.meteo-consult.com
Sur ce site vous trouverez les prévisions météorologiques pour le monde entier. Vous connaîtrez ainsi le temps qu'il fait sur place.

Haute et basse saisons touristiques

▶ **Haute saison touristique :** mi-mai à début octobre, mi-décembre à début janvier, et février.

▶ **Basse saison touristique :** octobre à mi-décembre, janvier, mars et avril.

Manifestations spéciales

Voir la rubrique « Découverte », « Festivités ».

SANTÉ

Vous ne risquez rien en vous rendant au Canada. Pensez tout de même à vérifier si votre carnet de vaccination est à jour. Toutes les régions ont des hôpitaux, des cliniques, des CLSC (au Québec - centre local de services communautaires). Les centres spécialisés se trouvent dans les grandes villes. Toutefois, si la médecine est gratuite, elle est assez lente, notamment à cause de la politique de suppression de lits dans les hôpitaux et de développement des traitements ambulatoires, entreprise par le gouvernement en quête d'économies (il faut, en moyenne, attendre trois mois pour un bilan sanguin dans un hôpital).
Les médicaments ne sont pas vendus prêts à l'emploi, dans des flacons étiquetés par les laboratoires comme en Europe. Ici, c'est le pharmacien qui se charge de la préparation du flacon, en le remplissant du nombre exact de comprimés prescrits par le médecin, et qui reporte la posologie de l'ordonnance (prescription) sur l'étiquette. Ce qui évite le gaspillage et l'abus de médicaments. Si l'on pense avoir besoin de médicaments délivrés sur ordonnance, mieux vaut donc emporter l'ordonnance avec soi.Les pharmacies se présentent comme des supermarchés de parapharmacie avec un comptoir « prescriptions » tenu par un pharmacien.

Conseils

Pour vous informer de l'état sanitaire du pays et recevoir des conseils, n'hésitez pas à consulter votre médecin. Vous pouvez aussi vous adresser à la Société de médecine des voyages du centre médical de l'Institut Pasteur au ✆ 01 40 61 38 46 (www.pasteur.fr/sante/cmed/voy/listpays.html) ou vous rendre sur le site du Cimed (www.cimed.org), du Ministère des Affaires étrangères à la rubrique « Conseils aux voyageurs » (www.diplomatie.gouv.fr/voyageurs) ou de l'Institut national de veille sanitaire (www.invs.sante.fr).

▶ **En cas de maladie,** il faut contacter le consulat français. Il se chargera de vous aider, de vous accompagner et vous fournira la liste des médecins francophones. En cas de problème grave, c'est aussi lui qui prévient la famille et qui décide du rapatriement.

▸ **Avant de partir,** vous pouvez contacter le service Santé Voyages : ✆ 05 56 79 58 17 (Bordeaux) ✆ 04 91 69 11 07 (Marseille) ✆ 01 40 25 88 86 (Paris).

Les centres de vaccination

Pour plus d'informations, vous pouvez consulter le site Internet du ministère de la Santé (www.sante.gouv.fr) pour connaître les centres de vaccination proches de chez vous.

■ CENTRE AIR FRANCE

148, rue de l'Université, Paris (7e)
✆ 01 43 17 22 00 – 08 92 68 63 64
✆ 01 48 64 98 03
http://centredevaccination-airfrance-paris.com
vaccinations@airfrance.fr

▸ **Autre adresse :** 3, place Londres, bâtiment Uranus 95703 Roissy Charles-de-Gaulle

■ INSTITUT PASTEUR

209, rue de Vaugirard
Paris (15e)
✆ 0 890 710 811 – 03 20 87 78 00
www.pasteur.fr – www.pasteur-lille.fr

▸ **Autre adresse :** 1, rue du Professeur Calmette 59019 Lille

En cas de maladie

Un réflexe : contacter le Consulat de France. Il se chargera de vous aider, de vous accompagner et vous fournira la liste des médecins francophones. En cas de problème grave, c'est aussi lui qui prévient la famille et qui décide du rapatriement. Pour connaître les urgences et établissements aux standards internationaux : consulter les sites www.cimed.org – www.diplomatie.gouv.fr et www.pasteur.fr

Assurance rapatriement – Assistance médicale

Si vous possédez une carte bancaire Visa® et MasterCard®, vous bénéficiez automatiquement d'une assurance médicale et d'une assistance rapatriement sanitaire valables pour tout déplacement à l'étranger de moins de 90 jours (le paiement de votre voyage avec la carte n'est pas nécessaire pour être couvert, la simple détention d'une carte valide vous assure une couverture). Renseignez-vous auprès de votre banque et vérifiez attentivement le montant global de la couverture et des franchises ainsi que les conditions de prise en charge et les clauses d'exclusion. Si vous n'êtes pas couvert par l'une de ces cartes, n'oubliez surtout pas de souscrire une assistance médicale avant de partir.

▸ **La carte européenne d'assurance maladie** remplace les multiples formulaires E111, E126 et autres. Cette carte permet la prise en charge des frais médicaux dans les mêmes conditions que pour les assurés du pays d'accueil. Il faut la demander au moins deux semaines avant le départ à votre caisse d'assurance maladie. La carte est valable un an et est personnelle : chaque enfant doit aussi avoir la sienne. Si les délais sont trop courts, il vous sera délivré un certificat provisoire de remplacement. Cette carte fonctionne dans tous les pays membres de l'Union européenne mais aussi en l'Islande, au Lichtenstein, en Suisse et en Norvège. Il vous suffit de la présenter chez le médecin, le pharmacien et dans les hôpitaux du service public : soit vous serez dispensé de l'avance des frais médicaux, soit vous serez remboursé sur place par l'organisme de Sécurité sociale du pays.

■ CARTE BLEUE VISA®

✆ 01 41 85 88 81
www.europ-cartes.com

■ MASTERCARD®

✆ 01 45 16 65 65
www.mastercard.com

■ SÉCURITÉ SOCIALE

11, rue de la Tour des Dames
75436 Paris Cedex 09
✆ 01 45 26 33 41
Fax : 01 49 95 06 50
www.cleiss.fr, www.ameli.fr
Plus d'informations sur l'assistance médicale à l'étranger au Centre des Liaisons Européennes et Internationales de la Sécurité Sociale (Cleiss).

Médecins parlant français

■ BARRA O'BRIAIN

Suite 110
3540 West 41st Avenue
Vancouver
✆ +1 604 261 6361 – +1 604 261 1651

■ CABINET DES DR MYRIAM ET VICTOR ABIKHZER

5950, chemin de la Côte-des-Neiges, bureau 350 – Montréal
✆ +1 514 733 9192

■ DR. ABID FAKIM
570 King Street - Suite 1A
Welland ✆ +1 905 734 6431

■ DR JEAN-FRANÇOIS ROY
1165, boulevard Lebourgneuf, Sainte-Foy
Québec ✆ +1 418 627 3097

■ DR. JEAN LISING
155 Bright Street
Sarnia-Lambton
✆ +1 519 339 9746

■ DR. JEFFREY K. MILLS
1849 Yonge Street - Suite 502
Toronto
✆ +1 416 485 9111

■ DR. MARIE L. ROY
29 Gervais Drive - Suite 100
Toronto ✆ +1 416 449 3355
✆ +1 416 449 5511 – +1 416 449 6525

■ DR. PATRICK BARNABÉ
381 rue Kent, suite 4001
Ottawa ✆ +1 613 238 2698

■ DR PAUL LÉPINE
77, rue de Saint-Vallier Est
Québec ✆ +1 418 650 2666

■ DR. RICHARD BINETTE
327 Charlotte Street
Peterborough
✆ +1 705 740 6872 – +1 705 743 2040

■ DR. VATCHE KERAMETLIAN
2299 Dundas St. W. - Suite 403
Toronto ✆ +1 416 533 7748

■ GRAHAM HUNTER
Suite 202,
4015 17th Avenue South East
Vancouver
✆ +1 403 273 7076
Fax : +1 403 235 3018

■ HÉLÈNE BERTRAND
Suite 202,
123 East 15th Street
Vancouver ✆ +1 604 985 5381
Fax : +1 604 985 6493

Hôpitaux – Cliniques – Pharmacies

Vous retrouverez toute l'information à ce sujet dans les localités concernées, rubrique Pratique. Notez également que le ministère des Affaires étrangères et européennes de France Diplomatie met à votre disposition une liste des hôpitaux recommandés au Canada. Une fois sur le site, il suffit de cliquer sur Conseils aux voyageurs - Canada - Santé.

▸ **www.diplomatie.gouv.fr**

Urgences

■ 911
Comme aux Etats-Unis, c'est LE numéro à connaître (prononcez nine-one-one). Il donne accès instantanément et gratuitement à tous les services d'urgence (urgences médicales, pompiers et police). Si vous ne parlez pas ou mal anglais, vous serez mis en relation avec un traducteur qui vous aidera à traiter l'urgence.

SÉCURITÉ ET ACCESSIBILITÉ

Dangers potentiels et conseils

L'indice de criminalité du Canada est considéré comme étant l'un des plus bas d'Amérique du Nord. Le métro est sûr, d'une façon générale, même le soir. La criminalité est nettement plus élevée à Vancouver, Toronto et Montréal que dans le reste du pays, mais le Canada demeure un pays sécuritaire, bien davantage que son cousin français et sans commune mesure avec le voisin américain ! Pour la drogue, c'est tolérance zéro. Pour connaître les dernières informations sur la sécurité sur place, consultez la rubrique « Conseils aux voyageurs » du site du ministère des Affaires étrangères : www.diplomatie.gouv.fr/voyageurs. Sachez cependant que le site dresse une liste exhaustive des dangers potentiels et que cela donne parfois une image un peu alarmiste de la situation réelle du pays.

Femme seule en voyage

D'une façon générale, les femmes voyageant seules ne rencontreront pas de problèmes particuliers.

Voyager avec des enfants

Vos marmots sont les bienvenus en voyage et tout est fait pour bien les accueillir. La plupart des chambres d'hôtels ont deux lits doubles et proposent même des lits pour bébés. Plusieurs établissements hôteliers ont également des chambres et tarifs familiaux.

Pour vos repas, vous trouverez des chaises d'appoint dans la majorité des restaurants, même les chaînes de restauration rapide, et ils proposent très souvent des menus enfants. Côté réductions, les compagnies aériennes, ferroviaires et lignes de bus offrent toutes des tarifs réduits pour vos petits, voire même des gratuités s'ils sont en bas âge. Les attractions offrent également des tarifs familiaux et le cas échant, des réductions aux enfants. Pour planifier vos prochaines vacances familiales au Canada, consultez le site web suivant : www.travelforkids.com/Funtodo/Canada/canada.htm (en anglais seulement). Les sites provinciaux des offices du tourisme ont également une section réservée pour les familles sur chacun de leur site web avec, dans plusieurs cas, une version française.

Voyageur handicapé

Beaucoup d'efforts ont été entrepris pour améliorer leur vie et leurs déplacements, notamment en aménageant l'accès aux fauteuils roulants des bâtiments publics, centres commerciaux, restaurants, hôtels, musées et parcs nationaux. De plus, des aires de stationnement sont spécialement réservées aux handicapés et la réglementation est, ici, strictement appliquée. Certaines compagnies d'autobus, comme Orléans Express au Québec, assurent également le transport des fauteuils roulants. Les associations touristiques provinciales et régionales fournissent aussi une mine d'informations sur les établissements accessibles. Pensons à Toronto qui publie une fois l'an son guide « *Toronto with Ease* » contenant la liste des établissements accessibles. Le guide, en anglais seulement, est disponible auprès de l'office du tourisme de Toronto. Dans la même lignée, la station touristique de Whistler, Tourism Vancouver et le gouvernement du Canada, par exemple, ont un site web entièrement dédié aux personnes à mobilité réduite. Si vous présentez un handicap physique ou mental ou que vous partez en vacances avec une personne dans cette situation, différents organismes, associations et ressources s'adressent à vous.

■ ACTIS VOYAGES
http://actis-voyages.fr
Voyages adaptés pour le public sourd et malentendant.

■ ADAPTOURS
www.adaptours.fr
info@adaptours.fr

■ AILLEURS ET AUTREMENT
www.ailleursetautrement.fr
Pour des personnes souffrant de handicap physique et/ou mental.

■ COMPTOIR DES VOYAGES
2-18, rue Saint-Victor
Paris (5e)
✆ 0 892 239 339
www.comptoir.fr
Fauteuil roulant (manuel ou électrique), cannes ou béquilles, difficultés de déplacement... Quel que soit le handicap du voyageur, Comptoir des Voyages met à sa disposition des équipements adaptés et adaptables, dans un souci de confort et d'autonomie. Chacun pourra voyager en toute liberté.

■ ÉVÉNEMENTS ET VOYAGES
www.evenements-et-voyages.com
Sports mécaniques, sports collectifs, festivals et concerts, Événements et Voyages propose à ses voyageurs d'assister à la manifestation de leur choix tout en visitant la ville et la région. Grâce à son département dédié aux personnes handicapées, Événements et Voyages permet à ces derniers de voyager dans des conditions confortables.

■ GOUVERNEMENT DU CANADA
✆ +1 800 665 6478
www.accesvoyage.gc.ca
Ce site du gouvernement du Canada contient une foule d'informations pratiques sur le tourisme accessible au pays.

■ GUIDE D'ACCÈS CANADA
www.abilities.ca/agc/
Site géré par *The Canadian Abilities Foundation* répertoriant des adresses utiles classées par province et localité.

■ HANDI VOYAGES
12, rue du Singe
Nevers
✆ 0 872 32 90 91
✆ 09 52 32 90 91
✆ 06 80 41 45 00
http://handi.voyages.free.fr
Cette association assure l'aide aux personnes à mobilité réduite dans l'organisation de leurs voyages individuels ou en petits groupes. Elle propose un service d'aide à la recherche d'informations sur l'accessibilité mais aussi la mise en relation avec des volontaires compagnons de voyage. En outre, dans le cadre de l'opération « Des fauteuils en Afrique », Handi Voyages récupère du matériel pour personnes à mobilité réduite et le distribue en Afrique.

■ **KÉROUL**
4545, avenue Pierre-De Coubertin
Montréal ✆ +1 514 252 3104
www.keroul.qc.ca – infos@keroul.qc.ca
Au Québec, l'organisme Kéroul a pour mission de rendre le tourisme et la culture accessibles aux personnes à capacité physique restreinte. Il travaille en concertation avec les gouvernements et les entreprises privées au niveau de l'évaluation et de la certification. Les cotes d'accessibilité sont : adapté, partiellement accessible, non accessible, accessible aux personnes ayant une déficience visuelle, et accessible aux personnes ayant une déficience auditive. La Route Accessible est une route touristique qui oriente la clientèle vers des établissements qui sont accessibles et qui offrent un meilleur service d'accueil aux personnes en situation de handicap. Leur personnel est d'ailleurs formé et certifié *Service Complice.* Pour connaître la liste des établissements coup de coeur, procurez-vous *La Route Accessible du Québec* disponible dans les bureaux d'information touristique québécois, ou par commande en ligne sur leur site Internet : www.larouteaccessible.com – Pour en savoir plus sur Kéroul et ses services aux voyageurs, consultez le site Internet de l'organisme.

■ **OLÉ VACANCES**
www.olevacances.org
info@olevacances.org
Olé Vacances propose d'accompagner des personnes adultes handicapées mentales.

■ **PARALYSÉS DE FRANCE**
www.apf.asso.fr
Informations, conseils et propositions de séjours.

Voyageur gay ou lesbien

Vancouver, Toronto et Montréal sont reconnues auprès de la communauté gay. Mais plus particulièrement Montréal qui est une destination de choix pour les touristes gays. La ville possède son propre village gay qui est l'hôte de nombreux événements festifs et communautaires tout au long de l'année. En 2006, la métropole a même accueilli les Outgames (jeux olympiques gays) où 12 000 athlètes de 35 disciplines se sont donné rendez-vous.
Voici quelques sites touristiques d'intérêt concernant le Canada, le Québec, Vancouver, Toronto et Montréal :

- **www.travelgaycanada.com** (en anglais)
- **www.gaytravel.com/guide-to/canada/** (en anglais)
- **www.tourismvancouver.com/visitors/vancouver/gay_friendly_vancouver/** (en anglais)
- **www.gayvan.com** (en anglais)
- **www.seetorontonow.com/Visitor/Gay-Community/The-Gay-Village.aspx** (en anglais)
- **www.touristiquementgay.com/destinations/canada**
- **www.bonjourquebec.com/qc-fr/voyagergai.html**
- **www.guidearcenciel.com**
- **www.tourisme-montreal.org/Touristes/gais-et-lesbiennes**

TÉLÉPHONE

Comment téléphoner

- **De la France vers le Canada :** 00 + 1 + code régional + les 7 chiffres du numéro local.
- **Du Canada vers la France :** 011 + 33 + le numéro du correspondant sans le 0.
- **D'une région/province à l'autre au Canada ou depuis les États-Unis :** 1 + code régional + les 7 chiffres du numéro local.
- **En local au Canada :** les 10 chiffres du numéro local.
- **Les numéros de téléphone** débutant par 1 800, 1 855, 1 866, 1 877 et 1 888 sont l'équivalent des numéros verts en France, donc gratuits.

Téléphone mobile

Sur place, les compagnies de téléphone comme Rogers et Telus vendent des puces prépayées ou en forfait mensuel et vous obtiendrez alors un numéro de téléphone local.
Par contre, si vous n'avez pas de portable ou alors qu'il n'est pas compatible avec le réseau nord-américain, vous pouvez toujours acheter un téléphone avec une puce ou un abonnement si vous prévoyez séjourner au Canada quelques mois.

Si vous souhaitez garder votre forfait français, il faudra avant de partir, activer l'option internationale (généralement gratuite) en appelant le service clients de votre opérateur. Lorsque vous utilisez votre téléphone français à l'étranger, vous payez la communication, que vous émettiez l'appel ou que vous le receviez. Dans le cas d'un appel reçu, votre correspondant paie lui aussi, mais seulement le prix d'une communication locale. Tous les appels passés depuis ou vers l'étranger sont hors forfait, y compris ceux vers la boîte vocale.

Cabines et cartes prépayées

Pour les appels interurbains et outre-mer, optez pour une carte d'appel prépayée. Vous les trouverez partout, même dans les dépanneurs, au coût de 5, 10 ou 20 CAN $. Pour les appels locaux, sachez qu'ils sont gratuits à partir d'un poste fixe. Toutefois, il en coûte 50 ¢ par appel dans une cabine téléphonique. Pour évitez de trimbaler des tonnes de pièces de monnaie, il existe des carte prépayées à puce que l'on trouve également dans de nombreux points de vente. Sinon, vous pouvez toujours utiliser votre carte bancaire pour un appel mais les frais sont faramineux. Pour ce qui est des téléphones publics, vous les trouverez dans la rue, les centres commerciaux, les hôtels, les restaurants et bars, etc.

Skype et MSN

Pas besoin de combiné mais d'un ordinateur et d'une connexion Internet pour téléphoner avec Skype ou MSN. Les deux personnes cherchant à entrer en contact doivent avoir téléchargé l'un de ces deux logiciels gratuits. L'utilisation est ensuite très simple : un micro, un casque et une webcam si vous en avez une, et vous pouvez discuter pendant des heures sans payer un centime (connexion Internet exceptée). Attention, si vous voulez appeler sur un téléphone (fixe ou mobile) depuis Skype, il vous faudra créditer votre compte de 10 € minimum. Les tarifs sont néanmoins très avantageux.

Chapelle de Notre-Dame de Bonsecours à Montréal.

TARIFS DES DIFFÉRENTS OPÉRATEURS				
	Bouygues	**Orange (HT)**	**SFR**	**SFR Vodafone (option gratuite)**
Appel émis	2,30 €/min.	0,99 €/min.	1,20 €/min.	1,20 € + 0,37 €/min.
Appel reçu	1 €/min.	0,75 €/min.	0,55 €/min.	1,20 € par appel (jusqu'à 20 min.).
SMS	0,30 € – réception gratuite	0,29 € – réception gratuite	0,50 € pour les forfaits souscrits depuis le 12/03/2008, 0,30 € pour les autres – réception gratuite	0,30 € – réception gratuite

À VOIR – À LIRE

Bibliographie

Beaux livres

- ***Visitons le Canada, 100 destinations***, de Georges Fisher et Noël Hudson, Éditions de l'Homme, 2009.
- ***Le Québec, 50 sites incontournables***, d'Henri Dorion, Yves Laframboise et Pierre Lahoud, Éditions de l'Homme, 2008.
- ***Québec vu du ciel***, d'Henri Dorion et Pierre Lahoud, Éditions de l'Homme, 2001.

Contes/Jeunesse

- ***Mille ans de contes, Québec***, Éditions Milan, 2008.
- **Collectif : *Québec, un détroit dans le fleuve***, Casterman, 2008 (bande dessinée).
- ***Les voyages de Jacques-Cartier à la découverte du Canada***, de Maryse Lamigeon et François Vincent, Éditions Archimède, 2006, document jeunesse cartonné.
- ***Comme une odeur de muscles, contes du village***, de Fred Pellerin, Éditions Planète Rebelle, 2003.

Histoire/Société

- ***Le Roman du Québec***, de Daniel Vernet, Éditions du Rocher, 2008.
- ***Tout savoir sur le Québec***, Éditions Ulysse, 2008.
- ***Histoire générale du Canada***, de Craig Brown, Éditions du Boréal/Compact, 1993. Complet, avec des illustrations et des reproductions en noir et blanc.

Essais/Littérature

- ***Mon sauvage au Canada, Indiens et réserve***, de Francine Dallaire, Éditions L'Harmattan, 2000.
- ***Cantiques de plaines***, de Nancy Huston, Éditions Actes Sud, 1999. Roman, sur quatre générations, d'une famille d'immigrants dans les plaines d'Alberta et en terre indienne.
- ***Canada et Canadiens***, de P. Guillaume, J.M. Lacroix et Spri, Presses Universitaires Bordeaux, 1991. L'expression d'une perception française des réalités canadiennes.

Cartographie

On peut aisément trouver des cartes routières et des plans aux offices du tourisme, aux comptoirs d'informations touristiques, dans les librairies, les pharmacies et les stations-service. Les cartes Cartotek Géo sont claires et détaillées.

Guides Petit Futé

- ***Ouest Canadien***, guide Country, Nouvelles Éditions de l'Université
- ***Ontario***, guide Country, Nouvelles Éditions de l'Université
- ***Toronto***, city guide, Nouvelles Éditions de l'Université
- ***Québec***, guide Country, Nouvelles Éditions de l'Université
- ***Montréal***, city guide, Nouvelles Éditions de l'Université
- ***City Trip Montréal***, spécial week-end et court séjour, Nouvelles Éditions de l'Université
- ***Ville de Québec***, city guide, Les Éditions Néopol
- ***Bières au Québec***, guide thématique, Les Éditions Néopol
- ***Produits régionaux et circuits agrotouristiques du Québec***, guide thématique, Les Éditions Néopol
- ***Motoneige au Québec***, guide thématique, Les Éditions Néopol

AVANT SON DÉPART

Le rôle principal de l'ambassade est de s'occuper des relations entre les Etats, tandis que la section consulaire est responsable de sa communauté de ressortissants. Ainsi, pour tout problème concernant les papiers d'identité, la santé, le vote, la justice ou l'emploi, il faut s'adresser à la section consulaire de son pays. En cas de perte ou de vol de papiers d'identité, le consulat délivre un laissez-passer pour permettre uniquement le retour dans le pays d'origine, par le chemin le plus court. Il faut, bien entendu, avoir préalablement déclaré la perte ou le vol auprès des autorités locales.

Ambassades et consulats

■ AMBASSADE DU CANADA
35, avenue Montaigne
Paris (8e) ✆ 01 44 43 29 00
www.amb-canada.fr
paris_webmaster@international.gc.ca
Abrite aussi l'Office du tourisme canadien : www.otc.cuq.qc.ca
Consulats à Lille, Lyon, Nice, Monaco et Toulouse.

■ DÉLÉGATION PERMANENTE DU CANADA AUPRÈS DE L'UNESCO
5, rue de Constantine
Paris (7e) ✆ 01 44 43 25 71
Fax : 01 44 43 25 79

Office du tourisme

■ COMMISSION CANADIENNE DU TOURISME
Four Bentall Centre, C.P. 49230
1055, rue Dunsmuir, Bureau 1400
Vancouver BC, V7X 1L2

Associations et institutions culturelles

■ ASSOCIATION NATIONALE FRANCE-CANADA
5, rue de Constantine
Paris (7e)
✆ 01 45 55 83 65
www.france-canada.info
secretariat@france-canada.info

■ CENTRE CULTUREL CANADIEN
5, rue de Constantine
Paris (7e)
✆ 01 44 43 21 90
www.canada-culture.org
paris_webmaster@international.gc.ca
Ouvert du lundi au vendredi de 10h à 18h (jusqu'à 19h le jeudi). Service de documentation fermé entre 13h et 14h.
Vous trouverez sur place une bibliothèque, l'espace culturel Inuit, l'Office national du film du Canada, l'Association France-Canada, et la Chambre de commerce France-Canada.

Bonne adresse

■ THE MOOSE
16, rue des Quatre-Vents
Paris (6e)
✆ 01 46 33 77 00
www.mooseparis.com
info@mooseparis.com
Ouvert tous les jours.
LE pub à fréquenter pour une ambiance typiquement canadienne ! Grand choix de poutines et de burgers, 10 écrans et 4 chaînes satellites internationales pour le sport.

SUR PLACE

Ambassades et consulats

■ AMBASSADE DE FRANCE AU CANADA
42 Promenade Sussex
Ottawa ✆ +1 613 789 1795
Voir la rubrique Ontario – OTTAWA – Pratique – Représentations – Présence française

■ CONSULAT DE FRANCE À MONCTON
77 Main Street
Suite 800 – Moncton
✆ +1 506 857 4191
Fax : +1 506 858 8169
www.consulfrance-moncton.org
info@consulfrance-moncton.org

■ CONSULAT DE FRANCE À MONTRÉAL
1501 McGill College
10e étage, bureau 1000
Montréal
✆ +1 514 878 4385
Fax : +1 514 878 3981
www.consulfrance-montreal.org
info@consulfrance-quebec.org

■ **CONSULAT DE FRANCE À QUÉBEC**
25, rue Saint-Louis
Québec
✆ +1 418 266 2500
Fax : + 418 266 2515
www.consulfrance-quebec.org
info@consulfrance-quebec.org

■ **CONSULAT DE FRANCE À TORONTO**
2 Bloor Street East
Suite 2200
Toronto
✆ +1 416 847 1900
Voir la rubrique Ontario – Toronto – Pratique – Représentations – Présence française

■ **CONSULAT DE FRANCE À VANCOUVER**
1130 West Pender Street
Suite 1100
Vancouver
✆ +1 604 681 4345
Voir la rubrique Colombie-Britannique – Vancouver – Pratique – Représentations – Présence française

Associations et institutions culturelles

Les Alliances françaises au Canada sont des associations canadiennes à but non lucratif. On en retrouve neuf au pays, réparties dans les grandes villes (excepté au Québec) : Victoria, Vancouver, Calgary, Edmonton, Winnipeg, Ottawa (délégation générale), Toronto, Moncton et Halifax.
En plus d'être des centres d'enseignement du français langue seconde, elles permettent la passation de diplômes internationaux (DELF, DALF, DEAFLE) et de tests (TCF, TEF). Elles sont aussi des centres culturels donnant une tribune aux francophonies d'ici et d'ailleurs.

► **www.af.ca**

■ **ALLIANCE FRANÇAISE - DÉLÉGATION GÉNÉRALE**
352 MacLaren Street
Ottawa
✆ +1 613 234 9470
Voir la rubrique Ontario – Ottawa – Pratique – Représentations – Présence française

■ **UNION FRANÇAISE**
429, rue Viger Est
Montréal
✆ +1 514 845 5195
www.unionfrancaise.ca
info@unionfrancaise.ca

Tourisme

■ **BONJOUR QUÉBEC - MINISTÈRE DU TOURISME**
C.P. 79 – Montréal QC, H3C 2W3
✆ +1 514 873 2015 – +1 877 266 5687
www.bonjourquebec.com
info@bonjourquebec.com

■ **MINISTÈRE DU TOURISME DE LA NOUVELLE-ÉCOSSE**
P.O. Box 456
Halifax NS, B3J 2R5
✆ +1 902 425 5781 – +1 800 565 0000
www.novascotia.com
explore@gov.ns.ca

■ **MINISTÈRE DU TOURISME ET DES PARCS DU NOUVEAU-BRUNSWICK**
P.O. Box 12345
Campbellton NB, E3N 3T6
✆ +1 800 561 0123
www.tourismenouveaubrunswick.ca

■ **NUNAVUT TOURISM**
Iqaluit ✆ +1 866 686 2888
www.nunavuttourism.com
info@nunavuttourism.com

■ **OFFICE DE TOURISME DE LA COLOMBIE-BRITANNIQUE**
Victoria
✆ +1 800 435 5622
www.hellobc.com

■ **OFFICE DE TOURISME DE L'ALBERTA**
P.O. Box 2500
Edmonton AB, T5J 2Z4
✆ +1 780 427 4321 – +1 800 252 3782
www.travelalberta.com
travelinfo@travelalberta.com

■ **OFFICE DE TOURISME DU YUKON**
Box 2703
Whitehorse YK, Y1A 2C6
✆ +1 867 667 5036 – +1 800 789 8566
www.travelyukon.com
vacation@gov.yk.ca

■ **ONTARIO TOURISM**
10 Dundas Street East, suite 900
Toronto ON, M7A 2A1
✆ +1 800 668 2746
www.ontariotravel.net

■ **TOURISME ÎLE-DU-PRINCE-ÉDOUARD**
P.O. Box 2000
Charlottetown PEI, C1A 7N8
✆ +1 902 368 5540 – +1 800 887 5453
www.tourismpei.com

■ **TOURISME TERRE-NEUVE - LABRADOR**
P.O. Box 8700 – St. John's NL, A1B 4J6
✆ +1 709 729 2830
✆ +1 800 563 6353
www.newfoundlandlabrador.com
contactus@newfoundlandlabrador.com

■ **TOURISM SASKATCHEWAN**
189-1621 Albert Street
Regina SK, S4P 2S5
✆ +1 306 787 9600
✆ +1 877 237 2273
www.sasktourism.com

■ **TRAVEL MANITOBA**
155 Carleton Street, 7th floor
Winnipeg MB, R3C 3H8
✆ +1 204 927 7838
✆ +1 800 665 0040
www.travelmanitoba.com

MAGAZINES ET ÉMISSIONS

Presse

■ **COURRIER INTERNATIONAL**
www.courrierinternational.com
Hebdomadaire regroupant les meilleurs articles de la presse internationale en version française.

■ **GÉO**
www.geo.fr
Le mensuel accorde une large place aux reportages photographiques. Il propose aussi des articles et actualités, l'ensemble étant désormais imprimé sur du papier provenant de forêts gérées durablement.

■ **GRANDS REPORTAGES**
www.grands-reportages.com
Le magazine de l'aventure et du voyage propose des dossiers, reportages photo et articles divers sur les peuples, civilisations, paysages et monuments. Chaque sujet est complété par un important volet pratique pour préparer son voyage.

■ **RANDOS-BALADES**
www.randosbalades.fr
Magazine mensuel sur les randonnées en France et à l'étranger. L'approche est thématique (sentiers du littoral, itinéraires sauvages, thèmes culturels...) et la publication est riche en actualités, trucs et astuces, tests matériels, fiches topographiques et, bien sûr, en guides de randonnée.

■ **TERRE SAUVAGE**
www.terre-sauvage.com
Ce mensuel est spécialisé dans la faune et la flore sauvages. Au sommaire : des aventures dans le sillage des expéditions scientifiques, la découverte des écosystèmes, des enquêtes sur la protection de l'environnement ou encore des rubriques plus pratiques avec, par exemple, des conseils photo.

■ **PETIT FUTÉ MAG**
www.petitfute.com
Notre journal bimestriel vous offre une foule de conseils pratiques pour vos voyages, des interviews, un agenda, le courrier des lecteurs... Le complément parfait à votre guide !

■ **ULYSSE**
www.ulyssemag.com
Ce magazine culturel du voyage est édité par *Courrier International*. Huit numéros par an pour découvrir le monde, avec une large place accordée à la photographie.

Radio

■ **RADIO FRANCE INTERNATIONALE**
France
www.rfi.fr
89 FM à Paris. Pour vous tenir au courant de l'actualité du monde partout sur la planète.

Télévision

■ **ESCALES**
www.escalestv.fr
Cette chaîne est consacrée au voyage sous toutes ses formes, en France et à l'étranger. Différentes thématiques sont déclinées au fil de d'émissions comme « Cap sur » ou « Passeport », animées par des invités de marque.

■ **FRANCE 24**
www.france24.com
Chaîne d'information en continu, France 24 apporte 24h/24 et 7j/7, un regard nouveau à l'actualité internationale. Diffusée en 3 langues (français, anglais, arabe) dans plus de 160 pays, la chaîne est également disponible sur internet (www.france24.com) et les mobiles, pour vous accompagner tout au long de vos voyages.

VOUS OUVRIR LES PORTES
10
L'ACTUALITÉ INTERNATIONALE 24H/24
RETROUVEZ FRANCE 24 SUR LE CÂBLE, LE SATELLITE,
LES RÉSEAUX ADSL, LES SMARTPHONES ET SUR FRANCE24.COM
FRANCE 24

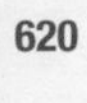

Avion léger équipé de patins sur le lac Dowswell.

■ **LIBERTY TV**
www.libertytv.com
Cette chaîne non cryptée propose des reportages sur le monde entier et un journal sur le tourisme toutes les heures. La « télé des vacances » met aussi en avant des offres de voyages et promotions touristiques toutes les 15 minutes.

■ **PLANÈTE**
www.planete.tm.fr
Depuis plus de 20 ans, Planète propose de découvrir le monde, ses origines, son fonctionnement et son probable devenir avec une grille de programmation documentaire éclectique : civilisation, histoire, société, investigation, reportages animaliers, faits divers, etc.

■ **VOYAGE**
www.voyage.fr
Terres méconnues ou inconnues, grands espaces et mégapoles, lieux incontournables ou insolites, cultures et nouvelles tendances : Voyage TV vous propose d'explorer le monde dans toute sa richesse à l'aide de documentaires ou en compagnie de guides éclairés.

■ **USHUAÏA TV**
www.ushuaiatv.fr
La chaîne découlant du magazine éponyme a un slogan clair : « Mieux comprendre la nature pour mieux la respecter ». Elle se veut télévision du développement durable et de la protection de la planète et propose nombre de documentaires, reportages et enquêtes.

■ **TV5 MONDE**
www.tv5.org
La chaîne de télévision internationale francophone diffuse des émissions de ses partenaires nationaux (France Télévisions, RTBF, TSR et CTQC) et ses propres programmes.

Sites Internet

Pour les sites Internet des offices du tourisme de chaque province et territoire, référez-vous à la rubrique S'informer, Sur place. Pour les offices locales, elle se retrouvent dans la rubrique Pratique de chaque ville.

■ **CANADA.GC**
www.canada.gc.ca
Site officiel du gouvernement canadien.

■ **CANADA TRAVEL**
Site officiel de la Commission canadienne du tourisme.

■ **PARCS NATIONAUX DU CANADA**
www.pc.gc.ca
Site officiel des parcs nationaux du Canada.

■ **RADIO-CANADA**
www.radio-canada.ca
Le site de Radio-Canada, la radio et télévision francophones, est très complet et permet notamment d'écouter les différentes chaînes en direct. Son pendant anglophone est la CBC (Canadian Broadcasting Corporation).
Pour ceux qui aimeraient voir en différé les émissions et documentaires de Radio-Canada : www.tou.tv

Comment partir ?

PARTIR EN VOYAGE ORGANISÉ

Voyagistes

Spécialistes

Vous trouverez ici les tour-opérateurs spécialisés dans votre destination. Ils produisent eux-mêmes leurs voyages et sont généralement de très bon conseil car ils connaissent la région sur le bout des doigts. À noter que leurs tarifs se révèlent souvent un peu plus élevés que ceux des généralistes.

ALMA VOYAGES
573, Route de Toulouse
Villenave-d'Ornon
✆ 05 56 87 58 46
✆ 0820 20 20 77 (coût d'un appel local)
www.alma-voyages.com
Ouvert de 9h à 21h.
Voilà une agence de voyages bien différente des autres. Chez Alma Voyages, les conseillers sont formés et connaissent les destinations. Eh oui, ils ont la chance de partir cinq fois par an pour mettre à jour et bien conseiller. D'ailleurs, chaque client est personnellement suivi par un agent attitré qui n'est pas payé en fonction de ses ventes... mais pour son métier de conseiller. Vous pourrez choisir parmi une large offre de voyages : séjour, circuit, croisière ou circuit individuel. Faites une demande de devis pour votre voyage de noces ou un voyage sur mesure, comme vous en rêviez. Cerise sur le gateau, Alma voyage pratique les meilleurs prix du marché et travaille avec des partenaires prestigieux comme Fram, Kuoni, Club Med, Beachcombers, Jet Tour, Marmara, Look Voyages... Si vous trouvez moins cher ailleurs, Alma Voyages s'alignera sur ce tarif et vous bénéficierez en plus, d'un bon d'achat de 30 euros sur le prochain voyage. Surfez sur leur site ou contactez-les au 0820 20 20 77 (coût d'un appel local) de 9h à 21h et préparez vos valises... Bon voyage !

■ **ALLIBERT**
37, boulevard Beaumarchais
75003 Paris (3e)
✆ 0 825 090 190
Fax : 01 44 59 35 36
www.allibert-trekking.com
Créateur de voyages depuis 25 ans, Allibert propose plus de 600 voyages à travers 90 pays. Du désert à la haute montagne, le tour opérateur propose de nombreux circuits de différents niveaux de marche pour satisfaire chacun avec possibilité d'extension. Une douzaine de voyages sont programmés à destination du Canada : des rocheuses au Québec, du ski à la marche, le choix est large et permet à chacun, quels que soient son niveau et ses goûts, de trouver le voyage qui lui convient.

■ **ATTITUDE TRAVELS**
71, boulevard Sébastopol
Paris (2e)
© 01 42 77 05 50
www.attitude-travels.com
contact@attitude-travels.com
M° Etienne Marcel
Fort d'une expérience dans le tourisme traditionnel et de quelques années passées dans une agence de voyages gay, Stéphane a créé Attitude Travels, le premier tour operator gay et lesbien en France (séjours et circuits dans le monde entier). Elle propose des séjours, au juste prix, non surtaxés sous prétexte qu'ils visent la communauté gay et lesbienne. L'agence s'engage à ne pas proposer de tourisme sexuel, au travers une charte baptisée « Attitude Travels ». Attitude Travels s'engage également sur des vols et des hôtels en exclusivité, afin de permettre un séjour spécialement adapté aux gays ou aux lesbiennes. Les conseils sur les mœurs des pays visités, ainsi que la tolérance vis-à-vis des LGBT sont de bon aloi. Depuis 2009, l'agence organise une croisière LGBT en Méditerranée en été, un ton en dessous des grandes croisières américaines mais néanmoins avec une ambiance très bon enfant, car le nombre de passagers est moins important.

■ **AVENTURIA**
42, rue de l'Université
69007 Lyon © 04 78 69 35 06
www.aventuria.com
Aventuria propose toute une gamme de produits pour votre séjour au Canada. En hiver : raids motoneige dans le vrai Grand Nord du plus facile au plus sportif, séjours multi-activités dans des pourvoiries et des auberges de charme (motoneige, traîneau, raquettes, pêche sous la glace…), raids en traîneaux à chiens, ski et surf héliporté dans les contreforts des montagnes rocheuses. En été : vols, voitures et hébergements (auberges de charme, pourvoiries dans le Grand Nord, dges de luxe et de charme), découverte la faune avec des guides naturalistes, tourisme chez les Amérindiens, modules et découverte, raids en quad dans la adienne, canoë, équitation…
dresses : Agences Paris Raspail 50 50), Paris Opéra (© 01 44 rdeaux (© 05 56 90 90 22), 6 33 77), Marseille (© 04 ntes (© 02 40 35 10 12), 8 22 08 09)

■ **BACK ROADS**
14, place Denfert-Rochereau
75014 Paris (14e) © 01 43 22 65 65
Fax : 01 43 20 04 88 – www.backroads.fr
contact@backroads.fr
Du Québec au Yukon, tout pour monter un voyage sur mesure : vols à prix réduits location de voitures, camping-cars, hôtels, motels, lodges de parcs nationaux, ranches, hôtels de villégiature, logements chez l'habitant, chalets et gîtes ruraux, autotours (des dizaine de modèles d'itinéraires), circuits camping, circuits en autocar, trekking, rencontre des Amérindiens, ranchs et randonnées équestres, rafting et canoë-kayak, observation de la nature, motoneige et traîneau à chiens, raquettes, ski alpin et ski de fond… et les renseignements pratiques indispensables.

■ **EVANEOS**
© 09 70 40 89 28
www.evaneos.com
Spécialiste sur Internet du voyage sur-mesure, Evaneos met ses clients en relation avec des agences francophones dans le monde entier. Ce voyagiste propose ainsi séjours et circuits à la carte sur tous les continents. De nombreux séjours sont déjà conçus mais si vous avez des désirs particuliers, n'hésitez pas à contacter l'agent local qui se fera un plaisir de vous préparer un séjour à la carte.

■ **GROUPE QUEBEC AVENTURE**
95610 Eragny © 01 34 93 43 71
Fax : 01 34 93 99 37
www.quebec-aventure.com
contact@quebec-aventure.com
Propriétaire de l'Auberge Viceroy, à deux heures de route de Montréal, et de la pourvoirie du Rabaska plus au nord, dans les Hautes-Laurentides, cette agence organise depuis plus de 15 ans des « séjours touristiques d'aventure ». En hiver, l'équipe propose plusieurs circuits en motoneige, et un circuit en étoile autour de l'Auberge Viceroy, idéal pour les vacances en famille. Egalement des circuits à la carte. En été, Groupe Québec Aventure programme des stages d'hydravion, des séjours de golf ou de quad.

■ **GRAND NORD – GRAND LARGE**
15, rue du Cardinal-Lemoine
75005 Paris © 01 40 46 05 14
www.gngl.com
Avec un catalogue de plus de 300 destinations polaires, Grand Nord – Grand Large compte parmi les quelques agences spécialistes des régions arctiques et antarctiques. Balades,

tourisme à partir d'un minibus, motoneige, conduite d'attelage, rafting, nature et baleine, voile, rando en kayak et à pied, voyages d'observation, en train ou liberté, location de voiture, etc : l'offre de séjours, d'activités et de prestations pour le Canada satisfait tous les types de voyageurs. Possibilité de choisir son voyage par région : Baie d'Hudson et Manitoba, Colombie-Britannique et Alberta, Nunavik, Nunavut, Provinces maritimes, Québec, Terre-Neuve, Territoires du Nord-Ouest et Yukon. Egalement des voyages à la carte.

■ **MELTOUR**
103, avenue du Bac
94210 La Varenne-Saint-Hilaire
✆ 01 48 89 85 85
Fax : 01 48 89 41 59
www.meltour.com
meltour@meltour.com
Depuis près de 20 ans, Meltour est avant tout un producteur spécialiste du voyage sur mesure, en particulier à destination de l'Australie, de l'Afrique australe/centrale et du Canada... En été, Meltour propose de découvrir le pays en autotour, circuit guidé, programme en train, séjour-découverte, aventure en moto ou en quad, location de camping-car. En hiver, 7 raids en motoneige du rythme de la balade aux parcours plus sportifs, 5 séjours multi-activités et des offres « spécial longs week-end » à Montréal et Toronto.

■ **MONTAGNE ÉVASION**
4, rue des Vosges, Gérardmer
✆ 0 820 888 561, 03 29 63 17 50
Fax : 03 29 63 63 90
www.vagabondages.com
www.montagne-evasion.com
infos@vagabondages.com
Du lundi au vendredi de 9h à 12h30 et de 13h30 à 18h30. Le samedi de 9h30 à 12h30 et de 13h30 à 17h30.

■ **NORD ESPACES**
35, rue de la Tombe Issoire (14e)
Paris ✆ 01 45 65 00 00
Fax : 01 45 65 32 22
www.nord-espaces.com
info@nord-espaces.com
Nord Espaces est spécialiste des pays nordiques et programme le Canada été comme hiver. Durant les beaux jours, plusieurs itinéraires, permettant au voyageur de faire un tour complet du pays ou de concentrer son séjour sur une région en particulier. Croisières sur le Saint-Laurent, circuits au Québec, autotours... Egalement de la location de voiture et de camping-car. En hiver, des séjours multi activités, des safaris en motoneige ou en traîneaux de chiens, des week-ends et des séjours en chalet, appartement, hôtel ou hôtel Spa. Attention, certains voyages sont des exclusivités Internet.

■ **TREK AMERICA**
✆ 01 44 75 09 89
www.trekamerica.com
Le Canada hors des sentiers battus, telle est l'alléchante proposition faite par Trek Amerika. Spécialiste du Canada, ce voyagiste organise circuits, treks et excursions dans tout le pays. Québec, Ontario, la Colombie Britannique, les Rocheuses canadiennes font notamment partie des destinations privilégiées par Trek Amerika.

■ **VACANCES TRANSAT**
✆ 0 825 12 12 12
www.vacancestransat.fr
Ce tour-opérateur spécialiste des Etats-Unis vous offre toutes les prestations pour composer idéalement votre séjour au Canada : location de voitures ou de camping-cars, vols secs... Vous pourrez organiser votre voyage à la carte, selon vos envies. Vacances Transat programme également des circuits (pouvant servir de base à des séjours sur mesure).

▸ **Autre adresse :** 0 825 325 825 ou sur demande sur le site Internet www.vacancesairtransat.fr.

■ **VOYAGE À THÈME**
6, rue Jean Maridor (15e)
Paris ✆ 01 44 26 07 37
Fax : 01 44 26 07 29
www.voyageatheme.com
patricegaland@voyageatheme.com
Aventure, Nature, Culture, Trekking, Découverte, Gastronomie, Histoire... Comme son nom l'indique, ce voyagiste ne propose que des voyages à thème à destination de nombreux pays. L'idéal pour découvrir de nouveaux horizons. Possibilité de voyages sur mesure et de voyages à la carte.

Généralistes

Vous trouverez ici les tour-opérateurs dits « généralistes ». Ils produisent des offres et revendent le plus souvent des produits packagés par d'autres sur un large panel de destinations. S'ils délivrent des conseils moins pointus que les spécialistes, ils proposent des tarifs généralement plus attractifs.

■ **ABCVOYAGE**
www.abcvoyage.com
Regroupe les soldes de tous les voyagistes avec des descriptifs complets pour éviter les surprises. Les dernières offres saisies sont accessibles immédiatement à partir des listes de dernière minute. Le serveur est couplé au site www.airway.net qui propose des vols réguliers à prix réduits, ainsi que toutes les promotions et nouveautés des compagnies aériennes.

■ **AZUREVER**
5 rue Daunou
Paris (2e)
✆ 01 73 75 89 63
www.azurever.com
Azurever est un site internet dédié au tourisme et plus particulièrement aux activités que vous pouvez faire, lors de vos voyages ou chez vous. C'est un catalogue de plus de 7 000 activités variées à faire partout dans le monde. Ces activités sont dénichées, comparées et sélectionnées par des spécialistes pour vous faire profiter au maximum des trésors cachés de chaque destination. De la traversée en camion de pompiers du Golden Gate Bridge à San Francisco en passant par le survol de la forêt de Fontainebleau en montgolfière ou la découverte de la gastronomie vénitienne (circuit des bars à Venise), Azurever vous propose quantité de bons plans insolites, originaux, classiques ou extrêmes à expérimenter aux 4 coins de la planète et à réserver en ligne, avant le départ.

■ **DEGRIFTOUR**
✆ 0 899 78 50 00
www.degriftour.fr
Vols secs, hôtels, location de voiture, séjours clé en main ou sur mesure... Degriftour s'occupe de vos vacances de A à Z, à des prix très compétitifs.

■ **EXPEDIA FRANCE**
✆ 0 892 301300
www.expedia.fr
Expedia est le site français du n° 1 mondial du voyage en ligne. Un large choix de 500 compagnies aériennes, 105 000 hôtels, plus de 5 000 stations de prise en charge pour la location de voitures et la possibilité de réserver parmi 5 000 activités sur votre lieu de vacances. Cette approche sur mesure du voyage est enrichie par une offre très complète comprenant prix réduits, séjours tout compris, départs à la dernière minute...

■ **GO VOYAGES**
✆ 0 899 651 951
www.govoyages.com
Go Voyages propose le plus grand choix de vols secs, charters et réguliers, au meilleur prix, au départ et à destination des plus grandes villes. Possibilité également d'acheter des packages sur mesure « vol + hôtel » et des coffrets cadeaux. Grand choix de promotions sur tous les produits sans oublier la location de voitures. La réservation est simple et rapide, le choix multiple et les prix très compétitifs.

■ **LASTMINUTE**
✆ 04 66 92 30 29
www.lastminute.fr
Des vols secs à prix négociés, dégriffés ou publics sont disponibles sur Lastminute. On y trouve également des week-ends, des séjours, de la location de voiture... Mais surtout, Lastminute est le spécialiste des offres de dernière minute permettant ainsi aux vacanciers de voyager à petits prix. Que ce soit pour un week-end ou une semaine, une croisière ou simplement un vol, des promos sont proposées et renouvelées très régulièrement.

■ **OPODO**
✆ 0 899 653 656
www.opodo.fr
Pour préparer votre voyage, Opodo vous permet de réserver au meilleur prix des vols de plus de 500 compagnies aériennes, des chambres d'hôtels parmi plus de 45 000 établissements et des locations de voitures partout dans le monde. Vous pouvez également y trouver des locations saisonnières ou des milliers de séjours tout prêts ou sur mesure ! Des conseillers voyages à votre écoute 7 jours/7 de 8h à 23h du lundi au vendredi, de 9h à 19h le samedi et de 11h à 19h le dimanche.

■ **PROMOVACANCES**
✆ 0 899 654 850
www.promovacances.com
Promovacances propose de nombreux séjours touristiques, des week-ends, ainsi qu'un très large choix de billets d'avion à tarifs négociés sur vols charters et réguliers, des locations, des hôtels à prix réduits. Egalement, des promotions de dernière minute, les bons plans du jour. Informations pratiques pour préparer son voyage : pays, santé, formalités, aéroports, voyagistes, compagnies aériennes.

■ THOMAS COOK

✆ 0 826 826 777
www.thomascook.fr
Tout un éventail de produits pour composer son voyage : billets d'avion, location de voitures, chambres d'hôtel… Thomas Cook propose aussi des séjours dans ses villages-vacances et les « 24 heures de folies » : une journée de promos exceptionnelles tous les vendredis. Leurs conseillers vous donneront des conseils utiles sur les diverses prestations des voyagistes.

■ TRAVELPRICE

✆ 0 899 78 50 00
www.travelprice.com
Un site Internet très complet de réservations en ligne pour préparer votre voyage : billets d'avion et de train, hôtels, locations de voitures, billetterie de spectacles. En ligne également : de précieux conseils, des informations pratiques sur les différents pays, les formalités à respecter pour entrer dans un pays.

Réceptifs

Il s'agit de tour-opérateurs présents dans le pays, de fait, ils connaissent extrêmement bien la zone.

■ AUTHENTIK CANADA

352, rue Emery, Montréal
✆ +1 514 769 0101
www.authentikcanada.com
info@authentikcanada.com
N° vert depuis la France : 0 800 907 682 – N° vert depuis la Belgique : 0 800 753 59 – N° vert depuis la Suisse : 0 800 898 601.
Une agence spécialiste du Canada et qui connaît sacrément bien son territoire ! Authentik propose des séjours et circuits qui plairont à tous les publics : familles, couples et groupes. Parmi les forfaits disponibles, notons les itinéraires en voiture, les séjours de motoneige ou de ski et les voyages romantiques pour les couples. Authentik peut s'occuper de vous louer un camping-car qui est disponible depuis plusieurs points de chute au Canada.
On apprécie les divers séjours en pourvoirie et l'originalité des activités proposées comme les rencontres avec un trappeur, la pêche sur glace, les bains nordiques, etc. Les séjours s'adaptent aux goûts et aux besoins de chacun. Authentik a remporté plusieurs prix prestigieux en raison de la qualité de ses services.

■ GLOBE-TROTTER AVENTURE CANADA

8088, rue Saint-Denis, suite 100
Montréal
✆ +1 514 849 8768
+1 888 598 7688
www.aventurecanada.com
Ouvert du lundi au vendredi de 9h à 17h. N° vert depuis la France : 0 800 916 672 – N° vert depuis la Belgique : 0 800 775 46 – N° vert depuis la Suisse : 0 800 838 078.
Cette agence s'est donné pour mandat le projet ambitieux de réaliser les rêves des globe-trotteurs désirant découvrir le Québec ou le Canada. On entend par projets ambitieux ceux emportant l'intrépide à bord d'un hydravion ou d'un char d'assaut, galopant à cheval jusqu'au sommet d'une montagne, s'oubliant dans un parc provincial à bord d'un canot. D'après l'agence, le remède miracle antistress demeure le voyage de pêche. Le golf est rendu accessible grâce au transport organisé. L'aventure en rafting nécessite deux jours de disponibilité. La nuit on compte les étoiles, de son sac de couchage ou, dans ses rêves, sous la tente. L'agence vous aide aussi pour vos locations de camping-car ou de voiture.

■ THE MAGIC BUS COMPANY

520 Lakeshore Blvd East, Toronto
✆ +1 416 516 7827
✆ +1 877 371 8747
www.magicbuscompany.com
info@magicbuscompany.com
En opération depuis près d'une quinzaine d'années dans le domaine du transport de groupes, Magic Bus propose également des circuits clés en main d'une journée. Evadez-vous vers la péninsule de Niagara pour voir les chutes de près et goûter aux excellents vins de la région ou découvrez le passé historique du hockey dans la ville reine et assistez à un match de l'équipe locale, les Marlies. Vous pourrez même enfiler les patins pour une heure après la partie !

■ MOOSE TRAVEL NETWORK

460 King Street East, Toronto
✆ +1 416 504 7514
✆ +1 888 816 6673
www.moosenetwork.com
Prestations saisonnières proposées de fin avril à mi-octobre. Tarifs selon le circuit choisi.
Moose Travel propose un service de transport d'aventure pour les routards et voyageurs indépendants. Plusieurs circuits sont offerts en Ontario et au Québec et vous feront découvrir des lieux et activités uniques dans chaque région visitée.

Les tarifs comprennent le transport, repas/hébergement sur certains circuits, le service d'un guide et des activités gratuites (il arrive que l'hébergement et les repas soient à votre charge). Des activités optionnelles payantes sont aussi disponibles. L'atout de Moose : c'est un service *jump-on/jump-off*. Vous décidez donc de la durée de votre séjour pour chaque destination, le bus étant en rotation plusieurs fois par semaine. Les départs peuvent s'effectuer de Montréal et/ou Toronto selon le circuit choisi. Nouveautés : un circuit vers New York au départ de Toronto et un autre vers les provinces atlantiques. Une belle façon de rencontrer des voyageurs des quatre coins du globe tout en voyant du pays à moindre coût !

■ SALTY BEAR ADVENTURE TRAVEL

BOX 910, Chéticamp NS, B0E 1H0
✆ +1 902 224 1976
✆ +1 888 425 2327
www.saltybear.ca
info@saltybear.ca
En opération de juin à fin octobre. Tarifs selon le circuit choisi.
Sur le même principe que Moose Travel, Salty Bear offre plusieurs circuits en Nouvelle-Ecosse et à l'Île du Prince-Édouard dans les provinces atlantiques.

Sites comparateurs et enchères

Plusieurs sites permettent de comparer les offres de voyages (packages, vols secs, etc.) et d'avoir ainsi un panel des possibilités et donc des prix. Ils renvoient ensuite l'internaute directement sur le site où est proposée l'offre sélectionnée.

■ EASYVOYAGE

www.easyvoyage.com
Le concept d'Easyvoyage.com peut se résumer en trois mots : s'informer, comparer et réserver. Des infos pratiques sur quelque 255 destinations en ligne (saisonnalité, visa, agenda...) vous permettent de penser plus efficacement votre voyage. Après avoir choisi votre destination de départ selon votre profil (famille, budget...), Easyvoyage.com vous offre la possibilité d'interroger plusieurs sites à la fois concernant les vols, les séjours ou les circuits. Enfin grâce à ce méta-moteur performant, vous pouvez réserver directement sur plusieurs bases de réservation (Lastminute, Go Voyages, Directours, Anyway... et bien d'autres).

■ ILLICOTRAVEL

www.illicotravel.com
Illicotravel permet de trouver le meilleur prix pour organiser vos voyages autour du monde. Vous y comparerez les billets d'avion, hôtels, locations de voitures et séjours. Ce site très simple offre des fonctionnalités très utiles comme le baromètre des prix pour connaître les meilleurs prix sur les vols à plus ou moins 8 jours. Le site propose également des filtres permettant de trouver facilement le produit qui répond à tous vos souhaits (escales, aéroport de départ, circuit, voyagiste...).

■ KELKOO

www.kelkoo.com
Ce site vous offre la possibilité de comparer les tarifs de vos vacances. Vols secs, hôtels, séjours, campings, circuits, croisières, ferries, locations, thalassos : vous trouverez les prix des nombreux voyagistes et pourrez y accéder en ligne grâce à Kelkoo.

■ LILIGO

www.liligo.com
Liligo interroge agences de voyage, compagnies aériennes (régulières et low cost), trains (TGV, Eurostar...), loueurs de voiture mais aussi 250 000 hôtels à travers le monde pour vous proposer les offres les plus intéressantes du moment. Les prix sont donnés TTC et incluent donc les frais de dossier, d'agence... Le site comprend aussi deux thématiques : « week-end » et « ski ».

■ LOCATIONDEVOITURE.FR

✆ 0 800 73 33 33 – 01 73 79 33 32
www.locationdevoiture.fr
Le site compare toutes les offres de 8 courtiers en location de voitures, des citadines aux monospaces en passant par les cabriolets et 4x4. Vous avez le choix parmi 6 123 villes différentes réparties dans 130 pays. En plus du prix, l'évaluation de l'assurance et les avis clients sont affichés pour chacune des offres. Plus qu'un simple comparateur, vous pouvez réserver en ligne ou par téléphone. En outre, le site propose des circuits en voiture dans chaque pays, remplissant ainsi parfaitement son rôle d'agence de voyage. C'est la garantie du prix et du service !

■ MYZENCLUB

www.myzenclub.com
Le site recense les meilleures offres des voyagistes en ligne les plus importants. Myzenclub vous informe des bons plans et des promotions trouvées parmi toutes les agences pour vos

vacances en France et à l'étranger, hôtels, croisières, thalasso, vols... L'inscription est gratuite.

■ **SPRICE**
www.sprice.com
Un site qui gagne à être connu. Vous pourrez y comparer vols secs, séjours, hôtels, locations de voitures ou biens immobiliers, thalassos et croisières. Le site débusque aussi les meilleures promos du Web parmi une cinquantaine de sites de voyages. Un site très ergonomique qui vous évitera bien des heures de recherches fastidieuses.

■ **PRIX DES VOYAGES**
www.prixdesvoyages.com
Ce site est un comparateur de prix de voyages, permettant aux internautes d'avoir une vue d'ensemble sur les diverses offres de séjours proposées par des partenaires selon plusieurs critères (nombre de nuits, catégories d'hôtel, prix, etc.). Les internautes souhaitant avoir plus d'informations ou réserver un produit sont ensuite mis en relation avec le site du partenaire commercialisant la prestation. Sur Prix des Voyages, vous trouverez des billets d'avion, des hôtels et des séjours.

■ **VOYAGER MOINS CHER**
www.voyagermoinscher.com
Ce site référence les offres de près de 100 agences de voyages et tour-opérateurs parmi les plus réputés du marché et donne ainsi accès à un large choix de voyages, de vols, de forfaits « vol + hôtel », de locations, etc. Il est également possible d'affiner sa recherche grâce au classement par thèmes : thalasso, randonnée, plongée, All Inclusive, voyages en famille, voyages de rêve, golf ou encore départs de province.

PARTIR SEUL

En avion

Départ de Paris pour Montréal. Haute saison (été et période des fêtes) : à partir de 500 €. Basse saison (le reste de l'année) : à partir de 350 €.

Départ de Paris pour Toronto. Haute saison : à partir de 600 €. Basse saison : à partir de 400 €.

Départ de Paris pour Vancouver. Haute saison : à partir de 900 €. Basse saison : à partir de 500 €.

À noter que la variation de prix dépend de la compagnie empruntée mais, surtout, du délai de réservation. Pour obtenir des tarifs intéressants, il est indispensable de vous y prendre très en avance. Pensez à acheter vos billets six mois avant le départ ! Toutefois, les billets d'avion pour Montréal et Toronto, au départ de la France, font l'objet de nombreuses promotions tout au long de l'année, même pendant la période estivale, notamment avec des départs moins de 30 jours à l'avance.

Principales compagnies desservant le Canada

Pour connaître le degré de sécurité de la compagnie aérienne que vous envisagez d'emprunter, rendez-vous sur le site Internet www.securvol.fr ou sur celui de la Direction générale de l'aviation civile : www.dgac.fr

■ **AIR CANADA**
✆ 0 825 882 900
(0,15 €/min d'un poste fixe)
www.aircanada.com
Air Canada dessert Montréal, Toronto, Vancouver et les principales villes du Canada plusieurs fois par jour depuis Paris.

■ **AIR FRANCE**
✆ 0 825 120 248
(0,15 €/min d'un poste fixe)
www.airfrance.fr
En vols directs, Air France propose des vols de Paris à Toronto et Montréal. De là, des correspondances sont possibles pour de nombreuses autres villes.

■ **AMERICAN AIRLINES**
✆ 0 826 460 950
www.americanairlines.fr
La compagnie propose de nombreuses solutions pour rejoindre le Canada au départ de Paris. Vous trouverez ainsi des vols quotidiens pour Montréal, Toronto, Ottawa et Vancouver.

■ **US AIRWAYS**
✆ 0 810 63 22 22
www.usairways.com
Depuis Paris, US Airways propose des vols quotidiens pour Montréal, Ottawa et Toronto, via Philadelphie.

Les sites comparateurs

Ces sites vous aideront à trouver des billets d'avion au meilleur prix. Certains d'entre eux comparent les prix des compagnies régulières et low-cost. Vous trouverez des vols secs (transport aérien vendu seul, sans autres prestations) au meilleur prix.

■ **EASY VOLS**
www.easyvols.fr

■ **JET COST**
www.jetcost.com

■ **TERMINAL A**
www.terminalA.com

Location de voiture

■ **ALAMO – RENT A CAR – NATIONAL CITER**
✆ 0 825 16 22 10 – 0 891 700 200
www.alamo.fr
Depuis près de 30 ans, Alamo Rent a Car est l'un des acteurs les plus importants de la location de véhicules. Actuellement, Alamo possède plus de 180 000 véhicules au service de 15 millions de voyageurs chaque année, répartis dans 1 248 agences implantées dans 43 pays. Des tarifs spécifiques sont proposés, comme Alamo Gold, le forfait de location de voiture tout compris incluant les assurances, les taxes, les frais d'aéroport, le plein d'essence et les conducteurs supplémentaires. Rent a Car et National Citer font partie du même groupe qu'Alamo.

■ **AUTO ESCAPE**
✆ 0 892 46 46 10 – 04 90 09 51 87
www.autoescape.com
En ville, à la gare ou dès votre descente d'avion. Cette compagnie qui réserve de gros volumes auprès des grandes compagnies de location de voitures vous fait bénéficier de ses tarifs négociés. Grande flexibilité. Pas de frais de dossier, pas de frais d'annulation, même à la dernière minute. Des informations et des conseils précieux, en particulier sur les assurances.

■ **AUTO EUROPE**
✆ 0 800 940 557
www.autoeurope.fr
Réservez en toute simplicité sur plus de 4 000 stations dans le monde entier. Auto Europe négocie toute l'année des tarifs privilégiés auprès des loueurs internationaux et locaux afin de proposer à ses clients des prix compétitifs. Les conditions Auto Europe : le kilométrage illimité, les assurances et taxes incluses dans de tout petits prix et des surclassements gratuits pour certaines destinations.

■ **AVIS**
✆ 0 820 05 05 05
www.avis.fr
Avis a installé ses équipes dans plus de 5 000 agences réparties dans 163 pays. De la simple réservation d'une journée à plus d'une semaine, Avis s'engage sur plusieurs critères, sans doute les plus importants. Proposition d'assurance, large choix de véhicules de l'économique au prestige avec un système de réservation rapide et efficace.

■ **BSP AUTO**
✆ 01 43 46 20 74
Fax : 01 43 46 20 71
www.bsp-auto.com
La plus importante sélection de grands loueurs dans les gares, aéroports et centres-villes. Les prix proposés sont les plus compétitifs du marché. Les tarifs comprennent toujours le kilométrage illimité et les assurances. Les bonus BSP : réservez dès maintenant et payez seulement 5 jours avant la prise de votre véhicule, pas de frais de dossier ni d'annulation, la moins chère des options zéro franchise.

■ **BUDGET FRANCE**
✆ 0 825 00 35 64
Fax : 01 70 99 35 95
www.budget.fr
Budget France est le troisième loueur mondial, avec 3 200 points de vente dans 120 pays. Le site www.budget.fr propose également des promotions temporaires. Si vous êtes jeune conducteur et que vous avez moins de 25 ans, vous devrez obligatoirement payer une surcharge.

■ **ELOCATIONDEVOITURES**
✆ 0 800 942 768
www.elocationdevoitures.fr
Vous avez la possibilité de louer votre voiture moyennant une caution et de ne rien payer de plus jusqu'à quatre semaines avant la prise en charge. Il n'y a pas de frais d'annulation, ni de frais de carte de crédit, ni de frais de modification.

■ **EUROPCAR FRANCE**
✆ 0 825 358 358
Fax : 01 30 44 12 79
www.europcar.fr
Chez Europcar, vous aurez un large choix de tarifs et de véhicules : économiques, utilitaires, camping-cars, prestige, et même rétro. Vous pouvez réserver votre voiture via le site Internet et voir les catégories disponibles à l'aéroport – il faut se baser sur une catégorie B, les A étant souvent indisponibles.

■ **HERTZ**
✆ 0 810 347 347 – www.hertz.com
Vous pouvez obtenir différentes réductions si vous possédez la carte Hertz ou celle d'un partenaire Hertz. Le prix de la location comprend un kilométrage illimité, des assurances en option, ainsi que des frais si vous êtes jeune conducteur. Toutes les gammes de voitures sont représentées.

■ **HOLIDAY AUTOS FRANCE**
✆ 0 892 39 02 02 – www.holidayautos.fr
www.holidayautos.fr
Avec plus de 4 500 stations dans 87 pays, Holiday Autos vous offre une large gamme de véhicules allant de la petite voiture économique au grand break. Holiday Autos dispose également de voitures plus ludiques telles que les 4X4 et les décapotables.

LOCATIONDEVOITURE.FR
✆ 0 800 73 33 33
✆ 01 73 79 33 32
www.locationdevoiture.fr
Notre coup de cœur ! Le site compare toutes les offres de 8 courtiers en location de voitures, des citadines aux monospaces en passant par les cabriolets et 4x4. Vous avez le choix parmi 6 123 villes différentes réparties dans 130 pays. En plus du prix, l'évaluation de l'assurance et les avis clients sont affichés pour chacune des offres. Plus qu'un simple comparateur, vous pouvez réserver en ligne ou par téléphone. En outre, le site propose des circuits en voiture dans chaque pays, remplissant ainsi parfaitement son rôle d'agence de voyage. C'est la garantie du prix et du service !

■ **SIXT**
✆ 0 820 00 74 98
www.sixt.fr
Fournisseur de mobilité n° 1 en Europe, Sixt est présent dans plus de 3 500 agences réparties dans 50 pays. Cette agence de location vous propose une gamme variée de véhicules (utilitaires, cabriolets, 4X4, limousines...) aux meilleurs prix.

SÉJOURNER

Se loger

Au Canada, les formules d'hébergement sont nombreuses, allant de l'hôtel classique au ranch ou au chalet, en passant par les B&B, les motels, les grandes chaînes internationales, les auberges de jeunesse, les Gîtes du Passant et les campings.Les bureaux du tourisme du pays distribuent gratuitement des listes d'établissements avec leurs tarifs, adresses, numéros de téléphone et services proposés. Il est conseillé de réserver, surtout en été.

Hôtels

▶ **Grandes chaînes.** Dans les grandes villes et lieux de séjour : Best Western, Delta, Gouverneur, Holiday Inn, Radisson, etc. Compter entre 99 CAN $ (standard) et 170 CAN $, voire plus (luxe).

▶ **Hôtels et motels.** Le long des grandes routes et sur les voies d'accès aux villes : Comfort Inn, Quality Hotel et Suites, Days Inn. Compter environ 90 CAN $ pour une chambre standard.N'oubliez pas qu'à partir de trois personnes, le prix d'un motel (environ 75 CAN $) est avantageux et qu'à quatre, les motels peuvent être moins chers que les auberges de jeunesse. On les trouve dans chaque village de campagne.

Chambres d'hôtes

Plutôt que d'aller à l'hôtel, souvent impersonnel, il est plus sympathique de loger chez l'habitant dans les Bed & Breakfast, appelés « couette et café » au Québec, où le petit déjeuner vous sera servi dans une ambiance plus conviviale. Les Gîtes du Passant ne sont pas une appellation générale, mais une enseigne pour des chambres d'hôtes, situées à la ville comme à la campagne et offrant toute une gamme de confort (65 à 90 CAN $ la chambre double avec petit déjeuner). Le réseau de ces gîtes est régulièrement contrôlé. Au Québec, par exemple, c'est l'Association de l'agrotourisme et du tourisme gourmand qui attribue cette enseigne (www.terroiret-saveurs.com).

Auberges de jeunesse

■ **HOSTELLING INTERNATIONAL CANADA**
✆ +1 800 663 5777
www.hihostels.ca – info@hihostels.ca
Cette association propose aux voyageurs de tout âge un réseau d'étapes bon marché (environ 30 CAN $ la nuit pour une personne en chambre partagée), la plupart situées à proximité des sites touristiques. De l'auberge multi-services au coeur de la ville au relais rustique en forêt, vous trouverez chaussure à votre pied. Pour y séjourner, il faut être en possession de la carte internationale des auberges de jeunesse. Le cas échéant, vous payerez le tarif non-membre.

Campings

Il y en a partout, des privés et des publics. Vous pouvez camper dans la plupart des parcs provinciaux et nationaux, et des réserves fauniques (s'y prendre tôt). Un emplacement vous coûtera entre 18 et 40 CAN $ selon les services offerts. Chaque emplacement, strictement délimité, dispose d'une table et d'un foyer pour faire un feu de bois (bois vendu à l'accueil du camping). La plupart des campings mettent à disposition une buanderie et des salles communautaires où l'on peut manger, faire sa cuisine et sa vaisselle en cas d'intempérie. Attention : il est interdit de faire des feux dehors. Toutefois, il est possible d'allumer des feux dans les parcs et campings dans les foyers prévus à cet effet et il faut les éteindre en partant ou avant d'aller se coucher.

▶ **Pour plus de renseignements sur les sites à travers le Canada :** www.accesscamping.com.

▶ **Au Québec,** vous pouvez vous adresser à la Fédération québécoise de camping : www.campingquebec.com. Cette dernière propose le *Guide du camping au Québec* (gratuit), disponible dans les offices du tourisme.

▶ **Pour camper dans les parcs provinciaux ou dans les réserves fauniques,** réservation requise. Pour les parcs gérés par Parcs Canada : communiquer directement avec chacun de parcs.

Bons plans

▶ **Universités et CÉGEP/Collèges.** Pendant les vacances d'été, certains établissements louent des chambres privées ou dortoirs pour une somme modique. Il est conseillé de réserver à l'avance. Renseignez-vous auprès des offices du tourisme.

■ **WOODDING**
www.woodding.com
Le woodding est un moyen de voyager dans le monde pour pas cher. L'inscription est gratuite. Vous aurez ensuite accès à un annuaire d'hôtes susceptibles de vous héberger en échange d'aides diverses que vous apporterez à leur maison ou à leur ferme quelques heures par jour. Pas d'argent à dépenser sauf pour vos loisirs !

Se déplacer

Avion

Le Canada possède des aéroports internationaux comme Vancouver, Calgary, Edmonton, Winnipeg, Toronto et Montréal, mais aussi de nombreux aéroports régionaux dans la plupart des principales villes.

■ **AIR CANADA – JAZZ**
✆ +1 888 247 2262
wwww.aircanada.com – www.flyjazz.ca
La plus grande compagnie aérienne desservant pratiquement toutes les destinations au pays.

■ **AIR CREEBEC**
✆ +1 819 825 8375 – + 1 800 567 6567
www.aircreebec.ca
reservation@aircreebec.ca
Dessert le Nord québécois et ontarien.

■ **AIR INUIT**
✆ +1 800 361 2965
www.airinuit.com
info@airinuit.com
De Montréal et Québec à La Grande et aux municipalités du Nunavik. Départs de Sept-Îles vers le Nunavik.

■ **AIR LABRADOR**
✆ +1 800 563 3042
www.airlabrador.com
info@airlabrador.com
Air Labrador dessert plusieurs municipalités du Labrador, de la Côte-Nord – Basse-Côte-Nord au Québec et St. Anthony à Terre-neuve.

■ **BEARSKIN AIRLINES**
✆ +1 800 465 2327
www.bearskinairlines.com
Dessert plusieurs villes de l'Ontario et du Manitoba. Au Québec, seule Montréal est desservie.

■ **FIRST AIR**
✆ +1 800 267 1247
www.firstair.ca – reservations@firstair.ca
Dessert le Nunavik ainsi que le Nunavut et les Territoires du Nord-Ouest. Départs offerts de Edmonton, Winnipeg, Ottawa et Montréal.

■ **PASCAN AVIATION**
✆ +1 888 885 8777
www.pascan.com
reservations@pascan.com
Compagnie aérienne qui dessert plusieurs villes du Québec : Alma, Bagotville – Saguenay, Baie-Comeau, Bonaventure, Gatineau – Ottawa, Havre St-Pierre, Îles-de-la-Madeleine, Mont-Joli, Québec, Roberval, Rouyn-Noranda, Sept-Îles, Montréal (Saint-Hubert), Val-d'Or, et Wabush – Fermont.

■ **PORTER AIRLINES**
✆ +1 416 619 8622 – +1 888 619 8622
www.flyporter.com
Dessert plusieurs villes de l'Est du pays et offre des liaisons vers les États-Unis (New York, Boston, Chicago et Myrtle Beach).

■ **PROVINCIAL AIRLINES**
✆ +1 709 576 1666 – +1 800 563 2800
www.provincialairlines.com
reservationsagents@provair.com
Cette compagnie offre des liaisons depuis le Québec et Terre-Neuve vers le Labrador. Les municipalités du nord du Labrador sont desservies par son partenaire, Innu Mikun Airlines (réservations via Provincial Airlines).

■ **WESTJET**
✆ +1 888 937 8538 – www.westjet.com
Compagnie charter desservant l'intérieur du pays, les États-Unis, le Mexique et les Caraïbes.

Bateau

Il existe d'innombrables compagnies de traversiers (ferry) au Canada. Vous retrouverez toute l'information à ce sujet dans les localités concernées, rubrique Transport, ainsi que dans les introductions de chaque province. Pensez toutefois à réserver à l'avance afin de ne pas avoir de mauvaises surprises à l'embarquement.

Bus

La compagnie Greyhound couvre la majeure partie du pays mais plusieurs provinces ont également leurs propres lignes d'autocars comme, par exemple, en Colombie-Brintannique (BC Transit), en Saskatchewan (STC Bus), en Ontario (Coach Canada), au Québec (Orléans Express, Intercar, Transdev Limocar) et dans les provinces atlantiques (Acadian). Vous retrouverez toute l'information à ce sujet dans les localités concernées, rubrique « Transports », ainsi que dans les introductions de chaque province.

■ **GREYHOUND**
✆ +1 800 661 8747 – www.greyhound.ca
C'est la principale compagnie au Canada et elle dessert également les États-Unis. Elle se rend jusqu'à Montréal mais n'assure aucun service dans la province de Québec.

Train

■ **AMTRAK**
✆ +1 800 872 7245
www.amtrak.com
Compagnie ferroviaire américaine assurant notamment les liaisons entre les États-Unis et le Canada (quelques gares en Colombie-Britannique, en Ontario et au Québec). Il faut réserver à l'avance.

■ **ROCKY MOUNTAINEER**
✆ +1 604 606 7245 – +1 877 460 3200
www.rockymountaineer.com
reservations@rockymountaineer.com

Cette compagnie ferroviaire dessert l'Ouest canadien et propose des circuits touristiques et des forfaits de mi-avril à mi-octobre. Une belle manière de découvrir les Rocheuses canadiennes !

■ **VIA RAIL CANADA**
✆ +1 888 842 7245
www.viarail.ca
Le train relie le Canada d'est en ouest. VIA Rail propose des tarifs corrects pour un confort satisfaisant (sièges larges, service de repas et de boissons, couchettes pour les longs trajets). Des forfaits sont également proposés.La carte « Canrailpass Réseau » donne droit à 7 allers simples à travers le pays, en classe économique, au cours d'une période de 21 jours. Le coût varie de 606 à 1 114 CAN $ pour un adulte, selon la saison et la date d'achat. Possibilité d'acheter une carte « Canrailpass Corridor » qui offre 7 allers simples sur une période de 10 jours, pour le corridor Québec-Windsor (adulte : 347 à 479 CAN $ en classe économique).Notez qu'il est possible de descendre ou de monter exactement où vous le désirez, même à un endroit ou il n'y a aucun arrêt prévu. Il suffit de réserver son billet au moins 48h à l'avance en indiquant le millage ferroviaire exact de l'arrêt voulu. L'option idéale pour ceux qui désirent vivre une expérience de plein air au beau milieu des grands espaces !

Voiture

Pour une longue durée, l'achat d'une voiture est tout indiqué. Il est possible de trouver des véhicules fiables à très bas prix (la moitié des prix français). Mais ceux qui prévoient de revendre en Californie ou dans l'Ouest canadien une voiture achetée au Québec doivent s'attendre à quelques difficultés. Le sel et les mauvaises conditions climatiques qui endommagent les carrosseries donnent à ces véhicules une mauvaise réputation.

▸ **Conseil futé.** Une adhésion à l'Automobile Club (Association française des automobilistes) n'est pas dénuée d'intérêt. On se portera à votre secours en cas d'ennui mécanique ou même de simple panne d'essence et on vous fournira en toute occasion cartes, atlas routiers et conseils.

▸ **Formalités.** Si vous avez l'âge requis (21 ans, parfois 25 ans) et le permis de conduire français rose à trois volets depuis au moins un an, vous pouvez louer une voiture

© ISTOCKPHOTO.COM/EYEBEX

Alaska Highway en direction du Kluane National Park.

(carte de crédit uniquement) pour un séjour touristique inférieur à 90 jours (pour les séjours de plus de trois mois, le permis de conduire international est exigé). L'assurance automobile est obligatoire. Ne circulez jamais sans votre permis, les papiers de la voiture et le contrat de location

▸ **Essence.** L'essence (sans plomb) se vend au litre et son prix varie selon les marques (Ultramar, Pétro-Canada, Shell, Esso...) et d'une région à l'autre (compter entre 1,10 et 1,35 CAN $ le litre en date de juillet 2011). Les stations-service sont nombreuses, sauf dans les régions isolées.

▸ **Autoroutes et routes.** L'autoroute Transcanadienne, symbolisée par une feuille d'érable, traverse tout le Canada. La chaussée des autoroutes est généralement bien entretenue mais dans le nord, les routes ne sont pas toujours revêtues. En hiver, elles sont généralement déblayées mais la conduite demande des réflexes particuliers et les pneus-neige sont dorénavant obligatoires. L'autoroute est gratuite. La limitation de vitesse est de 100 km/h sur les autoroutes, de 90 km/h sur les routes régionales et de 50 km/h (parfois moins) en ville. Le port de la ceinture de sécurité est obligatoire pour tous les passagers et le siège-auto pour les plus jeunes. Le taux maximal d'alcoolémie toléré est de 0,08 g/l, la conduite avec des facultés amoindries mène à l'amende, voire plus (contrôles fréquents). Les permis de conduire français, belge et suisse sont valables trois mois.

▶ **Code de la route et signalisation.** Il est sensiblement le même qu'en Europe. La conduite se fait à droite. Le sens unique est indiqué par une flèche pointant vers la direction autorisée. Les feux de circulation sont placés de l'autre côté de l'intersection des rues et l'arrêt doit être complet. De la même manière, les panneaux « arrêt – stop » aux quatre coins des carrefours doivent être respectés. Il n'y a pas de priorité à droite au Québec : la priorité échoit au premier arrivé. Il est permis de tourner à droite au feu rouge partout sauf à Montréal au Québec, ou dans le cas où un panneau indique que c'est interdit. L'arrêt total est également obligatoire lorsqu'on suit ou qu'on croise un bus scolaire (presque toujours jaune) arrêté dont les clignotants rouges fonctionnent. Au feu de circulation, priorité au sens de la flèche lumineuse verte qui indique dans quelle direction on peut rouler (parfois bon pour les virages à droite). On ne peut garer son véhicule que dans le sens de la circulation. Sur les routes étroites, il faut utiliser les aires sur le bord de la route, pour laisser passer les véhicules plus rapides. Les limitations de vitesse draconiennes sont tout à fait justifiées sur les routes côtières. Attention aux énormes camions qui roulent toujours à la vitesse maximale...

▶ **Stationnement.** Dans le Canada français, on emploie le terme de stationnement et non de parking. En ville, se garer est souvent difficile et, avant d'arrêter son véhicule, il faut lire parfois trois ou quatre panneaux pour savoir si l'on est sur le bon trottoir, dans la bonne tranche horaire et ainsi éviter la contravention (au moins 42 CAN $) ou pire, la mise en fourrière ! Les parcomètres sont voraces de pièces de 25 cents ou de 1 CAN $. Heureusement, les parcomètres sont peu à peu remplacés par des bornes qui acceptent les cartes de crédit. En région, pas de problème. Attention : il est formellement interdit de stationner devant une borne d'incendie ! En cas d'erreur, soyez assuré que vous aurez, dans les 5 minutes suivantes, votre contravention.Les villes sont quadrillées et surveillées en permanence. Les petites voitures municipales tournent sans cesse et celles de la police stationnent au coin des rues, munies de radars. Attention, la vitesse en ville est limitée à 50 km/h : si vous dépassez cette limitation, gare à l'addition.

▶ **Camping-car.** Pour partir en famille ou à plusieurs, le camping-car (ou motorhome) peut être une bonne solution. Il est fortement conseillé de le réserver plusieurs semaines avant le départ auprès d'une agence de voyages. Nombreuses formules : circuit en boucle, trajet simple, kilométrage illimité ou non. Permis international exigé le plus souvent.

■ **CAA – SERVICE ROUTIER D'URGENCE**
✆ +1 800 222 4357
www.caa.ca
Services pour les membres des clubs automobiles seulement : remorquage, déverrouillage des portes, survoltage... Si vous possédez un téléphone mobile canadien, composez directement *222.

Taxi

Dans les grandes villes, on peut héler les taxis dans la rue. Cependant, l'usage est de les demander par téléphone. Le compteur commence à tourner quand le véhicule démarre avec vous à bord, pas avant. Dans les aéroports, les gares ferroviaires et routières, ils sont disponibles immédiatement. Prix de la course en fonction de la distance et n'oubliez pas le pourboire (15 %).

Deux-roues

Malgré les distances, les cyclistes sont de plus en plus nombreux à sillonner les routes. Parfois, et pas seulement dans les villes, une voie spéciale leur est réservée. La Route Verte offre quelque 4 300 km de voies cyclables reliant pratiquement toutes les régions du Québec, tandis que le Sentier Transcanadien traverse d'est en ouest tout le pays, et même le Nord. Pour l'instant, le 3/4 du parcours total de 22 000 km est complété.

▶ **www.routeverte.com**

▶ **www.tctrail.ca**

Auto-stop

Le stop au Québec, (faire du pouce) est efficace et le plus souvent agréable. Formellement interdit sur les autoroutes, c'est un bon moyen pour rencontrer des gens du cru mais, en raison des grandes distances, votre tâche sera ardue. Les panneaux d'affichage des universités et des auberges de jeunesse regorgent de propositions de voyages. C'est une des façons les plus économiques de se déplacer. Au Québec, deux systèmes centralisés de covoiturage existent : Allo-Stop et Amigo Express. Moyennant un modeste abonnement, on vous met en relation avec des personnes désireuses de prendre des passagers pour une destination et à un moment donné, en échange d'une contribution aux coûts du transport.

■ **ASSOCIATION IMMIGRANT QUÉBEC**
www.immigrantquebec.com
Association gérée par des immigrants qui informent les futurs et nouveaux arrivants sur le Québec.

■ **CITOYENNETÉ ET IMMIGRATION CANADA**
www.cic.gc.ca
Informations sur l'immigration au Canada.

■ **IMMIGRATION-QUÉBEC**
www.immigration-quebec.gouv.qc.ca
Informations sur l'immigration au Québec.

Étudier

Il existe des ententes entre les universités françaises et québécoises (renseignez-vous auprès de votre fac). Visitez le site Internet de la CREPUQ (Conférence des recteurs et des principaux des universités du Québec) pour plus d'informations sur les échanges étudiants (www.crepuq.qc.ca). Pour l'ensemble du pays, le site de l'ambassade canadienne vous donnera également des détails à ce sujet (www.canadainternational.gc.ca/france/). Pour étudier ou poursuivre vos études supérieures, il vous faut prendre contact avec le service des relations internationales de votre université. Préparez-vous alors à des démarches longues. Mais le résultat d'un semestre ou d'une année à l'étranger vous fera oublier ces désagréments tant c'est une expérience personnelle et universitaire enrichissante. C'est aussi un atout précieux à mentionner sur votre CV.

■ **AGENCE POUR L'ENSEIGNEMENT FRANÇAIS À L'ÉTRANGER**
19-21, rue du Colonel Pierre Avia
Paris (15e) ✆ 01 53 69 30 90
www.aefe.fr
Sous la tutelle du ministère des Affaires étrangères, l'AEFE est chargée de l'animation de plus de 250 établissements à travers le monde.

▸ **Autre adresse :** 1, allée Baco, BP 21509 – 44015 Nantes Cedex 1 ✆ 02 51 77 29 03

■ **CIDJ**
www.cidj.asso.fr
La rubrique « Partir en Europe » sur le serveur du C.I.D.J. fournit des informations pratiques aux étudiants qui ont pour projet d'aller étudier à l'étranger.

■ **CONSEIL DE L'EUROPE**
www.egide.asso.fr
Rubrique sur le programme BFE (boursiers français à l'étranger). Obtenir une bourse d'études supérieures à l'étranger.

Maison dans la région Chaudière-Appalaches.

■ **COOPÉRATION ÉDUCATIVE EUROPÉENNE**
www.europa.eu.int

■ **ÉDUCATION NATIONALE**
www.education.gouv.fr
Sur le serveur du ministère de l'Education nationale, une rubrique « International » regroupe les informations essentielles sur la dimension européenne et internationale de l'éducation.

■ **MINISTÈRE DES AFFAIRES ÉTRANGÈRES**
www.diplomatie.gouv.fr
Les informations mises à disposition dans l'espace culturel du serveur du ministère des Affaires étrangères sont également précieuses.

Investir

Vous désirez créer une entreprise au Canada ? Vous êtes déjà propriétaire d'une entreprise qui désire prendre de l'expansion ? Petites, moyennes, grandes entreprises ou gens d'affaires immigrants, sachez que les gouvernements du Canada et du Québec vous soutiennent dans vos démarches. Accords commerciaux, fiscalité, finances, structures juridiques, permis de travail, découvrez toutes les possibilités d'affaires au pays.

■ **CHAMBRE DE COMMERCE FRANÇAISE AU CANADA**
1819, boulevard René-Lévesque Ouest, bureau 202, Montréal
✆ +1 514 281 1246
Fax : +1 514 289 9594
www.ccfcmtl.ca
info@ccfcmtl.ca

■ **INDUSTRIE CANADA**
✆ +1 613 954 5031
✆ +1 800 328 6189
Fax : +1 613 954 2340
www.ic.gc.ca
info@ic.gc.ca
Portail du gouvernement canadien sur le commerce et l'investissement.

■ **INVESTISSEMENT QUÉBEC**
✆ +1 866 870 0437
www.investquebec.com
Plusieurs bureaux en Amérique du Nord et un à Paris à la Délégation générale du Québec.
Site d'investissement au Québec, institution financière et agence de développement économique.

■ **MISSION ÉCONOMIQUE – UBIFRANCE**
1501, McGill College, bureau 1120
Montréal ✆ +1 514 670 4000
www.ubifrance.fr – canada@ubifrance.fr
Forte d'une équipe biculturelle d'une trentaine de professionnels de l'export répartis sur trois sites (Toronto, Montréal et Vancouver), la Mission économique - UBIFRANCE Canada accompagne les entreprises françaises dans leurs projets de développement sur le marché canadien.

Travailler – Trouver un stage

■ **ASSOCIATION QUÉBEC-FRANCE**
24, rue Modigliani, Paris (15e)
✆ 01 45 54 35 37
www.france-quebec.asso.fr
fq_accueil@francequebec.fr
Le siège national est fermé au public. Divers programmes : emplois d'été intermunicipalités, stages personnalisés.

■ **ASSOCIATION TELI**
2, chemin de Golemme, Seynod
✆ 04 50 52 26 58 – www.teli.asso.fr
Le Club TELI est une association loi 1901 sans but lucratif d'aide à la mobilité internationale créée il y a 16 ans. Elle compte plus de 4 100 adhérents en France et dans 35 pays. Si vous souhaitez vous rendre à l'étranger, quel que soit votre projet, vous découvrirez avec le Club TELI des infos et des offres de stages, de jobs d'été et de travail pour francophones.

■ **BUREAU INTERNATIONAL JEUNESSE**
18, rue du Commerce, Bruxelles
✆ +32 2 219 09 06 – +32 800 25 180
www.lebij.be
Trois programmes avec le Québec : cursus, curriculum et contact.

■ **CAPCAMPUS**
www.capcampus.com
Capcampus est le premier portail étudiant sur le Net en France et possède une rubrique spécialement dédiée aux stages, dans laquelle vous trouverez aussi des offres pour l'étranger. Mais le site propose également toutes les informations pratiques pour bien préparer votre départ et votre séjour à l'étranger.

■ **EXPÉRIENCE INTERNATIONALE CANADA**
www.canadainternational.gc.ca/france/
Plusieurs programmes existent entre le Canada et la France, mais aussi avec la Belgique et la Suisse notamment : programme Vacances-

© ONEWO

Revelstoke Court House.

Travail, jeunes professionnels, stage, job d'été pour étudiants. Expérience Internationale Canada est un service mis en place et géré par l'ambassade du Canada à Paris.

■ **MAISON DES FRANÇAIS DE L'ÉTRANGER**
48, rue de Javel, Paris (15e)
✆ 01 43 17 60 79
www.mfe.org
mfe@mfe.org
La Maison des Français de l'étranger (MFE) est un service du ministère des Affaires étrangères qui a pour mission d'informer tous les Français envisageant de partir vivre ou travailler à l'étranger et propose le *Livret du Français à l'étranger* et 80 dossiers qui présentent le pays dans sa généralité et abordent tous les thèmes importants de l'expatriation (protection sociale, emploi, fiscalité, enseignement, etc.). Egalement consultables : des guides, revues et listes d'entreprises et, dans l'espace multimédia, tous les sites Internet ayant trait à la mobilité internationale.

■ **OFFICE FRANCO-QUÉBÉCOIS POUR LA JEUNESSE**
11, passage de l'Aqueduc
Saint-Denis
✆ 01 49 33 28 50
www.ofqj.org
info@ofqj.org
L'OFQJ accompagne et oriente les jeunes âgés de 18 à 35 ans dans leurs démarches de mobilité au Québec.

■ **RECRUTEMENT INTERNATIONAL**
www.recrutement-international.com
Site spécialisé dans les offres d'emploi à l'étranger, le recrutement international, les carrières internationales, les jobs et stages à l'international.

■ **VOLONTARIAT INTERNATIONAL**
www.civiweb.com
Si vous avez entre 18 et 28 ans et êtes ressortissant de l'Espace économique européen, vous pouvez partir en volontariat international en entreprise (VIE) ou en administration (VIA). Il s'agit d'un contrat de 6 à 24 mois rémunéré et placé sous la tutelle de l'ambassade de France. Tous les métiers sont concernés et vous bénéficiez d'un statut public protecteur. Offres sur le site Internet.

■ **WEP FRANCE**
81, rue de la République, Lyon (2e)
✆ 04 72 40 40 04
www.wep-france.org – info@wep.fr
Wep propose plus de 50 projets éducatifs originaux dans plus de 30 pays, de 1 semaine à 18 mois. Année scolaire à l'étranger, programmes combinés (1 semestre scolaire avec 1 projet humanitaire ou 1 chantier nature ou 1 vacances travail), projets humanitaires mais également stages en entreprise en Europe, Australie, Nouvelle-Zélande, Canada et Etats-Unis, et Jobs & Travel (visa vacances travail) en Australie et Nouvelle-Zélande : voici un petit aperçu des nombreuses possibilités disponibles.

Index

A

B

C

D

E

F

G

H

I

J

K

L

O

P